# L'ENCYCLOPÉDIE
# DU
# CANADA FRANÇAIS

## - IV -

# L'ENCYCLOPÉDIE DU CANADA FRANÇAIS

# LES
# CANADIENS
# FRANÇAIS
*de 1760 à nos jours*

La publication de cet ouvrage a été rendue possible grâce à une subvention du Ministère des Affaires Culturelles du Québec ».

Le Cercle du Livre de France remercie *The Macmillan Company of Canada Limited* d'avoir bien voulu mettre à sa disposition les séries d'illustrations destinées à la présente édition de l'ouvrage *Les Canadiens français*. Ces illustrations parurent d'abord dans l'édition anglaise publiée par *Macmillan* en 1955.

Pour
J. B. B.

IL A ÉTÉ TIRÉ DE CET OUVRAGE 10 EXEMPLAIRES
HORS-COMMERCE NUMÉROTÉS DE 1 À 10 ET, EN
ÉDITION DE LUXE, 100 EXEMPLAIRES NUMÉROTÉS
DE 1 À C CONSTITUANT L'ÉDITION ORIGINALE.

EXEMPLAIRE No

2ème édition revue mise à jour

# MASON WADE

# LES CANADIENS FRANÇAIS

*de 1760 à nos jours*

### TOME II
### (1911-1963)

*traduit de l'anglais par*
## ADRIEN VENNE

*avec le concours de*
FRANCIS DUFAU-LABEYRIE

*LE CERCLE*
*DU LIVRE*
*DE FRANCE*

# SIGLES ET ABRÉVIATIONS

AAQ : Archives de l'Archidiocèse de Québec

APC : Archives Publiques du Canada

ASL : Archives Seigneuriales de Lotbinière, Leclercville, Québec

ASTR : Archives du Séminaire de Trois-Rivières

*AWOL* : *Absent without leave* (Absent sans permission)

BIP : Bureau d'Information de la Presse, Montréal

BM de M : Bibliothèque Municipale de Montréal

*BNA Act* : *British North-America Act* : Acte de l'Amérique britannique
 du Nord

BSt-S : Bibliothèque Saint-Sulpice, Montréal

*Can. An. Rev.* : *The Canadian Annual Review*

*CAR* : *Canadian Archives Report*

*CHAR* : *Canadian Historical Association Report*

*CHR* : *Canadian Historical Review*

*CJEPS* : *Canadian Journal of Economics & Political Science*

IOAPQ : Inventaire des Œuvres Artistiques de la Province de Québec

LMRN : Loi de Mobilisation des Ressources Nationales

*LOC* : *Library of Congress*

MSHLQ : Mémoires de la Société Historique et Littéraire du Québec

MSRC : Mémoires de la Société Royale du Canada

*NRMA* : *National Resources Mobilization Act*

*NYPL* : *New York Public Library*

*PAC* : *Public Archives of Canada*

*PIB* : *Press Information Bureau, Montreal*

*QLHS* : *Quebec Literary & Historical Society*

*QLHST* : *Quebec Literary & Historical Society Transactions*

RAC : Rapport des Archives du Canada

RAPC : Rapport des Archives Publiques du Canada

RAPQ : Rapport des Archives de la Province de Québec

SHLQ : Société Historique et Littéraire du Québec

*RSCT* : *Royal Society of Canada Transactions*

\* \* \*

Les bibliographies et commentaires figurent à la fin de chaque chapitre.

# CHAPITRE XI

# LUTTE EN ONTARIO ET GUERRE EN FRANCE

## (1911-1916)

C'était un nouveau Québec plus grand, qui faisait face à l'avenir en 1911, dans un isolement plutôt triste après avoir causé la chute du premier Canadien français qui eût été premier ministre du Canada. Sa population s'était accrue depuis 1901 de 1 648 898 à 2 005 776 âmes. Une région qui était presqu'aux deux tiers rurale en 1891 était maintenant presqu'à demi urbaine. [1] Ces changements furent causés surtout par la rapide croissance du plus grand Montréal où habitait maintenant un quart de la population de la province. Ils reflétaient l'effet de la révolution industrielle sur le Québec, puisque la croissance de Montréal était due à sa situation de capitale industrielle et financière du dominion. La ville était le siège de huit banques contrôlant les deux tiers de tout le capital bancaire canadien et de deux réseaux de chemins de fer. [2] Les grandes usines Angus du Canadien-Pacifique, les industries de la chaussure et du vêtement qui se développaient rapidement, le port enfin qui détenait un monopole toujours plus ferme du commerce du Saint-Laurent, tout concourait à faire de Montréal un aimant qui attirait le surplus de la population rurale. Malgré l'exode des campagnes vers la ville, la production agricole doubla de 1895 à 1910, à mesure que s'amélioraient les méthodes de culture. [3]

Montréal était devenue cosmopolite plutôt que plus française. Sa minorité anglaise qui contrôlait la majeure partie des grands établissements industriels et financiers, construisit la ville attenante de Westmount, anglaise, où elle pouvait oublier qu'elle vivait dans l'une des plus grandes villes françaises du monde. La haute société française quitta les quartiers de Place Viger et Saint-Denis pour s'installer dans la nouvelle ville attenante d'Outremont. Les faubourgs des classes laborieuses, Maisonneuve, Verdun, Lachine et Montréal-Est s'étendirent ou commencèrent à se développer rapidement. En même temps, les vieux quartiers devenaient les centres de groupes d'immigrants juifs, polonais, chinois et italiens. Parmi les nouveaux venus, un petit nombre seulement de Français et de Belges s'assimilèrent aux Canadiens français et furent donc les bienvenus. Le ressentiment contre les Juifs grandissait. Leur population d'âge scolaire avait passé de 1 500 en 1901 à 5 900 en 1911, [4] en partie parce qu'ils accaparaient toujours davantage l'industrie du vêtement et les petites entreprises qui avaient été laissées aux Canadiens français par la domination anglaise et américaine des grandes entreprises. En effet, en 1907, il y avait 150 succursales d'usines américaines établies dans la province et les investissements américains y étaient considérables. [5] Les grandes entreprises, largement intégrées dans une économie continentale, indépendamment de leur appartenance, tendaient à donner à la ville un air de plus en plus américain.

La croissance de Québec n'avait pas été comparable à celle de Montréal. Sa population ne s'était accrue que de 10 000 au cours des dix premières années du siècle [6] et ses 78 000 habitants auraient été perdus au milieu du demi-million de Montréalais. Son industrie de construction navale était morte. A mesure que s'amélioraient le chenal du Saint-Laurent et les installations portuaires de Montréal, les cargos avaient tendance à ne plus s'arrêter à Québec et à remonter jusqu'à Montréal. L'industrie québecoise de la chaussure fut transférée en grande partie à Montréal et celle du coton à Trois-Rivières. La manufacture *Dominion Corset* de G.-E. Amyot, incendiée en mai 1911 et remplacée avant la fin de la même année par une nouvelle, plus grande et plus moderne, était la seule exception dans un tableau général de stagnation industrielle. Hull, capitale industrielle des vallées de l'Ottawa et de la Gatineau, prospéra par ses industries du bois et augmenta sa population de moitié dans la première décennie du siècle. Sherbrooke, centre industriel des Cantons de l'Est, fit de même, grâce à ses industries textiles. Trois-Rivières, en grande partie brûlée en 1908, augmenta pourtant sa population d'un tiers et devint le chef-lieu de la région du Saint-Maurice, qui se développait rapidement. Ses industries de pâte à papier et de papier contribuèrent notablement aux 10 pour cent canadiens de l'approvisionnement américain en papier-journal. L'interdiction d'exporter la pâte à papier amena la fondation de papeteries à Trois-Rivières où se développa aussi une industrie prospère du coton. En amont du Saint-Maurice, la ville industrielle de Grand'Mère, qui n'existait que depuis dix ans, doubla sa population et, à ses usines de pâte à papier, ajouta des fonderies, des chemiseries et des industries du bois. Encore plus en amont fut fondée la petite ville de La Tuque. La région du lac Saint-Jean, cinquante ans après sa première colonisation, s'industrialisait grâce aux grandes usines de pâte à papier de Chicoutimi. Les entreprises Price et Dubuc luttaient pour s'assurer le contrôle des énormes réserves de houille blanche de la région. La colonisation de l'Abitibi, région lointaine du nord-ouest de la province, lentement commencée, fut stimulée par la découverte de gisements de minerai au cours de la construction du *Canadian Northern*, de North Bay à

Québec, qui permit d'atteindre cette région jusque-là inaccessible. Pourtant, la colonisation n'avait guère avancé, orpheline d'un gouvernement qui s'intéressait bien davantage au rapide développement industriel de la province.

Au tournant du siècle, Errol Bouchette avait proclamé l'avènement de l'ère industrielle dans une brochure, *Emparons-nous de l'industrie,* dont le titre faisait écho au mot d'ordre démodé de Ludger Duvernay, *Emparons-nous du sol.* Bouchette prévoyait que l'industrie deviendrait plus importante que l'agriculture, qui n'était pas « *le besoin exclusif de notre peuple* ». [7] Il fit remarquer que le terrain que gagnaient les Canadiens français par la colonisation, ils le perdaient dans les centres établis de la province, où d'autres fondaient des industries. La nouvelle ère demandait des compétences acquises par l'enseignement et il déplorait qu'il n'y eût que 722 étudiants laïcs universitaires dans la province, sur une population de 1 293 000, tandis que les étudiants anglais étaient 1 358 sur une population de 196 000. La plus sérieuse faiblesse des Canadiens français apparaissait : en effet, il n'y avait que 27 étudiants en sciences appliquées à Laval, contre 250 à McGill et Bishop's. Il prédit le « *contrôle étranger de notre industrie* », à moins que le gouvernement provincial, à l'instar du gouvernement allemand, devienne un protecteur de la science et des ouvriers et qu'il finance les industries.

Bouchette répéta son avertissement à la Société royale en 1901, précisant que le Québec était au seuil d'une révolution industrielle qui aurait d'aussi profonds effets que la Révolution française : « *Nous pouvons approuver ou improuver de tels mouvements, mais aucun peuple ne saurait s'y soustraire ; les endiguer est impossible.* » [8] Les *trusts* américains, à la recherche de nouvelles conquêtes, allaient envahir le Québec, soulever de nouveaux problèmes en créant une nouvelle population industrielle. « *Nous devons accueillir les forces qui peuvent nous venir de par delà nos frontières, mais nous devons les attendre dans une bonne position stratégique, afin de rester, quoi qu'il arrive, maîtres chez nous.* » [9] Il affirma que les Canadiens français avaient les mêmes aptitudes que tout autre peuple pour les affaires et l'industrie, bien qu'ils eussent, jusque-là, généralement suivi d'autres voies. Tout comme Arthur Buies, de nombreuses années auparavant, il déplorait l'absence d'écoles techniques et professionnelles qui empêchait les Canadiens français de faire usage de leur dextérité et de leur ingéniosité mécanique dans l'industrie ailleurs que dans des emplois subalternes n'exigeant aucune spécialisation. L'Ecole polytechnique n'avait que peu d'élèves parce que les écoles primaires, techniques et professionnelles, n'existaient pas.

Bouchette préconisait, pour remédier au manque de capital canadien-français, l'extension à l'industrie du principe coopératif déjà appliqué avec succès par les fabricants de beurre et de fromage. Les colons des nouvelles régions pouvaient organiser ces syndicats pour faire de la pâte à papier et éviter ainsi l'exploitation des forêts par des spéculateurs étrangers, tout en permettant le développement ultérieur de l'agriculture sur une vaste échelle. Il engagea les Canadiens français à devenir « *un peuple industriel sans cesser d'être un peuple agricole* » et à tirer ainsi parti de toutes leurs ressources.

« *Un peuple n'est jamais en sûreté lorsqu'il laisse inexploitées les ressources de son pays. S'il ne les exploite pas lui-même, d'autres viendront les exploiter pour lui et se donneront ainsi un prétexte pour intervenir dans ses affaires. Ou bien encore il se formera dans le pays même une oligarchie industrielle qui n'est pas moins à craindre.* » [10]

Or, il ne fut généralement pas tenu compte de cet avertissement de Bouchette jusqu'au moment où Bourassa entreprit sa campagne contre l'administration des ressources naturelles par le gouvernement Gouin.

Le gouvernement provincial, surtout sous l'impulsion d'Honoré Gervais, ajouta un cours d'architecture à Polytechnique en 1907 et, en 1910, un département des arts décoratifs qui devait devenir l'Ecole des Beaux-Arts. Vinrent ensuite l'Ecole des Hautes Etudes Commerciales, pour laquelle Gervais avait longtemps fait campagne et les Ecoles techniques de Montréal et de Québec, aidées de subsides fédéraux. Les industriels anglais de Shawinigan y établirent une école technique pour former les ouvriers qualifiés dont ils avaient besoin et le Collège de Sherbrooke ouvrit un cours industriel de deux ans. Les nouvelles écoles techniques furent toutefois critiquées parce qu'elles n'étaient pas soumises à la direction de l'Eglise et cette critique fit hésiter les académies commerciales à offrir les cours industriels pour lesquels le monde des affaires leur offrait des subsides. Il manquait encore dans la province des écoles de métiers pour combler le vide entre l'instruction primaire et l'enseignement technique et la plupart des Canadiens français restèrent des ouvriers non spécialisés, pendant que les emplois de techniciens et de gérants, mieux rémunérés, étaient donnés à d'autres, qui n'étaient pas des Canadiens français mais avaient la formation qui manquait aux gens du pays.

Le régime de l'enseignement dans la province continuait à produire trop d'avocats, de journalistes et de pseudo-politiciens, alors que le développement industriel allait toujours plus vite. Il s'ensuivit une dangereuse division entre le patronat anglais, canadien-anglais, ou américain et le monde ouvrier canadien-français. Celle-ci fut bientôt exploitée par les nationalistes, qui recrutaient parmi les intellectuels économiquement faibles la plupart de leurs partisans. J.-E.-A. Dubuc de Chicoutimi, Rodolphe Forget de Montréal et de Québec, ainsi que G.-E. Amyot de Québec furent presque les seuls grands industriels et capitalistes canadiens-français d'une époque qui vit un progrès formidable de l'industrie et de la finance dans le Québec. Le mouvement coopératif lancé en 1902 progressa lentement, surtout chez les cultivateurs et, à Lévis, la Caisse populaire d'Alphonse Desjardins, fondée en 1901, possédait maintenant un capital de 40 000 dollars. Elle avait consenti 3 800 prêts sans une seule perte. [11] Desjardins et ses disciples, l'abbé Philibert Grondin, l'abbé Joseph Hallé et Cyrille Vaillancourt répandirent dans les campagnes l'évangile coopératif, quand ils furent convaincus de son bon fonctionnement. Les cinquante caisses populaires de 1911 passèrent à soixante-cinq en 1912. Bourassa, Monk et Lemieux favorisèrent le mouvement et Desjardins fut reçu à Rideau Hall par lord Grey qui était un enthousiaste du mouvement coopératif.

Le Québec faisait aussi de rapides progrès intellectuels. Son pourcentage d'illettrés, le plus haut du Canada en 1901, tomba de 17,71 à 12,73 au cours des dix années suivantes, l'amélioration étant surtout marquée chez les plus jeunes. [12] En 1901, le Québec avait 97 journaux français pour ses 1 300 000 âmes et 97 journaux anglais pour ses 300 000 habitants de langue anglaise. [13] Au cours de cette décennie, le journalisme d'une part évolua de la simple politique à la discussion des idées générales grâce à des plumes aussi habiles que celles de Bourassa, Omer Héroux, Georges Pelletier, Olivar Asselin et Jules Fournier, et d'autre part imita le journalisme américain à grand tirage avec tant de succès que celui de *La Presse* atteignit le chiffre le plus considérable parmi tous les autres quotidiens canadiens. La poésie commença avec l'Ecole littéraire de Montréal de 1895 et fit preuve d'une amélioration notable en abandonnant les échos romantiques et les thèmes patriotiques de l'Ecole de Québec pour une expression plus originale et plus artistique des sentiments.

Le plus brillant talent découvert par le groupe des *Soirées* de Montréal, au Château Ramezay, fut celui d'Emile Nelligan qui s'inspirait de Verlaine et de Baudelaire, mais fit quand même œuvre originale. Malheureusement, l'esprit fébrile et instable de Nelligan s'effondra en 1901. Il avait déjà produit, à 19 ans, quelques-uns des meilleurs vers du Canada français. [14] L'un des fondateurs du groupe, Gonzalve Désaulniers, ne publia ses poèmes qu'en 1930, [15] mais il exerça une certaine influence, dans la tradition de Lamartine, sur ses contemporains. Le poème épique inachevé du peintre et poète Charles Gill, *Le Cap Eternité,* ne fut publié qu'après sa mort en 1919. Albert Lozeau, infirme, publia trois tomes de poèmes lyriques et écrivit trois recueils de poèmes en prose pour la presse de 1907 à 1918. Albert Ferland délaissa les thèmes sentimentaux de ses débuts pour écrire un hymne à la terre et aux forêts canadiennes dans son œuvre *Le Canada Chanté* (1908-10). Blanche Lamontagne, Englebert Gallèze et Alphonse Désilets traitèrent de sujets ruraux en langue populaire, tandis que Paul Morin, Guy Delahayne et René Chopin suivaient la voie des symbolistes français et se concentraient sur la perfection de la forme.

L'histoire, comme la poésie, évolua remarquablement, dans un esprit plus scientifique qui remplaça le patriotisme de propagande des écrivains précédents. Thomas Chapais, qui prit aussi une part active à la politique et au journalisme, publia des études admirables, *Jean Talon* (1904) et *Le Marquis de Montcalm* (1911). Il se consacra ensuite à l'histoire du régime anglais de 1760 à 1867, qu'il enseigna à Laval et publia, en huit volumes, entre les années 1919 et 1934. Chapais était conservateur en politique, mais il écrivait dans l'esprit du libéralisme anglais. Il puisa ses renseignements aux sources mêmes et utilisa une documentation beaucoup plus abondante que les auteurs précédents. Aussi son interprétation fut-elle plus favorable aux Anglais. Alfred De Celles, longtemps bibliothécaire parlementaire à Ottawa, publia une étude des États-Unis, suivie de vies populaires de Papineau et de Cartier en français et en anglais, de La Fontaine et de Laurier en français. Disciple de Laurier, De Celles écrivit dans un esprit de bonne entente entre Français et Anglais. L'abbé Auguste Gosselin se consacra à l'histoire de l'Eglise au Canada et Mgr Amédée Gosselin écrivit la première étude de fond sur l'enseignement sous le régime français. Le chanoine H.A. Scott écrivit une excellente histoire de la paroisse de *Notre-Dame de Sainte-Foy* (1902). Pierre-Georges Roy, fondateur du *Bulletin des recherches historiques* (1805) et, plus tard, archiviste provincial, amorça son torrent de publications généalogiques et archéologiques. Léon Gérin fit œuvre de pionnier dans les sciences sociales par ses monographies dans la tradition de Le Play, *L'Habitant de Saint-Justin* (1898) et *Deux familles rurales de la rive sud du Saint-Laurent* (1909). Gérin écrivit ces études admirables pendant qu'il était traducteur à Ottawa. Il les réunit à trois autres dans *Le type économique et social des Canadiens* (1937) quand enfin le Canada français s'intéressa sérieusement aux études sociales. Le roman était un genre négligé : les efforts les plus notables de l'époque furent *L'Oublié* (1902) de Laure Conan et les expériences du Dr Ernest Choquette en études psychologiques du milieu rural.

Mgr Camille Roy jeta les bases de la critique de la littérature canadienne par ses études publiées depuis 1902 dans *La Nouvelle-France* et *Le Bulletin du Parler Français,* réunies plus tard en volumes : *Essais sur la littérature canadienne* (1907), *Nos Origines Littéraires* (1909) et *Nouveaux Essais sur la Littérature canadienne* (1914). Comme l'abbé Casgrain, il chercha à encourager le développement d'une littérature canadienne indépendante et, dans son enthousiasme pour cette cause, ses critiques des efforts antérieurs pêchèrent par indulgence. Tout aussi compréhensifs, mais plus sévères, furent les travaux sur la littérature canadienne publiés par le Français Charles ab der Halden dans ses *Etudes* (1904) et *Nouvelles Etudes de Littéra-*

*ture Canadienne Française* (1907) qui représentaient un resserrement des liens culturels entre la France et le Québec. Les revues et journaux français circulèrent plus abondamment dans le Québec et un plus grand nombre d'étudiants canadiens-français allèrent suivre des cours à Paris. La langue française étant attaquée en Ontario et dans l'Ouest, la *Société du Parler Français au Canada* fut fondée à Québec en 1902, pour la défendre, par Adjutor Rivard qui consacra ses travaux à la langue et au folklore canadien-français.

Québec mettait généralement l'accent sur la partie canadienne de la tradition, tandis que Montréal, plus mondain, en contact plus étroit avec Paris et moins méfiant de la France moderne anti-cléricale, s'appuyait sur la tradition française. Des artistes tels que l'illustrateur Henri Julien, le peintre Suzor Côté, les sculpteurs Philippe Hébert et Alfred Laliberté suivaient la technique des écoles françaises de l'époque, tout en utilisant des sujets canadiens. Cette renaissance et l'intensification de la tradition culturelle française prirent d'autant plus d'importance que le Québec se séparait davantage du reste du Canada par l'évolution sociale et politique. L'éloignement grandissait entre les deux principaux peuples du Canada.

## 2

Le mariage des partis nationaliste et conservateur, réalisé à la pointe du fusil électoral en 1911, fut bientôt rompu. Borden demanda à Monk de choisir les ministres qui représenteraient le Québec et Monk consulta Bourassa, en insistant pour qu'il entre dans le cabinet. Bourassa refusa, tant pour prouver son désintéressement personnel que par crainte de l'influence *tory* prépondérante dans le nouveau gouvernement Borden. Cependant, il pria Monk, instamment, d'accepter, si Borden consentait à faire un plébiscite sur la question navale, à assouplir la politique actuelle d'immigration et à redresser les griefs des minorités de l'Ouest. Monk comprit que Borden acceptait ces conditions et prit le portefeuille des travaux publics. [16] Il fut offert à Lavergne un poste dans le cabinet, mais il le déclina en faveur de Louis-Philippe Pelletier, qui devint ministre des postes. Lavergne empêcha Rodolphe Forget de réaliser son désir d'obtenir une place et il fut consulté par Borden [17] pour toutes les autres nominations de ministres qui représenteraient le Québec : Bruno Nantel, ministre du revenu national, C.J. Doherty, ministre de la justice et George Perley, ministre sans portefeuille. Aucun des Canadiens français ne représentait le mouvement nationaliste et aucun n'exerçait une grande influence dans le cabinet. Monk, qui aurait fait un bon ministre de la justice, était perdu dans le poste qui lui échut. Pelletier était un politicien vieux-jeu qui se réjouissait du riche *patronage* de sa place.

Nantel enfin était une parfaite nullité. Pierre-Edouard Blondin, nommé vice-président de la Chambre, fut le seul nationaliste récompensé de ses services dans la campagne qui avait vaincu Laurier. Le reste du cabinet n'était pas d'une composition propre à rassurer le Québec. Robert Rogers, successeur de Sifton au Manitoba, devint ministre de l'intérieur, Sam Hughes, ministre de la milice et George Eulas Foster, ministre du commerce. Sproule, *leader* des orangistes, devint Orateur [17bis] de la Chambre. En Philippe Landry, président du Sénat, les nationalistes avaient un admirateur de Bourassa et un ami de Lavergne, vieil ultramontain aux tendances *castor*. Pourtant, le Sénat, nommé à vie, demeurait en majorité libéral. Le besoin d'une alliance avec les nationalistes étant passé, Hugh Graham ordonna au *Star* de ne plus soutenir Bourassa et de lancer une nouvelle campagne en faveur de la participation canadienne à la défense de l'Empire. [18]

Au cours de ses apparitions en public après l'élection, Bourassa affirma son indépendance et son intention de juger le gouvernement sur ses actes. Il demanda une fois encore un plébiscite sur la question navale. Sa nouvelle amitié avec C.H. Cahan, qui remplaça feu Goldwin Smith comme allié canadien-anglais avec qui il sympathisait, l'amena à soutenir le principe de Cahan selon qui le Canada ne devait apporter aucune contribution à la défense impériale sans participer au gouvernement de l'Empire. Or, les partisans de Bourassa ne voulaient pas participer aux affaires impériales, quelles que fussent les conditions, tandis que les partisans de Borden favorisaient la contribution sans rien exiger en échange. Pendant que les candidats soutenus par Bourassa aux dernières élections devenaient les alliés de Borden, le chef nationaliste déplorait l'usage sans scrupule du *patronage* par le nouveau gouvernement. A Saint-Hyacinthe, le 1er décembre 1911, il présenta le programme nationaliste : émancipation à l'égard de l'esprit de parti, pas de participation aux guerres impériales mais concentration sur le développement national et la défense du Canada, recours au pays pour faire sanctionner tout changement à cette politique. Il esquissa une théorie de la participation aux dépenses impériales en échange d'une participation au gouvernement de l'Empire, mais il ne suscita aucun enthousiasme. Une fois de plus, il affirma qu'il n'était pas anti-britannique et qu'il cherchait tout simplement à inspirer une fierté britannique aux Canadiens français : « *L'ambition de ma vie, qui m'a soutenu et animé dans mes luttes, quand l'isolement se faisait, quand les* rouges *ne m'aimaient pas et que les* bleus *se défiaient de moi, c'est de faire comprendre à mes compatriotes, d'abord, qu'ils doivent pratiquer chez eux, à l'égard des minorités, la grande leçon de justice, de tolérance et de charité.* » [19] Il trouva bientôt une occasion d'affirmer son indépendance et sa doctrine en attaquant Sam Hughes sur ses déclarations impérialistes et l'expulsion des Canadiens français du département de la milice. *Le Devoir* affirma son indépendance par rapport au nouveau gouvernement dans son dernier numéro de l'année.

Des questions sur lesquelles Bourassa, à l'instar de son grand-père Papineau, pouvait exercer son talent d'opposition surgirent bientôt au parlement. Par une série d'articles dans *Le Devoir* du 1er au 21 février 1912, réimprimés en anglais sous forme de brochure, il discuta des problèmes impériaux en demandant l'abrogation de la loi navale. Il profita de la déclaration de Sir Edward Grey le 29 janvier, qui exigeait une politique de non-intervention dans les aventures impériales des autres puissances et des arguments de lord Charles Beresford, dans *The Betrayal,* contre la politique navale récente, pour étayer sa propre position contre la Loi navale et son insistance pour en obtenir l'abrogation. La révélation, après quinze ans, du mémoire du *Colonial Defence Committee* de 1896 sur la défense impériale (il fut déposé devant la Chambre en janvier 1912) apportait aussi une justification de la position nationaliste. Il conclut :

« *Rappelons la loi de la marine.*
*Réformons sérieusement notre milice.*
*Organisons la défense de nos ports et de nos côtes.*
*Et surtout ne perdons pas une minute avant de compléter le réseau de nos voies de transport, par terre et par eau. Car tandis que nous causons Dreadnoughts et Niobés, les populations de l'Ouest, attirées au Canada par nos réclames alléchantes, demandent à grands cris le moyen de vendre et d'écouler leur blé. Et si nos politiciens perdent leur temps à vouloir prendre la place des hommes d'Etat impériaux et à sauver malgré eux la mère-patrie et la flotte anglaise, ils pourraient bien se réveiller brusquement de leurs rêves grandioses d'impérialisme et se trouver en face d'une révolte canadienne occasionnée par leur négligence à assurer la sécurité économique et l'unité nationale du Canada.*
*Occupons-nous d'abord du Canada. C'est non seulement la patrie que la Providence a donnée à tous les Canadiens, c'est aussi la partie de l'Empire que la Couronne et le parlement impérial ont commise à nos soins. Si nous la négligeons pour faire la besogne des autres, ce ne sont ni les Anglais ni les Australiens qui viendront nous aider à mettre l'ordre dans notre maison.* » [20]

A la Chambre, Sévigny présenta une motion pour l'abrogation de la Loi navale et, au Sénat, Choquette et un autre libéral dissident agirent dans le même sens, mais la motion de Sévigny fut placée à la fin d'une longue liste et Borden ne se montra guère pressé de la prendre en considération.

Le gouvernement jugeait plus pressant le problème de l'annexion du Territoire du Keewatin au Manitoba, pour remplir une promesse électorale faite à Robert Rogers. Bien qu'il n'y eût qu'une petite population dans la région, elle comprenait des catholiques, chez les Blancs et

les Indiens. Elle avait des écoles séparées. Encore une fois se posait
la question du droit de la minorité à des écoles séparées. Le vicaire
apostolique du Keewatin, Mgr Ovide Charlebois, o.m.i., et l'archevêque Langevin de Saint-Boniface insistèrent pour que l'existence de
ces écoles soit garantie. Rogers et Sam Hughes, dans la tradition de
Sifton, s'opposèrent dans le cabinet à Doherty et Nantel, qui soutenaient les écoles. Borden céda à la pression de l'Ouest et la mesure
présentée par le gouvernement le 19 février ne comporta aucune garantie des droits scolaires de la minorité.

Le débat sur la question du Keewatin coïncida avec un autre sur
un projet présenté par Edward Arthur Lancaster, de l'Ontario, invali-
dant toute loi provinciale ou canonique contre les mariages mixtes
célébrés devant une personne autorisée quelconque. Ce projet était
le fruit de l'agitation contre l'application dans le Québec du décret
papal *Ne Temere,* lors de l'annulation du mariage Hébert-Clouâtre.
La thèse catholique était que la loi provinciale donnait tout simplement son effet civil à un mariage religieux, tandis que les protestants
soutenaient que le décret *Ne Temere* n'avait aucun effet civil. [21] Le
gouvernement en appela à la décision de la Cour suprême. Le délégué
apostolique conféra avec les archevêques du Canada, à Montréal et
décida que les autorités fédérales ne devaient pas intervenir contre la
loi provinciale dans le cas de l'affaire *Ne Temere.* Cependant, il ne
voulut pas faire opposition à la décision Keewatin, au grand soulagement des membres du Québec dans le gouvernement. Entre temps, la
Cour supérieure du Québec entendait de nouveau la cause Hébert-
Clouâtre et jugeait que le décret *Ne Temere* n'avait pas force de loi
et n'engageait que les consciences des catholiques. A la législature provinciale, Bourassa protesta contre l'intervention fédérale en la matière
et pressa le gouvernement du Québec de défendre les droits provinciaux quand la cause serait entendue par la Cour suprême. Gouin
fut d'accord et désigna Aimé Geoffrion, qui avait siégé à l'*Alaska
Boundary Commission* et Robert Cooper Smith, professeur de droit,
comme Geoffrion, à McGill, pour représenter la province. [22]

Tandis que l'affaire *Ne Temere* provoquait de l'agitation surtout
dans le Canada anglais, où John S. Ewart s'efforça en vain de faire
la lumière sur le problème dans un autre *Kingdom Paper,* [23] la question du Keewatin agitait le Québec. Les deux prélats de l'Ouest étaient
nés dans la région de Montréal et l'archevêque Langevin était l'idole
de l'ACJC, qui fit signer des pétitions en faveur des écoles du Keewatin. Les députés du Québec avertirent Borden que l'émotion était
forte dans leur province, mais Borden refusa de suspendre une mesure ardemment désirée par le gouvernement du Manitoba et de
rouvrir la question des écoles « *que les Canadiens français avaient
réglée en 1896, en votant pour M. Laurier et contre leur propre intérêt.* » [24] Lavergne se rendit à Ottawa pour animer l'opposition et il ne

trouva que le sénateur Landry et le jeune P.-E. Lamarche pour consentir à combattre la loi. Dans le cabinet, il fut donné à entendre que la question pourrait amener les quatre ministres catholiques du Québec à se démettre, mais ce fut sans grand effet et Borden assura que le gouvernement Roblin du Manitoba avait promis des concessions dans le cadre de l'accord Laurier-Greenway. Monk doutait, après 1896, de l'intérêt véritable que portait le Québec aux minorités de l'Ouest. [25] Pelletier ne croyait pas à l'effet d'une démission collective et ne voulait pas être plus intransigeant que la hiérarchie. Le délégué apostolique fit connaître qu'il consentait à accepter cette loi, assortie d'une garantie écrite de concessions.

Les libéraux se réjouirent de la division de leurs adversaires et se moquèrent de l'impuissance des nationalistes qui n'avaient réussi à obtenir ni abrogation de la Loi navale, ni écoles séparées dans le Keewatin. Une motion de Choquette au Sénat, en faveur de l'abrogation de la Loi navale fut battue à la suite d'une déclaration du chef du gouvernement : aucune décision ne serait prise pendant la session, avant consultation de l'amirauté et mise au point d'une nouvelle proposition. Laurier présenta un amendement s'opposant aux « conditions injustes » du projet Keewatin et Lamarche s'efforça de convaincre les conservateurs français de le soutenir. Or, il n'y en eut que cinq qui sortirent des rangs pour voter contre le gouvernement. Lamarche défendit son vote par un discours émouvant qui gagna l'admiration des membres anglais, mais Monk et Pelletier éludèrent toute remise en question des écoles du Manitoba. Le projet de loi allait être soumis à sa troisième lecture quand Bourassa, dans une réunion au Monument national, le 9 mars, rompit le silence qu'il avait gardé jusque-là. Il n'était appuyé que par Lavergne et Garceau, tous les autres députés nationalistes s'étant ralliés au gouvernement.

Bourassa parla pendant trois heures. Il esquissa d'abord l'histoire de la législation scolaire dans le Nord-Ouest, en répétant les arguments dont il s'était servi en 1905 pour les cas de la Saskatchewan et de l'Alberta. Puis il critiqua les défenseurs du gouvernement. Apaisant la réprobation bruyante de Monk par la foule, il critiqua l'attitude de son ami avec plus de tristesse que de colère, citant les opinions de Blake et de C.H. Cahan contre la position de Monk. Il réfuta avec plus de vigueur le discours de Pelletier en faveur du projet de loi. Il souligna que le Manitoba n'avait donné aucune garantie écrite de protection des droits minoritaires et que l'accord Laurier-Greenway l'avait déçu. Il affirma, faits historiques à l'appui, que seules des garanties légales avaient une valeur durable. Quant à l'argument selon lequel la hiérarchie ne s'était pas prononcée contre la nouvelle loi, il proclama : « Ce n'est pas la besogne des évêques et des prêtres de faire les lois, de les maintenir et de les appliquer. » [26] Il rendit hommage aux évêques et à leur autorité en matière religieuse, mais il cita

O'Connell en anglais : « *I take my theology at Rome, but I* *…y politics at home.* » (« *Je prends ma théologie à Rome, mais* *…nds ma politique dans mon pays.* »)

…l évoqua ensuite l'esprit de la Confédération : la dualité de langues et de races garantie par l'égalité devant la loi. Si l'on voulait que la Confédération soit respectée, les Canadiens français devaient lutter toujours et partout pour le maintien de leurs droits et de tous les droits minoritaires. « *Et cette lutte, ce n'est pas en invoquant l'autorité de l'Eglise, ni en faisant appel à la voix du sang, que nous devons la poursuivre, mais au nom et avec la force de nos droits de citoyens britanniques, de contribuables de notre pays.* » [27] Il fit cette mise en garde : « *Si la constitution canadienne doit durer, si la Confédération canadienne doit être maintenue, l'attitude étroite à l'égard des minorités, qui se manifeste de plus en plus dans les provinces anglaises, doit disparaître, et nous devons retourner à l'esprit originel de l'alliance.* » Il décrivit les Canadiens français comme un rempart contre l'annexion aux Etats-Unis, ou la séparation de l'Angleterre : « *Britanniques, nous le sommes autant que n'importe quelle autre race du Canada. Nous ne le sommes pas par le sang et par la langue, mais nous le sommes par la raison et par la tradition.* » [28] Les institutions britanniques sont l'héritage des Canadiens français par la conquête normande de l'Angleterre, tout autant que par la conquête anglaise du Canada :

« *A ces institutions, personne n'est plus attaché que nous ; mais nous ne sommes pas des chiens rampants ; nous ne sommes pas des valets ; et, après cent cinquante ans de bons et loyaux services à des institutions que nous aimons, à une Couronne que nous avons appris à respecter, nous avons mérité mieux que d'être considérés comme les sauvages des anciennes réserves, et de nous faire dire : restez dans Québec, continuez d'y croupir dans l'ignorance, vous y êtes chez vous ; mais ailleurs il faut que vous deveniez anglais.*

*Eh bien, non, français, nous avons le droit de l'être par la langue ; catholiques, nous avons le droit de l'être par la foi ; libres, nous avons le droit de l'être par la constitution ; canadiens, nous le sommes avant tout ; britanniques, nous avons autant le droit de l'être que qui que ce soit.*

*Et ces droits, nous avons le droit d'en jouir dans toute l'étendue de la Confédération.* » [29]

Il demanda à son auditoire d'invoquer ces droits et de faire entendre sa voix en approuvant des résolutions demandant au parlement de sauvegarder les droits de la minorité du Keewatin. Quand un vote à main levée eut lieu, l'auditoire tout entier approuva les résolutions, bien que Bourassa eût insisté sur le respect de toute opinion différente.

Voyant Cahan dans la salle, Bourassa lui demanda de prendre la parole. Cahan reprocha aux Canadiens français de s'attendre à ce que les Anglais défendent les droits canadiens-français plus vigoureusement que ne l'avaient fait leurs propres représentants, en citant l'attitude prise par les représentants du Québec en 1896 et au moment présent. Si les Canadiens français tentaient d'abolir les écoles anglaises du Québec, la population anglaise tout entière protesterait par des actes autant que par des paroles. *« Mais vous, peuple du Québec, vous vous contentez de venir entendre de beaux discours, et vous retournez dans vos foyers sans plus rien faire, disposés souvent à démentir par vos actes les paroles que vous avez applaudies avec frénésie... Si vous ne parvenez pas à vous faire respecter, ne vous en prenez qu'à vous-mêmes et à vos chefs, en qui vous ne pouvez avoir foi quand il s'agit de vos intérêts nationaux. »* [30] Lavergne remercia Cahan d'avoir insisté sur ce que Bourassa et lui-même avaient prêché pendant sept ans : ce manque d'énergie était le pire ennemi des Canadiens français. Il déclara que la question des écoles n'était réglée nulle part et que si, un jour, il fallait provoquer une crise : *« ... nous saurons prouver que, sur cette terre qui est nôtre, nous ne sommes pas des ilotes, ni des parias. »* [31]

Cette réunion stimula beaucoup le mouvement de protestation contre la loi du Keewatin. John Boyd demanda à la presse de tout le pays d'appuyer la minorité et le *Star* mit la majorité en garde contre un abus de sa puissance qui laisserait à la minorité l'impression durable d'avoir subi une injustice. Cependant, l'amendement garantissant les droits minoritaires, présenté conjointement par A.-A. Mondou et P.-E. Lamarche, fut rejeté par 160 voix contre 24 (7 conservateurs et 17 libéraux). La Chambre vota la loi le 12 mars. Au Sénat, la résistance dirigée par Philippe Landry et John Costigan fut rapidement vaincue. Le Québec ajoutait une nouvelle défaite à la liste qui s'allongeait toujours depuis 1867. La jeune génération, avec sa fierté nationale nouvellement éveillée, ne l'oublia pas. Bourassa, lui, fut plus résolu que jamais à demeurer dégagé de tous liens de parti en entreprenant de former une nouvelle mentalité nationale. [32]

Ayant offensé le Québec dans l'affaire du Keewatin, le gouvernement Borden l'apaisa en autorisant l'annexion à la province du Territoire de l'Ungava qui faisait autrefois partie de Rupert's Land. Cette décision, qui doublait presque la superficie du Québec et poussait ses limites septentrionales jusqu'au détroit d'Hudson, représentait un vieux rêve de Mercier, repris par le gouvernement Gouin en 1909 et mis au point par Gouin et Laurier, quoiqu'il fût réalisé par le gouvernement Borden. Québec y gagnait peu dans l'immédiat, car ce Nouveau-Québec n'était qu'un désert à peine connu de quelques Indiens, Esquimaux et trafiquants de fourrures. On croyait cependant qu'il recélait des forêts, du minerai et des ressources d'énergie hydraulique qui pourraient être exploités plus tard. L'annexion de l'Ungava profita surtout à Lomer Gouin qui s'adressait maintenant au peuple en faisant valoir que « *nous avons fait Québec plus riche, plus instruite et plus grande*. » [33] Grâce en partie à une réaction favorable à Laurier et aux libéraux après que l'alliance nationaliste-conservatrice eut failli à ses promesses, le gouvernement Gouin conserva sa majorité de quarante-cinq aux élections du 15 mai. Lavergne et Jean Prévost furent les seuls nationalistes réélus et la majorité de Lavergne fut fortement réduite. Bourassa avait refusé de se présenter et s'en était allé en Europe, où il passa la plus grande partie de son temps, en France. La presse libérale proclama la fin du nationalisme, et *Le Devoir* lui-même admit, à l'occasion d'un banquet en l'honneur de Laurier à Montréal, qu'il était encore « *la grande figure de la politique canadienne*. » [34]

## 3

Pendant que la Cour suprême décidait que le gouvernement fédéral ne pouvait supplanter la législation matrimoniale du Québec (quoi-qu'elle reconnût que le décret *Ne Temere* n'avait aucun effet civil) et que le gouvernement fédéral en appelait au Conseil Privé, la province se préoccupait des préparatifs du premier Congrès de la Langue française qui devait avoir lieu à Québec du 24 au 30 juin. Cet événement fêtait le dixième anniversaire de la Société du Parler Français au Canada, fondée par l'abbé Lortie et Adjutor Rivard, qui avaient aussi collaboré à la création de *L'Action sociale* avec Mgr Paul-Eugène Roy, évêque auxiliaire de Québec. Le programme d'action catholique de Mgr Roy incluait la défense de la langue française, des traditions nationales et du syndicalisme ouvrier et il voulait réunir en une seule organisation tous les mouvements sociaux catholiques de la province. Cependant, la rivalité de toujours entre Montréal et Québec s'était affirmée par la fondation de l'Ecole sociale populaire à Montréal en 1911, sous la direction du père Hudon, s.j., et d'Arthur Saint-Pierre. Le clergé avait fait preuve d'une méfiance grandissante à l'égard des syndicats internationaux et il était devenu partisan du mouvement syndicaliste catholique lancé à Québec et Chicoutimi en 1902. La Fédération ouvrière de Chicoutimi, fondée en 1902, prit un nouvel essor en mars 1912 quand Mgr Labrecque recommanda que tous les mouvements diocésains sociaux et ouvriers se groupent dans son sein. [35] Le congrès devait sanctionner cette tendance, ainsi que les campagnes de l'ACJC en faveur de la langue française et coordonner les efforts des groupes canadiens-français de l'extérieur pour la défense de leurs droits scolaires et linguistiques.

Ce congrès, organisé par l'abbé Lortie, par Rivard et par Mgr Roy lui-même, fut un rassemblement national. Il y vint un contingent de l'Ouest ayant à sa tête Mgr l'Archevêque Langevin, un autre de l'Ontario dirigé par le sénateur Belcourt et le juge Cousineau, un groupe acadien dirigé par le sénateur Poirier, enfin des Franco-Américains amenés par Mgr Guertin. Un délégué arriva de la Louisiane et une mission vint de France, ayant à sa tête l'académicien Etienne Lamy. Le délégué apostolique et la plupart des évêques du Québec étaient présents. Pour accueillir leurs hôtes, les notables du Québec se réunirent en masse, sans distinction de parti, Laurier, Gouin, le lieutenant-gouverneur Sir François Langelier, le sénateur Landry, Thomas Chapais, Sir Adolphe Routhier, Boucher de la Bruère, le surintendant de l'instruction publique et un grand nombre de ministres, membres du parlement et autres dirigeants canadiens-français.

Mgr Langevin ouvrit ce Congrès par une déclaration retentissante : « *Nous ne reconnaissons à personne le droit d'arrêter les Canadiens français à la frontière de la province de Québec et de leur dire : hors de là vous n'êtes plus chez vous. Nous sommes chez nous partout au Canada.* » [36] Le consul français C.-E. Bonin fut ovationné, ainsi que l'académicien Etienne Lamy et l'abbé Thellier de Poncheville, qui insistèrent sur les liens unissant le Québec à la France. Le sénateur Dandurand et le jeune abbé Lionel Groulx différaient beaucoup par les idées qu'ils exprimèrent, mais Dandurand sympathisa avec le mot d'ordre final de Groulx : « *France quand même.* » Une statue de Mercier par un sculpteur français fut dévoilée, faisant revivre la mémoire de celui qui avait tenté de rattacher le Québec à la France. Les porte-parole franco-ontariens obtinrent de chaleureux applaudissements, mais Mgr Roy opposa toutefois son *veto* au désir du père Charlebois qui voulait annoncer au congrès que le gouvernement de l'Ontario venait de décider de restreindre l'enseignement du français au point, en fait, de le supprimer. Le sénateur Belcourt exerça une influence modératrice en rappelant que l'appui des minorités par le Québec ne devait pas attirer de représailles sur elles. Mgr Paquet invoqua l'appui théologique en faveur de la conservation de la langue maternelle et identifia la langue française à l'apostolat chrétien, reprenant ainsi l'argument de Bourassa à Notre-Dame, en 1910.

Bourassa, revenant de France à ce moment même, parla à la clôture du congrès sur *La langue française et l'avenir de notre race.* Il traita du rôle de la langue française non seulement dans la survivance des Canadiens français, mais encore dans les relations entre les Canadiens français et les autres races de l'Amérique. Citant les Ecossais et les Irlandais en exemple, il déclara : « *La conservation de la langue est absolument nécessaire à la conservation de la race, de son génie, de son caractère et de son tempérament.* » [37] Si les Canadiens français perdaient leur langue : « *Le jour où nous aurions perdu notre langue, nous serions peut-être des Anglais médiocres, des Ecossais passables, ou de mauvais Irlandais, mais nous ne serions plus de véritables Canadiens.* » Il maintint que c'était un droit moral des Canadiens français de se servir de leur langue maternelle de Halifax à Vancouver. En

effet, ils avaient pris la défense du Canada en 1775 et 1812, combattu pour l'obtention des droits britanniques en 1837 et contribué à
la Confédération par ses pères frança's et l'œuvre de La Fontaine.
Puisque les deux langues sont officielles au Canada, toutes deux ont le
droit d'exister dans tous les aspects de la vie publique canadienne.
Il y avait deux moyens de conserver la langue française au Canada :
par les écoles, malgré ceux qui ont trahi l'esprit de la Confédération,
par la nourriture tirée de la source, en France.

Bourassa écarta la crainte de la France moderne en disant que
« *si, par cra'nte du poison, on cesse de se nourrir, on meurt de faim,
ce qui est une façon toute aussi sûre que l'autre d'aller au cimetière.* » [38]
Dans la littérature française, il y avait beaucoup de remèdes contre
le poison, tout aussi bien que le poison lui-même. D'ailleurs, il n'y avait
pas plus de danger pour les Canadiens français de devenir moins
canad'ens en cherchant un stimulant intellectuel en France que pour
les Américains de devenir anglais en tirant leur culture de l'Angleterre.
Il insista sur le rôle de la langue canadienne-française : « *Elle doit
enfanter une littérature canadienne, elle doit nous servir à écrire et
à lire l'histoire canadienne, elle doit nous apprendre à bien rédiger et
à bien plaider les lois canadiennes, elle doit nous faire comprendre
l'esprit et la lettre des lois et de la constitution canadiennes. Et canadien ne doit pas s'entendre ici au sens étroit de notre province ou de
notre race, mais au sens complet et national du nom, qui appartient
à toutes les races qui peuplent le Canada. Nous devons donc, à l'aide
de cette langue française perfectionnée et vivante, rechercher les origines de la civilisation anglaise et américaine ; nous devons étudier
l'histoire de l'Angleterre et l'histoire des Etats-Unis ; nous devons
apprendre à mieux connaître Anglais et Celtes, et à nous faire mieux
connaître d'eux.* » [39] Il mit en garde contre le double danger de l'isolement et de la fusion, par rapport aux autres races du Canada. La
culture française, affirma-t-il, ne présente pas de plus grands dangers
pour le catholicisme que la langue anglaise qui est celle du protestan-
tisme, du matérialisme et « *des adorateurs les plus enthousiastes du
veau d'or.* »

En dépit des arguments de D'Alton McCarthy, le bilinguisme n'était
pas un danger pour l'unité nationale. Les Canadiens français avaient
été accusés d'être plus français que catholiques, mais ils croyaient
que leur langue était l'élément humain le plus essentiel à la conservation de leur foi. Il appela la préservation de la langue française
« *la seule véritable garantie morale de l'unité de la Confédération
canadienne et du maintien des institutions britanniques au Canada* », [40]
en signalant la pénétration de l'américanisme, surtout à Toronto et à
Winnipeg. Le principe de l'école nationale avait été emprunté aux
Etats-Unis, par l'Ouest. Si ceux qui cherchaient à les angliciser réussis-
saient, ils transformeraient les Canadiens français en Américains, mais

ils n'en fera'ent jamais des Anglais. Les Canadiens français n'auraient alors aucune raison de rester britanniques. [41] Des groupes français dans toutes les provinces de l'Ouest seraient les meilleurs obstacles à l'américanisation, car ils ne partageraient pas les idéals américains.

Evoquant la protestation d'un anglican de l'Ontario contre l'importation dans cette province de « *la France de Louis XIV* », Bourassa fit remarquer que le Québec avait adopté le code civil depuis plus de cinquante ans, alors que les Canadiens anglais se contentaient encore des lois démodées de l'Angleterre ; que le Québec jouissait de la liberté du culte et de la religion, alors que l'Angleterre discutait encore pour exempter de la dîme les non-conformistes du Pays de Galles ; que le Québec avait aboli la tenure seigneuriale depuis soixante ans, alors qu'en Angleterre un tiers du peuple mourait de faim parce que les grands propriétaires terriens détenaient plus de la moitié du pays ; que le Québec avait accordé le droit de vote aux juifs avant que l'Angleterre ne l'eût accordé aux catholiques. Pendant que l'Ontario s'inquiétait de périls imaginaires, le Canada anglais devenait par ses habitudes, sa langue et sa mentalité, plus américain que si la réciprocité en avait fa't une simple dépendance des Etats-Unis. Le commerce mondial du Canada se développait et exigeait la connaissance du français, dont l'universalité aiderait le pays à atteindre les sommets de la civilisation.

Dans une éloquente péroraison, Bourassa rappela sa présence récente à la béatification de Jeanne d'Arc à Rouen et il s'écria : « *Demandons à Jeanne d'Arc de consommer l'alliance entre les vaincus et les vainqueurs d'autrefois, et de permettre que sa langue, cette langue si belle, si claire, qui lui faisait déjouer les subtilités des casuistes, repousser la trahison et la lâcheté, que cette langue française conservée par nous, Français d'Amérique, au lieu d'être un élément de discorde entre les deux grandes races, devienne au contraire le véhicule des plus belles et des plus nobles pensées, des pensées généreuses, des pensées d'union, par lesquelles Anglo-Canadiens et Canadiens français, Saxons et Celtes, sauront faire triompher dans la partie nord du continent américain les meilleures traditions des deux grandes nations qui ont donné naissance à la patrie canadienne.* » [42]

Bien que le congrès eût adopté des résolutions favorisant le maintien et le développement de l'usage du français au foyer, à l'école, dans le commerce et la vie publique, Mgr Roy n'approuva pas la proposition que fit un jeune disciple de Lavergne, appuyé par le sénateur Choquette, d'envoyer un message de sympathie aux Franco-Ontariens luttant pour leurs écoles. Le congrès ne prit aucune initiative importante mais, en ralliant les forces du Canada français, il fournissait la preuve de leur vitalité. Il révélait aussi la part considérable qu'assumait le clergé dans l'orientation nationale des Canadiens français. La critique du modernisme de l'abbé français Thellier de Poncheville par Paul Tardivel, de *La Vérité* et par l'abbé J.-G.-A. D'Amours, de *L'Action sociale*, projeta une lumière intéressante sur l'ultramontanisme du catholicisme canadien-français.

4

Pendant que le Canada français rassemblait ainsi ses forces à Québec, Borden s'était rendu en Angleterre pour consulter les autorités impériales sur la question navale. Il avait demandé à Monk de l'accompagner, mais celui-ci avait refusé. La délégation ministérielle fut donc composée de Doherty, Hazen et Pelletier. Ils furent soumis à la pression impérialiste habituelle et, dès le premier jour de Borden à Londres, Winston Churchill, Premier Lord de l'Amirauté, l'avertit du danger pressant de l'agression allemande. Borden avait déjà correspondu avec Churchill, qui avait offert d'aider à établir un programme de politique navale canadienne. [43] Borden conféra aussi avec Asquith sur l'octroi au Canada d'une participation à la politique impériale, en échange de sa collaboration navale. Il visita la flotte à Spithead et assista à une réunion du Comité de la Défense à laquelle Sir Edward Grey parla des relations étrangères de l'Empire et où Churchill insista encore sur la menace allemande et demanda instamment la collaboration canadienne.

Une série de conférences commença alors à l'amirauté, qui furent interrompues par une brève visite à Paris, où le gouvernement français supplia les Canadiens de soutenir l'Entente cordiale sur laquelle la France comptait pour se protéger contre la menace allemande. Après le retour de Borden en Angleterre et pendant ses visites à différents chantiers navals, Churchill prépara un mémoire secret destiné au cabinet canadien et un autre qui pouvait être soumis au parlement canadien. [44] Plus tôt, en échange du consentement de Borden à engager le Canada dans un programme naval, Asquith modifia son attitude de 1911 et parla au parlement du « *devoir de répondre comme nous le pouvons à la demande évidemment raisonnable des dominions d'avoir le droit d'être entendus pour la détermination de la politique et la direction des affaires impériales.* » [45] Borden conféra avec Asquith, Grey, Harcourt et Walter Long sur la manière de procéder. Toutefois, bien que les Britanniques insistassent sur la nécessité de contributions navales rapides, ils se refusaient à aller vite sur la question de la représentation impériale.

Pendant la visite prolongée de Borden en Angleterre, la presse impérialiste du Canada, le *Star* en tête, exploitait la menace allemande et adjurait le Canada de sauver l'Angleterre. *Le Devoir* adopta une attitude sceptique au sujet du danger, affirmant que s'il n'était pas

totalement imaginaire, il était grandement exagéré par les chauvins.
Bourassa commenta :

« *Il semble absurde que le Canada puisse et doive « sauver » l'Angleterre et la France, préserver la neutralité de la Belgique, anéantir
la flotte allemande dans la mer du Nord, tenir l'Autriche et l'Italie en
respect dans la Méditerranée, quand il lui reste tant à faire pour mettre
sa propre demeure en ordre, et qu'il lui faudrait consacrer des années
d'efforts intenses et dépenser des sommes fabuleuses pour compléter,
sur son propre territoire, les œuvres essentielles dont l'Angleterre est
pourvue depuis des siècles.* » [46]

Selon Bourassa, le véritable danger pour le Canada était la pénétration américaine, économique, intellectuelle et morale. Dans une
série d'articles parus dans *Le Devoir* du 16 au 26 juillet et réimprimés
sous forme de brochure en français et en anglais, [47] il traita de ce danger en réponse au *Star* qui avait évoqué « *le spectre de l'annexion* »
par les Etats-Unis si l'Angleterre tombait devant l'Allemagne. Il fit
remarquer que le Canadien français, voyant ses droits restreints au
Québec comme un Indien dans sa Réserve et son Eglise moins attaquée aux Etats-Unis qu'au Canada, était actuellement plus disposé à
favoriser l'annexion que jamais auparavant. Par le dixième amendement de la constitution des Etats-Unis, le Québec jouirait d'une plus
grande autonomie dans l'union américaine que sous le régime de la
constitution canadienne. Bourassa déclara qu'il ne s'agissait ni d'un
plaidoyer pour l'annexion, ni d'un argument pour prouver que les
Canadiens français étaient prêts à l'accepter : « *J'écarte mes sentiments
personnels qui, pour plusieurs motifs, restent plus britanniques et moins
américains que ceux de la majorité de mes compatriotes anglais ou
français.* » [48] Cependant, telle était l'impression qu'il s'était faite d'un
sentiment qui grandissait. Il rappela l'affirmation d'Elgin que les
efforts d'assimilation pourraient américaniser les Canadiens français,
mais qu'ils n'arriveraient jamais à les angliciser. Le Canadien français
était encore foncièrement canadien et britannique, mais il ne le resterait que si les Canadiens anglais plaçaient les intérêts canadiens au
premier plan et traitaient les Canadiens français en partenaires égaux.
Il fit remarquer aux Canadiens anglais qu'ils étaient, eux, déjà des
Américains, « *par la langue, par la prononciation nasillarde, par l'argot
familier, par le costume, par les habitudes de tous les jours, par la
littérature yankee qui inonde vos foyers et vos clubs, par votre journalisme jaune, par les formules vantardes et solennelles, par le patriotisme tapageur et intolérant, par le culte de l'or, du clinquant et des
titres.* » [49] Encore plus américain que tout le reste était le principe de
l'école nationale. Il déplora aussi l'adoption des pratiques corrompues
de la politique américaine, la pénétration économique par le capital
et la main-d'œuvre des Etats-Unis et la discrimination contre les Canadiens français dans l'Ouest et l'Ontario. A ce réquisitoire contre les

Canadiens anglais, il ajouta une confession de responsabilité canadienne-française partielle dans le déclin de la politique et du journalisme vers un niveau toujours plus bas et dans la dégradation de
l'esprit public.

La presse anglaise accusa aussitôt Bourassa de préconiser l'annexion
et illustra son accusation de citations tronquées de ses articles. Son ami
Cahan protesta, par une lettre publiée dans la *Montreal Gazette* du
3 août, que « *M. Bourassa, dont les sentiments sont profondément
canadiens et britanniques, et qui de tous les Canadiens est le plus
opposé à ces tendances regrettables qui trouvent si fréquemment leur
expression dans la vie sociale, politique et commerciale des Etats-Unis...
qui expose si franchement et condamne si bravement toutes tendances
pouvant mener à l'annexion, puisse être si faussement et si mal interprété et d'une manière si flagrante, effrontément et même brutalement
censuré comme avocat prétendu de l'annexion aux Etats-Unis.* » [50]
Cependant, Bourassa avait déjà été représenté comme un traître dans
le Nouveau-Brunswick, en Ontario, au Manitoba et en Alberta, tandis
que le *Quebec Chronicle* l'accusait du désir de chasser les Anglais
du Québec.

L'habitude de Bourassa de grouper, selon la tradition scolastique,
les arguments pour et contre la politique qu'il discutait, se prêtait à
cette sorte de fausse interprétation, tout comme ses changements
soudains d'opinion. Quand il lui fut demandé par le *Canadian Courier*
s'il favorisait la fédération impériale, vers laquelle il semblait incliner
depuis quelque temps, il l'approuva en théorie mais la déclara irréalisable et le même Bourassa qui insistait sur la nécessité de chercher en
France un appui culturel combattait la campagne de *La Patrie* en
faveur d'une aide à l'Angleterre comme étant une aide pour son alliée,
la France : « *Les Canadiens français ne sont pas plus prêts à se saigner
pour la France que pour toute autre nation étrangère.* » [51]  La campagne de *La Patrie*, bientôt soutenue par le *Star*, était faite à l'instigation de Sir Rodolphe Forget qui tirait de la France beaucoup de
capital pour ses entreprises et sollicitait une place dans le gouvernement Borden, mais *Le Devoir* l'attribua à des pots-de-vin provenant
de fabricants d'armements en quête de contrats.

Quand Borden revint d'Angleterre le 6 septembre, *Le Devoir* faisait déjà pression sur Monk pour qu'il maintienne son attitude contre
la marine, ou qu'il se démette. Dans un banquet à Montréal pour fêter
le premier anniversaire du triomphe de 1911, Borden parla vaguement de convoquer le parlement en novembre pour discuter des questions de défense impériale et il déclara qu'avec la coopération à la
défense devait venir la coopération à la politique. [52]  Dans un autre
banquet à Toronto le lendemain soir, il subordonna le thème du
grand héritage et du grand avenir du Canada, sur lequel il avait
insisté à Montréal, à celui du plus grand héritage et du plus grand

avenir de l'Empire. Il exprima l'opinion que le peuple du Canada se porterait comme un seul homme à la défense de l'Empire s'il le fallait : « *Pour la conservation de son unité, pour la conservation de sa puissance et de son influence, pour le maintien de son œuvre, la métropole et les dominions sont unis et indivisibles.* » [53] Bourassa s'inquiéta de la possibilité d'adoption rapide d'une mesure impérialiste sous le coup de la peur de l'Allemagne provoquée par la presse et il fit savoir que ses auteurs seraient dénoncés. Monk fut averti qu'il était obligé « *en honneur et en conscience, d'abord d'exiger le plébiscite sur toute politique de contribution impériale, puis de sortir du cabinet et de lutter contre cette politique, jusqu'à ce que la majorité du peuple canadien ait décidé de l'accepter.* » [54] Borden fit pression sur Monk pour qu'il reste dans le ministère. Cependant, quand fut rejetée la demande de plébiscite faite par ce dernier et que le gouvernement annonça son projet de contribution d'urgence de 35 000 000 de dollars à l'Angleterre pour des fins navales, Monk donna sa démission le 18 octobre, parce que cette mesure sans consultation du peuple violait ses promesses électorales et qu'elle n'entrait pas dans le cadre de la constitution. Borden essaya d'amener Monk à modifier les termes de sa démission et il le persuada de la garder secrète.

Pendant ce temps, prenant la parole à deux réunions de Québec, Laurier minimisa le prétendu état d'urgence et nargua les nationalistes pour avoir failli à leurs promesses. La rumeur de la démission de Monk parut bientôt dans les journaux et bien que les jeunes nationalistes fussent tous prêts à l'acclamer comme un héros, il tint la promesse faite à Borden et s'en alla se reposer aux Etats-Unis. Cependant, les libéraux avaient gagné une élection complémentaire à Sorel, le 24 octobre, mais avec une très faible majorité. Louis Coderre, de Montréal, fut choisi pour remplacer Monk dans le ministère et l'élection partielle nécessaire fut fixée au 19 novembre. Borden prépara le terrain avec soin pour sa proposition navale, la soumettant à une conférence de presse et insistant sur son caractère d'urgence, dans le sens de l'amirauté. Il passa à Laurier le mémoire secret de l'amirauté et réunit en comité politique spécial les députés du Québec dont la plupart approuvèrent le projet, quelques-uns d'entre eux se déclarant tenus, cependant, de voter contre. Laurier décida de ne pas présenter de candidat libéral contre Coderre, mais Lavergne et ses amis tentèrent de faire élire un candidat indépendant. Monk rompit son silence pour expliquer à l'un des organisateurs la cause de sa démission : le gouvernement avait refusé un plébiscite et il voulait, lui, l'expression de la volonté populaire par cette élection. Ainsi furent confirmés les soupçons de Bourassa qui combattait Coderre et tous ceux qui avaient accepté une politique contraire à leurs engagements. Cependant, le 19 novembre, Coderre fut élu à une faible majorité dans les trois quartiers français, qui s'ajouta au vote anglais massif de Westmount. La

mort du nationalisme fut une fois de plus proclamée par *Le Canada,*
*Le Soleil,* et *La Patrie.* [55]

L'accroissement continu de la population française dans la vallée
de l'Ottawa, le nord de l'Ontario et la région Windsor-Essex [56] avait,
pendant ce temps, compliqué la question scolaire en éveillant les préjugés de race. Le *Provincial Department of Education* avait adopté,
en juin 1912 et amendé, en août 1913, *le Règlement 17* imposant
l'anglais comme langue unique d'enseignement dans les classes élémentaires. Il comportait des exceptions de détail, mais il plaçait les
écoles catholiques bilingues sous l'autorité d'inspecteurs protestants
anglais. L'étude du français était limitée à une heure par jour. [57]
Cette mesure avait pour but de donner suite au rapport de F.W.
Merchant qui critiquait sévèrement les écoles bilingues de la province. [58]

Les membres français de la *Ottawa Separate Schools Commission,*
sous la direction de Samuel Genest, protestèrent immédiatement. *Le*
*Devoir, L'Action Sociale* et *Le Soleil,* à qui il ne déplaisait pas d'embarrasser un gouvernement conservateur, soutinrent les Franco-Ontariens. Le sénateur Landry demanda l'intervention de Borden auprès
du gouvernement de l'Ontario et souleva la question du désaveu
fédéral de cette législation. Cependant, les autorités de l'Ontario ne
firent rien pour retarder la mise en vigueur de ce nouveau règlement.
Bourassa adressa un questionnaire sur le Règlement 17 à un certain
nombre de Canadiens anglais distingués du Québec et publia dans
*Le Devoir* leurs réponses, qui reconnaissaient généralement l'injustice
infligée aux Franco-Ontariens. [59]   Pourtant, l'Ontario restait résolu à
réaliser un programme rappelant celui de la *Protestant Protective*
*Association* et l'opinion publique devint si hostile dans cette région
que Laurier y fit une concession en ne s'opposant pas à Coderre, de
crainte que la tension ethnique ne soit encore aggravée par une campagne dans le Québec contre le projet naval.

Avant que Borden ne présente sa proposition, le 5 décembre, comportant une contribution d'urgence de 35 000 000 de dollars qui permettrait à la Grande-Bretagne de construire trois *dreadnoughts* en
Angleterre parce que la situation critique ne permettait pas les délais
de construction de ces navires au Canada, A.-A. Mondou présenta
une résolution revisée par Bourassa. [60]   Elle refusait toute contribution tant que le Canada serait tenu à l'écart des conseils impériaux,
mais elle fut rejetée après les professions de loyalisme de Borden et
de Laurier et le chant de *God Save the King* par la Chambre. Elle
n'obtint l'appui que de P.-E. Lamarche et de deux autres conservateurs canadiens-français.

Borden s'efforça de prouver qu'il cherchait à concilier la coopération avec l'autonomie : « *Quand la Grande-Bretagne ne sera plus*
*seule à assumer l'entière responsabilité de la défense sur les hautes*

*mers, elle ne pourra plus assumer seule l'entière responsabilité et l'unique contrôle de la politique étrangère dont sa vie dépend et qui est étroitement, constamment liée à cette défense à laquelle participeront les Dominions.* » [61] Il assurait que ce principe avait été accepté par les chefs des deux partis en Angleterre au cours de sa récente visite. La situation cruciale actuelle exigeait une aide immédiate mais, si le Canada décidait de construire plus tard sa propre flotte, les trois *dreadnoughts* pourraient être rappelés pour en faire partie. La question d'une marine permanente serait soumise au peuple. Cependant, Borden indiqua qu'il avait été gagné par Churchill à la politique de l'amirauté favorisant une contribution directe, en insistant sur les difficultés et les dépenses qu'occasionnerait la construction d'une flotte canadienne. L'amirauté avait promis de construire de petits bâtiments au Canada, ce qui stimulerait la construction navale et justifierait les déboursés du Canada pour les *dreadnoughts*. Pour l'immédiat, le gouvernement britannique verrait avec plaisir la présence d'un ministre canadien aux réunions de l'*Imperial Defence Committee* et le consulterait sur les questions importantes de politique étrangère. Borden conclut en évoquant l'orage qui approchait de l'Europe et le besoin d'agir immédiatement :

« *Presque sans aide, la métropole, non pas pour elle seule mais aussi pour nous tous, porte la charge d'un devoir impérial en faisant face à une nécessité inévitable d'existence nationale. Apportant la meilleure aide que nous pouvons dans l'urgence du moment, nous venons ainsi à son secours, en gage de notre détermination de protéger et d'assurer la sécurité et l'intégrité de cet Empire, et de notre résolution à défendre sur mer tout autant que sur terre notre drapeau, notre honneur et notre héritage.* » [62]

Borden fut ovationné et la Chambre leva la séance après avoir chanté *God Save the King* et *Rule Britannia*.

Dans sa réplique, le 12 décembre, Laurier rejeta l'idée que l'Angleterre avait besoin d'une aide immédiate. Elle était riche et non en danger : « *Si les circonstances étaient critiques, si l'Angleterre était en danger, non, je ne dirais pas cela ; mais si elle était aux prises avec une ou deux des grandes puissances d'Europe, mon très honorable ami pourrait venir nous demander non pas 35 000 000 de dollars, mais deux, trois ou quatre fois cette somme. Nous mettrions toutes les ressources du Canada à la disposition de l'Angleterre et il n'y aurait pas une seule voix discordante.* » [63] Or, le mémoire de l'amirauté montrait qu'il n'existait aucun danger immédiat ou prévisible, bien que la course aux armements eût obligé l'Angleterre à concentrer sa flotte dans ses eaux territoriales. Laurier affirma que tout ce que renfermait le mémoire avait été discuté quatre ans auparavant, lorsqu'il avait été admis que le meilleur moyen d'aider, pour le Canada, était de s'acquitter de son devoir, non pas par une contribution, mais par la création d'une flotte canadienne. Borden avait abandonné cette position, mais pas les libéraux. Les conservateurs avaient été forcés de prendre une autre attitude en raison de leur « alliance malsaine » avec les nationalistes. Il railla les conservateurs pour ne consentir à donner à l'Angleterre que « deux ou trois dreadnoughts dont le coût sera payé par le Canada, mais qui devront être appareillés, entretenus et manœuvrés par l'Angleterre », à l'exception de ces quelques officiers canadiens qui pourraient s'offrir comme volontaires pour servir sur ces vaisseaux :

« Oh ! vous si tory et si loyaux, est-ce là tout le sacrifice que vous êtes prêts à faire ? Vous voulez bien fournir des amiraux, des commodores, des capitaines, des officiers de tout grade, des panaches, des plumes, des galons d'or, mais vous laissez à l'Angleterre le soin de fournir le nerf essentiel de ces navires. Vous dites que ces navires porteront des noms canadiens. C'est bien tout ce qu'ils auront de canadien. Vous faites faire votre ouvrage par des mercenaires ; en d'autres mots, vous êtes prêts à tout faire excepté à vous battre. Est-ce là, Monsieur l'Orateur, la véritable politique à suivre. Est-ce là une politique saine ?

« C'est une politique hybride, c'est un croisement entre le jingoïsme et le nationalisme. » [64]

Il affirma avec force que le peuple canadien ne serait pas satisfait sans une contribution en argent et en hommes aussi, ainsi qu'il avait été prévu dans son plan naval. Il accusa Borden d'avoir abandonné l'idée d'une marine canadienne, avant même de s'embarquer pour l'Angleterre.

Une fois encore, Laurier déclara : « Lorsque l'Angleterre est en guerre nous sommes en guerre ; mais il ne s'ensuit pas, parce que nous sommes en guerre, que nous soyons par le fait mêlés au conflit. » Le Canada déciderait s'il y prendrait part, à condition qu'il ait sa propre marine. La proposition du gouvernement ne réglait rien, elle n'assurait aucune politique permanente et il prévoyait une série de contributions qui ne laisseraient aucune trace derrière elles. Borden disait qu'une politique permanente devait attendre que nous ayons voix au chapitre sur les questions de paix ou de guerre, mais Laurier critiquait cette idée. La consultation avec tous les dominions ne serait pas commode et elle entraînerait le Canada dans maintes questions sans intérêt pour lui. A l'argument de Borden selon qui l'Empire n'existait que si les dominions avaient leur mot à dire dans les affaires impériales, il opposa ses propres convictions :

« La solide base de l'empire britannique est, après la couronne anglaise, l'autonomie locale de ses diverses dépendances ; c'est-à-dire l'accomplissement de leurs propres destinées, avec tendance à l'unité. La couronne est le grand lien, le ciment qui unit entre eux les continents épars dans le monde. La couronne est un lien purement senti-

*mental ; mais ce lien, quoique purement sentimental, a prouvé qu'il était plus fort que les armes et les flottes ; il s'est montré à la hauteur de toutes les circonstances.*

« *Je ne crois pas que l'empire soit en danger ; je ne crois pas non plus qu'il puisse être cimenté par le moyen que suggère mon très honorable ami. Je crois que les relations des différentes parties de l'empire avec la métropole ne sont pas parfaites, mais que, dans leur essence, elles peuvent être améliorées. Vous pouvez discuter leur amélioration, mais il n'y a pas lieu à discuter le problème de leur existence.* » [65]

Il conclut en présentant un amendement en faveur de la construction de deux unités de la flotte qui seraient stationnées sur l'Atlantique et le Pacifique, de préférence à une contribution directe en espèces ou en bâtiments à l'Angleterre. En somme, il s'en tenait aux termes de la Loi navale de 1910 et Borden jugea que son rival espérait provoquer un appel au pays sur les deux propositions. [66] En cette occasion, Laurier retrouva son ancienne puissance et reçut une ovation. Encore une fois, la Chambre entonna le *God Save the King*.

Bourassa accusa Laurier de vouloir ajouter le tribut humain au tribut de l'or demandé par Borden. Il prédit que le principe « *quand l'Angleterre est en guerre, le Canada est en guerre* » enverrait une centaine de mille jeunes Canadiens, ou davantage, mourir sur les champs de bataille étrangers. Il combattit les deux projets et publia les noms des députés élus avec l'appui nationaliste, les mettant au défi d'accepter l'un ou l'autre sans plébiscite. Cependant, la discipline de parti joua et Bourassa se vit attaqué par les journaux tant conservateurs que libéraux. On fit même pression sur les commanditaires du *Devoir*. [67]

Entre temps, le débat continua vigoureusement à la Chambre jusqu'à l'ajournement, le 18 décembre. Les deux partis profitèrent des vacances parlementaires pour exposer leur politique au peuple. Dans le Québec, les porte-parole de Borden expliquèrent que la contribution de 35 000 000 de dollars pouvait éviter au Canada la construction d'une flotte et le débarrasser de la question une fois pour toutes, tandis qu'en Ontario la mesure était présentée comme temporaire, puisqu'en raison de l'état d'urgence l'Angleterre ne pouvait attendre la création d'une marine canadienne. Les partisans de Laurier critiquèrent l'imposition de ce « *tribut* », sans la consultation populaire promise, comme étant une abdication de l'autonomie. Lavergne insista en privé pour que Monk reprenne son siège au parlement, où il ne restait plus que Lamarche pour combattre le projet d'un point de vue nationaliste. Bourassa déplora la rivalité des deux partis : « *C'est à qui sera le plus loyal, le plus jingo, le plus impérialiste !* » [68] L'amendement de Laurier et celui d'Alphonse Verville demandant un plébiscite au sujet du cadeau à l'Angleterre furent tous deux repoussés, le 13 février, par des votes fondés sur la stricte discipline de parti, tous les conservateurs ayant voté pour le gouvernement. La résolution de Borden obtint une majorité de trente-deux voix, sept Canadiens français s'étant écartés des directives du parti. Une fois de plus, la Chambre entonna *Rule Britannia, God Save the King* et *O Canada.*

Au cours du débat, en deuxième lecture, Joseph Guilbault et La-marche présentèrent un amendement réclamant un plébiscite et les libéraux de l'Ouest demandèrent que le débat soit suspendu jusqu'à de nouvelles élections et la nouvelle répartition des sièges qui, d'après le recensement de 1911, en aurait donné à l'Ouest quatorze de plus. Laurier appuya ce dernier amendement, mais il rejeta celui de Guil-bault qui demandait des élections et qui n'obtint que onze voix, tandis que le projet de loi fut adopté en seconde lecture, par 114 voix contre 83. Bourassa réussit à persuader Monk d'annoncer que ses convictions étaient « *restées intactes* », [69] puis il prononça deux dis-cours à Toronto, où il soutint que le Canada, n'ayant aucune autorité hors de son territoire, n'avait le devoir de rien défendre à l'exception de ce territoire. En organisant ses propres défenses côtières et en exécutant les travaux publics nécessaires à son développement, il contribuerait mieux à la défense de l'Empire qu'en donnant des *dread-noughts.* Il prévoyait, pour l'avenir, une évolution vers une fédération impériale ou l'indépendance. Il favorisait cette dernière. Par cette argumentation, il rejoignait John S. Ewart, qui avait déjà énoncé presque les mêmes idées dans *The Kingdom Papers* [70] et, pour elles, il gagna l'appui d'Ernest Charles Drury, chef du *Dominion Grange,* qui écrivait au *Globe* : « *Il est peut-être humiliant pour un homme qui appartient à la même race que Pym et Hampden de constater que ce sont des Français et non des Anglais qui ont pris cette position. Honneur à eux quand même !* » [71]

En troisième lecture, les libéraux eurent recours à l'obstruction. Leur résistance avait été affermie à la suite de la révélation, par Borden, de sa correspondance avec Churchill, dans laquelle ce dernier maintenait que les Canadiens ne pouvaient ni construire des *dread-noughts,* ni manœuvrer des croiseurs, ni entretenir une flotte efficace et où il plaidait pour l'usage perpétuel des chantiers navals britanni-ques et pour le contrôle permanent de l'amirauté. En mars, Churchill annonça aux Communes britanniques un plan de l'amirauté, au sujet duquel Borden avait été consulté, pour la formation d'une escadre impériale qui aurait sa base à Gibraltar et qui serait composée de bâtiments fournis par les dominions. Des officiers et des volontaires des pays participants pourraient y servir. Elle pourrait atteindre une partie quelconque de l'Empire avant une force égale de toute autre puissance européenne et les dominions seraient consultés au sujet de ses mouvements. L'aménagement des bases nécessaires et les vaisseaux auxiliaires lui permettant de se rendre en une région quelconque de l'Empire [72], seraient à la charge des dominions. Après deux semaines de débats, jour et nuit, la Chambre s'ajourna pour les vacances de Pâques et, quand elle se réunit de nouveau, Borden décida d'imposer l'adoption du projet par un vote de clôture plutôt que de proroger le parlement et de se résoudre à l'appel au pays que Laurier tentait d'obtenir. Le projet passa finalement le 15 mai, par 101 voix contre 68, après la bataille parlementaire la plus acharnée de l'histoire du Canada, cinq conservateurs du Québec ayant cependant voté contre. Laurier suggéra amèrement que les *dreadnoughts* soient nommés le *Pelletier*, le *Nantel* et le *Coderre*. [73]

Or, le projet devait encore passer par le Sénat, dominé par une majorité libérale que dirigeait Sir George Ross, impérialiste enthousiaste. Laurier avait tenu une réunion à Toronto le 5 mai, où il réclama un appel au pays et se posa en défenseur de la liberté et de l'autonomie. Le recours à la règle de clôture par les conservateurs aux dépens de Laurier avait renforcé la position du vieux *leader* aux yeux de ses partisans de l'Ontario et on lui fit une réception enthousiaste. Borden tint une assemblée rivale à Toronto le 19 mai, pour laquelle le sentiment impérialiste avait été soigneusement stimulé par les organisateurs *tory*. S'adressant à un public à qui l'on avait distribué de petits *Union Jack*, Borden passa en revue sa politique navale, traitant avec emphase de la gravité de la situation de l'Angleterre et menaçant de réformer le Sénat s'il refusait de sanctionner le projet. Bourassa, qui avait déjà enjoint au Sénat de le rejeter, stigmatisa ces menaces :

*« Ce n'est ni l'homme d'Etat, ni l'honnête homme qui a proféré cette menace ; c'est le chef, ou plutôt l'instrument d'une faction arrogante, mue par le jingoïsme et l'or du trust des armements. Le Sénat serait indigne de ses fonctions, il mériterait le mépris public s'il cédait à cette audacieuse tentative de chantage. »* [74]

Pendant ce temps, Lavergne s'affairait pour monter les sénateurs Landry et Legris contre le projet de loi.

Le gouvernement avait déjà négocié un compromis, en privé, avec Sir George Ross, qui s'opposait à une contribution sans la création d'une marine canadienne et qui proposa de combiner les deux plans. Or, ni les sénateurs libéraux, ni Laurier n'approuvaient ce compromis que Borden aurait accepté. Le projet, présenté le 20 mai par le sénateur Lougheed, fut combattu par Ross, qui déclara que la Loi navale de 1910 était préférable au plan actuel. Le gouvernement n'envoyait que des bateaux vides, sans hommes pour combattre, il ne faisait aucunement appel au sentiment national, il mènerait à la division plutôt qu'à l'unité de l'opinion publique. La volonté du peuple devait prévaloir. Il déclara donc, en reprenant les paroles mêmes de Borden en 1910, *« que cette Chambre n'a pas le droit de donner son assentiment à ce projet avant qu'il ne soit soumis au pays. »* [75] La motion de Ross fut adoptée par 51 voix à 27, le 29 mai et c'est ainsi que le *Naval Bill* des conservateurs fut enterré.

Cependant, Borden n'abandonna pas l'espoir de le faire voter plus tard : il fallait attendre la mort de sénateurs libéraux, ou la création de nouveaux sièges de sénateurs en vertu de la section 26 de l'Acte de l'Amérique britannique du Nord. Le 1er juin, il suggéra à Churchill que l'Angleterre mette trois bâtiments en chantier, avec l'assurance que le Canada les paierait avant l'achèvement. [76] Il proposa de pourvoir, en 1914, à un octroi de dix à quinze millions à cet effet. Le sénateur Ross exprima de la sympathie pour ce projet, mais sa mort au mois de mars suivant, la crise financière et la diminution de l'importance donnée aux *dreadnoughts* causèrent ensemble l'abandon du plan. La défaite du *Naval Bill* de Borden fut attribuée, par le *Montreal Star* et la presse d'Angleterre, à l'influence de Bourassa qui n'hésita pas à souligner lui-même son « *triomphe moral sans précédent.* » Après quatre ans d'agitation, les nationalistes avaient réussi à éliminer toutes les propositions impérialistes : une flotte canadienne, des *dreadnoughts* pour l'Angleterre et une contribution en espèces. [77]

## 5

Pendant que le problème naval traînait sans trouver de vraie solution, le conflit scolaire s'était aggravé et avait renforcé le rôle non officiel de Bourassa en tant que *leader* du Canada français. Au Manitoba, les promesses du gouvernement d'accorder de meilleures conditions à la minorité catholique n'avaient pas été tenues et Philippe Landry fut chargé de présenter au gouvernement une pétition des catholiques de l'Ouest. A Rome, l'appel des Franco-Américains qui avaient été excommuniés par Mgr Walsh fut rejeté, mais ils restèrent quand même des patriotes aux yeux des Canadiens français. En Ontario, les Franco-Ontariens résistaient aux tentatives de mise en vigueur du Règlement 17. Ils constituaient maintenant un dixième de la population, concentrée dans la vallée de l'Ottawa, dans les centres ferroviaires, forestiers et miniers au cœur et au nord de la province, ainsi qu'autour de la ville de Windsor. A l'instigation de Samuel Genest, les instituteurs franco-ontariens refusèrent de signer la déclaration exigée par les autorités et les élèves quittèrent les écoles à l'arrivée des inspecteurs. Un journal était nécessaire pour rallier et diriger la résistance : un groupe de prêtres et de fonctionnaires d'Ottawa fondèrent *Le Droit*, le 27 mars 1913. Les Canadiens français du Saskatchewan avaient déjà *Le Patriote de l'Ouest* et ceux de Winnipeg avaient lancé *La Liberté* en mai 1913. *Le Droit* s'inspira de l'organisation des journaux *Le Devoir* et *L'Action sociale* et entretint des relations étroites avec eux et ses confrères de l'Ouest.

Des prêtres de l'Ontario cherchèrent un appui pour ce journal dans le Québec et Olivar Asselin, maintenant président de la Société Saint-Jean-Baptiste de Montréal, se laissa persuader de patronner une collecte pour les écoles de l'Ontario, qui était en réalité destinée à financer *Le Droit*. Asselin fit valoir, avec toute son ardeur habituelle, la cause du *Sou de la Pensée française* et il renonça, pour elle, au défilé et aux feux d'artifice traditionnels du 24 juin, en lançant quelques remarques acerbes à l'adresse de ses prédécesseurs. La Société Saint-Jean-Baptiste de Québec et la Société du Parler français, dans la tradition de méfiance de Québec à l'égard des initiatives de Montréal, refusèrent de renoncer à leurs fêtes coutumières, mais organisèrent leurs propres collectes. Asselin, dans une entrevue qu'il accorda au journal *L'Action*, de Fournier, le 26 juillet, s'éleva contre l'opposition qui avait réussi à le déloger du poste de président. Cette entrevue, réimprimée, devait devenir la troisième de ses *Feuilles de Combat* qui étaient destinées à « *servir la vérité et faire enrager les crétins.* » [78] Il fit remarquer que la fête de la Saint-Jean-Baptiste était, à l'origine, une fête nationale plutôt que religieuse, que rien n'avait été fait dans le passé pour la cause de la culture française en cette occasion, qu'enfin la culture française devait être renouvelée en remontant à la source, comme le conseillait Bourassa au Congrès de la Langue française en 1912, sans s'occuper de ceux qui craignaient la France moderne. Il se moqua de la procession coutumière des chars allégoriques « *ridicules* », beaucoup plus coûteux que de véritables contributions à la culture canadienne-française, et du choix malheureux d'un agneau, « *la Bête nationale* », comme symbole de la nation. La suppression par Asselin de ce traditionnel symbole n'était pas anti-religieuse, comme certains de ses critiques avaient décidé de conclure après un sermon de la Saint-Jean-Baptiste, par Mgr l'Archevêque Bruchési, sur l'Agneau de Dieu, ni la preuve d'une intrigue maçonnique. Il défendit aussi le droit de Gonzalve Désaulniers de prendre part à la célébration en tant que Canadien français, bien que Mgr Bruchési eût banni le poète de l'université parce qu'il était franc-maçon. Les obstacles soulevés par les « *stupides bien-pensants* » avaient réduit la collecte à 15 000 dollars, bien qu'habituellement 50 000 dollars fussent dépensés pour le défilé.

Une série d'articles du père Joseph-Papin Archambault, s.j., sous le pseudonyme de Pierre Homier, provoqua l'organisation, à Montréal, de la Ligue des Droits du Français, version plus nationaliste de la Société du Bon Parler Français. Les fondateurs étaient tous amis ou disciples de Bourassa : Omer Héroux, le Dr Joseph Gauvreau, Léon Lorrain, Anatole Vanier, A.-G. Casault, Henri Auger et le père Archambault lui-même. Ils avaient pour programme de défendre et d'encourager la langue française, d'insister pour son usage dans les affaires et les services publics, de s'efforcer de « *redonner à l'extérieur de notre vie sociale une apparence révélatrice de l'âme française de notre race.* » [79]  Cette entreprise fut encouragée par Mgr Bégin, par Mgr Paul-Eugène Roy et par Mgr Langevin.

A Ottawa, le 22 juin, une réunion de Franco-Ontariens attira une foule de 7 000 personnes. Leur porte-parole, le sénateur Belcourt qui, un an plus tôt, avait conseillé la modération, proclama : « *Notre décision est irrévocable et irréductible. Nous avons résisté et nous continuerons de résister à l'odieuse tentative de proscrire notre langue maternelle, malgré toutes les menaces, au prix de tous les sacrifices.* » [80] Asselin, Adjutor Rivard et Armand Lavergne promirent l'appui du Québec. Bourassa aurait été là s'il n'avait pas commencé une tournée de l'Ouest, au cours de laquelle il prononça environ vingt discours à Edmonton, Calgary, Regina, Saskatoon, Winnipeg, Saint-Norbert, Fort William, Port Arthur, Sault Sainte-Marie et Sudbury, plus souvent en anglais devant les *Canadian Clubs* qu'en français devant des auditoires de compatriotes. Il expliqua ses opinions et profita de l'occasion pour étudier les problèmes de l'Ouest, car il était convaincu que le sentiment national devait être développé si l'on ne voulait pas que l'Ouest et l'Est se séparent.

Le nationalisme de Bourassa fut accentué par ce voyage, mais ses disciples du Québec eurent tendance à ramener le leur vers un étroit provincialisme. L'ACJC tint son cinquième congrès général à Trois-Rivières, à la fin de juin. Depuis un an, des groupes d'étude s'étaient penchés sur l'enseignement, mais ils n'étaient pas arrivés à des conclusions plus sensationnelles que des résolutions approuvant le contrôle de l'enseignement primaire par l'Eglise et les parents, ou le contrôle de toutes les institutions scolaires par le Conseil de l'Instruction publique. L'ACJC condamna comme « *inopportunes* » toutes les réformes demandées depuis dix ans par le libre-penseur Godefroy Langlois et autres revisionnistes moins suspects. L'abbé Lionel Groulx, en discutant le congrès dans *La Nouvelle France,* loua cette société en affirmant : « *Ceux qui viennent n'auront qu'à le vouloir pour devenir les maîtres de demain.* » [81] C'était dans ce dessein que l'abbé Groulx tentait d'imprimer une tendance nationaliste à l'enseignement de la littérature et de l'histoire. La religion et le nationalisme se fondirent curieusement à mesure que le clergé assumait le rôle dirigeant du mouvement nationaliste. Cette évolution fut cause d'incidents tels que le différend entre l'extrémiste Asselin et le raisonnable Mgr Bruchési, le blâme aussi que s'attira Bourassa lorsqu'il critiqua l'attitude du délégué apostolique sur la question scolaire du Keewatin. L'intervention du clergé dans la politique eut aussi des répercussions malheureuses dans les milieux canadiens-anglais, dont le loyalisme fut encore froissé par la décision de l'ACJC de célébrer la mémoire de Dollard des Ormeaux le 24 mai, depuis longtemps jour de fête, le *Victoria Day,* pour les Anglais.

Laurier exploita la défaite du *Naval Bill* de Borden et l'inflation grandissante lors d'une réunion politique, le 16 août, à Saint-Hyacinthe. Il attaqua le mouvement nationaliste qui avait mené Borden au pouvoir, pour se transformer ensuite en « *mouvement vers la crèche* », [82] renonçant alors à ses engagements pour profiter des avantages du pouvoir. Il rendit hommage au Sénat libéral qui avait su conserver son indépendance en rejetant le *Naval Bill* que les nationalistes avaient accepté aux Communes. Bourassa, en retour, attaqua Laurier dans une série de quatre articles. Il traita la défaite de l'anc'en ministre de Laurier, Sydney Fisher, dans Châteauguay, le 11 octobre, comme une nouvelle répudiation, par le Québec, de Laurier en tant que *leader*. Toutefois, Laurier continua sa campagne pour regagner le Québec, insistant sur le coût plus élevé de la vie sous le gouvernement Borden, plutôt que sur la question navale qui avait eu la vedette lors de l'élection complémenta're de Châteauguay. Les libéraux provinciaux, dirigés par Gouin, en octobre, prirent la défense des droits des provinces à la Cinquième Conférence interprovinciale qui eut lieu à Ottawa. Ils demandèrent une augmentation des subsides fédéraux, parce que, grâce à la croissance du Canada en population et dans les affaires, les recettes provenant des impôts fédéraux avaient augmenté beaucoup plus que celles des provinces. Le gouvernement Borden se montrant moins favorable que celui de Laurier aux droits provinciaux, la question resta sans solution et le Québec nourrit un nouveau grief contre Ottawa.

La question des écoles de l'Ontario continuait à se compliquer. Le Dr J.W. Edwards de Toronto, orangiste conservateur, insistait pour que la langue française soit chassée de l'Ontario. Le département provincial de l'enseignement supprima les subventions aux écoles séparées d'Ottawa en octobre. Les Irlanda's d'Otta:va divergèrent beaucoup des Français sur la question des écoles et les accusèrent de néo-gallicanisme. Le sénateur Landry sollicita encore, en vain, l'intervention de Borden et Thomas Chapais fut avisé, par Sir James Whitney, que les affaires de l'Ontario ne regardaient pas les Québecois quand il demanda l'abrogation du Règlement 17. [83] Bourassa monta à la tribune devant trois *Canadian Clubs* pour défendre les écoles bilingues et, lors d'un banquet le jour de la Saint-Andrew, il se trouva à la table des orateurs avec Mgr Fallon, de London. Cet évêque était, dans le clergé irlandais, le principal ennemi des écoles françaises. En 1911, il avait réprouvé « *un prétendu système d'écoles bilingues, qui n'enseigne ni le français, ni l'anglais, encourage l'incompétence, donne de la valeur à l'hypocrisie et propage l'ignorance.* » [84] L'ACJC et la Société Saint-Jean-Baptiste de Montréal exprimèrent leur sympathie pour les Franco-Ontariens et, dans une réunion de protestation sous les auspices de ces derniers au Monument national de Montréal, le 15 décembre, Bourassa fit remarquer la présence d'un porte-parole irlandais d'Ottawa, J.K. Foran et il pria son auditoire d'appuyer ses protestations sur celles des Irlandais catholiques et des Anglais protestants.

A la mi-janvier, Bourassa parla à un congrès de l'*Association canadienne-française d'Education* de l'Ontario qui était déchirée par des différends politiques dans sa lutte contre le gouvernement conservateur de cette province. Il insista encore sur la nécessité d'intéresser au mouvement les Irlandais catholiques et les Anglais protestants car, au cours de sa tournée dans l'Ouest, il avait acquis la conviction que la plupart des préjugés canadiens-anglais contre ses compatriotes pourraient disparaître si on les connaissait mieux. Il avait déjà acquis, de fait, l'alliance de Ewart, Boyd, Cahan et J.C. Walsh et il tentait maintenant de s'en assurer d'autres. Son conseil fut suivi par la Société Saint-Jean-Baptiste de Montréal, à l'occasion d'une nouvelle réunion de sympathie au Monument national, le 6 mars. Les orateurs, en plus de Lamarche et d'Asselin, étaient Walsh, le journaliste ontarien Thomas O'Hagan et l'Anglais montréalais W.D. Lighthall. Bourassa lui-même s'adressa aux Irlandais d'Hamilton le jour de la Saint-Patrice [85] et il parla au *Canadian Club* d'Oshawa, le lendemain, critiquant ouvertement l'ignorance anglaise de la langue française et l'injustice anglaise à l'égard des Canadiens français. En janvier, il conçut l'idée d'une page anglaise dans *Le Devoir* et demanda à Ewart d'y collaborer. [86]

Quand la campagne pour la mairie de Montréal entre G.W. Stephens et Médéric Martin amena une explosion d'animosité provoquée par les troubles de l'Ontario, Bourassa fit paraître quatre articles en anglais dans *Le Devoir* (11-14 mars 1914), qu'il publia ensuite sous forme de brochure intitulée *French and English Frictions and Misunderstandings* et préfacée par des lettres de Cahan et de Walsh. Depuis des années, c'était la coutume à Montréal d'élire des maires alternativement français et anglais, en dépit du fait que la population anglaise ne constituait qu'un quart de la population totale. A l'égard de cette coutume existaient trois attitudes françaises : la majorité la favorisait, une minorité murmurait contre elle et un troisième groupe, auquel appartenait Bourassa, estimait qu'il fallait élire le meilleur candidat, indépendamment de la race ou de la croyance. Or, les Français perdaient leurs illusions au sujet du *fair play* anglais. En effet, les Anglais revendiquaient toujours leur droit quand c'était leur tour et, quand ce ne l'était pas, le meilleur candidat semblait toujours être un Anglais. *Le Devoir* avait soutenu le candidat anglais élu, en 1910, par volonté de réforme des affaires municipales. Cependant, les journaux anglais de Sir Hugh Graham et de Lorne McGibbon n'avaient pas censuré la corruption politique pratiquée par les grandes compagnies anglaises et ils consentaient maintenant à appuyer plutôt un candidat français corrompu qu'un candidat anglais honnête.

Bourassa déplora le manque de contact et de compréhension entre Anglais et Français, qui se rencontraient rarement en dehors de la politique ou des affaires, où ils déployaient leurs pires tendances. Il blâma surtout les Anglais de Montréal qui, en retour des privilèges qui leur étaient prodigués, ne faisaient aucun effort pour comprendre leurs concitoyens français. Il loua la tradition canadienne-française de tolérance à l'égard de la langue et des croyances et l'habitude d'élire des Anglais protestants pour représenter des collectivités en majorité françaises et catholiques, précédent qui n'était pas suivi par les majorités anglaises. Les hommes d'affaires anglais ne s'étaient pas montrés hommes publics de valeur. Ils ne consentaient guère à accepter la langue de la majorité dans les services publics, ils regardaient le Canadien français comme un gêneur et ils refusaient d'apprendre la langue de la majorité, universellement reconnue comme langue de culture et de civilisation. Rares étaient les Québecois anglais qui avaient déploré la campagne anti-française de l'Ontario au sujet des écoles mais, si le Québec adoptait une politique anti-anglaise semblable, tout le Canada anglais serait en armes. Pourtant, au point de vue de l'enseignement, les droits des Anglais dans le Québec reposaient sur la même base que ceux des Français en Ontario. Il exigea une justice égale et des droits égaux pour les deux groupes et il recommanda aux Anglais de prendre une part plus active aux affaires publiques au lieu de « *vivre dans cette ville et province comme des Blancs (Uitlanders) en Afrique du Sud, isolés, riches, satisfaits d'eux-mêmes et se suffisant à eux-mêmes, sans se soucier de leurs voisins de langue française, excepté dans ces occasions où des votes français sont nécessaires pour élire un maire de langue anglaise.* » Bourassa considérait cette conduite comme « *le facteur le plus actif éloignant de plus en plus les deux races l'une de l'autre.* » [87]

Commentant les articles de Bourassa, Cahan fit une distinction entre le grand nombre de Montréalais anglais venant de toutes les parties du Canada et de l'extérieur du Canada, qui ne s'intéressaient pas au Québec et les Québecois anglais de naissance qui appréciaient la tolérance des Français, mais n'avaient guère de représentation ou de participation directe aux affaires de la province. Il attribua la plus grande partie de la corruption politique, à Québec, aux coulissiers du monde des affaires anglais, qui n'avaient aucune représentation politique directe. N'ayant que peu d'influence politique à Ottawa, ils s'alliaient à leurs collègues du monde des affaires de l'Ontario et s'abstenaient de critiquer leurs actes politiques. Enfin, il affirma qu'il y avait maints Montréalais anglais qui sympathisaient avec les Canadiens français, mais qui préféraient s'adresser en anglais plutôt qu'en mauvais français à des Canadiens français qui connaissaient à fond les deux langues. J.C. Walsh déplora l'abîme entre Français et Anglais à Montréal. Il loua Bourassa d'avoir révélé l'état d'esprit français et il assura que « *aucun Canadien ne donnera son assentiment à une injustice faite à un autre Canadien.* » [88] Cependant, malgré l'appui de Bourassa, Stephens fut battu par Martin, qui était financé par les intérêts du tramway et Sir Rodolphe Forget. Bourassa déplora qu'une explosion d'animosité raciale provoquée par le conflit ontarien ait eu pour résultat « *la victoire d'un homme de cinquième ordre, incapable d'un geste ou d'une action propre à revendiquer l'honneur et les droits de sa race, et la défaite de l'un des rares Anglo-Canadiens qui ait manifesté des sympathies réelles pour les Canadiens français.* » [89]

Bourassa ne se contenta pas de reprocher aux Anglais leurs torts. Il s'appliqua aussi à attaquer les fautes canadiennes-françaises. Le 12 avril, il donna une conférence sur *Nos défauts et nos vices nationaux,* qu'il appela « *un examen de conscience nationale.* » [90] Il censura la capitulation devant le matérialisme qui avait amené un peuple campagnard à surpeupler les villes, la perte de l'esprit de simplicité et d'économie, le développement de la malhonnêteté par les fraudes électorales, les scandales politiques, les méfaits impunis. Se tournant vers le clergé qui était présent, il reprocha à la hiérarchie la tolérance qu'elle montrait à l'égard des politiciens en échange de leur respect superficiel et de leurs subsides aux institutions religieuses. Il demanda aux prêtres, aux instituteurs et aux parents de s'acquitter de leurs responsabilités. Cette sortie, qui mettait clairement en cause Mgr Bruchési pour avoir fait la paix avec Sir Lomer Gouin, irrita la hiérarchie. Cependant, quelques jours plus tard, parlant à une réunion au Monument national, Mgr Langevin faisait l'éloge du « *catholicisme exemplaire* » de Bourassa et de son « *patriotisme contagieux* », [91] aux grands applaudissements des étudiants partisans de ce dernier. Peu après, le *leader* nationaliste partait pour l'Europe où il voulait étudier la question irlandaise, soulevée une fois de plus par la résistance de l'Ulster au *Home Rule,* et la question des minorités en Belgique et en Alsace.

La crise sévissait dans le pays et la crainte de la guerre s'était apaisée en Europe. Aussi le parlement se consacra-t-il surtout aux difficultés financières du *Canadian Northern Railway,* contrôlé par Mackenzie et Mann, ainsi qu'au projet du canal de la Baie Georgienne. Au cours du débat sur le discours du trône, Laurier railla Borden pour la soudaine disparition de l' « urgence » dont il avait fait si grand état pour appuyer le *Naval Bill* et il reprocha au gouvernement de ne rien faire pour combattre la crise. Borden critiqua le Sénat pour avoir rejeté le *Naval Bill,* parce que cette décision était au détriment de l'Empire et discréditait le Canada, mais il annonça son intention de tout suspendre au sujet de la question navale jusqu'à ce qu'une conclusion satisfaisante devienne possible. Un projet de loi d'abolition des titres n'obtint l'appui de ni l'un ni l'autre des deux partis. Le *Redistribution Act*, qui augmentait le nombre de sénateurs de 72 à 96, fut approuvé par les deux partis, mais les libéraux ajoutèrent un amendement disposant qu'il ne prendrait effet qu'à la fin du présent parlement, empêchant ainsi de gonfler le nombre de conservateurs au Sénat, dans l'intérêt de la question navale. A la veille de la session, Bourassa exigea un programme de travaux publics nécessaires, plutôt que de « *vider nos coffres pour enrichir les actionnaires de Vickers-Maxim, d'Armstrong-Whitworth, de Beardmore, et grossir l'héritage de la fille de la dynastie des Krupp.* » [92] Le 14 janvier 1914, Monk, trop malade pour assister à l'ouverture du parlement dont il avait démissionné en mars, esquissa, dans *Le Devoir*, un vaste programme de travaux publics qui comportait le projet du canal de la Baie Georgienne que Montréal favorisait de préférence au développement du canal Welland et de la route du Saint-Laurent. Le 23 février, Laurier se prononça pour la construction immédiate du canal de la Baie Georgienne et pour le développement du canal Welland. P.-E. Lamarche, dans un discours habile où faits et chiffres étaient agrémentés d'éclats intermittents d'éloquence, appuya uniquement le projet de la Baie Georg'enne, déclarant se méfier du développement conjoint du Saint-Laurent avec les Etats-Unis, qui s'étaient toujours tirés de leurs difficultés passées avec le Canada en emportant un morceau du territoire canadien. Le gouvernement promit d'étudier le problème dont la solution avait toujours été entravée, selon Bourassa, par les chemins de fer qui, grâce à leurs contributions aux campagnes électorales, étaient plus puissants que le gouvernement.

Le Québec porta peu d'intérêt aux nouveaux raids du *Canadian Northern* et du *Grand Trunk Pacific* sur le trésor fédéral, mais il s'insurgea contre un budget militaire de 11 000 000 de dollars, beaucoup plus considérable qu'à l'ordinaire parce que Sam Hughes rêvait de militariser le·pays. *Le Canada* déplora « *la frénésie de militarisme qui détourne tant de millions de notre argent, dont nous avons tant besoin par ailleurs, pour les dépenser en ·achats d'armes, de canons et de munitions* » et·*Le Soleil* écrivit : « *Onze millions sont sacrifiés dans le gouffre du militarisme pour permettre à Sam Hughes de jouer au soldat.* » [93] Le parlement fut prorogé le 12 juin, après une petite crise de cabinet provoquée par le refus de Sam Hughes de permettre au 65ème bataillon de Montréal de prendre part, comme d'habitude, à la procession de la Fête-Dieu. Doherty menaça de démissionner si cet ordre n'était pas révoqué, mais Hughes, appuyé par les orangistes, demeura ferme. Un compromis fut finalement conclu, en vertu duquel le 65ème défila, mais sans armes. Hughes ne gagna pas en popularité dans le Québec à la suite de cet incident et d'un autre, plus tard, en juin, quand il refusa de permettre au régiment de Lévis d'escorter le cardinal Bégin qui revenait de sa consécration à Rome. Québec oublia ses différends politiques pour rendre hommage au nouveau cardinal et Laurier, Pelletier, Doherty, Nantel, le lieutenant-gouverneur, le premier ministre et le chef de l'opposition provinciale étaient tous là pour cette occasion. L'accession de Mgr Bégin au rang de cardinal flatta le sentiment de supériorité qu'avait Québec vis-à-vis de Montréal et elle représenta un triomphe des Canadiens français sur les catholiques irlandais, dont l'attitude, en Ontario, aggrava encore la vieille friction entre Français et Irlandais.

En effet, la question des écoles de l'Ontario était maintenant débattue sur un plan strictement ethnique. Pendant que le cardinal Bégin était à Rome, défendant la cause des Franco-Ontariens et plaidant pour une division des paroisses mixtes afin que les Canadiens français puissent avoir leur propre clergé, le bruit courait que les évêques irlandais avaient l'intention de publier une lettre pastorale approuvant le Règlement 17. [94] Les Irlandais catholiques d'Ottawa étaient en guerre contre le bannissement de l'université française du père James Fallon qui avait tenté d'empêcher les Canadiens français de voter à l'élection des commissaires des écoles séparées. Ils tentèrent d'obtenir un arrêt suspendant le paiement des instituteurs qui s'opposaient au Rèlement 17. Le gouvernement de l'Ontario annonça qu'il prendrait des mesures non seulement contre les instituteurs rebelles, mais encore contre les parents. Le père Charlebois obtint le concours du père Rodrigue Villeneuve, jeune théologien oblat, pour la rédaction des éditoriaux du journal *Le Droit*. Il se joignit aussi à la Ligue des Droits du Français, de Montréal et tint ses membres au courant de la lutte en Ontario. Les orangistes organisèrent des collectes pour aider l'Ulster dans sa résistance au *Home Rule* et donnèrent libre cours à leur enthousiasme par des attaques contre les écoles séparées. Les Canadiens français de l'Ouest organisèrent des congrès à Edmonton et à Prince-Albert, auxquels assistèrent des délégués du Québec. A Montréal, l'ACJC se réunit en congrès, à l'occasion duquel l'abbé Groulx exerça son influence grandissante. L'ACJC discuta des problèmes de l'inflation, de l'immigration, des syndicats et du chômage, ce dernier étant une nouveauté dans la province qui commençait à s'industrialiser. En juin, les Franco-Ontariens votèrent contre le gouvernement conservateur qui avait introduit le Règlement 17. Leur désobéissance à la discipline de parti irrita les Anglais. Au Manitoba, en juillet, les Canadiens français appuyèrent le gouvernement conservateur Roblin qui, par les amendements Coldwell, avait fait preuve de tolérance à l'égard de la minorité française.

A la veille de la première guerre mondiale, le Québec avait les yeux tournés vers ses compatriotes persécutés de l'Ouest, plutôt que vers l'Europe. Dans trois des neuf provinces du Canada, l'animosité raciale était vive et un nationalisme étroit prédominait au Canada français. Ces faits devaient avoir des conséquences notables dans les années troublées qui approchaient.

## 6

La guerre s'abattit en 1914 sur un Canada préoccupé de ses propres affaires internes et l'on improvisa. Borden, qui s'était inquiété de la menace de conflit pendant son voyage en Europe en 1912, n'avait guère attaché d'importance à l'incident de Sarajevo du 28 juin et il avait remis à plus tard la décision sur la date de la visite au Canada de lord Jell'coe, pour discuter de la participation navale. Le 28 juillet, pendant ses vacances à Muskoka en Ontario, il apprit que la Grande-Bretagne serait probablement entraînée dans la guerre si la France était attaquée. [95] Rassuré par son secrétaire, mais averti qu'il pouva't être rappelé d'urgence à Ottawa, il arriva le 1er août dans une capitale presque déserte. Le gouverneur général était absent, ainsi que la plupart des membres du cabinet. Il câbla au gouvernement britannique, au nom du duc de Connaught, exprimant un espoir de paix, et le désir du Canada d'y collaborer. Il assurait aussi que, « *si malheureusement la guerre venait, le peuple canadien serait uni dans une résolution commune d'accepter tout effort et tout sacrifice nécessaires à l'intégrité et à l'honneur de notre Empire.* » [96] Le 2 août, il demanda les avis et conseils des autorités militaires et navales impériales et il offrit une force canadienne considérable qui serait enrôlée comme troupe impériale pour éviter la clause « *défense du Canada* », mais qui serait équipée, payée et entretenue par le Canada. Le gouvernement britannique répondit qu'il appréciait cette offre, mais remit à plus tard des « *observations détaillées sur ces propositions, en attendant les événements.* » [97]

Entre temps, les 2 et 3 août, Borden et le cabinet, convoqué à la hâte, signèrent des arrêtés-en-conseil en accord avec les plans du *War Book* établis, le printemps précédent, par un comité de sous-ministres et de représentants de l'armée. La censure fut décrétée, la circulation monétaire fut réglementée pour prévenir une panique financière, l'immobilisation des vaisseaux ennemis fut autorisée et l'exportation d'articles pouvant être utiles à la poursuite de la guerre fut prohibée. Ordre fut donné d'armer les croiseurs canadiens *Rainbow* et *Niobe* et de les mettre à la disposition de l'amirauté. Deux sous-marins furent achetés avec une hâte fébrile à Seattle et ils prirent la mer avant qu'il fût possible de les retenir, malgré la poursuite de croiseurs américains. Le *Rainbow* reçut l'ordre de se diriger vers le sud en partant d'Esquimalt, pour escorter deux petits bâtiments britanniques, le *Shearwater* et l'*Algerine,* qui rentraient et étaient menacés par la présence de croiseurs allemands dans le Pacifique.

Pendant une séance du cabinet le soir du 4 août, la nouvelle de la déclaration de guerre arriva d'Angleterre. Le parlement fut aussitôt sommé de se réunir le 18 août, c'est-à-dire dans le délai de deux semaines prescrit par la Loi navale de Laurier. Le cabinet résista à la pression anglaise pour que soient internés les réservistes allemands et autrichiens résidant au Canada et il les assura de sa protection s'ils ne cherchaient pas à quitter le pays. Le Canada offrit à l'Angleterre un million de sacs de farine, le 6 août, à l'instigation de George Perley, qui était alors à Londres. Le gouvernement britannique apprécia beaucoup ce cadeau, car il stabilisa les prix et soulagea la détresse du peuple en Angleterre. Sam Hughes, saisissant l'occasion que son âme napoléonienne avait depuis longtemps souhaitée, se mit immédiatement à l'œuvre. Le 30 juillet, il convoqua le Conseil de la Milice qui décida l'envoi d'un contingent de 20 000 hommes si la guerre était déclarée. Un appel fut publié le 3 août, demandant des volontaires pour servir outre-mer. L'Angleterre ayant accepté l'offre de troupes, la mobilisation de la première division fut ordonnée le 6 août par un arrêté-en-conseil qui posait la question du droit du Canada de déclarer la guerre ou de s'en abstenir, « *considérant l'état de guerre existant maintenant entre le Royaume-Uni, les dominions, les colonies et les dépendances de l'Empire britannique d'une part et l'Allemagne d'autre part...* » [98] Déjà, nombre d'officiers avaient offert volontairement leurs services et ceux de leurs unités. Sam Hughes ordonna la mobilisation de deux bataillons d'infanterie, le 13ème, composé de *Royal Highlanders* et le 14ème, composé des *Grenadier Guards,* des *Victoria Rifles,* des *Carabiniers Mont-Royal* et de la *Field Artillery Battery* du major Thomas-Louis Tremblay. Un site, choisi plus tôt par Hughes à Valcartier près de Québec, fut désigné comme centre de rassemblement et les premières troupes y arrivèrent le 20 août.

La déclaration de guerre prit le Québec par surprise, au moment où nombre de ses *leaders* étaient en voyage en Europe, suivant la vogue de plus en plus répandue dans sa classe bourgeoise et où son peuple était totalement indifférent aux événements mondiaux. Sir Lomer Gouin villégiaturait en Bretagne, le président du Conseil législatif était à Berlin, le juge en chef et bien d'autres étaient à Paris, le Dr Béland était en Belgique et Bourassa en Alsace. Une foule, qui s'assembla spontanément devant le tableau d'affichage de *La Patrie,* montra de la sympathie pour la France menacée. Elle chanta *La Marseillaise* et manifesta ensuite jusqu'au Consulat de France, en arborant le *Union Jack* et le drapeau tricolore. Des réservistes français et belges se rendirent en masse à leurs consulats et ils furent acclamés par des foules chantant *La Marseillaise*. A peu près les mêmes scènes se déroulèrent à Québec. Les deux villes firent preuve de plus d'enthousiasme patriotique que l'impérialiste Toronto. [99] Le 4 août, le premier contingent de réservistes français s'embarqua à Montréal, escorté jusqu'au bateau par une foule énorme. L'ancienne métropole étant menacée, la méfiance canadienne-française à l'égard de la France moderne fut désarmée. Seuls, les rédacteurs de *La Vérité* rappelèrent solennellement que le plus grand ennemi de la France n'était pas l'Allemagne, mais la franc-maçonnerie. [100] Un comité pour aider les familles des réservistes français fut organisé à Québec et, plus tard, à Montréal. Les journaux portèrent les drapeaux croisés de l'Angleterre et de la France en haut de page et *La Patrie* parut avec un énorme en-tête : « *Vivent la France et l'Angleterre et Dieu sauve le Roi !* » [101]

Rodolphe Lemieux, grand ami de la France, exhorta les siens à se rallier d'abord pour la défense des côtes du Canada, puis pour celle du grand Empire auquel ils appartenaient. [102] Laurier publia un communiqué, le matin du 4 août, exprimant un espoir de paix, mais aussi sa conviction : « *Il est probable ou à peu près certain que l'Angleterre devra entrer dans le conflit, non seulement pour la protection de ses propres intérêts, mais encore pour la protection de la France, de même que pour le maintien du sentiment de civilisation que représentent ces deux nations.* » Il proclama que la politique libérale du Canada était d'apporter « *toute son assistance et son appui* » à la mère-patrie en danger et il demanda une trêve dans la lutte des partis, décommandant lui-même toutes ses réunions politiques. [103] Lamarche affirma que le devoir de tout Canadien était de défendre l'Empire. [104] A Québec, le 4 août, Albert Sévigny glorifia l'Angleterre qui accourait à l'aide de ses alliés et il évoqua la loyauté britannique. Armand Lavergne fit entendre une note discordante dans un discours ultérieur, affirmant avec force que le Canada était obligé de se défendre, mais de se défendre, lui, uniquement, et que si les Canadiens français devaient être appelés à mourir pour leur pays, on devait d'abord leur accorder le droit de vivre dans leur pays. « *Si l'on nous demande d'aller nous battre pour l'Angleterre, nous répondrons : qu'on nous rende nos écoles !* » [105]

Les paroles de Lavergne ne furent pas bien accueillies partout. *La Presse* du 5 août suggéra que les volontaires canadiens-français forment des bataillons distincts et soient placés directement au service de la France. Dans *Le Devoir* du lendemain, Omer Héroux, agissant comme porte-parole des nationalistes en l'absence de Bourassa, rejeta cette proposition et toute participation à la guerre outre-mer :

« *Nous persistons à croire, avec les grands hommes d'Etat du passé, que le devoir propre des troupes canadiennes est d'assurer, avec la défense du territoire pour laquelle nous sommes prêts à consentir tous les sacrifices, la liberté des communications et la libre exportation du blé nécessaire à la subsistance de la nation anglaise.* » [106]

Le lendemain, Héroux exigea l'abrogation du Règlement 17 : « *...le rappel du règlement inique, la reconnaissance du droit des pères de famille au libre enseignement du français, l'octroi d'un régime sembla-*

*ble à celui dont jouit la minorité anglo-protestante du Québec, rien
ne saurait promouvoir de façon plus efficace le rapprochement nécessaire entre Anglo- et Franco-Canadiens.»* Semoncé par Fernand Rinfret, dans *Le Canada,* au sujet de ses *« réclamations inopportunes »*
quand le devo'r commun exigeait l'union de tous dans la guerre,
Héroux insista encore : *« Quelle que soit la gravité des événements
européens et des problèmes qu'ils posent chez nous, cela ne nous donne
pas le droit de fermer les yeux sur l'injustice qui se perpétue en Ontario. »* Cependant, la voix d'Héroux se perdit dans l'enthousiasme
général du Québec. *La Patrie* le rabroua en lui demandant : *« Si
l'Angleterre était vaincue par l'Allemagne, notre langue et nos écoles
ne seraient-elles pas exposées à être sacrifiées ? »* [107] Pour approuver
la voie choisie par le Canada, il n'y eut pas plus d'hésitation dans le
Québec que chez les membres de l'*Ontario Grange* et de la *Western
Grain Growers,* ainsi que le montrèrent, en août, l'*Ottawa Citizen* et
le *Winnipeg Free Press.* L'enthousiasme pour la guerre fut le plus
grand chez les immigrants anglais de date récente, mais la vague de
patriotisme emporta bientôt tout devant elle.

Quelque mécontentement se manifesta dans le Québec, non contre
la guerre, mais contre Sam Hughes, qui avait donné l'ordre aux
sentinelles de tirer sans sommation. En conséquence, un soldat cana-
dien-frança's gardant le paisible quai de Rivière-Ouelle tua un vaga-
bond canadien-français le 9 août et une sentinelle canadienne-anglaise,
à l'arsenal de la rue Craig à Montréal, tua un réserviste français le
14 août. Le maire Médéric Martin protesta vigoureusement et quelques journaux libéraux exigèrent la démission de Hughes. *Le Devoir*
n'exploita pas ces incidents mais il continua, avec *Le Droit,* sa campagne contre le Règlement 17. *La Patrie* le déplora et *Le Canada* demanda que l'on oublie tous les différends jusqu'à la victoire. Dans ce dernier
journal, L.-O. David développa éloquemment la thèse de Laurier :

*« L'Angleterre étant en guerre, le Canada, comme toutes les par-
ties de l'Empire britannique, est en guerre. Nos destinées sont liées à
celles de l'Angleterre, notre devoir et notre intérêt nous commandent
de l'aider à triompher, à nous protéger, à protéger la France. La
loyauté, le patriotisme, nos intérêts les plus sacrés nous font un devoir
de contribuer dans la mesure de nos forces au triomphe de leurs
armes. La défaite de l'Angleterre et de la France serait un malheur
pour le monde, pour le Canada, pour la province de Québec spécialement, pour les Canadiens français. Elle serait un coup mortel porté
à nos destinées politiques et nationales, à nos intérêts et à nos sentiments les plus chers et les plus sacrés.. »* [108]

Mgr l'Archevêque Bruchési prêta l'appui de l'Eglise à cette cause
quand, dans un sermon, le 9 août, il déclara que le devoir des fidèles
était de donner à la métropole, entraînée dans la guerre malgré elle,
un appui sincère et loyal exigé tant par la religion que par le patriotis-

me. [109] Il ajouta : « *Si des troupes doivent être envoyées de l'autre côté, nos braves jeunes hommes n'hésiteront pas à faire face à l'épreuve et je sais que nous trouverons en eux le même héroïsme qui a caractérisé nos ancêtres depuis longtemps.* » [110]

Le parlement se réunit pour la session spéciale de guerre le 18 août, pendant que ce sentiment d'unité nationale enthousiaste était à son point culminant. Vêtu en kaki, le duc de Connaught, gouverneur général et soldat, prononça le discours du trône, qui demandait l'approbation des mesures déjà prises par le gouvernement et d'autres maintenant proposées. Laurier assura aussitôt le gouvernement de l'appui libéral de toutes ces mesures :

« *Si, dans ce qui s'est fait ou dans ce qui reste à faire, il se trouve quelque chose que, à notre avis, il vaudrait mieux ne pas faire ou faire autrement, nous ne soulèverons pas d'objections, nous ne ferons pas entendre de critique, et nous n'en ferons rien tant qu'un danger nous menacera. Il est de notre devoir, devoir plus impérieux que tous les autres, de faire savoir immédiatement, dès le premier jour de cette session spéciale des Chambres canadiennes, à la Grande-Bretagne, à ses alliés comme à ses ennemis, que le Canada n'a qu'une pensée et un désir et que tous les Canadiens se groupent autour de la mère-patrie, fiers de savoir qu'elle ne prend pas part à cette guerre pour motif égoïste, ni dans un but de conquête, mais pour conserver son honneur intact, pour remplir ses engagements et pour défendre la civilisation contre le désir effréné des conquêtes et de la domination.*

*Nous sommes sujets britanniques, et nous sommes aujourd'hui en face des conséquences qui découlent de cette fière situation. Pendant longtemps, nous avons joui des avantages que confère le titre de sujets britanniques. Il est maintenant de notre devoir d'accepter les obligations et les sacrifices qu'il impose. Pendant longtemps nous avons dit que, lorsque la Grande-Bretagne est en guerre nous sommes en guerre, et nous comprenons aujourd'hui qu'elle est en guerre et que nous le sommes aussi. Notre territoire peut être attaqué et envahi...* » [111]

Il fit la part du danger d'invasion, mais il précisa que les ports canadiens pourraient être attaqués par des vaisseaux ennemis parcourant actuellement l'Atlantique et le Pacifique. Il souligna, comme autre preuve que le Canada est en guerre quand la Grande-Bretagne est en guerre, que les bateaux canadiens avaient cessé de naviguer sur l'Atlantique et que le commerce canadien avait été interrompu.

Quant à la décision du gouvernement d'envoyer outre-mer un contingent de 20 000 hommes, Laurier observa :

« *J'ai déclaré plus d'une fois que, si l'Angleterre était en danger, mais engagée dans une lutte qui mettrait sa puissance à l'épreuve, il serait du devoir du Canada de lui venir en aide dans la pleine mesure de ses ressources. Aujourd'hui l'Angleterre ne soutient pas une lutte ordinaire. La guerre dans laquelle elle est engagée étonnera, selon toutes les probabilités, voire même assurément, le monde entier par son importance et ses horreurs. Mais ce conflit s'engage pour le mobile le plus noble qui ait jamais porté une nation à faire dépendre toute sa fortune du sort des armes. Cela ne fait plus de doute, le monde entier s'est déjà prononcé sur ce point. Je ne parle pas seulement des nations qui sont aux prises, mais aussi des pays neutres. Les hommes les plus habiles de ces pays témoignent d'une commune voix que les alliés luttent pour la liberté et contre l'oppression, pour la démocratie et contre l'autocratie, pour la civilisation et contre le retour à l'état de barbarie dans lequel la loi suprême était la loi du plus fort. »* [112]

Il rappela comment le Canada avait répondu à l'appel aux armes pour la défense de l'Angleterre par un « *ready, aye, ready !* » (« *présents, oui, nous voilà !* ») [113] et il adressa un appel tout spécial à ses compatriotes :

« *Si mes paroles ont une répercussion hors de cette enceinte, dans ma province natale, parmi ceux de mon sang, je voudrais qu'ils se souviennent que c'est un double honneur pour eux de prendre place dans les rangs de l'armée canadienne afin de soutenir la cause des nations alliées. Pour eux, la cause qu'ils sont appelés à défendre est doublement sacrée.* » [114]

Il assura les Canadiens d'origine allemande de son estime et affirma qu'il ne s'agissait pas d'une guerre contre le peuple allemand. Il prévoyait que l'un des résultats de cette guerre serait que « *le peuple allemand se décidera à mettre fin pour toujours au gouvernement personnel, à faire en sorte qu'un seul individu ne puisse plus jamais précipiter des millions d'êtres humains dans toutes les horreurs de la guerre moderne.* » Il rendit hommage à l'héroïque résistance des Belges et exprima la satisfaction qu'il éprouvait à voir les troubles irlandais finir dans l'union du combat pour le roi et le pays. Le même esprit d'union pouvait être constaté au Canada, en Australie, en Nouvelle-Zélande et même en Afrique du Sud où Anglais et Boers étaient ensemble prêts à répandre leur sang pour la cause commune. Il termina en exprimant l'espoir « *qu'au sortir de cette guerre pénible, l'Empire britannique, plus étroitement uni, sera l'orgueil de ses fils et projettera une lumière plus vivante sur toutes les autres nations.* » [115]

Borden félicita Laurier de son patriotisme et de son éloquence. Après avoir analysé les efforts de l'Angleterre pour sauver la paix, il rendit hommage, lui aussi, au demi-million d'Allemands du Canada et recommanda d'avoir des égards pour leurs sentiments. Il parla des épreuves à venir : « *Sachons veiller à ce qu'aucun cœur ne faiblisse et qu'aucun courage ne vienne à manquer.* » Après avoir décrit les mesures du gouvernement et lu les dépêches d'Angleterre, il en vint à une conclusion d'une rare éloquence :

« *Quant à notre devoir, tous sont d'accord, nous devons être debout, épaule contre épaule avec l'Angleterre et les autres dominions britanniques dans cette querelle. Non par amour de la bataille, non par appétit de conquête ou désir immodéré de nouvelles possessions, mais pour la cause de l'honneur, pour remplir des promesses solennelles, pour maintenir des principes de liberté, pour résister aux forces qui voudraient transformer le monde en camp armé ; oui, au nom même de la paix que nous avons cherchée à tout prix, excepté celui du déshonneur, nous sommes entrés dans cette guerre ; et bien que gravement conscients des formidables conséquences impliquées et de tous les sacrifices qu'elles peuvent comporter, nous ne reculons pas devant eux et avec des cœurs fermes nous faisons face à l'événement !* » [116]

D.-O. Lespérance parla en français, affirmant, au nom du Québec et des Canadiens français, leur loyauté et leur ardeur, « *quand il s'agit de défendre l'intégrité du vaste Empire qui leur assure la plus grande somme de liberté et de bonheur qu'il fût jamais donné à un peuple de goûter.* » [117] Cependant, nulle voix canadienne-française ne se fit entendre dans le ministère, car Pelletier était malade et Nantel et Coderre n'y prenaient aucune part active. Au cours de cette session de quatre jours, toutes les propositions du gouvernement furent ratifiées. Un crédit de guerre de 50 000 000 de dollars fut voté en une minute. La suspension des paiements en or et autres dispositions financières furent approuvées. Un Fonds patriotique canadien pour le soutien des familles de soldats fut créé et la Loi des Mesures de Guerre, donnant au gouvernement de vastes pouvoirs de censure, de déportation, de contrôle de l'industrie, du commerce et du transport, fut approuvée. Il n'y eut pas l'ombre d'esprit partisan, ni la moindre contestation.

Quand Sir Lomer Gouin revint de France à Québec le 17 août, il convoqua ses ministres et, le 19 août, il câblait à Londres une offre de 4 000 000 de livres de fromage comme contribution initiale du Québec à la guerre. Dans le district de Montréal, 3 443 volontaires s'étaient enrôlés et 568 dans celui de Québec. Considérant les enrôlements plus nombreux en Ontario et surtout dans l'Ouest, où de nombreux immigrants anglais étaient établis depuis peu, Omer Héroux, dans *Le Devoir*, voyait venir la conscription, quand il n'y aurait plus assez de volontaires. Cependant, au retour de Bourassa qui avait traversé à pied les frontières allemande et belge, après avoir été surpris par la guerre à Cologne le 2 août, Héroux rendit hommage à la grandeur d'âme des Français au moment du danger, que Bourassa avait pu observer. [118]

A l'exception du *Devoir*, la presse canadienne-française approuva l'effort de guerre avec enthousiasme. Pourtant, il restait quelques traces de l'esprit de parti : *L'Evénement* regrettait, le 5 août, que le Canada ne soit pas préparé par la faute des libéraux et *La Presse* soulignait, le 6 août, comment la logique des événements avait justifié l'assertion de Laurier selon laquelle le Canada est en guerre quand l'Angleterre est en guerre. [119] Le 11 août, *La Presse* lança une série quotidienne d'une colonne consacrée aux nouvelles de l'armée et du gouvernement. Les hebdomadaires ruraux, qui ne publiaient guère que les nouvelles locales, généralement, commencèrent à se joindre au chœur d'approbation de la participation canadienne. Des réserves sur l'envoi d'hommes outre-mer furent exprimées par *L'Avenir du Nord,* journal libéral de Joliette, et par *Le Bien Public,* journal ultramontain de Trois-Rivières. Cependant, *Le Peuple,* de Montmagny, malgré l'influence de Lavergne, épousa de tout cœur, dès le début, la cause de la guerre et il approuva Pelletier qui, dans cette ville, le 14 août, déclara que les Canadiens français avaient le devoir d'observer une trêve politique et de répondre à l'appel de leur pays. [120]

Cependant, le recrutement canadien-français ne répondit pas à l'enthousiasme de la presse canadienne-française pour la guerre. Grâce à Sam Hughes, l'armée avait été en grande partie anglicisée, la préférence étant donnée aux officiers canadiens-anglais. L'anglais était la seule langue de commandement et l'on comptait très peu de Canadiens français parmi les diplômés du *Royal Military College* de Kingston qui formèrent un cercle fermé au sein de l'armée. L'officier canadien-français le plus haut gradé, le major-général F.-L. Lessard, vétéran de l'Expédition du Nord-Ouest et de la guerre sud-africaine, qui était chef d'état-major, fut relégué au poste d'inspecteur général pour le Canada de l'Est, au lieu d'être nommé commandant de la première division, comme l'avaient espéré ses compatriotes. Le colonel Eugène Fiset demeura sous-ministre de la milice, grâce à ses états de service dans la guerre sud-africaine, mais il n'eut que peu d'influence sous le régime autocratique de Hughes. Il n'y eut qu'un seul officier canadien-français à la tête d'une unité dans la première division, le lieutenant-colonel H.-A. Panet, du *Royal Canadian Horse Artillery.* Les capitaines Hercule Barré et Emile Ranger, des Carabiniers Mont-Royal, cherchèrent à former un bataillon canadien-français distinct mais, devant l'opposition officielle, ils durent se contenter d'organiser deux compagnies canadiennes-françaises dans le nouveau 14ème bataillon. Il y avait aussi des Canadiens français dispersés dans le 13ème bataillon. Le 23 août, 300 volontaires canadiens-français furent bénis par Mgr Bruchési à leur départ pour Valcartier. Il leur dit :

*« La question ne se discute pas. Le peuple canadien-français a fait son devoir. Nous avons donné à l'Angleterre des vivres et de l'or, et nous lui donnerons des hommes... Nous prouverons à l'Angleterre que nous sommes loyaux, non pas seulement en paroles... »* [121]

Ce fut aussi sous l'inspiration de Mgr Bruchési que *Le Soleil* écrivit :

*« Une fois de plus, nous devons comprendre toute la gravité de la lutte qui se livre là-bas, et nous rendre compte que nous devons faire*

*tout notre possible, en fait et non pas en paroles, pour apporter notre concours tout entier, sous quelque forme qu'il puisse être requis, à ceux qui, là-bas, se battent, somme toute, pour nous, et pour tout ce que nous avons de plus chers idéals au monde.* » [122]

Or, dans l'ensemble, les Canadiens français avaient depuis long-temps perdu l'esprit militaire. Les officiers de milice étaient plus fréquemment des politiciens que des soldats et leur carrière avait surtout consisté en défilés et en dîners au mess. Par suite de son isolationnisme croissant depuis la guerre sud-africaine, le Québec, à l'exception de ses *leaders,* se désintéressait beaucoup des affaires mondiales et l'agitation impérialiste avait ravivé dans le peuple la haine traditionnelle de l'Angleterre. Les masses du Québec ne firent pas écho à l'authentique sentiment de sympathie pour la France qu'éprouvaient les *leaders* canadiens-français qui connaissaient et aimaient ce pays. Le peuple avait été trop longtemps exposé aux mises en garde ecclésiastiques contre la France moderne, irréligieuse et anti-cléricale, sur lesquelles avaient particulièrement insisté les ordres religieux français, qui avaient trouvé refuge dans le Québec après les lois anti-cléricales de 1900 et 1901. Le Québec s'intéressait davantage à la lutte en Ontario qu'à celle en Europe. Pelletier malade, le Canada français était dépourvu de véritable *leader* à Ottawa. Le patriotisme fervent de Sévigny et de Blondin en 1914 fut comparé à leur violent anti-impérialisme de 1911 et, par conséquent, perdit tout pouvoir sur l'opinion publique. Cependant, les facteurs les plus importants du faible recrutement canadien-français furent la dislocation des anciennes unités locales de la milice et le refus des autorités de former des unités canadiennes-françaises distinctes. Le Canadien français est doué d'un puissant esprit de corps, il aime à vivre parmi les siens, surtout quand il doit s'aventurer hors du Québec, dans un monde qui ne lui est pas familier. Pour beaucoup, la perspective d'être jetés dans un milieu de langue anglaise recélait plus de terreurs que les effroyables destins prédits par les orateurs patriotes si le Canada français ne faisait pas son devoir.

Ottawa ne profita pas du premier mouvement d'enthousiasme du Québec pour autoriser la création d'unités canadiennes-françaises et il n'est pas surprenant que la première division de 36 267 hommes n'ait compté que 1 200 Canadiens français sur les 5 733 hommes fournis par le Québec. Comme il était bien naturel, les premiers à s'enrôler furent les Anglais de naissance, les seconds les hommes d'ascendance anglaise, les troisièmes les Canadiens français, dont le Canada était l'unique patrie. Les hommes de la première division étaient, dans leur immense majorité, anglais de naissance. Il y en avait 64 pour cent, d'après les statistiques officielles. Pour le reste, 25,6 pour cent étaient de souche canadienne, mais non canadiens-français et 3,7 pour cent étaient des Canadiens français. Les aubains contribuèrent pour

7 pour cent. [123] La plupart des natifs d'Angleterre vinrent des provinces de l'Ouest, la plupart des natifs du Canada de l'Ontario et du Québec. Le plus faible recrutement dans le Québec était dû, en partie, à un pourcentage plus élevé de population rurale et aussi aux responsabilités de famille, plus précoces et plus lourdes. D'après les règlements de recrutement du 17 août, la préférence devait être accordée aux hommes qui avaient l'expérience de la milice ou fait du service actif et aux célibataires avant les hommes mariés et à ceux-ci avant les hommes mariés pères de famille.

Cependant, une certaine part de responsabilité dans le rapide refroidissement de l'enthousiasme du Canada français pour la guerre doit être attribuée à Henri Bourassa, qui changea bientôt d'attitude sur la question. Au Congrès eucharistique de Lourdes, le 23 juillet, lui-même et Mgr Gauthier, évêque auxiliaire de Montréal, avaient parlé des relations entre le Canada, la France et l'Eglise. Mgr Gauthier avait analysé avec éloquence ce que l'Eglise et la France avaient fait pour le Canada, tandis que Bourassa, avec plus d'éloquence encore, avait exposé ce que le Canada avait fait pour la France et l'Eglise. Il qualifia le Canada de « *fils aîné de la France* », établi par un acte patriotique de foi et préservé comme centre de foi intense, mais devenu « *la garantie la plus solide et la plus durable de la puissance anglaise sur le continent d'Amérique.* » [124] A la France, le peuple canadien-français devait sa mentalité, son tempérament, son esprit de famille, son amour du foyer, sa gaieté et son endurance, son zèle apostolique, son idéalisme, l'âme et le génie français et la langue française dans laquelle ils s'exprimaient. Le Canada avait peu connu le jansénisme, été peu touché par le libéralisme et le modernisme y était inconnu. Le Canada français avait gardé la pureté du catholicisme français et il avait empêché que l'œuvre missionnaire de l'Eglise devienne l'instrument d'une race ou d'un gouvernement. Il avait gagné pour la foi, sous le drapeau britannique, une liberté dont le catholicisme ne jouissait pas dans les pays catholiques. En retour, le Canada français ne demandait que le droit de prêcher l'Evangile dans la langue du peuple. Trois millions de catholiques français du Canada portaient témoignage de ce que la France avait fait et de ce qu'elle pouvait faire. Ils avaient préservé la foi et la langue française, ils représentaient l'empreinte la plus durable de la France sur l'Amérique du Nord. L'histoire de la France était aussi l'histoire du Canada français et Bourassa demandait, pour ce Canada, l'amour et l'aide que la France devrait lui donner.

Après le Congrès eucharistique, Bourassa avait continué en Alsace l'étude du bilinguisme, qu'il avait déjà faite au Pays de Galles et en Belgique. Il avait trouvé les Alsaciens prêts à combattre pour la France. A Lourdes, en Alsace et à Paris, à la veille de la guerre et pendant les premières heures de la mobilisation, Bourassa jugea le courage français digne de la plus grande admiration et il le dit dans le premier article qu'il écrivit à son retour pour *Le Devoir* du 27 août. Il publia aussi des lettres de dirigeants catholiques français, tels que le cardinal Amette, Mgr Baudrillart, Maurice Barrès et Albert de Mun, exaltant le courage français et le retour de la France à la foi.

Pourtant, son esprit critique ne pouvait admettre l'enthousiasme délirant pour la guerre qui emportait le Canada en expliquant tout sans souci de la nuance et, le 29 août, il mit en doute la théorie qui rejetait tout le blâme sur le Kaiser. Le 8 septembre, il affirma que le Canada, en sa qualité de colonie britannique, n'avait aucune raison directe d'intervenir et de bonnes raisons de rester neutre, mais que « *le Canada, nation anglo-française, liée à l'Angleterre et à la France par mille attaches, ethniques, sociales, intellectuelles, économiques, a un intérêt vital au maintien de la France et de l'Angleterre, de leur prestige, de leur puissance, de leur action mondiale... C'est donc son devoir national de contribuer, dans la mesure de ses forces et par les moyens d'action qui lui sont propres, au triomphe et surtout à l'endurance des efforts combinés de la France et de l'Angleterre. Mais pour rendre cette contribution efficace, le Canada doit commencer par envisager résolument sa situation réelle, se rendre un compte exact de ce qu'il peut faire ou ne pas faire, et assurer sa sécurité intérieure, avant d'entamer ou de poursuivre un effort qu'il ne sera peut-être pas en état de soutenir jusqu'au bout.* » [125]

Du 9 au 14 septembre, il publia dans *Le Devoir* une étude des origines de la guerre fondée sur le *Livre blanc* anglais. Cette étude fut immédiatement publiée de nouveau, sous le titre *La Politique de l'Angleterre avant et après la guerre* et, dès le début de 1915, en traduction anglaise, sous le titre *The Foreign Policy of Great Britain.* C'était une intelligente et pénétrante analyse qui arrivait à la conclusion que Sir Edward Grey, « *fidèle aux plus grandes traditions britanniques, fut, avant et par-dessus tout, l'homme de son pays* », n'intervenant pour défendre la France et la Belgique qu'au moment où les intérêts de son pays l'exigeaient. Bourassa en concluait que « *le Canada ne pouvait pas mieux démontrer sa loyauté aux institutions britanniques qu'en imitant l'exemple de la grande nation qui lui donnait le modèle de ses institutions politiques.* » [126] L'intérêt propre était la politique vraie et naturelle de toute nation : c'était patriotique et ni hypocrite, ni perfide. Bourassa s'opposait à la politique britannique dans le seul cas où la politique canadienne lui était subordonnée. Il déplorait l'effort fait pour convaincre les Canadiens français qu'ils avaient une « *double obligation* » de faire la guerre et seulement un « *demi-droit* » par rapport aux autres groupes ethniques canadiens. Il adjurait les hommes d'État canadiens d'imiter les « *hommes d'Etat*

*britanniques,* unir *librement les intérêts du Canada à ceux de l'Angle-*
*terre quand ces intérêts sont identiques,* opposer *courageusement les*
*intérêts du Canada à ceux de l'Angleterre, quand ces intérêts sont*
*contraires, les* séparer *quand ils sont divergents.* » [127] Sa démonstration
fut qualifiée d'infâme et déloyale : le moment était mal choisi pour une
analyse objective et logique.

Dans l'édition anglaise, Bourassa défendit son étude contre ces
accusations en reproduisant un article de H. N. Brailsford qui traitait
la guerre de « *crime coopératif* » et ses fins « *si barbares, si éloignées de*
*tout réel intérêt ou souci de notre vie journalière dans ces îles, que je*
*ne peux que m'étonner devant les illusions et maudire la fatalité qui*
*nous a faits belligérants dans ce conflit.* » Bourassa fit contraster « *la*
*liberté d'appréciation dont on jouit et que l'on pratique, même en*
*temps de guerre et sous le règne de la censure en Angleterre, avec*
*l'intolérance grotesque et stupide manifestée au Canada contre qui-*
*conque a l'audace de penser et dire qu'il y a plusieurs aspects à la lutte*
*qui se livre en Europe...* » [128] Il reproduisit aussi une étude de John
S. Ewart, publiée par le *Ottawa Citizen* du 26 octobre, qui donnait,
comme causes de guerre, les antipathies nationales et raciales, les
grandes alliances, les préparatifs de guerre en soulignant que le militarisme était le véritable ennemi. Bourassa déplorait particulièrement que l'on provoque l'antagonisme racial en invoquant une
« *double loyauté* » des Canadiens français, puisque la participation du
Canada doit être fondée sur des motifs exclusivement canadiens. Enfin, en cas de guerre future contre la Russie ou la France, que Brailsford et Ewart prévoyaient, la discorde pourrait résulter des antipathies
raciales actuellement provoquées. [129]

Si la presse anglaise fit pleuvoir sur Bourassa, à l'occasion de ces
articles, des épithètes telles que « *pro-allemand* » et « *traître* » — le
*Saturday Night* écrivit : « *Tous les jours, en Europe, des hommes qui*
*n'ont pas fait plus de mal, sont pendus comme traîtres* », [130] la presse
française fut également violente. *La Patrie* trouva que ces articles jus-
tifieraient une accusation de haute trahison de la part des autorités
fédérales. *Le Canada* entreprit de lui répondre par une nouvelle interprétation du *Livre blanc. Le Soleil* l'accusa d'avoir fait « *plus de mal*
*au peuple canadien-français que jamais ne l'avaient pu faire ses pires*
*ennemis* ». *La Presse* opposa à ses articles le sermon de Mgr Bruchési.
*L'Evénement* le déclara mû par la « *haine héréditaire de l'Angleterre* ».
*L'Action sociale,* maintenant considérée comme l'organe inspiré du
cardinal Bégin, alors en visite à Rome pour l'élection de Benoît XV,
et de Mgr Paul-Eugène Roy, réfuta sans ménagement la thèse de
Bourassa :

« *Nous avons le devoir d'accorder à la métropole, dans de justes*
*et équitables proportions, le concours dont elle a besoin de notre part...*

*Nous lui devons ce concours comme tout sujet le doit à son souverain et tout citoyen à sa patrie lorsqu'il est devenu nécessaire.*

. . . . .

*Quelle doit être la mesure de ce concours ? Elle doit être celle que réclame la nécessité de vaincre. Et de cette mesure, en droit comme en fait, l'Angleterre est juge en dernier ressort, puisque c'est à elle que revient, avec la charge de défendre l'Empire, l'autorité nécessaire pour accomplir cette grande tâche. »* [131]

Enfin, le même jour, parlant en faveur du Fonds patriotique à Montréal, Mgr Bruchési confirma cette expression de vues de la hiérarchie :

« *L'Angleterre est engagée dans une guerre terrible, qu'elle s'est efforcée d'éviter à tout prix. Sujets loyaux, reconnaissant en elle la protectrice de nos droits, de notre paix, de notre liberté, nous lui devons notre plus généreux concours. L'indifférence, à l'heure présente, serait de notre part une faute, ce serait aussi la plus grave erreur. N'est-il pas évident que notre sort est lié au sort de ses armées ?* » [132]

A part les articles dans *Le Canada*, la thèse de Bourassa ne fut accueillie que par des insultes et elle fut dénaturée à un tel point par la presse anglaise que Cahan protesta dans une lettre à la *Gazette*, au *Herald* et à d'autres journaux, le 15 septembre. Bourassa fut même désapprouvé par quelques-uns de ses plus proches partisans. Olivar Asselin, dans *L'Action* du 16 septembre, déplora que Bourassa « *soit tombé une fois de plus dans son erreur coutumière en faisant de l'érudition, quand il lui aurait suffi de se retrancher dans le gros bon sens* », mais il blâma en même temps l'intervention de Mgr Bruchési sur l'envoi de troupes canadiennes outre-mer, ce qui était une question politique. [133]

Cependant, contre une opposition quasi-unanime, Bourassa continua d'affirmer que le Canada ne devait pas refuser d'aider l'Angleterre et la France, mais qu'il ne devait le faire qu'à certaines conditions et dans les limites de ses propres obligations. Le 23 septembre, il souligna que la contribution du Canada était déjà plus considérable que celle de l'Angleterre elle-même, en proportion de sa richesse et de sa population. Il demanda que finisse la persécution des Franco-Ontariens et il critiqua le manque de discipline et l'ivrognerie des troupes à Québec. Sam Hughes fit arrêter un journaliste de Winnipeg pour avoir critiqué l'administration du Camp Valcartier, mais il ne fit rien contre Bourassa. Ce dernier n'hésita pas à contester la thèse de *L'Action sociale* que le Canada avait l'obligation morale d'aider l'Angleterre. Il reprocha aussi à la mission belge, amenée à Montréal par les Anglais le 23 septembre et fêtée à l'Hôtel de Ville et au Monument national, de n'avoir pas exprimé sa gratitude à la France tout autant qu'à l'Angleterre.

Pelletier était malade et les deux autres ministres canadiens-français étaient des nullités. Aussi Charles Fitzpatrick, juge en chef de la Cour Suprême, était-il souvent consulté par Borden sur le problème du Québec. Fitzpatrick demanda instamment que les évêques du Québec prêchent une guerre sainte par un mandement collectif, dans la tradition de leurs attitudes loyalistes de 1775 et de 1812. Doherty fut choisi comme intermédiaire du gouvernement et il se mit à l'œuvre par l'entremise de son ami, Mgr Bruchési, qui était déjà gagné à cette cause par conviction personnelle. Fitzpatrick exhorta aussi les journalistes du Québec à prêcher une guerre sainte. Le 23 septembre, les archevêques et évêques de Québec, Montréal et Ottawa signèrent une lettre pastorale collective, affirmant que l'Angleterre *« compte à bon droit sur notre concours et, ce concours, Nous sommes heureux de le dire, lui a été généreusement offert en hommes et en argent. »* [134] La plus grande partie du mandement, lu dans les églises le 11 octobre, était consacrée à demander aux fidèles de souscrire au Fonds patriotique et de prier pour une paix juste. Cependant, le message approuvait clairement la politique de guerre et l'envoi des troupes et les évêques furent remerciés par le gouverneur général. Pour une fois, l'influence cléricale dans le Québec fut bien reçue par les Canadiens anglais, mais Bourassa écrivit immédiatement à l'archevêque Bruchési, lui demandant si c'était là une directive qui obligeait en conscience. Il lui fut répondu qu'il était parfaitement libre de différer d'opinion. [135] Asselin protesta dans *L'Action* du 24 octobre, quand l'attitude de la plupart des journaux français fut que, les évêques ayant parlé, la question ne devait plus être soulevée. Il dit que leur action n'était pas intéressée et que, peut-être, on leur avait forcé la main, mais il les critiqua pour avoir élevé au rang de *« dogme intangible »* la doctrine impérialiste de l'obligation d'envoi de troupes à l'étranger. [136]

Pendant que Bourassa passait de l'approbation à la critique de la participation canadienne, le sentiment public favorisant un corps canadien-français distinct prenait de l'ampleur. Le Dr Arthur Mignault, sorte de Sam Hughes canadien-français par son amour des beaux uniformes et son enthousiasme militariste bravache, gagna l'appui de L.-T. Maréchal et il fit sa cour à Borden et à Hughes. La proposition fut soutenue par J.-M. Tellier, le sénateur Belcourt et Rodolphe Lemieux. Laurier écrivit à Borden en faveur de ce projet, soulignant que le *War Office* avait toujours tenu compte de la force du sentiment racial pour la formation de l'armée. [137] Le 30 septembre, le gouvernement autorisait la création du 22ème bataillon royal canadien-français.

Une réunion pour le recrutement fut organisée le 15 octobre au Parc Sohmer, à Montréal, sous les auspices de *La Presse*. Laurier, Gouin, Lemieux, T.-C. Casgrain, Mathias Tellier et Belcourt y exhortèrent leurs compatriotes à s'enrôler. Laurier invoqua la mémoire de Dollard : « *Si, dans les veines des Canadiens qui composent cette assemblée, il coule encore quelques gouttes du sang de Dollard et de ses compagnons, vous vous enrôlerez en masse, car la cause est aussi sacrée que celle pour laquelle Dollard et ses compagnons sacrifièrent leurs vies.* » Il sut faire ressortir que l'aide du Canada à l'Angleterre avait été donnée volontairement, non par obligation, et il ajouta : « *Si quelque Canadien, dans le passé, a été effrayé par le monstre de la conscription, il doit reconnaître maintenant que ce monstre était un mythe.* » [138] Quinze mille personnes assistaient au ralliement que la presse avait abondamment annoncé et les étudiants chantèrent *La Marseillaise.* Le bataillon fut bientôt recruté en entier et il commença son entraînement à Saint-Jean. *La Presse* patronnait en quelque sorte le 22ème et elle remplit ses colonnes de nouvelles du camp. Il y eut un véritable enthousiasme populaire pour « *notre régiment* » et l'appui du Québec fut ainsi gagné pour le recrutement d'une deuxième division, qui fut décidé le 18 octobre, trois jours après l'arrivée de la première division en Angleterre. Borden se chargea, en fait, des affaires militaires, après avoir convaincu le belliqueux duc de Connaught qu'il n'était qu'en titre commandant en chef et avoir permis, non sans hésitation, au napoléonien Hughes de suivre la première division en Angleterre.

Bourassa avait fait entendre la seule voix dissidente à l'égard du ralliement du Parc Sohmer, l'appelant du « *chauvinisme creux et stérile.* » [139] Peu à peu, d'autres s'unirent à lui pour critiquer le gouvernement, à mesure que disparaissait l'enthousiasme du début. Il s'éleva violemment contre tous les faux patriotes qui se frappent la poitrine pour envoyer les autres à la guerre. Il critiqua le gouvernement britannique pour avoir fait aux Etats-Unis des achats qui auraient pu être faits au Canada et le gouvernement canadien pour fournir aux troupes des rasoirs fabriqués en Allemagne. Il défendit Montréal et Trois-Rivières où le chômage sévissait et qui n'avaient guère participé au Fonds patriotique. Il reprocha enfin aux snobs de verser leurs dons charitables ordinaires au Fonds patriotique, à tel point que le *Montreal Children's Hospital* allait bientôt fermer ses portes faute d'argent, alors que le Fonds patriotique avait recueilli 1 500 000 dollars en quelques jours. Les fabricants canadiens-français de chaussures protestèrent contre les commandes britanniques faites aux Etats-Unis. Le *Patriote de l'Ouest* proclama : « *Ce n'est pas l'heure de discuter quelle était l'étendue de nos strictes obligations dans la circonstance ; il est manifeste que nous en avons dépassé les limites.* » [140]

Le 17 octobre, Bourassa lança une campagne de grande réforme agricole qui établirait les chômeurs de l'Est sur les terres des Provinces des Prairies remises au gouvernement par les compagnies ferroviaires qui avaient bénéficié de concessions excessives. Il exigea que le parlement soit convoqué sans retard à cet effet. Il attaqua le gouvernement parce qu'il permettait de continuer à exporter dans des pays neutres le nickel de l'Ontario qui avait déjà servi à la fabrication d'armes et de munitions allemandes. Il attaqua aussi le projet d' « *élection kaki* », auquel Borden avait été gagné par Robert Rogers au milieu d'octobre, mais qui fut rejeté devant l'opposition de la presse libérale tout entière, en plus de celle d'un journal aussi résolument conservateur que le *Montreal Star* qui le qualifia de tricherie. [141] Borden se contenta de reviser la représentation française dans le cabinet : Pelletier se retira dans la magistrature pour raison de santé et Nantel à la Commission des Chemins de Fer, tandis que T.-C. Casgrain, *tory* de la vieille école, devenait ministre des postes et P.-E. Blondin ministre du revenu national. Les nouveaux ministres furent réélus sans opposition libérale ou nationaliste.

Le 22 octobre, Bourassa donna une conférence sur la Belgique, au Monument national, sous les auspices de la Société Saint-Jean-Baptiste, au bénéfice du Fonds de Secours belge, de la Croix-Rouge française et de la Société de Saint-Vincent-de-Paul. Bourassa cita la prospérité de la Belgique avant la guerre comme preuve que le catholicisme était compatible avec l'organisation sociale moderne. Cependant, il évoqua surtout le succès de la lutte des Flamands pour leur langue et leurs écoles contre l'élément français dominant. Les Flamands étaient maintenant établis sur une base d'égalité avec les Français et l'unité belge n'avait tout de même pas été mise en péril. Quel que puisse être le résultat militaire du conflit actuel, la Belgique vivrait, comme la Pologne, l'Irlande et le Canada français vivraient : « *Le Droit ne meurt pas, parce que Dieu, créateur et gardien du Droit, ne meurt pas.* » [142]

Ainsi, Bourassa profita de l'occasion pour défendre indirectement les droits des Franco-Ontariens, dont la lutte continuait de gagner des sympathies dans le Québec. Les curés manifestèrent, en chaire, le plus grand intérêt à la cause ontarienne et le cardinal Bégin rechercha, pour elle, un appui à Rome. Philippe Landry reprit ses efforts pour convaincre Borden d'intervenir auprès du gouvernement de l'Ontario en faveur d'une trêve pour la durée de la guerre. Deux membres de l'Association d'Education eurent une entrevue avec Fitzpatrick et Doherty, le 15 octobre et ils obtinrent d'eux qu'ils intercèdent auprès des Irlandais d'Ottawa qui refusaient de lever l'arrêt de suspension de paiement des instituteurs en révolte contre le Règlement 17. La cause de la majorité canadienne-française de la Commission des Ecoles séparées d'Ottawa fut plaidée par le sénateur Belcourt, à Toronto, devant le juge Lennox, qui déclara : « *Parlez français chez vous si vous voulez, mais pas à l'école.* » [143] *Le Devoir* exalta la « *poignée de héros* » et dit que la sympathie pour les Français et les Belges ne devait pas distraire notre attention de « *l'assassinat d'une race qui est en train de se perpétrer* » en Ontario. [144] Le clergé canadien-français suivait l'affaire avec un vif intérêt, mais Mgr Gauthier, archevêque anglais d'Ottawa qui portait un nom français, la considérait comme politique et non religieuse. Le délégué apostolique gardait un silence discret. Bourassa partit en guerre plus ouvertement, le 12 novembre, quand il donna une conférence sur l'Alsace-Lorraine, au bénéfice de la Croix-Rouge française et compara le régime en Ontario à celui de l'Alsace, montrant que les Ontariens anglais étaient plus prussiens que les Prussiens eux-mêmes. La question tout entière était envenimée par l'entêtement des deux parties, les Canadiens français exigeant leurs écoles d'abord et les loyalistes de l'Ontario répliquant : « *Enrôlez-vous d'abord et nous verrons ensuite.* » [145]

Le 31 octobre, Bourassa s'était si complètement tourné dans le sens de l'opposition à la politique de guerre du gouvernement qu'il écrivait :

« *Au lieu de dépenser cent à cent cinquante millions pour enrôler et maintenir sur pied pendant des mois, des années peut-être, un grand nombre d'hommes mal vêtus, mal chaussés et pas disciplinés, ils auraient, avec la cinquième partie de cette somme, organisé un contingent convenable de soldats bien disciplinés et parfaitement équipés.*

*Au lieu de faire cadeau, tout d'un coup, à la très riche Angleterre, de millions de sacs de farine et de meules de fromage — qui pourrissent aujourd'hui sur les quais de Liverpool parce que les Anglais ne savent qu'en faire, tandis que des millions de Belges crèvent de faim et que des milliers de Canadiens ont à peine de quoi manger — ils auraient organisé avec intelligence et méthode la production économique et agricole du Canada ; ils auraient contrôlé avec vigilance l'opération des tarifs de transport ; ils auraient veillé avec soin à empêcher tout accaparement de vivres ; ils auraient dirigé l'exportation des produits canadiens et même des dons de charité publique ou individuelle, de manière à répondre aux véritables besoins, à soulager les vraies misères, au lieu de donner tout au riche, et rien au pauvre ; et surtout ils auraient adopté des mesures propres à soutenir jusqu'au bout l'endurance de l'effort des nations dont ils se prétendent les amis.*

*Mais non, il fallait à tout prix que l'aide du Canada prît une forme "puffiste" [prétentieuse], tapageuse, sonore, digne des parvenus cossus et ventrus qui dominent la Haute Finance, le Gros Commerce et la Grande Politique de la Nation Canadienne. Il fallait aussi qu'elle profitât surtout aux "boodlers" [tricheurs], aux vampires, aux fournisseurs de pots-de-vin et de souscriptions électorales, aux trafiquants de bottes en peau de vache fraîche et de rasoirs "made in Germany".*

*Gloire à l'Empire !* » [146]

Cette attaque acerbe porta d'autant plus que la distribution de contrats par Sam Hughes à ses intimes avait déjà forcé Borden,

vers la fin de septembre, à prendre sous sa propre surveillance la
question des approvisionnements et à ouvrir, en octobre, une enquête
sur les contrats. Pourtant l'intervention de Bourassa ne fut pas appré-
ciée et il fut flétri comme un traître. Le *Star* le surnomma « *Von Bourassa* ».

Dans l'ensemble, l'opinion canadienne-française tendait à l'approuver, à mesure que l'enthousiasme du début diminuait et que le mépris
des Canadiens anglais pour le faible enrôlement dans le Québec et
que la question des écoles en Ontario produisaient leur effet. Pourtant,
Jules Fournier reprocha à Bourassa de n'être pas ouvertement anti-
britannique. Fournier publiait dans *L'Action* toutes les nouvelles défavorables à l'Angleterre et à l'armée britannique, répondant ainsi à
l'habitude de la presse anglaise de donner beaucoup d'importance à
la minuscule *British Expeditionary Force* en France et de feindre
d'ignorer l'armée française. Il compara les atrocités allemandes en
Belgique à celles des Anglais en Afrique du Sud. Il demanda catégoriquement à Bourassa si, oui ou non, il favorisait l'envoi de contingents et si, oui ou non, il croyait aux principes qu'il avait défendus
pendant quinze ans. [147] Cependant, la meilleure publicité dont jouissait Bourassa fit retomber uniquement sur lui la haine des Canadiens
anglais. Il lui fut interdit de parler à Kingston, où il s'était rendu sur
l'invitation de quelques professeurs de l'université Queen's, à la suite
des protestations du Dr J.W. Edwards qui déclara que Bourassa était
« *beaucoup plus dangereux que les Allemands ou les Autrichiens internés comme prisonniers de guerre.* » [148]

Les Franco-Ontariens avaient perdu la première manche de leur
longue bataille. Pendant que le sénateur Landry tentait d'intéresser
Casgrain à leur malheur, le père Charlebois faisait appel au Québec
pour obtenir des fonds afin de continuer la lutte. La crainte d'accusation de déloyauté ferma de nombreuses portes, mais l'ACJC entreprit d'obtenir des fonds pour « *les blessés d'Ontario* ». [149] Les orangistes
en furent indignés et, quand Bourassa fut invité à parler devant le
*People's Forum* d'Ottawa, le 22 novembre, la clameur soulevée par
les *loyalistes* avec le concours du *Journal* à la tête de l'agitation, eut
pour résultat l'annulation de la réunion. Un comité de neuf membres,
dont trois étaient Canadiens français, renouvela l'invitation pour le
16 décembre. Pendant que des tracts incendiaires étaient répandus
dans Ottawa, appelant Bourassa « *le grand traître du Canada* » et proclamant qu'il fallait briser « *le crâne de la rébellion* », [150] celui-ci faisait une tournée de conférences dans les centres franco-américains de
la Nouvelle-Angleterre, où il conseilla aux Franco-Américains d'être
résolument américains, de se faire naturaliser et d'apprendre l'anglais,
mais de rester en contact avec le Canada et de garder leur religion,
leur langue et leurs traditions. « *En restant français et catholiques vous
serez de meilleurs Américains.* » [151] Le Franco-Américain le plus

notable, le gouverneur Aram J. Pothier, du Rhode-Island, accepta de Bourassa une invitation à venir à Montréal le 17 décembre. Le 10 décembre, un prêtre dominicain, le père Pierre Granger, donna une conférence à Ottawa au cours de laquelle il compara les Anglo-Ontariens aux Prussiens. Il rendit hommage à « *l'heureuse influence nationale et religieuse* » du *Devoir* [152] et à Bourassa comme étant l'âme du mouvement en faveur des écoles franco-ontariennes. Bourassa assista, le 15 décembre, à une réunion des commissaires d'école à Hawkesbury, où il apprit de Samuel Genest, d'Alphonse Charron et du père Charlebois la tension des esprits qui régnait à Ottawa. A.C. Glennie, secrétaire écossais du comité qui avait préparé l'apparition de Bourassa en public, perdit sa situation, son employeur ayant été contraint de le chasser.

La protection de la police avait été promise pour la réunion au *Russell Theatre*, le 16 décembre mais, dès le début, des chants et des sifflements couvrirent la voix du président, le Dr Anthony Freeland et de Bourassa lui-même. Bourassa continua quand même à parler, pour les journalistes qui l'entouraient. Son discours, imprimé en 1915 sous le titre *The Duty of Canada at the Present Hour,* était presque exclusivement composé d'extraits de ses éditoriaux parus depuis le commencement de la guerre dans *Le Devoir*. En donnant le contexte qui avait été omis par des rédacteurs anglais ultra-patriotes à la recherche d'extraits condamnables, Bourassa espérait expliquer sa position, mais son discours ne fut entendu que de quelques journalistes, car le tumulte montait dans l'auditoire. Glennie fut malmené et poussé au travers de la glace de la porte d'entrée. Un sergent grimpa sur l'estrade, donna un *Union Jack* à Bourassa et lui ordonna de le déployer. Les premiers rangs étaient remplis de soldats prêts à prêter main-forte à leur camarade. Bourassa prit le drapeau et le posa sur la table. Il y eut un instant de silence qui permit au public d'entendre sa réplique : « *Je suis prêt à déployer le drapeau britannique en liberté, mais je ne le ferai pas sous le coup des menaces.* » [153] Le sergent répéta son ordre. Bourassa répéta sa réponse et le fixa droit dans les yeux. L'assistance se leva en hurlant et les soldats se préparaient à prendre l'estrade d'assaut, quand le rideau fut soudain baissé. Des Canadiens français dans l'assistance chantèrent *La Marseillaise,* pendant que le chahut continuait. Bourassa et son groupe quittèrent le théâtre après quinze autres minutes de tumulte et ils s'en furent au Château Laurier, où il continua sa conférence pour ses amis et les journalistes.

Ottawa tout entier était en armes. Un Canadien français assomma un Canadien anglais qui avait insulté Bourassa dans le *grill-room* du Château ce soir-là. Le lendemain matin, Mme Glennie se rendit aux bureaux du *Journal,* qui avait joué le premier rôle dans le soulèvement de cette agitation et cingla le directeur avec un fouet de cocher. Les Canadiens français d'Ottawa lui firent parvenir deux gros bouquets de roses. Le *Ottawa Free Press* protesta contre l'attitude des soldats au *Russell Theatre* et condamna l'ivrognerie générale des troupes campées sur les terrains de l'exposition. Le *Toronto Globe* et le *Montreal Star* qualifièrent l'incident de « *regrettable* ». Casgrain répondit à Landry, qui lui demandait d'en appeler au gouverneur général, au nom des Franco-Ontariens, en observant que l'invitation faite à Bourassa de parler à Ottawa avait été un défi lancé à l'opinion publique « *qui ferait tort à leur cause.* » [154] *Le Droit* observa avec colère que Bourassa avait été attaqué moins comme le champion de certaines idées, que comme défenseur de la minorité opprimée. La presse partisane du Québec étouffa l'incident, parce qu'il donnait trop d'importance à Bourassa.

Cependant, lors de la réception du gouverneur Pothier à Montréal, le 17 décembre, à laquelle Coderre représentait le gouvernement fédéral, Cyrille Delâge le gouvernement provincial, le sénateur Dandurand Laurier, Wilfrid Gariépy le gouvernement d'Alberta, le sénateur Poirier les Acadiens et le sénateur Belcourt les Franco-Ontariens, Bourassa fut accueilli avec un enthousiasme délirant. Il rappela que « *si nous laissons sacrifier une par une les minorités françaises qui sont nos avant-postes, le jour viendra où la province de Québec elle-même subira l'assaut...* » [155] Il lança un appel pour la conservation de la culture française contre toutes les embûches, toutes les injustices et toutes les trahisons : « *Nous n'avons pas le droit d'abdiquer sans nous suicider, et nous suicider dans le déshonneur.* » Le lendemain, Lavergne et Lamarche organisèrent un ralliement pour la défense de la langue française à Montréal et, le jour suivant, l'ACJC lançait un manifeste pour sa réunion du 21 décembre qui allait mettre en train sa campagne pour « *les blessés de l'Ontario.* » Dans *Le Devoir*, Bourassa engagea tous les *patriotes* à y assister :

« *Au nom de la religion, de la liberté, de la fidélité au drapeau britannique, on adjure les Canadiens français d'aller combattre les Prussiens d'Europe. Laisserons-nous les Prussiens de l'Ontario imposer en maîtres leur domination, en plein cœur de la Confédération canadienne, à l'abri du drapeau et des institutions britanniques ?* » [156]

Assistèrent à la réunion sans y être attendus, Mgr Bruchési, son auxiliaire Mgr Gauthier, d'esprit plus nationaliste, le provincial des jésuites, le recteur du Collège Sainte-Marie et le secrétaire de l'université. Le père Charlebois, Bourassa et Lavergne prirent place, côte à côte, avec les sénateurs Dandurand, Landry et Belcourt. Les allégeances de parti furent oubliées. Mgr Bruchési indiqua clairement qu'il approuvait le mouvement. Le sénateur Landry insista sur l'importance de la question : « *Nous voulons faire décider si la Confédération a été pour nous un pacte d'honneur ou un piège d'infamie.* » [157] Il en appela à Borden, Laurier, Gouin, Fitzpatrick et Doherty. Belcourt exposa l'aspect juridique de la cause des Franco-Ontariens et Alphonse Charron l'histoire du mouvement. Bourassa, qui n'était pas au programme, fut demandé par la foule. Une fois de plus, il compara les Ontariens anglais aux Prussiens, à l'avantage de ces derniers. Le cardinal Bégin approuva plus tard l'attitude de Mgr Bruchési, dans une lettre adressée de Rome : « *Si, ce qu'à Dieu ne plaise, l'épreuve imposée à nos frères ontariens devait se prolonger, ce sera le noble devoir de la province française de Québec d'appuyer de son influence et de toutes ses ressources ceux qui souffrent et ceux qui luttent, jusqu'à ce que pleine justice leur soit rendue.* » [158] L'ACJC, sous la direction de Guy Vanier, organisa les réunions, la publicité et elle sollicita des souscriptions. Omer Héroux annonça dans *Le Devoir* : « *L'attention publique est fixée sur le Règlement 17 et nous tâcherons de l'y maintenir.* » [159]

## 7

Au moment où le Québec entrait dans l'année 1915, son attention et sa sympathie étaient beaucoup plus concentrées sur l'Ontario que sur l'Europe. Le Canada français répondait encore généreusement aux nombreux appels pour divers fonds de guerre, mais son enthousiasme militaire se refroidit quand vinrent les nouvelles de maladie, de mauvaise administration et de piètre équipement du camp canadien boueux installé dans la plaine de Salisbury en Angleterre. Toutefois, le Dr Mignault proposa de créer un hôpital militaire canadien-français semblable à celui qu'avait organisé McGill. Déjà le spectre de la conscription avait été évoqué. Quand Borden avait assuré le *Canadian Club* de Montréal, le 7 décembre, que le Canada enverrait tous les hommes et l'argent nécessaires à la conclusion triomphale d'un « *conflit terrible et prolongé* », [160] Bourassa prédit que cette politique finirait par la conscription. Parlant au Club de Réforme de Montréal, le 12 décembre, Laurier affirma : « *La liberté est un principe de toutes les institutions anglaises. Il n'y a pas de conscription en Grande-Bretagne. Il n'y en a jamais eu et il n'y en aura jamais.* » Il défendit ainsi l'appui donné par les libéraux à la politique du gouvernement :

« *Je n'entretiens aucun amour particulier pour le gouvernement conservateur, mais j'aime mon pays ; j'adore la terre de mes ancêtres, la France, et la terre de la liberté, l'Angleterre. Plutôt que d'être obligé, dans ma position de chef du parti libéral, de rester passif et tranquille, je sortirais de la vie publique et de la vie même.* » [161]

Toutefois, à la fin de 1914, Bourassa avait plus d'emprise que Laurier sur le cœur du Québec.

La session provinciale s'ouvrit le 7 janvier 1915 et prouva bientôt que le Québec particulariste était entraîné dans un monde plus vaste.

Le discours du trône invitait les réfugiés belges à s'établir dans la province. *L'Action sociale* et *L'Evénement* s'inquiétèrent de voir introduire ainsi des « *radicaux francs-maçons, socialistes* » dans un pays qui voulait conserver de « *saines notions sociales et religieuses.* » [162] Tellier sanctionna la politique de trêve en approuvant les dons faits par le gouvernement à l'Angleterre, la France et la Belgique. Il déclara que, même sans obligation civile ou constitutionnelle, il était prêt à appuyer toute aide que le gouvernement se proposait de donner à l'Angleterre, comme un fils volerait à la défense de la maison de son père. [163] Cependant, le 11 janvier, Sir Lomer Gouin lui-même devança Armand Lavergne qui avait l'intention de présenter une motion en faveur des Franco-Ontariens :

« *Pendant qu'en Europe, Anglais et Français luttent à l'envi pour le triomphe de la justice, pendant que, sur les champs de bataille, Français et Anglais versent généreusement leur sang pour qu'il n'y ait plus d'opprimés en Europe, pourquoi faut-il que leurs frères de l'Ontario se divisent sur l'opportunité d'enseigner aux enfants d'une minorité la langue des découvreurs de ce pays...*

*Je ne puis oublier que ce sont les Canadiens anglais de l'Ontario et les Canadiens français du Québec qui ont fondé l'édifice déjà puissant qu'est le Dominion.*

*Qui voudrait prétendre qu'il n'a pas été dans leur esprit de donner aux deux races des droits égaux en matière de langue, de propriété et relativement à la personne, ainsi que le disait Sir John A. Macdonald en 1890 ? Et qui pourrait prétendre que ce ne soit pas en s'inspirant de tels sentiments que l'Acte de l'Amérique britannique du Nord a été rédigé par les Pères de la Confédération...?*

*... C'est animé de ce sentiment, Monsieur l'Orateur, que je veux, avant de reprendre mon siège, adresser, au nom de toute la population de Québec — des Canadiens anglais, écossais et irlandais comme des Canadiens français — un appel au gouvernement et à la majorité de la Province d'Ontario. Au nom de la justice et de la générosité dont l'Angleterre a donné tant de preuves et qui ne peuvent manquer d'animer tout citoyen véritablement britannique, comme au nom des luttes que nos pères ont soutenues pour ouvrir à la civilisation les riches domaines qui sont notre patrimoine commun, je demande qu'on fasse justice à la minorité française d'Ontario, et même, au besoin, qu'on soit généreux envers elle.*

*Au nom des sublimes expressions qu'il a données à la pensée humaine, je demande, pour le verbe français, le droit de résonner sur les lèvres des écoliers d'Ontario qui veulent l'apprendre et le parler.* » [164]

Pour une fois, Gouin retrouvait un peu de l'éloquence et de l'émotion de son beau-père, Honoré Mercier.

Deux jours plus tard, à l'instigation de Gouin, deux députés de langue anglaise, W.S. Bullock, de Shefford, ancien prédicateur baptiste, et J.T. Finnie, de Montréal, né en Ecosse, présentèrent la motion suivante :

« *La Chambre, sans déroger aux principes d'autonomie provinciale et sans aucune intention de conseiller ou d'intervenir dans les affaires des autres provinces de la Confédération, voit avec regret les divisions qui semblent exister dans le peuple de la Province d'Ontario sur la question des écoles bilingues et croit qu'il est de l'intérêt du dominion en général que toutes questions de cette espèce soient considérées d'un point de vue large, généreux et patriotique, en se rappelant toujours que l'un des principes cardinaux de la liberté britannique dans toute l'étendue de l'Empire est le respect des droits et privilèges des minorités.* » [165]

Lavergne félicita Bullock et Finnie, mais il attaqua la tyrannie des orangistes et de Mgr Fallon. Il saisit l'occasion de réaffirmer le principe nationaliste d'aucune participation aux guerres de l'Angleterre, citant lord Granville qui disait que c'était le devoir de l'Angleterre de défendre le Canada et non celui du Canada de défendre l'Angleterre. Tellier approuva la résolution et déplora les remarques déplacées de Lavergne. Un seul député anglais, C.E. Gault, de Montréal, mit en doute l'opportunité du geste. La résolution fut votée à l'unanimité. Dans *Le Devoir*, Lavergne souligna que le gouvernement libéral du Québec avait adopté un programme préconisé depuis longtemps par les nationalistes.

Le lendemain, 14 janvier, les amis du *Devoir* célébraient le cinquième anniversaire du journal au Monument national. En qualité de président, J.-N. Cabana annonça qu'une réunion publique avait été préférée à un banquet privé pour fêter cet événement « *parce que nous avons cru qu'il était préférable de faire une revue que nous appellerons, si vous le voulez bien, un examen de conscience.* » [166] L'admission fut payante, pour permettre d'augmenter le tirage du journal. Le principal commanditaire, G.-N. Ducharme, avoua l'avoir financé à l'origine dans l'intérêt du parti conservateur, mais avoir été convaincu par Bourassa de la nécessité d'un journal indépendant pour revendiquer et défendre les droits canadiens-français. Il exprima sa parfaite confiance en Bourassa et en son désintéressement. Armand Lavergne retraça toute l'histoire du mouvement nationaliste et fit l'éloge de Bourassa « *en qui se sont incarnées toutes les revendications de la race.* » [167] On l'avait accusé de trahison, La Fontaine aussi, et Mercier, et Riel. Demain, tout le Québec et tout le Canada le remercieraient, comme la jeunesse du Québec le faisait aujourd'hui.

Bourassa lui-même donna un compte rendu des campagnes et des réalisations du journal. Il parla plus de deux heures. Quant à l'avenir :

« *Par la pluie et par le beau temps, avec ou contre tout venant,*
Le Devoir *continuera à lutter pour les droits du Canada contre
l'étranger et même contre les intérêts contraires de la Grande-Bretagne
et des autres pays de l'Empire ; pour les droits des minorités, catholiques ou protestantes, françaises ou anglaises, et pour l'égalité des deux
races et des deux civilisations dans chacune des provinces du Canada ;
pour la création d'un véritable esprit national fait des meilleurs éléments de ces deux civilisations ; pour la colonisation du sol par nos
nationaux et contre l'invasion du pays par les métèques de toutes les
races et de toutes les nations ; pour le progrès intellectuel, moral et
social du peuple canadien ; pour le développement économique de
toutes les ressources du pays dans l'intérêt du peuple qui l'habite ; pour
l'administration intègre et intelligente de l'Etat et de tous ses fraction-
nements provinciaux et municipaux ; pour la subordination des intérêts particuliers et de la cupidité des partis aux intérêts supérieurs de
la nation.* » [168]

Il affirma croire en la dualité de race et de culture du Canada.
Un accord moral était essentiel entre Français et Anglais pour la formation d'une nationalité canadienne :

« *Nous voulons que ces deux éléments conservent les traits caractéristiques de leur race, leurs traditions, leur langue, leur littérature
et toutes leurs aspirations compatibles avec l'unité morale et politique
de la nation canadienne. Nous voulons que les uns deviennent plus
canadiens que français et les autres plus canadiens qu'anglais. Que
chacun de ces groupes emprunte à sa patrie d'origine les idées, les
progrès et les développements nécessaires à la conservation de son
patrimoine particulier, intellectuel ou moral, fort bien ; mais il faut
aussi que chacun de ces groupes ait assez de patriotisme, d'intelligence
et de générosité pour subordonner ses goûts ou ses préjugés particuliers
aux exigences de l'unité nationale.*

*En d'autres termes, nous combattons également le colonialisme
français, dans le domaine des idées, et le colonialisme anglais dans le
domaine de la politique et des faits ; nous voulons que l'un et l'autre
fassent place à un nationalisme canadien, à la fois anglais et français,
nettement distinct dans les éléments propres aux deux races et à leur
génie particulier, mais harmonieusement uni dans la recherche d'un
idéal commun, fait des traditions canadiennes, enraciné dans le sol
canadien et n'ayant d'autre objet que la grandeur morale et matérielle
de la patrie canadienne.* » [169]

Bourassa expliqua que Le Devoir était un journal catholique, mais
non l'organe de la hiérarchie, du clergé, ni d'aucun groupe de moines
ou de prêtres. Il insista sur sa liberté en toutes matières nationales et
politiques, mais aussi sur sa conviction que « *nous ne resterons catholiques qu'à condition de rester Français et nous ne resterons Français*

*qu'à condition de rester catholiques.* » [170]  *Le Devoir* continuerait d'être indépendant de la politique de parti. Bourassa s'opposait à la formation d'un parti nationaliste, parce que l'esprit de parti était déjà trop puissant, parce que les troisièmes partis n'étaient favorisés que dans des circonstances exceptionnelles et pour certains buts immédiats, alors que son propre programme de nationalisme était trop étendu et de trop grande portée, enfin parce que les éléments d'un parti supérieur manquaient, après quarante ans de luttes partisanes dégradantes : « *Au lieu de chercher à gagner des élections contre l'un ou l'autre parti, ou contre les deux partis, nous nous efforcerons de plus en plus de créer autour des partis une barrière qui les contienne, au-dessous des partis une base solide qui les empêche de tomber trop bas, et au-dessus des partis une pensée dirigeante et maîtresse qui les force à travailler au bien de la nation au lieu d'en corrompre l'esprit.* » [171]  Il termina en demandant à être aidé financièrement par des abonnements, des contrats d'imprimerie, de la publicité.

Bourassa avait évoqué, dans son discours, la nécessité éventuelle de former un troisième parti pour combattre, si le français continuait d'être ostracisé en Ontario et si les deux partis refusaient d'y remédier. Or, il avait déjà, en fait, rallié la presque totalité du Québec à la cause franco-ontarienne. La hiérarchie entrait maintenant dans la lutte, souscrivait au fonds de l'ACJC, la recommandait à l'attention de son clergé et traitait du conflit ontarien dans ses lettres pastorales. L'Université Laval de Québec organisa une manifestation pour le 25 janvier, pendant que la campagne pour les Franco-Ontariens continuait dans la presse et à la tribune. A Québec, cette manifestation réunit le cardinal Bégin, son auxiliaire Mgr Roy, Mgr Amédée Gosselin, recteur de Laval, Gouin et quatre membres de son ministère, le sénateur Landry, le sénateur Belcourt et cinq ou six autres sénateurs, les présidents des deux Chambres du parlement provincial, Sévigny, futur vice-président de la Chambre fédérale, le juge en chef du Québec et un grand nombre d'autres personnalités.

Seuls, Laurier et Bourassa manquaient à ce que *Le Soleil* appela « *l'heure de la mobilisation pour la race canadienne-française.* » [172] Laurier, qui craignait les répercussions de cette agitation dans les autres provinces, emportées comme elles l'étaient par l'hystérie de la guerre, se tint à l'écart. Bourassa parla à l'Université de Montréal, le 27 janvier, de *La renaissance des petites nationalités,* au bénéfice des Franco-Ontariens. Il développa la théorie des droits nationaux et l'appliqua aux minorités canadiennes. Il fit appel au Québec, protecteur naturel de tous les Français du Canada, pour qu'il fasse respecter ce droit : « *Au nom de notre propre constitution, de notre propre dignité, au nom de la conscience de l'humanité, dont nous possédons une parcelle qui se réveille, nous avons le devoir d'aider de toutes nos forces les minorités canadiennes-françaises du*

*Canada qui luttent pour la conservation de leurs droits et de leurs traditions.* » [173]

Le gouvernement s'inquiéta de la marée montante de l'émotion dans le Québec et Borden intervint en privé auprès de W.H. Hearst, premier ministre de l'Ontario. Il fit savoir ensuite à Fitzpatrick que Hearst désirait faire son possible pour remédier à l'injustice, mais que ses efforts étaient contrecarrés par des interventions venant de l'extérieur de la province. En somme, si le Québec voulait bien se calmer, l'Ontario pourrait faire quelque chose. Fitzpatrick donna une copie de la lettre de Borden à Mgr Bruchési. Or, le Québec était maintenant animé d'un esprit de croisade et l'émotion continua de grandir dans tous les coins de la province. Dans une lettre au *Devoir*, Napoléon Garceau blâma la tendance croissante à faire du rétablissement des écoles séparées en Ontario la condition du soutien de la guerre par les Canadiens français. Cependant, *Le Devoir* ne voulut voir dans le vieux nationaliste qu'un autre « *dissident* ». Le sentiment anti-canadien-français grandissait en Ontario à mesure que montait la rancœur du Québec contre l'Ontario. Ni l'un ni l'autre ne voulait céder et la voie était maintenant ouverte à l'explosion d'animosité ethnique qui allait se produire.

Des ombres apparurent dans la trêve politique pendant la session fédérale, du 4 février au 15 avril. La motion d'adoption du message de réponse au discours du trône fut présentée par un Allemand de l'Ontario et appuyée par un ancien nationaliste du Québec, Honoré Achim. Laurier expliqua sa promesse de plein appui du gouvernement en déclarant que les dépenses ne pouvaient être sanctionnées sans comptabilité et que des questions comme celle de « *permettre aux dominions de se prononcer sur toutes les questions de paix et de guerre* », devaient attendre la fin de la guerre. [174] Il parla de l'affaire des mauvaises bottes fournies à la première division et exigea une enquête que Borden promit. Borden fit son rapport : « *31 000 hommes sont aujourd'hui dans les Iles Britanniques ou en France, 1 000 sont aux Bermudes et environ 10 000 en garnison au Canada.* » [175] Il annonça aussi que 50 000 hommes avaient été enrôlés pour la défense du Canada. Laurier railla Blondin, le nouveau ministre du revenu national, pour ses déclarations nationalistes d'autrefois : « *J'ai cru... que l'honorable député avait raccommodé les trous faits au drapeau et que maintenant il allait respirer l'atmosphère de la liberté.* » [176] Il s'était aussi moqué de Sévigny pour avoir accédé à la vice-présidence en appliquant un programme contraire à celui qui l'avait fait élire.

En mars, Laurier reprocha au gouvernement l'extravagance du budget, qui n'avait pas été soumis d'abord à l'opposition, selon l'usage anglais. Les nouveaux impôts, les mauvaises bottes, les profits illicites sur les contrats de guerre et une nouvelle disposition permettant aux soldats de voter furent débattus. Cette dernière fut votée mais, devant l'opposition du Sénat à l'application immédiate de la Loi de Redistribution, Borden accepta un amendement dans ce sens. Le dernier jour de la session, Borden commenta le rapport du Comité des Comptes publics qui avait enquêté sur les dépenses de guerre et condamna sévèrement deux députés conservateurs pour les profits illicites réalisés sur les médicaments et les chevaux. Il annonça son intention de nommer un comité pour surveiller les achats faits sur le crédit de 100 000 000 de dollars voté par le parlement pour la guerre. Cette *War Purchasing Commission*, à la création de laquelle s'opposa Sir Sam Hughes, fut constituée le 8 mai et comprit Edward Kemp, G.F. Galt et Hormisdas Laporte. Elle élimina nombre des critiques auxquelles le gouvernement avait donné lieu en raison du favoritisme de Hughes dans l'adjudication des contrats.

Peu après la prorogation du parlement, Robert Rogers prononça un discours à Montréal demandant une élection immédiate, pour que le gouvernement ne soit plus « *handicapé et paralysé et gêné, à chaque tournant, par une opposition qui retarde et discute et qui... a refusé sa confiance à nos propositions pour l'accomplissement de notre devoir dans ce grand conflit.* » [177] La majorité du cabinet favorisait la dissolution, mais Borden se prononça contre, après que le gouverneur général eut déconseillé cette mesure et que l'opinion publique eut manifesté son opposition. [178] A Toronto, le 15 mai, Laurier déclara qu'il était homme de parti en temps de paix, mais il ajouta : « *Je ne tiens pas, pour ma part, aussi longtemps que durera la guerre, à ouvrir les portails du pouvoir avec cette clé sanglante.* » [179] L'opposition à une élection en temps de guerre grandit quand vint d'outre-mer la nouvelle des terribles pertes subies par la première division à la seconde bataille d'Ypres.

Le *Princess Patricia's Canadian Light Infantry* était monté en ligne en janvier. Le 7 mai, il était réduit à la moitié de son effectif et, en juin, il ne restait plus, du bataillon initial, que douze hommes et un officier, le lieutenant Talbot-Papineau, qui aient échappé à la mort ou à des blessures. [180] La première division était arrivée au front en mars. Elle reçut le baptême du feu à la bataille de Saint-Julien ou Langemarck, du 22 au 28 avril. Elle subit la première attaque de la guerre par les gaz, perdant environ 6 000 hommes, tués, blessés ou disparus, en défendant une brèche laissée béante dans la ligne de feu par les tirailleurs algériens et les zouaves pris de panique devant quatre divisions ennemies. Retirée du front du 3 au 5 mai, elle y retourna le 19 mai, à Festubert et à Givenchy. Le 30 juin, elle avait perdu presque la moitié de son effectif. Sam Hughes critiqua amèrement le commandement britannique et exigea le remplacement du général britannique E.A.H. Alderson par le général canadien R.E.W. Turner. La seconde division arriva en Angleterre par détachements, en mars, avril et mai. Elle ne se rendit pas en France avant septembre mais, en août, elle fourn't des renforts à la première division. Le *Canadian Army Corps* fut alors formé, sous le commandement du général britannique Alderson, mais les divisions furent commandées par les généraux canadiens A.W. Currie et Turner.

Le recrutement de 150 000 hommes fut autorisé le 8 juillet 1915 par arrêté-en-conseil et, en octobre, la limite fut élevée à 250 000. A la fin de l'année, 212 000 hommes étaient sous les armes, dont 180 000 recrutés en 1915 et, au début de la nouvelle année, on tenta d'en porter le nombre à 500 000. Les demandes incessantes d'un plus grand nombre d'hommes causées par les lourdes pertes subies en France eurent pour résultat une intensification de la campagne de recrutement au Canada. En Chambre, le 25 février 1915, Sam Hughes s'était vanté de pouvoir « *lever trois autres contingents en trois semaines, si c'était nécessaire.* » [181] Or, il n'était pas porté à peser ses paroles, comme sa déclaration, à Montréal, le 4 mai, en donna la preuve : « *Le Canada a fait parvenir un contingent, un second est en route et un troisième partira dans une semaine ou deux. Un quatrième est presque prêt et, si nécessaire, nous en enverrons un cinquième, un sixième, un dixième et un vingtième.* » [182] Devant un enthousiasme si dénué de réalisme, une réaction canadienne-française apparut évidente. Aux Communes, le 9 mars, le libéral Roch Lanctôt et le conservateur Adélard Bellemare affirmèrent leur conviction que le Canada faisait déjà trop et qu'une production accrue était la meilleure contribution que pouvait fournir le pays. [183]

Des 32 070 hommes demandés pour le troisième contingent, 22 738 seulement furent recrutés, d'après les chiffres du Département de la Milice du 26 mars, un seul district militaire, Kingston, ayant enrôlé plus que sa quote-part, tous les autres étant très en-deçà de leur objectif, dans les Maritimes, la Colombie britannique, le Manitoba, le Saskatchewan et le Québec. [184] A la fin de 1915, 212 000 recrues seulement avaient été enrôlées sur le total de 250 000 fixé le 1er novembre. Les chiffres officiels du 15 février 1916 montrèrent que, sur un total de 249 471 alors enrôlés, 62 pour cent étaient de souche britannique, 30 pour cent de souche canadienne, les autres représentant 8 pour cent. [185] Les difficultés croissantes du recrutement étaient dues à ce que les hommes de souche britannique et d'âge militaire s'étaient pour la plupart enrôlés dès les premiers jours de la guerre, la population urbaine qui n'était pas encore enracinée avait été en grande partie absorbée, les Canadiens de naissance montraient encore de l'hésitation à combattre pour « *la civilisation* » ou « *l'Empire* », qui étaient les slogans de recrutement (il n'y eut aucun appel spécifiquement canadien). Les régions rurales restaient indifférentes à la guerre.

Au début de 1915, la levée d'un second bataillon canadien-français, le 41ème, fut autorisée et le lieutenant-colonel Louis-H. Archambault quitta le 22ème pour recruter la nouvelle unité, qui avait sa base à Québec, mais qui était tirée en grande partie de Hull et de Montréal. Il fut permis au Dr Mignault d'organiser l'hôpital militaire canadien-français qu'il avait proposé de mettre au service du gouvernement français. Or, au début de la session, Hughes donna une réponse évasive quand un député du Québec lui demanda si le gouvernement avait l'intention d'organiser la brigade canadienne-française que désiraient un grand nombre de Québecois patriotes. En réponse à des rumeurs malveillantes sur le nombre des enrôlements du Québec et à une question directe sur le nombre de Canadiens français dans le premier contingent, Hughes déclara que le Québec avait fait son devoir et estima le chiffre entre 3 000 et 6 000. Cette déclaration encouragea les évaluations trop optimistes des Canadiens français patriotes et son imprécision ne tranquillisa pas les détracteurs canadiens-anglais. Un autre bataillon canadien-français, le 57ème, fut autorisé plus tard au printemps, sous le commandement du lieutenant-colonel E.-T. Paquet. Un quatrième, le 69ème, fut recruté en juin par Adolphe Dansereau, jeune homme de 24 ans, blessé de guerre, ancien du 14ème bataillon et l'un des fils d'Arthur Dansereau, de *La Presse*. Au milieu de l'été, ces unités avaient leur effectif complet et, avec le 22ème, elles totalisaient plus de 4 000 hommes, en plus des Canadiens français dispersés dans le reste de l'armée.

Cependant, l'esprit de corps éveillé par la formation d'unités exclusivement canadiennes-françaises fut affaibli par le refus de permettre la mutation de membres canadiens-français des 13ème et 14ème bataillons au 22ème, seule unité canadienne-française au front et par des prélèvements sur les 41ème et 57ème pour renforcer des unités canadiennes-anglaises. Il y eut aussi d'autres incidents, qui refroidirent l'enthousiasme. L'hôpital militaire du Dr Mignault, créé pour servir en France, reçut l'ordre de se rendre aux Dardanelles mais, à la suite de vigoureuses protestations, l'ordre fut annulé et, en novembre, l'hôpital était installé à Saint-Cloud, près de Paris, comme Hôpital général n° 8. Le colonel J.-P. Landry, officier d'active, fut relevé du commandement de la 5ème brigade de la seconde division à la veille de son départ pour la France en septembre et relégué au poste d'inspecteur général des camps d'Angleterre. Il fut remplacé par le colonel David Watson, de la première division, ami personnel de Sam Hughes, qui fut promu général de brigade. Le plus haut gradé canadien-français dans le *Canadian Army Corps* tout entier fut le colonel F.-M. Gaudet, du 22ème. Le remplacement du colonel Landry, considéré comme une vengeance de Sam Hughes contre son père le sénateur Landry, à cause du rôle joué par ce dernier dans la querelle des écoles de l'Ontario, confirma l'opinion canadienne-française croissante que Hughes réservait les plus hauts commandements aux Canadiens anglais. Le recrutement marqua le pas dans le Québec par suite de ces facteurs et des événements dans le pays. Un Canadien anglais

fut nommé officier-recruteur en chef pour le Québec et sa qualité
d'ancien ministre méthodiste n'augmenta pas sa popularité. Les
officiers des unités canadiennes-françaises se plaignirent de ce
que leurs unités étaient retenues trop longtemps au Canada et qu'il
était difficile de maintenir la discipline quand il était permis aux
hommes d'aller chez eux pour la récolte et d'être ainsi tentés de
déserter.

Pourtant, le principal facteur de la détérioration de l'esprit de
guerre au Québec fut sans aucun doute la question scolaire de l'Ontario. La plupart des Canadiens anglais ne comprirent pas l'importance
attachée par les Canadiens français à cette question et les rares voix
canadiennes-anglaises sympathisantes furent peu écoutées, tant l'opinion anglaise se concentrait sur la guerre. Le père M.J. Whalen
d'Ottawa répondit au cardinal Bégin, à l'archevêque Bruchési et à
Sir Lomer Gouin par une lettre ouverte au *Toronto Mail and Empire,*
le 14 février, dans laquelle il attribuait la guerre des races en Ontario
à une conspiration organisée par Mgr Duhamel, l'Association d'Education et *Le Droit* pour faciliter l'invasion française de la province.
Il demandait instamment que les frontières des provinces ecclésiastiques soient revisées pour coïncider avec les frontières des provinces
civiles et priver ainsi le clergé français de la possibilité d'intervenir
en Ontario. Une opposition du clergé irlandais se dessinait aussi au
Manitoba contre l'archevêque Langevin. Entre temps, dans *Le Devoir,*
Héroux étendait aux collèges classiques et aux écoles primaires sa
campagne pour obtenir des fonds, fixant ainsi l'attention de la jeunesse
canadienne-française sur l'Ontario plutôt que sur l'Europe. Le 7 mars,
le sénateur Landry, Thomas Chapais, P.-E. Lamarche, le Dr Baril et
la sénateur Belcourt, prirent part à une réunion massive de protestation contre le Règlement 17, au Théâtre français d'Ottawa. La présence
de porte-parole conservateurs, libéraux et nationalistes indiquait que
l'on se conformait à l'injonction de Landry : « *Avant d'être libéraux
ou conservateurs, soyons Canadiens français.* » [186]

Trois jours plus tard, le sénateur L.-O. David présenta une motion demandant le règlement de la question scolaire dans l'esprit de
la constitution, rappelant l'aide donnée jadis aux Irlandais par les
Canadiens français. Un sénateur irlandais, George McHugh, appuya
la motion. Le même jour, la *Orange Grand Lodge* se réunit, en présence de Sam Hughes et exigea la suppression de tout enseignement
du français en Ontario. Un député conservateur, H.B. Morphy, proclama : « *Jamais nous ne laisserons les Canadiens français implanter
en Ontario le langage dégoûtant dont ils font usage.* » [187] Ces paroles
eurent leur écho au Sénat, où le sénateur Choquette qualifia Morphy
de « *brutal maniaque* » et « *d'ignorant*. » [188] Le sénateur Poirier, du
Nouveau-Brunswick, demanda une trêve et une conciliation. Les sénateurs Béique, Dandurand, Legris et Boyer défendirent les Franco-

Ontariens. Le sénateur Power, de Halifax, Irlandais catholique éminent, proposa un sous-amendement qui détruisait l'effet de la motion David. Le sénateur Pope, des Cantons de l'Est, appuya Power et reprocha aux nationalistes de subordonner l'effort militaire canadien-français au règlement de la question scolaire. Le sénateur Landry, en qualité de président, tenta d'écarter l'amendement Power pour des raisons de procédure, mais son effort fut annulé par un vote de nature ethnique. Devant l'opposition des membres anglais, le sénateur Landry cessa de présider le Sénat, le 8 avril et offrit sa démission à Borden, qui la refusa. Landry reprit son siège pour la séance de clôture, le 15 avril, après avoir accepté la présidence de l'Association d'Education le soir précédent. Le débat sur la résolution David fut coupé court par la prorogation du parlement, mais il avait déjà amorcé une division entre libéraux et conservateurs français, tant au parlement que dans la presse. [189]

La question des écoles continuait à émouvoir le Québec. Le père Villeneuve, d'Ottawa, fut invité à présider, en mars, la réunion de la Société Saint-Jean-Baptiste de Montréal. Le 19 mars, Bourassa donna une conférence sur *La langue française au Canada, sa nécessité, ses avantages,* sous les auspices de la même société et au bénéfice des Franco-Ontariens. A Québec, le curé de Saint-Sauveur présida une réunion de protestation contre l'attitude des orangistes de l'Ontario.

Bourassa applaudit au manifeste initial de Landry qui demandait que la question scolaire ne soit pas transformée en question politique. Il insista sur l'importance primordiale de la question :

« *C'est tout le problème de la langue et de la survivance française qui se pose dans l'Ontario. Pour le Canada, pour l'Amérique entière, ce n'est pas sur les champs de bataille de l'Europe que cette survivance sera maintenue ou éteinte. Que la France soit victorieuse ou vaincue, qu'elle reprenne l'Alsace-Lorraine ou qu'elle perde la Champagne, ce ne sont pas les armées prussiennes et la Kultur germanique qui décideront de notre sort. C'est nous-mêmes.*

*Les ennemis de la langue française, de la civilisation française au Canada, ce ne sont pas les Boches des bords de la Sprée ; ce sont les anglicisateurs anglo-canadiens, meneurs orangistes ou prêtres irlandais. Ce sont surtout les Canadiens français aveulis et avilis par la conquête et par trois siècles de servitude coloniale.*

*Qu'on ne s'y méprenne pas : si nous laissons écraser la minorité ontarienne, ce sera bientôt le tour des autres groupes français du Canada anglais.* » [190]

Les Canadiens français portèrent la guerre pour la défense de leur langue sur de nombreux fronts et exigèrent l'usage du français dans les affaires et dans les services publics du Québec.

L'antagonisme ethnique était manifeste dans les joutes de hockey entre équipes françaises et anglaises, ainsi que dans les sports aux camps militaires. Même les petits garçons de Montréal, de Québec et des centres urbains des Cantons de l'Est se battaient pour des raisons raciales. Le 22ème, transféré à Amherst, Nouveau-Brunswick, pour parfaire son entraînement avant d'embarquer, fut accueilli à son arrivée par des rues désertes, des magasins fermés et des regards glacials. Cependant, en raison de la bonne conduite du bataillon et de ses dons aux pauvres de la ville, Amherst décréta un jour de congé pour permettre à la population d'escorter le bataillon au moment de son départ et le maire l'accompagna jusqu'à Halifax. [191] La nouvelle de la bravoure des Canadiens à Ypres et de leurs lourdes pertes amena un calme momentané. *Le Devoir* même rendit hommage aux morts héroïques, mais une réaction se produisit bientôt, parce que le Canada français, disait-on, ne portait pas sa juste part du fardeau de la guerre. La perte d'un fils ou davantage, dans une petite famille canadienne-anglaise moyenne, laissait peut-être un vide plus sensible que dans la famille canadienne-française plus nombreuse.

Le 19 mai, au Monument national, Bourassa donna une version développée de sa précédente conférence sur *La langue française au Canada, ses droits, sa nécessité, ses avantages,* sous les auspices de l'ACJC et au bénéfice des Franco-Ontariens. Le sénateur Landry présidait. Il assura le nombreux auditoire que le français continuerait d'être parlé au foyer et à l'église en Ontario, puisque « *nous le voulons, vous le voulez, Dieu le veut.* » [192] On remarqua la présence du sénateur David sur la scène et Bourassa, analysant la constitution avec soin, passa en revue les droits naturels des Canadiens français à leur langue, leurs droits dérivés des capitulations, du traité de Paris, de l'Acte de Québec et de la Constitution de 1791. Il rappela qu'une version française des lois avait été prévue quand fut créé le Haut-Canada, que Égerton Ryerson avait approuvé l'enseignement des deux langues dans les écoles ontariennes, que nombre d'écoles françaises existaient en Ontario avant la Confédération et qu'elles recevaient des subsides du gouvernement. Il cita l'interprétation par Macdonald, en 1890, du *BNA Act* comme assurant « *des droits égaux de toutes sortes, de langue, de religion, de propriété et de personne.* » [193] Il affirma que les droits acquis en vertu de la constitution fédérale avaient priorité sur ceux qui avaient été acquis en vertu de la loi provinciale et que les Canadiens français en Ontario avaient les mêmes droits à leur langue que les Canadiens anglais à la leur dans le Québec. Cependant, il déconseilla de chercher vengeance par des représailles dans le Québec.

Bourassa souligna que la grande majorité des sujets britanniques n'étaient pas de langue anglaise et que, dans maintes parties de l'Empire, d'autres langues que l'anglais occupaient une plus grande place que le français au Canada. Il attaqua la doctrine prussienne et américaine selon laquelle l'unité nationale doit être fondée sur une seule langue. Il défendit le bilinguisme en citant son succès au Pays de

Galles, en Irlande, en Belgique, en Suisse et en Alsace, soulignant que l'oppression, en Ontario, était pire que celle des Allemands dans ce dernier pays. La langue française était nécessaire à la conservation de la foi des Canadiens français. Elle était une barrière contre l'américanisation. Utile au commerce et à la diplomatie, elle était la langue civilisatrice par excellence. Il défendit le droit du Québec d'intervenir en Ontario, demanda instamment des contributions à sa cause et le développement d'un culte pour sauvegarder la langue dans sa forme la plus pure : « *Soyons les défenseurs de la langue française, non seulement contre les autres, mais aussi contre nous-mêmes.* » Dans un passage omis du texte imprimé, il attaqua le clergé irlandais :

« *Il est temps, il est grand temps que l'on sache à Rome qu'en soutenant la cause des opprimés, nos évêques n'accomplissent pas seulement un devoir de justice et de charité. S'inspirant de l'exemple de Saint Paul, ils protègent, en Amérique, la catholicité de l'Eglise contre les tentatives insidieuses ou déclarées de ceux qui veulent faire de la religion l'arme de domination d'une race...*

*Quant aux prélats et aux prêtres qui s'unissent aux pires ennemis de l'Eglise pour arracher aux Canadiens français la libre jouissance de leurs droits naturels, garantis par l'histoire, la civilisation et la pratique des nations civilisées, ils manquent à leur double devoir de pasteurs catholiques et de sujets britanniques... Au lieu de persécuter le plus ancien et le plus fidèle peuple de l'Amérique, que n'appliquent-ils leur ardeur combattive à sauver les milliers de catholiques de langue anglaise que les mariages mixtes, la fréquentation des écoles neutres et la littérature protestante ou matérialiste jettent, chaque année, dans l'immense armée des incroyants, adorateurs du veau d'or ?*

*Cette déclaration, j'espère, ne scandalisera personne. Je la fais sans colère, dans l'esprit du père de famille catholique qui sait que Dieu lui a donné le droit et imposé le devoir de conserver à ses enfants l'inappréciable trésor de la foi et des traditions nationales...*

*Les actes dont nous souffrons, quel que soit le caractère de leurs auteurs — et je n'incrimine pas la bonne foi de ces auteurs — ne relèvent ni de l'autorité épiscopale, ni du caractère sacerdotal. Ce sont des actes individuels, posés en dehors de leur magistère apostolique, mais qui constituent un péril pour la foi de plusieurs.*

*Il est temps que Rome, mère et protectrice de tous les catholiques, le sache nettement.* » [194]

Bourassa gagna en prestige par cet appel public et direct à Rome, qu'aucun autre *leader* laïc canadien-français n'avait encore osé faire. Son auditoire ratifia unanimement des résolutions affirmant le droit des Canadiens français de parler leur langue et de l'enseigner à leurs enfants dans toutes les provinces du Canada, réclamant le respect du pacte fédéral et de l'interprétation qu'en avait donnée Macdonald et exprimant l'espoir que la minorité de l'Ontario obtiendrait l'appui de tous les Canadiens, catholiques ou protestants, français ou anglais, « *soucieux de conserver en Amérique les bienfaits de la civilisation française et de faire triompher au Canada les préceptes et la pratique de l'entente cordiale qui unit l'Angleterre et la France sur les champs de bataille de l'Europe.* » [195] Ces résolutions furent publiées par la plupart des hebdomadaires de la province. Quelques jours plus tard, Mgr Bruchési et Sir Adolphe Routhier consacraient aux droits de la langue française au Canada leurs conférences devant la Société royale [196] et quand Mgr l'Archevêque Langevin mourut à Montréal, le 15 juin, ses funérailles se transformèrent presque en manifestation nationaliste. Dans chacune des collectivités canadiennes-françaises, tout au long du parcours de Montréal à Winnipeg, des foules d'enfants agenouillés saluèrent le passage du train funèbre qui emportait les restes du « *héros de l'Ouest* » vers son dernier lieu de repos. [197]

Bourassa parla encore à Montréal, le 23 juin, au bénéfice des Franco-Ontariens, Lavergne, au Monument national, le 24 juin et Landry, le même jour, s'adressa à 5 000 personnes à l'*Arena* d'Ottawa, déclarant qu'il en appellerait à Rome et à Londres, après avoir vainement intercédé auprès de l'archevêque d'Ottawa et du premier ministre de l'Ontario : « *Nous demanderons à la mère-patrie si nos enfants n'ont pas d'autres droits que d'aller se faire tuer au service de l'Empire.* » [198] L'*Action sociale*, maintenant connue sous le nom de *L'Action catholique*, demanda une trêve, à l'instigation de T.-C. Casgrain qui s'inquiétait de la réaction de l'Ontario aux accusations de « *prussianisme* ». Or, l'émotion du Québec était maintenant trop vive pour pouvoir se calmer. Bourassa répliqua : « *Sa Grandeur Mgr Latulipe n'a pas tort de trouver les procédés des Boches d'Ontario aussi exécrables que ceux des Boches de Poméranie.* » [199] Il prédit l'extension probable de la lutte en Saskatchewan et en Alberta, où l'enseignement du français était soumis à de nouvelles restrictions. [200] Après que L'*Action catholique* et *Mgr Bruchési* eurent conseillé la modération, *Le Canada, La Patrie* et *La Presse* furent mécontents de ce qu'une partie de l'argent recueilli par l'ACJC pour les écoles ontariennes ait été versée au journal *Le Droit*, qui leur avait enlevé des lecteurs.

Le 12 juillet, la Cour d'Appel de Toronto approuva le Règlement 17. Le gouvernement d'Ontario abolit aussitôt la *Ottawa Separate School Commission*, qui était aux deux tiers française et la remplaça par une nouvelle commission de trois membres, dont un seul représentant canadien-français. Ces faits, contre lesquels *Le Devoir* protesta violemment, coïncidaient avec une nouvelle campagne de recrutement. Leurs répercussions se manifestèrent bientôt.

Sam Hughes, maintenant promu général, ne voyait aucune incompatibilité entre un recrutement plus intense et l'expansion continue de l'industrie de guerre. Or, 250 usines étaient maintenant occupées à la fabrication de munitions au Canada, employant, à des salaires élevés, tous les hommes qu'elles pouvaient trouver. L'industrie drainait ainsi la plus grande partie du potentiel de recrues urbaines, tandis que le cultivateur restait aussi attaché à sa terre et indifférent à la guerre que jamais. Bourassa tira de grands avantages de l'esprit « *business as usual* » des industriels britanniques, de l'opposition britannique à la conscription, de la mauvaise volonté de la main-d'œuvre britannique à accélérer la fabrication des munitions dont l'armée avait un urgent besoin. Le manque de munitions avait été l'une des causes des lourdes pertes canadiennes en avril et mai. Bourassa vanta le rôle de John Redmond, le nationaliste irlandais, qui avait insisté sur le *Home Rule* comme condition essentielle de la participation de l'Irlande à la guerre et il en souligna le contraste avec la servilité des *leaders* canadiens. Irrité de ces allusions aux Irlandais, le duc de Connaught pressa Borden de censurer *Le Devoir*, mais Borden eut la sagesse de répliquer : « *Rien ne plairait davantage à Bourassa. Je ne serai pas si fou. De plus, Campbell Bannerman et Lloyd George furent pires que cela pendant la guerre sud-africaine, ainsi que Carson, en ce qui concerne l'Uster.* »[201] *Le Soleil* lui-même protesta contre l'attitude du monde des affaires et du travail britannique, alors que les Canadiens étaient appelés à faire de plus grands sacrifices.

Toutefois, le gouvernement et la caste militaire négligèrent autant ce nouveau facteur de l'opinion publique canadienne-française que la question scolaire d'Ontario et ils lancèrent une nouvelle campagne de recrutement. Casgrain fit une tournée de discours dans la région du Bas Saint-Laurent, demandant qu'un appui sans réserve soit donné à l'Angleterre. Le colonel Wilson, commandant la région militaire de Montréal, prédit et souhaita la conscription, dans une entrevue publiée par le *Star,* le 12 juillet. Une campagne de souscriptions pour l'achat de mitrailleuses fut lancée, bien que la presse française objectât que ce n'était guère une affaire de charité publique et des *meetings* de recrutement en plein air commencèrent à Montréal. Le 15 juillet, deux industriels canadiens-anglais, C.C. Ballantyne et A.D. Dawson, prévinrent qu'ils n'emploieraient pas d'hommes d'âge militaire qui devraient être au front.[202] A McGill, le lendemain, l'ex-nationaliste N.-K. Laflamme se déclara en faveur de la conscription et un ministre protestant, en uniforme, proclama que le Christ serait au front, s'il était sur terre.[203] Napoléon Garceau, bien qu'il crût qu'il fallait appuyer la guerre sans réserve, protesta toutefois dans une lettre ouverte au ministre de la justice contre l'intimidation pratiquée par Ballantyne et Dawson :

« *Si le service militaire doit devenir obligatoire, qu'il le devienne pour tous, riche comme pauvre, mais sous l'empire des lois consenties*

*par le parlement du pays, et non à cause de l'arbitraire ou du pou-
voir que l'argent peut donner à certains personnages...* » [204]

Lors d'une réunion au Parc Sohmer, le 22 juillet, à laquelle parlèrent Laflamme, Blondin et le colonel Paquet, il y eut des huées.
Le lendemain, au Parc La Fontaine, un *meeting* de recrutement fut
dispersé par une foule d'ouvriers, employés et étudiants qui défilèrent ensuite jusqu'au Champ-de-Mars en criant « *A bas la conscription !* » Des affiches de recrutement furent déchirées par des foules
chantant *O Canada*. [205] *La Patrie* reprocha aux journaux nationalistes de combattre le recrutement et de prêcher la sédition et elle
demanda l'établissement de la censure. Celle-ci fut en effet établie,
mais peu souvent appliquée. Bourassa avait soin de citer les déclarations de personnalités britanniques pour appuyer ses accusations.
*L'Action catholique* fit remarquer que le meilleur moyen pour les
Canadiens français d'éviter la conscription, était de s'enrôler en
grand nombre et elle insista sur l'obligation morale d'aider l'Angleterre et ses alliés. [206] Les jeunes hommes du Groupe de l'Arche, ayant
à leur tête Roger Maillet, Ubald Paquin et Olivar Asselin firent des
discours contre la conscription sur les marches mêmes de l'université.
Le 26 juillet, L.-N.-J. Pagé, coiffeur doué d'un talent oratoire et
d'autres figures populaires firent de violents discours contre le recrutement au Champ-de-Mars. La tribune des orateurs fut prise d'assaut
par des soldats et la police dut intervenir.

Cependant, cette tension explosive, provoquée par la menace de
conscription, diminua bientôt par suite des assurances données par
les *leaders* canadiens-français que le gouvernement ne projetait aucune conscription. Le 8 juillet, l'organe de Casgrain, *L'Evénement*
et *La Semaine,* de Blondin, accusèrent les nationalistes d'effrayer le
peuple en évoquant un danger imaginaire. Le 28 juillet, Casgrain
déclara : « *Il n'y aura pas de conscription.* » [207] Les libéraux, de
leur côté, continuaient de soutenir la campagne de recrutement. Le
4 août, Rodolphe Lemieux proclama, à Montréal : « *C'est, je considère, non seulement une question de devoir, c'est une question d'honneur, pour nos fils et nos frères, de s'enrôler bravement et volontairement pour le service de Sa Majesté.* » [208] Malgré sa mauvaise santé,
Laurier, à 74 ans, parla à une foule de 8 000 personnes dans sa ville
natale de Saint-Lin, le 7 août, insistant sur le double devoir des
Canadiens français et les exhortant à l'unité avec les Canadiens anglais pour soutenir la guerre :

« *A Montréal, il y a des hommes qui empêcheraient le recrutement. Je réclame pour mon pays l'honneur suprême de porter les
armes pour cette sainte cause et, si j'appuie le gouvernement, c'est
parce que j'ai à cœur de faire mon devoir... la crainte de la conscription au Canada n'a pas plus de fondement aujourd'hui qu'elle n'en
avait en 1911... Mes chers combatriotes, je vous envie votre jeunesse*

*et votre uniforme mais, par-dessus tout, votre chance de combattre
pour une telle cause. Si j'étais un homme plus jeune, je serais sur la
ligne de feu.* » [209]

Le colonel Dansereau assura que ce discours avait doublé le rythme
quotidien d'enrôlement de son bataillon. De nouveau, à Sherbrooke,
le 12 août, Laurier adjura les Canad'ens de toute origine de se rallier
aux forces armées et, s'adressant particulièrement aux Canadiens
français, il ajouta :

« *J'affirme de toutes mes forces que c'est le devoir du Canada de
donner à la Grande-Bretagne en cette guerre toute l'assistance qui
est au pouvoir du Canada...*

*Quel est le devoir de nos jeunes hommes ? Si j'étais un jeune
homme et que j'avais la santé que j'ai aujourd'hui et que je n'avais
pas quand j'étais jeune, je n'hésitera's pas à prendre le mousquet et
à combattre pour la liberté comme le font un si grand nombre de
nos compatriotes. Je ne peux pas faire cela maintenant. Mais il est
une chose que je peux faire : je peux me servir de ma voix dans
l'état où elle est, pour la grande cause en laquelle nous avons tous
un suprême intérêt. C'est le message que je vous apporte en cette
occasion. Le péril est actuellement grand... Si nous voulons gagner,
nous devons être dignes de gagner, nous devons être dignes de la
liberté, nous devons être prêts à combattre pour la liberté.* » [210]

A Napanee, le 2 septembre, il s'évanouit en s'adressant à un
*meeting* de recrutement et, après une opération, il dut suspendre ses
apparitions en public jusque tard en automne. Cependant, d'autres
orateurs libéraux continuèrent. A Québec, le 8 septembre, un *meeting*
de recrutement se tint sous la présidence du maire et Sir Lomer Gouin
affirma sa conviction que « *les Canadiens français devaient être prêts
à faire tout en leur pouvoir pour aider les Alliés.* » [211] Une *Citizen's
Recruiting League* fut formée à Montréal, le 17 septembre, avec un
comité français dont faisaient partie les sénateurs Dandurand, David
et Béique, ainsi que Charles Beaubien, L.-T. Maréchal, Hormisdas
Laporte, N.-K. Laflamme, Joseph Ainey, Edouard-Fabre Surveyer,
entre autres. Le 25 septembre, à Longueuil, le lieutenant-colonel Hercule Barré, vétéran revenu du front pour organiser un nouveau bataillon, s'écria avec force : « *Ne restez pas là, assis, à critiquer... Allez et
faites quelque chose vous-mêmes. Rappelez-vous que l'Angleterre est
en guerre, le Canada est en guerre, et vous, vous êtes en guerre.* » [212]

Bourassa, qui ne laissait pas la marée montante de l'émotion provinciale le distraire des événements internationaux, profita de l'appel
du pape Benoît XV en faveur de la paix, comme il avait profité du
torpillage du *Lusitania* pour reprocher à l'Angleterre de s'opposer à
la neutralité des navires marchands et de l'entrée en guerre de l'Italie,
en soulignant que celle-ci avait agi dans son intérêt et non dans un
esprit chevaleresque. Cette dernière observation valut au *Devoir* quel-

ques carreaux cassés par les Italiens de Montréal, mais l'appui donné par Bourassa à l'appel du pape en faveur de la paix affermit son influence auprès du clergé. *Le Canada* rappela à Bourassa que les évêques avaient approuvé la contribution à la guerre, en hommes et en argent et ils demandèrent s'il essayait de les blâmer. *La Presse* souligna que la guerre était acceptée par l'Eglise et que le devoir de la jeunesse chrétienne était de se rendre sous les drapeaux. [213] *L'Action catholique* commença une nouvelle série d'articles avertissant le clergé qu'il manquerait à son devoir et ferait tort à l'Eglise s'il donnait « *le moindre prétexte à ceux qui pourraient mettre en question sa loyauté et son attachement à la cause de la métropole britannique...* » Elle engagea Bourassa à ne pas « *devancer le pape et les évêques dans la défense des intérêts catholiques* » et à ne pas « *admonester ceux dont il devrait prendre les avis ou les ordres au lieu de leur en donner.* » [214] La hiérarchie commençait à s'alarmer de la conversion évidente du bas clergé au « *bourassisme* » et de son opposition silencieuse à la conscription qui, déjà, n'échappait pas à l'attention de l'Ontario.

Olivar Asselin attaqua aussitôt *L'Action catholique* dans une série de quatre articles qui parurent dans *L'Action* du 11 septembre au 9 octobre et furent reproduits sous forme de brochure, comme ses critiques précédentes de cet organe ecclésiastique, sous le titre *L'Action catholique, les évêques et la guerre, petit plaidoyer pour la liberté de pensée du bas clergé et des laïques catholiques en matière politique.* [215] Il accusait « *l'organe du cardinal archevêque de Québec* », qui était ou n'était pas officiel selon les circonstances, de vouloir « *mettre l'épiscopat canadien-français bien en cour à Londres et à Rideau Hall* », [216] en adoptant une attitude conciliante sur la question scolaire d'Ontario et en condamnant Bourassa. Asselin stigmatisa le rédacteur de *L'Action catholique*, l'abbé d'Amours, ancien jésuite, comme étant l' « *un de ces petits abbés jésuites et italiens comme il s'en faisait il y a quatre siècles et comme il ne s'en fait, hélas ! presque plus, qui manient avec une égale habileté les canons de l'Eglise et le stylet, et pour qui nulle besogne ne fut jamais ni trop ardue, ni trop scélérate, ni trop vile.* » [217]

Asselin affirma avec sa vigueur coutumière que le cardinal et Mgr Roy avaient, en politique, exactement la même autorité que son ami Phidime Phidimous, de Terrebonne « *et même un peu moins puisque, de par leur état, ils sont moins libres d'exprimer toute leur pensée.* » [218] Il défendit le droit des membres du clergé d'avoir leurs opinions politiques et il souligna que des milliers de pasteurs protestants avaient transformé leur chaire en tribune politique. Cependant, il affirma que les évêques étaient allés au delà de la tradition loyaliste de l'Eglise en approuvant l'envoi d'hommes et d'argent outre-mer en 1914, que leur mandement était un empiétement injuste sur les droits

civiques et qu'il avait ouvert la voie à « *l'avalanche de lourde prose
crétino-théologique que* L'Action catholique *a fait rouler depuis sur
les adversaires de la politique impérialiste.* » [219] Il opposa l'encouragement des Franco-Ontariens par Mgr Bruchési à la tiédeur de
*L'Action catholique* en la matière et nia que ce journal fût vraiment
le porte-parole de tous les évêques. Il accusa Mgr Roy d'en être le
maître véritable, avec son « *Eminence Grise, l'ex-jésuite d'Amours, né
Damours à Trois-Pistoles, P.Q.* » [220] Il terminait par un vigoureux
avertissement aux évêques : si les procédés de *L'Action catholique*
étaient approuvés, ils perdraient l'appui du peuple et du bas clergé.
Asselin fit suivre cette attaque de trois autres articles dans *L'Action,*
les 24 et 30 octobre et le 6 novembre. Il y fit une analyse détaillée
des opinions exprimées par l'abbé d'Amours dans ses éditoriaux depuis le commencement de la guerre et il l'accusa de jouer tout simplement à la politique.

## 8

Borden passa l'été en Europe, essayant de résoudre quelques-uns
des problèmes soulevés par la friction entre Sam Hughes et les autorités britanniques qui avait provoqué des plaintes de la part du
gouverneur général. Avant son départ du Canada, en juin, il avait
chargé Sir Charles Piers Davidson, de Montréal, d'enquêter davantage sur les achats d'approvisionnements de guerre. En compagnie de
R.B. Bennett, il fit la traversée sur l'*Adriatic,* agissant comme courrier
de l'ambassadeur britannique aux Etats-Unis. A Londres, il conféra avec Sir George Perley, membre du cabinet canadien qui faisait
fonction de haut-commissaire depuis le commencement de la guerre
et avec Max Aitken, natif du Nouveau-Brunswick, qui jouait un
rôle de plus en plus important et avait le titre bizarre de *Témoin
canadien oculaire (Canadian Eye-Witness).* Borden insista auprès de
Bonar Law pour que Perley, en sa qualité de ministre canadien, soit
considéré d'un rang plus élevé que les hauts-commissaires des autres
dominions et il discuta des relations constitutionnelles entre le Royaume-Uni et ces derniers. Law était opposé à ce que des ministres
des dominions résident à Londres en temps de paix, mais il déclara
que la présence de Perley avait été un avantage pendant la guerre.
Il rappela aussi que la participation des dominions aux affaires étrangères pourrait les entraîner dans des dépenses navales et militaires
plus considérables que celles qu'ils voudraient faire. Borden répondit
qu'il faudrait tenir compte de la population, de la richesse et des
besoins nationaux pour fixer le chiffre de ces dépenses.

Borden fut reçu par le roi, qui loua les troupes canadiennes pour
avoir permis la victoire à Ypres et qui émit l'opinion que les domi-

nions devraient avoir leur mot à dire en matière de politique étrangère. Il apprit, de lord Kitchener, que l'on s'attendait à ce que la guerre dure longtemps et il fut invité à prendre part à une réunion du cabinet le 14 ju'llet : c'était la première fois que le représentant d'un dominion jouissait de ce privilège. Il eut une entrevue avec Sir Edward Grey et il apprit, d'autres sources aussi, que le gouvernement de coalition, formé en mai, était instable. Il passa en revue la seconde division et rend't visite aux blessés canadiens aussi souvent que possible. Il s'embarqua ensuite, vers la fin de juillet, pour la France où il passa en revue les troupes canadiennes et visita les hôpitaux avant de retourner en Angleterre pour assister à une réunion du Conseil Privé. Il fut honoré de l'hospitalité du roi et de la reine à Windsor et il fut invité par de nombreux groupes à des déjeuners et des dîners.

Dans une entrevue avec Sir James Bryce, qui était en faveur de la participation des dominions aux conseils de politique étrangère, Borden affirma qu'ils l'obtiendraient, ou bien que chacun d'eux suivrait la politique étrangère de son choix. Enfin, après avoir vainement tenté d'obtenir de divers ministres les renseignements qu'il désirait au sujet des plans de guerre de l'Angleterre, il avertit Bonar Law qu'il retournerait au Canada « *sans intention définie de pousser mes compatriotes à continuer l'œuvre de guerre qu'ils ont commencée, ou les préparatifs considérables que, je suis sûr, ils sont prêts à entreprendre si je les informe que le gouvernement britannique prend la guerre au sérieux, se rend compte de l'immensité de la tâche, fait des préparatifs en conséquence et qu'il n'y a plus de slogan de* Business as usual. » [221] Ayant ainsi forcé Bonar Law et Lloyd George à voir clairement la situation, Borden estima que dix-huit mois au moins s'écouleraient avant que l'Empire britannique soit en mesure de consacrer toute sa force et sa puissance à la guerre. C'est ce qu'il dit à ses collègues et à Laurier, en sa qualité de *leader* de l'opposition, quand il revint à Ottawa, après avoir reçu une chaleureuse réception à Montréal, le 3 septembre. [222]

A son retour, Borden eut à faire face à des problèmes politiques. George Foster voulait une réorganisation du Département de la Milice qui, en fait, priverait Sam Hughes de toute autorité et le sénateur Lougheed, qui avait administré ce département en l'absence de Hughes lorsque ce dernier était outre-mer, exprimait sa conviction que Hughes n'avait aucun talent d'administrateur. Le sénateur Landry et Alexandre Lacoste, père et beau-père du colonel Landry, si cavalièrement traité par Hughes, se plaignirent à Borden, mais ce dernier avait trouvé Hughes utile pour défendre le Canada contre le *War Office* et Max Aitken en pensait du bien. Aussi l'importun général garda-t-il son poste. Casgrain demanda une réorganisation de la section française du cabinet en se plaignant de l'inutilité de Coderre. [223] Blondin fut donc nommé Secrétaire d'Etat et Esioff

Patenaude ministre du revenu interne, tandis que Coderre devenait magistrat. Patenaude fut réélu sans opposition, sinon celle de l'indépendant Tancrède Marcil dont il ne fut cependant pas tenu compte, en raison d'un vice de forme.

Patenaude et Blondin tentèrent vainement de susciter de l'enthousiasme pour la guerre, en faisant des déclarations semblables à celle de Casgrain : « *C'est notre guerre, c'est ma guerre, c'est la guerre de chacun de nous, c'est la guerre de chacun des hommes qui sont attachés aux libres institutions britanniques sous lesquelles nous vivons.* » [224] Ils multiplièrent leurs appels, demandant, pendant tout le reste de l'année, que l'on appuie la guerre de tout cœur, affirmant à Grand'Mère, Valleyfield, Drummondville et Nicolet que la première ligne de défense du Canada était en Belgique et que le Canada français ne devait pas s'isoler en insistant sur ses droits, qui seraient reconnus quand il aurait fait son devoir pour la défense de l'Empire. Charles Beaubien et Napoléon Garceau appuyèrent cette campagne, mais les paroles de *tories* associés au même parti que celui des assimilateurs de l'Ontario et des ex-nationalistes qui, jadis, avaient été violemment anti-britanniques eurent peu d'effet sur le public. Casgrain, seul ministre canadien-français qui eût été fidèle aux convictions impérialistes de toute sa vie, fut le seul à faire le geste d'offrir ses services sous les drapeaux — à l'âge de 63 ans. Le geste aurait eu davantage de poids s'il avait été fait par des hommes plus jeunes, tels que Blondin, Patenaude et Sévigny. Les journaux libéraux et nationalistes n'hésitèrent pas à le dire.

La situation en Ontario se compliqua avec la rentrée scolaire. Landry avait envoyé deux mémoires au Secrétaire d'Etat papal, l'un au nom de la Société Saint-Jean-Baptiste d'Ottawa, accusant les évêques anglais de l'Ontario de persécuter la population française, l'autre, personnel, rédigé en termes encore plus énergiques. L'archevêque Bruchési et Thomas Chapais convinrent avec Casgrain que l'intransigeance française accroîtrait la difficulté d'un règlement satisfaisant en Ontario. A l'appel de Landry, les instituteurs de l'Ontario refusèrent allégeance à la nouvelle commission et, par suite, ne reçurent aucun traitement. L'archevêque Bruchési se rendit à Ottawa, à la requête de l'archevêque Gauthier et conseilla la modération aux Franco-Ontariens, en même temps qu'il priait le premier ministre d'éviter de poursuivre Diane et Béatrice Desloges, institutrices à l'Ecole Guigues, qui avaient été renvoyées de l'établissement et avaient ouvert des classes dans une chapelle voisine. Les instituteurs en grève recevaient l'aide de souscriptions des paroisses françaises d'Ottawa et de dons du Québec. Des rumeurs circulèrent de nouvelles mesures prochaines contre les écoles françaises du Nouveau-Brunswick, qui amenèrent, de la part du journal *Le Soleil* lui-même, l'observation que l'on ne pouvait s'attendre à ce que les

Canadiens français combattent la tyrannie allemande, si une tyrannie de même nature s'exerçait en Ontario et au Nouveau-Brunswick. A Québec, il y eut des batailles de rue entre étudiants et soldats, ainsi que de nouvelles plaintes d'injustice envers les Canadiens français dans les services publics. Les Canadiens français étaient d'humeur coléreuse partout au Canada et la campagne de recrutement marquait le pas.

Sam Hughes qui, dans une réception officielle à Québec, le 14 septembre, à l'occasion de son retour d'Angleterre, avait prodigué de chaleureux hommages aux soldats canadiens-français, se décida à faire envers le Québec un geste qui fit long feu. En octobre, il offrit à Armand Lavergne le commandement d'un bataillon qu'il recruterait lui-même. Lavergne refusa cette offre par une lettre ouverte à Hughes que publia *Le Devoir* du 2 novembre :

« ... *Je me suis toujours opposé, dans la presse et sur les hustings de la province de Québec et de l'Ontario, à toute participation du Canada aux guerres étrangères, sauf pour la défense de notre territoire.*

*Depuis que je suis dans la vie publique, cela a toujours été la politique bien connue du parti nationaliste auquel j'appartiens et j'ai vu les mêmes principes partagés et défendus avec force, talent et conviction, par plusieurs de vos collègues du cabinet, passés et présents, tels que l'hon. M. Monk, qui leur est resté fidèle jusqu'à sa mort, et MM. L.-P. Pelletier, Bruno Nantel, Louis Coderre et le nouveau ministre de l'intérieur, M. Patenaude.*

*Accepter votre offre flatteuse et induire mes compatriotes à s'enrôler pour la guerre actuelle serait me désavouer moi-même, ce dont vous-même, avec votre haut sens de l'honneur, me blâmeriez.*

*Laissez-moi vous répéter ici que je considère peu sage et même criminel de mettre le Canada en danger pour une guerre sur laquelle nous n'avons eu et n'aurons aucun contrôle. Je me suis opposé, et m'opposerai de toutes mes forces à la contribution d'un homme, d'un navire ou d'un dollar jusqu'à ce que l'Angleterre croie devoir nous faire partager avec elle non seulement les dangers, mais aussi le plein contrôle et la responsabilité des affaires de l'Empire. Ce n'est pas à nous à défendre l'Angleterre, c'est à l'Angleterre de nous défendre...*

*Je vous apporterai une raison de plus. Mes compatriotes d'origine française de l'Ontario, Canadiens comme vous, Sir, subissent maintenant un régime pire que celui qui est imposé par les Prussiens en Alsace-Lorraine, parce qu'ils ne veulent pas abandonner la langue de leur mère. Jusqu'à ce qu'on les ait complètement libérés de cette persécution, je ne puis considérer un instant l'idée de déserter leur cause pour une aventure quelque peu intéressante en pays étranger. Je voudrais voir le règne de la liberté et de la justice bien établi et*

*maintenu dans notre pays avant de l'imposer à d'autres na-
tions...* » [225]

Lavergne expliqua son attitude lors d'une réunion publique, le
7 novembre, à Champlain, comté de Blondin. Elle fut approuvée
par les national'stes, citée à Toronto comme preuve évidente de
la déloyauté française et acceptée par Hughes comme celle d' « *un
homme d'honneur* » qui « *a droit à ses opinions, comme tout le
monde.* » [226]

En même temps, Lavergne écrivait à Asselin, le 3 novembre, qu'il
prévoyait la conscr'ption au moins pour les officiers de milice, avant
six mois et que « *nous pourrons alors combiner le goût de l'aventure,
nos principes et la* doulce *France... J'ai foi que l'avenir et les circonstances me permettront de me laver de cette accusation qui pourra paraître
fondée jusque-là. Si cette chance m'est refusée, je croirai encore qu'on
doit tout à son pays, même l'honneur.* » [227] Le geste de Lavergne fixa
l'attention canadienne-anglaise sur la répugnance grandissante du
Canada français à appuyer l'effort de guerre sans arrière-pensée. Aussi
les Canadiens français patriotes redoublèrent-ils d'efforts pour justifier
le Québec. C'est à ce moment que Casgrain offrit de servir dans l'armée et que les autres ministres canadiens-français entreprirent une
campagne de discours en faveur du recrutement. Un prêtre de Drummondville, l'abbé Tétreau, se joignit à cette campagne mais, dans sa
grande majorité, le bas clergé s'y opposait. Il avait été converti à
l'anti-impérialisme par Bourassa et il voyait la foi des jeunes hommes
mise en danger par le départ de leurs foyers pour les camps militaires
et le service à l'étranger.

En octobre et novembre Borden conféra avec Laurier sur le prolongement de la vie du parlement, qui expirait le 7 octobre 1916. Il
proposa qu'elle soit prolongée jusqu'à un an après la conclusion de la
paix, afin d'éviter une élection générale pendant la guerre et de laisser
aux hommes outre-mer le temps de revenir au Canada. Entre temps,
il y aurait trêve de la guerre des partis. Comme alternative à cette proposition, Borden proposa une prolongation d'un an. Laurier approuva
ce dernier projet, parce qu'il était plus défini, mais il voulut être informé des plans législatifs de Borden, surtout à l'égard des chemins de
fer. Les négociations furent rompues en raison de l'insistance de
Laurier selon qui « *l'on ne pouvait s'attendre à ce que le parlement
canadien abdique ses fonctions.* » [228]

Pendant la maladie de Laurier, Rodolphe Lemieux, qui le remplaçait comme chef libéral, avait eu la lourde tâche d'appuyer le
recrutement mais, le 9 décembre, Laurier et tout le haut commandement du parti libéral parurent devant une salle comble au Monument
national pour soutenir l'effort de guerre. Dans la guerre comme dans
la paix, dit Laurier, les libéraux défendent le faible et l'opprimé, la
justice et la liberté et ils s'opposent à l'absolutisme. Aux attitudes

extrêmes des impérialistes qui voulaient que le Canada combatte dans toutes les guerres et demandaient la conscription, des nationalistes aussi, qui ne voulaient combattre dans aucune guerre, il opposa la doctrine libérale de participation volontaire à une noble cause et de sauvegarde de l'autonomie canadienne. Il condamna la doctrine selon laquelle le Canada ne devait défendre que son propre territoire : « *Pour une noble cause, nous devons faire davantage que notre devoir.* » [229] Il était heureux de voir la France et l'Angleterre unies sur le champ de bataille, mais l'entente cordiale n'était pas encore réalisée au Canada : « *Ceux qui font preuve de véritable patriotisme sont ceux qui travaillent pour la réconciliation, qui aident à faire disparaître les vieilles divisions, qui travaillent à restaurer l'harmonie dans le peuple sur une base acceptable pour tous.* » [230] Après la guerre, quand les soldats des deux races auront mêlé leur sang sur les champs de bataille, la majorité rendra sûrement justice à ses compagnons d'armes.

Bourassa, de son côté, continuait à relier la persécution en Ontario à la participation à la guerre et l'opinion de Lavergne que le Québec ne devait pas appuyer celle-ci avant que ne cesse celle-là trouva grande faveur auprès des Canadiens français. Le 16 décembre, Bourassa donna une conférence au Monument national sur *Cartier, Macdonald et nos obligations militaires,* dont la conclusion était que le Canada n'avait aucune obligation militaire en dehors de son territoire. Simultanément, il mettait en vente un livre intitulé *Que devons-nous à l'Angleterre ?* qui était un long développement, historique et juridique, de cette thèse. Il y faisait remarquer que les pères de la Confédération et les autorités impériales étaient convenus de limiter les obligations militaires du nouveau dominion à la défense du territoire canadien. Cet accord avait été observé jusqu'à l'évolution de l'impérialisme au temps de la guerre sud-africaine :

« *C'eût été, pour le Canada, un recul très net. Laurier, chef du gouvernement canadien, résista d'instinct. Puis, sous la double pression de Londres et de Toronto, sa résistance s'affaiblit. Et nous eûmes successivement l'expédition d'Afrique, la loi navale de 1910, la "contribution d'urgence" de 1912 et la participation à la guerre actuelle comme dépendance de l'Angleterre. Autant de brèches faites dans l'ordre établi, autant de coups de canif dans les traités conclus entre la Grande-Bretagne et le Canada. Autant de mesures illégales, inconstitutionnelles. Tant que les accords de 1867 n'auront pas été rompus de consentement mutuel, l'Angleterre n'a pas le droit de nous imposer de pareilles obligations.* » [231]

Le livre de Bourassa se vendit rapidement, mais la presse protesta contre ses conclusions. Fernand Rinfret écrivit dans *Le Canada* : « *Nous regrettons encore une fois de le trouver en rébellion directe contre les autorités religieuses et civiles de son pays...* », en concluant que « *c'est donc défendre le Canada que d'aller attaquer l'ennemi là où il peut être vaincu et il est ridicule de prétendre qu'il faut attendre qu'il vienne débarquer chez nous...* » [232] Le *Daily Mail* accusa Bourassa de prêcher la *« trahison de l'Empire et du Souverain »*. [233] La presse de l'Ontario demanda que soit poursuivi *« Herr Bourassa »* et le principal de McGill fit de même, l'accusant de semer la discorde et de nuire au recrutement. [234] Sans aucun doute, Bourassa nuisait au recrutement, car nombre de ses partisans ne tirèrent qu'une conclusion de sa savante argumentation anti-impérialiste : ils ne devaient pas s'enrôler. Bourassa ne fut pas désarçonné par la tempête d'injures qui s'abattit sur lui. Le 23 décembre, il adjura le gouvernement *« de cesser d'envoyer les Canadiens à la boucherie tant que les ouvriers anglais ne se seront pas décidés à se rendre à l'humble supplique des autorités impériales et à fournir aux soldats de l'Empire les armes et les munitions dont ils ont absolument besoin pour combattre dans des conditions convenables.* » [235]

Or, l'un des plus notables partisans de Bourassa, Olivar Asselin, avait entre temps décidé de s'enrôler. Dans sa réponse à Lavergne, sous les ordres de qui il avait demandé à servir, quand il apprit l'offre de Hughes, Asselin avait déclaré qu'il croyait que : *« L'homme qui veut servir, comme soldat, la France, — ou l'Angleterre — et qui, à raison de sa pauvreté ou autrement, ne peut le faire que dans l'armée expéditionnaire canadienne, peut très bien s'enrôler sans approuver par cela même la participation officielle du Canada au conflit européen, en Europe.* » [236] Il jugeait raisonnable l'attitude de Lavergne et il l'approuvait mais, en ce qui le concernait, lui, il déclarait : *« Moi, si je veux partir, c'est que j'aimerais mieux mourir que de voir la France vaincue et impuissante.* » Il ajoutait : *« Je pense quelquefois que le plus grand besoin de notre race, c'est encore d'apprendre à mépriser, quand il le faut, la vie, à ne pas trop s'attacher au bien-être, à l'aisance purement matérielle, à être dure pour elle-même et prodigue, à l'occasion, de son sang... Je voudrais que nous fussions, à notre manière, des Spartiates, non des Nazaréens qui présentent l'autre joue comme des esclaves.* »

Trois nouveaux bataillons du Québec, dont un canadien-français, le 150ème, sous les ordres du lieutenant-colonel Hercule Barré, vétéran du 14ème bataillon, blessé de guerre, avaient été autorisés en novembre. Asselin entreprit maintenant d'en recruter un autre, le 163ème. Il refusa le grade de colonel que lui offrait Sam Hughes et se contenta de celui de commandant, tout en obtenant que le bataillon soit placé sous les ordres d'Henri Desrosiers, ancien lieutenant du 14ème. Asselin n'avait aucun désir de prendre place parmi certains colonels honoraires de Hughes, dont les exploits militaires se limitaient à des discours de recrutement.

Les amis nationalistes d'Asselin ne comprenaient pas pourquoi il agissait ainsi mais, lors d'une réunion publique au Monument na-

tional, le 21 janvier 1916, il exposa ses raisons dans un discours publié
plus tard sous le titre *Pourquoi je m'enrôle*. Il révéla que, dès le 30
octobre 1914, il avait tenté, par l'entremise de Philippe Roy, commissaire du Canada à Paris, de s'enrôler dans l'armée française ou, à
défaut, d'obtenir un poste administratif pour remplacer un soldat. [237]
Au début du printemps de 1915, il avait essayé, par Casgrain, Fiset
et Sam Hughes, d'obtenir un poste d'interprète du 22ème bataillon, ou
dans toute autre unité, canadienne, britannique, ou française. Quand
Barré avait demandé l'autorisation de recruter une unité canadienne-
française, Asselin avait demandé à servir comme lieutenant sous ses
ordres. Il maintint que, tout en condamnant la politique du gouvernement, il avait toujours admis le droit de tout Canadien de faire la
guerre comme engagé volontaire. Les Canadiens français faisaient-ils
leur devoir ? Il suffisait de citer des héros tels que Desrosiers, De Serres,
Roy et autres. Il fit remarquer que 90 pour cent des Canadiens français d'âge militaire ne pouvaient pas espérer d'avancement dans l'armée, parce que l'anglais était la seule langue de commandement et
que, même dans les unités canadiennes-françaises, les plus hauts grades
leur seraient interdits. Il fit aussi remarquer que les Canadiens français étaient plus attachés au Canada que les plus récents émigrés d'Europe. Il déplora qu'un si petit nombre de décorations eût été accordé
aux 8 000 soldats canadiens-français dont les qualités combatives
avaient été si hautement louées par Sam Hughes et le général Meighen.
Il ne croyait pas que la situation en Ontario s'améliorerait parce que
le Canada français fournirait plusieurs autres bataillons et il continua
de blâmer l'attitude prise par la hiérarchie en faveur de la guerre. [238]

Pourtant, toutes ces considérations mises à part, il jugeait que les
institutions britanniques, la Belgique et la France étaient dignes que
l'on se batte pour elles. Lui-même, à l'instar de Péguy, était un homme
de 1793 et il s'en glorifiait. De plus, la France moderne ne l'avait pas
déçu autant que la plupart de ses compatriotes. Au contraire, il affirmait que le monde ne pouvait se passer de la France qui, après la
guerre, serait plus que jamais nécessaire à l'humanité. Il ajouta que
les Français d'Amérique ne pouvaient rester français que par la France.
Il résuma ainsi ses raisons de s'enrôler :

« *Et donc, nous marchons pour les institutions britanniques parce
que par elles-mêmes, et indépendamment des demi-civilisés qui les
appliquent aujourd'hui en Ontario, elles valent la peine qu'on se batte
pour elles.*

*Et nous marchons pour la Belgique parce que dans cette guerre elle
incarne le droit violé, la liberté des petits peuples foulés aux pieds.*

*Et nous marchons pour la France parce que sa défaite, en même
temps qu'elle marquerait une régression du monde vers la barbarie,
nous condamnerait, nous ses enfants d'Amérique, à traîner désormais
des vies diminuées.* » [239]

Il demanda aux Canadiens français de se réhabiliter à leurs propres yeux en allant au combat après « *l'époque des capitulations* », de 1873 à 1911. Les raisons d'Asselin étaient trop personnelles pour convaincre un grand nombre de ses partisans et ceux qui l'écoutèrent paisiblement empêchèrent Rodolphe Lemieux de parler par des cris de « *Enrôlez-vous !* » Lemieux était venu, armé de lettres de Borden, de Laurier et de Sam Hughes, [240] approuvant le geste d'Asselin : étranges appuis pour un nationaliste dont l'ardeur avait jadis dépassé celle de Bourassa.

L'unité d'Asselin n'était qu'une parmi quelques autres, canadiennes-françaises, autorisées par Hughes afin de vaincre la résistance du Québec à l'enrôlement. Le lieutenant-colonel Onésime Readman, de Lévis, fut chargé de recruter le 167ème, le lieutenant-colonel P.-A. Piuze, du Bas Saint-Laurent, le 189ème, le lieutenant-colonel Tancrède Pagnuelo, de Montréal, le 206ème et le lieutenant-colonel René de Salaberry, de Hull, le 230ème. Sir William Price entreprit de lever un bataillon mixte, français et anglais, le 171ème, à Québec, avec l'aide d'Onésiphore Talbot et de Thomas Vien, tandis que le lieutenant-colonel L.-J. Gilbert tentait de recruter le 117ème dans les Cantons de l'Est, le lieutenant-colonel A. A. Magee, le 148ème, à Montréal et le lieutenant-colonel H.J. Trihey, le 199ème *(Irish Canadian Rangers)*, à Montréal. Pourtant, le recrutement était lent, surtout dans les campagnes et aucun de ces bataillons n'eut jamais son effectif au complet.

En tout, onze bataillons canadiens-français avaient été autorisés. Le 22ème était en France et le 41ème lui servait de bataillon de réserve en Angleterre. Le 57ème resta à Québec, mais il avait fourni des renforts au 41ème. Le 69ème, du colonel Dansereau, s'embarqua pour l'Angleterre en avril, tandis que le 150ème, du colonel Barré, se rendait en Nouvelle-Ecosse pour continuer son instruction. Le colonel Piuze eut un succès modéré pour le recrutement du 189ème dans la région du Bas Saint-Laurent et Asselin travailla vaillamment à remplir les rangs du 163ème. La plupart des autres colonels ne réussirent pas à lever le nombre nécessaire de recrues et leurs bataillons demeurèrent des unités squelettiques où la discipline faisait défaut. Le Canada français continuait de s'intéresser davantage à la bataille pour la survivance culturelle en Ontario qu'au déroulement de la guerre en Europe.

## 9

La question scolaire avait tourné en véritable bataille. Les deux sœurs Desloges avaient été réinstallées dans leurs classes à l'Ecole Guigues d'Ottawa par une armée de femmes, qui montaient la garde autour de l'établissement avec des épingles à chapeau en guise d'armes, défiant tous les efforts d'intervention de la part des autorités. Bourassa vint à Ottawa parler dans une salle paroissiale sous les auspices de l'ACJC, le 4 janvier 1916, unissant la cause de la langue française à celle du catholicisme et faisant l'éloge de l'héroïsme des Franco-Ontariens. Philippe Landry fit appel au Québec pour la continuation de son aide au cours de la nouvelle année. Il tenta vainement, en janvier, d'organiser une rencontre des ministres canadiens-français avec Doherty, min'stre de la justice et Fitzpatrick, juge en chef de la Cour Suprême.

Bourassa évoqua la question de l'Ontario au dîner du sixième anniversaire du *Devoir*, le 12 janvier. Il prédit le triomphe de la minorité. Il se tourna ensuite vers la question de l'impérialisme, reliant son anti-impérialisme à la défense du catholicisme contre l'agnosticisme anglo-protestant. Il affirma sa conviction d'être en accord avec la tradition non seulement politique, mais encore religieuse du Canada. Il fit remarquer que les Canadiens français étaient la meilleure assurance contre l'annexion aux Etats-Unis et il conclut : « *Nous aimons la France, nous admirons l'Angleterre, mais nous croyons que notre premier devoir appartient à la patrie où Dieu nous a fait naître, où six générations nous attachent au sol.* » [241] Cette assertion venait quelques jours après une autre déclaration de Mgr Bruchési qui approuvait la politique de guerre canadienne et observait : « *Il n'y a pas eu de conscription, il n'y en a pas encore au pays et j'espère qu'il n'en sera jamais question.* » [242] Un journal d'étudiants, *L'Escholier*, publié par Jean Chauvin, protesta énergiquement :

« *Monseigneur a dit : Il faut s'enrôler, c'est votre devoir sacré de participer à cette guerre ! Monseigneur, nous ne vous croyons pas. Ce n'est pas là une question de dogme, une vérité de foi, un article de la morale.* » [243]

Lavergne adopta aussi la même attitude, au banquet du *Devoir*, de refus d'aide aux Anglais : « *Pas un homme ! pas un sou ! Pas un canon tant que vous n'aurez pas concédé au Canada le droit d'être représenté dans le gouvernement de l'Empire... Si l'on veut me faire subir un procès pour haute trahison, je suis prêt !* » Répondant aux menaces proférées contre Bourassa, il déclara : « *Qu'ils viennent arrêter Bourassa, s'ils l'osent !... J'ai dans mon comté trois mille paysans prêts à le protéger de leur poitrine !* » [244] Lavergne fut tout aussi énergique le lendemain, à l'Assemblée provinciale, affirmant que le Canada ne devait rien à l'Angleterre et qu'il n'était aucunement du devoir des Canadiens français de s'enrôler :

« *Si nous devons conquérir nos libertés, c'est ici que nous devons rester. Ce n'est pas dans les tranchées des Flandres que nous irons conquérir le droit de parler français en Ontario si nous n'avons pu l'obtenir ici, nous qui avons conservé le Canada à l'Angleterre quand les marchands anglais du Québec fuyaient à l'Ile d'Orléans... Je dis et je ne crains pas que mes paroles soient répétées n'importe où, que tout*

*Canadien français qui s'enrôle manque à son devoir. Je sais que ce que je dis est de la haute trahison. Je peux être jeté en prison demain, mais je ne m'en inquiète pas... Ils nous disent qu'il est question de défendre la liberté et l'humanité mais ce n'est qu'une farce. Si les Allemands sont des persécuteurs, il y a pire que les Allemands à nos portes mêmes. J'irai plus loin. Je dirai que chaque sou dépensé dans le Québec pour aider à l'enrôlement des hommes, est de l'argent volé à la minorité de l'Ontario... Je ne crains pas de devenir un sujet allemand. Je me demande si le régime allemand ne pourrait pas être favorablement comparé à celui des Boches de l'Ontario. »* [245]

Accueillie par un silence, la sortie de Lavergne fut suivie du vigoureux plaidoyer de L.-A. Taschereau pour que les Canadiens français s'enrôlent. Tellier traita Lavergne de rebelle et *Le Soleil* reprit l'expression du *leader* conservateur. *La Presse* publia un compte rendu tellement hostile du discours que Lavergne lui intenta un procès. La presse anglaise demanda qu'il soit renvoyé de la milice et un ministre de Toronto consacra son sermon du dimanche suivant au pieux sujet : *Armand Lavergne doit-il être pendu pour haute trahison ?* [246] Le 17 janvier, Lavergne ajouta que des chefs conservateurs avaient jadis exprimé des vues nationalistes semblables aux siennes et que des statues avaient été élevées à des « *rebelles* » tels que Papineau et La Fontaine. Sam Hughes refusa de priver Lavergne de son grade dans la milice, parce que les officiers de la milice avaient la liberté de parole quand ils n'étaient pas en service actif, mais il fut expulsé du Club de la Garnison à Québec.

Quand le parlement se réunit le 12 janvier, Sévigny remplaça le Dr Sproule à la présidence. Laurier se moqua du rapide abandon de ses opinions nationalistes extrêmes de 1911, mais l'assura de son appui dans son nouveau poste. Borden tenta de justifier l'accroissement des forces armées et annonça que le gouvernement n'avait pas l'intention d'adopter la conscription. Il rendit compte de sa visite en Angleterre et proposa que la vie du parlement soit prolongée d'un an. Laurier consentit à la proposition et annonça qu'il appuierait toutes les mesures de guerre du gouvernement, mais déclara : « *Nous combattrons vigoureusement toutes les malversations, toutes les fraudes.* » [247] Bourassa protesta contre cet accord « *pour promouvoir la coopération du Canada à la défense de l'Empire* » et affirma : « *La vérité, c'est que le Canada, avec plus de motifs pour ménager ses forces, a déjà fait plus de sacrifices que tout autre pays de l'Empire et que, selon toute apparence, ces sacrifices resteront sans compensation aucune.* » [248] Laurier et Casgrain attaquèrent tous deux les nationalistes et minimisèrent leur importance. Casgrain demanda avec insistance que Québec ne soit pas jugé « *d'après les rêveries et les exagérations d'un petit groupe d'hommes égarés.* » [249] Lemieux affirma que Bourassa ne représentait pas plus l'opinion populaire du Québec que Bernard Shaw celle de l'Angleterre.

Au Sénat, toutefois, Choquette critiqua la participation à la guerre et, surtout, l'accélération du recrutement. Belcourt, Bolduc, Dandurand et J.-P.-B. Casgrain blâmèrent leur collègue et le *Mail and Empire* demanda son expulsion du Sénat. Le *Toronto Telegram* accusa tous les Canadiens français de déloyauté, mettant Bourassa, Lavergne, Choquette et Laurier dans le même sac. Ernest Lapointe assura les Communes que Choquette ne représentait pas l'opinion libérale et attribua les piètres résultats du recrutement dans le Québec à la campagne anti-canadienne-française de la presse de l'Ontario, plutôt qu'aux nationalistes.

L'indignation toujours croissante du Québec au sujet de la question des écoles en Ontario se fit sentir à Ottawa et à Québec. Les curés canadiens-français d'Ottawa refusèrent de transmettre à leurs paroissiens un message pour le Fonds patriotique, en faisant remarquer que l'on épuisait leurs économies pour garder ouvertes les écoles bilingues. A Sainte-Agathe, un curé interrompit un *meeting* de recrutement en soulevant la question scolaire de l'Ontario. Une réunion en l'honneur des Franco-Ontariens organisée par l'ACJC au Monument national eut lieu deux jours après un *meeting* de recrutement tenu par Asselin au même endroit. Bourassa, malade, ne put y assister, mais les présidents de l'ACJC et de la Société Saint-Jean-Baptiste promirent de continuer la lutte et Philippe Landry émut la foule en racontant comment les mères d'Ottawa gardaient les portes des écoles en plein hiver. Le même jour, à l'occasion d'un dîner au profit du Fonds patriotique, Mgr Bruchési expliqua ainsi les difficultés en Ontario à un public composé en grande partie de riches Canadiens anglais :

« *Qu'y a-t-il au fond ? Deux cent mille hommes, glorieux de leur titre de sujets britanniques, fidèles à leur roi et à leur patrie, se faisant un point d'honneur de parler l'anglais, demandent simplement à parler aussi la langue de leurs ancêtres, la belle et douce langue française, et à l'enseigner librement à leurs enfants. C'est tout. La réponse appartient aux hommes de bonne volonté.* » [250]

Le 25 janvier, à l'Assemblée provinciale, Alexandre Taschereau affirma le consentement du Québec à donner ses fils et ses ressources généreusement aux Alliés, mais il se déclara toujours plus « *profondément ennuyé et impatient* »[251] de constater que l'Ontario ne tenait aucun compte du message adressé l'an dernier, sur la motion de l'un de ses représentants anglais. L'observation de Taschereau fut longuement applaudie. Quelques jours plus tard, le *Quebec Chronicle*, géré par le général Watson, commandant la brigade dont le 22ème faisait partie, demanda instamment le règlement de la question des écoles de l'Ontario, au nom du *fair play* britannique. Plus tôt, J.C. Scott, entrepreneur de Québec, avait fait l'éloge des Canadiens français, dans une lettre au *Mail and Empire* qui fut reproduite dans le *Chronicle*, accompagnée d'une autre, l'approuvant, de J.C. Sutherland, inspecteur général des écoles protestantes du Québec.

Cependant, l'Ontario resta indifférent à ces interventions, surtout parce que l'homme de la rue avait l'impression que les Canadiens français désiraient imposer l'étude du français aux élèves de langue anglaise. La nouvelle *Ottawa School Commission* prit le contrôle des fonds scolaires et tenta vainement d'installer ses propres instituteurs dans les écoles gardées jour et nuit par les mères en bataille. Le 31 janvier, 3 000 enfants des écoles séparées se présentèrent à l'Hôtel de Ville d'Ottawa avec une requête au maire qui demandait que leurs instituteurs soient payés sur l'argent des taxes scolaires retenues par la corporation.

Bourassa fut accusé d'être responsable de cette manifestation et, à la Chambre, les orangistes demandèrent son arrestation et la suppression du *Devoir*. Le Dr Edwards proposa d'échanger Bourassa et Lavergne contre le Dr Béland, prisonnier en Allemagne depuis le début de la guerre. Dans un discours anti-impérialiste, le 1er février, Paul-Emile Lamarche défendit ses compatriotes qui ne faisaient que soutenir la thèse que les obligations du Canada se limitaient à la défense de son territoire, thèse fondée sur la constitution et jadis adoptée par les deux partis. Quand il fut interrompu par d'anciens nationalistes, Lamarche répliqua : « *S'il est vrai, Monsieur l'Orateur, que deux de nos compatriotes ont mérité d'être collés au mur pour y être fusillés pour haute trahison, je demande justice égale pour tous et si réellement ils sont coupables, il n'est que juste que leurs complices subissent le même châtiment.* » [252] Les « *complices* » étaient les vingt députés du Québec, élus dans le cadre du programme nationaliste en 1911, qui donnaient au gouvernement sa majorité. Charles Marcil fut l'orateur suivant et il plaida pour la générosité canadienne-anglaise envers les écoles d'Ontario, ne fût-ce que pour aider au recrutement dans le Québec. Le 11 février, les écoliers se rendirent en défilé au parlement, siégeant alors au *Victoria Museum* par suite de l'incendie qui avait détruit ses édifices et présentèrent des pétitions à Borden et à Laurier. Quatre députés, Achim, Boulay, Lamarche et Paquet prononcèrent des discours lors d'une réunion, le 14 février, à la salle paroissiale Sainte-Anne.

Le troisième congrès de l'Association d'Education s'ouvrit le lendemain en présence des trois évêques canadiens-français de l'Ontario. Mgr Béliveau déclara que les Franco-Ontariens ne revendiquaient que leurs droits et qu'ils continueraient jusqu'à ce que le drapeau de la justice flotte sur les écoles. Mgr Latulipe déclara s'être rendu à Rome pour expliquer la question scolaire. Le pape et les cardinaux avaient approuvé son point de vue. Il dénonça le Règlement 17 comme « *un monument d'iniquité et d'injustice* ». Mgr Charlebois appela le sénateur Landry, « *le Joffre de l'Ontario* ». [253] Landry, Belcourt et Genest parlèrent aussi, annonçant leurs plans pour obtenir le désaveu fédéral de la loi de l'Ontario et pour boycotter les produits de cette province. Bourassa compara les héroïques maîtresses d'écoles à Jeanne d'Arc.

Le Québec chercha d'autres moyens d'aider les Franco-Ontariens. Mgr Blais, de Rimouski, ordonna une quête spéciale dans son diocèse pour leur cause. Les municipalités voulaient souscrire, mais elles ne pouvaient le faire sans l'autorisation de l'Assemblée provinciale. Antonin Galipeault prépara un projet à cet effet et Lavergne intervint dans le débat sur le *bill* de Montréal, qui permettait à cette ville de souscrire au Fonds patriotique, en insistant pour que lui soit substituée une disposition qui lui permettrait de souscrire aux écoles de l'Ontario. Lavergne fut blâmé, pour avoir critiqué le Fonds patriotique, par Gouin et Taschereau, qui annoncèrent que le *bill* Galipeault permettrait à toues les municipalités de contribuer à la lutte en Ontario. Le chef conservateur Cousineau objecta que la majorité anglaise s'irriterait de voir la majorité française utiliser des fonds publics pour atteindre ce but : le résultat de son intervention fut de transférer des municipalités aux commissions scolaires, qui étaient exclusivement canadiennes-françaises, la permission de souscrire. L'Assemblée approuva alors le *bill* à l'unanimité. Montréal donna 5 000 dollars et les autres villes souscrivirent en proportion de leurs moyens.

Ce fait nouveau, dans le Québec, provoqua une fois de plus l'indignation de l'Ontario et le maire de Toronto, Thomas Church, observa que le Québec ferait mieux d'envoyer davantage de soldats au front. Au Manitoba et au Saskatchewan, de plus sévères restrictions contre l'enseignement du français furent réclamées, John Dafoe faisant croisade dans le *Free Press* en faveur d'un Règlement 17 manitobain et pour que le gouvernement retire les privilèges de l'Accord Laurier-Greenway. Au Manitoba, le juge Prendergast prit la tête d'une organisation pour la défense des écoles françaises, à la requête de Mgr Béliveau. *Le Devoir* voyait venir un « *danger grave pour l'avenir de la Confédération* » et demanda si « *les Boches de l'Ontario et du Manitoba suspendront la guerre qu'ils font à notre langue* » par égard pour les vies sacrifiées dans le 22ème. [254]

La situation en Ontario empirait de jour en jour. Le 22 février, au moins cinq réunions publiques eurent lieu à Ottawa. Des députés canadiens-français du Québec, des Maritimes et de l'Ontario parurent à la tribune. Deux jours plus tard, Casgrain et Blondin présentèrent une délégation franco-ontarienne à Borden qui promit d'examiner la possibilité de transmettre leurs doléances au gouvernement ontarien. Ayant évité d'affronter une délégation de 5 000 personnes en déclarant qu'il ne recevrait qu'un comité de douze, Borden renvoya la pétition à ses promoteurs deux jours plus tard. [255] L'ACJC fit circuler dans le Québec une pétition réclamant le désaveu fédéral. Mgr Paquet, de Laval, prit part à la lutte en invoquant les principes de Saint Thomas d'Aquin. L'abbé Groulx, qui avait inauguré une nouvelle chaire d'histoire canadienne-française à Laval de Montréal par un cours sur *Nos luttes constitutionnelles* [256] retraçant la lutte pour la survivance culturelle de 1760 à 1867, attira un public nombreux et enthousiaste lors d'une conférence sur la liberté de l'enseignement, à laquelle assistait Mgr Bruchési. Mgr Larocque, évêque de Sherbroke, publia une lettre circulaire demandant une quête spéciale dans son diocèse pour la cause ontarienne. Le boycottage des manufacturiers de l'Ontario par le Québec commença à se faire sentir : on renvoyait sans les ouvrir, aux maisons Eaton et Simpson à Toronto, leurs tarifs-albums pour les achats et ventes par correspondance.

Borden manœuvra pour retarder la présentation de la question scolaire à la Chambre par Charles Marcil et Laurier se contenta de défendre la cause en privé auprès de ses partisans canadiens-anglais. Cependant, en Chambre, Lemieux demanda justice et générosité pour les Franco-Ontariens et Roch Lanctôt rattacha carrément la question du recrutement à celle des écoles. En réponse à la presse ontarienne qui accusait les Canadiens français de ne pas s'enrôler en nombre suffisant, Lanctôt déclara : « *Moi je trouve qu'ils s'enrôlent trop, pour le traitement qui leur est infligé, en matière scolaire, par la majorité de ce pays.* » Ce point de vue fut appuyé par Calixte Ethier. [257]

Devant l'unité de cet appui des Franco-Ontariens, le *Mail and Empire* dénonça l' « *agression* » canadienne-française, « *au moment où tous les citoyens du Canada devraient s'unir devant l'ennemi commun .* » Le *Montreal Star* prit à partie son confrère de Toronto en déclarant que les Canadiens français étaient attaqués, qu'ils n'étaient pas les agresseurs et il ajouta : « *Si le gouvernement de l'Ontario n'avait, par la suppression injuste et mesquine des privilèges scolaires des Canadiens français, créé un mécontentement profond parmi la majorité du Québec, il n'y aurait pas à se plaindre du recrutement dans cette province.* » [258] L'ancien maire de Winnipeg, Andrews, approuva cette opinion par une letre au *Winnipeg Telegram* et Sir Joseph Pope adressa une nouvelle lettre à l'*Ottawa Citizen,* critiquant l'attitude du gouvernement ontarien et affirmant, comme E.R. Cameron, greffier de la Cour suprême, qu'il faisait le jeu de Bourassa et de Lavergne. W.H. Moore présenta la cause des Franco-Ontariens dans le *Canadian Courier* et J.J. Foran la défendit à la tribune. Toutefois, en général, la presse ontarienne, menée par le *Toronto News,* continua de refuser toute concession aux « *Français ignorants* » et proclama que l'Ontario, province anglaise, le resterait.

Le 2 mars, Bourassa commença une importante série de six conférences hebdomadaires sur la politique canadienne, qui furent publiées plus tard en brochure sous le titre *Hier, aujourd'hui et demain.* Dans la première, il analysa les principes des constitutions britannique et canadienne, faisant ressortir que, jadis, les *leaders* politiques et religieux du Canada avaient rejeté la participation aux guerres étrangères. Dans la deuxième, il étudia la « *révolution impérialiste* » depuis la guerre sud-africaine, soulignant que son anti-impérialisme était une réaction contre cette révolution. Dans les troisième et quatrième, il traita de la participation canadienne à la guerre présente, déclarant qu'une croisade pour la France et la Belgique pouvait attendre que les droits des Canadiens français soient reconnus chez eux. Dans une lettre ultérieure à un correspondant français, publiée dans *Le Devoir* le 23 juin, au moment où ses conférences parurent en brochure, Bourassa exprima son opinion sur l'appel officiel demandant d'aller à l'aide de la France :

« *Nous avons ici une petite coterie de prêtres tories et impérialistes, qui invoquent les intérêts de la religion pour servir les fins de l'Angleterre et des impérialistes canadiens. Ces mêmes gens exploitent aussi l'amour des Canadiens français pour la France, après l'avoir dénoncée, des années durant, comme le pays le plus impie et le plus corrompu de l'univers. C'est à cette coterie que s'adressaient particulièrement les pages consacrées à l'argument de religion et à la tradition épiscopale au Canada.* » [259]

Dans sa quatrième conférence, Bourassa prédit les désastreuses conséquences économiques, sociales et politiques que l'on pouvait attendre de la guerre. Dans la cinquième, il analysa les solutions possibles, indépendance, fédération impériale, ou annexion, l'indépendance étant « *la seule vraie solution du problème de nos destinées* ». [260] Dans la sixième, traitant des relations extérieures du Canada, il prit parti pour une alliance défensive avec les Etats-Unis, qui serait moins coûteuse que l'allégeance britannique. La thèse tout entière, exposée avec sa maîtrise coutumière de l'argumentation historique et juridique et son éloquence habituelle, se prêtait largement à discussion par l'élite. Quant au peuple, il en conclut simplement que Bourassa était contre l'enrôlement.

En mars, pendant que les troupes canadiennes subissaient de lourdes pertes sur le saillant d'Ypres, les enrôlements commencèrent à décliner. Le 14 mars, le général de brigade James Mason, sénateur conservateur, présenta au parlement une analyse de la situation du recrutement et demanda l'immatriculation nationale ou la conscription. Ses chiffres, recueillis grâce au recensement et avec l'aide des autorités militaires, montrèrent que 249 000 hommes, sur un total de 1 500 000 mobilisables, s'étaient enrôlés. Il estimait que 63 pour cent des recrues étaient de naissance britannique, 30 pour cent de naissance canadienne et les autres 7 pour cent de naissance étrangère. Des recrues de naissance canadienne, il estimait que 85 000 (28,5 pour cent du total enrôlé) étaient de langue anglaise, tandis que 12 000 (4,5 pour cent du total enrôlé) étaient de langue française. Les Canadiens français, constituant 40 pour cent des mobilisables, n'avaient ainsi fourni que 4,5 pour cent des recrues. Toutefois, le général Mason prit soin de souligner que les natifs des deux races ne faisaient pas tout leur devoir et il demanda instamment l'adoption du programme anglais Derby d'immatriculation nationale pour déterminer si les hommes pouvaient mieux servir le pays dans l'armée ou l'industrie, ainsi qu'un appel urgent de volontaires pour le service actif. [261] Il ajouta : « *Il est hors de doute que les autres* 250 000, *pour porter notre contingent à* 500 000 *et les* 300 000 *qu'il faudra peut-être annuellement pour le maintenir à ce niveau ne pourront être obtenus avec le système actuel d'enrôlement.* » [262] Lord Shaughnessy, président du Canadien-Pacifique, avait déjà, le 9 mars, déclaré publiquement, en présence de Sam Hughes, qu'il croyait la levée d'une armée de 500 000 hommes irréalisable quand plus de 300 000 étaient déjà absorbés par les industries de guerre et qu'un grand nombre d'autres étaient nécessairement à l'agriculture pour « *aider à nourrir la nation britannique* ». Il avait ajouté : « *Nous devons agir lentement en ce qui concerne le recrutement et mettre à exécution les plans qui sont les meilleurs pour le pays, d'une manière sensée, méthodique et en tout semblable à celle d'un homme d'affaires.* » [263]

Les enrôlements de travailleurs manuels et d'employés de bureau étant particulièrement nombreux, le monde des affaires et de l'industrie commença à protester : il ne pouvait se passer des services d'autres hommes et, par la voix de la *Canadian Manufacturers' Association,* il insista pour que soit adopté un plan de service national. Ces faits persuadèrent les Canadiens français que Bourassa avait raison de prétendre que le Canada avait déjà trop fait en ce sens et que, désormais, il devait envoyer surtout des approvisionnements et non des hommes. Le recrutement tomba dans le Québec et, d'ailleurs, dans le Canada tout entier : 127 000 hommes seulement s'enrôlèrent entre le 1er janvier et le 1er juin 1916. Le Québec n'avait levé qu'un quart de son quota, les Maritimes la moitié, l'Ontario les sept-neuvièmes. Seules les provinces de l'Ouest l'avaient dépassé. Le Québec, évidemment, avait de beaucoup la plus faible proportion de natifs d'Angleterre mobilisables. [264] Les facteurs qui causèrent la baisse du recrutement dans l'ensemble du Canada furent l'épuisement du volontariat de souche britannique et la quantité de main-d'œuvre nécessaire à l'industrie et à l'agriculture portées par la vague de prospérité que soulevait la guerre. Dans le Québec, l'indignation suscitée par la question scolaire en Ontario fut un facteur supplémentaire, rendu encore plus puissant par l'opposition du clergé rural à l'enrôlement.

## 10

Landry et ses collègues tentèrent maintenant publiquement d'obtenir les concessions qu'ils n'avaient précédemment recherchées que par le jeu d'influences personnelles. Le gouvernement ontarien rejeta une nouvelle offre de trêve en attendant que soit rendue la décision du Conseil Privé sur le règlement 17, à propos de l'affaire MacBell et de l'*Ottawa Separate School Board*. Sous les auspices de l'ACJC, Landry parla à des réunions dont le but était de recueillir des signatures pour la pétition demandant le désaveu. Le sénateur Pope lui reprocha d'organiser des réunions « *séditieuses* » et d'y prendre la parole. Choquette prit sa défense et le calme habituel du Sénat fut troublé par une dispute orageuse. Mgr Bruchési, autrefois si modéré, compara la résistance franco-ontarienne à celle des Français sur la Marne. Mgr Larocque, de Sherbrooke et Mgr Ross, de Rimouski approuvèrent l'activité de Landry dans le Québec. Quelques Canadiens anglais déclarèrent sympathiser avec eux. Dans un discours au *Montreal Reform Club,* le Dr Finnie plaida pour une paix favorable aux Franco-Ontariens et son collègue W.S. Bullock proposa que le Règlement 17 soit suspendu. Le *Canadian Club* de Québec invita le sénateur Belcourt à exposer la question bilingue, l'applaudit et l'approuva. John S. Ewart adressa une lettre à l'*Ottawa Journal* affirmant les droits du français en Ontario. Pourtant, le 2 avril, la Cour suprême de l'Ontario rejeta l'appel des Franco-Ontariens, qui s'adressèrent alors au Conseil Privé.

De la mi-mars à la mi-avril, Landry, âgé de soixante-dix ans, fit la navette entre Québec et les centres franco-ontariens, plaidant sa cause éloquemment, en dépit des rigueurs du voyage qui, en cette saison, épuisaient ses collaborateurs plus jeunes. Il rechercha l'appui des évêques du Québec pour la pétition en faveur du désaveu. Or, Casgrain et Chapais persuadèrent Mgr Bruchési que la cause du français était juridiquement faible hors du Québec, que le désaveu provoquerait un conflit entre le gouvernement fédéral et celui de l'Ontario et que ce dernier, en raison précisément de cette faiblesse juridique, ne tarderait pas à reprendre son attitude. Mgr Emard, de Valleyfield et Mgr Gauthier, auxiliaire de Montréal, décidèrent, comme Mgr Bruchési, de suivre l'autre politique, celle de l'appel au gouverneur général.

On savait que Paul-Emile Lamarche avait l'intention de soulever la question en Chambre. Laurier qui, jusque-là, s'était tenu officiellement à l'écart de la question, proposa une conférence au presbytère de son pasteur d'Ottawa, l'abbé Myrand, avec Belcourt, Lemieux, Lapointe, Lamarche, Patenaude et Landry, pour le 6 avril. Il prévoyait le danger qu'il y aurait à provoquer la majorité anglo-protestante par une demande d'intervention dans les affaires provinciales, qui pourrait quelque jour servir de précédent et de prétexte pour une action contre la minorité française catholique. Il proposa qu'une résolution soit présentée à la Chambre, qui en appellerait à la bonne volonté du parlement de l'Ontario. L'entrevue ne fut pas concluante. Entre temps, Landry présentait au Secrétaire d'Etat une requête de désaveu, signée par tous les évêques canadiens-français, à l'exception de Mgr Bruchési, Mgr Emard et Mgr Gauthier. Casgrain, Blondin et Patenaude pressèrent Borden d'intervenir auprès du gouvernement ontarien, mais celui-ci répondit que tout gouvernement qui céderait aux Canadiens français perdrait le pouvoir dans les vingt-quatre heures. Alors, le 22 avril, les trois ministres canadiens-français présentèrent une longue requête pour que l'ensemble de la question de la langue soit examinée par le Conseil Privé et menacèrent de ne pas assister aux réunions du cabinet tant que satisfaction ne serait pas obtenue. Borden, cédant aux membres anglais du ministère, rejeta la requête et adjura les ministres français de rester à leur poste afin d'éviter une « calamité nationale ». [265] Blondin céda le premier, suivi de Patenaude et, finalement, de Casgrain, après une semaine de crise secrète du cabinet.

Entre temps, Choquette avait provoqué la colère du Sénat une fois de plus en déclarant qu'il était criminel d'enrôler de jeunes cultivateurs et en lisant la lettre d'un Ontarien, Robert Hazelton, qui écrivait que les volontaires nés au Royaume-Uni étaient une bande d'indésirables. Les journaux tory déclarèrent que Choquette exprimait les vues de Laurier, mais celui-ci répliqua en Chambre qu'il ne les partageait pas et que le sénateur ne donnait que son opinion personnelle. Quand le Globe refusa de publier les corrections de son compte rendu demandées par Choquette, le sénateur les fit lui-même au Sénat, en renouvelant ses protestations contre les excès de zèle du recrutement. C'est dans cette atmosphère troublée que Landry présenta la pétition de désaveu, signée par 600 000 personnes. Doherty, ministre de la justice, estimait qu'il appartenait aux tribunaux de se prononcer, suivant les précédents créés par la question scolaire au Nouveau-Brunswick en 1872 et au Manitoba en 1890, ainsi que par les Ordonnances du Nord-Ouest en 1892. Ses commentaires marquaient une préférence pour la thèse du gouvernement de l'Ontario. [266] Toutes les écoles bilingues d'Ottawa étaient alors fermées. Le sénateur Belcourt, en sa qualité de contribuable important d'Ottawa, lança une campagne pour que l'on refuse de payer les taxes scolaires à la nouvelle commission.

Le Québec était à la veille d'élections provinciales. Bourassa annonçait son retour à la politique fédérale. Lavergne démissionnait de l'Assemblée provinciale pour la même raison. C'est alors que la question scolaire d'Ontario arriva enfin devant la Chambre des Communes. Landry avait tenté d'obtenir des ministres canadiens-français qu'ils présentent une résolution et, devant leur refus, il s'était tourné vers Borden lui-même, l'avertissant qu'il aurait recours à Laurier s'il refusait lui aussi. Borden l'avisa que Laurier, tiraillé entre ses partisans anglais et français, ne ferait rien et lui non plus. Or, le 8 mai, Laurier avertit Borden qu'Ernest Lapointe présenterait cette résolution et il rejeta ses objections parce qu'il s'inquiétait lui-même de la situation dans le Québec et qu'il lui fallait une ancre de salut quelconque pour combattre les nationalistes. [267]

Le lendema'n, Lapointe présenta la résolution suivante :

« *La Chambre, en cette époque de sacrifices et d'anxiété universels, alors que toutes les énergies devraient concourir au succès de nos armes et, tout en reconnaissant pleinement le principe de l'autonomie provinciale et la nécessité qu'il y a, pour chaque enfant, de recevoir une instruction anglaise complète, invite respectueusement l'assemblée législative à faire en sorte qu'il ne soit pas porté atteinte au privilège que les enfants d'origine française ont de recevoir l'enseignement dans leur langue maternelle.* » [268]

Il fut appuyé par Emmanuel Devlin, après que Borden eut tenté d'éviter le débat en présentant une motion d'ordre à laquelle Laurier s'opposa :

« *D'scutons cette question comme des hommes libres, comme des sujets britanniques. De cette discussion sortira une connaissance plus complète de la situation et des droits de la minorité en ce pays et la minorité, dont je fais partie, acceptera le règlement qui lui sera proposé, si ce règlement est équitable.* » [269]

Avant l'ouverture du débat le 10 mai, les porte-parole conservateurs et libéraux de l'Ontario affirmèrent l'inutilité de toute intervention fédérale : le Règlement 17 était intouchable. Lapointe préféra en appeler au sens de la justice et à la générosité, plutôt que de présenter une argumentation juridique ou constitutionnelle. Il termina suivant la tradition de Laurier :

« *Mon plus grand désir est que cette résolution et cette discussion, au lieu de diviser plus profondément les deux races de ce pays, les rapprochent davantage et cimentent leur union pour la défense de la liberté, basée sur la loi. Je demande à mes compatriotes de proclamer, avec Gladstone, l'égalité du faible et du fort. Nous devons tenter d'imprégner l'esprit public canadien de sentiments élevés et généreux ; nous devons protéger les droits de tous les citoyens et, par-dessus tout, ériger sur cette terre canadienne un mur solide contre les coups de la violence et des préjugés. Pour arriver à ce but, nous devons demander à nos concitoyens de faire des concessions, de respecter les opinions d'autrui. Et j'espère que, de cette façon, nous réussirons à créer l'harmonie si nécessaire au bien-être de la nation et des individus qui la composent.* » [270]

Borden présenta un argument constitutionnel contre la résolution, citant des déclarations de Blake et de Laurier contre l'intervention fédérale dans la législation provinciale et avertissant le Québec du danger qu'il y aurait à encourager une intervention fédérale dans le domaine de l'enseignement. Il estimait que la résolution ne pouvait être que nuisible : « *Elle ne peut manquer d'intensifier les animosités déjà suffisamment éveillées et de rendre plus tendues les relations entre les deux grandes races de ce pays.* » Il affirma : « *Personne ne souhaite plus que moi-même que ces bonnes relations soient maintenues et améliorées.* » Dans l'intérêt de l'ensemble du pays et, particulièrement, du Québec, il demanda donc le rejet de la résolution. [271]

Laurier répondit par un de ses grands discours, rappelant les droits constitutionnels de la langue française, mais faisant surtout appel à l'esprit de justice, « *non pas à la justice que prescrit la lettre de la loi, mais à celle que les hommes se doivent entre eux, à celle dont chacun, quelle que soit son origine, a la conception.* » Il ne mettait pas en doute le droit de l'Ontario de se prononcer en définitive et il ne se proposait pas de conseiller ou d'admonester cette province :

« *Je prends la parole pour plaider, devant la population d'Ontario, la cause des sujets d'origine française de Sa Majesté, dans cette province, qui se plaignent de ce qu'une loi votée par leur législature les prive, en matière d'enseignement, de droits qu'ils ont exercés et que leurs ancêtres ont exercés avant eux, depuis le jour où le Canada est devenu possession de la couronne britannique...*

*Je sais qu'il existe aujourd'hui, dans la province d'Ontario, de l'aigreur à cause de l'attitude qui a été prise par quelques-uns de mes compatriotes de sang français dans la province de Québec, qui, dès le commencement, ont blâmé la participation du Canada dans la guerre actuelle et qui ont fait de leur mieux pour empêcher le recrutement.*

*Hélas, c'est vrai, ce n'est que trop vrai. C'est déplorable et c'est pour moi aussi incompréhensible que déplorable. Il est vrai qu'il y a dans ma province des hommes de sang français qui, pendant que la France se bat avec un héroïsme qui fait bouillonner le sang dans nos veines, restent froids et nous disent : nous ne ferons pas un pas pour aider l'Angleterre à défendre l'intégrité de la France. Nous voulons d'abord le redressement de nos griefs dans l'Ontario.*

*Que nous ayons des griefs ou que nous n'en ayons pas, il y a le champ d'honneur, il y a l'appel du devoir.*

*Monsieur l'Orateur, que mes compatriotes d'origine française n'aient pas de droits dans la province d'Ontario, c'est ce que je n'admets point, mais, je le proclame, et je voudrais que mes paroles fussent entendues du pays tout entier : que mes compatriotes aient ou n'aient point de droits dans la province d'Ontario, que ces droits soient reconnus ou méconnus, ces considérations ne sont pas celles qui doivent empêcher les Canadiens français de remplir leur devoir envers eux-mêmes et leur race, les empêcher de s'enrôler aussi nombreux qu'ils peuvent pour aller prendre part à la lutte gigantesque qui se poursuit en ce moment même sur le sol de leurs aïeux pour la cause de la liberté et de la civilisation humaine.* » [272]

Il dénonça la théorie de Toronto, « *Une seule langue* », comme étant opposée aux traditions de l'Empire britannique : « *Si l'Angleterre est aussi forte qu'elle l'est aujourd'hui, c'est parce que les institutions britanniques ont amené partout la liberté et le respect des minorités.* »

Puis Laurier fit appel au sens de justice et d'équité du peuple ontarien qui était résolu à ce que tout enfant de cette province reçoive une éducation anglaise. Il affirma que, sur ce point, il était parfaitement d'accord :

« *Je tiens à ce que, dans l'Ontario, l'on donne à chaque enfant l'avantage d'apprendre l'anglais. Je veux que partout où il puisse se porter sur ce continent, il soit en mesure de se faire comprendre de la grande majorité de la population. J'y tiens, dis-je, non pas seulement parce que c'est la loi de la province, mais pour des considérations purement pratiques. Personne en Amérique n'est armé pour le combat de la vie sans la connaissance de l'anglais...*

*Si je demande pour la jeunesse de ma race l'enseignement de l'anglais, allez-vous lui refuser d'apprendre aussi la langue de nos pères et de nos mères ? Voilà ce que je réclame, rien de plus. Vous, mes concitoyens, comme moi sujets britanniques, quand nous vous affirmons que nous voulons l'enseignement de l'anglais, allez-vous nous répondre : nous vous enseignerons l'anglais et rien de plus ? Il s'en rencontre pour proclamer qu'aucune autre langue que l'anglais ne devrait se parler dans les écoles de l'Ontario et du Manitoba. Mais, Monsieur l'Orateur, nous refuserez-vous l'avantage de l'enseignement du français, quand nous le réclamons ?*

*Notre requête est-elle inconvenante ? Est-elle nuisible ? Qui donc en souffrira, si on nous l'accorde ?*

*Faut-il que, dans cette grande province de l'Ontario, il existe une tendance à entraver l'instruction et à étendre tous les enfants sur un lit de Procuste, leur donner la même taille et leur refuser le privilège d'une deuxième instruction dans une deuxième langue ?*

*Je ne crois pas et, si nous discutons cette question avec franchise comme on doit le faire d'homme à homme, à mon humble avis elle peut encore être réglée par un appel à la population d'Ontario. Je ne crois pas que personne nous refuse l'avantage d'une instruction française.* » [273]

Cet éloquent appel de Laurier fut son chant du cygne. Les libéraux du Québec et des Maritimes l'approuvèrent, les libéraux d'Ontario ne le suivirent qu'en raison de sa menace de démissionner de son poste de chef du parti et les libéraux de l'Ouest s'y opposèrent carrément. John Dafoe, qui avait critiqué la motion Lapointe dans le *Manitoba Free Press,* donna pour explication la crainte de Laurier de se voir supplanté par Bourassa dans le Québec et son désir de redevenir, au yeux de cette province, « *le plus grand des Canadiens français* ». Cependant, Georges Pelletier, du *Devoir,* qui n'était pourtant pas un ami des libéraux, rendit hommage à la sincérité du dernier discours de Laurier.

Casgrain s'opposa à la motion qui, selon lui, était une manœuvre libérale pour soulever l'opinion du Québec contre les conservateurs à la veille de ses élections provinciales. Lemieux et Charles Marcil l'appuyèrent avec éloquence. Le Dr Edwards qualifia le Québec de province d'illettrés et son collègue orangiste Morphy poussa encore plus loin les insultes. R.B. Bennett demanda l'unité de la langue au nom de l'unité de l'Empire. Lamarche proclama son indépendance politique et déclara : « *Je ne crains pas de tendre une main loyale à l'homme public assez courageux pour prendre la défense de sa langue et de sa race.* » [274] Il s'exprima en anglais avec beaucoup d'éloquence et son argumentation constitutionnelle, en faveur de la liberté fondée sur le respect de la loi, porta. En conclusion, il révéla que J.-P.-O. Guilbault, conservateur alors à l'hôpital, avait demandé à être transporté à la Chambre des Communes, au risque de sa vie, pour appuyer cette motion. Pourtant, le 11 mai, la résolution Lapointe était rejetée par 107 voix à 60. Huit conservateurs du Québec avaient voté pour elle.

Le *Free Press* exulta : « *Que nos amis du Québec comprennent parfaitement la situation. Nous ne leur permettrons pas d'imposer leur volonté au reste du Canada.* » [275] N.W. Rowell, chef de l'opposition libérale en Ontario, n'avait pas cédé aux arguments de Laurier dans une longue correspondance qui se termina, comme Laurier l'indiqua, sur « *une ligne de clivage qui — j'en juge ainsi par le ton de votre lettre que je viens de recevoir — est finale et au delà de toute rédemption.* » [276] Laurier avait insisté ainsi auprès d'un rédacteur libéral de l'Ontario : « *Nous, libéraux français du Québec, combattons Bourassa et Lavergne. Les libéraux anglais de l'Ontario combattront-ils Howard Ferguson et l'élément orangiste extrémiste ?* » [277] Cependant, devant l'opposition des libéraux d'Ontario à son attitude et la rébellion de ceux de l'Ouest, il se découragea et laissa entendre à Fielding et Graham que ce fut une erreur, de la part d'un Canadien français, d'accepter la direction du parti et qu'il était temps qu'il démissionne. En dehors de la Chambre, il fut accusé par des conservateurs anglais d'être l'allié de Bourassa et le responsable du faible recrutement dans le Québec.

Quand la question bilingue fut encore une fois soulevée au Manitoba, Laurier donna ce conseil découragé à un *leader* canadien-français de Winnipeg :

« *Nous sommes arrivés à une période critique de l'évolution de la Confédération en ce qui concerne les droits de la langue française. Malheureusement, le BNA Act ne contient qu'un seul article à ce sujet et les droits qui nous sont conférés y sont très limités par la lettre et par l'esprit.*

*C'est un fait historique qu'en l'absence de la population française du Québec, l'union des provinces de l'Amérique du Nord britannique aurait été une union législative. La population française du Québec n'aurait jamais consenti à une telle forme, puisqu'elle aurait signifié sa disparition en tant qu'élément distinct. C'est le Québec qui suggéra la forme fédérale et elle doit être acceptée avec toutes ses conséquences. Pour la population du Québec, les avantages furent immenses. En dehors du Québec, en face des termes positifs de la Section 133, la langue française ne peut rien espérer, sinon les sentiments que peuvent inspirer — quels qu'ils soient — la justice de la cause ou toute puissance qui pourrait être amenée à influencer la majorité. »* [278]

Il ne croyait pas à une législation réparatrice et son espoir reposait sur la modération et la persuasion qui pourraient donner, au Manitoba et en Ontario, le régime de tolérance existant en Nouvelle-Ecosse et au Nouveau-Brunswick. Il n'avait aucune confiance en la violence des méthodes du sénateur Landry, dont, disait-il, « *je respecte le zèle, mais qui est d'un tempérament trop violent pour être un guide sûr.* » [279]

Le débat sur la résolution Lapointe intensifia l'émotion du Québec. *Le Soleil* parla de briser le lien « *insupportable et odieux* » [280] qui attachait le Québec à l'Ontario. *La Patrie* souligna que les libéraux de l'Ouest, comme les conservateurs, avaient fait rejeter la motion, mais plusieurs conservateurs du Québec abandonnèrent la lutte et sept seulement furent élus aux élections provinciales, dont trois étaient des Canadiens anglais. Le parti conservateur dans le Québec avait été tué par la question scolaire de l'Ontario. Bourassa s'adressa au gouvernement provincial le 30 mai, en faveur d'une subvention aux Franco-Ontariens qui leur permettrait d'en appeler au Conseil Privé et de rouvrir leurs écoles sous les auspices de l'Association de l'Education. Landry démissionna le 22 mai de son poste de président du Sénat pour protester « *contre un ensemble de mesures qui tendent à constituer l'arrêt de mort de la race française dans la confédération canadienne.* » Il annonça son intention de consacrer tout son temps à la cause franco-ontarienne et de faire campagne contre Casgrain, qu'il qualifia d'avocat du diable et aussi contre les autres ministres canadiens-français, devenus « *des hommes dangereux pour notre race et pour les droits qu'elle veut conserver.* » [281] Quand, le 2 juin, fut publiée la lettre de Landry, Bourassa fit l'éloge de cet « *acte de courage et d'honneur* » qui inspirait une nouvelle ardeur à « *tous ceux qui combattent pour la justice et le respect des "chiffons de papier"... au Canada.* » [282] *Le Soleil* exploita politiquement la démission de Landry et fut blâmé par *L'Action catholique* qui soutenait que la question devait demeurer au-dessus des partis. Cependant, l'abbé d'Amours n'approuva pas l'alliance Landry-Bourassa et attendit onze jours avant de faire l'éloge du geste du sénateur.

Après une réception triomphale par une foule de 10 000 personnes au Parc La Fontaine, le 19 juin, Landry et Belcourt partirent pour l'Angleterre, où ce dernier devait paraître devant le Conseil Privé. Les évêques irlandais de l'Ontario en appelèrent à Rome dans l'espoir de forcer l'acceptation de leur offre d'acheter aux oblats l'Université d'Ottawa, offre qui avait soulevé une grande indignation chez les Franco-Ontariens. L'attitude de *L'Action catholique* amena de nombreux prêtres à annuler leurs abonnements et à s'abonner au *Devoir* à la place. Le bruit courut même que le cardinal Bégin et l'archevêque Bruchési s'étaient abonnés à ce journal, au grand scandale de la presse ontarienne.

Les fêtes habituelles de la Saint-Jean-Baptiste furent prolongées d'une semaine, tous les partis faisant cause commune avec les Franco-Ontariens. Les commissions scolaires épuisèrent leurs fonds pour faire des dons, tandis que les écoliers renonçaient à leurs prix pour que l'argent puisse être envoyé à Ottawa. D'autres offrirent des prix pour les enfants franco-ontariens qui, lors des remises de diplômes, invoquaient l'aide de Jeanne d'Arc pour rester français. Le *Toronto News* informa ses lecteurs que les Canadiens français voulaient imposer la suprématie de leur langue au Canada, comme prélude à l'expulsion des Anglais [283] et Robert Sellar sortit une nouvelle édition de son *Tragedy of Quebec*, qui engageait l'Ontario à tenir ferme devant « *une conspiration conçue par les prêtres français pour acquérir son sol, violer ses lois et saper son indépendance.* » Selon lui, la question était « *si, oui ou non, ce Canada, qui est nôtre, sera britannique et rien que britannique, ou s'il doit être un pays bâtard avec deux langues officielles et soumis à une autorité divisée ?... Tout Canadien a un profond intérêt à la réponse de l'Ontario, car il dépend d'elle si, oui ou non, notre pays se verra imposer deux langues officielles et si ses législatures passeront sous la domination du cléricalisme français.* » [284]

Bourassa avait trouvé des armes abondantes pour attaquer le gouvernement par ses accusations de profits scandaleux sur les munitions et de favoritisme conservateur contre William Pugsley, Frank Carvell et G.W. Kyte qui menèrent, le 7 mars, à une motion de Laurier demandant une enquête parlementaire. Les accusations continuant, Borden finalement nomma une Commission royale au début d'avril et ordonna à Hughes de revenir d'Angleterre, puisqu'il était personnellement mis en cause en raison de ses relations étroites avec le colonel honoraire J. Wesley Allison, qui était « *son conseiller, son avocat et son guide* » pour les achats de munitions. Le rapport de la commission, déposé le 20 juillet devant la Chambre, exonérait le gouvernement, le Comité Shell et Hughes, tandis qu'il blâma Allison pour une conduite « *qui ne pouvait être ni justifiée, ni excusée.* » [285] L'enquête ébranla la position de Hughes (Borden administra son département pendant l'enquête, nomma par la suite un secrétaire parlementaire pour l'administrer pendant ses nombreuses absences) et laissa, dans l'esprit public, la fâcheuse impression qu'un grand nombre de patriotes en paroles s'enrichissaient frauduleusement. Les accusations avaient été portées par les libéraux et le rapport, les écartant, fut généralement accepté ou rejeté pour des raisons conservatrices ou libérales. La trêve politique se terminait au moment précis où la guerre entrait dans sa période la plus cruciale.

### Notes

1. *Canada Year Book 1922-23*, 145, 170, 171-73.
2. Rumilly, XVI, 156.
3. Innis, M.Q., *Econ. Hist.*, 281.
4. Rumilly, XVI, 159.
5. Innis, 290.
6. *Canada Year Book 1922-23*, 171.
7. Bouchette, Errol, *Emparons-nous de l'industrie* (Ottawa, Imprimerie générale, 1901), 16.
8. *RSCT 1901*, Sec. I, 117-44, E. Bouchette, *L'évolution économique dans la Province de Québec*.
9. *Ibid.*, 119.
10. *Ibid.*, 135.
11. Rumilly, XVI, 171.
12. *RSCT 1901*, Sec. I, 169-70, L. Gérin, *Notre mouvement intellectuel*.
13. *Ibid.*, 168.
14. Dantin, L., *Emile Nelligan et son œuvre* (Montréal, 1903).
15. Desaulniers, G., *Les bois qui chantent* (Montréal, 1930).
16. Rumilly, XVI, 123 ; Lavergne, *Trente ans*, 205.
17. Lavergne, 209.
17*bis*. Voir au 1er vol. note 120, p. 364 et note 186, p. 487.
18. Rumilly, XVI, 131.
19. *Ibid.*, 143.
20. *Le Devoir*, 21 février 1912.
21. Rumilly, XVII, 42.
22. *Ibid.*, 45-48.
23. Ewart, J.S., *The Kingdom Papers* (Ottawa, 1912), I, no. 7, *Ne Temere Decree*.
24. Rumilly, XVII, 51.
25. Lavergne,213.
26. Bourassa, *Pour la justice* (Montréal, 1912), 30.
27. *Ibid.*, 30, 32. Citation en anglais.
28. *Ibid.*, 33.
29. *Ibid.*, 33.
30. Rumilly, XVII, 74.

31. *Ibid.*, 74.
32. Bourassa, *Pour la justice*, 41-2 ; *Le Devoir*, 14 mars 1912.
33. Rumilly, XVII, 100.
34. *Ibid.*, 123.
35. *Ibid.*, 132.
36. *Ibid.*, 140.
37. Bourassa, *La langue française et l'avenir de notre race* (Québec, 1913), 371.
38. *Ibid.*, 372, 378.
39. *Ibid.*, 379.
40. *Ibid.*, 380-382.
41. *Ibid.*
42. *Ibid.*, 386, 389.
43. *CHR XXVIII*, mars 1947, no I, 1-30, G.N. Tucker, *The Naval Policy of Sir Robert Borden*, 1912-14.
44. Borden, *Memoirs*, I, 365.
45. *Ibid.*, 361.
46. Rumilly, XVII, 154.
47. Bourassa, *Le spectre de l'annexion* (Montréal, 1912) ; *The Spectre of Annexation and the Real Danger of National Disruption* (Montréal, 1912).
48. Bourassa, *Le spectre de l'annexion*, II.
49. *Ibid.*, 14.
50. *Ibid.*, vi, Cahan, *Montreal Gazette*, 1er août 1912.
51. Rumilly, XVII, 155.
52. Borden, I, 372.
53. *Ibid.*, 373.
54. Rumilly, XVII, 163.
55. *Ibid.* 180.
56. Le chiffre du recensement de 1911 : 202 442 Canadiens français en Ontario est probablement de 50 000 au-dessous de la vérité. C.B. Sissons, *Bilingual Schools in Canada* (Toronto, 1917), 92.
57. Sissons, 13-15 ; G.M. Weir, *The Separate School Question in Canada* (Toronto, 1934), 157-58. Le texte entier du Règlement 17 est donné dans Weir, Ap. VI, 286-89.
58. Merchant, F.W., *Report on the Condition of English-French Schools in the Province of Ontario* (Toronto, 1912).
59. Rumilly, XVII, 173.
60. *Ibid.*, XVIII, 12.
61. Borden, I, 404.
62. *Ibid.*, 409.
63. *Débats de la Chambre des Communes du Canada*, 2ème session, 12ème parlement, 1912-13 (Ottawa, Parmelee, 1914), 12 décembre 1912, 1048.
64. *Ibid.*, 1050-1051.
65. Skelton, *Laurier*, II, 405.
66. Borden, I, 410.
67. Rumilly, XVIII, 16-17, 36-37.
68. *Ibid.*, 20.

69. *Ibid.,* 33 ; *Montreal Gazette,* 3 mars 1913.

70. Ewart, *Kingdom Papers,* I, 243-89, no. 9, *A Revision of War Relations ;* 291-331, no. 10, *Differences, Dangers, Duty.*

71. Rumilly, XVIII, 35 ; *Toronto Globe,* 8 mars 1913.

72. *CHR 1947,* 17-18, *Tucker.*

73. Rumilly, XVIII, 45.

74. *Ibid.,* 46 ; *Le Devoir,* 22 mai 1913.

75. Skelton, II, 413.

76. *CHR 1947,* 19, *Tucker.*

77. Rumilly, XVIII, 50.

78. Asselin, Olivar, *Le sou de la pensée française* (Montréal, chez l'Auteur, s.d.), *Feuille de combat no. 3,* p. I. Reproduit du journal *L'Action,* de Jules Fournier, 26 juillet 1913. Il est expliqué, au verso de la couverture, pourquoi cette brochure n'a pas été déposée pour *copyright,* au département fédéral de l'agriculture, étrangement chargé de cette fonction. 2ème avertissement : « *parce qu'on n'est pas des bœufs* », et aussi « *parce qu'on ne voudrait pas priver* La Croix *et* La Vérité *du plaisir de reproduire tout à leur aise* ». Cet ouvrage n'a pas été déposé au ministère de l'agriculture.

79. Rumilly, XVIII, 62.

80. *Ibid.,* 63.

81. *La Nouvelle-France, Revue des intérêts religieux et nationaux du Canada français, Sciences-Lettres-Arts* (Québec, 1913), tome 12, 416.

82. *Ibid.,* 87.

83. Rumilly, XVIII, 136-37.

84. Sissons, 80.

85. Bourassa, *Ireland & Canada* (Montréal, 1914).

86. Rumilly, XVIII, 167, Bourassa-Ewart, 29 janvier 1914.

87. Bourassa, *French and English Frictions and Misunderstandings* (Montréal, 1914), 22-23.

88. *Ibid.,* 7, J.C. Walsh, 15 mars 1914.

89. Rumilly, XVIII, 177.

90. *Ibid.,* 178.

91. *Ibid.,* 179.

92. *Ibid.,* 189.

93. *Ibid.,* 201.

94. *Ibid.,* 218.

95. Borden, I, 451.

96. *Ibid.,* 452.

97. *Ibid.,* 452-53.

98. Rumilly, XIX, 20.

99. *Canadian Annual Review 1914* (Toronto, 1915), 142-43.

100. Rumilly, XIX, 14-18.

101. Armstrong, E.H., *The Crisis of Quebec, 1914-18* (New-York, 1937), 56.

102. *Canadian Annual Review 1914* (Toronto, 1915), 141.

103. *La Presse,* 4 août 1914.

104. Armstrong, 57.

105. Rumilly, XIX, 21.

106. *Ibid.*, 22 ; *La Presse*, 5 août ; *Le Devoir*, 6 août 1914.
107. *Ibid.*, 23, 27 ; *Le Devoir, Le Canada, La Patrie*, août 1914.
108. *Ibid.*, 29.
109. *Canadian Annual Review 1914*, 287.
110. Armstrong, 58 ; *Montreal Gazette*, 8 août 1914.
111. De Celles, *Discours de Sir Wilfrid Laurier, 1911-19*, 77-78.
112. *Ibid.*, 79-80.
113. *Ibid.*, 82.
114. *Ibid.*
115. *Ibid.*, 83, 86. Le texte complet du discours : 76-86.
116. Borden, I, 461.
117. Rumilly, XIX, 30.
118. *Ibid.*, 32 ; *Le Devoir*, 22 août 1914.
119. Armstrong, 68.
120. *Ibid.*, 69-75.
121. Rumilly, XIX, 33.
122. *Ibid.*, 33.
123. Michel, J., *La participation des Canadiens français à la Grande Guerre* (Montréal, 1936), 16.
124. Bourassa, *Le Canada à Lourdes* (Montréal, 1914), 16, 27.
125. *Ibid.*, Le Devoir et la guerre (Montréal, 1916), 44-45. *Discours*, 12 janvier 1916.
126. *Ibid.*, *The Foreign Policy of Great Britain* (Montréal, 1915), 26.
127. *Ibid.*, *La politique de l'Angleterre avant et après la guerre* (Montréal, 1914), vi, *Avertissement*.
128. *Ibid.*, *Foreign Policy*, 37-47 ; *Contemporary Review*, septembre 1914.
129. *Ibid.*, 2.
130. Rumilly, XIX, 42.
131. *Ibid.*, 45 ; *L'Action sociale*, 14 septembre 1914.
132. *Ibid.*, 45.
133. Asselin, Olivar, *L'Action catholique, les évêques et la guerre* (Montréal, 1914), 5.
134. *Semaine religieuse de Montréal*, vol. LXIV, no 15, 12 octobre 1914. *Lettre pastorale collective*, 23 septembre 1914, 259.
135. *Ibid.*
136. Asselin, *L'Action catholique*, 12.
137. Skelton, II, 436.
138. *La Presse*, 16 octobre 1914.
139. *Débats de la Chambre des Communes du Canada*, 5ème session, 12ème parlement, 1915 (Ottawa, Taché, 1915), 16 février 1915, 220.
140. Rumilly, XIX, 65.
141. *Ibid.*, 68-69.
142. *Ibid.*, 76.
143. *Ibid.*, 85.
144. *Ibid.*, 86.
145. *Ibid.*, 85.

146. *Ibid.*, 80-81.
147. *Ibid.*, 83 ; *L'Action,* 31 octobre 1914.
148. *Ibid.*, 84.
149. *Ibid.*, 92.
150. Reproduit dans H. Bourassa, *The Duty of Canada at the Present Hour* (Montréal, 1915), [3-4].
151. Rumilly, XIX, 93.
152. *Ibid.*, 94.
153. *Ibid.*, 97-98.
154. *Ibid.*, 100, Casgrain-Landry, 17 décembre 1914.
155. *Ibid.*, 102.
156. *Ibid.*
157. *Ibid.*, 103-104.
158. *Ibid.*, 110, Bégin-Bruchési.
159. *Ibid.*, 111.
160. *La Presse,* 14 décembre 1914, 9.
161. *Ibid.*
162. Rumilly, XIX, 132.
163. *Ibid.*,
164. *Ibid.*, 134.
165. *Canadian Annual Review 1915,* 565.
166. *Le 5ème anniversaire du* Devoir (Montréal, 1915), 9.
167. *Ibid.*, 19.
168. *Ibid.*, 67.
169. *Ibid.*, 67-68.
170. *Ibid.*, 69.
171. *Ibid.*, 72.
172. Rumilly, XIX, 144.
173. *Ibid.*, 144-145.
174. *Débats de la Chambre des Communes du Canada,* 5ème session, 12ème parlement, 1915 (Ottawa, Taché, 1915), 8 février 1915. 18.
175. Borden, I, 532.
176. *Débats de la Chambre des Communes du Canada,* 5ème session, 12ème parlement, 1915 (Ottawa, Taché, 1915), 16 février 1915, 220.
177. Skelton, II, 445.
178. Borden, I, 483 ; CAR 1915, 283-286.
179. Skelton, II, 446.
180. *Canadian Annual Review 1915,* 366-368.
181. *Ibid.*, 186.
182. *Ibid.*, 189.
183. *Ibid.*, 296.
184. *Ibid.*, 218.
185. *Ibid.*, 219.
186. Rumilly, XX, 22.
187. *Ibid.*, 28.

188. *Ibid.*, 29.
189. *Ibid.*, 28-34, 42-43.
190. *Ibid.*, 45 ; *Le Devoir,* 20 avril 1915.
191. *Ibid.*, 24, 62.
192. *Ibid.*, 57.
193. Bourassa, *La langue française au Canada* (Montréal, 1915), 28.
194. Rumilly, XX, 58-59.
195. *Ibid.*, 60.
196. *RSCT 1915,* Ap. A, xlvi-xlvii, Mgr Paul Bruchési, *Le dualisme canadien,* Sec. I, 5-11, A. Routhier, *Le problème des races au Canada.*
197. Rumilly, XX, 66-67.
198. *Ibid.*, 69.
199. *Ibid.*, 70, *Le Devoir,* 29 juin 1915.
200. Weir, *Separate School Question,* Ap. III, 268-73, *Saskatoon Daily Star,* 8 et 11 mai 1916.
201. Borden, I, 493.
202. Rumilly, XX, 81 ; *Montreal Gazette,* 15 juillet 1915.
203. *Ibid.*
204. *Ibid.*, 82.
205. Armstrong, III.
206. *Ibid., L'Action catholique,* 26 juillet 1915.
207. *Canadian Annual Review 1915,* 258.
208. *Ibid.*, 291.
209. *Ibid.*, 276.
210. *La Patrie,* 12 août 1914.
211. *Canadian Annual Review 1915,* 291.
212. *Ibid.*
213. Rumilly, XX, 95-96 ; *La Presse,* 21 août 1915.
214. Ibid., 97-98.
215. Asselin, Olivar, *Les évêques et la propagande de* L'Action catholique (Montréal, 1915).
216. *Ibid.*, 13, 20-21.
217. *Ibid.*, 21.
218. *Ibid.*, 22.
219. Asselin, Olivar, *Les évêques et la propagande de* L'Action catholique (Montréal, 1915), 55, 62.
220. *Ibid.*, 75.
221. Borden, I, 508.
222. *Ibid.*, 496-510.
223. *Ibid.*, 512.
224. Rumilly, XX, 109.
225. *Ibid.*, 117, citant *Le Devoir* du 2 novembre 1915.
226. *Ibid.*, 118.
227. Asselin, Olivar, *Pourquoi je m'enrôle* (Montréal, 1916), II. Lavergne-Asselin, 3 novembre 1915.

228. Borden, I, 513-521.

229. Skelton, II, 448-450.

230. *Ibid.,* 450.

231. Rumilly, XX, 134.

232. *Ibid.,* 136-137 ; *Le Canada,* 17 décembre 1915.

233. *Ibid., Daily Mail.*

234. *Ibid.,* 137 ; *Montreal Gazette,* 20 décembre 1915.

235. *Ibid.,* 138.

236. Asselin, *Pourquoi je m'enrôle,* 12. Asselin-Lavergne, 6 novembre 1915.

237. *Ibid.,* 12-13.

238. *Ibid.,* 11-12.

239. *Ibid.,* 37-38.

240. *Ibid.,* 48-50. Les lettres de Borden et de Hughes furent écrites originellement en français.

241. Bourassa, Le Devoir *et la guerre ; le conflit des races* (Montréal, 1916), 40.

242. Rumilly, XXI, 17.

243. *Ibid.,* 18.

244. *Ibid.,* 20.

245. *Ibid.,* 23 ; *Canadian Annual Review 1916,* 344.

246. Rumilly, XXI, 24.

247. *Débats de la Chambre des Communes du Canada,* 6ème session, 12ème parlement, 1916 (Ottawa, Taché, 1916), 8 février 1916, 655.

248. Rumilly, XXI, 25.

249. *Ibid.*

250. *Ibid.,* 32.

251. *Ibid.,* 34.

252. *In memoriam : Paul-Emile Lamarche,* Bibliothèque de l'Action française (Montréal, 1919), 117.

253. Rumilly, XXI, 45.

254. *Ibid.,* 54.

255. Borden, II, 573-574.

256. Groulx, L'abbé Lionel, *Nos luttes constitutionnelles* (Montréal, 1916).

257. Rumilly, XXI, 57.

258. *Ibid.,* 59-60 ; *Toronto Mail and Empire, Montreal Star,* 13 mars 1916.

259. *Ibid.,* 63-64.

260. Bourassa, *Hier, aujourd'hui, demain* (Montréal, 1916), 150.

261. Armstrong, 121-122.

262. *Canadian Annual Review 1916,* 312-313.

263. *Ibid.,* 319 ; *Montreal Gazette,* 10 mars 1916.

264. *Ibid.,* 303.

265. Borden, II, 538.

266. *Parliamentary Documents 1916,* No. 28, Doc. 271 a.

267. Borden, II, 588-589.

268. *Débats de la Chambre des Communes du Canada,* 6ème session, 12ème parlement, 1916 (Ottawa, Taché, 1916), 9 mai 1916, 3787.

269. Rumilly, XXI, 114.

270. *Ibid.,* 114-115.
271. *Ibid.*
272. *Débats de la Chambre des Communes du Canada,* 6ème session, 12ème parlement, 1916 (Ottawa, Taché, 1916), 10 mai 1916, 3873, 3870, 3880.
273. *Ibid.,* 3875, 3876.
274. Rumilly, XXI, 117.
275. *Ibid.,* 118.
276. Skelton, II, 477.
277. *Ibid.,* 485.
278. *Ibid.,* 487-488.
279. *Ibid.,* 490.
280. Rumilly, XXI, 119.
281. *Ibid.,* 127-128.
282. *Ibid.,* 129.
283. *Ibid.,* 138, *Toronto News.*
284. Sellar, R., *The Tragedy of Quebec* (Toronto, 1916), 327-328.
285. Borden, II, 565-566.

CHAPITRE XII

# LA CRISE DE LA CONSCRIPTION
## (1916-1919)

C'était dans un Canada déjà très divisé, sur le plan racial, par la question des écoles bilingues qu'éclatait la crise de la conscription. En juin 1916, les enrôlements étaient tombés à la moitié du total d'avril et ils continuèrent à diminuer jusqu'en décembre, pour atteindre alors la moitié du total de juin. [1] Des 250 000 hommes supplémentaires demandés en 1916, 120 000 furent enrôlés pendant le premier semestre, mais seulement 40 000 pendant le second. [2] Or, les pertes canadiennes continuaient à monter. Le *Canadian Army Corps*, composé de trois divisions et commandé, après le mois de mai, par Sir Julian Byng, perdit 2 759 hommes dans la bataille de Saint-Éloi en avril et 8 490 dans la bataille de *Sanctuary Wood* en juin. Dans ces circonstances, l'entraînement de la Quatrième Division fut accéléré en Angleterre et, au Canada, des renforts furent embarqués.

1

L'une des unités canadiennes-françaises, le 163ème, qu'Asselin, malgré ses efforts infatigables, n'avait pu constituer qu'aux deux-tiers de son effectif, fut à son grand dégoût envoyée en garnison aux Bermudes. Le 57ème du lieutenant-colonel Paquet, qui avait déjà fourni plusieurs détachements de renforts outre-mer, s'embarqua le 2 juin pour l'Angleterre. Cinq bataillons canadiens-français incomplets furent réunis à Valcartier sous les ordres du major Emile Ranger, les plus grosses unités étant le 189ème du lieutenant-colonel Piuze et le 150ème du lieutenant-colonel Barré. La formation d'une brigade canadienne-française, sous le commandement du général Lessard ou du lieutenant-colonel Leduc fut demandée mais Sam Hughes s'y opposa. Pour satisfaire aux demandes de renforts, des hommes furent retirés d'autres bataillons et versés aux 189ème et 150ème qui devaient partir outre-mer à l'automne et, dans certains cas, des hommes furent mutés d'unités canadiennes-françaises à des unités canadiennes-anglaises. Ces mesures détruisirent le caractère régional qu'avaient ces bataillons à l'origine et

causèrent beaucoup de mauvaise volonté, car le régionalisme canadien-
français est fort. C'était une chose que de servir avec des voisins sous
les ordres de leurs propres chefs et une autre que d'être jetés dans un
monde de langue anglaise qui ne leur était pas familier et sous les
ordres d'officiers n'ayant aucune connaissance du français. Les désertions se firent plus nombreuses et, en juillet, il y eut des troubles dans
deux bataillons canadiens-français à Valcartier. Quand les officiers
du 206ème furent renvoyés, le lieutenant-colonel T. Pagnuelo déclara à
son bataillon, le 15 juillet :

« ... C'est une vengeance parce que vous êtes des Canadiens français et qu'il y eut quelques petites erreurs ici et là. En ce qui vous
concerne, ils vous expédient aux Bermudes où vous serez soumis à un
dur traitement et rendus misérables par la chaleur. En ce moment, la
discipline militaire m'empêche de parler mais, si vous êtes assez malins
pour lire entre les lignes, vous saurez quoi faire. Je vais donner des
passes à tous et soyez sûrs que le peu d'argent que vos amis ont souscrit
au fonds du régiment ne servira pas à courir après ceux qui ne reviendront pas. » [3]

Le colonel Pagnuelo passa en conseil de guerre en décembre et fut
condamné à six mois de prison pour son extraordinaire discours. Les
officiers du 167ème furent accusés d'irrégularités et relevés de leurs
commandements, mais acquittés par la suite. Ces incidents firent beaucoup de tort au recrutement dans le Québec, malgré les nouveaux
efforts des dirigeants canadiens-français pour obtenir des volontaires.

L'Ontario et les Canadiens anglais en général commencèrent à demander la conscription, qui représentait une menace pour les Canadiens français individualistes qui pouvaient être persuadés par leurs
dirigeants de contribuer à l'effort de guerre, mais qui ne voulaient pas
y être contraints par leurs compatriotes hostiles de langue anglaise.
Laurier, qui attribua le faible rendement du recrutement dans le Québec au petit nombre de natifs d'Angleterre et de centres urbains (auxquels le recrutement s'était limité jusque-là) et au mouvement nationaliste, s'efforça une fois encore d'innocenter le Québec de l'accusation
de déloyauté. Au Monument national, le 3 juin, il demanda instamment une entente cordiale entre Français et Anglais fondée sur un
service en commun et adjura ses jeunes compatriotes de se joindre à
ces « braves jeunes hommes qui offrent leurs services, leurs vies, pour
que la France puisse revivre, que l'Angleterre puisse continuer sa noble
et généreuse domination et que l'héroïque Belgique puisse être restaurée dans sa position antérieure de nation. » [4] Il affirma que la défense
de la langue française en Ontario ne devait pas empêcher la défense
de la France au front.

Le Soleil approuva, le 5 juin, l'argument de Laurier : « C'est en
s'enrôlant en grand nombre et en formant de bons bataillons canadiens-français que nous réussirons à résoudre de manière amicale et

*fructueuse la question ontarienne.* » *L'Evénement* du 26 mai avait admis que le recrutement dans le Québec était un fiasco et il l'attribua à l'absence d'esprit militaire chez les Canadiens français et à l'antipathie de la bourgeoisie et du bas clergé à l'égard de l'Angleterre. *Le Canada* écrivit, le 21 juillet, que *L'Evénement* ferait beaucoup mieux de blâmer les ministres ex-nationalistes qui avaient prêché l'anti-impérialisme en 1911 et battaient maintenant le tambour pour l'enrôlement. *La Presse* continua, comme tous les principaux journaux canadiens-français, excepté *Le Devoir,* à soutenir ardemment le recrutement, faisant valoir que la position des Canadiens français serait pire après la guerre s'ils ne faisaient pas leur devoir dans une guerre qui pouvait sembler être livrée pour des intérêts britanniques plutôt que canadiens. [5] *L'Action catholique,* le 5 juin, souligna l'éloge de la France fait par Ferdinand Roy à Québec lors de son retour d'Europe, et déclara : « *Si nous sommes fiers d'être français et sujets britanniques, et nous avons amplement raison de l'être malgré les fautes commises contre notre race, il ne suffit pas d'acclamer la France et l'Angleterre ; il nous faut, dans les proportions du juste et de l'équitable, marcher avec elles et ne pas leur refuser le témoignage de notre attachement.* » [6] Bourassa railla la nouveauté de l'attachement de *L'Action catholique* à la France, mais Laurier, à Brome, le 1er juillet, insista sur l'alliance des « *deux mères-patries* » et répondit ainsi à ceux qui prêchaient contre la lutte pour l'Angleterre tant que ne serait pas réglée la question ontarienne : « *Partout où il y a des droits à exercer, il y a des devoirs à remplir. Faites votre devoir et vous obtiendrez vos droits.* » Lors d'un banquet de la Saint-Jean-Baptiste, le lendemain, à Limoilou, il déclara : « *Les Canadiens français sont dans la Confédération pour y rester.* » Lavergne, parlant après lui, ajouta : « *Mais à condition de ne pas s'y déshonorer.* » [7] Cependant, en Ontario où avait lieu une élection partielle, le *Toronto News* lançait un appel pour un « *Ontario solidaire* » contre un « *Québec solidaire* », en proclamant : « *Un vote pour Laurier est un vote pour Bourassa.* » [8]

Le 11 juin, Sir Sam Hughes, en route pour Valcartier, rendit visite au cardinal Bégin, à Québec. Sous prétexte de chercher des aumôniers pour les bataillons canadiens-français, il désirait obtenir l'appui du cardinal pour le recrutement. Le communiqué publié par le bureau de l'archevêque montrait bien que cette démarche, sans doute pénible pour l'orangiste, avait été bien accueillie. Il est possible qu'il y eut un certain rapport entre cette visite et la publication d'une série d'articles hebdomadaires contre Bourassa dans *La Presse,* sous le titre *Où allons-nous ?* et signés « *Un Patriote* », pseudonyme de l'abbé d'Amours. [9] L'opposition du bas-clergé avait obligé *L'Action catholique* à suspendre sa campagne favorable à la guerre, mais l'abbé d'Amours se réjouissait maintenant de la liberté de l'anonymat et attaquait Bourassa avec violence.

De son côté, Arthur Hawkes, journaliste de Toronto né en Angleterre, publia une entrevue intelligente avec Bourassa dans le *Toronto
Star* des 14 et 15 juillet. Il affirmait que le chef nationaliste n'était
ni un incendiaire ni un fou, rendant hommage à sa connaissance des
affaires canadiennes et internationales, ainsi qu'à son courage. Il
assura que Bourassa favorisait l'indépendance, mais qu'il accepterait
une association impériale suivant les principes indiqués par Lionel
Curtis et le groupe de la Table Ronde. Hawkes comparait le *leader*
nationaliste à Lloyd George et prédisait qu'il deviendrait « *le champion incontesté du peuple canadien-français quand le temps en serait
vraiment venu.* » [10] Pour un grand nombre de Canadiens anglais,
c'était la première explication honnête de Bourassa et de ses idées
qui avaient été grossièrement déformées par la presse anglaise. Bourassa déclara, dans une lettre à Hawkes, qu'il n'était pas anti-britannique, mais anti-impérialiste :

« *Un point que je n'ai pas rendu clair au cours de notre conversation est le motif que j'ai de désirer le démembrement de l'Empire britannique. Ce n'est pas parce qu'il est britannique, mais parce qu'il est
impérial. Tous les Empires sont haïssables. Ils barrent la route à la
liberté humaine et au véritable progrès intellectuel et moral. Ils ne
servent que des instincts brutaux et des objectifs nationaux : tout ce
qui est bon dans les idéals britanniques, et il y en a beaucoup, serait
mieux servi par la libre action de plusieurs collectivités britanniques
indépendantes que par l'action commune d'un Empire monstrueux
édifié par la force et le vol et conservé uni dans le seul but de permettre à une race et une nation de dominer un cinquième de l'espèce
humaine. Mais les nations ont à choisir entre les idéals britanniques et
la domination britannique. Je suis pour les idéals contre la domination.
Je peux être pendu pour cela au nom de la liberté britannique, mais il
importe peu.* »

## 2

Bourassa figura beaucoup dans un autre rôle pendant l'été de 1916.
Le 28 juillet, la plupart des journaux anglais et français de Montréal,
Québec, Ottawa et Toronto publièrent une lettre ouverte datée du
front, en France, le 21 mars, [11] qui lui était adressée par son cousin,
le capitaine Talbot Papineau. La lettre avait été envoyée à Andrew
Ross McMaster, de Montréal, confrère de Papineau, qui la fit suivre à
Bourassa le 18 juillet et la publia dix jours plus tard, n'ayant reçu
aucune réponse de Bourassa qui n'était pas en ville. Le capitaine
Papineau, comme Bourassa, était petit-fils de Louis-Joseph Papineau,
mais il appartenait à une branche anglicisée de la famille et il avait
fait ses études à Oxford et à Paris. A l'ouverture des hostilités, il
s'était enrôlé dans le régiment *Princess Patricia,* formé surtout d'An-

glais et il était l'un des rares, parmi les premiers membres de cette unité, qui fût encore vivant. Sa lettre, adressée à son « *cher cousin Henri* » et personnelle en apparence, avait clairement pour objet de faire appel à la grande masse des partisans canadiens-français du chef nationaliste dont le prestige venait en partie de ce qu'il était petit-fils de Louis-Joseph Papineau.

Le capitaine Papineau regrettait de ne pas avoir eu l'occasion de discuter avec Bourassa, avant de partir pour le front, les questions soulevées par la guerre. Il rendait hommage à l'honnêteté et à la sincérité des opinions désintéressées de Bourassa, tout en les déplorant. Il était déçu de constater que les événements ne les avaient pas modifiées : « *Profondément concerné comme l'était l'honneur du Canada, en jeu comme se trouvait son existence, beau et terrible comme apparaissait son sacrifice, vous, et vous seul de tous les chefs canadiens, vous avez cru pouvoir étaler que vous n'aviez pas changé et que vos malheureuses idées ne s'étaient pas modifiées.* » Il écrivait parce qu'il craignait l'influence de Bourassa sur une minorité de Canadiens français et que ses opinions pouvaient être considérées comme représentatives de celles de ses compatriotes. Il exposait, en ordre, les arguments qu'il croyait propres à convertir son cousin. De par le droit international, le Canada se trouvait engagé dans la guerre par la déclaration de guerre de l'Angleterre à l'Allemagne. Toute discussion sur la participation du Canada était académique, oiseuse et pernicieuse. Il réfutait l'idée que le Canada aurait pu rester neutre jusqu'à ce qu'il soit attaqué, en disant que, si les Alliés avaient été vaincus, la force seule du Canada n'aurait pu empêcher la domination allemande. Il ajoutait : « *Quand vous êtes à quinze verges d'une armée allemande et que vous vous savez occupant une verge environ d'une ligne de cinq cent milles ou plus, vous êtes bien exposé à rechercher avec anxiété la présence et la puissance des forces anglaises et françaises.* »

Papineau réfutait l'argument de la protection américaine en disant que le Canada aurait été vaincu avant que les Américains ne l'aident, car les Etats-Unis étaient connus pour ne partir en guerre que pour un principe national. Si les Alliés, à la suite d'une intervention américaine, n'avaient pas été défaits : « *Vous auriez pu, sans en être empêché, publier votre version du devoir et le colonel Lavergne aurait pu, publiquement et sans la crainte salutaire de la mort ou l'emprisonnement, parler séditieusement (sans doute, je parle au point de vue prussien).* » Cependant, la non-participation aurait-elle satisfait un nationaliste ? « *Est-ce que la fierté ou le patriotisme d'une nation s'élève sur le sang et les souffrances des autres, ou sur les richesses de ceux qui, dans l'angoisse et par des sueurs de sang, combattent les combats de la liberté ?* » Si Bourassa avait été un véritable nationaliste, il aurait senti que « *Dans l'agonie de ses pertes en Belgique et en France, le Canada souffrait les douleurs de l'enfantement de sa vie*

*nationale. Là, plus encore qu'au Canada, ses citoyens s'unissent dans
une existence nouvelle parce que, quand des hommes se tiennent côte
à côte, endurent la vie du soldat et bravent la mort du soldat, ils sont
unis aussi étroitement que par les liens du sang, les plus intimes.* »
Papineau était convaincu que les Canadiens avaient reçu la mission
de combattre pour le Canada, en Europe et il affirmait : « *Je suis
reconnaissant que l'on ait donné à cette question non pas la réponse
que vous auriez donnée, mais celle que donnent et donneront les Canadiens qui sont déjà morts, ou qui mourront sur le sol héroïque de notre
mère-patrie, la France.* »

Comme deuxième argument, Papineau exaltait « *l'union spirituelle* » des parties autonomes de l'Empire et leurs civilisations et idéals
comme « *les plus élevés et les plus nobles qui aient encore été atteints
par la race humaine et qui devaient être jalousement protégés de la
destruction.* » Les liens qui les unissent pourraient être modifiés, mais
ils ne doivent jamais être rompus. Il répudiait le nationalisme canadien s'il signifiait antagonisme contre l'esprit unissant actuellement
l'Empire. Son troisième argument était purement canadien-français :
« *Je ne suis peut-être pas, comme vous, un* pur-sang*, car, par la naissance, je suis même plus anglais que français, mais je suis fier de mes
ancêtres français et je suis, autant que vous, déterminé à réclamer
l'entière liberté de rester français aussi longtemps que nous le voudrons.* » Or, pour conserver cette liberté, des concessions doivent être
faites à la majorité, si cette dernière doit faire des concessions à la
minorité. La guerre avait offert aux Canadiens français l'occasion de
prouver aux Canadiens anglais « *un commun amour pour notre pays
et le mutuel désir d'unir dans l'avenir nos talents distinctifs et nos
énergies pour créer une nation heureuse et fière.* » Cependant, malgré
l'appui donné de tout cœur par maints dirigeants canadiens-français
et l'héroïsme des bataillons canadiens-français, les Canadiens français
ne s'étaient pas ralliés autour du drapeau dans la même proportion
que les autres Canadiens et l'impression avait été donnée que le Canada
français ne portait pas toute sa part du fardeau : « *Vous serez tenu
grandement responsable de ce fait et de cette impression.* » Quant au
présent, le nationalisme puait aux narines des Canadiens anglais sans
donner satisfaction aux ambitions de Bourassa et, après la guerre,
« *tout ce qui aura un nom français au Canada sera un objet de sus-
picion et peut-être de haine.* »

Papineau estimait que Bourassa aurait dû logiquement favoriser
une guerre pour la civilisation française et la France, en même temps
qu'un combat pour la liberté du monde. Il terminait en prédisant un
« *jour lourd de conséquences* », au retour des soldats, pour « *ceux qui,
pendant que nous nous battons et souffrons ici, sont restés en sûreté
et dans le confort au Canada et ont manqué de nous donner leur encouragement et leur appui, comme pour ceux qui se sont engraissés à*

*nos dépens en acquérant d'une façon déshonorante des richesses par le péculat politique et des méthodes déloyales. Nous leur en demanderons, un jour, un compte sévère.* » Il terminait en présentant un plaidoyer afin que Bourassa participe à la réalisation de l'idéal qui était aussi le sien : « *Au moment où je vous écris, Canadiens français et Canadiens anglais se battent et meurent côte à côte. Leur sacrifice sera-t-il vain, ou ne sera-t-il pas le ciment de fondation pour une vraie nation canadienne, une nation canadienne indépendante de pensée, indépendante d'action, indépendante même dans son organisation politique, mais unie d'esprit pour la réalisation des destinées humaines et internationales des deux mères-patries, l'Angleterre et la France ?* »

Bourassa répondit à McMaster le 2 août, [12] mettant en doute que le capitaine Papineau fût l'auteur de ce « *manifeste politique* » rédigé en anglais et présenté quatre mois après avoir été écrit. Il minimisa l'importance de la parenté entre lui et son cousin et émit cette opinion : « *Tout ceci a l'allure d'une manœuvre politique organisée sous le nom d'un brave et jeune officier qui a l'heur ou le malheur d'être mon parent.* » Il rappela son attitude au début de la guerre et il la définit comme analogue à celle de son cousin. Il résuma ainsi les raisons de son changement d'opinion : « *Le recrutement volontaire se pratique au moyen du chantage, de l'intimidation, des menaces de toutes sortes.* » On avait profité de l'émotion créée par la guerre pour assurer la solidarité impériale, les *leaders* libéraux avaient abandonné leurs principes nationalistes et les porte-parole conservateurs qui le dénonçaient maintenant comme un traître avaient exploité à fond l'anti-impérialisme en 1911. Le capitaine Papineau avait confirmé son changement d'opinion par ses actes, mais d'autres ne l'avaient pas fait.

Bourassa défendit les piètres résultats du recrutement au Canada français en déclarant que l'enrôlement, dans le Canada tout entier, avait été « *en raison contraire de l'enracinement au sol et du patriotisme traditionnel qui en résulte.* »

« *La vérité, c'est que l'abstention des Canadiens français ne tient pas plus à l'attitude actuelle des nationalistes qu'à celle des libéraux en 1896, ou des conservateurs en 1911. Elle tient à des causes plus profondes : l'instinct atavique, les conditions sociales et économiques, une tradition nationale de trois siècles... fortifiées de l'enseignement constant de tous nos chefs politiques et sociaux, depuis La Fontaine, Cartier, Macdonald, Mackenzie jusqu'à Laurier inclusivement.* »

Il affirma avoir toujours distingué entre la participation à la guerre et la question scolaire, mais que, « *parler de défendre la civilisation française en Europe et la pourchasser en Amérique nous apparaissent comme une absurde inconséquence.* » Il déclara : « *Le capitaine Papineau est aussi mal situé que possible pour juger des sentiments des Canadiens français.* » En effet, il était séparé d'eux par la religion, la langue maternelle et l'éducation. Quant à sa menace de « *propager la discorde nationale en cherchant noise à tous les Canadiens, français ou anglais, qui comprennent et pratiquent autrement qu'eux leur devoir national, ce serait mal employer leur temps et surtout désavouer singulièrement leurs professions de foi libertaire et civilisatrice.* » Il fit remarquer que les profiteurs de guerre ne se trouvaient pas dans les rangs nationalistes : « *Ils se recrutent tous parmi les prédicants les plus sonores de la guerre sainte pour la* civilisation, *contre la* barbarie, *pour la* protection des petits peuples, *pour l'*honneur *de l'Angleterre et le* salut *de la France.* » Il ajouta un post-scriptum ironique : « *J'espère que cette lettre vous parviendra avant votre départ pour le front : sans aucun doute, vous avez été le premier à répondre à l'appel chaleureux de votre associé.* » En réponse, McMaster nia avoir écrit ou inspiré cette lettre et affirma : « *L'idée de vous écrire et la lettre elle-même sont de mon associé.* » Il assura avoir grandement contribué lui-même à l'unité nationale. Il ne répondait pas à l'aigreur par l'aigreur, au moment où « *de bonnes pensées, de bonnes paroles et de bonnes actions devraient unir tous ceux qui considèrent avoir, envers le Canada, un devoir commun.* »

Quelle que fût l'inspiration de la lettre du capitaine Papineau (la question demeure, car Papineau mourut en France), les honneurs de propagande résultant de l'échange de lettres revinrent à Bourassa, qui avait ainsi fait porter l'attention du pays sur l'aversion du Québec pour la guerre et sur ses raisons. Il avait fait appel aux instincts de son peuple et brillamment analysé ses raisons de répugner à une participation active à la guerre. Cet échange de lettres suscita davantage d'intérêt que les réunions populaires tenues à Montréal, Québec et Sherbrooke à l'occasion du second anniversaire de la déclaration de guerre, où les porte-parole officiels proclamèrent la résolution du Canada à combattre jusqu'au bout. *La Patrie,* qui avait été le premier journal à publier la lettre de Papineau, accusa Bourassa de prendre la tangente pour éviter de faire une réponse directe. *Le Soleil* l'accusa de rester encore ancré, après deux ans d'une crise telle que le monde n'en avait jamais connue de pareille, dans une position où « *rien n'existe en dehors de la province de Québec qui vaille que la province de Québec s'en occupe, du moment que cela requiert le moindre effort ou sacrifice de la part de la province de Québec.* » *Le Canada* affirma que la contribution canadienne avait obtenu le plein consentement du Canada et que sa liberté nationale restait aussi intacte que la liberté de ses ressortissants. Casgrain et Lemieux supplièrent Mgr Bruchési de faire une déclaration qui priverait Bourassa du rôle d'interprète du sentiment canadien-français. Le 8 août, l'archevêque s'exprima ainsi :

« *Il n'est pas possible de douter de quel côté sont le droit et la justice dans cette terrible guerre. D'un côté sont nos ennemis, qui ont été les agresseurs, les violateurs des traités et de l'honneur, tandis que, de notre côté, sont les défenseurs de l'harmonie parmi les nations et les champions du droit et de la justice. Ce ne sont pas les hommes et les canons qui auront le dernier mot, mais le Dieu tout puissant et, comme ce Dieu est le Dieu de la justice et du droit, il fera en sorte que le droit et la justice à la fin triomphent. »* [13]

L'abbé d'Amours se réjouit de cette déclaration et *La Patrie* l'interpréta comme la réfutation de ceux « *qui ont ouvertement et laborieusement prêché le reniement de tous les devoirs dans notre province.* »

3

En août, la quatrième division débarquait en France et le recrutement s'accélérait au Canada. Les usines de guerre commencèrent à employer des femmes de préférence aux hommes afin de faciliter l'enrôlement. Les sergents recruteurs avertissaient que, si le nombre de volontaires était insuffisant, ce serait la conscription. Le 23 août, L.-N.-J. Pagé dispersa un poste de recrutement sur la Place d'Armes à Montréal, en protestant contre les insultes de sergents recruteurs du *Irish-Canadian Rangers :* « *Nous nous ferons peut-être écraser, mais nous n'accepterons jamais la conscription. Notre peuple est insulté tous les jours. Canadiens français, il est temps de nous faire respecter et de ne plus permettre que l'on nous écrase comme en Ontario.* » L'incident se termina en manifestation contre la conscription, car la foule approuva Pagé. Le lendemain, la foule canadienne-française força les soldats à se retirer de la Place d'Armes. La presse anglaise demanda que les fauteurs de trouble aux réunions de recrutement soient punis, mais le *Herald* admit que les sergents recruteurs avaient été insultants. *Le Devoir* écrivit que des pugilats étaient à craindre si les recruteurs se conduisaient comme des brutes, mais que personne ne les ennuierait s'ils se conduisaient convenablement. Le recrutement sur la Place d'Armes fut suspendu momentanément.

Laurier craignit que l'enrôlement ne provoque des querelles raciales et, le 21 septembre, il prononça un nouveau discours en plein air, à Maisonneuve, devant une foule de 15 000 personnes, pour soutenir le recrutement :

« *Il y a des gens qui disent : nous ne combattrons pas pour l'Angleterre ; combattrez-vous alors pour la France ? Je m'adresse à vous, d'origine française : si j'étais jeune comme vous et que j'avais la même santé dont je jouis aujourd'hui, je me joindrais à ces braves Canadiens qui combattent pour la libération du territoire français. Je ne voudrais pas que l'on puisse dire que les Canadiens français font moins pour la libération de la France que les citoyens d'origine britannique. Pour ma part, je veux combattre pour l'Angleterre et aussi pour la France. A ceux qui disent : je ne veux combattre ni pour la la France ni pour l'Angleterre, je dis : combattrez-vous pour vous-mêmes ?* » [14]

Cependant, Bourassa renouvela ses avertissements : la conscription était inévitable, puisque la levée de 500 000 hommes par le système volontaire devenait impossible. [15] A Papineauville, le 3 septembre, parlant avec le sénateur Landry dans l'intérêt des Franco-Ontariens, il déclara : « *L'Angleterre et son Empire, la civilisation anglo-saxonne, sa pensée maîtresse, son action mondiale constituent, dans l'ensemble, la plus formidable coalition de forces anti-catholiques qui existe.* » [16] De telles déclarations firent plus de tort au recrutement que ne lui firent de bien, au cours de l'automne, les discours loyalistes exaltés de Casgrain, Blondin et Patenaude.

En septembre, le *Canadian Corps* fut de nouveau engagé dans la Somme. Entre les 15 et 18 septembre, le Royal 22ème perdit un tiers de son effectif à la bataille de Courcelette. Le courage dont firent preuve les Canadiens français qui avaient mené l'attaque canadienne reçut les éloges de la presse, française et anglaise. Le 22ème perdit encore un autre tiers de son effectif le 1er octobre, à la Tranchée Régina. Les pertes canadiennes totales, en septembre, s'élevèrent à 9 051 et, même en juillet et août, où il n'y avait guère eu d'activité, elles avaient atteint le chiffre de 3 000 par mois. Le problème des renforts devenait sérieux. Deux bataillons canadiens-français, le 150ème de Barré et le 189ème de Piuze, s'embarquèrent le 27 septembre pour l'Angleterre où ils devinrent des bataillons de réserve pour le 22ème. Le 206ème bataillon, indiscipliné, fut dissous et ses hommes envoyés aux Bermudes pour compléter l'effectif du 163ème bataillon d'Asselin. Ce bataillon fut à son tour envoyé plus tard en Angleterre, au cours de l'automne. Le 230ème du colonel de Salaberry fut transformé en bataillon forestier et ainsi disparut tout espoir de constituer une brigade canadienne-française.

Confronté outre-mer par la tâche de fournir des renforts à une cadence imprévue et, au Canada, par des demandes contradictoires de conscription et d'enrôlement sélectif afin de protéger l'industrie, le gouvernement décida, en août, d'instituer un *National Service Board* pour maintenir l'équilibre entre les besoins d'hommes de l'armée et de l'industrie. Son directeur général, Sir Thomas Tait, de Montréal, ne fut toutefois choisi que vers fin septembre et les directeurs subordonnés, pour chacune des douze régions militaires, ne furent pas nommés avant les premiers jours d'octobre. L'organisme devait être sous l'autorité directe du premier ministre et non du ministre de la milice et, dans l'idée de Borden, son but était « *d'identifier et garder au Canada ceux qui pouvaient rendre de plus grands services en restant dans le pays et d'identifier et amener à servir au front ceux qui pouvaient et devaient servir ainsi.* » [17] Le 14 octobre, R.B. Bennett fut nommé directeur général en remplacement de Sir Thomas Tait qui démissionna lorsque le gouvernement refusa d'affecter G.M. Murray, secrétaire de la *Canadian Manufacturers' Association,* au poste de secrétaire de cet organisme. Les directeurs étant, en grande majorité, des conservateurs, Laurier refusa d'accepter l'offre de Borden de nommer cinq libéraux qui auraient siégé à un comité coopératif parlementaire de douze membres.

Le 23 octobre, Borden lança un appel au peuple du Canada pour le service national :

« *Aux hommes en âge de porter les armes, je fais appel afin qu'ils se mettent d'eux-mêmes au service de l'Etat, pour l'armée. A tous les autres, je fais appel pour qu'ils se mettent d'eux-mêmes, librement, à la disposition de leur pays, pour servir en mettant en œuvre leurs meilleures aptitudes.* » [18]

Le gouvernement et le directeur général Bennett réitérèrent qu'il ne s'agissait pas de conscription, mais Bennett proposa quand même à Borden que la carte d'immatriculation de tout citoyen mâle comporte une question sur la conscription, ainsi que des questions sur son consentement à changer d'emploi afin de travailler pour la guerre, fût-ce en s'installant ailleurs au Canada. Borden donna instruction d'omettre la question sur la conscription. [19] Cependant, la presse du Québec se montra très méfiante à l'égard du projet de service national. *Le Soleil* félicita Laurier d'avoir refusé d'y collaborer et *Le Bien Public,* de Trois-Rivières, insinua que c'était un plan pour trouver des soldats plutôt que des travailleurs de guerre. [20]

L'immatriculation nationale fut fixée à janvier 1917 et, dès le début de décembre, le gouvernement partit en campagne pour obtenir un appui général. Borden, accompagné de Casgrain et de Doherty, se rendit à Montréal le 6 décembre pour expliquer le plan à Mgr Bruchési qui fut « *très aimable et désapprouva Bourassa* ». [21] Il s'adressa ensuite à une réunion populaire qui l'écouta attentivement, mais interrompit Patenaude et Bennett par des cris de « *Pourquoi ne vous enrôlez-vous pas vous-même ?* » et permit à peine à Patenaude de parler. Des étudiants furent surtout responsables de ce désordre. A Québec, le lendemain, Borden rendit visite à Sir Lomer Gouin et au cardinal Bégin qui promirent leur appui. Il s'adressa alors à une réunion populaire, appuyé par Casgrain, Gouin et Bennett. Un groupe d'étudiants acclama Gouin, mais demanda Bourassa et Lavergne pendant le discours de Casgrain et partit quand Bennett commença à parler. [22] Le lendemain, Laurier et Gouin parlèrent devant un *meeting* de recrutement à Québec et Borden s'en alla vers l'Ouest poursuivre sa campagne jusqu'à Victoria. L'automne tout entier fut employé par les trois ministres canadiens-français, ainsi que par Laurier, Lemieux et Charles Marcil à prononcer de nombreux discours afin de stimuler le recrutement.

Cependant, l'opposition nationaliste avait aussi fait sentir son influence et son audience grandissait. Paul-Emile Lamarche démissionna du parlement le 21 septembre, cinquième anniversaire des dernières élections, pour protester contre la prolongation, qui était sans précédent. Le dimanche suivant, secondé par Bourassa, il s'adressa à ses électeurs de Nicolet. Il s'attaqua aux membres du gouvernement « *qui veulent hypothéquer le sang de la nation jusqu'à concurrence de 500 000 hommes* » et s'excusa de n'avoir obtenu que peu de ponts, de quais et de bureaux de poste en expliquant : « *C'est qu'il aurait fallu les acheter avec des morceaux de ma conscience.* » [23] Bourassa profita de l'occasion pour répondre au discours fait par Laurier à Maisonneuve huit jours auparavant, afin de lui attribuer la responsabilité initiale de la participation à la guerre et de lui reprocher, avec sarcasme, de ne pas être allé au secours de la France en 1870, quand il avait trente ans. Il termina sa critique de la carrière de Laurier depuis la guerre sud-africaine en le qualifiant de « *politicien le plus néfaste du Canada, traître à sa mission.* » [24]

Ce même dimanche, Armand Lavergne et Tancrède Marcil appuyèrent Roch Lanctôt à Napierville, où ce dernier promit de s'opposer à la conscription et dénonça la politique gouvernementale de participation excessive à la guerre, qui menait à une banqueroute dont le cultivateur ferait les frais. Lavergne réfuta l'argument du recrutement pour la défense de la France en déclarant que la France était attaquée en Ontario et que c'était là qu'il fallait gagner la bataille. Le français, qui fut la première langue parlée au Canada serait aussi la dernière, ou bien il n'y aurait plus de Canada. Il invoqua la mémoire de Montcalm, de Lévis, des religieuses qui avaient sacrifié leur vie à l'enseignement, des martyrs jésuites et des martyrs *patriotes* de 1837. Il fit appel aux morts pour aider les vivants au maintien des traditions canadiennes-françaises. Ce même dimanche, Blondin sommait le peuple de Batiscan de faire son impérieux devoir d'aider la France et l'Angleterre, puisque les libertés et l'existence même du Canada étaient en jeu. De ces diverses déclarations, ce fut l'attaque de Bourassa contre Laurier qui provoqua les plus nombreux commentaires dans la presse. *Le Soleil* annonça qu'il était « *arrivé au dernier stade de la fièvre cérébrale qui le consumait depuis quelques années* » et expliqua sa psychologie par ses phobies à l'égard de l'Angleterre et de Laurier. *Le Canada* adopta la même attitude. Lamarche fut accusé par *L'Evénement* de pousser le nationalisme jusqu'à l'anarchie et d'autres le critiquèrent pour s'être retiré du parlement afin de prendre le poste bien rémunéré d'avocat-conseil de la ville de Montréal. [25]

Entre temps, Bourassa avait critiqué le livre récemment publié de Lionel Curtis, *The Problem of the Commonwealth,* dans une série d'articles du *Devoir,* du 28 septembre au 9 octobre, qu'il imprima de nouveau, plus tard, sous forme de brochure. [26] Les groupes de la

Table Ronde, qui débutèrent en 1910 au Canada, en Australie, en Nouvelle-Zélande, en Afrique du Sud et, plus tard, au Royaume-Uni, en Inde et à Terre-Neuve, avaient étudié dans un nouvel esprit les questions impériales en se servant de leur revue trimestrielle, *The Round Table*, comme organe d'information pour ces questions. Peu de temps avant la guerre, ils avaient concentré leur attention sur la manière dont un citoyen britannique dans les dominions pourrait acquérir la même emprise sur la politique étrangère qu'un autre domicilié dans les Iles Britanniques. La levée d'un contingent à l'automne de 1915 servit de base au livre de Curtis. Il vit la guerre comme une lutte pour la liberté contre l'autocratie et, par conséquent, la compara à la Guerre de Sept Ans : « *si la France avait prévalu,... le principe de gouvernement autonome aurait péri non seulement en Amérique, mais aussi dans les Iles Britanniques.* » [27] Cette thèse ne pouvait manquer d'intriguer Bourassa, dont l'intérêt pour la politique étrangère avait grandi au point d'inquiéter Laurier qui, par l'entremise de Dandurand, avertit son ancien disciple qu'il « *jouait avec le feu.* » [28]

Cependant, le racisme anglo-saxon voilé de Curtis, qui contenait l'idée de peuple choisi pour porter le fardeau des responsabilités de l'homme blanc, irrita Bourassa qui commençait à décrier le caractère anglo-saxon :

« *A sa morgue héréditaire, qui marque sa parenté avec l'Allemand du Nord, sont venus s'ajouter l'obtusion développée par l'isolement insulaire et l'alcoolisme, et surtout l'infatuation de ses immenses richesses et l'orgueil de sa domination sur les peuples faibles. Il en résulte qu'en dépit de ses remarquables facultés de gouvernement et, somme toute, l'humanité de ses procédés, — quand la cupidité ou l'esprit de domination ne le poussent pas aux brutalités —, l'Anglo-Saxon ne sait pas gagner la confiance, encore moins l'affection, des peuples qu'il domine, ni même de ceux qu'il s'associe. Or, quand la confiance et l'amour font défaut, la bonne intelligence est difficile.* » [29]

Bourassa se trouva toutefois en accord complet avec Curtis sur les principes constitutionnels, bien qu'il préférât l'indépendance des dominions à l'association sur une base d'égalité avec le Royaume-Uni comme solution de la présente situation, que Curtis qualifiait d' « *intolérable* ». Bourassa était pourtant disposé à accepter la deuxième solution si la majorité la préférait à l'indépendance, parce qu'il croyait qu'elle mènerait quand même à l'indépendance. Il réaffirma sa conviction au sujet de l'impérialisme, telle qu'il l'avait exprimée à Arthur Hawkes et répéta l'avertissement que les angliciseurs et les impérialistes *tory* pourraient forcer les Canadiens français à la troisième solution : l'annexion aux Etats-Unis. Dans la traduction anglaise de ces articles, Bourassa développa plus longuement ses arguments en faveur de l'indépendance et retira l'accusation d'alcoolisme anglo-saxon, mais peu de Canadiens anglais étaient d'humeur, alors, à goûter des analyses académiques des problèmes constitutionnels. Quand des étudiants de Montréal, en route pour la cathédrale où se célébrait la messe d'ouverture de l'année académique, déchirèrent les affiches de recrutement et se battirent avec la police qui fit quelques arrestations jusque dans l'église même, Bourassa fut blâmé par la presse de l'Ontario et de l'Ouest. Comme dans la vieille chanson de 1837 qui proclamait « *C'est la faute à Papineau* », tout incident fâcheux dans le Québec était maintenant attribué au petit-fils de Papineau, Bourassa, dont la pendaison était continuellement réclamée par la presse anglaise.

### 4

Les relations entre Français et Anglais empirant de jour en jour, Arthur Hawkes conçut l'idée d'un échange de visites entre des personnalités représentatives du Québec et de l'Ontario. Deux amis de Toronto, un avocat méthodiste, John Milton Godfrey et le colonel Mulloy, aveugle, vétéran de la guerre sud-africaine, aidèrent Hawkes à mettre son projet à exécution. Bourassa déclina la demande de Hawkes, qui avait sollicité son aide. Cependant, dès le début d'octobre, environ cinquante notables ontariens commençaient un pèlerinage de bonne entente à travers le Québec par un dîner au Club Saint-Denis, à Montréal. Le sénateur Dandurand demanda que les Canadiens français soient simplement acceptés tels qu'ils sont, c'est-à-dire les plus canadiens des Canadiens. Paul-Emile Lamarche déclara que **les Canadiens** français étaient canadiens avant tout et qu'ils préféraient le Canada à l'Empire. Il illustra chacune des deux conceptions rivales de l'unité canadienne par un geste : « *Il y en a qui veulent l'union nationale comme ça* », dit-il, mettant une main sur l'autre. « *Nous la voulons comme ça* » et il plaça ses mains côte à côte. Charles Beaubien protesta qu'il fallait plus de courage pour engager les autres à s'enrôler, à la tribune, qu'à parler ainsi à des invités anglais. Lamarche rétorqua : « *Je ne voudrais pas engager les autres à s'enrôler avant d'avoir moi-même revêtu l'uniforme* » et il fut accueilli par un « *Right you are* » lancé par l'un des visiteurs. [30] La glace étant ainsi rompue, les visiteurs regrettèrent l'absence de Bourassa.

Les pèlerins de l'Ontario continuèrent vers Trois-Rivières et Québec où *L'Action catholique* les accueillit par un article en anglais et suggéra un comité permanent de bonne entente. A Sherbrooke, le colonel Mulloy reçut une ovation et essaya de donner à Lavergne l'accolade à la française. Plus impressionnantes que l'abondance de discours pour éclairer les visiteurs au sujet du Québec furent les visites aux installations portuaires de Montréal, aux usines de Trois-Rivières, à l'Ecole technique de Québec, aux mines d'amiante de Thetford et aux écoles bilingues de Sherbrooke. Ils furent, en plus, impressionnés

par des hommes aussi éminents que le sénateur Dandurand, Sir Georges
Garneau et le Dr Pantaléon Pelletier, agent de Québec à Londres. De
retour à Toronto, S.R. Parson, vice-président de la *Canadian Manufacturers' Association,* donna une conférence objective sur ses im-
pressions. Cependant, il ne manqua pas de faire remarquer que, si
les évêques soutenaient l'effort de guerre, les prêtres appuyaient Bourassa, ce qui était un indice du sentiment populaire. Un certain nombre de ces visiteurs persuadèrent aussi Joseph Flavelle, chef de l'*Imperial Munitions Board,* que deux nouvelles usines projetées devraient
être établies en Ontario plutôt que dans le Québec, où ce serait récompenser la population de cette province de n'avoir pas fait son
devoir à l'égard de l'Empire et léser l'Ontario, dont les jeunes hommes avaient si généreusement offert et donné leur vie. [31]

La question scolaire en Ontario continua à dresser Français contre
Anglais. L'Association d'Education ouvrit les écoles bilingues à l'automne, mais elle fut à peine capable de payer les professeurs et elle
n'avait pas d'argent pour acheter du charbon. Une campagne fut
organisée pour en trouver. L'abbé Groulx parla à Ottawa le 15 octobre, présenté par Landry et remercié par Laurier. Ils croyaient, tous
deux, que cette lutte scolaire finirait par une victoire. Les doyens des
hommes d'Etat libéraux et conservateurs appuyaient un jeune nationaliste : c'était symbolique de l'unanimité du Québec sur la question. Or, une nouvelle inquiétude était provoquée par de nouveaux
règlements scolaires, au Manitoba, qui étaient apparemment inspirés
du Règlement 17. Mgr Béliveau parla à Laval, à Québec, le 17 octobre,
de la situation dans le Nord-Ouest. De plus, dans la province, il y eut
des programmes de bienfaisance et des quêtes pour les écoles de
l'Ontario.

Cependant, le 27 octobre, l'encyclique *Commisso divinitus* de
Benoît XV fut publiée au Canada, laissant la décision de la question
scolaire « *aux évêques, surtout à ceux qui président aux diocèses où
la lutte est la plus ardente.* » Elle appelait tous les catholiques au
calme et à l'unité. *La Patrie* l'acclama comme un triomphe, demandant aux « *fomentateurs de discorde, aux exploiteurs de la race et de
la religion* » de laisser la voie libre aux « *hommes de bonne volonté,
aux modérés, aux véritables amis du progrès, de la paix et de l'harmonie entre les différentes nationalités qui composent notre population.* » [32] *L'Action catholique* insinua que l'encyclique réprouvait
les nationalistes. *Le Devoir* s'abstint d'abord de tout commentaire.
*Le Canada* fit cause commune avec *L'Evénement* pour condamner
« *une certaine école politico-religieuse* » réprimandée avec justice par
le pape pour « *cette manière violente de plaider une bonne cause en
se plaçant sous le manteau de la religion.* » *L'Action catholique* rabroua les journalistes qui prétendaient usurper le rôle des évêques
comme interprètes de la pensée du pape. [33] Les chefs du mouvement

franco-ontarien furent d'abord consternés, mais ils se ragaillardirent lors de la décision du Conseil Privé, du 2 novembre, qui confirmait la validité du Règlement 17, mais désavouait la nouvelle commission scolaire instituée par le gouvernement ontarien. Samuel Genest réclama immédiatement tous les documents et les fonds retenus par cette commission, tandis que Mgr Paquet, le père Rouleau et le père Villeneuve, deux futurs cardinaux, se réunirent en consultation théologique pour l'interprétation de l'encyclique. Mgr Paquet arrêta, sous presse, le tirage d'une nouvelle édition de son *Cours de droit public de l'Eglise* pour y changer son interprétation de l'encyclique. Il voyait en elle l'affirmation du principe que les Canadiens français ont le droit, dans une province en majorité anglaise, de faire enseigner leur langue et de la défendre et que les fidèles ont aussi le droit de pratiquer leur culte et de recevoir l'enseignement religieux dans leur langue maternelle. Il conclut à une condamnation implicite du Règlement 17, puisque l'encyclique exhortait les catholiques à travailler avec zèle et charité pour améliorer la situation. Dans une entrevue publiée par *Le Droit*, Mgr Paquet déclara que l'injonction papale d'éviter la discorde entre fidèles n'excluait pas les efforts pour défendre la langue française. [34] Les jeunes bravaches du groupe de *L'Arche*, à Montréal, publièrent, dans *L'Escholier*, deux articles sur l'encyclique et la décision du Conseil Privé sous le titre : *Nous n'irons pas à Canossa*. Jean Chauvin rappela, dans un éditorial, les paroles prononcées autrefois par Bourassa au sujet du Keewatin : « *Saint-Père, les catholiques du Canada vous vénèrent, mais dans les matières exclusivement politiques, citoyens britanniques et canadiens, nous réclamons de vous la liberté que l'Eglise a toujours reconnue, en ces matières, à ses fidèles.* » [35] Landry, Belcourt et le père Charlebois acceptaient la décision du pape, mais les jeunes nationalistes donnaient ainsi la preuve qu'ils étaient devenus plus français que catholiques. Quelques jours après, Chauvin renonçait à son poste d'éditorialiste et s'enrôlait dans l'artillerie de campagne, en donnant des explications de son geste plus compliquées que celles d'Asselin lorsqu'il s'était enrôlé après s'être longtemps opposé à la guerre. Un facteur décisif possible peut avoir été le sentiment patriotique éveillé par les honneurs rendus aux morts du Royal 22ème à Notre-Dame, le 26 octobre, lorsque tous les régiments de Montréal défilèrent jusqu'à l'église et que Mgr Bruchési déclara à une assistance qui réunissait Sam Hughes, Patenaude, Doherty et maints autres notables que « *Québec a fait son devoir.* » [36]

La veille de cette manifestation, la *Gazette* avait publié une lettre de Gustave Lanctôt qui s'était enrôlé dans le 163ème bataillon d'Asselin, mais qui, envoyé en Angleterre en mission spéciale, s'était fait muter au front dans une unité de langue anglaise. Ecrivant à un ami au Canada, Lanctôt rapportait que l'Angleterre et la France ne tarissaient pas d'éloges sur le 22ème bataillon, mais qu'elles s'étonnaient de l'indifférence du Québec à l'égard de la guerre et de la propagande anti-alliée que faisaient même certains journaux canadiens-français. Lanctôt se demandait si l'opinion publique du Québec se rendait bien compte de son devo'r et faisait appel à ses compatriotes pour qu'ils comprennent qu'ils combattaient pour la liberté canadienne et pour empêcher la domination allemande des rives du Saint-Laurent. [37] Cependant, la lettre de Lanctôt, comme celle de Papineau, vint trop tard pour endiguer la marée d'opposition à l'enrôlement qui déferlait sur le Québec.

La Presse commença, en octobre, une série d'articles publiés, au début de décembre, dans une brochure intitulée Our Volunteer Army. Cette analyse était une défense du recrutement et elle avait pour but d'encourager de nouveaux enrôlements. Elle prétendait que le Québec n'était pas très loin en arrière de l'Ontario pour le nombre de volontaires de naissance canadienne, avec 16 000 enrôlés, soit 1 pour cent de sa population mâle, en âge de porter les armes comparés aux 42 000 de l'Ontario, soit 2,5 pour cent de cette population. Il déclarait que plus de 9 000 des 16 000 du Québec étaient des Canadiens frança's. Le rendement plus faible du Québec était attribué à l'indignation causée par la question scolaire de l'Ontario, à l'emprise anglaise sur le système de recrutement, au peu de chance des Canadiens français de recevoir de l'avancement ou des décorations, enfin au démembrement des unités canadiennes-françaises. Il fut souligné que l'Ontario avait davantage d'hommes célibataires et une population urbaine beaucoup plus considérable. Il fut aussi indiqué que les Canadiens français ne s'engageaient que dans des unités combattantes, tandis qu'en Ontario beaucoup étaient entrés dans les services auxil'aires. D'après les chiffres du Toronto Globe, la région de ce journal n'avait récemment fourni que 181 recrues d'infanterie, contre 3 219 dans l'artillerie, le génie, le service de santé militaire, le génie forestier et autres corps spécialisés. Le 17 juillet, Le Canada avait prétendu à un total de 50 000 Canadiens français dans l'armée : 5 000 dans le premier contingent, 7 200 dans les six bataillons français recrutés ultérieurement, 7 000 dans les unités anglaises du Québec, 1 200 dans le 165ème bataillon acadien et 3 000 autres dispersés dans d'autres unités des Maritimes, 4 000 dans les unités de l'Ontario et de l'Ouest, 12 000 dans les hôpitaux m'litaires, services auxiliaires, unités de pionniers et génie forestier, enfin 10 000 réservistes français et belges. Le 21 août, l'Orange Sentinel avait prétendu que ces chiffres étaient grossièrement exagérés et que jamais plus de 5 000 Canadiens français ne s'étaient engagés, accusant aussi les bataillons canadiens-français de « s'enrôler en détail et de déserter en gros ». La Presse se contenta, en octobre, de prétendre à un chiffre de 16 000 volontaires canadiens-français, admettant implicitement, malgré ses efforts pour produire des statistiques patriotiques, que Québec n'avait pas fait sa part et demandant aux Canadiens français d'égaler au moins l'effort de guerre de l'Ontario. [38] Il fut alors généralement reconnu que le Québec avait été décevant, mais l'absence de chiffres officiels et les écarts considérables entre les différentes prétentions aggravèrent la situation.

L'Assemblée provinciale se réunit le 7 novembre, mais elle s'occupa surtout d'affaires locales. Il y eut cependant l'annonce d'un don de 1 000 000 de dollars fait par la province au Fonds patriotique et une requête conservatrice d'assistance aux Franco-Ontariens. Gouin éluda cette dernière requête, comme inopportune après l'encyclique. Athanase David, fils du sénateur L.-O. David, fit son premier discours qui révéla l'influence de Bourassa, même sur le fils d'un libéral convaincu. Il défendit le Québec contre les attaques qu'il subissait à propos de son faible recrutement en invitant ceux qui voulaient voir les Canadiens français aller sauver la France sur les champs de bataille européens à montrer la même sympathie pour la France à ceux qui, au Canada, étaient attachés à la langue française. Il insista sur les droits des Canadiens français et sur leur place légitime dans la Confédération. [39] Une autre preuve de la fêlure qui s'élargissait entre les races fut une lettre écrite à Bourassa par John S. Ewart, le 1er décembre :

« *Je crains que nous ne considérions les circonstances présentes sous des angles bien différents et peut-être me permettrez-vous de dire que j'ai beaucoup déploré la voie que vous avez, je n'en ai aucun doute, choisie en conscience.*

*Je ne croirais pas qu'il soit bien en ce moment de dire la moindre chose qui tendrait à troubler notre population pendant la tension de la guerre. Selon moi, la première chose requise est la solidarité et, dans ce but, nécessairement, la subordination de plusieurs choses et idées contradictoires pouvant nuire à cette solidarité. Quand la guerre sera finie, tous ceux intéressés non seulement à sa cause ou à son but, mais à l'histoire des guerres en général, verront leur attention sollicitée par beaucoup de sujets et je ne serai peut-être pas parmi les silencieux quand viendra le moment opportun. D'ici là, j'aimerais espérer que nous apportions tous notre contribution au succès de ce que notre pays — le vôtre et le mien — a consenti presqu'unanimement à adopter.* » [40]

Cette lettre termina leur correspondance qui ne fut reprise qu'en janvier 1918, Ewart recherchant alors l'avis de Bourassa sur ce que pourrait faire le gouvernement pour arranger les choses dans le Québec. Or, en décembre 1916, la division raciale était devenue si nette que le chef nationaliste canadien-anglais rompit des relations qui existaient depuis longtemps avec le chef nationaliste canadien-français.

Pour la plupart des Canadiens de langue anglaise, la guerre passait avant tout. Pour les Canadiens français, elle était subordonnée à certains intérêts nationaux. La presse canadienne-française s'intéressait davantage à la question ontarienne qu'au conflit européen et le remous national·ste avait secoué jusqu'aux plus lointains arrière-pays de la province, laissant le Québec mal disposé à l'égard de mesures destinées à poursuivre un effort de guerre qu'il jugeait déjà trop considérable. Une hausse rapide du coût de la vie toucha davantage de gens dans le Québec, dont l'économie était marginale, que les salaires élevés des usines de guerre. La différence entre les manières de concevo·r le devoir dans le Québec et les autres provinces fut révélée par un discours sur *Le Devoir national* que prononça Bourassa le soir même où Borden appuyait le plan de service national à Montréal. Bourassa définit ainsi le devoir nat·onal des Canadiens français : « *Soyons intensément catholiques et français. A défaut de la supériorité du nombre ou de la richesse, que nous n'aurons sans doute jamais, notre foi, pourvu que nous sachions la vivre, nous assurera une supériorité morale ; notre civilisation, pourvu que nous sachions ne pas déroger, nous assurera une supériorité intellectuelle.* » [41]

L'abbé d'Amours, dans *La Presse*, avait continué d'attaquer Bourassa et d'exprimer ses idées. Vers la fin de 1916, il publia une réimpression de ses articles dans des brochures à grand tirage intitulés : *Où allons-nous ? Le Nationalisme canadien, Lettres d'un Patriote.* D'Amours déclarait que les principes de Bourassa étaient faux et que Bourassa lui-même était « *partisan du subjectivisme de Kant et de l'égoïsme du surhomme de Nietzsche.* » [42] Il affirmait que Bourassa avait tenté de grouper les Canadiens français hors de la juridiction de l'Eglise et enseigné que les opinions de celle-ci, en matière politique, ne devaient pas nécessairement être suivies, divisant ainsi les forces du canadianisme et du catholicisme français. D'Amours écartait l'indépendance comme étant contraire au désir de la majorité des Canadiens et menant à la soumission des droits canadiens-français à la volonté de la majorité anglaise. L'annexion signifierait la fin politique et ethnique du Canada français, comme ce fut le cas pour la Louisiane. Il décriait, chez Bourassa, la crainte de l'impérialisme et demandait de sauvegarder la Confédération et l'allégeance britannique. Le patriote canadien-français devait chercher à se faire des amis et des alliés plutôt qu'à isoler le Canada français par une politique d'égoïsme national.

L'abbé évoquait le danger qu'il y avait à former un parti catholique ou nationaliste qui exposerait le Canada français à de grands périls dans un pays en immense majorité protestant. Il adjurait les Canadiens français de rester loyaux à la Couronne britannique et à l'Empire. Il dénonçait comme illégitime et imprudente la tentative nationaliste de contester la décision du parlement canadien de participer à la guerre et le droit de l'Angleterre d'être soutenue par le Canada. Il condamnait les vues de Bourassa comme contraires à la

tradition de l'Eglise du Canada qui avait toujours soutenu la loyauté
envers l'Angleterre et constitué un rempart contre l'assimilation,
l'américanisation ou la contamination par les idées révolutionnaires
françaises, en même temps qu'elle protégeait ses enseignements en
matière de foi et de morale. Le 7 décembre, Bourassa ouvrit le feu
sur l'abbé dans *Le Devoir* et l'anéantit en quelques paragraphes. [43]
Les opinions de d'Amours étaient depuis longtemps impopulaires.
Cependant, on croyait qu'elles représentaient celles de la hiérarchie.
Or, Mgr Bruchési le critiqua pour avoir collaboré à un journal de
Montréal sans avoir obtenu la permission nécessaire à un prêtre d'un
autre diocèse. Ce désaveu par la hiérarchie était un signe hautement
révélateur du changement d'humeur du Canada français. Pris de
panique, l'abbé s'excusa en donnant pour raison que l'archevêque
l'avait jadis encouragé, dans l'intérêt de l'Eglise et du pays, à s'opposer à la « *campagne désastreuse des nationalistes* », mais qu'il ne voulait cependant pas le mettre dans l'embarras.


## 5

Une mesure prise par le gouvernement en automne 1916 fit disparaître l'une des raisons de l'opposition nationaliste à l'effort de guerre,
mais elle vint trop tard pour agir sur l'opinion publique du Québec.
Le contrôle canadien des forces canadiennes d'outre-mer fut assuré,
en novembre, par la nomination de Sir George Perley au poste de
ministre des forces d'outre-mer et le remplacement de Sam Hughes
par Sir Edward Kemp à celui de ministre de la milice. La conduite
fantasque de Hughes avait été une source constante d'ennuis pour
Borden. Il s'était brouillé avec le duc de Connaught quand ce dernier avait tenté d'être plus qu'un commandant en chef honoraire et
il avait causé des complications avec le *War Office*, à Londres. La
démission du général Alderson du poste de commandant du *Canadian
Corps* fut la conséquence directe de ses différends avec Hughes. Ce
dernier avait tenté de diriger les affaires militaires au front en même
temps que dans le pays et ses voyages fréquents en Angleterre et en
France avaient eu pour résultat une piètre administration de l'armée
au Canada. Ses compromissions dans les scandales des approvisionnements et des munitions, son favoritisme notoire en matière de nominations et son indifférence aux susceptibilités du Québec avaient valu
à Borden beaucoup de complications politiques. Le premier ministre
toléra quand même que son collègue poursuive sa carrière, malgré des
protestations croissantes venant d'Angleterre et des autres membres
du cabinet. Il en fut ainsi jusqu'en septembre 1916 où Sam Hughes
organisa, à Londres, un *Canadian Military Council*, sans consulter le
ministère. Borden lui ordonna alors de revenir immédiatement et lui

annonça la nomination imminente de Perley au poste de ministre des troupes d'outre-mer. Hughes protesta violemment contre la nomination de Perley, en affirmant que le poste revenait à son ami, Sir Max Aitken.

Le 9 novembre, Borden répondit à une lettre où Hughes l'accusait de faire des déclarations inexactes et évoquait sarcastiquement d'autres « *aimables* » commissions qui, nommées par le gouvernement, exigeaient sa démission après consultation avec ses collègues du ministère, au nombre desquels Thomas White et George Foster qui désiraient depuis longtemps son renvoi. Borden lui rappela son désir d'administrer le « *département comme s'il était un gouvernement séparé et distinct en lui-même* » et sa répudiation du principe de la responsabilité ministérielle. [44]

Après que sa démission eut été demandée, Hughes fit un discours à l'*Empire Club* de Toronto, critiquant le contrôle des troupes canadiennes par les Anglais en Europe, le refus des fournitures canadiennes par les Anglais et l'administration des hôpitaux par les Anglais. [45] Hughes intrigua ensuite contre le gouvernement. Lord Birkenhead mit Borden au courant du plan du général pour renverser le ministère. Hughes expliqua sa démission par les « *interventions et conditions imposées à l'administration de ce département* », dans un discours d'adieu à son état-major, le 15 novembre. La presse canadienne-anglaise lui rendit hommage pour avoir organisé si rapidement la première division, mais parla sans se gêner de son « *étrange incompatibilité d'humeur* » et de son refus de supporter les contraintes imposées aux ministres responsables, à cause de « *son tempérament de dictateur militaire.* » [46]

Hughes avait beaucoup fait pour tourner le Canada français contre la guerre par ses préjugés de méthodiste, d'orangiste et de francmaçon à l'égard des catholiques français, par son refus de confier de hauts commandements aux officiers canadiens-français, par sa répugnance à exploiter pleinement l'enthousiasme du Canada français au début de la guerre et par sa collusion avec les profiteurs de guerre. Tant qu'il fut au pouvoir, il garda généralement pour lui son opinion des Canadiens français mais, en posant la pierre angulaire du nouvel arsenal qu'il avait obtenu pour sa ville natale, Lindsay, en Ontario, il avait déclaré, le 15 juillet : « *Avec tous les égards dus à la Province de Québec, dans cette grande guerre elle n'a pas fait son devoir comme elle le devait, et elle l'aurait fait si ses jeunes hommes avaient été pris en main par ceux qui auraient dû le faire, parce qu'ils ont tant bénéficié des institutions britanniques dans le passé.* » [47] En 1918, au cours des débats sur la conscription, ses accusations contre les Canadiens français avaient été beaucoup plus violentes et elles faisaient sans doute écho à ses opinions secrètes quand il était ministre de la milice. Dans l'étude confidentielle faite par le général de brigade Maurice

Pope, en 1941, du *Problème de recrutement dans la Province de Québec,* il est reconnu que l'administration de Hughes, pendant la première guerre mondiale, en ce qui concerne le Québec, fut une suite de « *balourdises sans tact* » et c'est le jugement le plus charitable que l'on puisse porter sur elle. [48]

T.-Chase Casgrain mourut le 29 décembre. Borden fit alors entrer Albert Sévigny dans son ministère, en le nommant ministre du revenu de l'intérieur. Patenaude devenait ministre des postes. Il n'y avait ainsi aucune forte représentation canadienne-française dans le cabinet au début de l'année orageuse de 1917 qui vit le Québec dressé contre le reste du Canada sur la question de la conscription. Vers fin décembre, le premier ministre, qui avait auparavant assuré le cardinal Bégin et Mgr Bruchési qu'il n'y aurait pas de conscription afin qu'ils approuvent le projet de service national, déclara aux représentants ouvriers : « *J'espère que la conscription ne sera pas nécessaire mais, s'il arrivait que ce soit la seule méthode efficace pour protéger l'existence de l'Etat et des institutions et libertés dont nous jouissons, je devrai la considérer nécessaire et je n'hésiterai pas à agir en conséquence.* » [49] Cependant, il déclara quand même, publiquement, que l'inscription au service national était demandée pour éviter la conscription. Se reposant sur la bonne foi de Borden, le cardinal Bégin et Mgr Bruchési encouragèrent fortement l'immatriculation, le premier par une lettre circulaire à son clergé le 4 janvier, le second par une déclaration publique. [50] Cependant, la thèse de la presse nationaliste, selon qui l'immatriculation n'était qu'un prélude à la conscription, eut un vague écho dans quelques autres journaux.

Quand fut terminée l'immatriculation de janvier, le directeur général Bennett annonça que 80 pour cent des hommes entre 17 et 45 ans avaient répondu. Québec n'avait que 79 700 hommes classés comme recrues possibles, contre 186 252 en Ontario, probablement à cause du mariage précoce et des familles nombreuses. La classification tenait compte du mariage et des charges de famille, ainsi que de l'emploi dans l'industrie de guerre. [51] Rien ne fut fait immédiatement de cet inventaire et les enrôlements continuèrent au ralenti. Dans le Canada tout entier, l'opposition à l'immatriculation fut fortement exprimée par les groupes ouvriers. Les cultivateurs de l'Ontario et de l'Ouest furent, aussi, hostiles à l'immatriculation qu'ils interprétèrent comme un pas vers la conscription. Les milieux *tory* et les ligues de recrutement exercèrent une nouvelle pression, en faveur de celle-ci, tandis que les libéraux y restèrent généralement opposés.

En janvier 1917, le mouvement de bonne entente renouvela ses efforts pour réconcilier le Québec et l'Ontario. Un groupe canadien-français se rendit à Toronto et à Hamilton. Sir Georges Garneau reçut un diplôme honoraire de l'Université de Toronto et, en cette occasion, il rendit hommage aux hommes combattant en France, dans les Flandres et dans la marine britannique. Sir Lomer Gouin demanda l'unité au Canada pendant que Français et Anglais combattaient pour les biens sacrés qui leur sont communs, « *mêlant leur sang sur les champs de bataille du droit et de la justice et pour aider ceux de la collectivité qui sont sans défense.* » [52] La délégation de visiteurs du Québec comprenait aussi L.-P. Pelletier et Charles Beaubien. Cependant, ce mouvement n'engageait que certains *leaders* du Canada français déjà gagnés à la cause alliée. Il n'affectait pas la masse.

L'attitude de cette dernière se fit jour lors de l'élection partielle dans Dorchester, le 27 janvier, où le nouveau ministre du revenu de l'intérieur, Albert Sévigny, sollicitait sa réélection. Les libéraux présentèrent Lucien Cannon, député provincial de la circonscription. Ils condamnèrent les déclarations déloyales et antipatriotiques faites par Sévigny au cours de la campagne de 1911 et ils critiquèrent sa nomination au cabinet. A Saint-Prosper, le 19 janvier et lors de réunions ultérieures, les deux candidats discutèrent encore une fois la question navale, la participation à la guerre et la possibilité de la conscription. Sévigny admit qu'il était autrefois contre la participation aux guerres impériales, mais il demanda instamment que la politique de guerre du gouvernement ainsi que le projet de service national soient soutenus et que la politique partisane soit abandonnée. Cannon l'accusa de trahir ses collègues nationalistes de 1911, ainsi que ses électeurs et il déclara : « *Le service national est préliminaire à la conscription et, avec le chef de mon parti, je suis contre la conscription.* » [53] Déclarant qu'il n'était pas contre une participation à la guerre qui ne mettrait pas le Canada en faillite aux points de vue des hommes et des ressources, il avertit que l'élection de Sévigny indiquerait l'approbation, par le Québec, de la conscription et de sacrifices canadiens sans fin pour l'Angleterre. Chacun des candidats se réclama de l'appui de son chef de parti mais, tandis que Patenaude et Blondin appuyèrent Sévigny à la tribune, avec toutes les ressources de la machine conservatrice, aucun chef libéral ne parut pour aider Cannon.

Les réunions électorales devinrent orageuses. Cannon, qui était partiellement anglais de naissance, dit à Sévigny qu'il préférait être « *un sang-mêlé plutôt qu'un Canadien français pur-sang qui avait trahi les siens !* » [54] Le gouvernement fut attaqué pour la corruption et les profits illicites, ainsi que pour avoir toléré la persécution des Canadiens français en Ontario. Sévigny déclara regretter la situation en Ontario, mais il fit remarquer que le gouvernement libéral du Manitoba avait rompu l'accord Laurier-Greenway. Blondin accusa Cannon de vouloir déclencher une révolution en soulevant la province de Québec contre les autres provinces. On demanda à Sévigny ce qu'il avait fait pour le recrutement, pour le Fonds patriotique et pour la Croix-Rouge et pourquoi il ne s'était pas enrôlé. Cannon déclara que les questions en jeu, dans cette élection, étaient les actes du

gouvernement et ceux de Sévigny, ainsi que celle de savoir si le peuple approuvait le service national au Canada, qui avait été suivi
par la conscription, en Angleterre, au bout de six mois. Les conservateurs furent accusés d'inonder le comté de boissons alcooliques et
les libéraux de poursuivre une campagne de sédition de porte en porte.
On exploita beaucoup aussi, des deux côtés, la question du bilinguisme. Le vote donna une majorité de 297 à Sévigny, ce qui était une
légère diminution par rapport à celle de 1911. *Le Soleil* l'accusa sans
ambages d'avoir acheté l'élection. [55] Celle-ci montrait que l'opinion
du Québec n'était pas encore cristallisée contre le gouvernement.
Cependant, l'âpreté avec laquelle les doléances canadiennes-françaises
furent exprimées augurait mal de l'avenir.


## 6

La session du parlement de 1917, longue et fertile en événements,
s'ouvrit le 19 janvier. Borden annonça que le gouvernement avait
l'intention de prolonger d'un an le parlement afin d'éviter une élection en temps de guerre et que le gouvernement britannique invitait
les premiers ministres des dominions à assister, comme membres du
*British War Cabinet,* à une Conférence de Guerre impériale qui aurait
lieu vers fin février. J.-H. Rainville fut nommé vice-président de la
Chambre à la place de Sévigny. Laurier reprocha au gouvernement de
manquer d'unité de but, de pensée et d'action dans sa politique
de guerre et de n'avoir affirmé que tardivement l'autorité du pays sur
les forces canadiennes d'outre-mer. En privé, il consentit à un ajournement de la session pour que Borden puisse assister à la Conférence
impériale, tout en soulevant la question constitutionnelle de savoir
comment celui-ci pouvait devenir membre du Cabinet de Guerre sans
être membre du parlement britannique. Borden défendit l'œuvre de
guerre du gouvernement et chiffra les pertes subies jusqu'alors à
70 263 sur un total de 392 647 engagés pour le service outre-mer et
une contribution totale de 413 279 hommes. [56] Il insista sur la nécessité de prolonger la durée du parlement, mais la question ne fut débattue que plus tard au cours de l'année, parce qu'elle promettait
d'être fortement controversée. Le gouvernement était impopulaire,
tandis qu'augmentait la popularité libérale. Les libéraux contrôlaient
maintenant sept provinces, avec un total de 336 sièges, contre 180
sièges conservateurs. [57] Il y avait un mouvement grandissant pour un
gouvernement de coalition auquel auraient participé les libéraux, sans
la forte représentation du Québec qui en ferait partie si les libéraux
s'assuraient le pouvoir absolu à Ottawa.

La presse libérale de Toronto et de Winnipeg favorisait la coalition, à l'exception du *Toronto Star* et du *Manitoba Free Press,* tandis

que la majorité de la presse conservatrice s'y opposait. Cependant, J.W. Flavelle, président conservateur de l'*Imperial Munitions Board*, avait instamment demandé un gouvernement de coalition, dans une allocution au *Ottawa Canadian Club* en décembre, afin d'éviter une élection qui aurait pour thème les questions de race et de permettre, après la guerre, une revision de l'Empire par les Canadiens anglais car, « *il est inconcevable pour moi qu'un gouvernement soutenu par le vote d'une section de ce dominion qui, quelle qu'en soit la raison ou la justification, ne fut pas disposée à faire son devoir dans ce conflit, puisse, sans guerre civile, déterminer quelle place le Canada doit occuper dans le Conseil impérial qui suivra la guerre.* » [58] Borden avait tenté d'empêcher Flavelle de faire cette proposition. [59] Laurier s'était vu proposer la coalition par N.W. Rowell et d'autres libéraux éminents, mais il n'avait pas confiance en cette forme de gouvernement et il croyait à une victoire libérale s'il y avait élection, bien qu'il fût enclin à penser que le *leader* libéral ne devait pas être un Canadien français. [60] Cependant, en attendant la Conférence impériale, il consentit à laisser passer le *War Appropriation Bill* et une partie des prévisions budgétaires normales. Le parlement s'ajourna d'un commun accord le 7 février, jusqu'au 19 avril. La veille du départ de Borden pour l'Angleterre, il fut décidé de retarder l'application de la Loi de la Milice à la défense du pays et Bennett proposa de retirer le droit de vote à ceux qui ne s'étaient pas immatriculés pour le service national. L'ombre de la conscription se faisait plus menaçante, les enrôlements continuaient à décliner, les pertes à augmenter, tandis que la main-d'œuvre se raréfiait dans l'Ouest. [61]

Accompagné de Douglas Hazen, ministre de la marine et de Robert Rogers, ministre des travaux publics, Borden quitta Ottawa le 12 février et arriva à Londres le 23. Il eut immédiatement une consultation avec le secrétaire aux colonies, Walter Long, avec qui il avait correspondu au sujet de la conférence. Il entendit le nouveau premier ministre Lloyd George parler aux Communes et fut reçu en audience par le roi. Il conféra avec l'amiral Jellicoe sur les problèmes posés par l'intensification de la campagne sous-marine allemande et avec le secrétaire aux colonies. L'ouverture de la conférence fut retardée jusqu'à la fin de mars, en raison des difficultés rencontrées par la délégation australienne pour atteindre l'Angleterre et Borden profita des semaines d'attente pour se rendre auprès des troupes canadiennes au front, des quartiers généraux britannique et français, de la base canadienne à Shorncliffe en Angleterre et de nombreux hôpitaux. Le 2 mars, il assista à la première réunion du Cabinet de Guerre créé par Lloyd George, qui avait donc répondu au défi lancé par Laurier en 1897 : « *Si vous voulez notre aide, appelez-nous à vos conseils.* » Pour la première fois, des chefs de départements ministériels, des experts et autres personnalités étrangères au cabinet y assistaient, en plus des représentants des dominions.

Borden se lia immédiatement d'amitié avec le représentant sud-africain, le général Jan Smuts et tous deux travaillèrent à une nouvelle conception des relations impériales, qui s'annonça déjà lorsqu'ils parlèrent, le 2 avril, à l'occasion d'un lunch de l'*Empire Parliamentary Association*. Elle était incorporée dans la résolution IX, qu'ils avaient rédigée ensemble : Borden la proposa et Smuts l'appuya le 16 avril, à la conférence. Elle demandait une refonte de la structure constitutionnelle de l'Empire par une conférence impériale qui aurait lieu après la guerre :

« *Ils estiment, toutefois, que c'est leur devoir de faire connaître dès maintenant leur opinion, qu'un tel rajustement, tout en conservant parfaitement tous les pouvoirs existants de gouvernement autonome et de contrôle absolu des affaires nationales, devra être basé sur une pleine reconnaissance des dominions comme nations autonomes d'un* commonwealth *impérial et de l'Inde comme partie importante du même* commonwealth. *Il devra reconnaître le droit des dominions et de l'Inde à une participation adéquate à la politique étrangère et aux relations extérieures et devra pourvoir à des arrangements pour consultation continue au sujet de toutes matières importantes intéressant l'ensemble de l'Empire et pour toute action concertée nécessaire, fondée sur une consultation organisée selon la manière que pourront déterminer les divers gouvernements.* » [62]

Dans le discours qu'il prononça pour appuyer cette résolution, Borden insista sur l'importance du lien qu'était la Couronne pour rattacher les dominions au Royaume-Uni et il précisa que le gouvernement anglais en acceptait le principe général puisqu'il avait établi le *Imperial War Cabinet*. Smuts déclara qu'à l'avenir « *les gouvernements des dominions, en qualité de gouvernements du roi, égaux au sein du* commonwealth *britannique, devront être considérés beaucoup plus qu'ils ne le sont aujourd'hui.* » Selon lui, la résolution supposait l'abandon de l'idée de parlement impérial et d'exécutif impérial, mais elle favorisait le développement de l'Empire suivant les lignes souples d'autrefois, avec encore plus de liberté et d'égalité pour ses parties constitutives. La résolution elle-même était le résultat de consultations avec l'Australie, la Nouvelle-Zélande et Terre-Neuve et. elle avait été, d'abord, approuvée par le cabinet de guerre britannique. L'Inde fut comprise dans le projet sur le conseil d'Austen Chamberlain, alors Secrétaire d'Etat pour ce pays.

La résolution IX fut adoptée à l'unanimité par la conférence, ouvrant ainsi la voie à la fondation du *Commonwealth* britannique des Nations en 1926, confirmé par le Statut de Westminster en 1931.

Dans ses conférences publiques en Angleterre et en Ecosse pendant le reste de son séjour, Borden mit en relief la grande innovation constitutionnelle qui venait d'être réalisée sous la pression des événements, grâce à la souplesse et au pragmatisme des Anglais, au pouvoir enfin du premier ministre sous la constitution britannique. Lloyd George avait presque, en fait, comme Walter Long le dit à Borden, les pouvoirs d'un dictateur et d'un dictateur favorable aux vues constitutionnelles de Borden et disposé à suivre son avis pour les affaires des dominions. Borden défendit les intérêts du Canada avec vigueur aux séances du Cabinet de Guerre impérial où les affaires d'intérêt commun pour l'Empire étaient discutées, tandis que le Cabinet de Guerre britannique réglait les problèmes courants qui concernaient surtout le Royaume-Uni. Avant sa clôture, le 2 mai, la conférence accepta unanimement le principe selon lequel chaque partie de l'Empire devrait accorder un traitement favorable spécial aux produits agricoles et manufacturés des autres parties de l'Empire, mais ce fut la seule concession faite au rêve impérial de Chamberlain. On s'accorda pour convoquer des sessions régulières du Cabinet de Guerre impérial, annuellement ou plus souvent. Dans le nouveau conseil impérial, la Grande-Bretagne présidait, mais elle n'était que « *primus inter pares* », suivant la formule favorite de Borden.

A son retour au Canada, Borden rendit compte au parlement de sa visite en Angleterre et insista sur l'importance de ce nouveau « *cabinet de gouvernements plutôt que de ministres.* »[63] Laurier mit le doigt sur une difficulté majeure, en soulignant que le cabinet impérial n'était qu'un corps consultatif dont les conclusions pouvaient être ou ne pas être adoptées par les divers parlements de l'Empire, dont chacun était le véritable conseil de la Couronne dans son propre pays. Dans une lettre au directeur du *Manchester Guardian*, qui avait sollicité ses opinions sur la conférence et les relations impériales futures, Laurier écrivit qu'il jugeait un débat sur ce thème inopportun en temps de guerre, mais que, les affaires étrangères ne pouvant pas être dissociées de la politique nationale du Royaume-Uni, les dominions ne pouvaient pas avoir réellement voix au chapitre s'il était question de paix ou de guerre. Le droit de parler, il faudrait qu'ils l'achètent en payant des contributions permanentes de défense. Il s'y opposait, parce que le Canada avait besoin de consacrer ses ressources à son développement intérieur et qu'il ne voudrait pas participer à « *une guerre aussi insensée que celle de Crimée.* » Il jugeait la fédération impériale irréalisable pour le présent et le lien actuel, souple et imprécis, comme « *le plus sûr et le plus prometteur.* »[64]

## 7

Cependant, les questions constitutionnelles soulevées par la Conférence impériale de 1917 furent rejetées au second plan par la crise de la conscription qui éclata au Canada à ce moment. Le nombre des recrues, au cours des premiers mois de 1917, parut insignifiant comparé au nombre grandissant des morts et des blessés :

|  | *Recrues* |  | *Pertes* |
|---|---|---|---|
| Janvier | 9 194 | | 4 396 |
| Février | 6 809 | | 1 250 |
| Mars | 6 640 | | 6 161 |
| Avril | 5 530 | | 13 477 |
| Mai | 6 407 | | 13 457 [65] |

La conquête de la Crête Vimy, en avril, avait coûté particulièrement cher aux forces canadiennes mais, avec quatre divisions au front, les pertes continuelles menaçaient d'excéder à tout moment les renforts. En mars, le nouveau ministre de la milice, Sir Edward Kemp, fit un dernier et vigoureux effort pour recruter des volontaires. Le 16 mars, il demanda que 50 000 hommes s'engagent dans la *Canadian Defence Force* afin que les troupes encore au Canada soient rendues disponibles pour servir au front. On espérait que les hommes ainsi enrôlés pourraient être persuadés, plus tard, de se rendre outremer mais, pour l'instant, il ne leur était demandé que de faire l'exercice trois fois par semaine et de se rendre, l'été, dans un camp militaire. Cet effort était mal vu de l'armée et des enthousiastes de la conscription. Il fut reconnu, dès le mois de mai, que c'était un échec. Entre temps, déchirée par la révolution, la Russie n'était plus, en fait, dans la guerre, les sous-marins devenaient beaucoup plus redoutables que l'on ne s'y attendait et, malgré la déclaration de guerre des Etats-Unis, on se rendait compte qu'il passerait beaucoup de temps avant que la puissance militaire américaine se fasse sentir en France.

Dans le même discours du 18 mai où il rendait compte de sa visite à Londres, Borden avait insisté sur le besoin de renforts et annoncé, à regret, sa conviction qu'une conscription sélective de 50 000 à 100 000 hommes était nécessaire. On décida de l'annoncer le jour même où l'*American Select Draft Bill* deviendrait loi à Washington. Il y avait déjà eu des bruits selon lesquels un grand nombre de jeunes gens traversaient les frontières du Nouveau-Brunswick, du Québec et de l'Ontario pour se rendre aux Etats-Unis et échapper ainsi aux pressions exercées pour les enrôler. Laurier s'abstint de tout commentaire sur cette proposition qu'il redoutait depuis si longtemps.

Il affirma que le Canada était dans la guerre jusqu'au bout, mais qu'il fallait examiner avec soin la manière de la poursuivre jusqu'au bout avant de rejeter la politique établie du pays. Il promit cependant que les propositions du gouvernement seraient l'objet d'une juste et équitable considération et que ses collègues libéraux feraient leur devoir en conscience. Il déclara, en privé, qu'il était opposé à la conscription en raison de ses engagements et par conviction personnelle et que, comme en Angleterre, elle ne permettrait de récupérer qu'un petit nombre de réfractaires car « *le nombre d'hommes pouvant être enlevés à l'agriculture et à l'industrie était infime.* » [66] A Sir Lomer Gouin, il écrivit le 28 mai :

« *Quant à la conscription, il ne peut y avoir également aucune hésitation. Après l'agitation qui fut faite à ce sujet, si nous hésitions en ce moment, nous passerions la province aux extrémistes ; au lieu de promouvoir l'unité nationale, nous ouvririons une brèche peut-être fatale.*

*Pour moi, la situation est claire, mais je doute de pouvoir réussir à persuader nos amis des autres provinces de l'accepter. Les provinces de l'Est seront presque solidement avec nous, l'Ontario solidement de l'autre côté et l'Ouest peut-être divisé. Il y a quelque raison d'espérer un vote raisonnablement solide, mais je suis loin d'en être sûr.* » [67]

La *Montreal Gazette* et la presse anglaise en général avaient approuvé la conscription dès le début. *La Patrie, L'Evénement* et les organes du gouvernement l'acceptèrent, sans enthousiasme, comme une nécessité. *Le Canada,* le 21 mai, reprocha au gouvernement de revenir sur ses promesses de non-conscription. Le 24 mai, il demanda un référendum et, le 26 mai, il se prononça carrément contre la conscription. *La Presse* demanda, le 28 mai, un référendum, bien que, le 15 mai, elle eût affirmé : « *Si, au début de la guerre, le gouvernement avait fait décréter le service forcé, il ne serait question de rien aujourd'hui et le système fonctionnerait à merveille. Cela n'empêche pas que, si la conscription nous est imposée au dernier moment, elle sera religieusement subie dans Québec.* » [68] Cependant, les hebdomadaires ruraux exprimèrent immédiatement leur opposition et le ressentiment populaire se manifesta à Montréal où la foule, au cri de « *A bas la conscription !* » brisa les vitres des bureaux de *La Patrie* le 23 mai et de *La Presse* le lendemain. Des réunions massives eurent lieu, le soir du 23 mai, au Champ-de-Mars et au Parc La Fontaine. A Québec, le 21 mai, une foule de 10 000 personnes entendit Oscar Drouin déclarer qu'il combattrait la conscription jusqu'à la mort et, le 25 mai, une foule, soulevée par un discours enflammé d'Armand Lavergne, brisa les vitres du *Chronicle* et de *L'Evénement*. Le 29 mai, une grande réunion, à Hull, protesta contre la conscription. Elle fut suivie de beaucoup d'autres, en d'autres villes, au cours de juin. Dès le 28 mai, *Le Devoir* exhorta les Canadiens français à demeurer calmes et à se méfier des agents provocateurs qui les incitaient à la violence pour les faire paraître en révolte contre les lois du pays. Il leur fut demandé d'écouter leurs chefs religieux et de s'opposer à la conscription dans le calme et avec discipline.

Or, le Québec n'était pas d'humeur calme et disciplinée devant l'apparition de la conscription depuis longtemps attendue et depuis si longtemps utilisée comme loup-garou politique dans la province. L'enthousiasme pour la guerre avait considérablement décliné. En mars, Blondin avait démissionné du cabinet afin de recruter, parmi ses compatriotes, le 258ème bataillon pour servir outre-mer, « *profondément convaincu* », déclara-t-il, « *que mon devoir le plus impérieux, à l'heure actuelle, est de pratiquer ce que je vous ai prêché au cours des trois dernières années et de me consacrer entièrement au ralliement des Canadiens français.* » [69] Malgré les efforts du général Lessard, de deux officiers, vétérans du 22ème et d'une organisation complexe grâce à laquelle cinquante-huit réunions eurent lieu dans l'ensemble du Québec du 1er mai au 15 juillet, l'effort conjugué Lessard-Blondin n'amena que 92 recrues. A Montréal, le 7 mai, la foule ne voulut écouter ni *leaders* politiques, ni vétérans ou officiers recruteurs. On tenta de recourir à l'influence des curés, mais la campagne de recrutement s'arrêta le 20 mai, lorsqu'il fut annoncé que la conscription était imminente. En avril et mai, des troupes passant par Québec furent accueillies par une volée de légumes pourris, de glaçons et de cailloux parce qu'elles se moquaient des jeunes Canadiens français qui n'étaient pas en uniforme. Au Congrès de l'Unité nationale qui se réunit à Montréal du 21 au 25 mai dans l'esprit du mouvement de bonne entente, Mgr Gauthier défendit avec passion la contribution du Canada français, plutôt qu'il ne plaida pour l'unité nationale.

Bourassa ne fut pas surpris de la venue de la conscription. Il la prévoyait depuis longtemps et surtout depuis que les Américains avaient déclaré la guerre en avril. Depuis un an, il avait suivi de près les affaires américaines et, du 7 au 19 mai, il écrivit, dans *Le Devoir,* une série d'articles sur les causes, les buts et les conséquences de l'intervention américaine dans la guerre, qu'il publia sous forme de brochure, à la fin du mois, avec un nouveau chapitre sur ses conséquences pour le Canada. [70] La neutralité américaine avait procuré un appui au nationalisme canadien-français, comme elle devait le faire encore lors de la Seconde Guerre mondiale. Bourassa admirait Wilson comme sincère partisan de la paix, mais il lui reprochait d'insister sur le droit des Américains de voyager et de commercer librement sur les mers, qu'il jugeait compromettre son espoir de paix. Il attachait beaucoup d'importance à l'influence de la philosophie et des idéals culturels allemands sur les Américains et aussi sur les Canadiens anglais, pour expliquer la neutralité américaine, soutenue par la haine des Irlandais pour l'Angleterre et celle des Juifs pour la Russie. La sympathie et l'antipathie à l'égard de la France lui semblaient également partagées aux Etats-Unis, tandis que les influences juridiques et financières anglaises avaient neutralisé les influences pro-germaniques. L'invasion de la Belgique, l'héroïsme de la France, la campagne sous-marine, l'emprise des intérêts Morgan sur la presse et le torpillage du *Lusitania,* habilement exploité par les milieux d'affaires anglo-américains, avaient fait beaucoup pour persuader les Américains d'entrer dans la guerre. La révolution russe avait aussi éveillé des sympathies démocratiques et le programme de paix de Wilson devint, dès lors, son programme de guerre.

Bourassa approuvait l'adoption immédiate de la conscription sélective aux Etats-Unis, « *seul moyen pratique et équitable d'organiser une armée effective, tout en réduisant au minimum les dangers de désorganisation économique* », par opposition au système prétendu volontaire du Canada, qu'il caractérisa comme étant « *l'enrôlement par le chantage, l'intimidation, la séduction, les grotesques réclames de cirque, sans aucun égard pour les exigences de l'agriculture et des industries aussi essentielles à la victoire que le grand nombre de soldats.* » [71] Au Canada, ce fut « *le triomphe du militarisme sous sa forme la plus dangereuse et la plus bête* ». Aux Etats-Unis, ce fut « *l'assujettissement de l'organisation militaire aux intérêts suprêmes de la nation.* » [72] Les Etats-Unis avaient aussi appliqué les mesures agricoles que Bourassa avait, depuis longtemps, réclamées pour le Canada. Il souligna que cette différence résultait de l'application concrète du nationalisme et du colonialisme aux problèmes vitaux de la nation. Les Etats-Unis devaient maintenant se décider entre une contribution immédiate en argent et en approvisionnements et l'éventuel envoi d'une vaste armée, l'Angleterre demandant des approvisionnements et la France des soldats. Bourassa indiqua que, selon lui, l'influence anglaise serait celle qui marquerait le plus la politique américaine. Il prévoyait que l'entrée des Américains dans la guerre abrégerait le conflit, drainerait le capital américain, amènerait une dépression après la guerre et favoriserait un retour à la terre. Il prévoyait aussi l'avènement d'un militarisme permanent et d'une paix fondée sur la puissance politique, qui ne serait pas « *la paix sans victoire* » de Wilson. Dans un passage singulièrement prophétique, il avait prévu une alliance anglo-américaine qui obligerait le Japon à une politique de l' « *Asie aux Asiatiques* ». En évoquant les conséquences de l'intervention américaine pour le Canada, il souligna que le Canada était un pays nord-américain, dont l'avenir était lié à celui des Etats-Unis. Il prévoyait des avantages économiques immédiats mais, plus tard, des désavantages pour le partenaire le plus faible. L'émigration américaine vers le Canada serait ralentie, tandis que le socialisme d'Etat, prolongement du militarisme et l'absorption du

Canada par les Etats-Unis seraient favorisés au détriment de l'indépendance canadienne.

Bourassa ne commenta pas la conscription avant le 28 mai et il publia alors, jusqu'au 6 juin, une série d'articles dans *Le Devoir* qui furent reproduits immédiatement en français et, plus tard, en anglais. [73] A la page-titre étaient cités Laurier et Borden qui, le 17 janvier 1916, avaient assuré qu'il n'y aurait pas de conscription. Bourassa expliqua son silence depuis le 18 mai : une étude sereine eût été impossible au moment où éclata l'opposition populaire. Depuis la guerre sud-africaine, il était convaincu que le Canada était entré dans la voie qui menait à la conscription. Les événements lui avaient donné raison. Il demanda la signature des pétitions de la Ligue Patriotique des Intérêts Canadiens contre la conscription, mais il mit en garde contre le danger des rassemblements populaires qui pourraient mener à des excès de langage ou à des actes de violence. Il affirma que le Canada avait maintenant fait assez. Cependant, il eût approuvé une politique de conscription sélective dès le début de la guerre. Il fit remarquer que, proportionnellement, l'effort militaire du Canada était supérieur à ceux de la France et de l'Angleterre, à celui, également, que proposaient les Etats-Unis. Il avertit des dangers de banqueroute nationale, de crise ouvrière et de famine en Angleterre. Il demanda que ceux qui refusaient de s'engager soient mis au service de l'agriculture, enfin que les ressources et l'industrie soient aussi réquisitionnées. Il reprit l'argument de Laurier en 1916 : la conscription serait un obstacle à l'immigration, après la guerre.

Bourassa se tourna alors vers la scission entre les races causée par la guerre, en soulignant que des différends étaient inévitables, mais en insistant sur les avantages de l'association raciale. Il expliqua la nature du patriotisme des Canadiens français, fondé sur le dévouement au Canada comme unique patrie, combiné à leur affection pour la France et à leur sens raisonné du devoir envers l'Angleterre. Or, cette dernière opinion sur les obligations du Canada envers la Grande-Bretagne, qui était aussi celle du Canada anglais autrefois, avait été transformée par l'immigration anglaise massive et la propagande impérialiste. Il souligna que le Canada, déjà divisé quand il entra en guerre, l'était devenu davantage avec le temps. Maints *leaders* canadiens-français avaient tenté de gagner l'appui de leurs compatriotes à la participation, par des appels à la loyauté envers l'Angleterre et au devoir envers la France et, quand ces efforts échouèrent, ils avaient essayé de prouver que les Canadiens français participaient à la guerre aussi vigoureusement que les Canadiens anglais. Selon lui, cette erreur était pire que la première parce qu'elle ne pouvait finir que par « *d'acrimonieuses explications, d'amères désillusions et, surtout, de fort périlleuses réactions* » dans la situation présente. Il considérait la politique de mensonges réciproques pratiquée par les *leaders* des deux races au cours des récentes années comme étant le plus grand danger qui menaçait l'unité nationale et il demandait la pratique d'une franchise absolue. [74]

Bourassa déclara que l'immense majorité des Canadiens français avaient depuis longtemps conclu que le Canada avait dépassé les limites raisonnables de la participation à la guerre. Tant que l'enrôlement fut volontaire, ils avaient, pour la plupart, gardé le silence mais, quand Borden manqua à ses promesses et à celles de ses collègues du Québec, la réaction du Canadien français fut d'abord l'étonnement, puis la colère et enfin l'inébranlable résolution de s'opposer à la conscription par tous les moyens légitimes : « *Deux millions de Canadiens français sont opposés, en bloc, à la conscription.* » [75] Il avertit que « *tout, dans l'application d'une loi décrétant le service obligatoire, quelque impartiale discrétion qu'on y mette, tendrait à irriter les Canadiens français et, généralement, les Canadiens qui sont restés* canadiens *avant tout.* » [76] La conscription allait peser plus lourdement sur les Canadiens français que sur les Anglais. Bourassa n'en donnait pas la raison principale : un plus grand nombre de jeunes Canadiens anglais étaient déjà sous les drapeaux. Il attribuait le fait surtout à l'exode de jeunes Canadiens anglais vers les Etats-Unis. Il critiqua la présence, au Canada, d'un grand nombre de jeunes Anglais d'Angleterre qui avaient fui la conscription chez eux et il avertit qu'en raison des nombreux aubains qui en étaient exemptés, l'influence des véritables Canadiens dans leur propre pays en serait diminuée. Il reprocha au gouvernement de consentir à exempter du service militaire, pour des raisons religieuses, les Mennonites, les Doukhobors et les Quakers, tout en refusant de tenir compte du sentiment canadien-français qui n'acceptait le service militaire que pour la défense du Canada, exclusivement.

Bourassa prédit que l'adoption de la conscription « *ne tarderait pas à transformer en un peuple révolutionnaire la population la plus paisible, la mieux ordonnée peut-être des deux Amériques.* » [77] Affirmant que les ouvriers et les paysans canadiens-anglais s'opposaient aussi à la conscription, il réclamait un référendum national pour régler la question, parce que c'était « *l'unique soupape de sûreté qui permette d'éviter une dangereuse explosion.* » [78] Il rappela que Laurier et Borden, en 1916, avaient promis de ne pas recourir à la conscription, promesse renouvelée à l'occasion de l'immatriculation pour le service national et de l'élection dans Dorchester, attribuant l'adoption de la conscription par Borden à une pression des Anglais exercée lors de la Conférence impériale et à un effort pour empêcher les fuyards de la conscription américaine de chercher refuge au Canada, comme un si grand nombre de réfractaires britanniques et canadiens avaient cherché refuge aux Etats-Unis avant que ce pays entre en guerre.

Il s'opposait à un gouvernement de coalition et à la prolongation du parlement : « *Pour entraver les desseins nullement démontrés de Guillaume l'Autocrate, allons-nous permettre à Robert le Têtu, fût-il assuré du concours de Wilfrid le Conciliateur, de jouer avec nos vies et aussi avec la constitution et l'ordre établi ?* » [79] Il considérait que le programme de Borden tendait à soustraire le gouvernement au contrôle du peuple et il intima que Laurier n'avait pas le droit de se prêter à une telle manœuvre. Il nia l'analogie avec l'Angleterre, qui avait adopté la coalition et la conscription. En effet, le Canada n'avait ni le droit de déclarer la guerre, ni celui de rendre obligato're le service militaire outre-mer sans le consentement du peuple. Ni l'Australie, ni l'Afrique du Sud n'avaient adopté le gouvernement de coalition ou la conscription. Il demandait la dissolution immédiate du parlement et un référendum. Il estimait qu'une coalition suivie d'une élection, puis de la conscription si le gouvernement était soutenu, serait une « *invite formelle et définitive à l'insurrection* » [80] parce qu'elle obligera't les adversaires de la conscription à combattre les deux partis réunis. Il assura qu'il avait fait de son mieux pour calmer l'excitation présente, qu'il ferait de son mieux pour maintenir l'ordre public, mais qu'il ne répondait pas de la colère populaire si l'on poursuivait cette politique. Des résolutions condamnant la conscription et réclamant un référendum furent approuvées à l'unanimité par des milliers de personnes venues écouter Bourassa, le 7 juin, au Monument national.

L'émotion montait dans le Québec. Laurier fut invité le 25 mai, par Borden, à faire partie d'un gouvernement de coalition où, en dehors du premier ministre, les deux partis auraient une représentation égale. Laurier s'opposa au projet de conscription et mit en garde contre ses conséquences dans le Québec s'il était adopté sans un référendum ou une élection, en indiquant sa préférence pour cette dernière. Borden manifesta une forte aversion pour une élection en temps de guerre et Laurier promit d'étudier le projet de coalition et de consulter ses partisans. Le 29 mai, Borden se rendit aux instances de Laurier en faveur d'une élection. Il proposa un gouvernement de coalition et le vote du *Military Service Act,* étant entendu qu'il n'entrerait en vigueur qu'après les élections. Le 4 juin, il ajouta qu'il consentait à rendre acceptable à Laurier l'aile conservatrice du gouvernement de coalition proposé. Cependant, le 6 juin, Laurier refusa de faire partie d'une coalition parce qu'il ne pouvait pas collaborer à la mise en vigueur de la conscription dont le principe, auquel il s'opposait, avait été préalablement adopté. Il expliqua à Borden qu'il serait en meilleure posture, en dehors du gouvernement, pour faire opposition à Bourassa et à sa propagande et il promit d'appuyer le *Military Service Act* s'il était voté par le parlement. Un échange de lettres résumant les négociations fut publié le 7 juin. [81]

La correspondance privée de Laurier, au cours de cette période, indique qu'il était contre la coalition, même si la conscription n'avait pas été en cause. En effet, il n'avait aucune confiance en l'attitude de certains collègues de Borden sur les questions économiques, ferroviaires et autres. [82] Dans une lettre à Rowell, le 3 juin, il expliqua pourquoi il s'opposait à la conscription qui allait « *créer une ligne de séparation dans la population, dont je connais trop bien les conséquences et dont je ne veux pas être responsable.* » Il était convaincu que, dans chacune des autres provinces, existait une opposition latente à la conscription, en plus de celle, massive, du Québec, parce que le gouvernement reniait ses promesses solennelles de ne pas l'imposer. On l'avait accusé, dans le Québec, d'en être partisan parce qu'il avait présenté la Loi navale de 1911 et il avait été obligé de s'en défendre à maintes reprises et de promettre qu'elle ne serait jamais appliquée. « *Si maintenant* », écrivait-il, « *je vacillais, si j'hésitais ou flanchais, je mettrais tout simplement la province de Québec aux mains des extrémistes. Je perdrais le respect du peuple auquel je me suis ainsi adressé et je le mériterais. Je ne perdrais pas seulement leur respect, mais aussi le respect de moi-même.* » Selon lui, la seule solution équitable était d'en appeler immédiatement au pays, par un référendum ou des élections : « *Laissez le peuple décider et, s'il décide en faveur de la conscription comme il semble qu'il le fera dans les circonstances présentes, si j'en juge par l'attitude de nos amis de l'Ontario, quelle que soit l'influence que je puisse avoir, elle sera employée pour plaider, auprès du peuple du Québec, que cette question a été réglée par le verdict de la majorité et que tous doivent accepter loyalement sa décision et se soumettre à la loi. Ce ne sera pas une tâche facile, mais une tâche à laquelle je consacrerai toute mon énergie.* » [83] Au cours de cette même période, Clifford Sifton assurait à Borden qu'il approuvait la coalition et, à Laurier, qu'il la désapprouvait, mais qu'il favorisait la prolongation du parlement. Certains attribuèrent sa duplicité au désir de voir la guerre se poursuivre jusqu'à la victoire, mais d'autres y virent une intrigue pour s'assurer d'un gouvernement qui lui serait favorable au moment de la crise prévue dans les affaires du *Canadian Northern* et du Grand-Tronc Pacifique.

Borden déposa le 11 juin, devant la Chambre, le *Military Service Act,* qu'il avait préalablement soumis à Laurier. Il insista sur le besoin de renforts et, pour faire oublier ses promesses de ne jamais recourir à la conscription, il rappela sa déclaration du 1er janvier 1916 : « *Nos futurs efforts devront être proportionnés à l'importance du besoin* » et celle du 27 décembre où il refusa de donner aux ouvriers une assurance quelconque contre la conscription. Il nia qu'elle était imposée à la requête du gouvernement de Londres et assura que le principe du service obligatoire était admis par la loi canadienne depuis un demi-siècle. Au lieu de la sélection par tirage au sort, déjà prévue par le *Military Act,* il proposa une sélection suivant les besoins du pays, des exemptions étant prévues pour la main-d'œuvre de guerre essentielle, les difficultés individuelles sérieuses et les objections de conscience. Des tribunaux seraient créés pour traiter des exemptions et entendre les appels. Il plaida éloquemment pour la loyauté envers les hommes déjà outre-mer, affirmant qu'il se souciait davantage de leur réaction lors de leur retour au Canada, si le *bill* n'était pas adopté, que de la désunion, de la discorde et des querelles que l'on prévoyait comme conséquences de son adoption. [84]

En seconde lecture, le 18 juin, Laurier présenta un amendement réclamant un référendum avant toute poursuite du débat. Il déclara qu'en effet la loi du pays avait depuis longtemps prévu le service militaire obligatoire, mais pour la défense exclusive du Canada et il nia l'affirmation de Borden selon laquelle la première ligne de défense du Canada était en France et dans les Flandres. Il assura qu'il n'y avait jamais eu le moindre danger d'invasion allemande du Canada. Il affirma que l'existence du parlement n'aurait pas été prolongée en 1916 si le gouvernement avait alors annoncé son intention d'introduire la conscription. Puisque le parlement ne représentait plus le peuple et que le monde du travail et les Canadiens français étaient opposés à la conscription, il exigeait un référendum. Il attribua l'échec relatif du recrutement dans le Québec au fait que les Canadiens français étaient les plus anciens Canadiens et n'avaient plus les relations étroites avec la France qu'un si grand nombre de Canadiens anglais entretenaient encore avec l'Angleterre, à l'absence d'organisation militaire dans le Québec depuis 1760, à l'attitude de Bourassa depuis 1903, enfin à l'ineptie du gouvernement dans sa manière d'organiser le recrutement dans le Québec. Il apporta le témoignage du colonel Blondin, selon qui les Canadiens français auraient répondu s'ils avaient été recrutés, dès le début, pour des bataillons canadiens-français par des hommes tels que le général Lessard, le capitaine Papineau et le colonel Barré. [85]

Le débat dura trois semaines, la conscription recevant de plus en plus l'appui des députés libéraux de l'Ontario, des Maritimes et de l'Ouest. Hugh Guthrie, George Graham, F.F. Pardee, F.P. Carvell et Michael Clark dirigèrent la révolte des libéraux contre l'attitude de Laurier, tandis que Frank Oliver, Charles Murphy et tous les députés canadiens-français, sauf quatre, appuyèrent le *leader* libéral. Sam Hughes s'attaqua à Laurier et à Borden, accusant ce dernier d'avoir causé l'échec des engagements volontaires. Le procureur général, Arthur Meighen, dit amèrement à Laurier que la seule raison qui le laissait croire que le Canada n'était pas en danger d'invasion et qu'il pouvait rester assis en sûreté sur son siège était qu'il savait que les Alliés tiendraient bon sur le front, en France. Laurier fut aussi accusé, par le Dr Edwards, d'être responsable du préjugé anti-britan-

nique du Québec parce qu'il prêchait l'indépendance et le séparatisme et que ses jeunes partisans intervenaient pour nuire à la campagne de recrutement dans le Québec. J.A.M. Armstrong affirma
que la seule raison qui rendait la conscription nécessaire était que le
Québec avait failli à son devoir. Patenaude démissionna du cabinet
le 9 juin, laissant Sévigny comme unique représentant canadien-
français. Rainville, vice-président et le Dr Paquet, *whip* du gouvernement pour le Québec, démissionnèrent aussi. Cependant, Sévigny déclara ne voir aucune raison de démissionner parce que la plupart
des Canadiens français s'opposaient à la conscription et il attribua
l'échec relatif de l'effort de guerre du Québec, qu'il défendit, à une
organisation défectueuse. La conscription fut aussi approuvée par le
Dr J.-L. Chabot, d'Ottawa et par F.-J. Robidoux, du Nouveau-
Brunswick, tandis qu'un groupe de neuf conservateurs canadiens-français soutinrent l'amendement de J.-A. Barrette, présenté le 28 juin,
pour un ajournement à six mois.

Un bloc solide de députés canadiens-français, hormis les exceptions
mentionnées plus haut, appuyèrent l'attitude de Laurier et nombre
de députés du Québec furent entendus pour la première fois. Or,
leurs discours, pour la plupart en français, restèrent sans effet sur la
majorité de la Chambre en ce moment même et ils n'atteignirent les
lecteurs anglais du *Hansard* que quelques mois plus tard, quand les
traductions furent publiées dans l'édition revisée. Cependant, ils exprimaient l'amer ressentiment du Canada français et laissaient prévoir
la violence qui viendrait. L.-J. Gauthier lança cet avertissement :
« *Mes compatriotes sont décidés à résister jusqu'au bout, si vous voulez leur imposer une pareille loi.* » Joseph Demers dit que l'envoi de
200 000 hommes aurait suffi pour les besoins des Alliés et que le
Canada aurait dû se concentrer sur la production de nourriture, de
bateaux et de munitions. Jacques Bureau s'indigna des calomnies contre les Canadiens français : « *Nous ne voulons pas combattre pour la
liberté en Europe et jeter le Canada dans l'esclavage.* » Herménégilde
Boulay donna plusieurs raisons de l'opposition canadienne-française
à la conscription : les traditions, la constitution et le statut colonial
du Canada, le nombre suffisant d'hommes déjà outre-mer, le fait que
le mandat reçu du peuple en 1911 ne justifiait pas cette décision, sans
référendum, l'absence de traitement équitable de la minorité par la
majorité anglaise, enfin l'opposition au service outre-mer établi par
les libéraux en 1896 et par les conservateurs en 1911.

Alphonse Verville, libéral ouvrier, brandit une menace de grève
générale. Georges Boivin se déclara convaincu que le Canada avait fait
davantage que les autres nations alliées et dominions. J.-A.-C. Ethier
était persuadé que le Canada en avait assez fait et que la conscription détruirait l'autonomie, enlèverait la liberté et mènerait à la ruine.
Honoré Achim déclara que la dislocation du pays ne viendrait pas du

Québec, mais de l'Ontario, où le capital opprimait la classe ouvrière, où les industriels s'efforçaient de restreindre la liberté du commerce, où enfin les *jingoes* tentaient d'étouffer la liberté de conscience. Roch Lanctôt dit que le Canada n'avait pas de tranchées à défendre en Europe, mais que les Canadiens français avaient à combattre les Boches de l'Ontario et du Manitoba. Il n'était pas inquiet à l'idée que le Canada pourrait avoir un troisième maître européen. L.-J. Papineau demanda si les troupes canadiennes étaient envoyées dans les positions les plus exposées et il prédit que beaucoup plus que 50 000 ou 100 000 hommes seraient appelés à l'avenir. D.-A. Lafortune déclara que ce n'était la guerre du Canada que dans l'esprit du gouvernement et de ses amis : « *L'on dira que l'on doit donner son dernier sou pour sauver l'Empire, mais moi je dirai : je n'ai plus rien à donner.* » J.-E. Marcil demanda à l'armée britannique de montrer sa valeur en soulageant les troupes coloniales qui portent la majeure partie du fardeau depuis le début de la guerre. Médéric Martin prédit la fin de la Confédération et la guerre civile si Français et Anglais continuaient à s'insulter et si la conscription était adoptée. Le Québec estimait que le meilleur moyen d'aider l'Empire et les Alliés était de les approvisionner en vivres et en munitions. Le Dr Paquet était en faveur d'un référendum, mais il accusa les libéraux d'avoir plaidé pour le nationalisme et la non-participation aux guerres impériales avant 1909. Le commandant Gustave Boyer exprima son manque de confiance à l'égard du gouvernement, soulignant que le parlement n'avait aucun mandat du peuple et déclarant qu'un plus grand nombre d'hommes étaient nécessaires à la production domestique. A.-A. Mondou s'opposa à la conscription, tout en admettant que l'avenir de l'Empire était en jeu et que l'Angleterre combattait pour une cause juste, mais il annonça qu'à l'avenir il soutiendrait Laurier. [86] A cinq heures du matin, le 6 juillet, la motion de Laurier pour un référendum fut rejetée par une majorité de 59 voix et le *Military Service Bill* fut voté par une majorité de 63 voix.

Le *bill* revint en troisième lecture le 19 juillet. Il fut défendu par J.-C. Turriff, libéral de l'Ouest, qui avait aussi approuvé la proposition faite un mois plus tôt par Hugh Guthrie en faveur de la mobilisation des richesses. Guthrie et Pardee réitérèrent leur approbation du projet de loi. Laurier regretta que ses anciens collègues se fussent écartés de lui, mais il déclara n'avoir pas cherché à imposer ses opinions à ses partisans. Il lança cet avertissement : « *Nous sommes en présence d'une scission qui, si elle n'est pas enrayée, peut bouleverser le pays de fond en comble.* » Il se justifia d'avoir refusé de se joindre à une coalition qui avait déjà accepté la conscription. Il conclut :

« *Je m'oppose à ce projet parce qu'il contient en germe la discorde et la désunion, parce qu'il est un obstacle et un empêchement à cette union des cœurs et des âmes sans laquelle on ne peut espérer que cette Confédération atteindra les buts et les fins pour lesquels elle a été effectuée. Toute ma vie, Monsieur l'Orateur, j'ai combattu la coercition, toute ma vie j'ai favorisé la bonne entente et le motif qui m'a inspiré cette attitude sera à jamais mon guide tant qu'il restera un souffle dans ma poitrine. »* [87]

Arthur Meighen, qui assumait un rôle dirigeant à la tête des forces conservatrices tandis que la santé de Borden déclinait, répondit à Laurier en soulignant que le projet avait été approuvé, en seconde lecture, à une écrasante majorité. Il fut voté le 24 juillet, par 102 voix contre 44.

Au Sénat, le gouvernement fut vivement critiqué par les représentants du Québec, après que le cardinal Bégin se fut opposé à la loi parce qu'elle n'exemptait pas les étudiants en théologie. Le sénateur Landry accusa les autorités d'avoir systématiquement feint d'ignorer le Québec rural pour le recrutement et insista sur le ressentiment causé par le démembrement des bataillons canadiens-français et le refus de former une brigade canadienne-française. L'indignation du Québec au sujet de la question scolaire fut fréquemment désignée comme cause de son faible recrutement. Le sénateur Dandurand assura que les nationalistes avaient exploité ce problème avec tant de succès en 1915 et 1916 qu'ils avaient amené le recrutement à un point mort. Il insista sur la nécessité d'organiser l'agriculture et l'industrie pour la guerre. Le sénateur Beaubien admit le besoin de renforts, mais il refusa de suivre son parti pour appuyer la conscription, puisque le sentiment du Québec lui était si fortement opposé. Le *bill* vint en seconde lecture, au Sénat, le 3 août. Un amendement présenté par le chef libéral, le sénateur Bostock, proposant que la loi n'entre en vigueur qu'après une élection générale, fut rejeté par 44 voix contre 35. Les sénateurs conservateurs Landry, Beaubien et Montplaisir avaient voté pour. Les sénateurs L'Espérance et Beaubien approuvèrent la conscription en seconde lecture et ils furent soutenus par les sénateurs Poirier et Bourque du Nouveau-Brunswick.

Le général Mason présenta au Sénat, le 3 août, un sommaire des statistiques du recrutement montrant que, sur un total de 424 456 hommes, l'Ontario en avait fourni 184 545 et le Québec 46 777. Il évaluait le nombre des volontaires de naissance anglaise à 162 092, soit 49,2 pour cent de ceux qui étaient outre-mer. Des volontaires déjà outre-mer, il estimait que 132 265, soit 40,2 pour cent, étaient des Canadiens anglais et 14 684, soit 4,5 pour cent, étaient des Canadiens français. Laurier mit en doute ce total canadien-français. Selon lui, 20 000 était plus près de la vérité et le sénateur Choquette affirma que le chiffre s'élevait à 25 000 ou 30 000. Les sénateurs Bourque et Poirier affirmèrent à leurs collègues anglais que le Québec ferait aussi

bien que toute autre province si l'on s'adressait à lui de la bonne
manière. Le Sénat vota la loi par 54 voix contre 25. Neuf libéraux
anglais avaient voté dans le sens du gouvernement. [88]

Le 9 août, Borden organisa une conférence avec Laurier au palais
du gouvernement. Le gouverneur général parla des dangers d'une
élection en temps de guerre et Borden de ceux d'une victoire incom-
plète, ou d'une défaite. Laurier demanda des élections avec fermeté,
afin d'éclaircir l'atmosphère. Lord Shaughnessy et Clifford Sifton
proposèrent de remettre les élections à plus tard. Sir Lomer Gouin
partagea l'avis de Laurier et refusa de faire partie du gouvernement.
Borden fit une offre finale de coalition, avec suspension de la conscription pour six mois, prolongation du parlement pour la même
période et appel conjoint au volontariat, mais elle ne fut pas acceptée. [89]

## 8

Les journaux anglais se liguèrent peu à peu pour demander la
conscription, après que le *Toronto Globe* eut rempli ses colonnes de
commentaires favorables pendant le premier mois de la discussion.
Les journaux français, à l'exception de *La Patrie* et de *L'Evénement,*
s'y opposèrent presque tous. *Le Canada* et *La Presse* exigèrent d'abord
un référendum puis, le 25 juillet, *Le Canada* écrivit que le gouvernement avait rendu un verdict de mort contre 100 000 jeunes Canadiens
et *La Presse* proclama que des élections étaient le seul moyen de calmer les passions raciales. Le 28 juillet, *L'Action catholique* publia
une interview du cardinal Bégin, dans laquelle le prélat déclarait que
le fait de n'avoir pas exempté les frères lais et les étudiants en
théologie constituait une grave violation des droits de l'Eglise à laquelle devaient s'opposer tous les bons chrétiens. Le 8 août, Mgr
Bruchési déclara que la guerre religieuse et raciale était proche, puisque des « *droits incontestables avaient été violés.* » [90] Après que la
conscription eut été annoncée en mai, l'archevêque avait engagé ses
fidèles à « *user de leurs droits de citoyens libres avec calme et modération* » et, le 6 juin, dépité de ce que le gouvernement eût changé de
politique, il expliqua qu'il avait approuvé le Service national parce
que Borden l'avait assuré qu'il ne s'agissait pas de conscription, à
laquelle il était lui-même opposé. [91] *Le Devoir* continua de la combattre et, le 28 juin, il proclama qu'il fallait mettre un terme aux
enrôlements si le Canada devait survivre. Le 26 juillet, il critiqua le
parlement, l'accusant de mépris criminel des droits du peuple et des
besoins de la nation, soulignant que les soldats canadiens combattaient
pour l'Empire dans les mêmes conditions que les Sénégalais forcés de
combattre pour la France. [92]

Ferdinand Roy, avocat distingué de Québec, membre de la faculté
de droit à Laval, publia une brochure intitulée *L'appel aux armes et*

*la réponse canadienne-française,* où il exhortait ses compatriotes à cesser de s'opposer à la guerre, à s'enrôler et à se soumettre de bonne grâce au *Military Service Act* quand il aurait force de loi. Il faisait appel à la raison, à la tolérance et à une nouvelle conception du devoir du Canada français, qui ne devait pas se laisser emporter par la marée montante de haine raciale. Il mettait en garde contre le danger d'une opposition solitaire à la politique de guerre du Canada, opposition qu'il attribuait à la question scolaire, à la politique déplorable du gouvernement Borden, aux manœuvres libérales maladroites, aux erreurs nationalistes et à l'anticléricalisme français. Il soulignait que la cause alliée était celle de la civilisation et que les Canadiens français se devaient de ne pas déserter une cause qu'ils avaient épousée en 1914. Affirmant sa propre opposition vigoureuse à la conscription, il adjura les Canadiens français de cesser de protester contre un fait accompli, ce qui ne pouvait finir que par la guerre civile. Le temps était passé d'un débat stérile qui ne pourrait désormais qu'aggraver le problème. Les Canadiens français devaient sacrifier leurs opinions, leurs goûts pacifiques et leur sang dans l'intérêt du bien-être futur de leur race. Roy accusait Bourassa de prêcher « *l'égoïsme sacré* » dans un pays où le comprom's entre les races était essentiel et de prétendre que le Canada français n'était nullement tenu de combattre pour la France, mère de sa civilisation. [93] On put constater le changement d'attitude de la hiérarchie à l'occasion d'un éditorial de *L'Action catholique* du 31 juillet sur la brochure de Roy, qui affirmait que le seul devoir des Canadiens français était de défendre leur pays auquel il était maintenant demandé de faire un effort au-dessus de ses forces. Le sénateur Dandurand et Sir Georges Garneau approuvèrent l'attitude de Roy, tandis qu'Armand Lavergne la condamna, déclarant que, si un référendum n'était pas accordé, il serait nécessaire d'appeler le peuple aux armes pour défendre la démocratie au Canada.

L'opposition de la hiérarchie à la conscription se manifesta lors d'une entrevue de Mgr Bruchési avec Borden, le 7 juillet, où l'archevêque lui déclara douter des résultats à attendre d'un recrutement plus intense et estimer que l'exemption des Canadiens français les exposerait au mépris. Il était en faveur d'élections. Le cardinal Bégin fit aussi pression sur le ministre de la justice Doherty, fin juillet, pour faire modifier les dispositions de la loi relatives aux clercs. [94] Le 7 juillet, l'hebdomadaire ecclésiastique *La Vérité* publia un article signé par un certain Louis Romain, que l'on crut être Mgr Paquet, recteur de l'Université Laval. Par des arguments théologiques, l'article démontrait que la lettre pastorale des évêques, en 1914, n'avait pas fait de la participation une obligation absolue. Cette affirmation, par un porte-parole officieux de la hiérarchie, reflétait le changement d'attitude du haut-clergé.

Une brochure intitulée *Halte-là, Patriote !* exprimait les opinions du bas-clergé. Signée Jean Vindex, en qui l'on crut reconnaître le père Hermas Lalande, s.j., elle réfutait l'abbé d'Amours et discutait le point de vue de Louis Romain. L'auteur admettait franchement les différences d'opinion entre le haut-clergé des villes, qui appuyait la guerre et les curés des paroisses rurales qui s'y opposaient. Il combattait les doctrines de la « *nouvelle école d'impérialistes* », à laquelle appartenait la hiérarchie et défendait les nationalistes contre les accusations de d'Amours. Jean Vindex accusait l'abbé d'Amours et les impérialistes de mal interpréter l'attitude de la hiérarchie et de dénaturer le texte de la lettre pastorale de 1914 pour la faire servir à leurs fins. [95] Il est hors de doute que Jean Vindex exprimait avec vérité l'attitude du bas-clergé dont l'opposition à la guerre fut affermie par l'adoption de la conscription. Le clergé des campagnes était en rapport plus étroit avec le peuple et moins sensible aux influences extérieures que la hiérarchie et le clergé des villes. Il se faisait l'écho de l'opinion publique et, à la fois, influait fortement sur elle. Grâce à lui, l'influence de Bourassa atteignit les régions les plus reculées de la province. La profondeur de son sentiment d'opposition à la guerre se mesure à l'audace qu'il eut de résister aux opinions de la hiérarchie, malgré la stricte discipline de l'Eglise.

L'émotion grandit bientôt dans le Québec. Dès le 15 juin, *La Croix*, journal ultramontain de Montréal, évoquait la possibilité d'une sécession entre le Québec et la Confédération. Lavergne, qui avait déclaré, en 1916, qu'il s'engagerait si jamais la conscription était adoptée, annonça le 25 mai : « *J'irai en prison, ou je serai pendu ou fusillé avant de l'accepter.* » A Loretteville, le 27 mai, il conseilla de désobéir à la loi, si le parlement l'adoptait, en évoquant l'esprit de 1837. Devant une assemblée de 15 000 personnes, à Québec, le 15 juillet, il déclara : « *Si la loi de conscription est mise en vigueur, les Canadiens n'ont qu'un seul choix, mourir en Europe, ou mourir au Canada. En ce qui me concerne, si mon corps doit tomber dans un pays quelconque, je veux que ce soit sur le sol canadien.* » [96] Tancrède Marcil, dont le journal *Le Réveil*, opposé à la guerre, avait été suspendu en mars après un avertissement d'Ottawa, publia *La Liberté*, journal tout aussi violent, qui jugeait « *la révolution cent fois meilleure que l'esclavage* » [97] et qui fut aussi suspendu le 24 juillet après avoir demandé une grève générale, le retrait des dépôts dans les banques et, s'il le fallait, la révolution.

Tous les soirs, en juin, juillet et août, des rassemblements se formèrent à Montréal pour protester contre la conscription, les foules parcouraient les rues en criant « *A bas Borden !* » et « *Vive la révolution !* », brisant les vitres et tirant des balles à blanc. Un certain Elie Lalumière se vantait d'entraîner 500 hommes pour résister activement à la conscription. L'agitation atteignit son point culminant les

soirs des 29 et 30 août. Des orateurs exhortèrent les foules à nettoyer
leurs vieux fusils et à cotiser pour l'achat d'autres armes. La police
tenta de disperser les manifestants : il y eut un tué et quatre policiers
furent blessés. [98] Au cours des débats sur la conscription, Borden et
ses partisans canadiens-français reçurent aussi des lettres de menaces
provenant du Québec.

La passion oratoire des adversaires de la conscription produisit le
premier incident grave de véritable violence le 9 août, quand la
propriété de lord Atholstan (Hugh Graham), à Cartierville, dont
le *Montreal Star* soutenait vigoureusement la conscription, fut dyna-
mitée. Lalumière et onze autres furent poursuivis pour cet attentat
et Lalumière fit une confession écrite, avouant des complots pour faire
sauter les bureaux du *Star* et de la *Gazette,* le *Mount Royal Club,*
la propriété du sénateur Beaubien, pour tuer Borden et d'autres
hommes publics qui appuyaient la conscription. Paul Lafortune approuva l'attentat de Cartierville lors d'une réunion publique le 12
août, mais Bourassa le condamna dans un éditorial intitulé *Violence
stérile,* le 11 août. Il déclara que les agitateurs procuraient des armes
mortelles aux ennemis du Canada français et il désapprouva les propos
de résistance passive. Il demanda qu'on élise plutôt des candidats
opposés à la conscription, qui demanderaient l'abrogation de la loi.
Il condamna les actes de violence, comme illégitimes et inexcusables.
La presse rurale, effrayée des violences à Montréal, fit écho, avec
enthousiasme, à l'appel de Bourassa. [99] Cependant l'agitation, à
Montréal, continuait à se déchaîner, jusqu'à ce que quatre *leaders,*
Villeneuve, Lafortune, Côté et Mongeau, fussent arrêtés à la suite
d'une réunion publique le 12 septembre, où Villeneuve avait demandé l'annexion ou l'indépendance, en s'écriant : « *Nous en avons
assez de l'*Union Jack » et où d'autres orateurs approuvèrent l'attentat
contre Atholstan. Les agitateurs, relâchés sous caution, poursuivirent
leurs activités, mais avec moins de violence verbale.

## 9

Le gouvernement avait proposé, le 17 juillet, de prolonger d'un
an le parlement, Borden promettant de ne pas donner suite si
l'opposition, en tant que parti, se prononçait contre. Laurier n'appuya
pas la motion et George Graham proposa que la prolongation ne soit
pas examinée avant la présentation d'un projet de mobilisation des
richesses. Cet amendement fut approuvé par tous les libéraux, à l'exception du Dr Clark et il ne fut rejeté qu'à 17 voix de majorité.
Après que Laurier eut critiqué le gouvernement pour sa gestion de
l'effort de guerre et que le Dr Clark eut appuyé Borden, la motion
de prolongation fut adoptée par vingt voix de majorité. Borden, toute-

fois, annonça qu'il n'y aurait pas prolongation, la majorité ayant été si faible. Le gouvernement britannique, en effet, avait préalablement précisé qu'il ne voterait la législation impériale nécessaire pour autoriser la prolongation que si elle recevait une approbation quasi-unanime.

Les négociations pour la formation d'un gouvernement de coalition s'étaient poursuivies sans arrêt depuis que Laurier avait refusé la proposition, le 6 juin. Pour faciliter les choses, Foster, le 12 juin, remit à Borden la démission de tous les ministres. La coalition fut rendue difficile par la division des libéraux qui se groupaient en nombreux camps d'opinions différentes à mesure que se déroulaient les débats sur la conscription. Borden commença, par l'entremise de Sir John Willison, à faire des avances aux libéraux de l'Ontario favorables à la conscription qui avaient N.W. Rowell à leur tête. Le 25 juin, il conféra avec C.C. Ballantyne, de Montréal, qu'il avait convoqué et obtint l'assurance de sa collaboration pour la conscription et la coalition. Le lendemain, il discuta la coalition avec Rowell et Sifton. [100] Quand Rowell apprit que Laurier n'aiderait pas à former une coalition, quelles que soient les circonstances, il s'efforça de la faire accepter aux libéraux de l'Ontario partisans de la conscription, pendant que Sifton travaillait pour gagner ceux de l'Ouest. Le 20 juillet, des députés et des candidats libéraux, réunis à Toronto, confirmèrent Laurier à la direction du parti, s'opposèrent à la coalition et à la mise en vigueur de la conscription avant un nouvel effort de recrutement volontaire. Le 26 juillet, les rédacteurs des journaux libéraux de l'Ontario se prononcèrent pour la coalition, en posant comme condition la mobilisation des hommes et des ressources, mais ils refusèrent d'accepter Borden à la tête d'un tel gouvernement.

Entre temps, Sifton avait publié un manifeste, le 3 juillet, favorisant un gouvernement d'union et la conscription avec, si possible, prolongation du parlement. Il réunit un congrès des libéraux de l'Ouest, à Winnipeg, le 7 août. Dans une lettre à Martin, premier ministre du Saskatchewan, qui l'avait assuré que l'alliance de Sifton avec Borden était mal vue dans l'Ouest, Laurier déclara approuver le congrès, mais condamner Sifton qui cherchait à diviser le parti libéral sur le plan racial et religieux. [101] Dans une campagne éclair pour s'assurer l'appui de l'Ouest, Sifton déclara qu'une victoire électorale de Laurier signifierait que le Canada se retire de la guerre. Laurier répondit, en Chambre, qu'il était pour la guerre jusqu'au bout, mais sur la base de l'enrôlement volontaire et non de la conscription. [102] Du point de vue de Sifton, ce congrès fut un fiasco, les libéraux de l'Alberta et de la Colombie britannique ayant approuvé énergiquement la direction du parti par Laurier. Des résolutions furent adoptées, condamnant le gouvernement Borden, demandant la poursuite vigoureuse de la guerre, rejetant un amendement favorable au service militaire obligatoire et rendant hommage à Laurier en l'appelant « *le plus grand de tous les Canadiens* ». Sifton, avec l'aide du *Manitoba Free Press,* poursuivit quand même ses efforts pour la coalition et, le 20 août, il avait réussi à faire accepter dans l'Ouest un gouvernement d'union dont feraient partie son frère Arthur Sifton, de l'Alberta, J.A. Calder, du Saskatchewan et T.A. Crerar, du Manitoba. Une seconde conférence libérale, à Winnipeg, les 24 et 25 août, consentit à la coalition, mais refusa d'accepter Borden comme premier ministre. Pour ce poste, elle suggéra Sir George Foster, Sir William Mulock, Sir Adam Beck, ou F.B. Carvell. Les conservateurs, réunis en conseil le 29 août, refusèrent d'accepter la démission de Borden. Aussi, les tentatives de coalition restèrent-elles, pour le moment, au point mort.

Le gouvernement adopta, le 29 août, le *Military Voters' Act* qui, déposé devant la Chambre dès le 13 août, donnait le droit de vote à tous les sujets anglais qui faisaient partie des forces canadiennes et à tous ceux qui s'étaient enrôlés dans certaines forces anglaises pendant leur séjour au Canada. La loi comportait des dispositions pour permettre de voter outre-mer. Le 6 septembre, un autre *War Time Election Bill* fut déposé devant la Chambre par Arthur Meighen, pendant une indisposition de Borden. Cette mesure, très discutable, donnait le droit de vote aux parents féminins des soldats, l'enlevait aux Néo-Canadiens venus de pays ennemis, naturalisés depuis 1902 et aux objecteurs de conscience et, sur cette base, elle ordonnait la préparation de nouvelles listes électorales. Meighen, qui avait conçu ce *bill,* fit valoir, comme justification du droit de vote des femmes de soldats, que nombre d'entre eux ne pouvaient pas voter. Quant à l'annulation du droit de vote des Néo-Canadiens trop récents, il expliqua qu'ils avaient été exclus de l'enrôlement. La plupart des nouveaux venus étaient libéraux : en effet, ils avaient trouvé la prospérité sous le régime Laurier. On comptait que les femmes appuieraient la conscription, d'abord par gratitude pour le privilège de voter, puis dans l'intérêt de leurs parents d'outre-mer. Cette mesure équivalait, évidemment, à une manipulation des votes, colossale et malhonnête. Combattue par l'opposition tout entière, elle fut imposée de force par la règle de clôture le 14 septembre. Guthrie fut le seul libéral à voter pour elle.

Une de ses conséquences fut de briser la résistance de l'opposition libérale de l'Ouest à une coalition formée conformément aux conditions de Borden. Rowell conféra avec les libéraux de l'Ouest le 20 septembre, à Winnipeg, le jour même où le parlement fut prorogé et ils reprirent leurs négociations avec Borden, au début d'octobre, à Ottawa. Borden avait déjà ajouté plusieurs libéraux à son gouvernement : Ballantyne était maintenant ministre de la marine, le général Mewburn, ministre de la milice et Hugh Guthrie, procureur général.

Les députés de l'Ouest, craignant d'être exclus du gouvernement, renoncèrent à leurs objections contre Borden en tant que premier ministre et ils cessèrent d'insister pour obtenir quatre postes dans le cabinet. Aussi, le 12 octobre, A.L. Sifton prêtait-il serment comme ministre des douanes, Crerar comme ministre de l'agriculture et Calder comme ministre de l'immigration et de la colonisation. Rowell devint président du Conseil Privé et, plus tard, Carvell fut nommé ministre des travaux publics. G.D. Robertson et A.K. Maclean devinrent ministres sans portefeuille. Sir George Perley fut nommé haut-commissaire à Londres, poste qu'il convoitait depuis longtemps et cessa de faire partie du cabinet qui comptait maintenant treize conservateurs et dix libéraux. Un comité de guerre de dix membres, comprenant un nombre égal de conservateurs et de libéraux, fut créé le 16 octobre, en même temps qu'un comité de reconstruction et de développement avec six ministres conservateurs et quatre libéraux. Blondin et Sévigny furent les seuls ministres canadiens-français et ils étaient notoirement sans influence dans le Québec.

Le Canada faisait maintenant face à une élection en temps de guerre et le Québec était presque complètement isolé des autres provinces. Au début d'octobre, les libéraux partisans de la conscription tentèrent d'obtenir de Laurier qu'il démissionne en faveur d'un chef canadien-anglais, mais l'ensemble du parti refusa d'accepter son offre de se retirer. Le gouvernement s'arrangea pour éviter une opposition conservatrice aux candidats libéraux-unionistes et, dans deux comtés seulement, les conservateurs s'insurgèrent et présentèrent chacun un candidat contre leurs nouveaux alliés. Laurier tenta d'exploiter les preuves d'incompétence et de corruption données par le gouvernement, mais les forces mises en œuvre par ce dernier intimèrent qu'il s'agissait de poursuivre la guerre par la conscription ou de s'en retirer, de soutenir les hommes au front ou de les trahir. Ce plaidoyer fut d'autant plus écouté que l'on apprit, en novembre, la coûteuse victoire de Passchendaele qui avait causé la perte de 30 741 hommes. De juillet à octobre, les pertes se chiffrèrent à 38 057, tandis que les enrôlements ne dépassèrent pas 18 471.

Les premiers conscrits furent appelés le 13 octobre, en vertu du *Military Service Act,* pour se présenter en janvier 1918. Cependant, 57 pour cent des appelés, entre 20 et 45 ans, avaient réclamé l'exemption dès le 10 novembre. Les rapports définitifs pour l'année montrèrent que, sur un total de 125 750 hommes inscrits en Ontario, 118 128 avaient réclamé l'exemption. Dans le Québec, sur un total de 117 104 inscrits, 115 707 l'avaient aussi réclamée. Les tribunaux de l'Ontario rejetèrent 19 148 demandes et en laissèrent 4 783 en instance. Les tribunaux du Québec en rejetèrent 3 711 et en laissèrent 22 421 en instance. Dans presque toutes les provinces, une proportion aussi élevée réclama l'exemption, qui fut accordée dans la plupart des cas. [103]. En novembre, *La Presse* défendit le Québec, dont les bureaux locaux étaient accusés, par l'Ontario, d'exempter les hommes en masse et elle souligna que la situation était la même dans l'ensemble du pays. [104] Toute la question de la conscription fut remise en cause au cours de la campagne, ce qui eut pour effet de nuire à une effective mise en vigueur.

Les Canadiens anglais, quelle que fût leur affiliation politique, appuyèrent bruyamment la conscription, en paroles. En fait, ils n'étaient pas beaucoup plus disposés à l'accepter que les Canadiens frança's qui, en immense majorité, s'y opposaient. De la presse française, seul *L'Evénement* demeura fidèle au gouvernement. L'appui de *La Patrie* était incertain. *La Presse* rappela le solide appui donné par les Canadiens français au vieux chef Laurier, abandonné par la plupart de ses partisans canadiens-anglais. *Le Canada* donna beaucoup d'importance à un prétendu complot dont le but aurait été d'isoler et de discréditer le Canada français. *L'Action catholique* fit appel au calme, tout en exprimant une opposition sans équivoque à la conscription et elle accusa le gouvernement de dresser le Canada anglais contre le Québec pour gagner aux élections. Le gouvernement avait presque toute la presse anglaise derrière lui, ainsi que les organisations des deux partis dans la plupart des provinces. Une campagne pour l'*Emprunt de la Victoire,* en novembre, auquel Bourassa s'opposa violemment comme menant à la banqueroute nationale, s'adaptait bien à la cause du gouvernement. [105] Le dimanche précédant les élections du 17 décembre, les tro's-quarts des chaires protestantes demandèrent d'appuyer le gouvernement, parce que c'était un devoir sacré. Elles répondaient ainsi à une circulaire unioniste. [106] Les bulletins des soldats ne leur permettaient de voter que pour ou contre le gouvernement. [107]

La décision de Bourassa, au début de novembre, de conseiller d'appuyer Laurier et les libéraux, comme étant le moindre mal pour le moment, fit le jeu du gouvernement. Il souligna qu'il y avait encore en Angleterre 4 000 000 d'hommes en âge de porter les armes qui n'étaient pas encore appelés. Il affirma que le Canada avait fait beaucoup plus qu'assez, sans la conscription. La presse de l'Ontario et de l'Ouest menèrent une violente campagne contre le Québec et Laurier. Le *Toronto Mail and Empire* du 10 décembre annonça que Laurier était sans aucun doute bien vu du Kaiser et, le lendemain, inséra une annonce d'élection déclarant qu'un Québec uni tentait de régner sur le Canada. Le jour de l'élection, le *Mail and Empire* dit qu'un vote pour Laurier et ses partisans était un vote pour Bourassa, contre les combattants au front, contre le lien avec la Grande-Bretagne et l'Empire, ma's un vote pour l'Allemagne, le Kaiser, Hindenburg, von Tirpitz et celui qui coula le *Lusitania.* Laurier fut décrit comme l'espoir du Québec, une menace pour le Canada et une satisfaction pour le Kaiser. Le *Toronto Daily News* imprima, le 14 décembre, une carte du Canada avec le Québec en noir, sous l'en-tête *The Foul Blot on Canada*. Laurier était représenté comme ayant capitulé devant Bourassa. Le 7 décembre, le *Manitoba Free Press* déclara à ses lecteurs qu'il s'agissait de choisir entre l'union et la guerre, ou Laurier et la désunion. Un *Citizen's Union Committee* de Toronto remplit la presse anglaise d'annonces enflammées déclarant « *le Québec ne doit pas dominer le Canada* » et « *la victoire de Laurier serait la première défaite canadienne.* » [108] Le comité de publicité unioniste, sous la direction de Sir John Willison, reliait constamment Laurier, Bourassa et le Québec et soulevait l'animosité ethnique contre le Canada français. [109] Les *leaders* conservateurs intimèrent que « *le Québec était l'enfant gâté de la Confédération* », « *le foyer d'infection du dominion tout entier* » et que, si Laurier l'emportait aux élections, Bourassa gouvernerait le Canada. [110]

Dans le Québec, le gouvernement n'espérait guère que l'élection de Doherty, Ames, Ballantyne, Sévigny et Blondin. Sévigny se présenta dans Dorchester et Westmount, prétendant qu'en refusant la coalition, Laurier avait provoqué la disgrâce du Québec et empêché le règlement des questions scolaires de l'Ontario et du Manitoba. Or, ses réunions étaient chaque fois le théâtre d'émeutes et il fut brûlé en effigie à Montréal. Avec ses collègues Blondin et Rainville, il formait « *le triumvirat des traîtres* ». Les réunions de Ballantyne, Doherty et Ames furent aussi dispersées par des émeutiers, ainsi que celles de candidats unionistes moins importants. L'émotion devint si vive que, pendant un certain temps, les réunions unionistes furent suspendues. Sévigny et Joseph Bernard, de *L'Evénement*, furent menacés d'être lynchés. Il était évident que la violence régnait dans toute la province, à Montréal, Québec et Sherbrooke, ainsi que dans les comtés ruraux. Les rapports qu'en firent les journaux anglais amenèrent des réactions contre les libéraux et le Québec, quoique Borden aussi fût hué par la foule à Kitchener, en Ontario. Laurier, dans son manifeste électoral, reprocha au gouvernement de coalition d'avoir un programme exclusivement conservateur, attaqua le *War Time Election Act* ainsi que l'achat des chemins de fer par le gouvernement et jugea inadmissible la mobilisation des hommes sans celle des richesses et sans référendum. Il s'engagea à exécuter la volonté de la majorité telle que l'exprimerait un référendum et à lancer un puissant appel en faveur du recrutement volontaire qui, « *spécialement dans le Québec, n'a pas été soumis à une épreuve équitable* ». S'il était appelé à former un gouvernement, celui-ci comprendrait des représentants du monde des affaires, des milieux ouvriers et agricoles, pour que les masses soient protégées « *contre le privilège organisé qui a exercé jusqu'à maintenant un contrôle beaucoup trop grand sur le gouvernement du pays.* » [111]

Lors de sa première réunion électorale, à Québec, le 9 novembre, Laurier déclara : « *Je crois que nous devons continuer... mais au moyen du système volontaire comme nous l'avons fait jusqu'ici* ». [112] Il demanda cependant que l'armée reçoive des renforts. Sir Lomer Gouin dénonça les tentatives faites pour isoler le Québec et il approuva le plaidoyer de Laurier en faveur de l'enrôlement. A Ottawa, le 27 novembre, soulignant que l'Australie avait rejeté la conscription, Laurier observa : « *Ce n'est donc pas une question de race.* » Il insista aussi sur les divergences d'opinions qui le séparaient de Bourassa et il affirma que le meilleur moyen de persuader les hommes de gagner la guerre était de « *faire appel à l'intelligence, au cœur et à la raison de la Province de Québec.* » Laissant le Québec à Lemieux et à Gouin, l'Ontario à ses fidèles H.H. Dewart et Sir Allen Aylesworth, il consacra à l'Ouest les dernières semaines de sa campagne. Il y fut très écouté mais, évidemment, il n'influença pas beaucoup d'électeurs. Une grande partie du vote agraire fut perdue pour Laurier dans l'Ontario et dans l'Ouest quand le général Mewburn, ministre de la milice, promit, le 25 novembre, que les fils de cultivateurs travaillant à la production de denrées alimentaires seraient exemptés du service militaire. Les ligues de recrutement, les églises et les femmes nouvellement dotées du droit de vote pesèrent de tout leur poids en faveur du gouvernement d'union. Le monde ouvrier lança un mouvement de tiers parti, mais il ne fut pas activement hostile au gouvernement. Les soldats furent puissamment sollicités par le gouvernement et les libéraux unionistes, tandis que W.T.R. Preston conduisait seul une campagne en faveur de Laurier par des annonces dans les journaux anglais. [113]

Le résultat fut la victoire écrasante du gouvernement d'union, qui obtint une majorité de soixante et onze sièges. Il n'y eut que trois députés du Québec partisans du gouvernement, Doherty, Ballantyne et Ames, dans les circonscriptions montréalaises de forte population anglaise. Sévigny fut battu dans les deux circonscriptions de Dorchester et de Westmount, Blondin battu par une énorme majorité dans Champlain et une moins forte dans Montréal. Dans les Maritimes, les libéraux n'obtinrent que dix sièges et le gouvernement vingt et un, en Ontario huit seulement et le gouvernement soixante-quatorze, dans l'Ouest deux seulement et le gouvernement cinquante-cinq. Le vote de l'armée donna douze à un en faveur du gouvernement. Un seul partisan canadien-français du gouvernement fut élu, le Dr J.-L. Chabot, d'Ottawa, qui gagna contre Laurier dans cette circonscription par une majorité de plus de 5 000 voix, mais le chef libéral fut réélu dans Québec-Est, où sa majorité fut triomphale, comme à l'accoutumée. Le Canada français resta sans représentation au gouvernement, car Blondin chercha refuge dans un poste de sénateur et

Sévigny démissionna le 7 mars, en rendant hommage à la bonne volonté de Borden envers les Canadiens français. [114]

Bourassa qualifia le résultat de l'élection de victoire pour l'indépendance : « *Les Canadiens français ont résisté* en masse *parce qu'ils sont,* en masse, *nationalistes d'instinct et depuis maintes générations* ». Il prévoyait, pour l'après-guerre, la rupture des partis et un nouvel alignement sur les questions de règlement des comptes avec l'Angleterre et le rétablissement de l'équilibre économique canadien où les Canadiens français auraient un rôle important à jouer, du côté nationaliste et contre l'impérialisme. [115] Arthur Sauvé, *leader* conservateur de la province, reconnut que l'élection était un triomphe pour Bourassa et ses idées, mais *L'Evénement* avertit le Québec : « *Sous un chef en qui vous avez depuis si longtemps placé votre confiance et qui vous a conduits à une position si dangereuse, vous mettant en opposition avec presque tout le reste de la Confédération, vous êtes maintenant réellement isolés et seuls dans votre coin, incapables de faire quoi que ce soit pour vous-mêmes ou n'importe qui.* » *Le Soleil* attribua la défaite de Laurier au fanatisme et au cri de la race, mais il se consola à la pensée qu'il aurait plus de partisans dans le nouveau parlement qu'il n'en avait eu depuis 1911. *La Presse* écrivit que le Québec avait été fidèle à ses obligations nationales, mais demanda un renouveau du mouvement de bonne entente. Le *Montreal Herald* proposa que Laurier soit, une fois de plus, invité à entrer dans le cabinet, ce qui lui valut les vives critiques de la presse de l'Ontario et de l'Ouest. [116] Laurier, qui crut d'abord que l'œuvre de toute sa vie pour l'unité s'effondrait, reprit bientôt confiance en la restauration, après-guerre, d'une « *association équitable et courtoise.* » [117] Il attribua sa défaite à une malhonnête redistribution électorale dans les provinces de l'Ouest et à l'alliance de la presse, des pasteurs et des femmes en Ontario. [118]

## 10

L'isolement du Québec fut admis par sa propre presse et souligné par le *Toronto Star* et le *Manitoba Free Press* qui observaient : « *Nous, en Ontario et dans l'Ouest, considérons la guerre comme une question nationale, ce que ne fait pas le Québec.* » Selon ces journaux, la seule raison de la division raciale était le refus du Québec de « *marcher avec le reste du Canada sur la voie du devoir national et du sacrifice.* » [119] Cet isolement affecta profondément les Canadiens français. La séparation depuis longtemps annoncée entre Français et Anglais au Canada, que certains avaient désirée et qu'un plus grand nombre avaient redoutée, était enfin consommée, dans toute sa gravité. Ecœurée de sa défaite sur la question de conscription et lasse d'être toujours en butte aux injures des Canadiens anglais, la province s'intéressa beaucoup à une motion présentée à l'Assemblée provinciale avant la fin de l'année par J.-N. Francœur : « *Que cette Chambre est d'avis que la Province de Québec serait disposée à accepter la rupture du pacte fédératif de 1867 si, dans les autres provinces, on croit qu'elle est un obstacle à l'union, au progrès et au développement du Canada.* » [120]

La motion Francœur fut très discutée par la presse et le public avant de venir devant l'Assemblée le 17 janvier 1918. Affirmant sa conviction que le Québec ne désirait pas la sécession, *La Presse* déclara, le 24 décembre, qu'il vaudrait peut-être mieux mettre fin à une alliance qui ne reposait plus sur les principes du temps de sa fondation, si les provinces anglaises estimaient que le Québec était une gêne pour leur liberté d'action. Elle protesta cependant de la loyauté du Québec envers l'Angleterre et de son désir de demeurer sous le drapeau anglais, quoi qu'il arrive. *La Patrie,* le 22 décembre, refusa de prendre la résolution au sérieux. *Le Canada* conseilla à ses lecteurs, le 24 décembre, de rester calmes et de ne pas se laisser emporter, ni par les chauvins canadiens-anglais, ni par les extrémistes canadiens-français. *L'Action catholique* admit, le 27 décembre, que le Québec ne devait pas rester dans la Confédération si les autres provinces ne désiraient plus sa présence, mais elle s'opposa à la sécession et qualifia la motion d'inopportune. Dans des articles ultérieurs, *L'Action* déclara que l'isolement du Québec n'était pas à craindre, puisque les Canadiens français étaient plus unis que jamais et que la position du Québec était inattaquable, mais elle soutint que cette résolution vaudrait à la province davantage de persécution de la part des Canadiens anglais extrémistes. Dans *Le Devoir,* vers fin décembre, Bourassa répéta, lui aussi, que l'isolement ne devait pas causer d'inquiétude. Il n'y avait aucune possibilité de conciliation de la part du gouvernement unioniste et aucun Canadien français honorable ne pouvait accepter d'entrer dans le ministère ou de coopérer avec lui. Il engagea les Canadiens français à rester à l'écart et à être les champions du droit, de la vérité et des véritables intérêts canadiens. *Le Courrier de Saint-Hyacinthe* demanda aux Canadiens français de ne pas perdre la tête parce que les libéraux avaient perdu aux élections et *L'Etoile du Nord* ne voyait aucun inconvénient à la sécession si le Québec était indésirable dans la Confédération. *Le Peuple,* de Montmagny, s'opposa à la résolution. [121] Sir Georges Garneau rejetait la motion comme inopportune et demandait que l'on appuie le mouvement de bonne entente. Ferdinand Roy, dans *L'Evénement,* déclara qu'il était dangereux de jouer avec des armes chargées et il se prononça contre la résolution.

L'abbé Groulx, jeune chef nationaliste, éloquent, influençait de nombreux auditoires par ses conférences sur la Confédération à l'Université Laval de Montréal. Il mettait l'accent sur les prédictions des *leaders* canadiens-français selon qui la Confédération comportait de graves dangers pour la foi et l'existence nationale. Il démontrait que ces prédictions s'étaient pleinement réalisées en 1917. La Confédération avait eu pour résultat une corruption parlementaire considérablement accrue, la perte des idéals de liberté religieuse et d'égalité raciale d'autrefois et la destruction de l'âme nationale canadienne, déchirée par le conflit racial et menacée par l'immigration européenne cosmopolite. L'abbé se déclara, plus tard, adversaire d'une sécession qui entraînerait l'abandon des Canadiens français établis hors du Québec, mais son argumentation encourageait le séparatisme et l'opposition au *Military Service Act.*

En présentant sa motion, Francœur expliqua qu'elle avait été rendue nécessaire par la marée de critiques acerbes, dirigées contre le Québec, qui avaient déferlé au cours des trois dernières années. Il y voyait la preuve d'une conspiration pour ruiner la réputation de la province, citant les diffamations qui avaient paru dans l'*Orange Sentinel*, le *Kingston Standard*, le *Toronto News* et le *Winnipeg Telegram*. Il cita aussi la propagande électorale du *Citizen's Union Committee* qui évoquait la « *menace de domination canadienne-française* » et accusait les *leaders* du Québec de poignarder les soldats canadiens dans le dos. Il cita les attaques de H.C. Hocken et d'Isaac Campbell contre le Québec et insista particulièrement sur la déclaration de N.W. Rowell, le 6 décembre : « *Il existe un mouvement nationaliste, clérical et réactionnaire à l'œuvre dans la Province de Québec qui, aujourd'hui, domine la situation politique dans cette province et utilise cette heure de grand péril national pour dominer la situation politique dans le Dominion du Canada tout entier.* »

A toutes ces accusations, Francœur répondit :

« *Son seul crime* [du Québec] *c'est d'avoir interprété autrement que nos concitoyens d'autre origine la constitution qui nous régit, c'est d'avoir dénoncé certains actes qui ne contribuaient pas au succès de la guerre et au salut de l'Empire, mais compromettaient plutôt l'aboutissement de l'une et l'accomplissement de l'autre. C'est parce que les Canadiens français se sont montrés Canadiens avant tout, parce qu'ils ont cru que la première chose à faire était de développer ce pays dans l'intérêt de l'Empire, que plus grande est sa prospérité, plus grande est la possibilité de réaliser notre destinée, parce que par-dessus tout ils demandaient que le peuple soit consulté avant que la conscription soit acceptée.* » [122]

Or, il y avait aussi des raisons plus profondes. La Confédération était un compromis qui n'avait pas extirpé toutes les causes de conflit provenant des différences de foi, de langue et de tradition. Dorion, Perreault, Taschereau et Joly avaient prévu ces difficultés. Le Québec n'avait reculé devant aucun devoir, éludé aucune responsabilité résultant de la Confédération. Il était allé, dans ce sens, « *jusqu'à la limite extrême de la conciliation et des concessions ; nous avons même fait des sacrifices au détriment de nos droits et de notre fierté de race.* » Pourtant, on ne l'avait aucunement reconnu et le Québec avait continué d'être calomnié et abreuvé d'injustice au lieu d'être traité en partenaire égal.

Le résultat ne pouvait être que la rupture du pacte de la Confédération, puisque « *personne ne peut prétendre que, si l'esprit de la constitution n'est pas respecté, la simple lettre du contrat est suffisante pour maintenir l'association.* » La résolution exprimait le sentiment de « *la très grande majorité de nos gens qui sont fatigués d'être traités de cette manière et qui pensent que le temps est venu de cesser ces luttes futiles ou d'en accepter les conséquences logiques.* » Le Québec ne voulait pas la sécession, mais il ne reculerait pas devant cette éventualité, si elle lui était imposée. Le désir des Canadiens français était de vivre et laisser vivre :

« *De vivre en observant non seulement la lettre de la constitution, mais plus particulièrement son esprit ; de vivre suivant nos goûts, notre tempérament et notre mentalité ; de vivre en citoyens libres, conscients de nos devoirs et soucieux de nos responsabilités ; de vivre en travaillant pour le progrès et le développement de notre province, convaincus que, de cette manière nous assurons le progrès et le développement du pays ; de vivre en conservant notre langue, notre foi, nos traditions, nos institutions et nos lois ; de vivre en un mot en loyaux Canadiens dévoués à la Couronne britannique. De laisser vivre ; de respecter chez les autres ces choses que nous demandons qu'ils respectent chez nous ; de reconnaître la liberté dont ils désirent jouir dans l'exercice de leurs droits acquis ; de les laisser parler et enseigner leur langue, conserver leur foi et leurs traditions et même de lutter avec eux si c'est nécessaire pour la défense de l'héritage qu'ils chérissent autant que nous... C'est de cette manière que nous deviendrons véritablement une nation canadienne... Nous aurons alors non seulement l'apparence extérieure d'une nation dont les intérêts matériels sont les seuls liens, mais nous formerons une nation par la véritable union des cœurs et des âmes.*

*Pourquoi ne pas réaliser cet idéal ? Pendant que nos soldats sur la terre de France combattent et meurent héroïquement pour la cause de la liberté et de la civilisation et le respect des traités et des constitutions, nous ne devons plus donner ici le spectacle de luttes qui aboutissent à la négation de ces principes. Il faut être digne du sacrifice suprême de nos héros. Leur mort est la plus grande leçon de patriotisme. Profitons-en.* » [123]

Le *leader* conservateur Arthur Sauvé déclara que tous les *tories* n'étaient pas des fanatiques anti-français et s'opposa à la résolution, qu'il jugeait inopportune. Il attribua la mésentente raciale à la question des écoles et à la conscription. Il prit la défense du Québec au sujet de l'obéissance à la loi en donnant des chiffres : la province avait le plus bas pourcentage de réfractaires au service militaire. Il avait suggéré à Sir Lomer Gouin un amendement à la résolution qui demandait la condamnation du *Military Service Act,* mais le premier ministre avait refusé de le présenter. [124]

Athanase David évoqua l'histoire de la Confédération, en soulignant qu'elle avait été nécessaire des points de vue économique et commercial et qu'elle tendait, au début, à la formation d'une mentalité canadienne commune. Or, des problèmes politico-religieux s'étaient posés et, avec eux, avait grandi le spectre de la domination française, à mesure que l'impérialisme remplaçait la mentalité canadienne dans les provinces anglaises. Il justifia le comportement du Québec depuis la déclaration de guerre en affirmant qu'il était *« animé purement et simplement par le désir d'éviter de compromettre l'avenir économique de notre pays, l'avenir national de notre race. »* [125] Il affirma la loyauté raisonnée du Canada français à l'égard du drapeau britannique, mais il admit que le Québec n'éprouvait aucun amour pour lui, car les insultes ne peuvent faire naître un tel amour. Il attribua la discorde à l'avènement de l'impérialisme de Dilke, Chamberlain et Milner, qui étaient prêts à *« plonger le Canada dans la banqueroute, si c'était nécessaire pour sauver l'Empire. »* [126] Il affirma que l'impérialisme, quel qu'il fût, allemand, anglais, américain, était un danger pour le monde et que ce serait un recul, pour le Canada, de l'accepter. Il espérait, pour l'avenir, la complète autonomie du Canada et une éventuelle indépendance. Proclamant qu'à l'avenir *« ceux-là seuls qui croient aux destinées du Canada »* [127] devraient être chargés de la solution des problèmes canadiens, il critiqua les dispositions du *War Time Election Act.*

Cependant, David prévoyait le jour où, la crise actuelle passée, les relations entre les diverses provinces seraient une fois de plus renouvelées, suivant la tradition de la Confédération. Il croyait que, même au moment présent, il y avait une forte minorité de Canadiens anglais qui désiraient que le Canada reste maître de ses destinées et que *« la doctrine que nous défendons reprenne son emprise sur le peuple canadien. »* [128] Comme dans toutes les autres crises nationales du passé, des hommes qui ne partagent pas la foi et le sang du Canada français se lèveront pour joindre leurs mains à celles des Canadiens français. Il ne craignait aucunement l'isolement temporaire du Québec, qui offrait un marché que les Canadiens anglais ne pouvaient négliger. Les Canadiens anglais du Québec seraient ceux qui pâtiraient le plus d'un isolement qui pourrait favoriser le développement matériel et financier du Canada français. Il ne regrettait, ni ne craignait l'isolement politique du Québec, puisqu'il résultait du refus de

trahir un idéal que soixante-deux membres de l'Assemblée avaient
reçu mandat de défendre. Le bon sens et la logique prévaudraient à
la fin sur les préjugés et le fanatisme. Il était convaincu que :

« *Notre Confédération sortira de ce chaos comme tous les peuples
du monde, instruite par la souffrance, éclairée par une nouvelle expérience. Elle trouvera sa voie et, l'effort de chaque groupe et de chaque race lui étant nécessaire, elle lancera l'appel qui ralliera tous les
groupes et toutes les races. Je crois que, se dégageant alors de l'étreinte
de l'autocratie dans laquelle elle jugera elle-même qu'elle est demeu-
rée trop longtemps et comprenant les dangers de l'avenir si elle ne
consolide pas immédiatement toutes les énergies et toutes les volontés,
elle unira dans une grande idée de démocratie politique canadienne
tous ceux qui, sous son égide, veulent continuer à vivre pour assurer
sa grandeur.* » [129]

Hector Laferté défendit la loyauté du Québec et déplora les
insultes dont cette province avait été l'objet. Il jugeait que le Canada
français n'était pas prêt pour l'indépendance. Il était contre l'annexion, mais il appuya la résolution. T.-D. Bouchard opposa la crainte
anglaise de domination française à la crainte française de persécution,
en citant des attaques de la presse du Québec contre les fanatiques de
l'Ontario et il fit appel à l'esprit de fraternité pour assurer la pérennité
de la Confédération. A.-M. Tessier condamna la « *campagne systématique organisée contre la Province de Québec, accentuée par le fanatisme
et la haine de tout ce qui est français.* » Cependant, il ne croyait pas
que cette attitude fût représentative de l'opinion de la majorité canadienne-anglaise qui, en Ontario, avait donné à Laurier, aux dernières
élections, un plus grand appui qu'en 1911. Les fanatiques pouvaient
rager, mais ils ne pouvaient « *empêcher la nationalité canadienne-
française, non seulement de continuer d'exister, mais de vivre, de
s'étendre et d'accroître son influence en force et en nombre.* » Comme
preuve que le Québec pouvait surmonter cette crise, comme il en
avait surmonté d'autres, il s'appuya sur l'histoire. Il condamna la
violation des droits constitutionnels par le gouvernement fédéral et
rappela aux Canadiens anglais les paroles d'un *leader* de l'Ulster :
« *Tout ce que nous voulons, c'est un traitement équitable et aucune
faveur. Nous ne demandons pas plus et nous sommes déterminés à
n'accepter rien de moins. Nous croyons que vous avez la même tolérance et le même bon sens que nous.* » [130]

Lawrence Cannon demanda que soit étudiée la carrière de Cartier, ce qui permettrait de mieux comprendre la Confédération et il
recommanda de suivre Laurier pour résoudre le problème actuel.
Il rejetait la motion, parce que le Québec, centre essentiel de la Confédération, avait le droit et le devoir de rester à la tête de la Confédération. Louis Létourneau approuva la résolution, en assurant que

le Québec pouvait de plus en plus se suffire à lui-même en raison de son développement industriel. Il minimisa les dangers de l'isolement.

Charles Ernest Gault prédit la sécession de Montréal si le Québec se séparait du reste du. dominion. Selon lui, les barrières tarifaires ruineraient la province. L'indépendance était impensable et serait ruineuse. L'annexion signifierait la fin de la langue française et des écoles confessionnelles. Gault attribua l'amertume de l'Ontario en grande partie à l'idée que l'Eglise catholique ne sympathisait pas avec les Alliés et il demanda instamment que soit dissipé ce sentiment erroné. Il rendit hommage aux soldats canadiens et exhorta le public à les aider, critiquant les nombreux jeunes gens en âge de porter les armes qui étaient présents dans les galeries mais devraient être au front. Il attribua à la question scolaire de l'Ontario la division entre les provinces et déclara qu'elle aurait été réglée équitablement s'il n'y avait pas eu la guerre. Il condamna les extrémistes de l'Ontario et du Québec et déplora l'absence de liberté de parole au cours de la dernière campagne où des ministres de la Couronne avaient été victimes de voies de fait. Il regretta que Gouin eût refusé d'entrer dans le gouvernement fédéral, où sa présence aurait aidé à éliminer les causes du différend ethnique. Dans un discours enflammé, le Dr Georges Grégoire répliqua à Gault que le Québec voulait la paix, mais que l'Ontario tentait apparemment de rompre la Confédération. Il opposa fierté de race française à fierté de race britannique et affirma que le Québec avait fait son devoir et qu'il ne méritait pas le stigmate de la lâcheté.

Sir Lomer Gouin clôtura le débat, appuyant la motion en citant le précédent de la Nouvelle-Ecosse qui, en 1886, avait adopté une résolution approuvant sa séparation et avait presque unanimement voté en faveur de la Confédération lors d'élections ultérieures. Il demanda pourquoi le Québec devait, seul, être condamné pour avoir voté contre la conscription, alors que le Nouveau-Brunswick, la Nouvelle-Ecosse et l'Ile-du-Prince-Edouard avaient aussi voté en majorité contre elle. Il s'était opposé à l'amendement proposé par Sauvé parce qu'il aurait été inopérant. Il exprima sa foi en la Confédération qui avait rendu possibles de grands progrès dans le Québec et il demanda si le demi-million de Canadiens français dans les autres provinces auraient intérêt à ce que le Québec quitte la Confédération. Les questions scolaires, dans les autres provinces, se seraient posées, même sans la Confédération. Il fit ressortir dans quelle mauvaise posture se trouverait le Québec s'il quittait la Confédération, sans port d'hiver, sans défenses, chargé d'une partie de la dette nationale et forcé de payer des droits de douane aux autres provinces. Il cita l'exemple d'union donné par les Etats-Unis et termina par un éloquent appel pour le maintien de la Confédération. [131]

Après le discours du premier ministre, Francœur retira sa motion le 23 janvier, en se déclarant satisfait des résultats obtenus et en défendant l'opportunité de sa résolution. [132] Sans aucun doute, la motion Francœur avait servi de soupape de sûreté au bouillant ressentiment du Québec devant les attaques canadiennes-anglaises, à un moment critique. Il était clair que le Québec ne désirait pas vraiment quitter la Confédération, mais qu'il avait été amené à y songer en raison de l'attitude intransigeante et insultante du Canada anglais.

11

Aux derniers jours de décembre 1917, John S. Ewart reprit sa correspondance avec Bourassa et tenta d'obtenir une entrevue avec lui, dans l'espoir d'améliorer les relations tendues entre Canadiens, français et anglais. Cette avance ne fut pas particulièrement bien reçue par Bourassa et, dans plusieurs lettres, ils échangèrent des idées, l'un et l'autre exposant et défendant son point de vue sur la guerre. Ewart résuma ainsi leurs différends, dans une lettre du 21 janvier :

« *Au commencement, nous étions d'accord sur la nécessité d'éliminer nos différends nationaux en vue de créer une solidarité de guerre. La propagande impérialiste du temps de guerre vous a amené à changer cette attitude. A mes yeux, ce changement paraît illogique. Je suis d'avis que l'impérialisme est une question domestique et n'a aucun rapport avec notre attitude envers l'Allemagne. Par conséquent, je ne vois pas dans l'impérialisme excessif de Sir Robert Borden une raison de modifier l'opposition du Canada à ses ennemis de l'extérieur, mais une raison d'attaquer les impérialistes.* » [133]

Il expliquait ensuite pourquoi il cherchait à obtenir une entrevue avec Bourassa :

« *Déplorant profondément la situation politique actuelle et voyant en elle une menace et un danger pour nos institutions politiques, j'ai ardemment cherché quelque méthode par laquelle nos peuples de langue anglaise et de langue française pourraient être amenés, sinon à une parfaite harmonie, au moins aux relations qui existaient avant la loi de conscription. Je reconnais que la question du bilinguisme et d'autres questions ont toujours présenté des difficultés et je me suis limité à l'irritation récente des sentiments, due à la loi de conscription. Je me suis demandé si quelque modification du statut n'atténuerait pas la tension et j'ai songé à suggérer que tout conscrit ait le droit d'opter entre servir dans l'armée ou dans tel autre service qui pourrait lui être assigné. J'ai pensé qu'un tel amendement répondrait en grande partie aux objections que vous et vos amis ont soulevées contre cette loi et j'ai désiré m'assurer jusqu'à quel point cette suggestion vous plairait. Je n'ai encore rien dit à Sir Robert Borden, ni*

*à aucun de ses collègues. Il serait probablement inutile pour moi de
le faire sans être en mesure de leur donner une certaine assurance
que cet amendement proposé serait bien accueilli dans le Québec.
Puis-je demander si vous seriez assez bon pour me faire savoir si vous
pensez que ma proposition est praticable ? Si vous répondiez dans
l'affirmative, je vous demanderais alors s'il pourrait m'être permis de
transmettre votre opinion à Sir Robert Borden, soit en confidence,
ou pour tout autre usage que vous pourriez juger préférable.*

*Tel que je vous connais et appréciant l'amour que vous avez pour
le Canada, je suis persuadé que vous accorderiez votre aide à toute
proposition qui, selon votre jugement, pourrait tendre à créer des
relations de sympathie entre les provinces. »*

Pour une raison inconnue (peut-être la maladie de sa femme),
Bourassa tarda deux mois avant de répondre à cette requête qui était
dans la grande tradition des relations entre *leaders* des deux principales races canadiennes et qui supposait un courage considérable à un
moment où Bourassa était l'homme le plus haï du Canada. Le 29 mars
1918, il répondait enfin :

*« Il est probablement trop tard maintenant pour toute réponse
utile à votre enquête à l'égard de ce qui pourrait être fait pour atténuer le sentiment hostile du Québec contre le gouvernement et sa
politique de guerre. Je ne veux pas, toutefois, vous laisser avec l'impression que j'avais la moindre objection à vous écrire en toute franchise sur celui-là, ou tout autre sujet.*

*Votre suggestion, si elle était mise honnêtement et effectivement
à exécution, ferait beaucoup pour apaiser les sentiments de nos gens.
Mais je ne pourrais pas vous laisser avec la fausse impression qu'elle
serait suffisante pour restaurer la confiance des Canadiens français,
soit dans le gouvernement ou, en général, en la bonne foi et en l'esprit
d'équité de la majorité de langue anglaise. En ce qui concerne le
gouvernement, les représentants du Québec dans le ministère et
Sir Robert Borden lui-même, ont tellement trompé et dégoûté le
peuple que rien venant d'Ottawa ne serait accepté avec confiance.
Toute déclaration du genre que vous suggérez, mais venant du gouvernement, serait considérée comme un nouveau piège, une nouvelle
forme de duperie qui serait bientôt suivie, comme le furent les promesses précédentes, de mesures de coercition. Il faudrait un certain
temps et une application prolongée pour convaincre le pays que
l'offre était faite de bonne foi et, tant que la guerre ne sera pas finie,
la plupart des gens resteront convaincus que ces conscrits retournés à
la ferme pourront être rappelés au service militaire, dès l'instant où
le gouvernement changera d'idée en cette matière.*

*Quant au malentendu racial en général et au manque d'unité et
d'esprit national, il faudra beaucoup de temps pour convaincre les*

*nôtres que le* fair play *britannique n'est pas tout simplement un mot de passe et une phrase pharisaïque toute faite.*

*Il faudrait une lettre trop longue pour expliquer complètement les raisons et les causes de ce sentiment et les obstacles qui s'opposent à une réaction prompte et décisive. Quand l'occasion et le plaisir me seront donnés de vous rencontrer, nous causerons de ces choses. Nous essaierons aussi de dissiper entièrement le malentendu passé sur nos attitudes respectives au sujet de la guerre. Je ne peux pas accepter sans restriction votre dernier mot à son sujet.* » [134]

Au cours des premiers mois de 1918, Bourassa demanda une paix négociée, dans *Le Devoir*. Le 20 février, il décrivait ainsi la Confédération : « *Au point de vue légal et constitutionnel, il est donc juste de dire que la Constitution de 1867 était avantageuse en principe et en droit aux Canadiens français, mais qu'en fait elle leur a été préjudiciable* » [135] et, le 26 mars, il conseilla aux membres du parlement adversaires de la conscription de refuser de voter d'autres crédits de guerre. Il continua aussi à critiquer âprement la politique britannique.

12

Il y avait beaucoup d'amertume dans les sentiments du Québec au début de 1918. L'abbé Groulx continuait d'attiser l'indignation populaire au sujet de la question scolaire de l'Ontario et, le 16 mars, la Société Saint-Jean-Baptiste de Montréal présenta une résolution félicitant les Franco-Ontariens « *qui avaient appris à opposer une résistance persistante à des lois iniques* ». [136] En réponse à une demande de Toronto sur ce que voulait le Québec, *La Presse* donna ce sommaire, le 20 février :

« *1. Que la langue française, reconnue comme langue officielle au parlement canadien, soit convenablement traitée dans toutes les parties du pays, parce qu'elle y a des droits acquis en vertu des traités et de la Constitution.*

*2. Que le gouvernement ontarien, au lieu de faire des règlements pour ostraciser la langue française et pour empêcher, par la prestation d'un serment infâme, les Canadiens français de s'établir dans la contrée soumise à sa direction, s'applique plutôt à respecter la conscience des nôtres et à les traiter comme des frères, c'est-à-dire comme la minorité protestante du Québec est traitée par l'élément français qui y domine.*

*3. Que la religion catholique romaine... soit plus respectée par la presse ontarienne.*

*4. Que le traitement des minorités soit plutôt basé sur la justice évangélique, la fraternité chrétienne et l'intention des pères de la Confédération, que sur la lettre même de la loi.*

5. *Que les autres races ne nous cherchent pas querelle à propos de tout et à propos de rien. Qu'on cesse de nous discréditer à l'étranger, parce que, en ce faisant, on discrédite, par le fait même, le Canada tout entier.*

6. *Que l'on cesse de croire que l'unité nationale ne peut s'acquérir qu'au prix de l'unité de langage. Que l'on ne mette plus en pratique contre nous le droit du plus fort.*

7. *Que la bonne entente entre les deux grandes races qui prédominent au Canada soit établie sur une connaissance des deux langues officielles.* » [137]

L'article 2 se référait à la nouvelle obligation imposée aux colons canadiens-français dans le Nord-Ontario qui devaient signer un serment d'obéissance au Règlement 17, sous peine de perdre leur terre et l'argent versé pour son achat. C'était une mesure adoptée sur les instances de l'Ordre d'Orange qui, le 13 mars, avait demandé aux « *loyalistes du Canada* » de réaliser, par des changements de législation, l'idéal de « *un drapeau, une école et une langue officielle, d'un océan à l'autre.* » [138]

La mise en vigueur du *Military Service Act* se heurta à des difficultés dans le Québec, malgré l'injonction, parue dans *L'Action catholique* le 7 janvier, de se soumettre de bonne grâce et les exhortations de *La Presse* qui, à la même date, demanda « *une soumission à la loi, courageuse et méritoire.* » [139] Les exemptions furent demandées sur une grande échelle, comme elles le furent dans le Canada tout entier, les tribunaux du Québec refusant 4,1 pour cent des demandes, contre un pourcentage de 10,1 en Ontario. Cependant, les autorités militaires en appelèrent sur de nombreux cas dans le Québec, de sorte que le pourcentage total des demandes refusées dans le Québec fut de 9, tandis qu'en Ontario il fut de 8,2 [140]. L'attention se porta sur l'application de la loi dans le Québec, parce que la province était massivement opposée à la conscription. Des rumeurs se répandirent largement dans le Canada anglais, selon lesquelles un grand nombre de réfractaires et de déserteurs du Québec prenaient le maquis ou cherchaient refuge aux Etats-Unis. Lorsque l'on pourchassait les déserteurs à Montréal, la presse française demanda si l'on déployait le même zèle en Ontario.

Fin février, la conscription n'avait amené que 22 000 hommes sous les drapeaux, dont 2 000 étaient du Québec. Des mesures furent alors prises pour hâter une décision sur quelque 30 000 appels en instance dans la province. La résistance des cultivateurs de l'Ouest à la conscription était, elle aussi, résolue. Le gouvernement subit des pressions pour exempter les fils de cultivateurs. Un arrêté-en-conseil du 31 décembre 1917 ordonna la libération, par le ministre de la milice, des conscrits agricoles dont les demandes d'exemption avaient été rejetées et, le 8 février, le département de la milice donna des

instructions pour que ces demandes fassent l'objet d'une attention
spéciale. Fin mars, 31 000 hommes seulement avaient reçu l'ordre de
se présenter, mais 5 000 manquaient à l'appel. Il fut généralement
reconnu que la conscription avait échoué, comme Laurier l'avait prédit. On assura que les bois étaient pleins de réfractaires armés, prêts
à résister à toute tentative d'arrestation.

C'est à Montréal, depuis longtemps centre de violente opposition
à la conscription, que l'on attendait des émeutes. Elles eurent cependant lieu, d'une manière inattendue, à Québec, le soir du 29 mars,
au moment où la police fédérale arrêtait un Canadien français nommé Mercier, qui ne pouvait montrer ses papiers d'exemption. Quand
il put les produire, il fut relâché, mais une foule de plusieurs milliers
de personnes s'assembla et brûla le poste de police fédérale. La police
demanda l'aide de l'armée, mais on la renvoya aux autorités civiles.
Le maire Lavigueur tenta de faire disperser la foule, mais il ne lut
pas l'*Acte d'Emeute* et n'appela pas la troupe. La foule se déchaîna
et marcha, en chantant *O Canada* et *La Marseillaise,* jusqu'aux bureaux du *Chronicle* et de *L'Evénement,* qu'elle saccagea. Le lendemain soir, à la tombée de la nuit, elle attaqua le bureau d'inscription
militaire, cherchant à l'incendier avec ses archives. On accusa la police
municipale d'avoir refusé d'assurer une protection active des locaux
et d'être restée passive. Il y eut aussi une tentative pour libérer des
réfractaires emprisonnés.

L'officier chargé du commandement, le général Landry, demanda
des renforts, mais le gouvernement commit l'erreur d'envoyer un
bataillon de Toronto. Le 30 mars, la troupe chargea la foule à la
baïonnette et provoqua une fureur qui tourna à l'émeute tout le
lendemain, 31 mars, qui était le dimanche de Pâques. La cavalerie
repoussa les manifestants avec des matraques improvisées faites de
manches de hache. La colère montait. Ce soir-là, Armand Lavergne
s'adressa aux manifestants, prétendant que l'autorité militaire était
convenue avec lui de retirer les troupes si les émeutiers se disper-
saient et rentraient chez eux. Le général Landry nia immédiatement
qu'il y eût un tel accord. Lavergne demanda alors que les troupes
soient retirées et que des « *hommes respectables* » soient chargés d'appliquer la loi, sans quoi, il menaça de prendre lui-même la tête des
manifestants et de combattre les autorités sans merci.

Le 1er avril, en dépit des placards affichés partout enjoignant les
citoyens de rester chez eux par ordre du général Lessard qui avait
été envoyé d'Ottawa pour prendre le commandement et malgré les
exhortations du cardinal Bégin et de la presse adjurant la foule de
s'abstenir de violence et de ne pas sortir des maisons, les émeutiers
ouvrirent le feu sur la troupe, tirant du toit des maisons, des bancs
de neige et de partout où ils pouvaient se cacher. Plusieurs soldats
ayant été blessés, la troupe ouvrit le feu à son tour, avec fusils et mi-

trailleuses. La cavalerie chargea la foule au sabre clair, pendant que l'infanterie ripostait contre les francs-tireurs. L'ordre fut rétabli à une heure du matin, le 2 avril, mais cinq soldats avaient été blessés et quatre civils tués. Il y eut de nombreux civils blessés et cinquante-huit arrestations. Le 4 avril, le gouvernement suspendit l'*habeas corpus* et décréta, par arrêté-en-conseil, l'enrôlement immédiat des émeutiers. [141]

On critiqua beaucoup, entre autres, l'envoi d'un bataillon de Toronto pour rétablir l'ordre à Québec, ainsi que l'armée, dont la poursuite des réfractaires, jugée brutale, avait déclenché les émeutes. Cependant le Québec, qui avait toujours eu un profond respect de la loi et de l'ordre, malgré sa tendance à la violence verbale, fut horrifié du soulèvement. L'Eglise et la presse demandèrent aussitôt le rétablissement de l'ordre. On fit valoir que les émeutes n'exprimaient pas le sentiment du grand public. Dans un débat à la Chambre, le 5 avril, la mise en vigueur réticente et inefficace du *Military Service Act* dans le Québec fut vivement critiquée par les Canadiens anglais, tandis que Laurier attribua les émeutes aux hommes choisis pour faire appliquer la loi, ainsi qu'à une association secrète tirée de la pègre de Montréal. Cependant, il se joignit à Borden pour conseiller la soumission et l'obéissance à la loi. Le 13 avril, un jury du *coroner* rendit ce verdict « *Considérant que les personnes tuées en cette occasion étaient innocentes de toute participation à cette émeute, qui devait son origine à la manière inhabile et grossière avec laquelle les officiers fédéraux chargés de l'exécution de la loi de conscription envers les insoumis exerçaient leurs fonctions, il serait du devoir du gouvernement fédéral d'indemniser raisonnablement les familles des victimes que l'on a prouvées être innocentes et sans armes à ce moment, ainsi que d'indemniser ceux qui ont souffert des dommages de cette émeute.* » [142]

Le Canada français attribua les émeutes à une mauvaise application de la loi de conscription, tandis que le Canada anglais les considéra comme une manifestation de la résistance du Québec. Induits en erreur par la violence verbale canadienne-française, le Canada anglais surestima l'esprit de rébellion du Québec et le Québec exagéra la « *brutalité anglo-saxonne* » dans la mise en vigueur de la conscription et la répression des émeutes. Or, la presse française avait depuis longtemps critiqué la brutalité de la police et sa maladresse dans la mise en application de la loi de conscription. Elle avait même formulé des accusations précises et affirmé que des criminels notoires et des brutes lui prêtaient main-forte. Il semble donc clair que la manière dont était appliqué le *Military Service Act* dans la Province de Québec, explique, en partie, les émeutes.

Le débat sur les émeutes, au parlement, révéla toute la gravité de la division raciale. Le colonel Currie demanda l'application de la

loi martiale dans le Québec, l'internement de Bourassa et de Lavergne, la suppression du *Devoir*. Borden refusa, faisant remarquer
qu' « *un homme derrière les barreaux a parfois plus d'influence qu'en
dehors des barreaux.* » [143] Sam Hughes, qui souvent avait officiellement professé son amitié pour le Canada français, l'attaqua furieuse-
ment. Il parla d'officiers canadiens-français qui avaient failli à leur
devoir d'enrôlement de bataillons, d'unités dont les recrues désertaient dès qu'elles étaient enrôlées. Il accusa le clergé catholique de
combattre la participation à la guerre et affirma que le Québec avait
été perverti par la propagande allemande. Cependant, d'autres Canadiens anglais firent remarquer que la cause fondamentale des émeutes
était que le Québec n'était plus sous le contrôle de Laurier et des
modérés, mais sous celui de Bourassa et des membres les plus fanatiques du clergé. L'opposition croissante à la conscription dans les
régions agricoles du Canada anglais mena à une attitude plus indul-
gente envers le Québec que pendant les élections. Cependant, les
exemptions très nombreuses dans le Québec furent critiquées. Ces critiques furent désarmées par un arrêté-en-conseil du 19 avril qui
annulait les exemptions en donnant pour raison la situation d'urgence créée par la percée allemande vers la fin de mars. Des troupes
canadiennes avaient été envoyées pour renforcer les unités anglaises.
Laurier critiqua cette mesure qui, selon lui, violait les principes de
la loi et du gouvernement constitutionnel et il demanda instamment
le maintien de l'exemption des fils de cultivateurs. Le général Mewburn déclara que les conscrits des villes seraient appelés en premier
et qu'il serait permis aux cultivateurs de finir leurs semailles. Ils ne
seraient appelés que le plus tard possible.

L'annulation des exemptions suscita une passion intense, tant
dans l'Ontario et dans l'Ouest que dans le Québec. Le 14 mai, une
délégation de 5 000 cultivateurs arriva à Ottawa, sous la direction
conjointe de J.-E. Caron, ministre de l'agriculture du Québec et des
Fermiers-Unis de l'Ontario. [144] Le *Toronto Globe* estima à 3 000 le
nombre des cultivateurs qui vinrent de l'Ontario. Quand il fut refusé
aux délégués d'être reçus en groupe par le parlement, le bruit courut
qu'ils étaient prêts à entrer de force. Finalement, les cultivateurs se
réunirent en masse au Théâtre Russell et Borden leur parla, mais il ne
céda pas sur l'arrêté-en-conseil qui avait été approuvé par le parlement. Des réunions de protestation se tinrent en Ontario et dans
l'Ouest. Des pétitions furent envoyées à Ottawa, mais en vain. Le 9
juin, les Fermiers-Unis de l'Ontario, réunis en congrès annuel à Toronto, protestèrent contre le gouvernement et menacèrent d'en appeler au
Conseil Privé. Cette attitude fut approuvée par les Fermiers-Unis de
l'Alberta et, plus tard, par le Conseil canadien de l'Agriculture, réuni
à Winnipeg. Les ultra-patriotes prirent l'habitude de critiquer autant
les cultivateurs que les Canadiens français. F.B. Carvell déclara en

Chambre, le 19 avril : « *Il y a des milliers et des dizaines de milliers, oui, des centaines de milliers de gens dans le reste du Canada qui ont essayé assidûment d'éluder le service militaire.* »[145]

Après avoir annulé les exemptions, le gouvernement substitua à sa coercition du Québec la politique de conciliation que Laurier avait préconisée. Mgr l'évêque Mathieu joua un rôle notable dans l'apaisement du Québec et Gouin fut, encore une fois, invité à entrer au gouvernement. Borden affirma qu'il était disposé à appuyer la formation de la brigade canadienne-française que demandaient avec insistance les députés du Québec et révéla des plans pour organiser des unités exclusivement canadiennes-françaises, en utilisant des renforts canadiens-français pour les bataillons qui comprenaient déjà beaucoup de leurs compatriotes. Cependant, il conclut en déclarant que le gouvernement était enclin à penser que le mélange des races dans l'armée était salutaire, ce qui confirma, chez certains Canadiens français, la crainte que l'on tente de les angliciser au moyen de l'armée. Le général Mewburn vint à Montréal et à Québec. Dans cette dernière ville, le 5 juin, répondant à une allocution officielle de bienvenue de la part de la magistrature et du barreau, il déclara :

« *En ce qui me concerne, je n'ai jamais douté un seul instant de la loyauté du Québec et de sa population et, par les choses merveilleuses que j'ai vues au cours de ma visite, ma ferme conviction a été renforcée... Permettez-moi de dire que tous mes efforts tendent à ce que les Canadiens français recrutés soient groupés ensemble dans des unités distinctes, commandées par des officiers de leur propre race et de leur langue.* »[146]

Le général Mewburn avait aussi admis que les résultats du recrutement auraient pu être bien meilleurs si Sir Sam Hughes avait permis aux anciennes unités de milice de se rendre outre-mer et de se recruter sur une base régionale. Rodolphe Lemieux acclama la nouvelle politique du gouvernement. L'Université Laval prit la direction du nouvel effort de recrutement, quand devint sérieuse la menace allemande contre les ports de la Manche et, le 21 juin, 9 970 hommes de Montréal et 2 848 de Québec s'étaient engagés. Ce même jour, *Le Soleil* demanda que des mesures immédiates soient prises par les autorités pour mettre fin, dans les municipalités rurales, aux troubles que l'on imputait aux insoumis. Les nouvelles bonnes dispositions du Québec furent notées, même par un adversaire aussi invétéré que le *Toronto Mail and Empire* qui, le 30 avril, observait qu'il était réconfortant de voir les jeunes hommes répondre ainsi à l'appel aux armes, sous le régime du nouvel arrêté-en-conseil. Cependant, la validité de ce dernier fut contestée dans les nombreux cas dont eurent à connaître les tribunaux du Canada tout entier. Elle fut niée par la Cour suprême de l'Alberta, mais finalement confirmée, le 20 juillet, par la Cour suprême du Canada.

Afin de rendre effective la mise en vigueur du *Military Service Act*, on imposa de lourdes pénalités aux insoumis et aux déserteurs. Des chasses à l'homme furent organisées dans les endroits publics, afin de dépister ceux qui n'avaient pas de papiers d'exemption. Ces mesures provoquèrent un profond ressentiment dans le Québec. Cependant, le 2 août, une amnistie fut proclamée pour les réfractaires qui se présenteraient avant le 24 août : environ 10 000 en profitèrent. Beaucoup d'autres se cachaient dans les sauvages étendues laurentiennes du Québec et de l'Ontario, dans les forêts de la Colombie britannique, ou se sauvaient de l'autre côté de la frontière américaine. Un groupe de jeunes de la Nouvelle-Ecosse prit le large sur la flotte de pêche en juin, tandis que, dans d'autres provinces, les hommes cherchaient refuge dans de lointains camps de bûcherons où l'on ne posait pas de questions. En définitive, la conscription rapporta un total de 83 355 soldats enrôlés, dont 47 509 furent envoyés outre-mer, c'est-à-dire environ 11 pour cent du total provenant du Canada et l'équivalent de deux divisions. Québec fournit 19 050 hommes en exécution de la loi, avec 18 827 insoumis sur un total de 27 631 pour tout le pays, soit 40,83 pour cent des hommes ne s'étant pas présentés après en avoir reçu l'ordre. La Nouvelle-Ecosse avait 16,72 pour cent de réfractaires. Venaient ensuite, en pourcentage d'insoumis, l'Ontario et le Saskatchewan. [147] Au coût de trois millions et demi pour le gouvernement, la conscription avait fourni moins d'hommes par mois que le volontariat. Elle avait gravement divisé races et provinces. Elle avait provoqué l'animosité religieuse, ainsi qu'en témoigne l'incident causé, en juin, par une descente de police au Collège jésuite de Guelph, en Ontario, où était récemment entré le fils du ministre de la justice. Le *Orange Sentinel* et le *Toronto Telegram* exigèrent une enquête et des sanctions, les étudiants catholiques étant accusés de jouir d'un traitement de faveur dans l'application de la loi. Le colonel H.A.C. Machin, chef de la section du service militaire au département de la justice, rejeta ces accusations, en observant : « *La plus grande menace pour la Province d'Ontario est l'Eglise méthodiste, qui semble faire de nous, en Ontario, la classe la plus hypocrite de toute la population du Dominion du Canada.* » [148]

Or, les victoires du *Canadian Corps,* constamment engagé après la percée des Alliés à Amiens le 8 août, jusqu'à l'Armistice le 11 novembre, au prix de plus de 30 000 hommes hors de combat, servirent à unir le Canada une fois de plus. Le 22ème Royal joua un rôle remarquable dans ces derniers combats. A un moment donné, tous ses officiers étaient hors de combat. Les qualités combatives des Canadiens français furent reconnues dans le Canada tout entier. Deux membres du 22ème furent décorés de la Croix Victoria et deux de ses officiers supérieurs devinrent généraux de brigade, F.-M. Gaudet, CMG et T.-L. Tremblay, CMG, DSO. Quand les troupes revinrent au pays, Français et Anglais reçurent un accueil également triomphal à Québec et à Montréal. Environ 15 000 Canadiens français avaient combattu sur le front, 15 000 autres étaient à l'entraînement en Angleterre et au Canada. Environ 4 000 à 5 000 servaient dans les forces navales. [149] Ce total de 35 000 ne représente que l'évaluation la plus proche qu'il soit possible de donner. En effet, aucun chiffre officiel ne fut donné après le mois de mars 1918, car il s'agissait de faire oublier la controverse de la participation canadienne-française. Le fait que les Canadiens français ne contribuèrent que pour 5 pour cent du total canadien, la contribution du Canada anglais ayant presque atteint 50 pour cent des soldats de souche canadienne, [150] continua d'envenimer les relations entre les races du Canada. A mesure que le temps passait, le Canada anglais oublia bientôt, en grande partie, sa rancune contre le Québec, mais le Canada français n'a jamais oublié les troubles de 1917-18. Ce souvenir a servi à alimenter un nouveau mouvement nationaliste, distinctement provincial et parfois séparatiste par son orientation.

## 13

Les sentiments de Bourassa semblèrent évoluer après que les événements de 1917 eurent divisé le Canada sur le plan ethnique et rendu impossible le nationalisme élargi qu'il avait toujours préconisé. Il délaissa beaucoup la politique pour la religion. Il ne commenta guère la résolution de Francœur. Selon lui, la sécession n'avait jamais été sérieusement envisagée. Fin janvier 1918, il publia un livre intitulé *Le Pape, arbitre de la paix* où il rapprochait des directives du pape un certain nombre de textes qu'il avait écrits depuis le commencement de la guerre. Il voulait ainsi prouver qu'il avait toujours été fidèle au programme du pape. Il affirma que l'attitude de Wilson était semblable à celle du pape et demanda que ce dernier assiste à une conférence de la paix qui rechercherait une paix chrétienne et éviterait ainsi la révolution sociale. Cette publication fut approuvée par la plupart des évêques du Québec, mais Mgr Bruchési observa sèchement que certains jugements de Bourassa sur les hommes et les événements étaient contestables et que lui-même n'aurait pas osé se prononcer sur maintes questions traitées par Bourassa. Pendant les émeutes de Québec, le seul commentaire de Bourassa fut une admonestation énergique adressée au public pour qu'il garde son sang-froid. L'application d'une stricte censure, dès avril, ne provoqua aucune explosion de la part du *Devoir*.

Sous les auspices du mouvement de *L'Action française*, lancé par l'abbé Groulx, il donna une conférence sur *La langue, gardienne de la foi*, le 20 novembre 1918, au Monument national. Il rejeta les accusations selon lesquelles les Canadiens français étaient plus français que catholiques, trop français et pas assez britanniques, traîtres à l'Empire et ingrats envers la France. Il assura que la foi avait d'autres sauvegardes, mais que la langue française, nécessaire à la défense de la foi, ne pouvait être conservée que par un vigoureux effort de la part des Canadiens français. Il évoqua les principes d'ordre social et de loi naturelle qui justifiaient la défense de la langue maternelle et souligna que l'Eglise avait toujours protégé et adopté la langue de ses adhérents. Il considérait le français comme la langue du catholicisme par excellence et s'adressa ainsi à son auditoire : « *Luttons pour la langue, afin de mieux garder la foi.* » [151] Sa deuxième conférence publique de l'année évoqua l'œuvre missionnaire des ordres canadiens-français et elle fut donnée au Monument national, le 5 décembre, sous le patronage de Mgr Bruchési. Publiée sous forme de livre, *Le Canada apostolique*, en mars 1919, elle fut préfacée d'un appel pour que l'on écrive l'histoire des missions, ce qui serait « *une excellente manière de réagir contre ce singulier état d'esprit, né de l'abjection coloniale, qui porte tant de Canadiens à méconnaître les beautés de leur histoire pour accorder toute leur admiration aux œuvres de l'étranger.* » [152]

Une lettre pastorale du pape, en date du 7 juin, publiée au Canada le 24 octobre, avait réglé la question scolaire par les injonctions suivantes :

« *Les Franco-Canadiens peuvent, sans manquer à la justice, demander au gouvernement des déclarations opportunes touchant ladite loi scolaire. Ils peuvent également désirer et chercher à obtenir certaines concessions plus amples. De ce nombre serait assurément : que les inspecteurs pour les écoles séparées soient des catholiques ; que pendant les premières années où les enfants fréquentent l'école, au moins pour quelques matières de classe, surtout et de préférence au reste dans l'enseignement de la doctrine chrétienne, l'usage de la langue maternelle soit concédé ; qu'il soit permis aux catholiques d'établir des écoles normales pour la formation des maîtres. Cependant ces avantages et d'autres encore qui pourraient être utiles ne doivent pas être demandés et réclamés par les catholiques avec la moindre apparence de révolte, ni en recourant à des procédés violents ou illégitimes, mais pacifiquement et avec modération en employant tous les moyens d'action que la loi et les usages légitimes concèdent aux citoyens pour réaliser les améliorations auxquelles ils estiment avoir droit...*

*Ainsi donc, en se renfermant dans ces bornes et ces procédés, les Franco-Canadiens seront libres de réclamer pour la loi scolaire les interprétations ou même les mutations qu'ils souhaitent. Que personne toutefois à l'avenir, en cette matière qui est du ressort de tous les catholiques, ne se permette d'aller devant les tribunaux civils et*

*d'engager des procès à l'insu et sans l'approbation de son évêque,*
*lequel, en des questions de ce genre, ne décidera rien qu'après s'être*
*consulté avec les autres prélats qui y sont plus particulièrement inté-*
*ressés...*

*Que tous les prêtres s'appliquent à posséder la connaissance et la*
*pratique de l'une et l'autre langue, anglaise et française et, qu'écar-*
*tant toute susceptibilité, ils se servent tantôt de l'une, tantôt de*
*l'autre, selon les besoins des fidèles.* » [153]

Cette lettre pastorale enjoignait aussi les évêques d'éviter la division par la langue ou la race et les laïcs de faire preuve de charité les
uns envers les autres. Elle exprimait le désir que de sévères avertissements soient donnés à quiconque, dans le clergé ou la laïcité, oserait
à l'avenir entretenir ou susciter « *les animosités qui ont divisé les*
*Canadiens jusqu'à ce jour.* » Des commentaires de l'encyclique par
le père Rouleau, Mgr Paquet et le père Leduc furent publiés dans
*Le Droit, L'Action catholique* et *La Revue dominicaine,* puis réimprimés avec le texte de la conférence de Bourassa. L'agitation violente soulevée par la question scolaire touchait à son terme, quoi-
qu'il fallût attendre l'adoption du *Merchant Report* de 1927 pour
que la coercition, en Ontario, fasse place à la coopération, une importance égale étant accordée à l'enseignement du français et de
l'anglais dans les écoles bilingues reconnues. La question des écoles
bilingues continua cependant à être suffisamment controversée dans
le Canada tout entier pour que l'abbé Groulx l'exploite en 1933, au
moment où le nationalisme se ranimait sous la pression de la crise
économique, circonstance qui, comme la guerre, attise toujours l'animosité ethnique au Canada.

Le développement du nationalisme canadien-anglais pendant la
guerre, rendu évident dans les derniers mois du conflit et lors de la
conférence de paix, eut sans doute un effet apaisant sur le Canada
français dont l'opposition à la politique de guerre du gouvernement
s'expliquait par la subordination des intérêts du Canada à ceux de
l'Angleterre. Borden, accompagné de trois ministres, Calder, Meighen
et Rowell, s'embarqua pour l'Angleterre le 24 mai 1918 afin d'assister à la seconde Conférence de Guerre impériale. A l'instigation de
Sir Arthur Currie, premier commandant canadien du *Canadian*
*Corps,* Borden critiqua ouvertement le *War Office* et l'Amirauté et
dénonça l'incompétence, la désorganisation et le désordre qui sévis-
saient au front, lors d'une réunion du Cabinet de Guerre, le 13 juin.
En conséquence, un sous-comité du Cabinet de Guerre fut créé. Il
réunissait les premiers ministres de la Grande-Bretagne et des dominions, donnant ainsi l'exemple de l'application des principes d'égalité
de statut et d'autonomie pour lesquels Borden avait lutté. Le Cabinet
de Guerre impérial siégea presque sans arrêt au cours de l'été. Borden
et Rowell y assistaient pendant que Meighen et Calder représentaient

le Canada à la Conférence de Guerre impériale. Borden rendait visite aux troupes canadiennes en France et en Angleterre, lorsqu'il n'y avait pas de séance. Il appuya la résolution proposée par Hughes, d'Australie, en faveur de contacts directs entre les premiers ministres de la Grande-Bretagne et des dominions et du droit, pour ces derniers, d'être représentés en permanence, dans le Cabinet de Guerre impérial par les ministres représentant les premiers ministres des dominions. Cette motion fut adoptée à l'unanimité, ce qui confirma le déclin de l'autorité du *Colonial Office* et du gouverneur général.

La Conférence de Guerre impériale prit fin le 26 juillet, après avoir traité des communications de l'Empire, des statistiques et des services de nouvelles, en plus des problèmes de guerre. Ballantyne et Mewburn remplacèrent Calder et Meighen à Londres, en même temps que furent dressés des plans pour joindre un contingent canadien à une expédition en Sibérie. Parlant à un déjeuner le 31 juillet, Borden exposa clairement que le gouvernement britannique annonçait une politique de préférence impériale au nom du Royaume-Uni, mais que le Canada se réservait de régir sa propre politique fiscale. Il rejeta aussi une proposition de l'Amirauté en faveur d'une marine impériale unique placée sous l'autorité de la Grande-Bretagne en temps de guerre ou de paix. Lloyd George proposa que le Canada se charge des Antilles et Borden acquiesça. [154] Borden s'embarqua pour le Canada le 17 août et, le jour de la Fête du Travail, à Toronto, il rendit compte des travaux de la conférence en soulignant qu'aucun grand changement constitutionnel n'avait eu lieu.

Lloyd George avait exprimé le désir que Borden revienne en Angleterre quand la guerre serait finie et, le 28 octobre, il lui câbla de se tenir prêt à s'embarquer à bref délai. On s'accorda, au cabinet d'Ottawa, pour continuer le gouvernement d'union après la paix et une mission de paix fut organisée, dont feraient partie Borden, George Foster et A.L. Sifton. Doherty la rejoindrait plus tard, ainsi que d'autres représentants de divers départements gouvernementaux et de syndicats, John Dafoe l'accompagnant comme représentant de la presse. Borden s'embarqua le 10 novembre et Lloyd George, avec un représentant du roi, vint à sa rencontre à Londres. Il fut immédiatement proposé que Borden représente tous les dominions en faisant partie de la délégation britannique de cinq membres à la conférence de la paix. Borden maintint que tous les premiers ministres des dominions devaient avoir le même statut et consentit à conférer avec le général Smuts. Il offrit de laisser deux divisions canadiennes outre-mer pendant les négociations de paix, mais déclara que l'opinion publique canadienne ne permettrait pas le service obligatoire dans une armée d'occupation. En décembre, il rencontra le général Louis Botha, d'Afrique du Sud, pour la première fois et, comme Laurier avant lui, il constata que le Canada et l'Afrique du Sud défendaient des positions et des idéaux impériaux semblables. Les deux pays jugeaient que « *sur la base de l'égalité des nationalités et du droit de parler en matière de relations extérieures, le salut du Commonwealth pouvait être le plus sûrement organisé.* » [155] Vers la fin de décembre, Borden refusa de céder aux instances de ses collègues qui lui demandaient de rentrer au Canada pour ouvrir la session un mois plus tard parce que le gouvernement d'Union était fortement critiqué et que les libéraux étaient très actifs. Borden répondit que son premier devoir était de défendre les intérêts du Canada à la conférence de la paix.

Lors d'une réunion du Cabinet de Guerre, le 31 décembre, Borden insista beaucoup pour que le premier ministre de chacun des dominions ait son tour pour représenter l'Empire à la conférence de la paix. Il prédit des conséquences regrettables s'il n'était pas accédé au désir, exprimé par le Canada, de participation à l'établissement de la paix. Borden fut appuyé par Hughes et Cook, d'Australie. Lloyd George acquiesça. Selon le système finalement adopté, chaque dominion aurait la même représentation : deux délégués, comme les plus petites nations alliées et, en plus, les cinq représentants de l'Empire britannique devaient être choisis parmi un ensemble qui inclurait les premiers ministres des dominions. Cette décision horrifia le *Foreign Office* et se heurta à une sévère opposition de la part du président Wilson lors de la première réunion des Quatre Grands, les 11 et 12 janvier. Cependant, elle fut ensuite adoptée, avec une modification : la Nouvelle-Zélande n'eut qu'un seul représentant, tandis que le Canada, l'Australie, l'Afrique du Sud et l'Inde en eurent deux chacun. Borden insista auprès de Lloyd George en faveur d'une proposition sud-africaine, rédigée par Smuts, limitant le statut du gouverneur général à celui du roi en Angleterre et demandant que les gouverneurs généraux soient choisis parmi les hommes éminents du dominion pour lequel ils étaient nommés. Lloyd George rejeta cette dernière demande parce que, si elle était acceptée, l'ultime lien unissant les dominions à l'Angleterre disparaîtrait. Borden répliqua : « *Si l'unité de l'Empire dépend de ce lien, elle n'est pas très sûre.* » [156] Des gouverneurs généraux non britanniques furent bientôt nommés dans les autres dominions, mais le Canada attendit jusqu'en 1952 son premier gouverneur général canadien.

Borden fut si actif à la conférence de la paix qu'il y eut plusieurs tentatives, semble-t-il, pour se débarrasser de lui : on voulut lui confier des missions honorifiques, telles que celles de représentant britannique à une réunion projetée des gouvernements russes, le 15 février, à l'Ile des Princes sur la Mer de Marmara, ou d'ambassadeur britannique à Washington, tandis que Botha, qui avait manifesté une égale indépendance, fut nommé président de la Commission polonaise. Dédaignant ces offres, Borden demeura ferme, insistant sur le droit des représentants des dominions de signer le traité de paix en qualité de plénipotentiaires et d'être reconnus par la Société des Nations et le Bureau international du Travail. A la fin, Borden représentait la Grande-Bretagne au Conseil des Cinq et il présidait aussi la délégation de l'Empire britannique, pendant que des représentants canadiens jouaient un rôle important dans les travaux de comité. En mai, Lloyd George pressa Borden de différer son retour au Canada, qu'exigeait la crise politique née de la grève générale du *One Big Union* et des différends entre les membres libéraux et conservateurs du ministère sur les tarifs douaniers. Cependant, dès que fut conclu le traité de paix, Borden dut rentrer au Canada afin d'agir pour rester au pouvoir.

## 14

La grève générale de mai, à Winnipeg, puis les grèves ultérieures de Toronto, d'Ottawa, de Calgary, de Vancouver et d'ailleurs furent, en fait, brisées vers la fin de juin 1919, après que la violence eut été réprimée par la police armée et la troupe. Les désordres de Winnipeg furent beaucoup plus graves que les émeutes de Québec contre la conscription, en 1918. Le Québec ne fut pas touché par l'agitation ouvrière de 1919, parce que les syndicats internationaux n'y étaient pas aussi puissants qu'au Canada anglais et que le monde ouvrier était d'une humeur plus modérée. Borden adopta une attitude ferme, reconnaissant les droits de la main-d'œuvre organisée, mais refusant d'admettre toute ingérence dans les services publics. Un remaniement ministériel s'imposa en juin, les unionistes libéraux dirigés par Calder, qui démissionna du ministère, étant en faveur du libre-échange. Le gouvernement ne put faire accepter la création d'une commission des achats en temps de paix. Avant la clôture de la session le 7 juillet, Borden tint une réunion secrète pour proposer la continuation du présent gouvernement et la fondation d'un parti unioniste. Cette réunion adopta un programme particulièrement vague et autorisa Borden à remanier le ministère, dont Sir Thomas White, ministre des finances et premier ministre suppléant en l'absence de Borden, avait aussi démissionné.

Borden se rendait compte qu'il fallait amener le Québec à sortir de son isolement par une représentation canadienne-française au cabinet. Au début de juillet, il fit des ouvertures à Sir Lomer Gouin, maintenant *leader* titulaire du Canada français depuis la mort de Laurier en février. Gouin proposa que Borden vienne dans le Québec et consulte Jacques Bureau, Rodolphe Lemieux et Ernest Lapointe. Borden n'aboutit guère avec Bureau à Trois-Rivières mais, à Québec, il conféra avec Sir Charles Fitzpatrick, lieutenant-gouverneur et le cardinal

Bégin qui fit valoir son désir de voir le Québec prendre la part qui lui revenait dans le gouvernement du pays. Dans une conférence avec Lapointe à Rivière-du-Loup, Borden offrit de se démettre si ce geste pouvait améliorer la situation, mais Lapointe affirma que l'opinion publique du Québec empêcherait les Canadiens français de participer à un gouvernement d'union, dans tous les cas. Il était sympathique aux idées de Borden, mais il les jugeait irréalisables. [157] A Murray Bay, Borden obtint la même réaction de Gouin et de Lemieux, Gouin pressant le premier ministre de régler la question scolaire en Ontario. Au cours des dernières conversations à Québec et à Montréal, Borden constata que, selon Fitzpatrick, Gouin était disposé à entrer dans le gouvernement fédéral, mais craignait de ne pouvoir se faire élire. Lord Atholstan estimait que Gouin serait un puissant représentant du Québec. En août, Borden accompagna le Prince de Galles lors de sa visite à Québec et, dans une conversation avec lady Gouin, il se servit du français qu'il avait appris à Paris. Cependant, son wagon fut lapidé à la Jonction de la Chaudière quand il repartit pour Ottawa. [158]

Sous la pression de Borden, le gouvernement britannique retarda la ratification du traité de paix jusqu'à ce qu'il ait été soumis au parlement canadien lors d'une session spéciale, en septembre. Le traité fut approuvé le 12 septembre, après un débat au cours duquel Fielding contesta la théorie de Borden selon laquelle il fallait que le Canada ratifie le traité et il proposa une résolution, qui fut approuvée par Lapointe :

« *En donnant cette approbation, la Chambre ne consent d'aucune manière à une diminution quelconque de l'autorité autonome du dominion, mais déclare que la question de fixer quelle part, s'il en est une, les forces du Canada doivent prendre à toute guerre, actuelle ou menaçante, doit être déterminée en tout temps, comme les circonstances peuvent le requérir, par le peuple du Canada agissant par ses représentants au parlement.* » [159]

Il y eut un vif conflit, au parlement, au sujet de l'article X du Pacte de la SDN. C.G. Power, libéral anglais du Québec, précisa que la politique du Canada, pour le siècle à venir, devait reposer sur le principe de Washington « *d'absolue renonciation à l'intervention dans les affaires européennes* » et la doctrine de Laurier de « *libération du tourbillon du militarisme européen.* » Rodolphe Lemieux déclara : « *En matière militaire, nous sommes gouvernés d'ici même, par Ottawa, et non pas par Londres et nous ne voulons pas que Genève nous gouverne.* » L.-T. Pacaud déclara qu'adopter l'article X « *c'est mettre le peuple canadien à la merci d'un conseil qui ne lui doit aucun compte de ses actions.* » La majorité de la coalition au parlement triompha toutefois de l'opposition des deux partis. [160]

Après cette lutte finale pour la ratification du traité de paix, la santé de Borden commença à décliner, mais il continua à travailler jusqu'au 3 octobre. A cette date, il fit parvenir à Londres une dépêche demandant la nomination d'un ministre canadien à Washington pour poursuivre le travail de la mission canadienne du temps de guerre et conduire toutes négociations entre le Canada et les Etats-Unis. Cette proposition, qui fait époque, fut acceptée par le gouvernement britannique et annoncée en 1920, mais elle ne fut appliquée que sept ans plus tard.

Borden se rendit alors aux Etats-Unis prendre des vacances conseillées par ses médecins, mais il y conféra quand même, en plusieurs occasions, avec ses ministres. Il tenta d'aider à la ratification du traité de paix par le Sénat des Etats-Unis en renonçant au droit des dominions de voter lorsque la SDN règle tout différend dans lequel une partie quelconque de l'Empire britannique est en cause. Il revint à Ottawa, le 26 novembre mais, au début de décembre, il annonça à ses collègues du cabinet et au gouverneur général son intention de se retirer pour raison de santé. Sur les instances de ses collègues, il consentit à différer sa démission et tenta de se rétablir en prenant de longues vacances qui durèrent du 2 janvier au 12 mai 1920. C'est alors, à l'occasion de la prorogation, le 1er juillet, qu'il annonça son irrévocable décision de se démettre. Après que Sir Thomas White eut refusé de former un gouvernement, Arthur Meighen succéda à Borden au poste de premier ministre le 10 juillet, les libéraux unionistes, Calder, Guthrie, Ballantyne et Sifton restant dans le ministère, avec le sénateur Blondin comme unique ministre canadien-français.

Dans les années qui suivirent, Borden se trouva dans la situation de doyen des hommes d'Etat canadiens, comme Laurier après sa défaite de 1911. Par ses conférences et ses écrits sur les problèmes constitutionnels, il fit beaucoup pour jeter les fondements du nouveau nationalisme canadien-anglais, qu'il avait aidé à cristalliser dans la dernière partie d'une carrière commencée dans le camp impérialiste. En fin de compte, il avait mené à la réalisation de nombreuses idées de Bourassa touchant au Canada. Avec la lente évolution du nationalisme canadien-anglais d'après-guerre, les Canadiens français devinrent moins isolés politiquement, mais l'abîme entre les races demeura profond, en raison du sang versé à Québec en 1918.

Laurier, le plus grand avocat de l'unité canadienne, était mort en février 1919 et le Québec était resté sans *leader* fédéral. La santé de Laurier avait décliné peu à peu en 1918. Pourtant, vers la fin, il se rétablit partiellement et, en novembre et janvier, il prononça de vigoureux discours devant des réunions libérales. En novembre, à London, en Ontario, il présenta un plaidoyer qui résumait sa philosophie :

« *Quant à vous qui êtes aujourd'hui debout sur le seuil de la vie avec un grand horizon ouvert devant vous pour une longue carrière de dévouement à votre terre natale, si vous me le permettez après une longue vie, je vous rappellerai que, déjà, de nombreux problèmes se lèvent devant vous : problèmes de division raciale, problèmes de différences de croyance, problèmes de conflits économiques, problèmes de devoir national et d'aspiration nationale. Laissez-moi vous dire que pour la solution de ces problèmes, vous avez un guide sûr, une lumière infaillible, si vous vous rappelez que la foi vaut mieux que le doute et que l'amour vaut mieux que la haine.*

*Bannissez le doute et la haine de votre vie. Laissez vos âmes toujours ouvertes aux impulsions de la foi et à la douce influence de l'amour fraternel. Soyez inflexible pour l'arrogant, soyez doux et bon pour le faible. Que votre but et votre fin, bien portant ou malade, dans la victoire ou la défaite, soient de vivre, soient de lutter, soient de manière à faire votre devoir pour élever toujours plus haut le bien-être et les conditions de vie.* » [161]

Encore à la tâche à soixante-dix-huit ans, fidèle jusqu'à la fin à la politique qu'il aimait et dont il était un grand maître, Laurier eut une légère attaque dans son bureau, la veille de l'ouverture de la session, en février. Le lendemain matin, en s'habillant pour se rendre à l'église, il eut une seconde attaque dont il ne releva pas. La fin vint le jour suivant. Il murmura : « *C'est fini* ».

Il y eut une semaine de deuil national et des éloges furent prononcés au parlement par Sir Thomas White, premier ministre suppléant et Rodolphe Lemieux, loyal lieutenant de Laurier. Borden déclara : « *Tout le Canada regrettera sa perte et ceux qui n'étaient pas d'accord avec lui seront profondément conscients du vide que sa mort laisse dans la vie publique de notre pays et qui ne peut pas être entièrement comblé.* » [162] Il y eut des funérailles nationales en la Basilique d'Ottawa. Mgr l'évêque Mathieu et le père Burke lui rendirent hommage en français et en anglais. Le roi fit parvenir un message de sympathie à lady Laurier, avec l'assurance de l'amitié et de l'estime que lui-même et la reine portaient à Sir Wilfrid Laurier depuis dix-sept ans. Au gouverneur général, le roi exprima ses condoléances et il l'assura que « *le Canada portera le deuil de celui qui a si ardemment aimé son pays et se souviendra avec fierté et gratitude de la grande puissance de son génie administratif.* » Un ami canadien déclara : « *... le meilleur homme que j'aie connu. Sa dignité instinctive, sa bonté et son abnégation, cet étincellement de noblesse et de distinction de caractère que les hommes appellent magnétisme faisaient, de tout homme venant en sa présence, un homme meilleur.* » [163] Bien qu'il fût remplacé à la direction du parti libéral par son disciple Mackenzie King qui vénérait sa mémoire et qui, par son alliance avec Ernest Lapointe, tenta de remédier à ses propres défi-

ciences dans la compréhension du Québec, aucun homme d'Etat ne
se leva dans le Canada d'après-guerre qui sût, comme Laurier,
diriger les deux races du pays et être également respecté des deux.


## Notes

1. *Canadian Annual Review 1916,* 304.

2. Lucas, II, 31 ; Armstrong, 121.

3. *Canadian Annual Review 1916,* 353.

4. Skelton, II, 468.

5. Armstrong, 131-133.

6. Rumilly, XXI, 145, 146.

7. *Ibid.,* 146.

8. *Ibid.,* 147.

9. D'Amours, l'abbé, articles publiés dans *La Presse* sous le pseudonyme *Un Patriote* et, plus tard, en brochure, sous les titres *Où allons-nous ? Le nationalisme canadien. Lettres d'un Patriote* (Montréal, 1916), avec une note au sujet de l'observation du cardinal Bégin aux prêtres de son diocèse, pendant leur retraite annuelle, en août : « *Il est très important que vous ne vous opposiez pas au recrutement et même que vous le favorisiez* », 73.

10. Hawkes, A., *Canadian Nationalism and the War* (Montréal, 1916).

11. *La Patrie,* 28 juillet 1916, 1, 2. Lettre Talbot-Papineau (McMaster) à Bourassa.

12. *Le Devoir,* 5 août 1916. Lettre ouverte de Bourassa à McMaster.

13. Rumilly, XXI, 151, 153, 154, 155.

14. Skelton, II, 468.

15. Armstrong, 141. *Le Devoir,* 18 août, 7 septembre 1916.

16. Rumilly, XXI, 163.

17. Borden, *Memoirs,* II, 609.

18. *Canadian Annual Review 1916,* 329.

19. Borden, II, 611.

20. Armstrong, 124. *Le Soleil,* 23 octobre 1916. *Le Bien Public,* Trois-Rivières, 30 novembre 1916.

21. Borden, II, 613-614.

22. *Canadian Annual Review 1916,* 330.

23. Rumilly, XXI, 173.

24. *Ibid.,* 175.

25. *Ibid.,* 173-178.

26. Bourassa, *Le problème de l'Empire : indépendance ou association impériale* (Montréal, 1916). *Independence or Imperial Partnership* (Montréal, 1916).

27. Curtis, L., *The Problem of the Commonwealth* (Londres, 1916), 7.

28. Skelton, II, 467.

29. Bourassa, *Le problème de l'Empire,* 25.

30. Rumilly, XXI, 181-183.

31. *Ibid.,* 185. Colonel Thomas A. Duff — Général Hughes, 19 juin 1917.

32. *Semaine religieuse de Montréal,* vol. LXVIII, no 18, 34ème année, 30 octobre 1916, 279. Lettre de Benoît XV, *Commisso divinitus,* du 8 septembre 1916.

33. Rumilly, XXI, 191.

34. *Ibid.,* 196-197.

35. *Ibid.,* 193.

36. *Ibid.,* 198.

37. Armstrong, 139-140. *Montreal Gazette,* 25 octobre 1916.

38. *Our Volunteer Army* (Montréal, 1916).

39. Rumilly, XXI, 221-222.

40. *Ewart Papers,* J.S. Ewart-Bourassa, 1er décembre 1916.

41. Rumilly, XXI, 226-227.

42. *Où allons-nous ?,* 30.

43. Rumilly, XXI, 231.

44. Borden, II, 570.

45. *Ibid.,* 571.

46. *Canadian Annual Review 1916,* 268.

47. *Ibid.,* 263

48. Rumilly, XXI, 158. *CHR 1950,* I-27. D.M.R. Vince, *The Acting Overseas Sub-Militia Council and the Resignation of Sir Sam Hughes. CHAR 1950,* 30-70, S.H.S. Hughes, *Sir Sam Hughes and the Problem of Imperialism.*

49. Borden, II, 617.

50. Armstrong, 163.

51. *Ibid.,* 162.

52. *Canadian Annual Review 1916,* 476.

53. *Ibid.,* 484.

54. *Ibid.*

55. Armstrong, 167. *Le Soleil,* 29 janvier 1917.

56. Borden, II, 660.

57. Skelton, II, 492.

58. *Ibid.,* 498.

59. Borden, II, 619.

60. Skelton, II, 497.

61. Borden, II, 663.

62. *Ibid.,* 668.

63. *Ibid.,* 666, Skelton, II, 501.

64. Skelton, II, 503-504. Laurier-C.P. Scott, 13 février 1917.

65. *Canadian Annual Review 1917,* 307.

66. Skelton, II, 509-511. Laurier-Aylesworth, 15 mai 1917.

67. *Ibid.,* 512.

68. *La Presse,* 15 mai 1917.

69. *Canadian Annual Review 1917,* 492.

70. Bourassa, Henri, *L'intervention américaine ; ses motifs, son objet, ses conséquences* (Montréal, 1917).

71. *Ibid.,* 27.

72. *Ibid.,* 28.

73. Bourassa, *Conscription* (Montréal, 1917).

74. *Ibid.*, 22, 23.
75. *Ibid.*
76. *Ibid.*, 24.
77. *Ibid.*, 26.
78. *Ibid.*, 27.
79. *Ibid.*, 36.
80. *Ibid.*, 40.
81. Borden, II, 720-727. Skelton, II, 512-517.
82. Skelton, II, 514.
83. *Ibid.*, 515-516. Laurier-Rowell, 3 juin 1917.
84. Borden, II, 701.
85. De Celles, *Discours de Sir Wilfrid Laurier,* 1889-1911, 129-170.
86. *Débats de la Chambre des Communes du Canada,* 7ème session — 12ème parlement, 1917 (Ottawa, Taché, 1918), 5 juillet 1917, 3103, 3104.
87. *Ibid.*, 24 juillet 1917, 3850.
88. *Canadian Annual Review 1917,* 347.
89. Borden, II, 740.
90. *Canadian Annual Review 1917,* 506.
91. *Ibid.*, 505-506.
92. Armstrong, 195-196.
93. Roy, Ferdinand, *L'appel aux armes et la réponse canadienne-française* (Québec, 1917), 21.
94. Borden, II, 733-734.
95. Vindex, Jean [R.P. Hermas Lalande, s.j.], *Halte-là, Patriote* (Rimouski, 1917).
96. *Canadian Annual Review 1917,* 480-481.
97. *Ibid.*, 481.
98. Armstrong, 196-197.
99. *Ibid.*, 198. *Etoile du Nord,* 16, 30 août. *Le Peuple,* 6 septembre 1917.
100. Borden, II, 730-731.
101. Skelton, II, 524.
102. Dafoe, Sifton, 416-417.
103. *Canadian Annual Review 1917,* 351.
104. Armstrong, 210. *La Presse,* 23 novembre 1917.
105. Bourassa, *L'Emprunt de la Victoire* (Montréal, 1917).
106. Skelton, II, 536.
107. Armstrong, 202.
108. *Canadian Annual Review 1917,* 610.
109. *Ibid.*, 610-611.
110. *Ibid.*, 611.
111. *Ibid.*, 598-599.
112. *Le Devoir,* 10 novembre 1917.
113. *Canadian Annual Review 1917,* 600-601.
114. Borden, II, 782.
115. *Le Devoir,* 20 décembre 1917.
116. *Canadian Annual Review 1917,* 642.

117. Skelton, II, 543.
118. *Ibid.,* 544.
119. Armstrong, 209.
120. *La Presse,* 24 janvier 1918.
121. Armstrong, 210-211.
122. *La Presse,* 18 janvier 1918.
123. Savard, A. & Playfair, W.E., *Quebec & Confederation :* traduction anglaise des notes de ces deux journalistes de la galerie de la presse, à l'Assemblée législative du Québec, sur les débats au sujet de la motion J.-N. Francœur (1918).
124. *Ibid.,* 65.
125. *Ibid.,* 47.
126. *Ibid.,* 49.
127. *Ibid.,* 52.
128. *Ibid.,* 59.
129. *Ibid.,* 65. *La Presse,* 18 janvier 1918.
130. *Ibid.,* 73-74, 80.
131. *Ibid.,* 117-136.
132. *Ibid.,* 136.
133. *Ewart Papers,* Ewart-Bourassa, 21 janvier 1918.
134. *Ibid.,* Bourassa-Ewart, 29 mars 1918.
135. *Le Devoir,* 20 février 1918.
136. *Canadian Annual Review 1918,* 640.
137. *La Presse,* 20 février 1918, 4.
138. *Canadian Annual Review 1918,* 600.
139. *Ibid.,* 640-641.
140. Armstrong, 226, note.
141. *Ibid.,* 227-230. *Canadian Annual Review 1918,* 462-464.
142. *Le Devoir,* 15 avril 1918, 6.
143. Borden, II, 789.
144. *Canadian Annual Review 1918,* 411.
145. *Ibid.,* 466-467.
146. *Ibid.,* 454.
147. Stacey, C.P., *The Military Problem of Canada* (Toronto, 1940), 79-80. Armstrong, 238.
148. *Canadian Annual Review 1918,* 458.
149. Armstrong, 249.
150. *Ibid.,* 250.
151. Bourassa, Henri, *La langue, gardienne de la foi* (Montréal, 1918), 51.
152. *Ibid., Le Canada apostolique* (Montréal, 1919), 9.
153. *Semaine religieuse de Montréal,* vol. LXXII, no 18, 36ème année, 28 octobre 1918, 275, 276, 277. Lettre pastorale de Benoît XV, *Litteris Apostolicis* du 7 juin 1918.
154. Borden, II, 844.
155. *Ibid.,* 879.
156. *Ibid.,* 901.
157. *Ibid.,* 984.

158. *Ibid.*, 987.
159. *Ibid.*, 999.
160. *Débats de la Chambre des Communes du Canada,* 3ème session — 13ème parlement, 1919 (Ottawa, Taché, 1920). 10 septembre 1919, 160. 8 septembre 1919, 104, 105.
161. Skelton, II, 554-555.
162. Borden, II, 914-915.
163. Skelton, II, 588.

# CHAPITRE XIII

# NATION ET INTERNATIONALISME

## (1920-1939)

Le Québec, qui avait à affronter des conflits incessants pour la défense des minorités canadiennes-françaises brimées dans les autres provinces, se réfugia dans un provincialisme étroit pendant la guerre. De plus, la scission ethnique provoquée par la cr se de la conscription amena le Canada français à s'isoler avec beaucoup plus d'intransigeance dans le monde d'après-guerre que, sans doute, il ne l'aurait fait en d'autres circonstances. Les progrès industriels du temps de guerre, au Canada, se poursuivirent de 1920 à 1939 et ces années prospères sont remarquables par la participation croissante du pays aux affaires internationales. En effet, dépendant autrefois économiquement et politiquement de la Grande-Bretagne, il devint peu à peu le tributaire des États-Unis économiquement, mais moins politiquement. Cette évolution historique normale, nationale et internationale, menaçait cependant, dans les deux cas, la survivance culturelle canadienne-française. Aussi le Canada français se replia-t-il de plus en plus sur lui-même et cette tendance ne disparut que pour faire place au nouvel internationalisme, vers le milieu des années 1930.

Le Canada français, habitué depuis longtemps à lutter contre l'impérialisme, continua encore pendant quelques années après la guerre à combattre un impérialisme politique anglais qui, pourtant, disparaissait rapidement. De plus, les porte-parole canadiens-français n'avaient, pour la plupart, aucune idée des problèmes économiques, parce qu'ils appartenaient à une élite dont l'éducation avait eu pour base l'étude exclusive des humanités, ce qui l'empêcha longtemps de comprendre le danger du nouvel impérialisme économique américain qui comportait beaucoup plus de difficultés et d'obstacles pour une minorité résolue à conserver son mode de vie particulier. On se rendit compte finalement de cette périlleuse situation en voyant pénétrer dans le Québec la culture américaine vivement combattue par l'élite, mais généralement bien accueillie par les masses qui, grâce à l'industrialisation, avaient atteint maintenant un niveau de vie plus élevé que jamais auparavant [1]. Vers la fin de cette période, l'isolationnisme canadien-français traditionnel s'appuya sur l'isolationnisme américain et les nouveaux chefs nationalistes, à l'instar de Bourassa, citèrent des statistiques publiques anglaises et américaines, ce qui embarrassa beaucoup les hommes d'Etat canadiens. Ceux-ci étaient d'ailleurs déchirés entre l'attrait du nouveau nationalisme canadien-anglais et les pressions, parfois contradictoires, de Londres et de Washington, bien que ce nationalisme passât généralement inaperçu aux yeux d'un Québec replié sur lui-même. Avant de pouvoir décrire les changements sociaux et culturels d'une importance vitale qui se sont produits dans le Québec même, il est indispensable d'évoquer leur contexte national et international. La suite de cet ouvrage ne saurait être désormais qu'un essai, comme toutes les histoires d'un passé trop récent car, bien que les événements y soient fidèlement racontés, d'autres faits, aujourd'hui inconnus, peuvent venir bouleverser l'interprétation que nous en donnons ici.

## 1

Les *leaders* fédéraux et provinciaux tentaient de réparer la fissure entre le Québec et le reste du Canada, lorsqu'Arthur Meighen remplaça Sir Robert Borden à la tête du gouvernement d'union et qu'Alexandre Taschereau succéda à Sir Lomer Gouin, premier ministre du Québec, par un double changement de la vieille garde, en juillet 1920. Gouin annonça qu'il se retirerait le 8 juillet, au retour d'un voyage en France et en Angleterre, où il fut honoré par le président de la république, par le roi et par la reine. Taschereau, bras droit de Gouin depuis longtemps et souvent son porte-parole, annonça que sa politique serait la même que celle de son prédécesseur depuis quinze ans : mise en valeur continue des ressources naturelles et des richesses du Québec et maintien de la province comme sanctuaire de paix et de tolérance. Dans un discours prononcé le 27 juillet, il déplora l'isolement du Québec :

« *Si le Québec est la province riche et prospère que nous savons, si elle est nécessaire à la Confédération et à l'unité nationale, me serait-il permis de déplorer son isolement dans l'arène fédérale ? Quelques-uns y voient un bienfait, d'autres le regrettent et je suis de ceux-là. Nous ne sommes pas entrés dans la Confédération pour faire bande à part et, nouveau Robinson, vivre seuls et séparés dans notre île... Le Québec n'est pas seul à en souffrir, tout le pays s'en ressent et je souhaite le jour où notre province saura reprendre au foyer canadien la place que lui méritent ses richesses, sa position géographique et tous ses éléments de grandeur.* » [2]

Cette même attitude conciliante se refléta dans les conseils donnés par Taschereau aux étudiants de l'Académie commerciale de Québec, qu'il engagea vivement à bien apprendre l'anglais pendant qu'ils

étaient jeunes car « *Québec n'est pas entouré d'un Mur de Chine* ». [3]
Le gouvernement provincial donna 1 000 000 de dollars à chacune
des deux Universités, McGill et la nouvelle Université de Montréal
qui devint indépendante de Laval cette année-là, avec cinq fois plus
d'étudiants que l'institution-mère. Du total de 4 000 000 de dollars
recueillis pour doter la nouvelle institution, le Séminaire de Saint-
Sulpice en fournit 1 000 000 et le sentiment de bonne entente fut
raffermi par des dons : 50 000 dollars du Canadien-Pacifique, 20 000
dollars du gouvernement d'Ontario et dons plus modestes de milieux
canadiens-anglais. [4]  La facilité avec laquelle fut réuni le fonds de
dotation était bien le signe de la nouvelle richesse du Canada français
résultant de l'industrialisation du temps de guerre.

Le gouvernement national, libéral et conservateur, formé par
Arthur Meighen après la démission de Borden le 10 juillet, ne comprenait qu'un seul Canadien français, le sénateur Blondin, qui fut
nommé ministre des postes. Son rôle, pendant la guerre, avait laissé
Blondin presque sans appui dans le Québec et l'ardent conservatisme
de Meighen le rendait, lui aussi, très impopulaire dans cette province.
Quatre seulement des seize membres du nouveau gouvernement avaient
des antécédents libéraux : ce n'était donc qu'en apparence un gouvernement de coalition. Bourassa décrivit ainsi le nouveau premier ministre, dans *Le Devoir* : « *M. Meighen représente dans sa personne et
son tempérament, dans ses attitudes et ses déclarations passées, tout ce
que le jingoïsme anglo-saxon peut offrir de plus brutal, de plus exclusif, de plus anti-canadien.* » [5]  Pourtant, à peine installé comme
premier ministre, dans son premier discours important à Portage-
la-Prairie le 2 août, Meighen prit sur lui de solliciter l'appui canadien-français :

« *Nous avons deux grandes races. Les institutions fondamentales
du Canada sont tout aussi chères à une race qu'à l'autre. Le péril qui
a toujours menacé toutes les nations est une tendance à se diviser en
races, religions ou castes sociales. Si nous ne nous rapprochons pas
pour réaliser une meilleure compréhension et une meilleure unité afin
de traiter des choses qui sont vitales et fondamentales pour l'Etat,
nous aurons à en subir de lourdes conséquences.* » [6]

Ce plaidoyer faisait écho aux récentes affirmations de Taschereau.
Il fut approuvé par le *Toronto Globe* et *La Presse* de Montréal, puis
repris par le *Mail and Empire* qui, le 9 août, insista :

« *Québec devrait exercer sa pleine et vigoureuse influence sur les
affaires nationales. Il a tout à perdre en restant isolé. Il est impossible
que ce ne soit pas le désir du nouveau premier ministre du dominion
que le Québec soit dûment représenté dans son ministère.* » [7]

A Montréal, le 10 septembre, le sénateur Blondin dénonça l'isolement comme étant un suicide pour le Québec et demanda qu'il soit
mis fin à l'exploitation des préjugés raciaux et religieux. [8]  Au cours

de ce mois, après que le premier ministre se fut joint à Taschereau et au cardinal Bégin lors d'une cérémonie où fut dévoilée une statue de Cartier à Québec, le bruit courut d'ouvertures faites à E.-L. Patenaude et à Georges H. Boivin puis, plus tard, à L.-J. Gauthier, mais tant les conservateurs que les libéraux du Québec refusèrent de se joindre au nouveau gouvernement.

Le nouveau *leader* du parti libéral, William Lyon Mackenzie King, fut plus heureux que Meighen comme courtisan du Québec, parce qu'il était déjà connu en tant que disciple favori de Laurier et qu'il était fortement appuyé par les lieutenants du vieux chef, Rodolphe Lemieux et Ernest Lapointe. Ce dernier gagnait rapidement en influence dans le milieu des représentants du Québec à Ottawa. Au cours de la session, King mena une vigoureuse attaque contre le gouvernement. Il dénonça le *War-Time Election Act* comme « *l'une des plus infernales pièces de législation qui ait jamais été mise en œuvre* »[9] et il déplora que le Québec n'eût pas sa juste part des responsabilités gouvernementales. Les attaques des conservateurs qui lui reprochaient d'avoir abandonné le Canada pendant la guerre pour servir les intérêts Rockefeller (il avait été conseiller aux relations industrielles de la Fondation Rockefeller) ne lui firent aucun tort dans le Québec, pas plus que son refus des propositions navales du gouvernement.[10] Pendant l'été, King fit une tournée dans l'Ontario et dans l'Ouest, appuyé par des députés du Québec et, en décembre, il prononça deux discours à Montréal, érigeant ses défenses politiques pour les élections désormais inévitables, Meighen n'ayant pas su gagner l'appui du Canada français.

La période immédiate d'après-guerre vit une renaissance du vieux conflit canadien entre l'impérialisme et le nationalisme, mais non plus sur le plan ethnique. Le nationalisme canadien-anglais avait considérablement évolué au cours des années de guerre, d'abord parce que l'on était fier de l'effort de guerre du Canada et aussi en raison de froissements avec certains Britanniques imbus de préjugés au sujet des coloniaux : il avait tendance à se muer en un nationalisme indépendant, conséquence de la lutte de Borden pour l'autonomie pendant la négociation des traités de paix. Or, l'Angleterre mit tout en œuvre pour maintenir la cohésion de son Empire ébranlé dans les années d'après-guerre et la propagande impérialiste visa surtout le Canada, le plus important des dominions. En 1919, le Prince de Galles [10bis] et l'amiral lord Jellicoe furent envoyés au Canada pour renforcer le sentiment impérialiste en évoquant la loyauté envers la famille royale et la fierté de la marine royale. Le prince fut très populaire, mais même le plus modeste des quatre plans que Jellicoe avait dressés pour la marine canadienne d'après-guerre fut rejeté par le gouvernement conservateur.[11] Lord Atholstan, *leader* impérialiste montréalais, présida la Conférence impériale de Presse qui se réunit à Ottawa le 5 août 1920 et demanda un service de câble impérial, après avoir touché à d'autres questions intéressant l'Empire. Les délégués parcoururent ensuite le Canada, répandant l'évangile de l'unité impériale tout au long de leur chemin. Les Chambres de Commerce de l'Empire se réunirent aussi en congrès à Toronto en septembre 1920 et adoptèrent des résolutions demandant le renforcement des liens commerciaux impériaux, un tarif impérial préférentiel, l'organisation des ressources impériales et l'amélioration des communications et moyens de transport impériaux.

Ces réunions avaient pour but d'aplanir la voie pour la première Conférence impériale d'après-guerre qui allait se tenir à Londres en juin 1921. Son programme comportait une discussion préparatoire des revisions constitutionnelles demandées lors de la conférence de 1917, une étude des relations étrangères, le renouvellement du traité anglo-japonais et l'examen des méthodes qui permettraient de réaliser l'entente sur la politique étrangère intéressant toutes les parties de l'Empire. Le 16 février, Lloyd George déclarait aux Communes que la défense impériale devrait être une responsabilité de l'Empire. Il fut appuyé, le 27 avril, par Sir Robert Borden qui affirma : « *Nous ne pouvons pas assumer ou accepter le statut de nationalité sans en accepter aussi les responsabilités... quel que puisse en être le fardeau, je crois qu'il sera moindre pour ce pays, en tant que nation de l'Empire, que si nous en étions séparés comme nation indépendante.* » [12] Mackenzie King répliqua en Chambre que le moment n'était pas propice au règlement d'un certain nombre de grandes questions qui avaient été soulevées et il proposa une résolution précisant qu'il ne serait apporté aucun changement aux relations actuelles entre le Canada et l'Empire et qu'aucune nouvelle dépense ne serait engagée à des fins navales ou militaires. Sa motion fut rejetée par 96 voix à 64, après que Meighen eut revendiqué la liberté de discuter toutes les questions qui pourraient être soulevées à la conférence.

Cependant, la force du nouveau nationalisme canadien-anglais était devenue manifeste. Le correspondant canadien de la Table ronde *(Round Table)* décrivit ainsi son programme :

« *... Représentation diplomatique séparée de tous les dominions dans les capitales de toutes les nations étrangères ; des marines séparées sous contrôle national ; abolition des appels au Conseil privé impérial et complète indépendance judiciaire ; nomination du gouverneur général par le cabinet canadien et d'un Canadien à ce poste, si le cabinet le veut ainsi ; reconnaissance du souverain comme le seul lien réel ou officiel des dominions à la mère-patrie... l'indépendance complète, sous l'autorité de la Couronne, est la relation ultime, naturelle et inévitable, entre les pays britanniques au delà des mers et l'ancien siège et centre de l'Empire.* » [13]

Meighen approuva l'opinion de Borden selon qui l'avenir de l'Empire devait reposer sur l' « *égalité de nationalité* », chacune des nations conservant son « *autonomie absolue* », mais prenant part aussi à ces « *relations extérieures* » qui pourraient avoir pour conclusion « *la paix ou la guerre* ». [14]

Quand la conférence se réunit à huis clos, le 20 juin, à Londres, Massey, de Nouvelle-Zélande, fut le seul porte-parole d'un dominion à faire écho à l'idéal de fédération impériale de Chamberlain. Tous les autres souhaitaient l'action concertée, sur une base d'égalité. Le 27 juin, Meighen insista, dans la tradition de Laurier et de Borden, pour que les dominions soient tenus au courant de toutes les questions de politique étrangère intéressant directement le gouvernement britannique et consultés en toute matière touchant l'Empire dans son ensemble. Il affirma que l'Angleterre ne devait conclure aucun traité sans consulter les dominions, que tout traité devait être soumis à l'approbation des parlements des dominions et que, pour toutes les questions intéressant le Canada et les Etats-Unis, l'avis du gouvernement canadien devait être accepté comme décisif. [15] L'opinion anglaise était sympathique aux trois premiers points et le dernier avait été depuis longtemps concédé. Le 29 juin, Meighen, nouveau venu aux affaires impériales, s'opposa carrément aux instances des vétérans Hughes, d'Australie et Massey, de Nouzelle-Zélande, qui voulaient renouveler l'alliance anglo-japonaise : elle était incompatible avec la SDN et combattue par les Etats-Unis. Dans la première affirmation du nouveau rôle du Canada comme interprète entre l'Angleterre et les Etats-Unis, Meighen déclarait que de bonnes relations anglo-américaines étaient « *la pierre de touche de la politique britannique et l'espoir du monde.* » Malgré les vigoureuses objections de Hughes, Lloyd George fut gagné à l'avis de Meighen et adopta son idée d'une Conférence du Pacifique entre l'Angleterre, les Etats-Unis et le Japon pour définir une politique du Pacifique. [16] Le 6 juillet, Meighen déplora que toutes les nouvelles par câble atteignant le Canada vinssent de New-York « *censurées du point de vue américain* » et qu'il en résultât « *une influence indésirable.* » Or, aucune mesure ne fut prise pour créer un service de câble impérial, en dépit des fortes représentations de Winston Churchill, du secrétaire aux colonies et de W.M. Hughes, d'Australie. Ces faits amenèrent le président Harding à convoquer, le 10 juillet, la Conférence navale de Washington, en même temps qu'avait lieu la réunion de Londres.

La Conférence impériale de 1921 mit fin à la fédération impériale en renonçant à l'idée d'une revision constitutionnelle des relations de l'Empire. Elle s'accorda sur une politique de consultation continue et de communication directe entre les premiers ministres du Royaume-Uni et des dominions, en plus de réunions « *annuelles, ou à de plus longs intervalles, selon ce qui serait réalisable.* » [17] Elle fournit le premier exemple notable d'un dominion déterminant la politique impériale et, grâce à Meighen, la décision sur la politique britannique du Pacifique fut différée jusqu'à la réunion de la conférence de Washington. Sans aucun doute, Meighen représenta une opinion publique canadienne qui ne tenait pas compte des positions de parti. Dans un débat à la Chambre, le 27 avril, Lapointe avait demandé que le Canada soit exclu du traité anglo-japonais et un autre membre canadien-français affirma que le Canada devait être guidé par la politique américaine et conclure une alliance défensive avec les Etats-Unis. La Colombie-Britannique s'opposait, elle aussi, au renouvellement du traité. [18]

Bien que la conférence n'eût pas abouti, Meighen, à son retour au Canada, le 6 août, parla de l'importance de ces réunions : « *La Grande-Bretagne est le plus grand facteur dans le monde, aujourd'hui, pour préserver la paix... L'influence des hommes d'Etat britanniques dans les conseils du monde est plus grande, parce que les dominions et l'Inde font partie de l'Empire et que la Grande-Bretagne reflète, ou veut refléter leurs vues, aussi bien que les siennes... Nous devons marcher avec les nations de l'Empire, ou nous en éloigner... Je crois à l'Empire britannique.* » [19] Cependant, le 7 octobre, Sir Robert Borden observa dans ses conférences, à Toronto : « *La politique étrangère de l'Empire reste sous la même direction et les mêmes influences qu'avant la guerre et telle n'était pas notre intention quand nous avons pris position en 1917. Il est impératif que cessent les anciens errements.* » [20] Cette question intéressait peu l'opinion, bien que Bourassa, John S. Ewart et Lindsay Crawford eussent insisté pour que le Canada affirme son indépendance. On semblait redouter qu'une organisation impériale renforcée n'entre en conflit avec la SDN où, à la première réunion de son assemblée, en novembre 1920, Sir George Foster, C.J. Doherty et N.W. Rowell avaient représenté le Canada. O.D. Skelton avait déjà déclaré que la nationalité canadienne dépendait de la « *reconnaissance du fait que les affaires étrangères ne constituent pas un sujet que l'on ne peut discuter qu'à l'étranger.* » Il ajouta : « *Quand elles nous concernent de près ou de loin, ce sont des affaires qui doivent être avant tout discutées dans notre propre parlement, ou étudiées par une commission parlementaire.* » Il demanda aussi qu' « *il soit rendu évident pour le monde entier que l'Empire britannique avait cessé d'être un Etat unique et qu'il était maintenant composé de beaucoup.* » [21] Meighen lui-même affirma le droit d'intervenir dans le traité anglo-japonais et de demander son abrogation, compte tenu des relations anglaises et canadiennes avec les Etats-Unis qui s'y opposaient.

La Grande-Bretagne avait été invitée à participer à la Conférence de Washington sans que la représentation des dominions eût été précisée : ce fut là une vexation pour les pionniers du nouvel Empire,

tels que Smuts et Borden, qui protestèrent contre le point de vue des
Etats-Unis selon qui la voix de l'Empire dans les affaires mondiales
devait être celle de l'Angleterre seule. La même attitude avait été
adoptée au sujet de la Société des Nations. Le gouvernement britannique nomma quatre représentants des dominions dans sa délégation
de sept mais, sur les instances de Smuts, les représentants des dominions obtinrent finalement le même statut qu'à la conférence de la
paix. T.A. Crerar, *leader* progressiste de l'Ouest, déclara : « *Nous
devons être représentés à Washington de plein droit, ou pas du tout* »,
tandis que, le 11 août, le *Montreal Star* faisait état des responsabilités
à assumer dans le cas d'une nation distincte. [22] Sir Robert Borden
fut le représentant canadien de la délégation britannique à la Conférence de Washington qui se réunit le 12 novembre 1921. Balfour,
chef de la délégation britannique, se rendit à Washington en passant
par le Canada et, débarquant à Québec, il rendit hommage à Borden
et admit que la question du Pacifique était d'un intérêt immédiat
pour le Canada. [23] Borden joua un rôle important à la conférence
et signa, au nom du Canada, le traité qui en résulta. A son retour,
dans son rapport au gouvernement canadien, Borden expliqua comment l'unité diplomatique de l'Empire et l'autonomie des dominions
avaient été toutes deux maintenues. [24]

Après la Conférence de Washington, la marée du nationalisme
canadien-anglais continua à monter régulièrement. On affirmait que,
par sa représentation à la conférence de la paix, à la Société des
Nations et à Washington, le Canada avait donné la preuve de son
indépendance croissante. L'internationalisme se présenta comme l'anti-
thèse de l'impérialisme et on exploita beaucoup le fait que les intérêts
du Canada, particulièrement dans le Pacifique, étaient plus près de
ceux des Etats-Unis que de ceux de la Grande-Bretagne. On demandait la création d'un service diplomatique canadien, le choix d'un
drapeau canadien distinctif et le remplacement de *God Save the
King* par *O Canada*. John S. Ewart, qui s'était prononcé pour une
république canadienne en 1920, se joignit à Lindsay Crawford, rédacteur du *Statesman,* pour demander l'indépendance du Canada. Une
organisation des *Daughters of Canada* fut formée à Toronto pour riva-
liser avec les *Imperial Daughters of the Empire*. Armand Lavergne
déclara à un auditoire de Kingston, le 5 février 1921 : « *Aussi longtemps que nous sommes en colonie, jusqu'au jour glorieux où nous
réaliserons la promesse faite en 1867 de rendre notre pays souverain
et indépendant, nous ne devons pas oublier qu'une éternelle vigilance
est le prix de la liberté.* » Dans un dîner offert à Lavergne le 23 décembre, à Québec, Bourassa observa : « *La Confédération a vécu en
puissance. Durera-t-elle vingt ans ou trente ans, je l'ignore, mais elle
doit se dissoudre un jour.* » Les nationalistes, par conséquent, ne

devaient pas combattre l'Angleterre mais l' « *anglo-saxonnisme* », qu'il soit anglais ou américain. [25]

L'abolition des appels au Conseil privé d'Angleterre était alors généralement souhaitée par l'opinion canadienne-anglaise, avec un certain appui canadien-français, bien que le droit d'appel fût généralement considéré, dans le Québec, comme une sauvegarde contre la domination canadienne-anglaise. La nomination de lord Byng de Vimy, premier commandant du *Canadian Corps* en France, au poste de gouverneur général, fut généralement accueillie avec satisfaction parce qu'elle avait reçu l'approbation du gouvernement canadien. Les troubles irlandais procurèrent aux nationalistes canadiens-français de nouveaux alliés et Lavergne, Bourassa et Lucien Cannon prirent part au mouvement de la *Self-Determination League* fondée en 1920 par Lindsay Crawford. Lors d'une réunion, le 16 mai, à Montréal, Lavergne appela l'Angleterre « *le plus grand meurtrier des petites nations* » [26] et Bourassa, au congrès national de cette ligue à Montréal, le 7 novembre, parla pendant trois heures de la question irlandaise, affirmant que c'était d'abord une question religieuse avec, comme corollaire, un problème de minorité que l'on pouvait résoudre en appliquant le principe selon lequel c'est la majorité qui gouverne. Cette alliance apporta un aliment nouveau à la haine orangiste du Canada français et à l'éternelle méfiance canadienne-anglaise à l'égard de la loyauté canadienne-française.


2


A son retour de la Conférence impériale de 1921, Meighen se trouva devant la nécessité de réorganiser son gouvernement et de courir le risque d'élections. En septembre, il avait ajouté trois Canadiens français à son cabinet, Louis-de-Gonzague Belley, ministre des postes, Rodolphe Monty, Secrétaire d'Etat et Louis-Philippe Normand, président du Conseil privé. Ces nouveaux ministres avaient peu de valeur (Belley était le seul qui eût été membre du parlement) et ils n'ajoutaient guère, dans le Canada français, au prestige d'un gouvernement dont le membre principal, dans le Québec, était C.C. Ballantyne, impopulaire chez les Canadiens français parce qu'il avait rompu avec Laurier en 1917 et prêté son appui à la conscription. Plus tard, André Fauteux fut nommé procureur général mais, comme ses autres collègues canadiens-français, il manquait d'expérience parlementaire et ministérielle. Les élections étant fixées au 6 décembre, Meighen ouvrit sa campagne à Montréal en septembre, avec l'appui de Ballantyne, Belley, Monty et Normand. Il soutint que le tarif protectionniste était la question principale, prétendant que la position du gouvernement sur cette quest'on était celle de Laurier. Il fit appel à la conciliation et à la concorde entre les races et adjura le Québec d'enterrer le passé et de voter pour l'avenir.

King avait aussi donné priorité à la question tarifaire le 20 août à Windsor, pour en demander la revision, tandis que Rodolphe Lemieux attaqua't l'administration des chemins de fer par le gouvernement et demandait qu'ils soient confiés à l'entreprise privée, suivant le plan de lord Shaughnessy. Ernest Lapointe prit une part active à la campagne, appuyant King en Ontario et dans les Maritimes, ainsi que Lemieux dans le Québec. Le ton de la campagne dans cette dern'ère province fut donné à Montréal, au cours d'un banquet offert à Lemieux le 21 septembre. Gouin présidait, King était le principal orateur, secondé par le premier ministre Taschereau, par Lapointe, Charles Murphy et Jacques Bureau. Gouin, que l'on engageait à entrer dans la politique fédérale, compara la présente situation à celle de 1896 et demanda au Québec d'accorder sa confiance au parti libéral. King fit écho à cette comparaison et déclara que la politique de conciliation raciale de Laurier portait fruit en Afrique du Sud comme au Canada. Lem'eux se prononça avec force pour l'autonomie canadienne : « *Toute ingérence dans la politique étrangère de la Grande-Bretagne nous conduit à l'impérialisme. C'est ici même, au Canada, non dans les lointaines aventures, qu'est fixé notre destin.* » Il ne voulait aucune voix dans les conseils britanniques, ayant confiance en la traditionnelle politique de Macdonald, Tupper et Laurier. King souleva encore la question de l'autonomie le 5 octobre, à Charlottetown, saluant en Laurier le premier Canadien à demander que le Canada soit reconnu comme « *une nation au sein de l'Empire* » et déclara que Meighen n'était qu'un disciple de Laurier à cet égard. [27]

Le 20 octobre, Gouin accepta d'être nommé candidat libéral dans Laurier-Outremont et déclara : « *Je veux aller à Ottawa pour faire que le Québec soit mieux connu, mieux respecté, mieux aimé. Je veux que toutes les provinces-sœurs de la Confédération traitent le Québec comme rien de plus, ni rien de moins que leur égal.* » [28] Saluant sa décision d'entrer dans l'arène fédérale, la *Montreal Gazette*, organe conservateur, observa qu'il avait « *le respect, la confiance de toutes les classes du Québec* » et qu'il était « *solide, stable et sensé en matière politique.* » [29] On comptait que le grand nombre de députés du Québec permettrait à Gouin de dominer la situation à Ottawa. Cet appui conservateur était certainement dû aux étroites relations de Sir Lomer Gouin avec les puissances financières de Montréal : il était l'un des administrateurs de la Banque de Montréal, du *Royal Trust Company* et de maintes autres institutions dirigeantes. Pendant toute la campagne, la *Montreal Gazette* et le *Star*, traditionnellement *tory*, s'abstinrent de soutenir Meighen, surtout parce qu'il favorisait la continuation du contrôle des chemins de fer par le gouvernement.

Lemieux assuma un rôle de premier plan dans la campagne, accusant le gouvernement de trahir la confiance du public, d'avoir dépouillé les soldats de leur droit de vote en 1917, d'essayer de créer des tribunaux de divorce, de mener le Canada à la faillite, de mettre l'impérialisme avant le canadianisme et d'ouvrir la voie à l'annexion par une politique extravagante. Il exploita le problème de la conscription et révéla que Borden avait offert à Laurier le rôle dominant dans le gouvernement de coalition, s'il consentait à la conscription. Mackenzie King appuya les efforts de son lieutenant du Québec. Il accusa le gouvernement de militarisme, en insistant sur certains envois récents de surplus de munitions britanniques au Canada. Meighen, défendant sa politique étrangère le 4 novembre à Montréal, affirma : « *Les affaires qui ont trait à nos relations avec le monde et l'Empire doivent être considérées par les Canadiens du point de vue de la nation tout entière et ne devraient jamais devenir des sujets de querelles qui les diviseraient.* » Parlant de la conférence impériale, il affirma : « *Aucun nouvel engagement n'a été pris, au nom de ce pays, à rien de plus que ce à quoi il a toujours été engagé et rien n'a été dit ou fait qui dépasse de l'épaisseur d'un cheveu la limite de ce que j'ai dit au parlement.* » [30] Bourassa, malade, ne pouvant se présenter annonça que *Le Devoir* et lui appuieraient des candidats indépendants. Il ne trouvait satisfaisant aucun des trois partis et combattit les deux *leaders* Meighen et Gouin. Il appuya finalement le nouveau parti des Fermiers-Unis du Québec, des Cantons de l'Est, qui présenta vingt-cinq candidats, mais n'eut guère de succès. Lavergne se présenta comme libéral dans le comté de Québec, proclamant à Charlesbourg le 6 novembre : « *Les principes de non-participation aux guerres de l'Empire sont toujours les mêmes et c'est pour ces principes que je lutte de nouveau.* » Il exprima aussi sa sympathie pour « *l'Irlande souffrante, écrasée sous le talon de fer de l'Angleterre.* » [31]

Le résultat des élections fut une écrasante défaite, à deux contre un, pour le gouvernement. Le Québec, la Nouvelle-Ecosse et l'Ile-du-Prince-Edouard avaient voté pour les libéraux en bloc et les trois provinces des Prairies pour les progressistes nationaux, nouveau parti des cultivateurs. Tous les ministres canadiens-français furent battus, tandis que Gouin, Lemieux, Lapointe, Béland et Bureau, héritiers libéraux de Laurier, recueillaient de fortes majorités. *La Patrie* affirma que le gouvernement avait été renversé « *parce que, étant un gouvernement de guerre, il resta autocratique au retour de la paix ; parce que, n'ayant pas de mandat, il ne faisait aucun progrès de reconstruction ; parce qu'il était hostile au Québec... La Province de Québec est splendidement vengée.* » *La Presse* accueillit cette grande victoire libérale comme une preuve que le Québec pouvait encore prendre la place qui lui était due dans le gouvernement du pays. Le nouveau gouvernement libéral reposait sur le bloc de soixante-cinq sièges occupés par des députés du Québec. Aussi le *Toronto Mail and Empire*, le 10 décembre, fit-il revivre une vieille question en demandant : « *Devrons-nous être gouvernés suivant des idées canadiennes ou tout simplement suivant des idées canadiennes-françaises ?* » Le *Manitoba Free Press* commenta amèrement que « *la région de Montréal s'était prononcée massivement pour Sir Lomer Gouin, la haute protection, le droit des grandes entreprises de contrôler et d'administrer le pays et pour :* A bas la possession des chemins de fer par le gouvernement ! » L'*Orange Sentinel* du 20 décembre écrivit avec amertume : «*Le Canada français a maintenant le dessus et sa vengeance.* » Le même jour, *La Presse* observa : le Québec demande « *qu'on accorde à ses représentants au parlement fédéral leur juste part, toute leur part d'influence.* » [32]

Meighen donna sa démission le 29 décembre et Mackenzie King fut assermenté premier ministre. Il annonça : « *Dans la formation du gouvernement, j'ai visé par-dessus tout à l'unité nationale. J'ai cru que cette fin serait bien servie en accordant autant que possible une représentation dans le cabinet à toutes les provinces du Canada.* » [33] Après son exclusion presque totale du gouvernement, depuis 1917, le Québec avait maintenant la part du lion. Le sénateur Dandurand devint *leader* du gouvernement au Sénat et Lemieux fut nommé Orateur [33bis] de la Chambre. Gouin devint ministre de la justice, Lapointe, ministre de la marine et des pêcheries, Bureau, ministre des douanes et de l'accise, Béland, ministre du retour des soldats à la vie civile et Dandurand, ministre sans portefeuille. Le Québec avait ainsi cinq postes importants dans un ministère de dix-neuf membres et son influence était encore plus grande que ce fait ne l'indiquait, grâce à sa solide représentation libérale à la Chambre. Cependant, faute d'une majorité suffisante, le gouvernement libéral restait à la merci du vote des progressistes.

3

Le nationalisme canadien continua à se manifester nettement. La tendance à se détacher des affaires européennes s'affirmait. Le nouveau gouvernement inclinait vers l'autonomie, ainsi que le montrèrent les négociations du premier ministre King à Washington en vue d'un traité définitif qui confirmerait l'accord Rush-Bagot et réglerait plusieurs questions canado-américaines en instance. Quand Sir Robert Borden avait rendu compte au parlement de la conférence de Washington, il avait été souligné que les traités ne pouvaient être ratifiés par le roi avant d'avoir été approuvés par le parlement canadien. La crise de Chanak au Proche-Orient, précipitée par l'avance de Kémal sur Constantinople en septembre 1922, souleva une fois de plus la vieille question de la participation canadienne aux guerres impériales. Sans avertissement préalable, les dominions furent soudain informés par câble, le vendredi 15 septembre, d'une crise et invités à envoyer des contingents pour aider l'Angleterre à résister à l'agression turque. La presse apporta la nouvelle de cet appel avant que le gouvernement puisse être saisi de la dépêche officielle. Dans l'ordre où ils se déroulaient, les faits donnaient à penser que l'Angleterre cherchait à influencer l'opinion publique canadienne et l'opposition fut grande. La Nouvelle-Zélande et l'Australie, que visait d'abord cet appel, consentirent aussitôt à fournir l'aide demandée, si elle était nécessaire, mais une réunion spéciale du cabinet canadien, le lundi 18 septembre, décida que rien ne pouvait être fait sans la sanction du parlement, alors prorogé et demanda s'il y avait lieu de tenir une session spéciale. En réponse aux attaques conservatrices, King déclara par la suite avoir offert de tenir des séances quotidiennes du cabinet pendant toute la durée de la crise, mais qu'il avait été informé par le gouvernement britannique qu'il n'était aucunement nécessaire de convoquer une session spéciale du parlement. [34]

Certains cercles canadiens-anglais réagirent vite, dans la tradition sentimentale, à la demande impériale d'aide canadienne, à laquelle firent écho les chaires protestantes le dimanche 17 septembre, ainsi que la plupart des journaux de l'Ontario et de l'Ouest. Meighen, selon qui la dépêche exprimait plutôt le désir d'une déclaration de solidarité que l'envoi réel d'un contingent, déclara avec force à Toronto, le 23 septembre : « *Quand vint le message de l'Angleterre, le Canada aurait dû répondre : Présents, nous sommes à vos côtés !* » [35] *

La presse française était, en général, opposée à toute participation canadienne. *Le Droit* affirma : « *Le devoir du Canada, dans l'occurrence, est clair : répondre à la demande de l'Angleterre par une fin de non-recevoir.* » L'Evénement observa : « *Au titre de participant à la Société des Nations et membre de l'Empire britannique, le Canada ne peut pas être indifférent à tout danger pouvant menacer l'Empire de quelque côté, mais autrement la nation canadienne n'a aucun intérêt dans une guerre contre la Turquie.* » *La Patrie* pressa le gouvernement de garder son sang-froid et de peser soigneusement ses décisions, tandis que *La Presse* déclarait que l'affaire devait être réglée par le parlement. Bourassa adopta une attitude ferme dans *Le Devoir* : « *Les motifs de s'opposer à toute intervention du Canada dans l'imbroglio du Proche-Orient sont multiples et péremptoires. Un certain nombre qui se présentent naturellement à l'esprit sont : 1) le Canada n'a, dans ces régions, aucun intérêt immédiat ou lointain, direct ou indirect ; 2) le Canada n'a aucune responsabilité morale dans la situation qui a créé le péril ; 3) les nations d'Europe ont à leur disposition dix fois plus de forces qu'il n'en faut pour écraser l'invasion*

---

\* "*Ready, aye ready, we stand by you !*"

*kémaliste... Pourquoi le Canada irait-il verser un nouveau sang et consommer sa ruine pour expier des fautes et une obstination dont il n'est nullement responsable ?* » La Société Saint-Jean-Baptiste de Montréal adopta, le 29 septembre, une résolution demandant que : « *Le Canada, pays d'Amérique, s'abstienne de toute participation au présent conflit d'Orient.* » [36]

Le *Montreal Star* exhorta le Canada à faire confiance aux dirigeants anglais et le *Quebec Chronicle* affirma que le gouvernement répudierait le principe de Laurier selon lequel le Canada est en guerre quand l'Angleterre est en guerre s'il refusait sa participation, mais la *Montreal Gazette* se montra tiède au sujet de l'intervention. Le *Toronto Star*, le *Manitoba Free Press* et le *Farmer's Son*, organe des Fermiers-Unis de l'Ontario, s'y opposèrent. Le premier ministre King, irrité de constater que le gouvernement de Londres n'avait pas respecté le nouveau statut des dominions, profita des divergences de l'opinion publique pour faire progresser l'autonomie canadienne. Il nia que le Canada était lié par le traité de Sèvres, ce qu'avait affirmé Meighen les 22 et 28 septembre, en soulignant que ce traité n'avait jamais été mis en vigueur. La crise se dissipa dès le début d'octobre, mais la question constitutionnelle continua d'être discutée au Canada.

John S. Ewart publia un tract vigoureux, intitulé *Canada and British Wars*, qui soulevait les questions suivantes :

« *Devrons-nous nous engager quand notre parlement le dira, ou tout simplement sur la requête d'un gouvernement britannique ? Comme des chiens de chasse, devrons-nous combattre quand on nous sifflera ? Ou, comme des êtres humains intelligents, nous renseignerons-nous pour pouvoir décider nous-mêmes : 1) si la cause en question est juste ; 2) si, du point de vue canadien, elle justifie une guerre ; enfin 3) si la guerre est inévitable.* » [37]

Il résuma aussi son argumentation constitutionnelle et historique dans les conclusions suivantes :

« *Que le Canada, sans hésitation ou enquête, doive se tenir prêt à s'engager dans la guerre, tout simplement parce qu'il en est requis par le gouvernement britannique, est une affirmation que n'admet pas la raison et qui est incompatible avec les intérêts, l'amour-propre et la dignité du Canada...*

*Si, en un sens réaliste quelconque, le Canada peut être considéré comme faisant encore partie de l'Empire britannique, cette situation implique la protection du subordonné par celui qui domine et non pas qu'au contraire le subordonné apporte son concours aux guerres étrangères de la partie dominante. Si le Canada n'est pas réellement une partie de l'Empire britannique, mais un pays jouissant d'un statut égal à celui du Royaume-Uni, cette obligation ne peut être créée que par un traité. Or, il n'y en a pas.*

*Le statut du Canada en ce qui concerne les affaires étrangères est en voie de rapide évolution. La pratique récente indique que l'affirmation* « Quand le Royaume-Uni est en guerre, le Canada est en guerre » *n'est pas aujourd'hui toujours vraie sans restriction.*

*Le Canada est situé sur le continent nord-américain. Sa politique étrangère devrait être basée sur ce fait indéniable. Il devrait s'abstenir de s'engouffrer dans les affaires — aujourd'hui plus troublées que jamais — de l'Europe et du Proche-Orient. Il ne devrait faire aucune promesse au sujet de ses actions futures.*

*Certains Canadiens refuseront sans doute d'accepter cette dernière assertion, mais je crois quand même que bien peu d'entre eux accepteraient que notre gouvernement ait le pouvoir d'engager le Canada dans une guerre sans l'autorisation du parlement.* » [38]

Les opinions de Ewart étaient radicales pour le Canada de l'époque, mais elles vinrent à être partagées par un nombre croissant de Canadiens à mesure que les années passèrent. Grâce à la manière dont le premier ministre King traita la crise de Chanak, le gouvernement se trouva engagé à consulter le parlement avant de déclarer la guerre.

Quand le parlement se réunit en février 1923, la question fut de nouveau soulevée par les conservateurs qui demandèrent communication de tous les documents ayant trait à l'affaire Chanak. Meighen parla contre l'isolationnisme égoïste et l'un de ses partisans demanda la représentation canadienne dans les conseils de l'Empire. [39] Le premier ministre King expliqua qu'il lui était impossible de communiquer les documents en question, parce que le gouvernement britannique refusait d'en permettre la publication. Il expliqua ses décisions et déclara que l'appel britannique s'adressait surtout à l'Australie et la Nouvelle-Zélande. Il conclut par une déclaration de politique générale, qui réaffirmait la position de Laurier sur la question :

« *... Si les relations entre les différentes parties de l'Empire britannique doivent avoir un caractère de durée, cela ne sera réalisé que par la pleine reconnaissance de la suprématie du parlement, tout particulièrement dans les affaires qui pourraient entraîner le Canada à prendre part à une guerre. C'est au parlement qu'il appartient de décider si nous devons participer à des guerres dans les différentes parties du monde et ce n'est ni le droit, ni le rôle d'un individu ou d'un groupe d'individus de faire un acte quelconque qui pourrait limiter les droits du parlement en une matière de si grande importance pour toute la population du pays.* » [40]

L'attitude du premier ministre fut chaleureusement approuvée par J.S. Woodsworth, ainsi que par Robert Forke, chef des nationaux progressistes dont dépendait l'équilibre des partis au parlement. [41]

Un progrès plutôt qu'une nouvelle affirmation de l'autonomie canadienne caractérisa l'épisode du *Halibut Treaty* signé à Washington
le 2 mars 1923. Ce traité n'intéressait que la pêche au flétan dans le
Pacifique nord et il ne concernait que le Canada et les Etats-Unis. Le
gouvernement canadien tenta d'obtenir qu'il soit ainsi désigné plutôt
que comme une convention entre la Grande-Bretagne et les Etats-
Unis, mais il n'y réussit pas. Il parvint néanmoins à faire désigner
Ernest Lapointe, ministre de la marine et des pêcheries, comme pléni-
potentiaire avec pleins pouvoirs pour signer le traité et à faire en
sorte qu'il soit seul signataire de cet accord, sans y associer l'ambassadeur britannique à Washington : « *Ce traité concernant uniquement le Canada et les Etats-Unis, ne touchant d'aucune manière à un
intérêt impérial quelconque, la signature du ministre canadien doit
suffire.* » C'était un progrès considérable sur le précédent du Traité
commercial franco-canadien de 1907 qui avait été signé conjointement
par un représentant canadien et l'ambassadeur britannique. Néanmoins, le Sénat des Etats-Unis refusa de reconnaître le nouveau statut
du Canada, ratifiant ce traité le 4 mars, en y ajoutant une réserve
relative aux ressortissants de « *toute autre partie de la Grande-Bretagne.* » [42] Cette restriction transformait un traité canadien en traité
impérial.

Quand le traité fut présenté au parlement canadien pour ratification, le 27 juin, Meighen objecta que le gouvernement semblait
vouloir, par son attitude, amplifier devant le monde entier le désir
de dissocier le Canada de l'Empire. Lapointe lui répondit que son
objection à la signature de ce traité par l'ambassadeur britannique
avait pour base le principe qui avait été reconnu à la Conférence
de Paix. Le traité fut consigné aux archives comme ayant été « *signé
au nom de Sa Majesté agissant pour le Canada, par le plénipoten-
tiaire nommé dans le traité.* » [43] Cette formule devint par la suite,
probablement pour répondre aux critiques de Meighen : « *au nom
de Sa Majesté pour ce qui concerne le Canada, par le plénipoten-
tiaire nommé dans le traité* », quand il fut question de négocier le
*Canada-United States Boundary Treaty* de 1925. Les partisans de
King prétendirent qu'il avait été signé exclusivement sur l'avis et
sous la responsabilité du gouvernement canadien. Bonar Law, premier
ministre britannique, né au Canada, déclara que c'était sur l'avis et
sous la responsabilité des deux gouvernements canadien et britannique. En dépit des critiques formulées par les conservateurs et les
vieux libéraux, [44] ce traité fut dûment ratifié et accepté sous sa forme
première, l'année suivante, par les Etats-Unis. [45]

Le premier ministre King, qui avait opté pour une politique nationaliste au cours des épisodes de Chanak et du *Halibut Treaty* et
qui suivait la même voie pour le traité de Lausanne, fit une décla-

ration pour rassurer les impérialistes avant de se rendre à la Conférence impériale de 1924 :

« *J'ai l'avantage de me rendre à la Conférence impériale au nom du peuple du Canada, sans un seul grief, pour dire que nos relations avec la Grande-Bretagne et toutes les parties de l'Empire sont les meilleures pouvant exister et que nous n'éprouvons que des sentiments de cordialité envers tous ceux qui en font partie. Aussi longtemps que durera cet heureux état de choses, les amis du Canada et les amis de l'Empire britannique n'ont à entretenir aucune inquiétude pour l'avenir de l'un ou de l'autre. Le but suprême de nos efforts doit être de le faire prévaloir en tous temps.* » [46]

Devant la marée montante du nationalisme canadien, il ne fut pas question à Londres d'une union impériale plus étroite. Le précédent créé par le *Halibut Treaty* fut appliqué à l'Empire tout entier et des règles précises furent établies pour la négociation, la signature et la ratification de tous les traités pouvant intéresser les pays de l'Empire. [47] Les traités internationaux seraient négociés sur la base des précédents de Paris et de Washington, les traités bilatéraux s'étendant à davantage qu'une partie de l'Empire reposeraient sur des échanges de vue aussi complets que possible, tandis que les traités bilatéraux ne concernant qu'une seule partie de l'Empire pourraient être conclus par le seul gouvernement intéressé. Il fut aussi décidé que chaque dominion prendrait ses propres dispositions quant à sa défense et ne verserait au fonds de défense impériale que les contributions qu'il jugerait appropriées. [48] Le Canada s'opposa à un projet de Comité économique impérial responsable devant tous les gouvernements en cause et l'on fit peu pour encourager la préférence impériale. Sir Lomer Gouin et G.P. Graham, qui avaient accompagné King à Londres, représentèrent aussi le Canada à Genève, lors de la Conférence de la Société des Nations en septembre. Gouin demanda avec insistance une interprétation de l'article X du traité de paix et il joua un rôle capital dans les débats. Philippe Roy représenta le Canada lors de la Cinquième Conférence internationale du Travail à Genève, en octobre. Cette participation de Canadiens français aux affaires internationales aida, dans une certaine mesure, à, mettre une fin à l'isolement traditionnel du Québec.

La question du statut national du Canada fut encore soulevée vers la fin de mars 1924, quand J.S. Woodsworth présenta une motion signalant que le parlement canadien « *devrait posséder, sous la Couronne britannique, les mêmes pouvoirs à l'égard du Canada, de ses affaires et de son peuple, que ceux que possède le parlement de Grande-Bretagne à l'égard de la Grande-Bretagne, de ses affaires et de son peuple.* » [49] Cette résolution impliquait que le Canada devait avoir le droit d'amender sa constitution, c'est-à-dire l'Acte de l'Amérique britannique du Nord qui, en tant que statut impérial, ne pouvait être modifié que par un vote du parlement britannique. La réforme ou l'abolition du Sénat, où une majorité conservatrice moribonde nuisait à la mise en œuvre de mesures libérales ou progressistes, était aussi en cause. La confiance mise par le Québec dans l'appui de la Grande-Bretagne contre la domination canadienne-anglaise se manifesta une fois de plus quand Charles Marcil et Thomas Vien rappelèrent à la Chambre que la Confédération était un pacte et que le Québec et peut-être aussi d'autres provinces s'opposeraient à tout changement de *statu quo* dont pourraient souffrir les droits provinciaux du fait d'un pouvoir fédéral accru.

Pendant ce temps, l'incident de Lausanne, qui était la troisième crise des relations impériales d'après-guerre où le Canada adoptait une attitude manifestement nationaliste, atteignait son point critique. Le 24 mars, le gouvernement canadien déclina l'invitation britannique de ratifier le traité de Lausanne, en refusant de le soumettre au parlement. Dans une déclaration à la Chambre, le 2 avril, le premier ministre King démentit le premier ministre Ramsay Macdonald qui, la veille, avait affirmé que le Canada consentait à souscrire aux conclusions de la conférence de Lausanne. Sa position fut la suivante : « *N'ayant pas été invité, n'ayant pas été représenté directement ou indirectement et n'ayant pas signé, le Canada n'a aucune obligation. Par conséquent, nous ne croyons pas qu'il soit nécessaire de soumettre cette affaire au parlement pour approbation, ni d'ailleurs de signifier ainsi qu'il concourt à la ratification du traité.* » [50] Dans sa correspondance gouvernementale au sujet de cette affaire avec les gouvernements Baldwin et Macdonald depuis octobre 1922, King avait adopté comme ligne de conduite que le parlement canadien déciderait jusqu'à quel point le Canada était lié par les accords conclus par les plénipotentiaires britanniques. Quand le Canada fut invité à signer l'accord, le gouvernement King précisa que les quatre caractéristiques des précédents de Paris et de Washington n'existaient pas pour justifier cette signature. Le Canada n'avait pas été représenté directement à Lausanne, il n'avait pas signé le traité et, par conséquent, le parlement et le gouvernement canadiens ne pouvaient consentir à la ratification par le roi. [51]

Au cours du débat à Westminster en avril et juin, le gouvernement britannique fut critiqué pour n'avoir pas invité les dominions à conférer au sujet de ce traité. Lloyd George blâma cette façon de procéder comme étant « *un très grave abandon et le renversement complet de la politique qui nous permit de progresser vers l'unité de l'Empire pendant et depuis la guerre.* » [52] Le premier ministre informa la Chambre, le 9 juin, que les raisons de ne pas inviter les dominions lui avaient été données confidentiellement (il fut révélé, par la suite, que la France avait menacé d'envoyer, pour représenter son propre Empire, une délégation qui égalerait en nombre la délégation britannique) et il déclara :

« *J'ai pris cette attitude du point de vue du Canada comme nation au sein de l'Empire britannique, non pas du Canada comme colonie, non pas du Canada dans quelque position inférieure ou subordonnée, mais du Canada comme pays qui a gagné et mérite l'égalité de statut avec les autres dominions et avec la mère-patrie dans ces relations inter-impériales.* » [53]

King soutenait que, si le Canada était lié, en droit, par le traité, il ne le serait pas moralement comme dans le cas du traité de Versailles, à l'élaboration duquel il avait participé. Meighen le critiqua pour avoir acquiescé à un retour au statut colonial et pour sa réticence dans la coopération avec le gouvernement britannique. [54] La conséquence pratique de l'incident fut de laisser le Canada et les autres dominions libres de décider s'ils s'associeraient à toute décision que la Grande-Bretagne pourrait prendre en vertu de ce traité.

Ce fut, sans aucun doute, pour répondre aux critiques de l'incident de Lausanne que le gouvernement britannique, le 24 juin, proposa qu'une conférence préliminaire de représentants du Royaume-Uni et des dominions se réunisse en juillet pour décider de la représentation des dominions à la Conférence de Londres sur les réparations. Dans sa déclaration à la Chambre, le 17 juillet, King révéla que le gouvernement canadien avait insisté pour que les précédents des conférences de Versailles et de Washington soient suivis et avait demandé les pleins pouvoirs pour le sénateur Belcourt, membre de la délégation de l'Empire britannique. Il déplora vivement que la presse fût mieux informée que lui sur la manière dont serait réglée la question de représentation. Le lendemain, le secrétaire aux colonies annonça l'adoption d'un système de représentation où la délégation britannique consisterait en deux représentants du Royaume-Uni et un des dominions, ce dernier changeant chaque jour. Les représentants des dominions auraient aussi le droit de siéger les jours où ils n'agissaient pas en qualité de membres actifs de la délégation. Il fut précisé que cette organisation était spécialement destinée à cette conférence et qu'elle ne constituerait pas un précédent.

Bourassa qualifia vigoureusement ce plan d'absurde et fit valoir que si l'Empire britannique se composait de plusieurs nations, il ne pouvait agir, à son gré, comme s'il s'agissait d'une ou de six. L.M.S. Amery et Lloyd George le critiquèrent aussi aux Communes anglaises, en déclarant que le monde devait prendre l'Empire tel qu'il était et que le statut des dominions ne saurait être diminué au gré d'autres puissances. [55] La question devait être discutée lors d'une conférence impériale projetée pour octobre, mais cette réunion fut ajournée *sine die* par le nouveau gouvernement britannique au début de décembre, devant l'hésitation des dominions à fixer une

date précise. Une conception plus large des relations impériales devint générale en Angleterre, à la suite de la nomination du colonel
Amery au *Colonial Office* dans le nouveau gouvernement Baldwin.

4

Les concessions faites aux vues libre-échangistes des progressistes
de l'Ouest, qui demeuraient les alliés politiques essentiels du gouvernement King, furent partiellement cause de la démission, en 1924,
de l'un des membres les plus importants du cabinet, Sir Lomer Gouin
et, plus tard, de W.S. Fielding. Ernest Lapointe succéda à Gouin
comme ministre de la justice et P.-J.-A. Cardin, de Sorel, remplaça
Lapointe au ministère de la marine et des pêcheries. Bien que
l'alliance libérale-progressiste fût renforcée par des réductions des
tarifs douaniers, la hausse des tarifs de transport de marchandises fit
perdre au gouvernement l'appui de l'Ouest, tandis que les libéraux
du Québec faisaient preuve d'un protectionnisme grandissant. Le
gouvernement décida de recourir aux élections et les fixa au 29 octobre 1925 pour sortir de l'immobilisme politique qui s'aggravait. Le
résultat rendit la situation pire plutôt que meilleure. Les libéraux
n'obtinrent que 101 sièges, le premier ministre et huit collègues de son
cabinet n'ayant pas réussi à se faire réélire. Les conservateurs prirent
116 sièges, doublant ainsi le nombre de leurs députés à la Chambre,
mais l'équilibre du pouvoir resta entre les mains de vingt-quatre
progressistes et deux indépendants. Le premier ministre King décida
de ne pas faire d'autres élections, ni de remettre à Meighen la tâche
de former un ministère, donnant pour raison que les progressistes
étaient mieux disposés à son égard qu'envers le chef conservateur.
Cette décision fut qualifiée par Meighen d'« *usurpation du pouvoir
et mépris de la volonté populaire.* » [56] Les ministres battus démissionnèrent, leurs collègues prenant charge temporairement de leurs départements, en attendant que le parlement décide du sort du gouvernement quand il se réunirait en janvier 1926.

Au cours de la campagne, Meighen avait tenté de courtiser le
Québec en prononçant des discours en français en faveur de la protection et du développement des ressources naturelles. E.-L. Patenaude se présenta comme conservateur indépendant, soutenu par le
*Montreal Star* et traité en ami par la *Gazette,* mais critiqué par *Le
Devoir* qui l'accusa d'établir dans le Québec un parti pour protéger
les investissements anglais. Bourassa revint à la vie politique comme
indépendant avec l'appui conservateur et il fut élu dans sa circonscription de Labelle. Lavergne servit de principal lieutenant à Patenaude, mais il fut lui-même battu dans Montmagny. La malédiction
du temps de guerre pesait encore sur les conservateurs dans le Québec

et ils n'y obtinrent que quatre sièges, tous dans des circonscriptions anglaises.

A Hamilton, le 16 novembre, Meighen s'attaqua aux tactiques libérales mises en œuvre au cours de la campagne dans le Québec, où il avait été stigmatisé comme adepte de la conscription et partisan de nouvelles guerres. Il déclara : « *Je crois qu'il serait préférable non seulement que le parlement soit appelé, mais encore que la décision du gouvernement, qui devrait être évidemment donnée rapidement, soit soumise au jugement du pays par des élections générales avant que les troupes quittent nos rivages. Cela contribuerait à l'unité de notre pays dans les mois à venir et nous aiderait à mieux faire notre devoir.* » [57] Lors de l'élection partielle de Bagot, dans le Québec, en décembre, Meighen répéta ces déclarations qui furent critiquées par son collègue conservateur C.H. Cahan et par le libéral Cardin, qui trouva étrange que Meighen favorise la politique de consultation en temps de paix, alors qu'il s'y était opposé en temps de guerre. Le candidat libéral fut élu et le *Toronto Globe* observa que « *Meighen a troqué son droit d'aînesse pour un plat de lentilles* », tandis que le *Winnipeg Tribune* commentait que le Québec n'avait pas été gagné par la nouvelle politique de guerre conservatrice. [58]

Quand le parlement se réunit en janvier 1926, Lapointe remplaça le chef du gouvernement à la Chambre en l'absence de King. Une motion de non-confiance fut rejetée le 15 janvier par 123 voix à 120, la plupart des progressistes se joignant aux travaillistes et indépendants pour appuyer le gouvernement. En février, H.H. Stevens signala de sérieuses irrégularités dans le ministère des douanes et de l'accise au sujet du passage en contrebande de boissons alcooliques aux Etats-Unis et de divers produits américains au Canada. Un comité parlementaire fut désigné pour enquêter sur ces accusations. La Chambre s'ajourna deux semaines au début de mars pour la réorganisation du gouvernement et, quand elle se réunit de nouveau le 15 mars, King était de retour à son siège, ayant gagné aux élections partielles de Prince-Albert.

Le 18 mars, J.S. Woodsworth présenta une motion à propos du Pacte de Locarno auquel le Canada n'avait pas participé, déclarant que « *le Canada devrait refuser d'accepter la responsabilité des complications résultant de la politique étrangère du Royaume-Uni.* » Quatre jours plus tard, Bourassa s'étendit longuement sur les relations impériales du Canada pour appuyer la motion de Woodsworth que ce dernier avait défendue comme n'étant pas anti-britannique, mais anti-impérialiste. Bourassa affirma qu'il n'avait pas souhaité la sécession et qu'il attachait du prix à l'association avec la Grande-Bretagne, mais qu'il protestait contre une politique de « *servile vénération de tout ce qui est anglais* » :

« *Au contraire, c'est en regardant l'Angleterre bien en face, non pas dans une attitude de défi, mais de respect personnel et d'admiration virile, assurant à cette nation qu'il est certaines questions à l'égard desquelles nous pouvons nous entendre, mais qu'il en est d'autres à l'égard desquelles nous resterons divisés parce qu'elle a des intérêts qui ne sont pas les nôtres et que l'on nous a confié des dépôts que nous devons transmettre aux générations à venir, tâche que ni les Anglais, ni les Australiens ne peuvent accomplir en notre nom. Les Canadiens ont un devoir à remplir envers le Canada, les Australiens ont un devoir à accomplir envers la Grande-Bretagne, devoir qui ne peut être rempli par aucun autre. Si nous faisons revivre ces principes, ces vérités élémentaires dans les esprits de nos concitoyens et des habitants des autres parties de l'Empire, je suis persuadé que l'important problème des relations inter-impériales sera bientôt résolu.* » [59]

Bourassa conclut en annonçant qu'il ne voterait pas pour la résolution Woodsworth, qu'il trouvait plutôt étroite dans sa rédaction, mais qu'il ne s'associerait pas à ceux qui dénonçaient Woodsworth pour l'avoir présentée. Il proposa qu'elle soit renvoyée à un comité qui inviterait J.S. Ewart, Sir John Willison, Sir Robert Falconer et O.D. Skelton pour examiner les possibilités impériale et nationale, ainsi que celle de l'indépendance pour l'avenir du Canada. Il souligna que « *le Canada n'est lié par aucun engagement assumé par le gouvernement du Royaume-Uni, dans les questions de politique étrangère, à moins que le gouvernement canadien, dûment autorisé par le parlement, n'ait donné sa sanction à cet engagement.* » [60]

La fusion progressive des nationalismes canadien-anglais et canadien-français se manifestait en ce que Bourassa pouvait maintenant nommer quatre Canadiens anglais éminents qui étaient au moins sympathiques aux idées qu'il avait depuis longtemps répandues. En fait, il n'était pas très loin de la position prise par Mackenzie King à Wiarton, en Ontario, au cours de la campagne :

« *Tout comme nous avons gagné le gouvernement autonome de nos affaires nationales, ainsi les affaires étrangères qui sont d'un intérêt direct et immédiat pour nous-mêmes, nous soutenons qu'elles doivent être sous le contrôle de notre population même. Pour les affaires étrangères auxquelles nous n'avons pas d'intérêt direct et immédiat, nous croyons que ces questions doivent être laissées aux parties de l'Empire qu'elles concernent. Si des questions s'élèvent susceptibles de nous affecter tous, c'est-à-dire quand nos intérêts viennent en contact avec ceux d'autres parties de l'Empire, nous devons alors prendre part à l'élaboration d'une politique et faire entendre notre voix.* » [61]

Les pensées de Bourassa et de King avaient toutes deux subi, en ces matières, l'influence de Laurier sur ses jeunes et brillants disciples.

Ce devint évident au cours d'un second débat sur Locarno le 21 juin, lorsque le premier ministre King annonça l'intention du gouvernement de différer toute décision sur le pacte jusqu'après la Conférence impériale de l'automne. Il proposa néanmoins que l'approbation parlementaire soit obtenue avant que le gouvernement ne ratifie « *tout traité intéressant le Canada, ou comportant des sanctions militaires ou économiques.* » [62] Bourassa, qui avait déjà demandé, au cours de la session, communication de la correspondance échangée avec l'Angleterre au sujet de Locarno, approuva la motion du premier ministre mais en déclarant qu'elle avait déjà été violée dans son esprit puisque le parlement avait été privé de la connaissance de ces dépêches. Affirmant qu'une politique étrangère unique pour tout l'Empire était impossible, il rappela à la Chambre que Sir Esmé Howard, lord Grey et lord Fisher avaient reconnu que la doctrine de Monroe devait être la base de la politique canadienne, puisque le Canada était britannique par accident historique, mais américain par la géographie. Bourassa fit revivre le vieux slogan de l'ancien parti ontarien *Canada First* :

« *Au point de vue canadien ou britannique, donnons avis au monde entier, non pas dans un esprit d'animosité vis-à-vis de la Grande-Bretagne, mais en parfaite connaissance de ce que nous devons à notre peuple, que le Canada est prêt à appuyer moralement tout mouvement vers la paix, parti d'Europe ou d'ailleurs, mais que le Canada n'est pas prêt à armer ses fils et à dépenser ses millions pour les fins d'une politique étrangère à laquelle nous ne sommes pas liés par la nécessité et à laquelle le Canada reste étranger par toutes les exigences de sa situation naturelle... Si nous voulons sauver le Canada des dissensions intestines, de l'absorption extérieure, du tourbillon des politiques européennes ou de l'annexion américaine, il faut mettre en valeur toutes nos énergies... pour unir ces divers groupes de notre population en un commun attachement à la commune patrie... mais souscrire à des engagements définitifs et illimités, ou même à des engagements définis et limités qui vont au delà de notre sphère d'action... voilà qui est mal. Britannique, oui, mais Canadien d'abord et, si nécessaire, rupture du lien britannique, plutôt que de sacrifier le Canada. Le Canada d'accord avec la Grande-Bretagne tant et aussi longtemps que l'accord est possible, mais le Canada d'abord et toujours !* » [63]

Ce discours était plus direct et plus explicite que l'attitude prise par le gouvernement, mais il la reflétait sans aucun doute. L'attitude des progressistes de l'Ouest était même encore plus isolationniste. [64]

La question de l'autonomie se posa sur le plan national plutôt que sur le plan international au cours de l'été 1926, grâce à l'habileté avec laquelle Mackenzie King traita l'incident Byng. Après avoir échappé de justesse à plusieurs votes de non-confiance en juin, le gouvernement vit sa démission précipitée par l'enquête sur les douanes le 28 juin. Quand il apparut que les progressistes ne soutiendraient plus le gouvernement, King demanda au gouverneur général de dissoudre le parlement et de décréter des élections. Lord Byng refusa, en donnant pour raison qu'il fallait permettre à l'opposition de former un ministère. Meighen accepta la tâche, mais il se trouva en face du fait embarrassant que la faible majorité conservatrice deviendrait inexistante si lui et ses collègues du ministère donnaient leur démission et attendaient d'être réélus, conformément à la pratique constitutionnelle, après avoir accepté leur charge sous l'autorité de la Couronne. Meighen attendit, pour prêter serment, des assurances, de la part des progressistes, qu'ils ne renverseraient pas son gouvernement et il forma un cabinet composé de six ministres temporaires pour éviter la nécessité de nouvelles élections. King déclara que le cabinet avait été constitué illégalement et, le 2 juillet, le gouvernement Meighen était renversé au premier tour du scrutin, sur une motion de non-confiance. Meighen demanda aussitôt la dissolution. Le gouverneur général l'accorda et les élections furent fixées au 14 septembre.

Le nouveau gouvernement Meighen, annoncé le 13 juillet, ne comprenait que deux Canadiens français, E.-L. Patenaude, nommé ministre de la justice et R. Morand. Cependant, Eugène Paquet fut, par la suite, nommé ministre de la santé publique et André Fauteux procureur général. Meighen tenta d'engager la campagne sur le scandale des douanes et il attaqua sans merci la mauvaise administration du département par Jacques Bureau et G.-H. Boivin. King souligna que la conduite inconstitutionnelle du gouverneur général qui, refusant la dissolution à un gouvernement libéral, l'accordait néanmoins à un gouvernement conservateur, avait posé la question essentielle et il déclara que les élections allaient déterminer le statut du Canada : celui de pays autonome ou de colonie de la Couronne. Il dénonça la façon d'agir de Meighen comme étant inconstitutionnelle. Les deux partis prirent position sur la question douanière de manière à satisfaire chacun des mouvements d'opinion. En Ontario, on reprocha violemment à Meighen ses efforts pour gagner l'appui du Québec par ses discours à Bagot et à Hamilton et son refus, à Toronto, de discuter la question de consultation du parlement et du pays avant l'envoi de troupes à l'étranger.

Bourassa affirma à Papineauville le 18 juillet : « *M. Meighen a odieusement trompé Son Excellence ou Son Excellence s'est constituée l'agent d'élection de M. Meighen.* » [65] Traitant ses anciens alliés conservateurs de « *clique tory-orangiste* », il adopta plus tard l'opinion des libéraux selon qui l'autonomie était en jeu : « *C'est la lente mais graduelle conquête de nos libertés qui est en péril, c'est l'œuvre de Macdonald et de Cartier, c'est l'esprit même de la Confédération dans ses rapports avec la métropole, que sapent en ce moment les hommes qui se réclament si faussement des traditions du parti conservateur. »* [66]

Patenaude lutta énergiquement pour Meighen dans le Québec, affirmant que seul le parti conservateur pouvait former un gouvernement stable et établir des tarifs protectionn'stes et il attribua à son chef le mérite d'avoir fait revivre le parti dans le Québec. Les porte-parole libéraux Lucien Cannon et Raoul Dandurand accusèrent Patenaude d'oublier ses promesses et de mettre trop de confiance dans le discours que Meighen avait prononcé à Hamilton et que ses lieutenants avaient désavoué. Bourassa défendit King, critiqué dans les provinces anglaises parce qu'il n'avait pas fait la guerre, bien que Patenaude et Meighen ne l'eussent pas faite non plus :

*« Le crime de M. King est-il de n'avoir pas travaillé à envoyer nos fils à la boucherie ? Aux yeux des vrais Canadiens, ce devrait être un motif de plus pour appuyer M. King et lui permettre de porter à Londres, à la prochaine conférence impériale, l'expression de nos sentiments et d'y parler le clair langage de la nation canadienne, fidèle au roi d'Angleterre, mais fidèle aussi à elle-même, à ses fils, à son avenir, à sa mission comme peuple d'Amérique. »* [67]

La désintégration du bipartisme était évidente : en effet, 528 candidats se disputaient 244 sièges. Il y avait 233 candidats conservateurs, 199 libéraux, 20 progressistes, 25 indépendants, 18 travaillistes, 12 Fermiers-Unis d'Alberta et 21 libéraux-progressistes. Dans quarante-huit circonscriptions, les libéraux appuyèrent des candidats indépendants, travaillistes ou progressistes pour éviter de diviser le vote entre trois candidats.[68]

Aux élections, les libéraux gagnèrent dix-sept sièges, les conservateurs en perdirent vingt-cinq, tandis que les progressistes, travaillistes et indépendants en obtenaient huit de plus. Quoique les conservateurs eussent déposé un plus grand nombre de bulletins de vote qu'aux élections précédentes, Meighen et cinq de ses ministres furent battus, dont les quatre ministres canadiens-français. Les résultats finals donnèrent 118 sièges aux libéraux, 91 aux conservateurs et 36 aux nouveaux partis. La défaite de Meighen fut attribuée par la presse ontarienne à ses efforts désespérés pour obtenir l'appui du Québec, tandis que *Le Devoir* vit en elle « *la condamnation décisive, éclatante, du coup de force et de l'abus de pouvoir inspirés à lord Byng par M. Meighen, ou vice-versa... Il se passera du temps avant qu'un autre gouverneur général fasse violence à la constitution et aux coutumes établies. »* [69]

Mackenzie King prit le pouvoir le 25 septembre. Son ministère comptait six Canadiens français. Le Canada français, sur qui désormais reposait la puissance libérale, occupait les postes suivants : Lapointe devenait ministre de la justice, Cardin ministre de la marine, Lucien Cannon procureur général, Fernand Rinfret Secrétaire d'Etat et Raoul Dandurand ministre sans portefeuille. L'alliance des progressistes du Manitoba avec les libéraux fut scellée par l'entrée au ministère de Robert Forke, jusque-là chef progressiste. Dès lors fut brisée la cohésion du bloc agraire de l'Ouest dont dépendait l'équilibre du pouvoir, à Ottawa, depuis cinq ans. Meighen démissionna comme chef du parti conservateur et Hugh Guthrie le remplaça à la Chambre jusqu'au moment où, l'année suivante, R. B. Bennett fut nommé chef du parti.

## 5

Le verdict du peuple canadien sur le problème constitutionnel posé par l'incident Byng avait une grande importance pour la Conférence impériale de 1926, dont la réunion avait été retardée jusqu'au 19 octobre pour attendre le résultat des élections. En se rendant à Londres, Mackenzie King, accompagné d'Ernest Lapointe, émit un communiqué où il déclarait favoriser l'autonomie d'un gouvernement responsable et désapprouver l'interprétation selon laquelle cette conférence aurait été un cabinet impérial. Cependant, il souligna que le Canada suivrait, au cours de la réunion, une politique de bonne volonté. La veille de l'ouverture de la conférence, au cours d'un dîner au *Canada Club* de Londres offert à lord Byng dont le mandat de gouverneur général venait d'expirer, King et Byng tentèrent tous deux de démontrer qu'il n'y avait jamais eu de différend sérieux entre eux au sujet de l'unité impériale. [70] Ce fut le général Hertzog, d'Afrique du Sud, qui, ravivant une alliance existant depuis longtemps entre le Canada et l'Afrique du Sud au sujet des affaires impériales, souleva la question du statut de dominion dès le début de la conférence. Il demandait « *en principe une liberté d'action sans restriction pour chacun des membres du* Commonwealth *et, en pratique, la consultation en vue d'une action coopérative partout où c'était possible.* » [71] Or, il était connu que King et le président Cosgrave, de l'Etat libre d'Irlande, seraient des champions au moins aussi vigoureux de nationalités distinctes pour les dominions. Un comité réunissant les premiers ministres des dominions sous la présidence de lord Balfour fut chargé de faire rapport sur l'avenir des relations inter-impériales et le résultat de leurs délibérations parut sous forme de document rédigé dans son ensemble par lord Birkenhead, Secrétaire d'Etat pour l'Inde.

Le Rapport Balfour [72] fut ratifié par la conférence le 19 novembre. Il était remarquable par sa nouvelle définition des relations entre la Grande-Bretagne et les dominions qui, depuis, est devenue classique :

Ce sont des « *collectivités autonomes au sein de l'Empire britannique, ayant un statut égal, aucunement surbordonnées l'une à l'autre pour aucun aspect de leurs affaires domestiques ou extérieures, bien qu'unies par une allégeance commune à la Couronne, et librement associées comme membres du* Commonwealth *britannique des Nations.* » [73]

Par suite de cette définition, le gouverneur général cessa d'être un subordonné du secrétaire aux colonies et il fut nouvellement défini ainsi : « *le représentant de la Couronne, occupant pour toutes choses essentielles la même position à l'égard de l'administration des affaires publiques dans le dominion que celle occupée par Sa Majesté le Roi en Grande-Bretagne et... il n'est pas le représentant, ni l'agent du Gouvernement de Sa Majesté en Grande-Bretagne, ni d'aucun département de ce Gouvernement.* » [74] Les communications de la Grande-Bretagne avec les dominions s'effectuaient alors directement entre les premiers ministres, ou entre les départements des deux gouvernements, en passant par le nouveau *Dominions' Office,* créé en 1925 et le gouverneur général. Ce dernier vestige des fonctions du gouverneur à titre de serviteur du gouvernement impérial était aboli par la disposition selon laquelle la voie officielle des communications serait directe, de gouvernement à gouvernement, avec cette condition que le gouverneur général serait tenu au courant et recevrait copie des documents importants. Aucun changement n'était apporté au mode de nomination du gouverneur général, déjà décidée, en fait, par le gouvernement du dominion, en consultation avec le gouvernement impérial. Après la clôture de la conférence, King déclara en Chambre, à Ottawa, que lord Willingdon avait été nommé après consultation entre le premier ministre britannique et lui-même. [75] Cet aménagement considérable de la théorie des relations impériales, qui réalisait la promesse de 1917, fut mis au point lors des conférences de 1929 et 1930 et il prit force de loi par le Statut de Westminster, en 1931, qui sanctionna la transformation du Second Empire britannique en *Commonwealth* britannique des Nations.

Cette importante évolution constitutionnelle était due, en très grande partie, à l'insistance de Mackenzie King pour que le gouverneur général se limite à la position que déjà Sir Robert Borden lui avait attribuée. [76] Le droit de chaque gouvernement d'aviser la Couronne en toute matière intéressant ses propres affaires était reconnu et la législation touchant aux intérêts des autres parties autonomes du *Commonwealth* allait être sujette à consultation préalable entre les parties intéressées. Quant aux relations étrangères, le principe adopté en 1923 fut réaffirmé : tout gouvernement se proposant de conclure un traité devait en aviser les autres parties intéressées du *Commonwealth.* Les traités seraient signés au nom du roi, comme symbole des rapports existant entre les différentes parties du *Commonwealth,* bien qu'il fût franchement reconnu que, dans ce domaine des affaires étrangères, comme dans celui de la défense, la plus grande part de responsabilité incombait désormais et pour quelque temps encore au Gouvernement de Sa Majesté en Grande-Bretagne. [77] Lapointe, dont le rôle à Washington en 1923 avait soulevé tant de questions, présida le sous-comité de la procédure en matière de traité. La nomination de ministres du Canada et de l'Etat libre d'Irlande à Washington fut approuvée, mais il fut recommandé qu'en l'absence de représentants des dominions, les affaires étrangères de ces derniers soient confiées aux représentants britanniques.

Le Canada adopta, à la conférence, une attitude très négative à l'égard des questions de défense et, le 5 février 1927, King reprocha au premier ministre Bruce, d'Australie, d'avoir critiqué l'attitude du Canada dans des discours à Toronto et ailleurs, sur le chemin du retour dans son pays. [78] Les quest'ons des relations économiques furent à peine effleurées à cette conférence qui donnait davantage d'importance aux problèmes constitutionnels. King répondit au discours officiel adressé par Baldwin aux premiers ministres des dominions, au cours d'un dîner d'adieu à Londres, le 27 novembre, en observant : « *La charte des libertés dont nous jouissons collectivement et individuellement peut paraître maintenant plus généreuse mais, en réalité, il ne s'agit, pour les institutions politiques britanniques, que d'une évolution naturelle suivant des principes immuables.* » [79] Enfin, dans un communiqué à la presse en revenant à Ottawa le 8 décembre, il déclara qu'il n'existait désormais aucun doute quant aux pouvoirs du Canada dans la négociation et la signature des traités, ou quant à sa nationalité propre. Il soutint que les liens unissant le Canada à la Grande-Bretagne et à l'Empire avaient été renforcés plutôt que détruits par une plus grande autonomie. [80]

Le résultat de la conférence suscita des commentaires variés au Canada. Le *Manitoba Free Press* observa :

« *Le centre même de la déclaration émanant de la Conférence sur la question de statut devrait être assez clair pour rendre évident, même pour le plus sceptique nationaliste d'une part et le plus myope colonial d'autre part, qu'un nouveau système par lequel l'Empire britannique doit être transformé en une alliance de nations libres et égales a été établi et que toutes les autres conceptions du* Commonwealth *sont périmées...* » [81]

De son côté, l'*Ottawa Journal* minimisa l'importance de ce qu'il considérait n'être que la cristallisation des progrès réalisés depuis la fin de la guerre mondiale : « *Nous ne sommes pas plus libres aujourd'hui que nous l'étions ce même jour de la semaine dernière, ou au même moment de l'an dernier, pour la simple raison qu'en cet instant de l'an dernier nous étions absolument libres et sans entrave.* » Le *Toronto Globe* écrivit :

« *L'examen le plus superficiel de la déclaration rendue publique oblige à la conviction qu'absolument aucun effort n'a été fait pour*

*renforcer le lien qui assure l'union, tandis que chacune des clauses
de tout article du rapport contribue à dépouiller la mère-patrie de
tout pouvoir directeur comme tête et avant-garde du* Commonwealth.
*Partout on y insiste sur l'égalité des dominions, sur l'autonomie de
ces Etats : ce n'est pas leur association pour une cause commune et
la réalisation des mêmes buts qui est mise en pleine lumière.* »

La *Montreal Gazette* évoqua aussi des temps révolus :

« *C'est encore l'opinion d'un grand nombre de Canadiens qu'il ne
peut y avoir d'égalité au sein de l'Empire sans une responsabilité et
une égalité correspondantes exprimées par des mesures appropriées
pour assurer la sécurité, non pas de l'Empire, mais du dominion lui-
même. Dans l'état actuel des choses, la dépendance du Canada à
l'égard de la puissance maritime anglaise est aussi grande qu'elle ne
le fut jamais et cette situation digne et honorable semble devoir continuer.* » [82]

Sous la direction de leur nouveau chef, les conservateurs tentèrent
de récuser le Rapport Balfour. Quand le parlement se réunit en
décembre, Guthrie avança que le nouveau principe selon lequel le
Canada avait « *le contrôle absolu en toute affaire domestique ou extérieure* » donnait au parlement canadien le pouvoir de changer la
constitution, d'abolir le bilinguisme et de réduire à néant « *ces sauvegardes que les Pères de la Confédération ont placées dans notre
loi constitutionnelle en 1867.* » Il déclara qu'il faudrait peut-être
amender le rapport quand le gouvernement prendrait connaissance
de l'opinion du Québec. Il soutint aussi que l'égalité de statut contredisait les faits : le Canada ne pouvait déclarer la guerre sans que
le gouvernement de Grande-Bretagne la déclare aussi et il serait
quand même impliqué « *comme belligérant au moment même où elle
serait déclarée par la Grande-Bretagne.* » Il termina en prédisant le
désastre qui attendait les minorités visées par le rapport. [83]  Le premier ministre répondit sur-le-champ à quelques-unes des objections
de Guthrie, mais le débat principal sur la conférence n'eut lieu que le
29 mars. Ce jour-là, King évoqua tout ce qu'elle avait réalisé. Le
chef conservateur s'opposa au gouvernement qui voulait engager le
pays par une acceptation tacite du Rapport Balfour et présenta une
motion de rejet formel. Ernest Lapointe écarta les craintes réitérées
de Guthrie pour les droits des minorités :

« *Nous devons compter sur nous-mêmes pour sauvegarder et protéger ces droits, travaillant dans un esprit de coopération et de bonne
entente avec nos concitoyens. Il est impossible d'obtenir l'adhésion
permanente d'un groupe quelconque de la nation à un système im-
pliquant un pouvoir politique supérieur à notre gouvernement et à
notre constitution et investi de l'autorité voulue pour dominer, même
indirectement, ses actions.* » [84]

Il ajouta qu'à son avis l'Acte de l'Amérique britannique du Nord ne pouvait être changé en rien sans le consentement des parties à ce pacte.

Bourassa discuta aussi le rapport, affirmant que l'Angleterre revendiquait encore le droit de prendre l'initiative des relations extérieures et de les conduire, puisque les dominions étaient censés avoir acquiescé à tous les traités contre lesquels ils n'avaient pas immédiatement protesté. Il critiqua la politique étrangère de l'Angleterre, mais en rejetant l'idée que « *la solidarité impériale est un plan impraticable.* » Il affirma : « *Nous ne pouvons pas demeurer dans l'Empire et devenir en même temps une nation indépendante. Nous ferions tout aussi bien de chercher la quadrature du cercle que de tenter de mettre à exécution en même temps un programme impérial et national de cette nature.* » Cependant, il s'accordait avec Lapointe sur l'absence de danger pour les minorités :

« *Nous sommes assez virils pour discuter, à l'avenir, avec nos concitoyens, qu'ils soient protestants ou catholiques, qu'ils soient de langue française ou de langue anglaise, qu'ils viennent de l'Ouest ou de l'Est, au sujet de chacun de ces droits que nous prétendons nous appartenir, non parce qu'ils se trouvent dans un livre de loi imprimé, mais parce que nous savons qu'au cœur de tous les Canadiens bien pensants il y a un désir de rendre justice et si nous sommes pour conserver cette unité dont le* leader *de l'opposition a parlé, ce ne sera pas à la faveur de déclarations législatives ou de décisions judiciaires d'un tribunal, qu'il soit à Ottawa ou à Londres, mais à la faveur de ce désir de tous les Canadiens sincères, de sauvegarder l'esprit de la confédération et de la constitution du Canada.* »[85]

J.S. Woodsworth, parlant au nom du groupe travailliste, évoqua le danger qu'il y avait à engager le Canada dans une action commune pour la défense, car il ne fallait pas se « *prêter aux machinations d'un groupe d'impérialistes composé en grande partie d'exploiteurs.* » Il cita comme exemple d'inégalité l'impuissance du Canada, qui ne pouvait même pas amender lui-même sa propre constitution. La motion Guthrie fut rejetée le 5 avril par 122 voix contre 78, les libéraux-progressistes et les députés travaillistes votant pour le gouvernement.

La question de l'abolition des appels au Conseil Privé d'Angleterre, soulevée au cours du débat sur le Rapport Balfour, fut mise en vedette lors d'un jugement du 1er mars 1927. Par ce jugement, le Conseil Privé tranchait la question, depuis longtemps en instance, de la frontière entre le Canada et Terre-Neuve, en faveur de Terre-Neuve. Cette décision donnait à Terre-Neuve 120 000 milles carrés de territoire contesté dans le Labrador, qui comprenait des forêts d'épinette de grande valeur et une réserve de houille blanche repré-

sentant la moitié de celle du Québec. Le jugement était d'un intérêt
particulier pour le Québec, puisque le territoire en cause formait une
partie importante de l'Ungava, région septentrionale du Québec, jusque-là inexploitée, qui suscitait un intérêt croissant à mesure que les
entreprises de pâte à papier et d'énergie hydraulique étendaient leur
exploitation dans la province. Il s'ensuivit aussi une certaine agitation
pour l'abolition des appels au Conseil Privé et une résolution dans
ce sens fut présentée au parlement. Elle fut cependant retirée, après
avoir été refusée par le premier ministre Taschereau, qui avait aidé
à présenter la cause du Québec à Londres. Le premier ministre
estimait que le Conseil Privé était une sauvegarde indispensable de la
constitution et des droits provinciaux. Le chef de l'opposition Arthur
Sauvé et lui déclarèrent, à propos de la conférence impériale, que la
constitution ne devait pas être changée sans le consentement de la
Province de Québec.

## 6

Les fêtes du Jubilé de Diamant de la Confédération, le Jour du
Dominion, en 1927, furent centrées sur Ottawa et ne suscitèrent
guère d'enthousiasme dans le Québec qui, traditionnellement, s'intéressait davantage à sa propre Fête de Saint-Jean-Baptiste, le 24 juin.
La parade du Jour de la Saint-Jean-Baptiste à Montréal cette année-
là, toutefois, célébra la Confédération avec des chars allégoriques
consacrés à des épisodes de l'histoire canadienne. A Ottawa, après
l'inauguration du carillon de la Tour de la Paix des édifices du parlement, Sir Lomer Gouin, Thomas Chapais et le sénateur Dandurand se joignirent au gouverneur général, au premier ministre King,
à L.P. Tilley, Hugh Guthrie et George Graham pour prononcer des
discours commémorant l'anniversaire. Les Pères de la Confédération
étaient représentés par les deux fils Chapais et Tilley, ainsi que par
les filles de Sir George Cartier et de W.H. Pope. Les discours furent
prononcés dans les deux langues et de la musique française et anglaise
fut jouée. Des cérémonies semblables eurent lieu dans les capitales
provinciales, Saint-Boniface commémorant le débarquement de La
Vérendrye, tandis que Winnipeg, de l'autre côté de la Rivière Rouge,
fêtait la Confédération. En Nouvelle-Ecosse, un village mit ses drapeaux en berne et un journal d'Halifax persista dans son refus de reconnaître comme jour faste le *Dominion Day*. Elle fut la seule province
qui ne s'associa pas à l'enthousiasme général. Le caractère biculturel
du Canada fut reconnu par la recommandation d'utiliser les versions
française et anglaise de *O Canada !* pour les célébrations ultérieures
de cette fête et par une émission spéciale de timbres-poste bilingues.
La Conférence fédérale-provinciale à Ottawa, au début de novembre,

montra cependant que la Confédération ne se portait pas très bien lors de son soixantième anniversaire. On discuta de la réforme du Sénat, de l'amendement de l'Acte de l'Amérique britannique du Nord, de la représentation et des subsides provinciaux, de l'immigration et de la loi sur les sociétés. Il en résulta tout un échange de vues entre ministres fédéraux et provinciaux, mais aucune décision ne fut prise, ni aucune résolution adoptée. Lapointe, ministre de la justice, proposa que, puisque le Canada avait obtenu l'égalité de statut avec l'Angleterre, il ait désormais le pouvoir d'amender sa propre constitution, après entente avec les assemblées législatives provinciales et avec l'assentiment de la majorité dans les cas ordinaires et un consentement unanime dans les cas touchant aux droits provinciaux et minoritaires, ou aux questions de foi et de race. Il y eut de vifs différends au sujet de cette proposition et le gouvernement King promit d'examiner sérieusement toutes les opinions exprimées. Le *Manitoba Free Press*, le 7 novembre, approuva la position de Lapointe et souligna que le Canada ne devait pas rester « *dans la position anormale et humiliante de seul pays sur terre prétendant être une nation, mais devant faire rapiécer sa constitution de temps en temps par un parlement extérieur.* » [86] Des requêtes furent présentées par les provinces de l'Ouest pour la restitution de leurs ressources naturelles par le gouvernement fédéral. Les Provinces Maritimes demandèrent un traitement financier spécial, l'Ontario protesta contre la lourde part qu'il portait du fardeau financier de la Confédération et le premier ministre Taschereau demanda une définition plus claire des pouvoirs de taxation des autorités fédérales et provinciales.

La discussion publique du statut national du Canada fut reprise lors de l'élection du Canada au Conseil de la SDN, le 15 septembre 1927. Le sénateur Dandurand, représentant du Canada à la SDN, qui avait été président de l'Assemblée en 1925, se déclara convaincu que cette élection valait reconnaissance de la nation canadienne, dans toute la plénitude de son sens. Il réfuta une observation américaine selon laquelle le Canada était une marionnette de Downing Street et déclara qu'il était, au contraire, « *le porte-parole des idéals du continent nord-américain.* » [87] Le premier ministre King interpréta cet événement comme une reconnaissance formelle du Canada en tant que nation et comme le gage de l'estime que le monde entier portait au Canada. Dans un discours, le 17 septembre, Lapointe observa : « *Le Canada a grandi jusqu'à sa pleine maturité nationale et maintenant prend sa place au Conseil international des Nations, tout en restant fier de conserver sa position de collectivité autonome au sein de l'Empire britannique.* » La question d'une éventuelle incompatibilité entre les obligations du Canada comme membre de la SDN et ses devoirs comme membre du *Commonwealth* continua d'être discutée. [88]

Quand le parlement se réunit en janvier 1928, la question du statut fut de nouveau soulevée. En effet, le gouvernement annonça son intention de nommer des ministres en France et au Japon. Les conservateurs s'opposèrent à ce que le Canada assume de nouvelles obligations internationales. R.B. Bennett, qui avait remplacé Hugh Guthrie comme chef de l'opposition au mois d'octobre précédent, attaqua la doctrine de l'égalité avec l'Angleterre sur laquelle les nominations étaient fondées : « *Aussi longtemps que le Colonial Laws Validity Act reste dans le livre des statuts de Grande-Bretagne, nous n'avons pas l'égalité de statut.* » Bennett éluda une question de Lapointe lui demandant s'il participerait à un effort pour obtenir l'abrogation de ce statut, mais affirma consentir à « *tout effort pour que le Canada maintienne un statut d'association au sein de l'Empire britannique sur une base d'égalité avec les autres partenaires du* Commonwealth. » [89]  En réponse à King, il déclara : « *Nationalité... implique... indépendance complète. Je ne suis pas prêt à approuver la complète indépendance du Canada.* » [90] King contesta cette interprétation de la nationalité et répondit : « *La raison pour laquelle je considère avec faveur l'égalité de statut entre les différents dominions de l'Empire et la Grande-Bretagne est ma conviction que c'est la seule base sur laquelle l'Empire britannique peut continuer et durer. C'est pour cette raison et non par un désir d'indépendance dans le sens auquel mon honorable ami fait allusion que je suis un ardent partisan de la récente position de l'Empire britannique, telle qu'elle a été établie à la Conférence impériale de 1926.* » [91]

Les chefs des deux principaux partis poursuivirent leur débat sur le statut du Canada dans des réunions publiques au cours de l'été 1928. A Oshawa, le 22 juillet, Bennett demanda : « *Vers quel port se dirige M. King ? S'il veut faire du Canada un pays indépendant, qu'il le dise. Demandons au premier ministre King une déclaration claire qui nous indique son orientation, son parcours et son port.* » [92] Au cours d'une tournée dans l'Ouest, à Davidson dans le Saskatchewan, King répliqua à Bennett :

« *Le vaisseau de l'Etat est ancré à l'abri du danger dans le port de l'unité, de la prospérité et de l'amitié. J'ai indiqué le port à mon anxieux ami. Qu'il n'ait plus de crainte. Je peux lui dire que mon parcours est l'évolution de la constitution britannique au cours de son histoire tout entière et que la boussole qui me guide est le principe du gouvernement responsable.* » [93]

En août, King se rendit à Paris signer le pacte Kellogg, puis à Genève, où il fut élu l'un des vice-présidents de l'Assemblée de la

SDN, en septembre. Après la clôture de l'Assemblée, il retourna à Paris où, dans un banquet commémorant l'inauguration de la Légation canadienne, il exprima l'espoir qu' « *une Légation canadienne en France puisse demeurer non seulement aujourd'hui, mais toujours, comme un symbole, non pour l'Europe seule, mais pour le monde entier, de cette union des mentalités française et anglaise qui a fait du Canada ce qu'il est et d'une amitié sans fin entre les deux races dans le vieux monde tout comme dans le nouveau.* » [94] Plus tard, à Londres, il fit savoir que le Canada souhaitait la venue d'immigrants britanniques. De retour au pays, il définit le rôle international du Canada lors d'un banquet à Toronto, le 22 novembre : « *Faire notre devoir pour maintenir l'unité du* Commonwealth *britannique des Nations et faire progresser, à la limite de nos capacités, les relations d'amitié entre l'Empire britannique et le reste du monde et, en particulier entre les trois grandes puissances que j'ai mentionnées : les Etats-Unis, la France et le Japon.* »[95]

Pendant le voyage de King à l'étranger, Bennett avait poursuivi ses attaques contre la position des libéraux au sujet du statut du Canada et contre leur politique tarifaire. Lors d'un banquet à Montréal, le 25 octobre, il définit les buts du parti conservateur comme étant « *le maintien de notre intégrité en tant que partie de l'Empire britannique* » et « *la sauvegarde de notre constitution et des droits de la minorité qui sont garantis par elle.* » [96] Arthur Sauvé, chef conservateur provincial, se déclara d'accord avec Bennett, tandis que C.H. Cahan attribua le peu de succès des conservateurs dans le Québec, au cours des récentes années, aux conflits ethniques dans les autres provinces dont s'offensaient les Canadiens français, en raison de leurs traditions et sentiments. Cahan était persuadé que les modifications récentes des règlements scolaires des écoles séparées en Ontario, au Nouveau-Brunswick et en Nouvelle-Ecosse avaient amélioré la situation.

Un relèvement des tarifs douaniers américains s'annonçait. Aussi Bennett appuya-t-il vigoureusement sur la question tarifaire en 1929. Selon lui, la décision américaine entraînait « *une crise dans notre histoire économique* » et il demanda que soit tenue immédiatement une conférence économique impériale. Il dénonça la prétendue préférence de 1897 qui, constamment diminuée par divers traités, avait atteint le point où la moyenne des droits canadiens était plus favorable aux Etats-Unis qu'au Royaume-Uni. [97] Pendant la session, le premier ministre King rejeta nombre d'appels conservateurs pour une politique tarifaire de représailles contre les Etats-Unis, à la suite de promesses de tarifs plus élevés qui, faites par les républicains pendant la campagne de 1928, prirent force de loi en vertu du *Hawley-Smoot Tariff Act* de 1930. R.J. Manion, nouveau *leader* conservateur qui commençait à s'affirmer, demanda au parlement de traiter l'attitude tarifaire américaine d'une « *fière manière canadienne* » .\* [98] King déclara qu' « *agir de sang-froid* » \*\* était préférable et le ministre du revenu national, Euler, déplora ces paroles de « *mesures immédiates de représailles.* » Ernest Lapointe déclara : « *Nous allons établir à Ottawa nos politiques fiscales et autres* ». Il ajouta que le Canada protégerait son commerce par « *la préférence britannique et des traités avec les autres nations du monde.* » [99] En présentant au parlement son rapport sur la Conférence économique de Genève, il s'était montré favorable au libre-échange international et il avait déclaré que, si le marché américain était fermé, il y aurait revision des tarifs, uniquement pour protéger « *l'intérêt du Canada et non à titre de représailles ou de guerre de tarifs.* » [100]

L'agitation anti-américaine provoquée par le parti conservateur qui s'efforçait de resserrer les liens entre la Grande-Bretagne et le Canada prit une forme un peu différente dans un Québec dont le particularisme s'irritait de la prédominance croissante de l'industrie américaine dans la province. La perte, pour le Québec, des ressources du Labrador, à la suite de la décision du Conseil Privé en 1927, se trouvait momentanément compensée par les immenses installations des industries de pâte à papier et hydro-électriques dans la province, qui constituaient des investissements de plus de 300 000 000 de dollars de capitaux canadiens-anglais et américains, de 1925 à 1927. En fait, ce développement fut si considérable que les installations et la concurrence accrue provoquèrent une baisse des prix en 1927 et 1928. Les plus grandes de ces entreprises furent celles de la *Duke-Price* et de l'*Aluminum Company* qui dépensèrent 100 000 000 de dollars dans la région du lac Saint-Jean. L'inondation de terres arables causée par l'endiguage de la sortie du lac, au bénéfice de *trusts* étrangers, provoqua un mécontentement populaire. Le premier ministre Taschereau répliqua que la création de nouvelles usines hydro-électriques au lac Saint-Jean et à Carillon, sur l'Ottawa, allait favoriser un développement industriel qui maintiendrait la population du Québec dans la province et pourrait même y faire revenir ceux qui l'avaient quittée. Lors de l'inauguration des nouvelles usines de rayonne de Drummondville, le 11 septembre 1927, Taschereau expliqua sa politique de l'énergie hydro-électrique :

« *La voie du succès dans cette province consiste à garder nos ressources matérielles chez nous, pour que nous puissions les développer ici. La clé du succès est l'énergie hydro-électrique pour que ceux qui désirent créer des industries nouvelles viennent ici. Cette politique est éminemment canadienne et nationale.* » [101]

---

\*  « *A red-blooded Canadian manner.* »
\*\* « *A cool-headed manner.* »

Malgré l'opposition grandissante des milieux nationalistes, le gouvernement Taschereau fut réélu en avril 1927, à une forte majorité, les conservateurs n'obtenant que neuf sièges. Commentant ce résultat, Taschereau affirma que le peuple avait jugé la presse ultramontaine qui l'avait combattu : « *Jugement qui devrait lui faire comprendre que l'infaillibilité qu'elle assume n'est guère reconnue par l'immense majorité de l'élément catholique et canadien-français de notre province.* » [102] Le vieil esprit *rouge* n'avait pas totalement disparu, mais il était plus apparent chez les jeunes libéraux que chez les chefs de parti.

Les conservateurs provinciaux, suivant leur forte tradition de nationalisme, continuèrent à accuser Taschereau de servilité devant les *trusts* étrangers. Au cours de l'élection partielle de Sainte-Marie, en octobre 1928, le premier ministre répondit ainsi aux attaques de Camillien Houde :

« *Oui, il y a de l'argent américain dans la province et il est le bienvenu... Tant que moi-même et mes collègues, nous serons ici, nous inviterons le capital étranger à venir nous aider à développer notre province. La politique de M. Houde, de M. Tremblay et autres est de fermer notre province et de dire que nous resterons comme Robinson Crusoë dans son île.* » [103]

De nouveau, le 10 décembre, Taschereau déclara aux *New York Pilgrims* que le continent nord-américain était « *un vaste domaine ouvert à l'esprit d'entreprise de tout citoyen, qu'il soit au nord ou au sud du 45ème parallèle.* » [104] Houde continua toutefois à exploiter le sentiment populaire anti-américain avec succès, en dénonçant les *trusts* étrangers et, en juillet 1929, il remplaça Sauvé au poste de chef provincial du parti conservateur. La montée météorique de Houde força Taschereau à changer d'attitude lors d'une causerie à Québec, devant le congrès des *Investment Bankers of America,* le 16 octobre :

« *Les Américains sont ici les bienvenus. Nous avons besoin de leur capital. Qu'il soit bien compris que, lorsqu'ils seront ici, ils jouiront d'un traitement équitable et seront mis sur le même pied que les nôtres. Mais ils doivent coopérer avec nous... l'opinion publique n'acceptera pas qu'ils soient des dictateurs, ni que nos ressources naturelles soient mises en péril, même au bénéfice du plus aimable voisin.* » [105]

Houde affirma en même temps son nationalisme et son anti-américanisme par un discours à Morrisburg, en Ontario, le 5 octobre, soutenant que le Canada ne pouvait s'incliner devant la volonté d'aucune autre nation ou autre partie de l'Empire : « *Le Canada est appelé à jouer un grand rôle dans les affaires mondiales dans un avenir pas très lointain et le peuple canadien... doit être prêt à être, dans l'avenir, plus qu'un simple trait d'union entre les Etats-Unis et le reste de l'Empire.* » [106] Bien qu'au départ les effets de la grande dépression fussent moindres dans le Québec que dans les autres provinces, le chômage devint un problème à Montréal au cours de l'hiver 1929 et favorisa, en avril 1930, l'élection de Camillien Houde, devenu l'idole des masses, à la mairie de Montréal. Confronté par tous les problèmes que la crise posait à la métropole du Canada où les chômeurs avaient tendance à se rassembler pour profiter des travaux publics et des mesures de secours, Houde céda sa place de chef conservateur, à l'assemblée législative provinciale, à Maurice Duplessis, jeune et habile avocat de Trois-Rivières.

Les questions de tarif douanier et de statut continuèrent à dominer la politique fédérale. Le 1er novembre 1929, le premier ministre King annonça qu'une conférence économique impériale se tiendrait probablement au Canada l'année suivante. Il défendit l'attitude souple de son gouvernement devant le projet de hausse des tarifs américains et il la justifia par le fait que la session spéciale du Congrès avait été ajournée sans qu'aucune décision ait été prise à ce sujet. R.B. Bennett poursuivit ses attaques contre les tarifs insuffisants sur les importations américaines et, après le Jour de l'An, il accusa le gouvernement de ne rien faire contre la marée montante du chômage, provoquée par le *krach* financier d'octobre et de novembre. Il lia les deux problèmes, à Calgary, le 9 janvier : « *Des milliers de gens ont obtenu de l'emploi aux Etats-Unis pour fabriquer des marchandises canadiennes. Ils ont les emplois et nous, les cuisines pour la soupe.* » [107] Quand le parlement se réunit de nouveau en février, Bennett attaqua avec encore plus d'énergie : le Canada ne devait « *se laisser bousculer par aucun pouvoir sur terre* » [108] au sujet de ses tarifs douaniers. Il critiqua aussi l'inertie du gouvernement devant la dépression.

Au sujet du rapport de la Conférence sur la Législation des Dominions, qui eut lieu à Londres en 1929, il soutint encore qu'il n'y avait aucune égalité de statut tant que le Canada devait aller à Westminster pour faire reviser sa constitution. Il affirma que la constitution ne pouvait pas être changée sans le consentement des provinces et qu'elles auraient dû être représentées à la réunion de Londres. [109] King répliqua : « *Mon honorable ami sait que dès le moment où nous voudrons amender notre constitution, ou obtenir le pouvoir de l'amender nous-mêmes, tout à fait indépendamment de Westminster, tout ce que nous avons à faire est de présenter une requête des deux Chambres du Parlement canadien au Parlement de Westminster et il sera donné satisfaction à cette requête par une loi qu'adoptera Westminster.* » [110] Le budget présenté le 1er mai augmentait la liste des préférences britanniques et imposait des droits équivalents aux pays qui augmenteraient les leurs sur les marchandises canadiennes. Bennett critiqua les concessions faites à l'Angleterre qui, selon lui, n'avaient aucun sens, ainsi que les droits d'équivalence dont il estimait qu'ils donnaient le contrôle des tarifs canadiens aux Etats-Unis. Le 6 mai, le premier ministre annonça des élections générales prochaines, afin que le gouvernement soit pourvu d'un nouveau mandat avant les conférences impériale et économique qui devaient avoir lieu en automne. Au cours d'un débat sur le chômage, le 3 avril, King déclara que ce n'était pas un problème fédéral et qu'il « *ne donnerait pas un sou à un gouvernement* tory *pour le secours provincial.* » [111] Les porte-parole conservateurs surent exploiter cette déclaration au cours de la campagne électorale qui suivit.

Le premier ministre tenta d'engager la campagne sur l'œuvre de son gouvernement, le budget et la représentation aux conférences impériales. Cependant, le chômage, le projet de voie maritime du Saint-Laurent, sur lequel il n'avait pas pris d'attitude définie et le fameux « *discours des cinq sous* » furent les thèmes sur lesquels jouèrent les conservateurs. Dans le Québec, *La Presse* agita le vieil épouvantail de la conscription, en déclarant, trois jours avant les élections, qu'une victoire conservatrice encouragerait les impérialistes britanniques à proposer la conscription dans les dominions lors de la conférence impériale imminente. [112] Le premier ministre Taschereau décrivit Mackenzie King comme « *un ami de notre race, qui respecte nos traditions, vénère tout ce qui nous est sacré et mérite notre appui.* » Il ajouta : « *Je n'ai rien à dire contre M. Bennett, mais je dois dire que je n'aime pas ses amis.* » [113] Les orateurs parlant pour Bennett étaient trop imbus d'esprit anglais pour plaire au Québec pendant cette campagne où, pour la première fois, la radio joua un rôle important et les appels régionaux furent écoutés par un public plus considérable que prévu. En Colombie britannique, H.H. Stevens fit appel à l'appui des conservateurs pour que le Canada devienne « *une unité de l'Empire* » et se rende à la conférence « *dans un esprit de coopération, d'unité et de confiance aux hommes d'Etat de la métropole.* » Manion attaqua la politique libérale pro-américaine et définit le choix de l'électeur comme étant « *entre M. Bennett, qui fut toute sa vie un fervent de l'Empire britannique et M. King, qui découvre soudain qu'il y a un Empire britannique et part pour le sauver, afin de nous faire oublier que, de 1914 à 1918, il avait affaire ailleurs.* » [114]

A Québec, Bennett répondit à l'accusation qu'il était l'ennemi des Canadiens français et qu'il était anglais d'Angleterre en déclarant qu'il était canadien depuis neuf générations et qu'il ne serait pas là, ayant accepté l'invitation, si la première accusation était vraie. Il exhorta le Québec à donner son appui aux conservateurs pour que ses représentants puissent se faire entendre dans le nouveau gouvernement, à Ottawa. [115] Son programme comportait beaucoup d'attrait pour le Québec. Au nom du parti conservateur, il promettait des tarifs protectionnistes, l'amélioration de l'agriculture, la voie maritime du Saint-Laurent, les chemins de fer de la Baie d'Hudson et de la Rivière-à-la-Paix, l'encouragement du commerce inter-provincial et inter-impérial, un plan national de pensions de vieillesse et une solution fédérale à la question du chômage. Sur la question des tarifs, son slogan était : « *Le Canada d'abord, l'Empire ensuite* ». * Les affirmations de King, selon qui la préférence britannique était la solution du problème du chômage et le programme de Bennett n'était fait que de promesses électorales, ne suffirent pas à vaincre l'influence exercée par les assurances données par Bennett qui affirmait que les conservateurs pouvaient arrêter les progrès du chômage. Elles ne furent pas assez fortes, non plus, devant l'adresse avec laquelle Bennett sut exploiter l'aversion latente des Canadiens à l'égard de l'arrogance des Etats-Unis.

## 7

Aux élections du 28 juillet 1930, les conservateurs obtinrent 138 sièges et les libéraux 87. Grâce à un *leader* de l'Ouest qui promettait des mesures efficaces pour combattre les conditions désastreuses dans les Prairies, les conservateurs gagnèrent vingt-deux sièges dans cette région, surtout aux dépens des nouveaux partis des cultivateurs. Le facteur décisif fut néanmoins la conquête inattendue, par les conservateurs, de vingt-cinq sièges dans le Québec. Les libéraux en conservèrent trente-neuf et Henri Bourassa fut réélu sans opposition, comme indépendant. Le nouveau gouvernement Bennett, formé le 9 août, ne comprenait que trois Canadiens français : Arthur Sauvé, ministre des postes, Alfred Duranleau, ministre de la marine et Maurice Dupré, procureur général. C.H. Cahan, de Montréal, fut nommé Secrétaire d'Etat et le sénateur Hardy remplaça le sénateur Dandurand au poste de président du Sénat, auquel Rodolphe Lemieux avait été nommé par le gouvernement King à la clôture de la session, en juin.

Une session spéciale du parlement fut convoquée pour s'occuper de la situation urgente du chômage. Elle commença le 8 septembre, mais elle fut ajournée le 22 septembre pour permettre au nouveau premier ministre d'assister aux conférences impériales à Londres. Au cours du bref débat sur la réponse au discours du trône, Mackenzie King déclara que la victoire conservatrice était « *beaucoup plus apparente que réelle* », puisqu'elle reposait sur moins de la moitié des voix du pays et il critiqua Bennett pour cumuler les postes de ministre des finances, Secrétaire d'Etat aux Affaires extérieures et président du conseil, en plus d'être premier ministre. J.S. Woodsworth

---

\* « *Canada first, then the Empire.* »

critiqua la « *folie du protectionnisme* » dans laquelle il voyait un symptôme de la « *recrudescence du nationalisme d'après-guerre* » et Henri Bourassa déclara que le nationalisme canadien ne signifiait pas nécessairement la sécession par rapport à l'Empire ou l'inimitié envers l'Angleterre. Il affirma que le nationalisme était plus fort que tout parti, tout homme ou tout groupe d'hommes. [116]

Pour faire face à la crise, le gouvernement proposa trois mesures : 20 000 000 de dollars pour des travaux publics qui remédieraient au chômage, une hausse générale des tarifs douaniers, surtout pour protéger les industries-clés, enfin des amendements à la loi des douanes, destinés à mettre fin au *dumping* sur le marché canadien. King ne fit aucune objection au principe du projet de loi pour remédier au chômage, mais il refusa de donner un blanc-seing au gouvernement si aucune l'mite de temps n'était fixée pour les dépenses prévues par le projet. Le gouvernement amenda le projet pour éliminer cette objection, fixant, comme date-limite, le 31 mars 1931. La mesure tarifaire fut considérée comme une tentative pour forcer la Chambre à voter sans débat les changements tarifaires les plus radicaux qu'ait connus l'histoire du Canada. King fit valoir que des augmentations de tarif sur les marchandises britanniques avant la réunion de la conférence impériale étaient contraires à la décence et à la courtoisie et qu'une telle tactique avait peu de chances de gagner les marchés d'un Empire. Il déclara aussi que les changements tarifaires accentueraient le mouvement des populations rurales vers les villes et feraient monter les prix de revient et le coût de la vie. [117] Après que Bennett eut déclaré qu'il ne se rendrait pas en Angleterre tant que ces lois ne seraient pas votées, les changements tarifaires furent finalement approuvés le dernier jour de la session spéciale, mais il fut convenu que le débat pourrait être repris plus tard. Le premier ministre annonça, avant son départ, que le poste de haut-commissaire à Londres serait occupé par un membre du gouvernement parce qu'il avait un « *caractère politique* », mais que les nominations de ministres à Paris, Washington et Tokyo seraient considérées comme permanentes. [118]

La Conférence impériale de 1930, qui s'ouvrit à Londres le 1er octobre, était appelée à discuter des relations inter-impériales, de la politique étrangère, de la défense et de la coopération économique, le commerce à l'intérieur de l'Empire devant tenir la première place. La conférence devait aussi étudier le rapport de la conférence de 1929 sur la législation des dominions et des messageries maritimes. Avant le départ de Bennett, le premier ministre de l'Ontario, Howard Ferguson, lui avait instamment rappelé que la conférence de 1929 avait feint d'ignorer que la confédération avait été formée par l'action conjointe des provinces et que, par conséquent, aucun changement ne pouvait être apporté à l'Acte de l'Amérique britannique du

Nord sans leur consentement. Ferguson conseilla de retarder l'examen du rapport sur la législation des dominions jusqu'à ce que les provinces aient eu la possibilité de la discuter et de se consulter à son sujet. La conférence adopta ce rapport avec peu de modifications, mais son incorporation au Statut de Westminster fut différée jusqu'à ce que les provinces aient pu faire connaître leur avis. Le gouvernement impérial se vit enlever la nomination des gouverneurs généraux qui, désormais, seraient nommés par le roi sur l'avis du dominion en cause. Le projet de Statut de Westminster annulait le *Colonial Laws Validity Act* de 1865 et prévoyait que le Canada pouvait amender ou abroger toutes les lois britanniques faisant partie de la législation canadienne, à l'exception de l'Acte de l'Amérique britannique du Nord. De plus, à l'avenir, tout statut britannique concernant le Canada devait contenir une déclaration indiquant que le Canada l'avait demandé et y avait consenti. Le droit des parlements des dominions de légiférer avec effet hors de leur territoire était expressément concédé.

Or, la conférence se préoccupa davantage des problèmes économiques que des problèmes constitutionnels. Bennett qui, à l'ouverture de la conférence, avait insisté sur l'importance de la coopération économique, proposa, le 8 octobre, une politique de préférences tarifaires inter-impériales qui fut approuvée par presque tous les dominions. Il s'opposa au libre-échange à l'intérieur de l'Empire, déclarant que tout ce qu'il pourrait avoir d'utile pouvait être obtenu par la préférence impériale. Son plan offrait au Royaume-Uni et à toutes les autres parties de l'Empire une préférence fondée sur une majoration de 10 pour cent des tarifs en vigueur. Le gouvernement britannique, fortement engagé dans le libre-échange, retarda longtemps l'annonce de sa politique. Il finit cependant par rejeter indirectement la proposition de Bennett par une déclaration du 13 novembre qui promettait de ne pas réduire les préférences accordées aux produits de l'Empire avant trois ans, ou avant la fin de la conférence économique impériale que Bennett avait proposée. La récente augmentation des tarifs canadiens sur les marchandises anglaises et la menace de Bennett de faire disparaître toute préférence si le Royaume-Uni rejetait son projet ne disposèrent pas le gouvernement travailliste à abandonner sa doctrine de libre-échange. L'opposition conservatrice britannique, dirigée par Baldwin, favorisa la politique Bennett, dont l'origine remontait peut-être à l'agitation libre-échangiste au sein de l'Empire qu'avait menée dans ses journaux, pendant quelques années, lord Beaverbrook, de naissance canadienne. Bennett fut fréquemment appelé à agir comme porte-parole des dominions à la traditionnelle série de réceptions et de déploiements militaires et navals. En ces occasions, il affirma que les dominions étaient désormais résolus à manufacturer leurs propres matières premières, tout en mettant en relief les possibilités du commerce britannique au Canada et en se montrant très optimiste pour l'avenir de l'Empire. [119]

Après son retour au Canada en décembre, Bennett déclara dans un discours à Régina, le 30 décembre, avoir été mû par l'intérêt du Canada d'abord et avoir cherché un marché plus stable pour le blé canadien au Royaume-Uni, où le blé russe nuisait aux ventes canadiennes. Le Royaume-Uni avait refusé de modifier cette situation, mais la France avait décidé, pour la première fois, d'acheter une grande quantité de blé canadien. Vers la fin de janvier, Bennett partit pour Washington avec W.D. Herridge, dont la nomination comme ministre canadien aux Etats-Unis fut annoncée quelques mois plus tard. Le premier ministre conféra avec le président américain et les Secrétaires d'Etat et du commerce, mais aucune révélation ne fut faite sur le résultat de ces conversations. King se vengea d'une longue série d'accusations des conservateurs qui prétendaient qu'il était sous l'influence américaine, en demandant quand le parlement se réunirait et en spéculant sur « *ce que l'on aurait dit si, avant de réunir le parlement en un temps de sérieuse détresse économique, j'avais, quand j'étais au pouvoir, trouvé nécessaire de me rendre à Washington pour une entrevue avec le président des Etats-Unis ou, en vérité, pour toute autre raison.* » [120]

Quand le parlement se réunit le 12 mars 1931, King lança une violente attaque contre la politique suivie par le gouvernement à la conférence impériale, lui reprochant aussi d'avoir failli aux promesses qu'il avait faites aux élections de remédier au chômage et à la détresse agricole. Il déplora l'adoption, par le gouvernement, de la « *coercition* » à l'égard du Royaume-Uni : elle avait condamné d'avance la tentative d'ouverture du marché britannique au blé canadien et fait du Canada un allié de l'opposition conservatrice en Angleterre. Il écarta le projet de préférence impériale, déclarant qu'il revenait à tenter d'élever un Mur de Chine autour de l'Empire britannique, ce qui provoquerait la jalousie d'autres nations et finirait par imposer aux dominions la charge des armements navals. Il affirma que le résultat de la conférence avait été d'aggraver la « *très sérieuse situation* » du Canada. [121] Le premier ministre se défendit contre l'accusation de gouvernement autocrate lancée par King, en déclarant que son attitude à la conférence avait été la même que celle de Laurier en 1902. Ses promesses électorales ne pouvaient pas être remplies dans un délai aussi court que huit mois, mais le gouvernement s'efforçait d'y parvenir.

Bourassa, au cours de ce débat, croisa le fer avec Lavergne, son allié d'antan, ce dernier prétendant que Laurier avait trahi la Province de Québec en 1896. Arthur Sauvé fit l'éloge du premier ministre pour avoir fait passer les intérêts du Canada avant tout à la conférence et il condamna l'opinion selon laquelle le parti conser-

vateur était « *l'ennemi acharné des Canadiens de langue française.* »
Il cita avec fierté l'affirmation du premier ministre de l'Ontario selon
qui le Québec réagissait plus fortement que les autres provinces
« *contre la pénétration politique et sociale de l'américanisme* », ainsi
que l'observation de Sir William Mulock qui constatait son opposition
« *aux idées révolutionnaires des agents communistes qui voudraient
amener le public à considérer les Canadiens français comme des étrangers au pays qu'ils ont fondé et ouvert à la civilisation.* » [122]   Plus
tard, au cours de la session, le procureur général Dupré, qui avait
accompagné Bennett à Londres, protesta contre les lois anti-françaises
récemment adoptées au Saskatchewan, en exprimant l'espoir qu'elles
seraient bientôt abrogées.

Le budget présenté par Bennett, le 1er juin, augmentait les impôts directs et indirects, ainsi que les tarifs. Les libéraux protestèrent,
déclarant que les impôts allaient peser le plus lourdement sur ceux
qui étaient le moins capables de les payer et que les tarifs plus élevés
réduiraient la consommation et l'exportation. King observa que « *les
promesses d'hier sont les impôts d'aujourd'hui* » et que les nouveaux
tarifs allaient édifier un « *féodalisme industriel* » au Canada. [123]   Il
demanda une conférence fédérale-provinciale sur les impôts et une
conférence qui réunirait des hommes d'affaires, du monde du travail
et de la vie publique pour étudier la question du chômage. Pendant
toute la session, les députés de l'Ouest insistèrent pour que le gouvernement fasse, sur sa politique de chômage, une déclaration qui fut
refusée jusqu'à la présentation du *Unemployment and Farm Relief
Act*, le 29 juillet. Ce texte autorisait la dépense, par arrêtés-en-conseil,
de toutes les sommes qui pourraient être jugées nécessaires et donnait force de loi à ces décrets. King s'opposa à ce projet en le qualifiant d' « *usurpation de tous les droits du parlement* » [124] sur le contrôle des dépenses et, finalement, il força le gouvernement à accepter
un amendement l'obligeant à rendre compte au parlement des dépenses engagées en vertu de cette loi.

Une enquête parlementaire sur le projet de centrale hydro-électrique à Beauharnois révéla que la compagnie avait versé aux fonds
de campagne électorale des sommes s'élevant à 864 000 dollars, en
grande partie destinées au parti libéral. King défendit la conduite
de son gouvernement à propos de cette centrale et déclara qu'il
n'entrait pas dans les fonctions d'un chef de parti de s'informer de qui
contribue aux fonds de campagne électorale. Il affirma son ignorance
des sommes versées et insista pour qu'une commission royale soit
chargée d'enquêter sur les contributions aux fonds électoraux des
trois élections précédentes. Bennett refusa de créer cette commission.
Il insinua que le chef libéral était plus sérieusement en cause qu'il
ne l'avait indiqué et demanda au Sénat de juger les actes de ses
membres compromis dans le scandale. Un comité d'enquête du Sénat

ajourna ses **travaux** jusqu'à la prochaine session et il fut recommandé d'imposer des pénalités à tout membre coupable de conduite déshonorante. Le projet de centrale à Beauharnois cessa de relever du Québec et le gouvernement fédéral s'en chargea. Il autorisa la diversion nécessaire des eaux du Saint-Laurent.

L'une des conséquences de la Conférence impériale fut la réunion d'une Conférence fédérale-provinciale à Ottawa, le 8 avril, pour étudier le rapport du point de vue de la législation des dominions. Elle fut unanime à décider le maintien du *statu quo* au sujet de l'Acte de l'Amérique britannique du Nord, tandis que le *Colonial Laws Validity Act* ne s'appliquerait plus aux législations fédérale et provinciale. On rédigea une nouvelle section à insérer dans le projet de Statut de Westminster. Cette section fut approuvée par la conférence, mais son acceptation définitive fut différée pour permettre aux représentants des provinces de consulter leurs collègues à son sujet. Bennett annonça qu'une autre conférence étudierait plus tard comment l'Acte de l'Amérique britannique du Nord pourrait être amendé ou modifié. Le premier ministre présenta une résolution, le 30 juin, demandant la mise en application du Statut de Westminster qui comprendrait la section adoptée par la conférence fédérale-provinciale. Lapointe, qui avait pris part à la rédaction du rapport de 1929, appuya la résolution, mais insista pour que tous les doutes soient dissipés sur le droit du Canada d'amender sa propre constitution. Le premier ministre répliqua que les provinces étaient déjà convenues de traiter cette question à une future conférence fédérale-provinciale. Lapointe réitéra son opinion :

« *Je ne crois pas que les droits des minorités du pays soient liés à la situation légale telle qu'elle existe maintenant, ni que le Québec soit le dernier rempart et la suprême sauvegarde contre toute innovation.* » Il soutint que « *les Canadiens français en général, dans le Québec comme dans les autres provinces, ne seraient pas à jamais satisfaits d'une situation qui les assujettirait à un autre pouvoir en dehors du territoire du Canada* » et il ajouta : « *Je suis d'avis que, si les Canadiens peuvent légiférer avec compétence, ils doivent également être en état d'interpréter les lois.* » [125]

Armand Lavergne déclara : « *L'égalité de statut ne peut être atteinte et n'existe pas, — il nous faut accepter les faits —, tant que le Canada n'aura pas le droit de modifier sa propre constitution.* » Il avança que la question controversée des appels au Conseil Privé pourrait être réglée « *en demandant à nos propres conseillers privés de donner leur avis au roi sur les questions d'appel au Conseil Privé.* » Tout en réaffirmant sa foi en la doctrine *Canada First*, il insista pour que le Canada reconnaisse son devoir « *en nous imposant, nous-mêmes, une taxe pour subvenir aux besoins du roi et de la famille royale.* » [126]

Henri Bourassa se prononça contre les appels au Conseil Privé, qu'il

qualifia de « *corps mi-politique et mi-judiciaire* », en concluant que
« *le droit d'appel au Conseil Privé constitue, en lui-même, une marque
d'infériorité* » et, par conséquent, un obstacle au développement d'un
véritable esprit national. Il affirma : « *Le temps viendra certainement où on trouvera assez de sagesse, assez de respect de soi-même,
soit dans le dominion, soit dans les provinces, pour élaborer des mesures en vue d'exercer ce droit de modifier notre propre Constitution
à la suite d'efforts concertés entre le parlement fédéral et les législatures provinciales.* » Il déplora que le Canada, qui avait dirigé le
mouvement d'autonomie, soit maintenant en retard sur l'Australie et
l'Afrique du Sud. [127] La résolution fut adoptée à l'unanimité et,
après approbation par les autres dominions, le Statut de Westminster
fut adopté par le parlement britannique le 11 décembre 1931.

Cet événement choqua nombre d'Anglais qui ne s'étaient pas
rendu compte de l'évolution progressive de l'Empire vers l'autonomie
et le gouvernement travailliste fut accusé de procéder au démembrement de l'Empire. Winston Churchill, ancien secrétaire aux colonies,
fut l'un des principaux adversaires du nouveau statut, tandis que
L.S. Amery, qui l'avait parrainé au parlement britannique, déclara
que les dominions étaient des « *nations de l'Empire qui s'étaient peu
à peu élevées, comme la Grande-Bretagne, vers une position et un
sens des responsabilités impériales.* » [128] Il y eut un sentiment général
de regret, au parlement britannique, devant la nécessité d'abdiquer
l'autorité suprême de l'Empire, mais la décision fut prise « *pour éviter
d'offenser nos grands dominions* », comme l'observa lord Buckmaster
à la Chambre des Lords. [129] Cette Grande Charte du nouveau *Commonwealth* britannique des Nations n'entraîna pas la désintégration
de l'Empire, contrairement aux prédictions des pessimistes et elle fut
acclamée dans les dominions. Pour quelques Canadiens français nationalistes, tels que l'abbé Groulx, elle marquait l'avènement de l'indépendance. L'abbé Groulx demanda que cette date soit commémorée
comme fête nationale, à la place de l'anniversaire de la Confédération. [130]

Bennett qui, le jour même de l'élection du nouveau gouvernement national britannique, avait invité les nations du *commonwealth*
à se réunir à Ottawa en conférence économique, fit un bref voyage
en Angleterre vers la fin de novembre. A son retour, il déclara que
le Statut de Westminster marquait la fin du vieil Empire politique
et que la prochaine conférence d'Ottawa jetterait les fondations
d'« *un nouvel Empire économique au sein duquel le Canada est
appelé à jouer un rôle d'une importance toujours plus grande.* » [131]
King continua d'attaquer la législation de « *chèque en blanc* » du
gouvernement qui glissait de la politique de *Canada first* vers celle
d'*Empire first*, c'est-à-dire d'un nationalisme économique excessif
vers l'impérialisme ou l'isolationnisme économique. [132] Il reprocha

au gouvernement de ne pas donner à la Chambre l'occasion de discuter de la conférence économique imminente et donna à entendre que les préparatifs avaient été laissés entre les mains de la *Canadian Manufacturers' Association*. Il fit savoir que les libéraux s'opposaient à tout arrangement tarifaire qui nuirait à l'indépendance économique d'un dom nion quelconque, ou de l'Angleterre elle-même dans les transactions avec les autres pays.

## 8

Le chômage et l'aide aux cultivateurs furent les principaux thèmes de la session qui s'ouvrit le 4 février 1932. Le gouvernement Bennett chercha le renouvellement de sa législation de « *chèque en blanc* » de l'année précédente et l'opposition livra une vigoureuse bataille contre ce qu'elle jugeait être une violation du principe de gouvernement responsable, en ce sens qu'atteinte était portée au droit de contrôle du parlement sur les dépenses. Le premier ministre se fit dire sans ambages par C.G. Power, du Québec, que « *sa place était dans quelque république sud-américaine où il pourrait être dictateur à son gré, ou encore mieux en Italie ou en Russie.* » [133] La décision du gouvernement fut finalement imposée par la loi de clôture. A la suite d'une enquête par une commission parlementaire, il fut décidé de créer un réseau de radiodiffusion sous le contrôle du gouvernement fédéral et une loi instituant la *Canadian Radio Commission* fut votée, avec l'approbation de tous les partis, le 24 mai. Dès 1930, le Québec avait déclaré que la radio était du ressort des provinces, revendication à laquelle il ne renonça jamais et qu'il fit revivre plus tard. L'enquête du Sénat sur les activités des sénateurs McDougald, Haydon et Raymond à propos de la centrale de Beauharnois se termina par un blâme infligé aux deux premiers et la démission du sénateur McDougald. La politique de parti détermina le vote.

La Conférence économique impériale s'ouvrit à Ottawa le 21 juillet. Bennett fut élu président et, dans son discours d'ouverture, il renouvela sa proposition de 1930, invitant le Royaume-Uni à étendre ses préférences tarifaires aux produits naturels et promettant, en retour, des aménagements aux tarifs canadiens. Il insista aussi pour obtenir des garanties contre la concurrence excessive des entreprises contrôlées par l'Etat. Stanley Baldwin, de Grande-Bretagne, demanda instamment la libération des routes du commerce impérial et déclara qu'il valait mieux abaisser les barrières tarifaires entre les pays de l'Empire que les élever contre les autres nations. Douze accords **commerciaux** inter-impériaux furent conclus au cours de la conférence et le Canada signa des pactes avec le Royaume-Uni, l'Afrique du Sud, la Rhodésie du Sud et l'Etat libre d'Irlande, dans le sens conseillé par Bennett. La conférence vota aussi une résolution qui reconnaissait que le principe de Baldwin était le meilleur moyen d'accroître le commerce impérial et mondial. Les intérêts contraires des dominions et du Royaume-Uni furent mis en évidence, les dominions s'efforçant d'obtenir que leurs denrées alimentaires soient favorisées en Angleterre, cette dernière cherchant des débouchés pour ses produits manufacturés, bien que les dominions fussent résolus à protéger leurs industries encore en enfance. Aucun accord général n'était ainsi possible. [134]

Lors de la session spéciale du parlement convoquée en octobre pour examiner les Accords commerciaux d'Ottawa, les députés libéraux, travaillistes et indépendants ne cessèrent de faire opposition. Le gouvernement fut aussi critiqué pour n'avoir pas trouvé d'autre remède au chômage que le secours direct. Le premier ministre décrivit les accords comme « *le premier pas vers un projet défini d'association économique plus étroite de l'Empire* », [135] tandis que King soutint que c'était un renversement complet des tendances de l'évolution impériale des derniers cinquante ans. [136] Les deux *leaders* se heurtèrent plusieurs fois : les accords étaient-ils, ou non, dans la tradition canadienne ? Bourassa affirma : « *Cette mesure législative est peut-être la plus importante... depuis la Confédération... parce que la protection n'est ni plus ni moins qu'un vol organisé.* » [137] J.S. Woodsworth fut d'avis que c'était « *un arrangement entre hommes d'affaires et ceux qui représentent, avant tout, les intérêts des hommes d'affaires.* » [138] Les accords d'Ottawa furent finalement approuvés le 24 novembre.

Un congrès de représentants paysans et ouvriers, à Calgary, le 1er août 1932, donna naissance à un nouveau parti politique, dont J.S. Woodsworth devint président et que l'on nomma *Cooperative Commonwealth Federation,* nom encombrant qui devint bientôt *CCF* dans le langage courant. Le programme *CCF,* influencé par les traditions d'un socialisme prudent et dilatoire et par le parti travailliste de Grande-Bretagne, demandait la planification de l'économie, la socialisation des organisations financières, la nationalisation des services publics et des ressources naturelles, l'encouragement des coopératives et toute une série de lois sociales. Les *United Farmers of Ontario* s'affilièrent au nouveau parti en décembre et des cercles d'étude *CCF* furent fondés pour ceux qui n'avaient pas de rapport avec les groupes ouvriers ou agricoles. Le nouveau parti soutint que conservateurs et libéraux étaient incapables d'apporter des changements fondamentaux à une économie en perdition et qu'en outre le parti communiste tendait à établir un nouvel ordre social et économique par la violence, les effusions de sang et une dictature tout au moins temporaire. Le *CCF,* lui, dans la tradition d'un socialisme modéré, cherchait à établir progressivement un nouvel ordre, par des moyens pacifiques et ordonnés. Il échoua dans sa première tentative électorale lors d'élections partielles en Alberta, en janvier 1933, mais il attira l'attention du pays en février, lorsque Woodsworth présenta une résolution qui préconisait la création d'un *commonwealth* coopératif au Canada, comme remède à la dépression.

Bien que Woodsworth affirmât avec véhémence n'avoir aucun lien avec le communisme, le nouveau mouvement fut accusé de tendances communistes par les porte-parole conservateurs. Dans un discours à Toronto, en décembre, Mackenzie King avait déjà déploré que les forces anti-conservatrices fussent divisées entre le parti libéral et le *CCF* et il avait fait appel à l' « *humanitarisme* » plutôt qu'à un « *nationalisme égoïste* » ou un « *impérialisme chauvin* ». [139] Au cours du débat sur la motion Woodsworth, il annonça un programme libéral clairement influencé par le progrès du mouvement *CCF*. Il demanda une commission nationale du chômage, l'abolition des nouveaux impôts injustifiés sur les importations, l'encouragement du commerce avec tous les pays sur une base de réciprocité, la préférence britannique par des réductions plutôt que par des augmentations des tarifs, l'abolition du contrôle artificiel des prix, la réglementation des placements, la création d'une banque nationale centrale, l'abolition de la Section 98 du code criminel qui menaçait les libertés de parole et d'association, l'équilibre du budget et une revision de toutes les dépenses du gouvernement. [140]

A la veille de la Conférence fédérale-provinciale qui devait se réunir à Ottawa, le 17 janvier 1933, pour étudier les problèmes économiques et constitutionnels, King critiqua le gouvernement devant un public du Québec. Il l'accusa de « *manœuvre délibérée pour introduire quelque chose de nouveau dans les relations du Canada avec les autres parties de l'Empire* » et déclara que « *la véritable question est de décider si nous allons changer notre position de souveraineté nationale pour une souveraineté impériale, avec des politiques impériales, au lieu de politiques nationales pour gouverner notre pays.* » [141] L'adoption d'une politique impériale entraînerait une friction entre les différentes parties de l'Empire. La conférence décida que le gouvernement fédéral continuerait à aider les provinces à résoudre les problèmes posés par le chômage. Elle consentit à coopérer à l'administration des impôts en attendant une nouvelle conférence, mais aucune décision ne fut prise sur la question de l'assurance-chômage, devant l'opposition du Québec et de l'Ontario qui était fondée sur les droits provinciaux. [142]

Le parlement, réuni de nouveau le 30 janvier 1933, porta une plus grande attention à la réorganisation des *Canadian National Railways,* au budget et à la nouvelle carte électorale. Le gouvernement se heurta à l'opposition vigoureuse des libéraux et du *CCF* au sujet de la position qu'il avait prise sur le chômage et autres questions. Ces partis exploitèrent le mécontentement provoqué, dans l'Ouest, par la pression qu'exerçait le gouvernement fédéral sur les provinces des Prairies pour qu'elles réduisent leurs dépenses, parce qu'elles bénéficiaient déjà, pour les secours, de prêts considérables. Bennett fit part de son intention de rétablir les titres de noblesse au Canada. Aucun n'avait été décerné depuis leur suppression par un vote de la Chambre, le 22 mai 1919. Les députés du Québec tentèrent d'obtenir une monnaie bilingue, mais le débat resta sans issue.

Après avoir conféré avec Roosevelt à Washington, en avril, Bennett se rendit à Londres pour assister à la Conférence monétaire et économique mondiale *(World Monetary and Economic Conference)*, en juin. Il contribua puissamment à éviter un fiasco en alignant les dominions sur les pays scandinaves pour appuyer les propositions de Cordell Hull et aussi pour persuader le gouvernement britannique d'abandonner sa neutralité. Il présida ensuite la Conférence mondiale du blé *(World Wheat Conference)* et consentit, pour l'année suivante, à limiter les exportations de blé canadien. De retour au Canada, il eut à défendre l'attitude qu'il avait adoptée à ces deux réunions et déclara que les Canadiens pouvaient participer librement au plus grand marché du monde, celui de l'Empire britannique. Pendant une tournée de discours dans l'Ouest, où Mackenzie King avait attaqué l'« *autocratie* tory » au cours de l'été, Bennett défia ce dernier de mettre à exécution sa menace de déchirer les accords d'Ottawa s'il revenait au pouvoir, car ce serait ruiner la moitié de l'industrie canadienne. Le premier ministre déclara que le gouvernement avait dépensé 122 552 000 dollars en secours depuis sa prise du pouvoir et il annonça un programme de travaux publics pour remédier au chômage. Le 20 novembre, à l'exemple du président Roosevelt, il fit connaître sa politique par la radio. Il déclara que le programme du gouvernement, dès la prochaine session, comprendrait une loi des travaux publics, un projet de banque centrale et la défense de l'Accord du Blé. Au cours d'une conférence fédérale-provinciale en janvier 1934, Bennett tenta vainement de réduire radicalement les contributions fédérales aux fonds de secours, s'efforçant d'en passer la charge aux provinces. Or, comme celles-ci jugeaient leurs revenus étriqués insuffisants pour faire face à cette charge croissante, la contribution fédérale d'un tiers du coût des secours aux chômeurs fut maintenue provisoirement. Lors d'une seconde conférence, en août, les dépenses fédérales pour les secours furent réduites d'environ 20 pour cent, bien que le coût total continuât d'augmenter. [143]

King fit activement campagne dans les trois élections partielles de 1933 qui furent toutes gagnées par les libéraux et il continua d'attaquer la politique des hauts tarifs, exigeant la réciprocité commerciale avec les Etats-Unis. Il s'opposa aussi à l'Accord du Blé et au rétablissement des titres de noblesse au Canada. Le *CCF* organisa son premier congrès national à Régina en juillet 1933 et adopta un manifeste demandant l'établissement d'un ordre économique socialisé, un mécanisme financier socialisé, la socialisation de toutes les industries et services essentiels à la planification sociale, la sécurité de tenure pour les cultivateurs en détresse et l'abolition progressive de leurs dettes, la réglementation du commerce extérieur, un code du travail, la socialisation des services de santé publique, d'hospitalisation et de médecine, une politique étrangère visant à la paix mondiale et à la coopération économique internationale, une nouvelle politique fiscale égalitaire et des changements constitutionnels comprenant l'abolition du Sénat, l'affirmation des droits de liberté de parole et d'assemblée, l'abolition de la politique de déportation, enfin la responsabilité gouvernementale à l'égard du chômage et des moyens d'y remédier. Le Manifeste de Régina était rédigé par un *brain trust* de quarante membres dirigé par six anciens *Rhodes Scholars* fortement influencés par les idéals du socialisme anglais. Ce document fut dénoncé comme révolutionnaire et communiste par les porte-parole des deux vieux partis et violemment attaqué par la presse.

L'avenir politique du *CCF,* qui était né de la dépression dans l'Ouest, mais dépendait de l'appui de l'Est pour avoir une influence nationale, fut menacé au début de 1934. Mgr Gauthier, archevêque-coadjuteur de Montréal, dans une lettre pastorale du 11 février 1934, qualifia le mouvement de dangereux, car il reposait, selon lui, « *sur une conception matérialiste de l'ordre social et... c'est précisément ce qui constitue le caractère antichrétien du socialisme authentique.* » [144] Woodsworth, ancien ministre méthodiste, répondit une semaine plus tard, à Montréal, en demandant pourquoi c'était un péché pour un catholique d'appartenir au *CCF* à Montréal, mais pas en Alberta ou en Saskatchewan. Il nia qu'il y eût quoi que ce fût de communiste dans la doctrine du *CCF* qui garantissait la pleine liberté religieuse, l'autonomie et les droits minoritaires. Pourtant, pendant des années, les théories du *CCF* furent mal vues des catholiques canadiens-français qui confondaient le socialisme dans le sens révolutionnaire européen condamné par le pape, avec le socialisme anglais. L'archevêque Villeneuve, de Québec, qui fut nommé cardinal au début de 1933 et devint ainsi primat de l'Eglise du Canada, s'opposa fortement au *CCF,* dont les tendances centralisatrices allaient à l'encontre de ses idées nationalistes. Henri Bourassa, le vieux *leader* nationaliste qui avait souvent fait cause commune avec Woodsworth à la Chambre, avait démissionné du poste de directeur du *Devoir* en août 1932 et, par la suite, cet organe nationaliste influent adopta une ferme attitude contre le programme du *CCF,* sous l'impulsion du successeur de Bourassa, Georges Pelletier, conservateur et provincialiste.

Depuis l'ouverture de la session, vers la fin de janvier 1934, Mackenzie King se livrait à une vigoureuse attaque contre le gouvernement et ses décisions, déclarant que les récentes élections partielles avaient prouvé qu'il n'avait plus l'appui du pays. Il présenta une motion de non-confiance en guise d'amendement à la réponse au discours du trône. Le premier ministre répliqua que le peuple canadien désapprouvait des élections générales en un temps où surgissaient de graves problèmes et la motion de non-confiance fut rejetée après un débat de trois semaines. Le gouvernement décréta une enquête sur les affaires et les conditions économiques du Canada et créa, à cet effet, une commission sur les écarts des prix de revient et de vente *(Price Spreads and Mass Buying Committee)* présidée par H.H. Stevens, ministre de l'industrie et du commerce. Les réunions de cette commission éveillant un grand intérêt et recevant l'approbation de l'opinion publique, elle fut transformée en commission royale qui continua d'enquêter en 1935. Le premier ministre exigea, le 26 octobre, la démission de Stevens comme président et comme ministre, celui-ci ayant publié une brochure qui rendait compte des résultats de l'enquête jusqu'à la fin de la session. L'existence de différends entre les deux hommes était déjà très connue. Après sa démission, Stevens déclara que ses efforts pour remédier aux abus économiques avaient été contrecarrés par des membres réactionnaires du cabinet.

Le 11 avril, le premier ministre Bennett annonçait des propositions pour la revision de l'Acte de l'Amérique britannique du Nord, suivant lesquelles les provinces cesseraient d'avoir compétence en matière de problèmes sociaux se rapportant à l'industrie, la vieillesse, la maladie, les heures et conditions de travail, les salaires minimums et ainsi de suite. Deux jours plus tard, il fit allusion à des facteurs politiques qui pourraient prévenir cet amendement au *BNA Act,* évoquant des difficultés possibles avec le Québec. Le *leader* du gouvernement au Sénat, Arthur Meighen, déclara que le *BNA Act* convenait aux jours du cheval et de la charrette du temps de la Confédération, mais qu'il n'était plus adapté aux conditions grandement changées d'aujourd'hui. [145] Fin août, le premier ministre fit parvenir une lettre aux premiers ministres provinciaux pour leur soumettre l'ordre du jour d'un projet de conférence fédérale-provinciale qui se réunirait vers la fin de l'année et étudierait les problèmes de double emploi en matière d'imposition, d'organisation de la santé publique et d'agriculture, ainsi que les problèmes sociaux déjà indiqués et la question vitale de la procédure à suivre pour amender l'Acte de l'Amérique britannique du Nord. [146] La rencontre proposée fut toutefois remise *sine die,* deux ou trois provinces ayant fait preuve d'une attitude « *tiède, sinon hostile* ».

Le budget de 1934 comportait une réduction à la fois des tarifs douaniers et des dépenses du gouvernement, tout en imposant une lourde taxe sur la production de l'or. Ces projets furent critiqués par les libéraux parce qu'ils perpétuaient le nationalisme économique qui s'était avéré si désastreux pour le commerce canadien pendant la dépression. Le projet de loi *Natural Products Marketing Bill* provoqua de nombreux commentaires au cours de la session parce qu'il accordait de vastes pouvoirs de réglementation à un comité fédéral et au gouverneur-en-conseil pour écouler les marchandises sur le marché. Il fut qualifié de dictatorial et critiqué pour devoir aboutir à une mise en tutelle des affaires, mais il fut finalement voté, après que le gouvernement eut refusé un amendement du Sénat. Tout au long du débat sur cette question, le gouvernement fut soutenu par le *CCF* et cette alliance entre *tories* et radicaux donna des armes aux critiques libéraux. Les fonds de secours pour le chômage furent votés après la discussion acrimonieuse habituelle sur le plan constitutionnel, à laquelle s'ajouta la critique des dépenses injustifiées et des irrégularités de l'administration. Les prêts agricoles et l'extension du crédit aidèrent les cultivateurs de l'Ouest en détresse et les 40 000 000 de dollars qui furent votés pour des travaux publics apportèrent une aide supplémentaire à la lutte contre le chômage. La Banque du Canada fut créée sous régime de propriété privée, malgré les arguments des libéraux et du *CCF* qui voulaient une banque d'Etat nationalisée. Le gouvernement voulut grouper tous les traducteurs français dispersés dans les divers départements fédéraux, mais il se heurta à une violente opposition de la part de députés canadiens-français qui voyaient là une manœuvre pour réduire l'usage de la langue française. L'opposition fut menée par E.-R.-E. Chevrier et par un certain nombre de conservateurs du Québec qui se joignirent aux libéraux pour combattre cette motion, tandis que Bourassa et A.W. Neill dirigèrent l'opposition des progressistes et des *CCF*. Il y eut des scènes orageuses au parlement, les députés du Québec chantant une chanson de folklore canadien-français et frappant sur leurs pupitres en signe de protestation chaque fois qu'un conservateur du Québec votait pour ce projet. Alfred Duranleau, minister de la marine, aida C.H. Cahan, parrain du projet, à le défendre.

Au printemps et à l'automne de 1934, cinq élections complémentaires furent cinq victoires libérales. Mackenzie King, qui avait participé activement à ces luttes, somma le gouvernement de démissionner puisqu'il était évident qu'il avait perdu l'appui du pays. Ensuite, il partit pour l'Europe afin de se rendre compte personnellement des conditions là-bas, en prévision de son retour au pouvoir, tandis que Bennett y allait aussi pour représenter le Canada à la SDN et discuter un nouveau traité de commerce avec la France. A son retour, le premier ministre défendit encore les accords commerciaux d'Ottawa, mais il se déclara disposé à conclure un traité de commerce avec les Etats-Unis. Il annonça aussi que le gouvernement présenterait un projet de loi pour donner suite aux recommandations de la commission sur les écarts des prix et déclara que « *la politique du "laissez-faire" n'était plus suffisante.* » [147] En décembre, King annonça que s'il était appelé à former un gouvernement, il chercherait à accroître la préférence britannique sur le marché canadien et à abaisser les tarifs qui influaient sur le commerce extérieur du Canada. Il demanda une enquête sur les fabricants d'armements dans tout l'Empire et adjura le Car-da de prendre l'initiative d'une politique de paix en refusant armes, denrées alimentaires et crédits aux nations qui troublent la paix du monde. Il dénonça l'impérialisme économique auquel, selon lui, on voulait faire servir le nationalisme canadien.

La législature devant prendre fin en août 1935, la perspective des élections domina la nouvelle année. Bennett qui, toute sa vie, avait été conservateur et capitaliste, se déclara soudain convaincu que les remèdes traditionnels aux maux économiques du Canada étaient inadéquats et, sous l'influence de l'exemple américain, observé sur place par son beau-frère, W.D. Herridge, ministre canadien à Washington, il décida de lancer un *New Deal* canadien. Dans cinq discours à la radio au début de janvier 1935, il annonça un programme de réformes radicales que le gouvernement avait l'intention de proposer pendant la session. Elles impliquaient toutes le contrôle des entreprises économiques par le gouvernement. Il déclara que le secours direct au chômage était « *une condamnation de notre système économique* » et que « *si nous ne pouvons pas abolir le secours direct, nous devons abolir le régime.* » [148] Condamnant ceux qui avaient profité des défauts du régime capitaliste pour des buts inavouables ou par appétit du gain, Bennett déclara que son gouvernement entendait faire disparaître ces défauts pour rendre impossibles des pratiques aussi malhonnêtes. Il accusa les libéraux de devenir *tories* et prédit que la continuation des méthodes de « laissez-faire » mènerait au fascisme.

Cette législation annoncée par la radio et, plus tard, par le discours du trône le 17 janvier, avait pour but « *de remédier aux injustices sociales et économiques actuelles et d'assurer à toutes les classes et toutes les parties du pays un plus haut degré d'égalité dans la répartition des bienfaits du régime capitaliste.* » [149] King ouvrit le débat en attaquant la méthode du premier ministre, qui annonçait son programme par la radio avant de le soumettre au parlement, la jugeant inconstitutionnelle et apparentée aux méthodes fascistes. Il déclara que ces propositions ne faisaient qu'effleurer « *le bord de quelques inconvénients du régime* » et qu'elles n'en atteignaient pas le cœur. Il critiqua le contôle de la politique industrielle par les capitalistes et affirma que le monde du travail devait participer au contrôle. Il déclara que le parti libéral avait l'intention de suivre les deux politiques d'intervention de l'Etat et de « laissez-faire ». Il attribua à une intervention excessive dans le libre cours des affaires les conditions qui valaient au Canada un million de chômeurs et « *un réseau de fils de fer barbelés* » qui nuisait au commerce. Critiquant le contrôle de la Banque du Canada par l'entreprise privée, il prétendit qu'un gouvernement qui avait favorisé ce régime ne pouvait pas vouloir sincèrement un programme d'intervention de l'Etat. Les réformes tant vantées du gouvernement faisaient depuis longtemps partie de la politique libérale. [150] En réponse, le premier ministre défendit l'œuvre de son gouvernement, qui avait fait traverser au Canada le pire de la dépression, « *mieux que tout autre pays au monde.* » [151] Il prédit un accord commercial avec les Etats-Unis et réfuta les accusations de King. J.S. Woodsworth, *leader CCF,* critiqua le gouvernement pour avoir fait attendre si longtemps une réforme, mais il exprima l'espoir que, puisque les libéraux s'y étaient déjà engagés, les mesures seraient adoptées au cours de la présente session.

Le *Bennett New Deal* fut présenté en huit textes de loi qui obtinrent un vote presque unanime, après beaucoup de tiraillements au parlement. Ils établissaient la journée de huit heures, la semaine de quarante-huit heures et interdisaient le travail des enfants. Un salaire minimum, des assurances sociales et contre le chômage, un service de placement national furent institués. Les lois de l'année précédente, le *Natural Products Marketing Act* et le *Farmers' Creditors' Act* furent libéralisées. Une *Dominion Trade and Industry Commission* fut créée pour réglementer les *trusts* et les monopoles, pour combattre les pratiques déloyales en affaires et pour adapter les procédés de mise sur le marché aux nouvelles normes du commerce et de la production. Le code criminel fut amendé de manière à prévoir des pénalités contre la publicité trompeuse, contre les rémunérations inférieures au salaire minimum et contre les pratiques malhonnêtes en affaires. La loi sur les sociétés fut amendée de manière à éliminer des affaires et de l'industrie la spéculation de la haute finance. Un Office canadien du Blé fut chargé de contrôler les exportations et les prix. Une législation spéciale institua des secours aux chômeurs, des travaux publics, du crédit pour les pêcheurs, la réorganisation des Provinces des Prairies et un programme de construction d'habitations. Le budget comportait aussi un léger dégrèvement du régime douanier et augmentait l'impôt sur le revenu des sociétés et des personnes réalisant des gains importants. Enfin, un *National Economic Council,* composé du premier ministre et de quinze conseillers non rétribués, fut créé pour traiter des problèmes sociaux et économiques.

A la suite de la résolution présentée par J.S. Woodsworth, une commission parlementaire fut nommée « *pour étudier et soumettre des recommandations au sujet de la meilleure manière d'amender le* BNA Act, *afin que, tout en sauvegardant les droits minoritaires raciaux et religieux et les aspirations légitimes à l'autonomie provinciale, le gouvernement fédéral puisse obtenir un pouvoir suffisant pour lui permettre de s'occuper efficacement des problèmes économiques urgents qui ont un caractère essentiellement national.* » [152] Les procureurs généraux des provinces refusèrent de conseiller le comité, mais plusieurs experts témoignèrent et il recommanda de réunir, à brève échéance, une conférence fédérale-provinciale pour examiner le problème.

L'opposit'on affirma qu'une grande partie du *Bennett New Deal* était contraire à la constitution. Le premier ministre tenta d'éluder certaines difficultés constitutionnelles en se servant du pouvoir du dominion de conclure des traités pour ratifier les conventions de l'Organisation internationale du Travail, de 1921 et 1928, sur les salaires, les heures de travail et un code du travail. Le parlement souscrivit aussi aux réformes par des résolutions approuvant ces conventions de l'OIT, mais il ne vota pas de loi. Bennett affirma que la clause de l'Acte de l'Amérique britannique du Nord relative à « *la paix, l'ordre et le bon gouvernement* » autorisait le gouvernement à prendre des mesures d'urgence. Son att'tude d'impatience à l'égard des tribunaux dans les circonstances critiques du moment ressemblait beaucoup à celle du président Roosevelt. King soutint que les réformes étaient hors de la compétence du parlement, mais il refusa de s'opposer à des mesures qu'il acceptait en principe, ou de recourir à une demande d'élections en raison d'une violation des droits provinciaux. Accusant le gouvernement d' « *inconstitutionnalité calculée* », il insista pour que la question constitutionnelle soit soumise aux tribunaux. Au cours de la session, dont Bennett s'absenta trois mois pour cause de maladie et pour assister au Jubilé d'Argent du Roi, King exploita les différends entre le premier ministre et H.H. Stevens, accusant le gouvernement de manquer de sincérité dans ses réformes et prédisant que la plupart d'entre elles seraient rejetées en justice.

Pendant les fêtes du jubilé à Londres, Bennett radiodiffusa un message adressé à l'Empire tout entier, préconisant une plus grande coopération entre les nations du *commonwealth* pour surmonter les difficultés économiques. De retour au Canada, il se défendit d'avoir conclu des engagements compromettants en Angleterre et nia que sa santé l'obligerait à se démettre du poste de chef du parti conservateur aux prochaines élections, dont la date était fixée au 14 octobre. Arthur Sauvé fut nommé au Sénat et Alfred Duranleau à la Cour supérieure du Québec, puis L.-H. Gendron devint ministre de la marine, Onésime Gagnon ministre sans portefeuille et Samuel Gobeil ministre des postes. Il y eut promesse d'un remaniement plus complet du ministère Bennett après les élections et, dans une série d'émissions à la radio, le premier ministre fit appel au pays en évoquant l'œuvre de son gouvernement. Il affirma que ses promesses de 1930 avaient été tenues et il insista sur les récentes réformes. D'autres furent promises pour corriger, mais non détruire le capitalisme. Au cours d'une tournée dans l'Ouest, il demanda un mandat pour le renouvellement des accords d'Ottawa et la conclusion d'un traité de commerce avec les

Etats-Unis. Enfin, dans un dernier discours, à Toronto, le 9 octobre, il insista pour que tous les membres du parlement, quel que soit leur parti, se joignent à lui pour établir le Canada sur des bases solides.

Dans une série de discours électoraux à la radio, King dénonça cette proposition de gouvernement national qui n'était, selon lui, qu'une autre forme de dictature. Il pressa l'électorat de répudier « *les tendances à la dictature manifestées au cours des derniers cinq ans* » et tous les pas faits dans la direction de l'hitlérisme, du fascisme ou du communisme. [153] Il présenta une fois de plus le programme libéral de 1933, renouvela sa demande d'une commission nationale du chômage et promit un dégrèvement immédiat du régime douanier par le parti libéral. Après des tournées dans les provinces de l'Ouest et de l'Est, il parla à Toronto le 8 octobre. Huit des neuf premiers ministres provinciaux l'appuyèrent dans des appels radiodiffusés à la nation tout entière. Clôturant sa campagne à Ottawa le 12 octobre, King dénonça une circulaire électorale dans laquelle trois industriels conseillaient de voter pour les conservateurs, en assurant que les usines canadiennes seraient fermées si un nouveau gouvernement les privait de protection. Il promit que le gouvernement « *prendrait en charge les usines afin de déterminer jusqu'à quel point la protection tarifaire est nécessaire pour protéger les intérêts des travailleurs.* » [154]

Le *CCF* entreprit sa première campagne électorale fédérale en présentant un vaste programme de socialisation et de planification qui faisait appel aux paysans, aux ouvriers, aux techniciens, aux professions libérales. Il déclarait que le capitalisme ne pouvait être réformé, ni restauré et il exigeait un nouvel ordre social. Son manifeste se terminait en affirmant que le Canada ne devait plus se laisser entraîner dans une guerre capitaliste et qu'il devait défendre rigoureusement sa neutralité. Il niait être lié aux communistes, ou à tout autre parti. Le mouvement Crédit social, qui avait gagné tout l'Alberta lors d'élections provinciales, en août, entra dans la politique fédérale avec un groupe actif dans le Québec. H.H. Stevens prit la tête d'un Parti de Reconstruction qui demandait des débouchés pour la jeunesse, un vaste programme de travaux publics, un plan national d'habitations, des salaires équitables et des heures raisonnables pour tous les travailleurs. Ce nouveau parti proposait un vaste programme de réformes économiques fondé sur les conclusions de la commission sur les écarts des prix.

Avec un si grand nombre de partis, un total de 894 candidats se présentèrent. Ce fut le nombre le plus considérable de toute l'histoire du Canada. Cependant, la grande masse des voix alla aux deux partis traditionnels. La victoire des libéraux fut écrasante, leur majorité étant de 97 sur l'ensemble de tous les autres partis. Leurs candidats furent élus au nombre de 171, dont 56 en Ontario et 55 dans le Québec. Les conservateurs ne gardèrent que 39 sièges, dont la plupart revenaient à l'Ontario. Dix-sept députés du Crédit social furent élus. Il y en eut sept du *CCF* et un seul du Parti de la Reconstruction. Douze membres du ministère Bennett connurent la défaite, dont tous ceux du Québec. Bennett accepta ce verdict comme indiquant que le pays désirait un changement de gouvernement, tandis que King l'interpréta comme une réponse à la protestation libérale contre « *toutes les formes de dictature* » et « *l'interminable et dangereuse expérimentation en matière de gouvernement.* » [155] Il considéra que ce succès était un mandat pour « *le maintien des coutumes et des usages parlementaires britanniques et... la fin de l'idée de surhomme.* » Le nouveau gouvernement prit le pouvoir le 23 octobre, avec King comme premier ministre, président du Conseil Privé et Secrétaire d'État aux Affaires extérieures. Il comptait quatre Canadiens français : Ernest Lapointe, ministre de la justice, P.-J.-A. Cardin, ministre des travaux publics, Fernand Rinfret, Secrétaire d'État et Raoul Dandurand, ministre sans portefeuille. C.G. Power, de Québec, fut aussi nommé ministre des pensions et de la santé publique.

## 9

Huit lois du *Bennett New Deal* furent immédiatement référées à la Cour suprême du Canada, puis au Conseil Privé, où trois seulement furent maintenues, les autres étant rejetées comme inconstitutionnelles. De nouveaux membres de l'Office canadien du Blé furent désignés et Vincent Massey fut nommé au poste de haut-commissaire à Londres, pour remplacer Howard Ferguson. En novembre, King se rendit à Washington pour discuter le *Canadian-United States Trade Treaty,* qui fut signé le 15 novembre. Trois projets importants de travaux publics furent annulés et le gouvernement augmenta ses subsides aux provinces pour le secours direct aux chômeurs.

La conférence fédérale-provinciale qui se réunit à Ottawa en décembre 1935 approuva une augmentation substantielle de la contribution fédérale aux fonds de secours provinciaux, le recensement des chômeurs, la création d'une Commission fédérale de l'Emploi et un essai de collaboration avec l'industrie pour donner du travail à un plus grand nombre d'ouvriers. Elle rejeta une proposition selon laquelle le gouvernement fédéral percevrait les taxes minières et les répartirait entre les provinces et elle approuva une nouvelle loi sur les sociétés pour protéger le public contre les fraudes dans les offres d'actions dans les mines. Elle admit que les droits d'imposition des provinces devaient être définis et qu'il fallait une coopération entre le gouvernement central et les provinces en matière fiscale. Elle recommanda à tous les gouvernements de réduire leurs frais et d'accorder leurs dépenses à leurs recettes. Il fut convenu que le Canada devait pouvoir amender lui-même sa propre constitution et qu'un comité, qui se réunirait plus tard, poursuivrait l'œuvre de la conférence pour décider de la méthode à suivre. Les cultivateurs devaient bénéficier de prêts fédéraux sur les fermes et d'une réduction des taux d'intérêt. Une route qui traverserait le Canada serait construite par le dominion et les provinces sur une base de participation égale. Diverses mesures seraient pr'ses pour stimuler le tourisme, créer des parcs nationaux dans toutes les provinces qui n'en avaient pas encore et améliorer les grandes routes.

Le parlement se réunit le 6 février 1936, dans la tristesse du deuil causé par la mort du roi George V. Pierre-F. Casgrain fut nommé Orateur [155bis] de la Chambre et Raoul Dandurand leader du gouvernement au Sénat. Le discours du trône annonça que les camps de travail fédéraux seraient fermés dès que l'emploi, qui augmentait, le permettrait et que des enquêtes allaient être faites dans les industries du textile et du charbon, pour les travailleurs et le public. Il annonça aussi l'intention du gouvernement de revenir au contrôle des impôts et des dépenses par le parlement, d'affermir l'autorité de ce dernier sur les *Canadian National Railways,* enfin de réorganiser et de consolider ses propres services. Pendant le débat sur la réponse au discours du trône, Bennett critiqua la décision du gouvernement qui avait rappelé W.A. Riddell, représentant du Canada à Genève, parce que son attitude avait été favorable à des sanctions contre l'Italie. Il critiqua aussi le règlement du différend sur le commerce avec le Japon et la signature du *Canada-United States Trade Treaty* que son gouvernement avait refusé de signer : « *Pour ce que nous pouvions avoir, nous n'étions pas disposés à donner ce qui nous était demandé.* » [154] Il protesta contre le renvoi immédiat, devant les tribunaux, de toutes les lois de réforme et défendit les anciens membres de l'Office du Blé et leur politique. Il nia avoir eu une intention quelconque de gouvernement national dans son discours radiodiffusé de Toronto, mais il affirma que tous les Canadiens devaient travailler ensemble à sortir le Canada de sa situation présente, qu'il considérait comme « *sérieuse à l'extrême.* » [157]

Le premier ministre reprocha à Bennett l'usage qu'il avait fait de la radio gouvernementale pendant la campagne et le fardeau de 447 000 000 de dollars d'obligations qu'il avait imposé au trésor, dépenses sur lesquelles le parlement n'avait eu aucun contrôle. Il justifia la reprise du commerce normal entre le Japon et le Canada et l'enquête sur l'industrie textile. Il opposa le chiffre d'affaires du nouvel Office du Blé à celui de l'ancien. Les deux accords, japonais et américain, avaient augmenté l'emploi dans les industries et les chemins de fer. L'accord américain n'avait pas été une mesure hâtive : elle avait été adoptée après deux ans d'étude par les experts des deux pays. King déclara que Riddell était allé au delà de ses pouvoirs en proposant d'ajouter le pétrole et certains autres produits à la liste proposée par un comité de la SDN qui étudiait les sanctions à infliger à l'Italie à la suite de son agression en Ethiopie. Il déclara que le gouvernement avait jugé nécessaire, considérant la situation critique en Europe, de faire comprendre clairement qu'il s'agissait là d'une proposition individuelle et non pas de celle du Canada. [158] Il précisa que cette mise au point du ministre de la justice Ernest Lapointe, le 2 décembre, qui blâmait Riddell, avait été faite après que le ministre l'eut consulté pendant ses vacances en Georgie. J.S. Woodsworth présenta un amendement à la réponse au discours du trône, déplorant que le gouvernement n'ait annoncé aucune « *mesure définie et immédiate pour mettre fin à la pauvreté générale et à l'insécurité des masses, en mettant à la portée du peuple du Canada la grande richesse actuelle et potentielle du pays.* » [159]

Le *United States Trade Agreement* fut approuvé par 175 voix à 39, après un long débat. Aux termes de cet accord, le Canada ramenait son tarif douanier au niveau de 1930 sur environ 700 articles et il obtenait des concessions sur près de 200 articles, qui constituaient sensiblement la moitié de ses exportations vers les Etats-Unis. En général, les Etats-Unis bénéficiaient de la clause de la nation la plus favorisée, à l'exception des préférences de l'Empire et le Canada obtenait le même traitement de la part des Etats-Unis. L'exportation des matières premières canadiennes et l'importation des produits manufacturés américains furent facilitées par cet accord qui devait durer trois ans et fut ensuite renouvelé, sous une forme plus étendue, pour une nouvelle période de trois ans. L'accord marquait un important rapprochement économique. Ce qui avait commencé comme un retour aux principes antérieurs au tarif Hawley-Smoot et aux accords d'Ottawa se terminait par une réorientation radicale de l'économie canadienne, le commerce américain supplantant le commerce britannique. [160]

Le programme électoral des libéraux engendra bientôt des lois. La Banque du Canada fut nationalisée et une *Canadian Broadcasting Corporation,* façonnée sur la *BBC,* fut instituée, avec les précautions nécessaires pour assurer l'impartialité politique. Il y eut augmentation des impôts, mais dégrèvement des tarifs douaniers. Le ministre des finances Dunning cessa les prêts qui avaient soutenu les quatre provinces de l'Ouest au cours des récentes années. Par un amendement au *BNA Act* demandé par le gouvernement, il fut proposé de créer un *National Financial Council,* qui serait un organe permanent pour la discussion des problèmes financiers et d'établir des conseils de prêts provinciaux qui s'occuperaient des prêts et des garanties. Cette mesure fut rejetée par le Sénat. Une *National Employment Commission* fut créée et placée sous la direction d'Arthur Purvis. Le gouvernement fédéral donna 75 000 000 de dollars pour combattre le chômage, une somme correspondante devant être fournie par les provinces et les municipalités. Un *National Harbors Board* fut chargé des principaux ports océaniques. La Section 98 du Code criminel fut enfin abrogée, ainsi que la loi de 1935 qui portait création d'un *National Economic Council.* Une motion demandant une résolution conjointe pour l'amendement de l'Acte de l'Amérique britannique du Nord en matière d'imposition et de garanties des dettes provinciales fut rejetée au Sénat par un vote strictement de parti, les conservateurs ayant la majorité. [161]

Malgré sa majorité toute-puissante à la Chambre, renforcée par des élections partielles après son arrivée au pouvoir, le gouvernement King se trouva devant le même problème que son prédécesseur pour faire voter des lois urgentes de crise économique dans le cadre du *BNA Act,* qui avait été rédigé avant que l'on ne rêve d'une économie centralisée. Lapointe, ministre de la justice, Bennett, *leader* de l'opposition et C.H. Cahan avaient tous pris part à un débat sur la question en 1937 et tous souhaitaient l'amendement de l'Acte. Lapointe ne voyait « *rien de sacré* » dans ce document et il s'opposait aux appels au Conseil Privé que Bennett préconisait encore, malgré les décisions défavorables aux lois qui relevaient de son *New Deal.* En 1937, une commission royale fut nommée pour s'occuper des relations fédérales-provinciales et elle fut chargée de rédiger des propositions pour amender l'Acte de l'Amérique britannique du Nord, sous la présidence de N.W. Rowell, autorité constitutionnelle reconnue. Les autres membres de la commission étaient Thibaudeau-Rinfret, John Dafoe, R.A. Mackay et H.F. Angus. La commission ouvrit ses audiences en novembre 1937 et elle les clôtura en juin 1939, après que Joseph Sirois eut d'abord remplacé Rinfret, puis le président Rowell. Les provinces furent invitées à soumettre des mémoires exposant leur point de vue.

Le Québec demanda la décentralisation du pouvoir et mit en doute le droit du dominion d'enquêter sur les finances provinciales. Son mémoire soutenait que « *c'est de l'accord des volontés des provinces qu'est né le gouvernement central... le pacte fédératif ne peut être ni amendé, ni modifié sans l'assentiment de toutes les parties, c'est-à-dire de toutes les provinces.* » [162] En plus d'adopter cette attitude de non-coopération, le nouveau premier ministre nationaliste du Québec, Maurice Duplessis, s'opposa à un projet d'assurance-chômage en 1937 et, à Shawinigan Falls, le 16 décembre, il demanda la formation d'un bloc des cinq provinces de l'Est « *pour ne pas être menés par Ottawa* ». [163] Il consolida aussi une alliance de fait avec le premier ministre Mitchell Hepburn, de l'Ontario, déjà en guerre contre Mackenzie King sur la question de l'énergie hydro-électrique. Norman Rogers et C.D. Howe, membres importants du cabinet fédéral, dénoncèrent cette alliance « *dénaturée* », dont le seul but était de chasser le gouvernement King du pouvoir pour le remplacer par un autre qui serait aux ordres de Toronto et de Québec.

Le régime Duplessis provoqua des commentaires malveillants en dehors du Québec par l'arbitraire de sa « loi du cadenas » qui fut appliquée la première fois, contre un journal communiste de Montréal, en novembre 1937 et par sa tolérance à l'égard du *Parti national social chrétien,* d'Adrien Arcand, qui organisa un congrès à Kingston le 3 juillet 1937, afin d'essayer de transformer le parti en une organisation nationale sous la direction anglaise de J.C. Farr et William Whittaker. Kurt Ludecke, qui avait été chargé par Rosenberg de représenter les intérêts politiques du parti nazi aux Etats-Unis, au Canada et au Mexique en septembre 1932, avait persuadé Arcand de convertir son *Ordre patriotique des Goglus,* que l'agent nazi décrivit comme « *un mouvement violemment anti-juif se rattachant au mouvement folklorique catholique fondamental... par trois publications habiles et toutes trois très démagogiques »,* [164] en un mouvement de « chemises brunes » calqué sur celui du parti nazi. D'après Ludecke, Arcand « *éprouva un grand plaisir quand je lui donnai une photographie autographiée d'Hitler. Nous nous sommes compris tous deux parfaitement et nous fûmes d'accord pour coopérer de toutes manières. »* [165]

Pendant que le *CCF* tentait d'obtenir du gouvernement fédéral le désaveu de la « loi du cadenas » comme violation des libertés civiles, se faisant ainsi de nouveaux ennemis dans un Québec qui voulait absolument écraser le communisme par tous les moyens, le *Toronto Globe and Mail* publiait une série d'articles sur le groupe Arcand, qui aida à convaincre un grand nombre de Canadiens anglais que le Québec était dominé par des « *fascistes cléricaux* ». Ces accusations furent reprises par la *Nation,* de New-York et autres publications libérales. [166] Cette impression fut accentuée par le sentiment général de sympathie pour Franco dans le Québec, la plupart des Canadiens anglais étant plutôt enclins à sympathiser avec les républicains espagnols, ainsi que par le prestige de Mussolini et de Franco aux yeux du clergé québecois qui, toutefois, réservait sa plus grande admiration pour Salazar, l'érudit dictateur du Portugal qui avait instauré le système économique corporatif recommandé par les encycliques. Ces opinions de l'élite étaient largement acceptées, comme l'indique le fait que *Le Soleil* libéral, *La Patrie* conservatrice, *Le Devoir* nationaliste et la rétive *Renaissance* étaient tous opposés aux sanctions contre l'Italie. *Le Jour,* de Jean-Charles Harvey, fut presque le seul journal français à adopter une vigoureuse attitude anti-fasciste, comme la plupart des journaux anglais.

Le premier ministre Duplessis refusa de se rendre à l'invitation d'Ernest Lapointe pour discuter la « loi du cadenas ». Le ministre fédéral de la justice présenta plus tard un rapport au sujet de cette loi, où il ne proposait ni de la désavouer, ni d'en référer à la Cour suprême du Canada, en observant que la plupart des protestations venaient d'en dehors du Québec. Le Québec, qui s'insurge toujours avec rancœur contre les critiques de la presse venant de l'extérieur et les attribue à des conspirations maçonniques ou communistes, s'indigna de cette intrusion dans ses affaires provinciales et aussi de la publicité donnée à la *Textile Industrial Inquiry* qui révéla que la moyenne des salaires payés dans le Québec était très inférieure à celle des autres provinces. [167]

Le gouvernement ne rompit le silence sur sa politique étrangère que quatre mois après que son attitude au cours de l'incident Riddell eut été critiquée par les chefs conservateurs et *CCF*. Le 18 juin 1936, King prononça un discours remarquable [168] sur les affaires extérieures, en annonçant la décision prise par son gouvernement de mettre fin aux sanctions contre l'Italie, le jour même où la Grande-Bretagne faisait le même geste, mais en vertu d'une décision antérieure indépendante prise par son ministère. Il insista sur la nécessité d'un examen plus approfondi des affaires extérieures du Canada, qui n'était pas possible autrefois en raison de la mentalité coloniale, d'une immunité relative contre le danger de guerre, des préoccupations internes et de « *la complexité sans précédent de notre position comme membre de la SDN, en même temps qu'une des nations du continent américain et membre du ·*Commonwealth *britannique des Nations.* » Il affirma qu'après l'incident Riddell, son ministère avait par deux fois donné instruction à son représentant à Genève de voter pour que le pétrole soit compris dans les sanctions si tel était l'avis général, mais en soulignant que « *le bluff collectif ne peut pas assurer la sécurité collective et, dans les conditions actuelles, la plupart des pays ont montré qu'ils n'étaient pas prêts à prendre des engagements fermes au delà de leurs intérêts immédiats.* » Quant à l'avenir, bien que le Canada soit « *favorisé par ses voisins et son manque de voisins* », il ne pourrait pas se désintéresser des affaires mondiales parce que le commerce international est indispensable à son économie. En ce qui concerne la SDN, le Canada ne pourrait prendre aucun engagement ferme pour l'utilisation de sa puissance économique ou militaire : « *Des occasions peuvent surgir où une action militaire serait sage ou inévitable mais, en ce qui concerne le Canada, il appartiendrait à son parlement d'en décider à la lumière de toutes les circonstances du moment.* » Il déclara qu' «*il n'existe pas de plus grand danger pour notre unité nationale et notre relèvement économique que de prendre part à une guerre prolongée* » et il adjura le Canada de continuer à collaborer, par l'intermédiaire de la SDN, à la réalisation de l'idéal de paix mondiale.

J.S. Woodsworth était d'accord avec l'ensemble des vues du premier ministre, mais il défendit l'idée suivante : « *Nous devrions faire*

*savoir à la Grande-Bretagne, dès maintenant et non plus tard quand
elle sera peut-être engagée dans quelque guerre, qu'elle ne doit pas
compter sur nous.* » [169]  R.B. Bennett avança que le Canada aurait pu
s'entendre avec l'Afrique du Sud pour continuer les sanctions. Selon
lui, la SDN était un échec et il déclara avec force : « *Notre plus
grande assurance de maintenir notre paix dépend du renforcement
de tous les liens qui nous rattachent au* commonwealth *des nations,
aux membres de l'Empire britannique.* » [170]  Paul Martin, jeune avocat
libéral de l'Ontario , prononçant son premier discours, indiqua que le
Canada pourrait participer aux conférences consultatives de l'Union
panaméricaine, aussi bien qu'à l'œuvre de la SDN, [171] faisant ainsi
écho à la déclaration de Bourassa du 1er avril 1935. [172]

La nouvelle orientation nord-américaine du Canada fut favorisée
par les événements de l'été et de l'automne. Le premier ministre King
se joignit à lord Tweedsmuir, le nouveau gouverneur général, ainsi
qu'aux autorités provinciales, pour accueillir chaleureusement le président Roosevelt à Québec, le 31 juillet. Tous deux, lord Tweedsmuir
et le président Roosevelt, exprimèrent l'espoir que les relations amicales entre les deux pays serviraient de modèle au monde troublé.
Il vaut la peine de noter que, dans un de ses discours ultérieurs, à
Chautauqua, le 14 août, le président Roosevelt déclara que les Etats-
Unis, tout en désirant l'amitié de toutes les nations, étaient prêts, s'il
le fallait, à se défendre eux-mêmes et leurs voisins contre l'agression. [173]

En septembre, King représenta le Canada à l'Assemblée de la
SDN et, dans une déclaration avant son départ pour l'Europe, il
demanda que l'on fasse confiance à la SDN et à son idéal de paix
mondiale. Il admettait que l'action économique contre des agresseurs
devrait, en définitive, être appuyée par la force armée, mais il déclara
qu'en ce dernier cas, « *il appartiendrait au parlement du Canada de
décider, selon les circonstances du moment.* » [174]  Il affirma avec force
que le Canada désirait l'amitié de toutes les nations. Dans son discours à la séance plénière du 29 septembre, il affirma que le Canada
adhérait aux principes fondamentaux de la SDN et à la politique
de vivre et de laisser vivre, en ce qui avait trait aux doctrines et aux
formes de gouvernement. Quant à la question de l'obligation automatique du recours à la force pour résoudre les problèmes internationaux, il cita l'attitude adoptée par le Canada dans les affaires du
commonwwealth : « *Le parlement canadien se réserve le droit de déclarer, selon les circonstances du moment et jusqu'à quel point s'il y
prend part, le Canada participera aux conflits dans lesquels d'autres
membres du* commonwealth *pourraient être engagés.* » [175]  Il s'opposa
à l'amendement du Pacte de la SDN comme n'étant « *ni possible,
ni nécessaire* » et il cita la série des promesses violées par les membres
de la SDN. Après avoir quitté Genève, le premier ministre discuta

des accords commerciaux à Paris et à Londres. A son retour à Ottawa, il déclara que la plus grande contribution que le Canada pouvait apporter à la paix du monde était la mise en ordre de sa propre maison et le maintien de relations amicales avec les autres pays. Il approuva de tout cœur, au nom des Canadiens, la déclaration de Roosevelt à la Conférence inter-américaine de Rio-de-Janeiro : les Etats-Unis s'opposeraient à toute invasion du Nouveau-Monde.

Or, malgré la conduite prudente du premier ministre, le Canada était troublé par l'aggravation de la situation européenne. La division entre Canadiens, français et anglais, sur la question des sanctions contre l'Italie fut accrue par la divergence de leurs opinions sur la guerre civile en Espagne. L'isolationnisme était généralement fort répandu dans les deux groupes, mais la base en était très différente, ainsi qu'il apparut lors du débat de politique étrangère ouvert par la résolution de neutralité que présenta J.S. Woodsworth le 25 janvier 1937. Les isolationnistes canadiens-anglais regardaient l'affaire d'Abyssinie comme le choc de deux impérialismes européens rivaux, pour lequel la SDN n'était qu'un paravent. Ils approuvaient la déclaration de Lapointe sur les sanctions touchant au pétrole et ils accusaient John W. Dafoe et N.W. Rowell, principaux partisans des sanctions, d'être d'inconscients porte-étendard de l'impérialisme britannique. [176] Les isolationnistes canadiens-français rejetaient la SDN, selon eux une création de francs-maçons et d'athées dominés par l'Angleterre protestante et la France anti-cléricale, aux dépens de l'Italie catholique. Les propagandistes italiens, qui étaient actifs à Montréal, avaient réveillé le souvenir de la guerre sud-africaine et accusaient l'Angleterre d'hypocrisie anglo-saxonne. Jean Bruchési déclara : « *Si la Province de Québec avait eu à prendre seule la décision, elle n'aurait certainement pas adopté la ligne de conduite qui fut suivie. Notre presse canadienne-française a refusé presqu'à l'unanimité de dissimuler sa sympathie pour l'Italie parce que des sanctions étaient appliquées et quand M. Riddell demanda des sanctions plus sévères contre Rome, à la requête de Londres, — nous pouvons raisonnablement conclure —, il s'éleva une véritable tempête de protestation.* » [177] Le Québec éprouva la même sympathie pour la « croisade » du général Franco en Espagne que celle qu'il avait ressentie pour l'Italie. Dans les deux cas, il vit un alignement des puissances anglo-saxonnes et protestantes contre les pays latins et catholiques pour lesquels il ressentait un attachement croissant, en raison des points de vue racistes qui avaient dominé l'enseignement de l'histoire canadienne-française depuis 1917.

La résolution de Woodsworth, qui proposait la politique adoptée par un congrès du *CCF* à Toronto en août 1936, comportait trois points :

1. *Que, considérant les relations internationales actuelles, dans*

*l'éventualité d'une guerre le Canada devrait rester strictement neutre,*
*quels que puissent être les belligérants.*

2. *Qu'il ne soit permis à aucun moment aux citoyens canadiens*
*de faire des profits en fournissant des munitions, ou du matériel de*
*guerre.*

3. *Que le gouvernement canadien devrait faire tout effort possible*
*pour découvrir et faire disparaître les causes de conflit international*
*et d'injustice sociale. »* [178]

Cette résolution fut provoquée par un accroissement de 70 pour
cent des prévisions budgétaires pour la défense soumises au parlement
à l'ouverture de la session. Bien que le gouvernement maintînt qu'un
armement plus considérable était nécessaire pour protéger la neutralité canadienne, Woodsworth craignait que le Canada ne soit entraîné
dans une autre guerre *« pour aider à la défense de l'Empire ».* Il
précisa que le Canada devrait déterminer sa politique étrangère maintenant, plutôt que d'attendre une crise, puisque *« l'approche d'une*
*guerre, qui pourrait signifier notre participation, diviserait notre pays*
*de la poupe à la proue. »* Puisqu'il existait, dans le Québec, une très
forte appréhension contre la possibilité d'être *« entraîné dans une*
*autre guerre »,* il pria les députés canadiens-français de déclarer les
sentiments de leur province et de se joindre à son parti pour demander si ces dépenses accrues étaient destinées à la défense du Canada
ou à une participation future à une guerre européenne. Il déclara
que la SDN avait failli à sa mission, que le Canada devrait avoir
le plein contrôle de sa politique étrangère et que, pour sa défense, il
pouvait compter sur la protection des Etats-Unis puisqu'il vivait dans
une région protégée. La résolution Woodsworth fut appuyée par quelques libéraux du Québec ayant à leur tête Wilfrid Lacroix, Maxime
Raymond et Wilfrid Gariépy. [179]

Dans sa réponse, King accepta le dernier point en entier, convint
en partie du deuxième et rejeta totalement le premier. Il affirma
que les prévisions budgétaires pour la défense avaient été accrues
*« seulement et uniquement parce que le gouvernement le croit né-*
*cessaire pour la défense du Canada et du Canada seulement. Ces pré-*
*visions budgétaires n'ont aucunement pour but une participation aux*
*guerres européennes. »* [180] Il nia qu'elles eussent été accrues à la requête du gouvernement de Londres. Le premier ministre s'opposait au
premier point parce qu'il *« liait complètement les mains du parle-*
*ment. »* La politique de son ministère était que *« le parlement doit*
*être libre de décider de son attitude selon les circonstances telles qu'elles*
*pourront exister à ce moment-là. Le parlement, agissant pour le peu-*
*ple, l'autorité suprême de l'Etat en toutes choses, l'est certainement*
*quand il s'agit de ce qui touche le plus à la vie de la nation, c'est-à-*
*dire la question de la guerre... pour décider en ces matières comme*
*représentant du peuple, le parlement doit être la voix de la nation,*

*le parlement doit décider.* » [181] En réponse aux questions de Woodsworth, le premier ministre déclara que le parlement seul pouvait engager le Canada dans la guerre, ou autoriser l'envoi de troupes à l'étranger. Il exprima l'opinion que la plupart des Canadiens choisissaient une voie moyenne entre l'« *impérialisme intégral* » et le « *nationalisme sans restriction* » : « *Ils croient que les questions concernant la défense, ou la politique étrangère doivent être décidées suivant l'intérêt du Canada. Les décisions doivent être prises par le Canada et dans l'intérêt du Canada d'abord.* » [182] Il insista sur le besoin d'unité nationale, d'unité avec le *commonwealth* et d'unité entre les nations de langue anglaise. Une déclaration de neutralité canadienne au moment présent ne ferait qu'encourager « *ces forces qui sont prêtes à s'opposer au Canada, à s'opposer au* commonwealth *britannique des nations, à s'opposer aux peuples de langue anglaise et dont la main est levée contre la démocratie et les institutions démocratiques.* » [183]

Mlle Agnes MacPhail, des Fermiers-Unis de l'Ontario, approuva la résolution. Elle fit l'éloge du discours du premier ministre à Genève, insista sur la nécessité de développer l'esprit national canadien et déplora que le Canada n'ait pas assisté à la Conférence inter-américaine de Buenos-Aires. Le premier ministre expliqua que le Canada n'avait pas été invité. T.C. Douglas, du *CCF*, appuya la résolution en critiquant la tendance du premier ministre à l'isolationnisme et en demandant une action collective contre la guerre par des sanctions économiques. Il insista particulièrement sur les ventes canadiennes de nickel à des agresseurs en puissance. Le 4 février, il présenta une motion demandant que la finance, l'industrie, les moyens de transport et les ressources naturelles soient mobilisés en cas de guerre. [184] Denton Massey, l'unique conservateur qui parla au cours de ce débat, s'opposa autant à l'isolement qu'à la neutralité, déplora la désunion et spécula sur le prix que pourrait nous coûter la protection américaine. [185]

Le ministre de la justice Lapointe s'opposa à cette motion parce que, selon lui, elle amènerait le Canada à se retirer de la SDN et du *commonwealth* britannique. Il déclara que « *le Canada ne devrait pas sacrifier un seul sou ou une seule vie humaine* » pour appuyer le fascisme ou le communisme, mais que le Canada devrait être prêt à se défendre, car « *s'il nous arrive jamais d'être attaqués par des voleurs ou des bandits internationaux en démence — car le monde souffre de démence en ce moment — nous ne pourrons pas les tenir en échec par une déclaration de neutralité.* » [186] Il répéta la déclaration qu'il avait faite au cours de la lutte contre la conscription, au nom des Canadiens français, en 1917 : « *Nous sommes prêts à tout faire pour la défense du Canada* », ajoutant : « *Je ne crois pas cependant que nos gens aimeraient à être entraînés dans une guerre qui pourrait se déclarer entre le communisme et le fascisme, parce qu'ils les détestent tous les deux.* » Il termina en disant : « *Nous ne sommes pas engagés. Quand le temps en sera venu, nous déciderons si, oui ou non, nous participerons à une guerre. J'espère bien que les conditions permettront alors au Canada de ne se trouver mêlé à aucun conflit. Nous voulons cependant garder notre liberté et notre indépendance, comme doivent le faire des hommes libres et ne pas nous engager par un projet de résolution du genre de celui que mon honorable ami nous propose d'adopter.* » [187]

H.-E. Brunelle, député de Champlain, appuya la proposition d'Agnes MacPhail : les Canadiens devraient cultiver une mentalité nord-américaine plutôt qu'européenne. Il préférait la neutralité si elle était compatible « *avec nos obligations, avec notre honneur et avec notre protection nationale.* » [188] Il estimait que le Canada était exposé aux attaques, parce qu'il faisait partie de l'Empire. La séparation augmenterait le coût de la défense. Compter sur la protection des Etats-Unis finirait par l'annexion. Dans aucun cas le Canada ne pourrait se défendre contre une attaque sérieuse, mais il a besoin « *d'une armée quelconque, comme il est nécessaire à toute ville d'avoir un corps de police.* » [189] Il s'inquiétait davantage du danger d'une révolution communiste au Canada que d'une agression venant du dehors. Vital Mallette, député de Jacques-Cartier, insista sur l'opposition du Québec aux guerres impérialistes et rappela que le Canada n'avait jamais entraîné l'Angleterre dans une guerre, mais qu'il avait deux fois été entraîné dans la guerre par elle. Il exprima sa défiance de la neutralité ou de la protection par les Etats-Unis et il soutint la politique du premier ministre. Il minimisa l'importance des propos de séparatisme dans le Québec, qui n'étaient que l'expression du mécontentement de jeunes hommes sans travail. Il cita de récentes déclarations du premier ministre Duplessis et du ministre de l'agriculture Bona Dussault condamnant le séparatisme. [190]

Le Secrétaire d'Etat Fernand Rinfret condamna la motion comme inopportune, sans portée et créant des obligations pour un avenir incertain, puisque la neutralité du Canada ne dépendait pas de lui. Il admit que les Canadiens français n'avaient pas l'esprit militaire et aucun désir de participer aux guerres européennes, mais il affirma qu'il était lui-même « *trop bon britannique* » pour accepter le texte de cette résolution. Il insinua que la motion pouvait avoir eu pour but de gagner les Canadiens français aux idées socialistes du *CCF*, « *certaines classes de gens qu'ils n'auraient pas la moindre chance d'atteindre autrement.* » [191] Il rejeta les premier et deuxième points et approuva le troisième. En réponse, Woodsworth critiqua la « *logique française* » du Secrétaire d'Etat et défendit son droit, comme adversaire de la conscription, d'en appeler aux Canadiens français contre le militarisme. Il critiqua la « *description erronée* » de la situation espagnole faite par Lapointe et déclara que le ministre ou bien était « *très nerveux, ou voulait rendre le peuple canadien très nerveux.* » Il conclut : « *Nous avons semé le vent et nous récoltons la tempête, mais nous n'empêcherons pas la tempête en semant encore plus de vent.* » [192] Le premier ministre, en préparant la guerre, faisait le jeu des impérialistes britanniques. Il affirma énergiquement que la sécurité collective seule éviterait de cheminer « *sur la route qui, ou cours des années, a toujours inévitablement mené au désastre.* » [193]

Les deux motions Woodsworth et Douglas furent rejetées, mais elles avaient ouvert la voie à un autre débat de politique étrangère au sujet des prévisions budgétaires pour la défense qui furent déposées devant les Communes le 15 février et qui comportaient une augmentation de 10 000 000 de dollars. C.G. MacNeil et M.J. Coldwell présentèrent un amendement *CCF* déplorant « *l'augmentation effarante* » des dépenses pour les armements qui contrastaient péniblement avec « *les prévisions insuffisantes pour la sécurité sociale de toutes les classes du peuple canadien.* » [194] King affirma que le Canada devait à son amour-propre de nation d'assurer sa propre défense, mais il calma les craintes des anti-impérialistes en déclarant : « *Je pense qu'il est extrêmement douteux que l'un quelconque des dominions britanniques envoie jamais une autre force expéditionnaire en Europe.* » [195] Le ministre de la défense, Ian Mackenzie déclara : « *Il n'existe pas la moindre intention d'envoyer un seul soldat canadien outre-mer dans une force expéditionnaire quelconque et pas un sou n'est prévu au budget à cet effet... le budget est destiné à la défense directe du Canada et à la défense de la neutralité canadienne.* » [196] Il répondit à MacNeil qui accusait le gouvernement d'avoir donné un chèque en blanc à remplir avec des lettres de sang : « *Il n'y a aucun engagement, aucune entente, aucun accord, ouvert ou secret, d'une espèce quelconque.* » Il souligna que ce n'était plus un problème de défense locale, mais de « *complète responsabilité de la défense, en conséquence du nouveau statut de souveraineté canadienne.* » Il insista auprès des nationalistes :

« *Plus vous croyez et plus vous souscrivez aux doctrines de nationalisme canadien, plus vous devez pourvoir à la défense du dominion du Canada. Vous ne pouvez plus vous appuyer sur les alliances ou les alliances implicites du passé, vous ne pouvez plus vous reposer sur les implications de la doctrine de Monroe. Si vous voulez prétendre aux vertus et à la fierté du nationalisme, vous devez faire face à vos responsabilités et remplir vos obligations en accord avec le statut de souveraineté.* » [197]

L'amendement *CCF* provoqua l'intervention d'un nombre inaccoutumé de députés canadiens-français et aussi des trois libéraux du Québec, ceux-là mêmes qui avaient approuvé la résolution Woodsworth. Maxime Raymond affirma que la question était « *d'une im-*

*portance considérable d'abord à cause de l'augmentation de ces cré-
dits comparés à ceux de l'année dernière, en raison des préparatifs de
guerre en Europe et à la suite des déclarations plutôt inopportunes de
la part de certains personnages étrangers ou semi-étrangers parmi lesquels il y en a dont le rôle n'est pas de s'immiscer dans nos controverses politiques et à qui la leçon du passé aurait dû servir. »* [198] Il
critiqua les idées des « *pèlerins impérialistes* » et approuva l'attitude
de King à Genève. Il demanda quelle menace soudaine avait nécessité une telle augmentation de dépenses pour la défense, « *à part la
visite de lord Elibank, suivie de l'avertissement de. Samuel Hoare.* »

« *Nos frontières sont les mêmes. Nos voisins sont les mêmes, aussi
pacifiques qu'ils l'étaient. Notre situation géographique n'a pas changé : nous sommes toujours séparés de l'Europe et de l'Asie par des
mers et des océans qui nous donnent une quasi-certitude de sécurité.
Nous n'avons pas d'ennemis connus. Plus que cela, le malaise qui existait au sujet de l'Italie en raison des sanctions est disparu depuis que
celles-ci ont été levées.*

*La situation en Europe s'est-elle aggravée ? On ne parle pas plus
de guerre qu'en juin dernier quand les crédits ont été votés : on en
parle même moins depuis que le conflit italo-éthiopien a pris fin.
D'ailleurs, nos frontières ne sont pas en Europe.* » [199]

En s'appuyant sur *L'Action catholique* qui, le 14 janvier, écrivait
que le gouvernement avait le devoir de maintenir l'ordre dans le pays,
même par la force et aussi d'empêcher le recrutement au Canada de
volontaires pour « *l'armée rouge d'Espagne* », il approuva toute augmentation des forces nécessaires pour prévenir une révolution au
Canada, mais il déclara :

« *Mon mandat est de m'opposer à ce que le Canada participe à
toute guerre en dehors de son territoire, — les souvenirs de la dernière sont encore trop cuisants, — et je ne voterai pas un dollar d'augmentation qui ne sera pas* exclusivement et intégralement *en vue de
la défense du Canada, et au Canada seulement.*

*Certes, notre pays étant devenu un Etat souverain, il s'ensuit l'obli-
gation de voir à notre propre protection, et cette protection doit être
contre les dangers de l'extérieur et de l'intérieur. Aussi, je suis prêt à
voter toute somme démontrée nécessaire pour assurer notre sécurité.*

*Mais, encore une fois, notre armée, notre aviation, notre marine,
ne doivent servir qu'à défendre le Canada et sur son territoire seulement.* » [200]

Il est significatif que Lapointe, *leader* du gouvernement pour le
Québec, applaudit le discours de Raymond.

Ernest Bertrand, député de Laurier, convint qu'il s'agissait d'une
question de grande importance :

« *Si la défense nationale signifie la contribution aux guerres futures de l'Europe, dans ce cas je dis sans crainte que je dois me pro-*

*noncer contre la défense nationale. Si cela veut dire une contribution aux guerres européennes, j'ai la certitude que la population de la province se posera bientôt la question suivante : vaut-il la peine de demeurer dans l'Empire britannique si nous devons aller en guerre parce que l'Afrique du Sud veut faire reconnaître son indépendance, parce que l'Allemagne veut rentrer en possession de ses colonies ou pour toute autre raison ?*

*Mais si nous devons défendre le territoire canadien et si cela signifie uniquement la défense de notre territoire, je voterai de tout cœur à l'appui de cette mesure de défense.* » [201]

Il termina en déclarant que, comme Canadien français, il croirait rabaisser son pays et sa race s'il ne favorisait pas l'organisation de leur défense. Déplorant la campagne qui avait pour but de convaincre le Québec que défense nationale signifiait participation, il cita les arguments présentés par *Le Devoir* en 1914, qui préconisaient la défense nationale. Il conclut : « *Je su's sûr que le premier ministre, dont les ancêtres ont souffert pour l'autonomie du Canada, continuera de passer pour un grand Canadien. La Province de Québec aura confiance en lui, et sa députation n'aura aucune difficulté à voter ces crédits.* » [202]

J.-A. Crête, député de Saint-Maurice-Laflèche, n'était pas certain que Bertrand eût véritablement exprimé le sentiment du Québec sur cette question. Il critiqua l'augmentation de dépense, la déclarant injustifiable si l'on considérait la situation géographique, politique et économique du Canada. Il jugeait sage de s'en remettre à la doctrine de Monroe et à la coopération canadienne à l'Union panaméricaine. La stabilité économique était une meilleure garantie contre les conflits intérieurs et extérieurs que l'entrée dans la course mondiale aux armements. [203] Il souligna que les étudiants de Québec et de Toronto étaient opposés au réarmement. Avec Liguori Lacombe, député de Laval-Deux-Montagnes, il rejeta la motion *CCF,* mais ils ne se prononcèrent pas, par leur vote, sur la question principale. Lacombe s'opposa à toute participation canadienne aux guerres impériales ou européennes. Parce qu'il avait été mobilisé en 1917, il condamnait cette contribution à la première guerre mondiale en s'appuyant sur des raisons morales et économiques. Il insista sur le danger communiste, en déclarant que ces prévisions budgétaires pourraient être justifiables comme moyen de le combattre. [204] Joseph Jean, député de Mercier, contesta l'importance donnée à cette question. Il souligna que le problème véritable n'était pas de contribuer aux guerres étrangères, mais d'assumer les responsabilités d'une nationalité distincte. Il considérait l'organisation d'une modeste armée comme un facteur de première importance pour la paix intérieure et l'unité nationale si l'on permettait aux Canadiens français de constituer leur juste part de ses effectifs.

Jean-François Pouliot, député de Témiscouata, approuva les prévisions, mais il critiqua les complications administratives du département de la défense, qu'il acccusait d'être plus anglais que canadien
et de ne pas agir. Il exprima son opposition à l'action fédérale contre
le communisme. Oscar L. Boulanger, député de Bellechasse, soutint
le gouvernement, mettant le Québec en garde contre la répétition de
l'erreur de 1911 et déclarant l'impérialisme américain aussi mauvais
que l'impérialisme britannique. Il adjura le Québec de vivre à la
hauteur de ses glorieuses traditions militaires. Charles Parent, député
de Québec Ouest et Sud, s'opposa à la motion CCF et aux prévisions
budgétaires en insistant sur l'isolement géographique du Canada et en
attribuant peu d'importance au danger pouvant venir de l'extérieur.
Il ne croyait pas qu'une armée était nécessaire pour mater l'agitation
communiste et venir à bout des troubles ouvriers du pays. Maurice
Lalonde, député de Labelle, s'opposa à l'amendement CCF et exprima sa confiance aux chefs libéraux, tout en s'opposant à la participation canadienne aux guerres étrangères. Il insista beaucoup, lui aussi,
sur la menace commun'ste. Pierre Gauthier, député de Portneuf,
s'opposa au réarmement et insista sur la menace communiste. Alphonse
Fournier, député de Hull, fit remarquer que le manque de préparation du Canada ne l'avait pas empêché de participer à la guerre des
Boers et à la guerre mondiale. Il insista pour que l'on fasse confiance
au gouvernement et il s'opposa aux guerres étrangères. H.-E. Brunelle
s'opposa aux deux motions, du CCF et du gouvernement, mais il
reprocha à la presse du Québec d'interpréter faussement l'attitude
gouvernementale. L.-D. Tremblay, député de Dorchester, s'opposa à
l'amendement et exprima sa pleine confiance dans le gouvernement.
J.-A. Verville, député de Lotbinière, soutint le gouvernement, mais il
condamna l'augmentation de dépense. Wilfrid Lacroix, député de
Québec-Montmorency, fit de même et exhorta le Canada à se joindre
à l'Union panaméricaine. En contraste avec l'attitude française contre la participation aux guerres étrangères, quatre députés anglais seulement adoptèrent la même attitude. [205] L'amendement CCF fut
rejeté par 191 voix à 17, un petit nombre de députés du Crédit social
ayant appuyé le CCF. Sur les prévisions budgétaires pour la défense,
l'opposition ne réunit que 26 voix, celles d'un libéral du Manitoba,
de quelques Canadiens français et du CCF.

Malgré toute sa sympathie pour Franco, le Canada français
approuva l'embargo du gouvernement sur l'envoi d'hommes et de
munitions en Espagne. En réponse à trois questions au début de la
session sur son attitude au sujet de volontaires canadiens pour la
guerre espagnole (dont l'une fut posée parce que le premier ministre
Duplessis avait déclaré à Trois-Rivières que du recrutement communiste pour l'Espagne républicaine avait été fait dans le Québec) [206], le
gouvernement annonça son intention de proposer une législation cana-

dienne copiée sur le *Imperial Foreign Enlistment Act* de 1870. En seconde lecture, le 19 mars, Woodsworth critiqua cette mesure parce qu'elle ne prohibait pas l'exportation d'armes et de munitions aux belligérants, comme la loi de neutralité des Etats-Unis. Il fut fait droit à cette critique par une section de projet de loi amendant le *Customs Act* qui donna au gouvernement le pouvoir de contrôler l'exportation des armes et des munitions. [207] Nationalistes et impérialistes firent cause commune pour approuver ces dispositions, la méfiance de ceux-là à l'égard des complications européennes n'ayant d'égale que la volonté de ceux-ci de se conformer à la politique de non-intervention du Royaume-Uni. Le commentaire de Maxime Raymond, qui acclama le départ des volontaires canadiens pour « *l'Armée rouge d'Espagne* » parce qu'il débarrassait le pays de « *gens indésirables* » lui attira les applaudissements de la Chambre. [208] La sympathie pour les républicains espagnols, qui s'exprima par une résolution du *Canadian Trades and Labor Congress* à l'automne de 1937 et par la formation, sous les auspices communistes, d'un bataillon Mackenzie-Papineau pour l'armée républicaine n'eut aucun écho au parlement. [209]

Les conservateurs, maintenant connus sous le nom de « *parti silencieux* » parce qu'ils évitaient de s'engager dans les querelles entre libéraux et *CCF* au sujet de la politique étrangère et de la défense, rompirent le silence le 25 mars, quand Bennett intervint pour réclamer une coopération navale étroite avec l'Angleterre. Il étaya son argumentation sur des discours prononcés par Laurier avant 1914, ce qui tendait à confirmer le soupçon que la politique conservatrice reposait sur l'espoir de diviser les libéraux sur la question de la défense, comme en 1911. King répliqua que le gouvernement avait toujours favorisé la politique de Laurier et il évita de répondre aux arguments de son adversaire qui demandait de réaliser une entente avec l'amirauté. Les sénateurs Ballantyne, Griesbach et Macdonell firent écho, au Sénat, à ce plaidoyer conservateur pour la marine en demandant instamment une politique de « *sécurité collective au sein de l'Empire* ». Un sénateur canadien-français critiqua cette « *course-marathon pour déployer le drapeau* » entreprise par un ancien ministre de la marine et deux généraux. Le sénateur Meighen avait, auparavant, critiqué le consentement apparent du gouvernement à devenir « *en fait, sinon en droit, un accessoire et un accessoire humilié de la république américaine.* » [210]

La Conférence impériale de 1937, qui devait se réunir en mai après le couronnement de George VI, allait se consacrer au domaine entier de la politique impériale. Avant son départ pour Londres, King expliqua clairement qu'aucun engagement ne serait pris et que le parlement resterait libre de décider de la politique du Canada pour les affaires étrangères et la défense. L'Australie et l'Afrique du Sud

NATION ET INTERNATIONALISME : 1920-1939 267

procédant à des élections et l'Etat libre d'Irlande s'étant abstenu de venir à la conférence, la réunion ne servit qu'à des échanges de vues, plutôt qu'elle n'aboutit à des décisions, selon les termes mêmes de King à son retour. [211] Neville Chamberlain tenta néanmoins de mettre à profit les derniers mots du discours du prem:er ministre canadien à l'Exposition de Paris, le 2 juillet :

*« Nous aimons à gérer nos propres affaires. Nous coopérons avec les autres parties de l'Empire britannique pour discuter les questions d'intérêt économique. Le fait d'avoir nos propres représentants dans les autres pays est la preuve de cette grande liberté que nous apprécions par-dessus tout et si un péril la menaçait, quelle qu'en soit l'origine, il nous ferait tous accourir pour la défendre. »* [212]

King refusa de commenter l'interprétation de Chamberlain, mais déclara que le Canada n'avait pris aucun engagement. La déception britannique devant le manque de conclusion de la conférence fut manifeste. Les impérialistes canadiens furent encore plus en émoi au mois d'octobre, quand le gouverneur général, lord Tweedsmuir, affirma au dixième dîner anniversaire de l'Institut canadien des Affaires internationales : *« Le premier devoir d'un Canadien n'est pas envers le* Commonwealth *britannique des Nations, mais envers le Canada et le roi du Canada. Ceux qui le nient rendent, à mon avis, un très mauvais service au* commonwealth. » Cette affirmation d'un éminent diplômé du *« kindergarten »* de Milner pour jeunes impérialistes, en Afrique du Sud, fut aussitôt adoptée comme en-tête permanent en première page du *Devoir,* tandis que C.H. Cahan la critiqua dans un discours à la succursale montréalaise de la *Royal Empire Society.* [213] La critique conservatrice et l'approbation nationaliste d'un gouverneur général indiquaient bien le désarroi de l'opinion publique divisée intérieurement et incertaine de son rôle dans un monde assombri par des présages de guerre.

Quand la Chine, encore une fois envahie par le Japon, invoqua le pacte de la SDN à la réunion de l'Assemblée en 1937, le Canada poursuivit la politique de réserve prudente qu'il avait adoptée depuis l'incident Riddell. Le sénateur Dandurand, représentant du Canada au Comité consultatif de la SDN pour l'Extrême-Orient, refusa de voter les résolutions condamnant la conduite du Japon avant d'avoir reçu des instructions d'Ottawa. Le gouvernement canadien approuva, par la suite, ces résolutions. [214] Quoique le Canada eût appliqué le *Foreign Enlistment Act* à l'Espagne en août, le sénateur Dandurand vota pour la rééligibilité de l'Espagne, en déclarant que *« le seul devoir de la délégation canadienne était de considérer l'Espagne comme une entité, sans intervenir dans ses querelles domestiques. »* [215] A la Conférence des Neuf Puissances, à Bruxelles, en novembre, le Canada se conforma à l'attitude américaine et britannique de simple condamnation de l'agression japonaise et d'offre de médiation pour le règlement du conflit en Extrême-Orient. Le premier ministre expliqua ultérieurement le rôle du Canada : « *Il avait pensé que l'on ne pouvait pas faire moins et il n'avait pas engagé les grandes puissances représentées à faire davantage.* » [216] Il existait un fort sentiment anti-japonais dans l'Ouest du Canada, accompagné d'un boycottage non officiel des marchandises japonaises, mais cette tendance était négligeable dans le Québec.

Malgré la discussion des affaires internationales en 1937, le gouvernement de King se concentra essentiellement sur les pressantes questions économiques au Canada. Le rétablissement économique amorcé de 1935 subit un vif recul par suite de la dépression de 1937 aux Etats-Unis, en même temps que de mauvaises récoltes successives dans les Prairies aggravaient le chômage. Le Canada ne se rétablit jamais réellement de l'effondrement de 1929 avant le commencement de la prospérité de temps de guerre en 1939. Les budgets successifs, après 1935, accusaient toutefois des déficits décroissants et promettaient une diminution des impôts. Un nouvel accord commercial avec le Royaume-Uni en 1937 et un autre avec les Etats-Unis en 1938, qui firent partie du traité commercial anglo-américain de cette année-là, furent des facteurs importants pour l'amélioration du commerce canadien qui s'engagea de plus en plus profondément dans une combinaison triangulaire avec l'Angleterre et les Etats-Unis, malgré une certaine expansion en Amérique du Sud et aux Antilles anglaises. Il était significatif que King conférât avec le président Roosevelt et le Secrétaire d'Etat Hull, à Washington, en mars 1937, avant la Conférence impériale de mai, où il affirma : « *La tension politique ne s'atténuera pas sans l'affaiblissement des nationalismes et impérialismes économiques.* » [217] L'influence canadienne contribua, par la suite, à la conclusion du traité de commerce anglo-américain.

Des relations plus étroites canado-américaines et anglo-américaines firent de grands progrès à la suite des visites de lord Tweedsmuir à Washington et du président Roosevelt au Canada en 1937. Le gouverneur général abolit tous les précédents quand, s'adressant au Congrès, le 1er avril, il dit à la Chambre des Représentants : « *Votre nation et la mienne... sont les gardiennes... de la démocratie* » et au Sénat : « *L'avenir repose entre les mains des peuples de langue anglaise.* » Ensuite à Kingston, le 18 août, quand le président reçut un diplôme honoraire de l'Université Queen's et fit allusion à l'héritage démocratique commun du Canada et des Etats-Unis et au nouvel engagement des Amériques dans les affaires mondiales, il déclara : « *Le dominion du Canada fait partie de la famille que constitue l'Empire britannique. Je vous donne l'assurance que les Etats-Unis ne resteront pas des témoins impassibles si la domination du Canada est menacée par un autre empire.* » [218] Parlant à Woodbridge deux jours plus tard, le premier ministre accueillit prudemment la déclaration de

Roosevelt, considéra qu'elle avait été faite sans aucune idée d'alliance militaire et déclara : « *Les Canadiens savent qu'ils ont leur responsabilité dans la garde du sol canadien comme patrie pour les hommes libres de l'hémisphère occidental.* » Il ajouta que les Canadiens veilleraient à ce que, « *si l'occasion jamais se présente, les forces ennemies ne puissent pas poursuivre leur chemin par terre, par mer, ou par les airs vers les Etats-Unis, en traversant le territoire canadien.* » [219] King souligna aussi que la déclaration du président n'affaiblissait en rien les relations du Canada avec les autres membres du *commonwealth* britannique.

La manière d'agir de King au cours de la crise tchécoslovaque de septembre 1938 prouva toutefois qu'il était moins empressé pour appuyer la politique européenne de l'Angleterre que ne l'étaient les impérialistes de la vieille école, ou les partisans enthousiastes de la SDN. Le gouvernement ne fit aucune déclaration avant que King n'ait télégraphié ses félicitations à Chamberlain après le voyage de ce dernier par avion à Berchtesgaden. [220] Malgré la pression de l'opposition conservatrice et de la Légion canadienne pour appuyer l'Angleterre, le communiqué du gouvernement, le 17 septembre, déclara tout simplement qu'il portait une attention de tous les instants à la situation et déconseilla toute « *controverse publique* » qui menacerait la paix canadienne et l'unité du *commonwealth*. [221] Le cabinet tint une séance d'urgence le 23 septembre, pendant la seconde visite de Chamberlain en Allemagne, mais il n'y eut aucune déclaration, malgré l'indignation croissante dans les cercles *tory* et impérialistes. Finalement, après que le cabinet eut considéré le message radiodiffusé par Chamberlain à l'Empire le 27 septembre, un communiqué fut publié approuvant l'attitude du premier ministre britannique, promettant de réunir le parlement si la guerre était déclarée et insistant pour que soient évitées les « *controverses ou divisions qui pourraient nuire sérieusement à une action efficace et concertée quand le parlement se réunirait.* » [222] Au reçu de la nouvelle de l'accord de Munich, King félicita chaleureusement Chamberlain.

L'accord de Munich eut pour effet un sentiment général de soulagement au Canada qui, en raison de son nord-américanisme grandissant, était plus favorable à l'apaisement que l'Angleterre même. Il est significatif qu'en décembre 1939 le Canada reconnût le roi Victor-Emmanuel comme Empereur d'Abyssinie sans provoquer de débat au parlement. [223] A mesure que la duperie de cet accord se révéla avec le temps, le premier sentiment de soulagement disparut et l'on comprit que les négociations de Chamberlain avaient détruit la SDN. Aussi, comme le professeur F.R. Scott le fit remarquer, tandis qu'« *avant le règlement de Munich il y avait trois groupes principaux d'opinion au Canada — impérialiste, collectiviste et isolationniste ou nationaliste canadien — dont deux favorisaient la parti-*

*cipation aux affaires extérieures, aujourd'hui il n'y a plus que deux groupes dont un seul est disposé à intervenir en Europe.* » [224] Des campagnes furent menées pour définir le droit du Canada à la neutralité, pour exiger aussi une plus étroite collaboration avec les Etats-Unis et la représentation dans l'Union panaméricaine. Cependant, il fut généralement admis, mais avec réticence, que le Canada devait, en tout cas, augmenter ses armements.

Le discours du trône, en janvier 1939, annonça que le programme de défense lancé deux ans plus tôt serait poussé vigoureusement (les prévisions budgétaires de la défense étaient près du double de celles de 1938) mais que, « *tout en prenant les mesures nécessaires pour assurer le maintien de notre intégrité nationale contre la possibilité d'agression extérieure, le gouvernement avait cherché à renforcer par des moyens positifs les intérêts mutuels qui unissent le Canada à d'autres pays par des relations amicales.* » [225] R.J. Manion, qui était devenu chef du parti conservateur après la démission de R.B. Bennett, à la suite d'une violente querelle avec Arthur Meighen qui ébranla le parti, saisit cette occasion pour déclarer que les lieutenants de King dans le Québec ne trouveraient pas si difficile d'y obtenir l'approbation de leur programme de défense s'ils n'avaient pas, autrefois, passé tant de temps à dire au pays que les conservateurs étaient des militaristes assoiffés de sang, alors que ces derniers avaient tout simplement cherché à assurer la moitié de la défense qui existait maintenant. [226] Pour sa part King chercha à rassurer le Québec en déclarant : « *Mieux vaut dire dès maintenant, au début de cette session, car ce sera l'attitude de mon gouvernement tant qu'il sera au pouvoir, qu'avant que notre pays ne s'engage dans une guerre quelconque, son parlement sera consulté.* » Il cita comme formule de la politique libérale, passée, présente et future, la déclaration faite par Laurier en 1910 : « *Si l'Angleterre est en guerre nous sommes en guerre et exposés aux attaques. Je ne dis pas que nous serons toujours attaqués, je ne dis pas non plus que nous prendrions part à toutes les guerres de l'Angleterre : seules les circonstances sur lesquelles le parlement canadien sera appelé à se prononcer et à formuler un jugement aussi éclairé que possible nous guideront en la matière.* » [227]

Néanmoins, les nationalistes du Québec s'alarmèrent, bien que la plupart des députés libéraux à tendance nationaliste fussent rassurés par la déclaration de King. Liguori Lacombe nia que le Canada était nécessairement en guerre parce que l'une des nations égales du *commonwealth*, ou davantage, était en guerre :

« *Le Canada étant, suivant le Statut de Westminster, un pays autonome à l'égard de l'Angleterre, toutes déclarations contraires à l'esprit du présent traité doivent être considérées, advenant une guerre, comme surannées et fausses. Je n'ai pas besoin de répéter que je suis irréductiblement opposé à toute augmentation des crédits militaires,*

*aussi longtemps qu'ils pourront servir à toute participation du Canada
à une guerre extérieure. J'irai plus loin. Au nom des plus chers intérêts du pays, aucune attitude ne devra être prise, quant à la participation du Canada aux guerres en dehors de son territoire sans un
appel au pays... Aussi, si un conflit éclatait en Europe centrale, en
Amérique ou ailleurs, j'affirme que seul le peuple canadien serait en
droit de se prononcer sur des événements aussi graves.* » [228]

Il affirma que l'opinion publique était opposée à l'idée de participation et que « *la suprême folie d'une autre aventure dans des guerres
en dehors de son territoire ruinerait à tout jamais le Canada.* » Le Dr
Pierre Gauthier accepta la nécessité des mesures de défense, félicita
le gouvernement « *de son attitude ferme, franchement et admirablement canadienne* » et il évoqua le danger des campagnes de presse
favorisant la participation et la chute de King, ce qui mènerait à la
« *répétition de 1911, 1914 et 1917.* » Il exprima un sentiment canadien-français fondamental en déclarant : « *Le Canada avant tout, le
Canada seul, mais aussi le Canada toujours.* » [229] L.-D. Tremblay
décrivit en détail le même sentiment :

« *Nous, les gens de ma province, ne demandons pas de n'avoir
aucune défense, de ne pas avoir d'armements, au contraire : mais
nous n'avons pas d'autre pays que le Canada. Nous ne sommes ni des
Français, ni des Anglais, nous sommes des Canadiens et notre patrie,
notre unique patrie, c'est le Canada. Quand on nous demande d'augmenter encore les subsides du département de la défense nationale
pour la protection du Canada et pour la défense de notre territoire,
je dis que nous en sommes, que le peuple du Québec en est, mais
nous ne voulons plus participer à des aventures extérieures... Il faut
penser un peu moins à l'Empire britannique qu'au Canada, notre
pays.* » [230]

G.-H. Héon, brillant conservateur indépendant, mit en contraste
la déclaration de lord Stanley à Toronto et la position de King. Lord
Stanley avait répondu à la question : « *Le Canada est-il en guerre
quand la Grande-Bretagne est en guerre ?* » en disant : « *Certes non.
C'est au Canada qu'il appartient de se prononcer. C'est un Etat souverain qui décide par lui-même.* » Héon était d'avis qu'aux prochaines élections : « *Les candidats auront à se prononcer pour le canadianisme, ou pour l'esprit colonial... mais il me répugne de penser que
le régime de colonie est celui que les Canadiens, à une majorité écrasante, veulent aujourd'hui.* » Il ne s'opposait pas à la participation à
une guerre en particulier :

« *Je dis que, pour que le Canada prenne part à une guerre, il
faut que l'enjeu soit quelque chose de plus précieux qu'un sentimentalisme mis en œuvre par une propagande préjugée. Il faut que ce
soit une guerre qui menace notre liberté, notre indépendance et notre
existence même et dont l'issue soit d'un intérêt vital et immédiat pour*

*nous tous. Je suis prêt à défendre mon pays en tout temps, mais non pas quinze pays.* » [231]

Héon était partisan d'un appel immédiat au pays sur cette question.

Wilfrid Lacroix refusa de retirer sa motion proposant l'adoption du terme « *Royaume du Canada* » et la nomination d'un vice-roi canadien, accompagnée de l'abolition de la charge de secrétaire du dominion. Selon lui, le meilleur moyen de protéger le Canada, c'était de créer « *un royaume indépendant... en proclamant officiellement notre neutralité, nous mettant ainsi sur le même pied que les Etats-Unis en ce qui concerne toute intervention à venir.* » [232] La doctrine de Monroe obligeait les Etats-Unis à protéger le Canada, qui devrait se tenir « *hors des difficultés et des complications européennes.* »

Le 30 mars, après l'occupation de la Tchécoslovaquie par l'Allemagne et la proposition de Chamberlain d'une consultation entre les nations du *Commonwealth* sur la tentative hitlérienne de domination mondiale par la force, King évoqua encore, au parlement, les affaires internationales et la politique de son gouvernement. Il réitéra que le parlement déciderait, « *si le Canada est mis en face de la nécessité de prendre une décision sur la question la plus sérieuse et la plus grave qui puisse être posée à une nation, celle de savoir si elle doit faire la guerre.* » Imitant la prudente réserve de Chamberlain, King déclara :

« *Parlant comme premier ministre du Canada, je veux dire que je ne suis pas plus disposé que ne l'est le premier ministre de Grande-Bretagne à engager ce pays à des obligations nouvelles et indéterminées qui s'imposeront dans des conditions qui ne peuvent pas être prévues maintenant... Je ne peux pas accepter l'idée, sur laquelle on insiste aujourd'hui en certains milieux, que, quel que soit le gouvernement ou le parti qui puisse être au pouvoir, quelle que puisse être sa politique, quelle que puisse être la question en jeu, notre pays doive dire, ici et sur-le-champ, que le Canada est prêt à approuver tout ce qui peut être proposé par le gouvernement anglais à Westminster.* » [233]

Il affirma qu' « *un Canada divisé ne peut aider que bien faiblement un autre pays et encore moins lui-même* » et il déclara avec force : « *Nous sommes et nous resterons des Canadiens, dévoués d'abord et toujours aux intérêts du Canada, mais des Canadiens qui, je l'espère, seront capables de voir, de loin, ce qu'exigent les intérêts du Canada.* » Il fit preuve d'une sympathie fondamentale pour les Canadiens français nationalistes par ces mots :

« *... Nous devons choisir, plus ou moins, entre garder notre propre maison en ordre et essayer de sauver l'Europe et l'Asie. L'idée que tous les vingt ans notre pays doive automatiquement et comme une routine, prendre part à une guerre au delà des mers pour la démo-*

*cratie, ou l'autonomie d'autres petites nations, qu'un pays qui en a plein les mains de se gouverner lui-même doive se sentir appelé à sauver périodiquement un continent incapable de se gouverner lui-même et, pour atteindre ces fins, risque les vies de son peuple, risque la banqueroute et la désunion politique, semble à beaucoup être un cauchemar et, tout simplement, de la démence. »* [234]

King déclara qu'une participation à une autre guerre mondiale ne pouvait être « *passive ou de pure forme* » et il rappela que le Canada devait penser à son littoral du Pacifique autant qu'à celui de l'Atlantique. Les circonstances mondiales avaient évolué. Elles avaient amené une décentralisation marquée de la défense à l'intérieur du *commonwealth* et éliminé le besoin de contingents coloniaux :

« *Elles ont amené une grande préoccupation de chaque partie au sujet de sa propre défense, une plus grande responsabilité de cette défense, une plus grande autonomie dans la prévision des moyens de défense... Un fait stratégique est clair : le temps des grandes forces expéditionnaires d'infanterie traversant l'océan ne reviendra sans doute jamais. Il y a deux ans, j'exprimais dans cette Chambre l'opinion qu'il était extrêmement douteux que l'un quelconque des dominions britanniques envoie jamais une autre force expéditionnaire en Europe. Un fait politique est également clair : dans une guerre pour sauver la liberté des autres et, par conséquent, la nôtre, nous ne devons pas sacrifier notre propre liberté ou notre propre unité... Le présent gouvernement croit que la conscription des hommes pour servir outre-mer ne serait pas une mesure nécessaire ou efficace. Laissez-moi dire qu'aussi longtemps que mon gouvernement sera au pouvoir, aucune mesure semblable ne sera mise en vigueur. Nous avons pleine confiance que les hommes et les femmes du Canada sont prêts à se rallier pour la défense de leur pays et de leurs libertés et à résister à l'agression de tout autre pays cherchant à dominer le monde par la force.* » [235]

King promit aussi qu'en cas de conflit, le gouvernement contrôlerait les profits de guerre et supprimerait l'exploitation abusive en général. Il développa sa citation de Laurier du 16 janvier en déclarant avoir voulu indiquer qu'un ennemi de l'Angleterre pourrait apporter la guerre au Canada s'il décidait de le faire, mais que le gouvernement canadien ne serait pas guidé par le droit : « *Nous n'irions pas en guerre tout simplement pour cause d'incertitude, sur le plan du droit, au sujet de notre pouvoir de rester en dehors. Nous ne resterions pas à l'écart d'une guerre tout simplement parce que nous nous serions assurés, en droit, de la liberté de le faire. Les décisions de notre pays au sujet de questions aussi vitales, aujourd'hui ou plus tard, s'appuieront sur des causes plus profondes : elles dépendront des pensées et des sentiments de notre population.* » [236] Ce discours habile, qui laissait la voie ouverte à la neutralité, à la belligérance active ou passive, offrait une certaine satisfaction tant aux isolationnistes qu'aux impérialistes et il privait en même temps les conservateurs et le *CCF* de toute question vitale qui leur permettrait de faire opposition au gouvernement.

Manion, qui représentait une tendance conservatrice très différente de celle d'Arthur Meighen et qui cherchait à s'attirer les sympathies du Québec, convint du droit que devait avoir le Canada de décider de son rôle dans une guerre britannique : « *J'exige pour nous, au Canada, le même droit de former et d'exprimer des opinions que celui dont jouissent les citoyens des Iles britanniques. Je refuse de souscrire à toute doctrine d'infériorité qui nous reléguerait au rôle de pions sur l'échiquier international.* » [237] Il affirma sa conviction que la conscription avait une valeur douteuse, puisqu'elle n'avait eu pour résultat que d'amener tout au plus 10 000 Canadiens dans les tranchées au cours de la première guerre mondiale. Il fut appuyé par deux autres conservateurs anglais de Montréal, C.H. Cahan et R.S. White, qui affirmèrent que, si le Québec était traité raisonnablement et courtoisement, il contribuerait sans réserve à tout effort de guerre. Les chefs du *CCF* et du Crédit social s'opposèrent aussi à la conscription, mais Woodsworth exprima des doutes sur la possibilité de l'éviter au cours d'une guerre où les troupes d'outre-mer subiraient de lourdes pertes.

Le ministre de la justice Ernest Lapointe, porte-parole reconnu du Québec, remporta les honneurs du débat. Il évoqua d'abord les obstacles juridiques s'opposant à une déclaration de neutralité et conclut qu'il n'y avait « *aucune possibilité pour un Etat de demeurer neutre et pour un autre d'être belligérant, lorsque les deux Etats ne constituent pas des souverainetés distinctes et que l'un dépend de l'autre pour ce qui est de son pouvoir de légiférer.* » [238] Une déclaration de neutralité canadienne impliquerait une défense aux Canadiens de s'engager dans les forces britanniques, la fermeture des bases anglaises d'Halifax et d'Esquimalt et l'internement des marins britanniques qui chercheraient refuge dans les ports canadiens. Il demanda si quelqu'un croyait sérieusement que de telles mesures pourraient être mises en vigueur au Canada sans causer une guerre civile. Il cita la remarque de E.J. Tarr, en l'approuvant : « *La loyauté des Canadiens français est circonscrite dans un cadre trop étroit, tandis que celle de beaucoup d'Anglo-Canadiens a trop d'extension.* » Il souligna que le bombardement de Londres provoquerait un soulèvement de l'opinion publique qui forcerait tout gouvernement canadien à intervenir et il demanda à ses collègues du Québec : « *A quoi bon fermer les yeux en face de l'impitoyable réalité ?* » Cependant, il demanda aussi aux Canadiens anglais de tenir compte des sentiments des Canadiens français dont, « *en quittant le Canada, aucun d'eux ne dirait qu'il s'en va chez lui.* » [239]

Lapointe écarta la conscription, à laquelle il s'était opposé en 1917, comme une terrible stupidité dont les conséquences tragiques se faisaient encore sentir. Même si elle s'était avérée efficace, « *le meilleur moyen de collaborer, le moyen le plus efficace, n'est pas celui qui diviserait notre pays, qui le déchirerait.* » Le Canada n'était pas le seul pays qui s'opposât à la conscription : l'Australie, l'Afrique du Sud et l'Irlande s'y opposaient aussi. Il déclara solennellement : « *Je crois être fidèle à ma conception de l'unité canadienne en affirmant que je combattrai toujours cette politique, que je ne ferais pas partie d'un gouvernement qui l'adopterait. Bien plus, pleinement conscient de ma responsabilité envers la population du Canada, j'affirme que je combattrais tout gouvernement qui mettrait la conscription en vigueur.* » Tout comme le premier ministre, il jugeait que le temps des forces expéditionnaires était révolu : « *Nous aurons besoin des hommes ici et, en tout cas, c'est le parlement qui décidera.* » [240] Il termina par une mise en garde contre un isolationnisme étroit, en citant un éloquent éditorial de feu Jules Dorion dans *L'Action catholique* :

« *Nous sommes libres de nos destinées, soit. Mais est-ce que cela empêche que nous ayons un voisin au sud; des solitudes glacées au nord, à l'est et à l'ouest des mers très fréquentées, au delà desquelles vivent des nations populeuses, actives, avec lesquelles nous ne pouvons nous empêcher d'avoir des relations, avec lesquelles il nous faudra discuter, négocier, nous entendre ou lutter.*

*Ceci est une réalité que nous n'avons pas le droit d'oublier, sous peine de terribles réveils.*

*Nous sommes nos maîtres, soit. Mais cela ne nous empêche pas de nous demander quelles seront désormais nos relations avec l'Angleterre, si nous pouvons nous passer d'elle, s'il nous serait plus avantageux de demeurer son associé.*

*Le Canada est devenu une nation. Mais il faut nous faire à l'idée qu'une nation a d'autres obligations, d'autres devoirs, d'autres soucis qu'une colonie et nous mettre en mesure de faire face aux uns comme aux autres. Il faut nous rappeler que les nations évoluent et qu'il leur arrive d'avoir à faire face à des situations qu'elles n'ont pas créées.* » [241]

Malgré toutes les assurances données au Québec par les *leaders* du gouvernement et les chefs des autres partis, six Canadiens français, Lacombe, Lacroix, Lalonde, A.-J. Lapointe, Tremblay et Raymond, affirmèrent de nouveau qu'ils s'opposaient à toute participation à une guerre européenne et à une répétition des expériences de 1914-18. En avril, Raymond résuma les raisons de son attitude avec beaucoup d'énergie et d'éloquence :

« *C'est le devoir militaire de tout citoyen du Canada de défendre le sol de sa patrie, — et celui du Québec n'y a jamais manqué et n'y manquera jamais, — mais on n'a pas le droit de lui demander d'aller verser son sang en Europe, en Afrique ou en Asie pour la gloire ou*

*la puissance de tout autre pays, même si ce pays s'appelle l'Angleterre
ou la France.*

*Et si jamais une major'té voulait imposer à une minorité impor-
tante de ce pays l'obligation de prendre les armes pour la défense d'un
territoire étranger, quel qu'il soit, c'en serait fait de la Confédération.* » [242]

Il conclut en citant la déclaration faite par Lapointe à Québec,
le 12 décembre 1938 : « *Au lieu d'aller à la guerre en pays étranger,
nous res!erons ic! et nous défendrons le Canada que nous aimons.* »
En mai, au cours du débat sur les prévisions budgétaires de la défense,
les nuages de guerre s'assombrissant, Lacombe, Lacroix, Raymond,
Gauthier, Crète et Gariépy renouvelèrent leurs protestations qui rom-
p'rent l'unité inaccoutumée de la Chambre.

L'isolationn'sme fondamental du gouvernement King était, en
partie, dicté par un sentiment populaire semblable à celui qui, aux
Etats-Unis, avait causé le rejet de la sécurité collective et l'adoption
d'une lég'slation de neutralité. De plus, K'ng savait qu'au cours des
récentes années, les races au Canada avaient été profondément divisées et que leur existence était dure et difficile. Enfin, à la suite
de Laurier, il craignait aussi que la guerre ne dresse l'une contre
l'autre les deux principales races du Canada. Il y avait, en outre, le
nord-américanisme croissant d'un Canada qui, en 1938, avait dirigé
sur les Etats-Unis 32,3 pour cent de ses exportations, en avait reçu
62,7 pour cent de ses importations, tandis qu'il ne dirigeait sur l'Angleterre que 40,6 pour cent de ses exportations et n'en recevait que
17,6 pour cent de ses importations. [243] Cette nouvelle tendance s'accentua notablement après la déclaration de la seconde guerre mondiale,
malgré les obstacles que lui opposa l'*American Neutrality Act.*

Cette évolution n'affaiblit pas les vieux liens sentimentaux envers
l'Angleterre, comme en fit preuve la chaleur avec laquelle le roi et la
reine furent reçus pendant leur tournée au Canada en mai et juin
1939. L'anti-impérialiste Montréal dépensa plus d'argent pour la réception royale que l'ultra-loyaliste Toronto. A la veille de la seconde
guerre mondiale, un certain nombre de Canadiens anglais déploraient
l'affaiblissement du lien britannique et en voulaient aux Etats-Unis
de leur paternalisme croissant à l'égard du Canada, tandis que les
Canadiens français nationalistes se sentaient renforcés dans leur isolationnisme et leur anti-militarisme parce que les Etats-Unis profes-
saient d'être prêts à défendre le Canada contre toute agression.
Nationalistes français et anglais favorisaient de concert la reconnaissance de la nouvelle orientation du Canada par son entrée dans
l'Union panaméricaine et les projets de défense de l'hémisphère.

## Notes

1. *Notre Américanisation* (L'Œuvre de la Presse dominicaine, Montréal, 1937). Edouard Montpetit, *Reflets d'Amérique,* dans *La Revue dominicaine* (Montréal, décembre 1937), 272.

2. *Le Devoir,* 28 juillet 1920.

3. *Can. An. Rev.* 1920, 631.

4. *Ibid.,* 656.

5. *Le Devoir,* 9 juillet 1920.

6. *Can. An. Rev.* 1920, 413.

7. *Ibid.,* 113-14.

8. *Ibid.,* 495.

9. *Ibid.,* 427.

10. Stacey, C.P., *The Military Problems of Canada* (Toronto, 1940), 90-91.

10*bis.* Plus tard Edouard VIII et Duc de Windsor.

11. *Ibid.,* 89-91.

12. *Can. An. Rev.* 1921, 211.

13. *The Round Table,* XI, 390-1 ; citation de *The Dominions and Diplomacy* (Londres, 1929), I. 323.

14. *Ibid.*

15. *Can. An. Rev.* 1921, 78.

16. *Political Science Quarterly,* L (mars 1935), 53-55, J.B. Brebner, *Canada & the Anglo-Japanese Alliance.*

17. Dewey, I, 328.

18. *Ibid.,* II, 73 ; Brebner, 49-50.

19. *Can. An. Rev.* 1921, 220.

20. *Ibid.,* 221.

21. *Ibid.,* 177.

22. Dewey, II, 83-85.

23. *Can. An. Rev.* 1921, 113-14.

24. *Canada Sessional Papers 1922,* no 47, 15 mars 1922 ; citant Dewey, II, 86-8ʳ

25. *Le Devoir,* 23 décembre 1921.

26. *Ibid.,* 17 mai 1921.

27. *Ibid.,* 23 septembre 1921.

28. *Can. An. Rev.* 1921, 486.

29. *Ibid.,* 483.

30. *Ibid.,* 489.

31. *Le Devoir,* 7 novembre 1921.

32. *La Presse,* 20 décembre 1921 ; *La Patrie,* 7 décembre 1921.

33. *Can. An. Rev.* 1921, 522.

33*bis.* Voir au 1er vol. note 120, p. 364 et note 186, p. 487.

34. Dewey, II, 116.

35. *Ibid.,* 122.

36. *Le Devoir,* 18 et 29 septembre 1922 ; *Le Droit,* 18 septembre 1922.

37. Ewart, J.S., *Canada and British Wars* (Ottawa, 1922), 5.

38. *Ibid.,* 86-88.

39. Dewey, II, 123-24.

40. *Ibid.,* 125.

41. *Ibid.,* 125-6.
42. *Ibid.,* 141.
43. *Ibid.,* note 3.
44. *Can. An. Rev.* 1923, 53.
45. Dewey, II, 137-47.
46. *Can. An. Rev.* 1923, 92.
47. Dewey, II, 169-171.
48. Corbett, P.E. & Smith, H.E., *Canada and World Politics* (Londres, 1928), Ap. I, 191-94, *Report of the Imperial Conference of 1923.*
49. *Can. An. Rev.* 1924-25, 43.
50. *Ibid.*
51. Dewey, II, 149-52.
52. *Ibid.,* 154.
53. *Ibid.,* 160.
54. *Ibid.,* 164.
55. *Ibid.,* 188.
56. *Can. An. Rev.* 1925-26, 47.
57. *Ibid.,* 49.
58. *Ibid.,* 86.
59. *Débats de la Chambre des Communes du Canada, 1ère session — 15ème législature, 1926* (Ottawa, Acland, 1926, 22 mars 1926), 1823.
60. *Ibid.,* 1824.
61. Wittke, C., *A History of Canada* (New York, 1941), 349.
62. Dewey, II, 260-61.
63. *Débats, Communes du Canada, 1ère session — 15ème législature, 1926* (Ottawa, Acland, 1926, 22 juin 1926), 4810, 4813.
64. Dewey, II, 264-65.
65. Bourassa, Henri, *Le Canada, nation libre* (Montréal, 1926), 18 ; *Le Devoir,* 19 juillet 1926.
66. *Le Devoir,* 10 septembre 1926.
67. *Ibid.*
68. Wittke, 366.
69. *Le Devoir,* 16 septembre 1926.
70. *Can. An. Rev.* 1926-27, 115.
71. *Ibid.,* 119.
72. Corbett & Smith, Ap. II, 194-222, *Report of the Imperial Conference of 1926.*
73. *Ibid.,* 197-99.
74. *Ibid.,* 201.
75. Neuendorf, G., *Studies in the Evolution of Dominion Status* (Londres, 1942), 23.
76. Borden, R.L., *Canada in the Commonwealth* (Oxford, 1927), 125-26.
77. Corbett & Smith, 215.
78. *Can. An. Rev.* 1926-27, 135.
79. *Ibid.,* 133.
80. *Ibid.,* 134-35.
81. *Ibid.,* 130.

82. *Ibid.*
83. *Ibid.*, 62-63.
84. *Débats, Communes du Canada, 1ère session — 16ème législature, 1926-27* (Ottawa, Acland, 1928, 30 mars 1927), 1703.
85. *Ibid.*, 29 mars 1927, 1678, 1685.
86. *Can. An. Rev.* 1927-28, 150-51.
87. *Ibid.*, 140.
88. Corbett & Smith, 107-30.
89. *Can. An. Rev.* 1927-28, 55.
90. *Ibid.*, 56.
91. *Ibid.*, 56-57.
92. *Ibid.*, 29.
93. *Ibid.*, 26.
94. *Ibid.*
95. *Ibid.*, 29.
96. *Ibid.*, 30.
97. *Ibid.*, 31.
98. *Ibid.*, 37.
99. *Ibid.*, 32.
100. *Débats, Communes du Canada, 3ème session — 16ème législature, 1929* (Ottawa, Acland, 1929, 8 avril 1929), 1317.
101. *Can. An. Rev.* 1927-28, 409.
102. *Le Devoir*, 17 mai 1927.
103. *Can. An. Rev.* 1927-28, 381-82.
104. *Ibid.*, 104.
105. *Ibid.*, 397.
106. *Ibid.*, 397-98.
107. *Can. An. Rev.* 1929-30, 30.
108. *Ibid.*, 32.
109. *Ibid.*, 31-32.
110. *Ibid.*, 33.
111. *Ibid.*, 54.
112. *Ibid.*, 84.
113. *Ibid.*, 87.
114. *Ibid.*, 85-86.
115. *Ibid.*, 100.
116. *Can. An. Rev.* 1930-31, 32-33.
117. *Ibid.*, 37.
118. *Ibid.*, 42.
119. *Ibid.*, 307-24.
120. *Ibid.*, 31.
121. *Ibid.*, 44-46.
122. *Débats, Communes du Canada, 2ème session — 17ème législature, 1931* (Ottawa, Acland, 1931, 26 mars 1931), 316.
123. *Can. An. Rev.* 1930-31, 46.
124. *Ibid.*, 731.

125. *Débats, Communes du Canada, 2ème session — 17ème législature, 1931* (Ottawa, Acland, 1931, 30 juin 1931), 3165.

126. *Ibid.,* 3167.

127. *Ibid.,* 3178, 3181.

128. Neuendorf, 292.

129. *Ibid.*

130. Groulx, l'abbé Lionel, *Directives* (Montréal, 1937), 162-63.

131. *Can. An. Rev.* 1932, 28.

132. *Ibid.,* 34-35.

133. *Ibid.,* 57.

134. *Ibid.,* 319-25.

135. *Can. An. Rev.* 1933, 43.

136. *Ibid.* 51.

137. *Débats, Communes du Canada, 4ème session — 17ème législature, 1933* (Ottawa, Patenaude, 1933, 8 novembre 1932), 979.

138. *Can. An. Rev.* 1933, 46.

139. *Ibid.,* 33.

140. *Ibid.,* 34-35.

141. *Ibid.,* 33.

142. *Ibid.,* 30-33.

143. *Can. An. Rev.* 1934, 34-35.

144. *L'Ecole sociale Populaire,* mars 1934, no 242. Lettre pastorale de Mgr Georges Gauthier, 11 février 1934, p. 22.

145. *Can. An. Rev.* 1934, 35.

146. *Ibid.,* 36.

147. *Ibid.,* 33.

148. *Can. An. Rev.* 1935-36, 2.

149. *Ibid.,* 11.

150. *Ibid.,* 12-13.

151. *Ibid.,* 15.

152. *Ibid.,* 50.

153. *Ibid.,* 63.

154. *Ibid.,* 64-65.

155. *Ibid.,* 68.

155*bis.* Voir au 1er vol. note 120, p. 364 et note 186, p. 487.

156. *Ibid.,* 94.

157. *Ibid.,* 95.

158. *Ibid.,* 96-97, 93.

159. *Ibid.,* 97.

160. Soward, F.H., J.F. Parkinson, N.M.A. MacKenzie, T.W.L. MacDermot, *Canada in World Affairs : The Pre-War Years* (Toronto, 1941), 198-99.

161. *Can. An. Rev.* 1935-36, 125-27.

162. Rumilly, Robert, *L'autonomie provinciale* (Montréal, 1948), 106.

163. *Can. An. Rev.* 1937-38, 157.

164. Ludecke, K.G.W., *I knew Hitler* (New York, 1937), 54.

165. *Ibid.*

166. *The Nation, No. 145,* 6 novembre 1937, 497-99, J. McNeil, *Right Turn in Canada ; No. 146,* 12 février 1938, 176-79, E.S. McLeod, *Slander over Canada ; No. 148,* 26 février 1938, 241-44, D. Martin, *Adrien Arcand, Fascist.*

167. *Can. An. Rev.* 1937-38, 92-93.

168. *Canada, Commons Debates, 1936,* 18 juin, IV, 3862-73.

169. *Ibid.,* 3876.

170. *Ibid.,* 3896.

171. *Ibid.,* 3384.

172. *Commons Debates 1935,* 1er avril, III, 2287.

173. Soward, *et al.,* 34.

174. *Can. An. Rev.* 1935-36, 77.

175. *Ibid.,* 79.

176. Soward, *et al.,* 38.

177. *Ibid.,* 23-24.

178. *Commons Debates 1937,* 25 janvier, 237.

179. *Can. An. Rev.* 1937-38, 30.

180. *Commons Debates 1937,* I, 246.

181. *Ibid.,* 248.

182. *Ibid.,* 250-51.

183. *Ibid.,* 252.

184. *Ibid.,* 256-61, 564.

185. *Ibid.,* 261-64.

186. *Débats, Communes du Canada, 2ème session — 18ème législature, 1937* (Ottawa, Patenaude, 1937, 4 février), 562.

187. *Ibid.,* 563.

188. *Ibid.,* 564.

189. *Ibid.,* 565.

190. *Commons Debates 1937,* I, 556-57.

191. *Débats, Communes du Canada, 2ème session — 18ème législature 1937* (Ottawa, Patenaude, 1937, 4 février), 569-70.

192. *Commons Debates 1937,* I, 563-64.

193. *Ibid.,* 876.

194. *Can. An. Rev.* 1937-38, 32.

195. *Commons Debates 1937,* I, 893, 895, 15 février.

196. *Ibid.,* 902.

197. *Ibid.,* 909-10.

198. *Débats, Communes du Canada, 2ème session — 18ème législature, 1937* (Ottawa, Patenaude, 1937), 15 février, 929.

199. *Ibid.,* 929-30.

200. *Ibid.,* 930, 932.

201. *Ibid.,* 938, 939.

202. *Ibid.,* 941.

203. Soward, *et al.,* 61, note 4.

204. *Commons Debates 1937,* I, 910, 29 janvier.

205. Soward, *et al.,* 64.

206. *Commons Debates 1937,* I, 910, 15 février.

207. Soward, *et al.,* 64, note 1.

208. *Ibid.,* 66-68.

209. *Ibid.,* 70.

210. *Can. An. Rev.* 1937-38, 4.

211. Soward, *et al.,* 73, note 1.

212. *Can. An. Rev.* 1937-38, 5.

213. Soward, *et al.,* 75-76 et note 1.

214. *Ibid.,* 76-77.

215. *Can. An. Rev.* 1937-38, 3.

216. *Conférence des Neuf Puissances,* Bruxelles, novembre 1937.

217. *Conférence King-Roosevelt-Hull,* Washington, mars 1937.

218. Soward, *et al.,* 107.

219. *Ibid.,* 108 ; *Can. An. Rev.* 1937-38, 32.

220. *Ibid.,* 114.

221. *Ibid.,* 114-15.

222. *Ibid.,* 116.

223. *Ibid.,* 117.

224. *Foreign Affairs, XVII,* juin 1939, 413 ; cité par Soward, 117-18.

225. *Commons Debates 1939,* I, 3, 12 janvier.

226. *Ibid.,* 23, 16 janvier.

227. *Débats, Communes du Canada, 3ème session — 18ème législature, 1939* (Ottawa, Patenaude, 1939, 16 janvier), 55.

228. *Ibid.,* 23 janvier, 263.

229. *Ibid.,* 24 janvier, 305.

230. *Ibid.,* 26 janvier, 364, 365.

231. *Ibid.,* 30 janvier, 486, 487.

232. *Ibid.,* 488.

233. *Commons Debates 1939,* III, 2418, 30 mars.

234. *Ibid.,* 2419.

235. *Ibid.,* 2426.

236. *Ibid.*

237. *Ibid.,* 2434-40.

238. *Débats, Communes du Canada, 4ème session — 18ème législature, 1939* (Ottawa, Patenaude, 1939. 31 mars), 2508.

239. *Ibid.,* 2510.

240. *Ibid.,* 2510, 2511.

241. *Ibid.,* 2512, 2513 ; cité de *L'Action catholique* du 21 janvier 1939.

242. *Ibid.,* 3 avril, 2592, 2593.

243. *Canada Year Book 1945,* 501.

# CHAPITRE XIV

# INDUSTRIALISATION ET RÊVE LAURENTIEN

## (1920-1939)

Un nouveau Québec, bien différent de celui du passé, affrontait maintenant, en 1920, un Canada d'après-guerre profondément modifié. Ce pays, qui chérissait tellement sa tradition, dut alors faire face à d'effarants bouleversements politiques, économiques et sociaux qui, ébranlant violemment les structures d'autrefois, provoquèrent un malaise fondamental, aux multiples aspects. Remplis d'amertume et se voyant isolés par suite des crises de la conscription et de la question scolaire, les Canadiens français en vinrent à douter des avantages d'une confédération dans laquelle ils n'entraient maintenant que pour à peine plus du quart de la population, tout en étant presque sans représentation au gouvernement fédéral. Malgré une forte natalité chez eux, l'importance relative de leur population avait constamment diminué depuis 1867, par suite d'une immigration massive au Canada anglais et l'exode du Québec vers les Etats-Unis,[1] la population québecoise n'ayant augmenté que de 17,72 pour cent de 1911 à 1921, contre une moyenne de 21,95 pour cent dans l'ensemble du Canada.[2] L'émigration vers les Etats-Unis prit de nouveau une ampleur alarmante, pendant les années de crise agricole et industrielle de l'après-guerre.[3]

Les tendances de la population changèrent profondément aussi à l'intérieur de la province, tout comme sa situation dans la confédération. Pour la première fois, en 1921, la population du Québec se révélait plus urbaine que rurale et, pendant les dix années suivantes, elle s'urbanisa encore dans une proportion de 37,13 pour cent.[4] La province de Québec n'était plus ainsi qu'à peine un peu moins industrialisée que celle d'Ontario et les paroisses agricoles des campagnes, bases traditionnelles de la société québecoise, voyaient leurs fils et leurs filles s'en aller vers les Etats-Unis, ou dans les villes où la rapide industrialisation avait débuté avec la guerre et, se prolongeant maintenant dans la période d'après-guerre, offrait de vastes débouchés à la main-d'œuvre. Montréal, la plus grande ville du Canada, avait alors une population de 618 506 âmes et un quart des 10 762 établissements industriels du Québec y étaient concentrés, représentant la moitié des capitaux investis dans l'industrie et employant les deux tiers de la main-d'œuvre industrielle canadienne-française du Québec.[5] Montréal était bien, pour les ruraux, le principal centre d'attraction, mais Québec avait aussi augmenté sa population d'un quart au cours des dix dernières années, Trois-Rivières avait doublé la sienne, Hull avait grandi d'un tiers, Sherbrooke de moitié, tandis que Shawinigan avait plus que doublé, comme l'avaient d'ailleurs, ou à peu près, Grand'Mère, Chicoutimi et la Tuque. Toutes ces villes étaient des centres industriels, mais leur rapide progrès était pourtant dépassé par celui de plus anciens centres industriels, tels que les nouveaux faubourgs de Verdun qui avaient plus que doublé leur population dans la région de Montréal et ceux de Cap-de-la-Madeleine qui avaient triplé la leur près de Trois-Rivières.[6]

Pendant la période d'après-guerre, l'industrialisation de la province continua à un rythme encore accéléré et le Québec souffrit moins que toute autre province des effets de la dépression de 1921. Bien qu'il fût touché par la baisse des prix du bois de construction et de la pâte à papier, ses principaux produits manufacturés (chaussures, vêtements, cotonnades, acier, matériel roulant de chemin de fer, tabac, sucre raffiné) trouvèrent facilement des débouchés avantageux.[7] Cette révolution industrielle modifia radicalement le mode de vie traditionnel, les coutumes et même le caractère particulier du nationalisme canadien-français. [8] Elle était imposée à la province surtout par les grandes entreprises anglaises, canadiennes-anglaises et américaines, mais un petit nombre de Canadiens français surent pourtant exploiter, avec presque autant d'adresse, les richesses naturelles de leur pays et la main-d'œuvre à bon marché de leurs compatriotes.

Depuis la confédération, les investissements de capital étranger avaient toujours été encouragés par le gouvernement provincial du Québec. Errol Bouchette fut le seul, vers 1900, à prier instamment ses compatriotes de ne pas négliger l'industrie en déployant leur zèle traditionnel pour l'agriculture et la colonisation. [9] Les objections ultérieures apportées par Asselin et Bourassa à la rapide aliénation des ressources forestières et hydrauliques du Québec par les régimes Parent et Gouin avaient laissé la population à peu près indifférente, les Canadiens français ne s'intéressant pas aux affaires, d'abord parce que leur enseignement, reposant sur la tradition, négligeait ce genre d'études et ensuite, parce qu'ils étaient exclus des postes de commande par les capitaux étrangers et la direction des entreprises. Cette même politique, que poursuivit le gouvernement Taschereau de 1920 à 1935, rencontra une opposition croissante quand une révolution industrielle tardive vint bouleverser la vie du Québec.

La direction des entreprises et les capitaux appartenant surtout à des milieux de langue anglaise et la main-d'œuvre étant surtout canadienne-française, l'animosité ethnique suscitée par la crise de la conscription fut accentuée par le progrès économique de l'après-guerre. Les Canadiens français furent dépassés dans les affaires et l'industrie parce qu'ils n'avaient ni capitaux, ni connaissances suffisantes en économie, en technique de construction, en physique. Ils s'aperçurent qu'ils n'étaient pas les maîtres chez eux et ils attribuèrent cette situation à la discrimination ethnique, plutôt qu'à leur manque de formation. Les difficultés de sa vie nouvelle furent attribuées par l'*habitant*, depuis peu industrialisé et urbanisé, non pas aux nécessités de la vie industrielle, mais au fait qu'elle était organisée et contrôlée par des étrangers, [10] ce qui ranima sa haine traditionnelle des « *Anglais* », toujours en veilleuse dans sa mémoire.

La naissance d'un nationalisme économique fut la conséquence de cette invasion du Canada français par une culture qui lui était étrangère. La presse nationaliste se distingua de plus en plus, après 1920, par des protestations contre « *l'exploitation étrangère de nos ressources naturelles* » et par des campagnes pour obtenir que les Canadiens français participent aux affaires et à l'industrie canadiennes-françaises. L'antagonisme de toujours envers les Canadiens anglais s'aggrava et un nouvel anti-américanisme fit son apparition. L'économie du Canada avait été étroitement intégrée à celle des Américains à mesure que l'Angleterre avait été obligée de liquider ses investissements canadiens pendant la première guerre mondiale. Les capitaux américains avaient donc de plus en plus supplanté ceux des Anglais et les Américains avaient remplacé, mais à un degré moindre, les Anglais ou les Canadiens anglais à la tête des entreprises. Au cours de la période qui suivit la guerre, cette pénétration économique persista et elle atteignit son point culminant en 1934 : on pouvait alors compter 394 compagnies américaines établies dans le Québec, ce qui représentait un tiers des capitaux investis dans la province. [11] La population juive s'étant accrue jusqu'à devenir sept fois plus considérable entre 1901 et 1911, un certain antisémitisme se manifesta, [12] surtout dans la région de Montréal et il s'accusa à mesure que les Canadiens français se virent évincés, par eux, des petites industries et des petits commerces qui étaient leurs places fortes économiques depuis que les compagnies anglaises et américaines monopolisaient la finance et la grande entreprise.

Le nouveau nationalisme économique eut pour résultat la formation de syndicats ouvriers exclusivement canadiens-français, de sociétés de crédit mutuel, de coopératives de cultivateurs et de pêcheurs et autres organisations pour que le Québec puisse suffire à ses besoins et soit moins tributaire de la technique et du capital étrangers. Il fut entretenu par une âpre lutte contre le principe du plus grand rendement possible pour la race des maîtres et de la portion congrue pour la main-d'œuvre de la race des sujets, principe qui, jusque là, avait prévalu dans l'exploitation commerciale du Québec. Cette scission eth-

nique entre le monde du capital et celui du travail s'accentua en
raison de la mauvaise volonté des directeurs d'entreprise qui refusaient de faire des concessions au mode de vie canadien-français.
Des compagnies fondèrent des villes dans des régions lointaines de la
province et les administrèrent à l'anglaise ou à l'américaine, avec un
odieux manque d'égard pour le particularisme canadien-français. On
avait abandonné l'ancien système du dix-neuvième siècle qui consistait à payer les salaires en papier-monnaie qui ne pouvait être échan-
gé qu'aux magasins de la compagnie où on imposait des prix élevés
pour que le travailleur ne puisse jamais se libérer de sa dette envers
la compagnie et qu'ainsi le problème du renouvellemnt du personnel
soit éliminé, mais d'autres pratiques furent cependant adoptées, comme l'obligation de travailler le dimanche et les autres jours de fête
religieuse, ce qui provoqua presqu'autant de rancœur. C'est ainsi que
de nombreux froissements entre deux peuples de mentalité très différente servirent à perpétuer les antagonismes ethniques.

Subissant très tard le plein choc de la révolution industrielle, les
Canadiens français constatèrent que leur statut de minoritaires en
était aggravé. Ils se voyaient non seulement en opposition contre une
majorité canadienne-anglaise qui leur avait imposé sa volonté pendant la guerre, mais aussi en contradiction avec le mode de vie que
les populations anglophones d'Amérique du Nord avaient généralement adopté et qui s'infiltrait maintenant dans le Québec. Ils s'efforcèrent alors de défendre leur « *latinité* » contre un matérialisme
« *anglo-saxon* » favorisé par beaucoup de circonstances incontrôlables
et cette situation engendra un certain mélange de racisme aux théories nationalistes qu'importèrent d'Europe quelques intellectuels éminents et, entre autres, l'abbé Lionel Groulx. Tout Canadien français de
cette époque fut enclin à devenir plus ou moins nationaliste et nous
réserverons maintenant le terme d' « *ultra-nationaliste* » aux extrémistes de l'école Groulx. Il ne faudra cependant jamais oublier que
le terme « *nationalisme* » convient mal au mouvement qui suivit la
première guerre mondiale. Il s'agissait, en réalité, d'un provincialisme
passionné, qui se compliquait de facteurs ethniques et religieux. Ce
n'était pas le véritable nationalisme d'Henri Bourassa à ses débuts
qu'admettent aujourd'hui, très généralement, les Canadiens anglais qui
ont des idées plus larges au sujet de l'avenir.

La période entre les deux guerres fut marquée par la formation,
dans le Québec, d'un nationalisme à courte vue, de plus en plus
économique plutôt que politique, bien que quelques exaltés fussent
obsédés par le rêve d'un Etat canadien-français indépendant, la
« *Laurentie* ». D'un autre côté, cependant, un certain nombre de
Canadiens français cherchèrent à modifier leur culture traditionnelle
pour l'adapter aux conditions nouvelles résultant de l'industrialisation
du Québec et à faire cause commune avec les Canadiens anglais sur

la base d'un nationalisme plus compréhensif. Les Canadiens français se replièrent sur eux-mêmes de 1917 à 1928 puis, à partir de 1932, ils portèrent plus loin leurs regards, bien qu'encore profondément isolationnistes. Le nationalisme économique canadien-français gagna de nouveaux partisans et le conflit ethnique fut aggravé par la grande dépression de 1929 dont le Canada ne se rétablit pas avant le commencement de la prospérité du temps de guerre, en 1939. D'ailleurs, la dépression, comme la guerre, a toujours dressé les uns contre les autres les Canadiens, anglais et français, et mis en péril la structure de la confédération.

## 1

Le nouveau nationalisme sortit directement des attaques dirigées contre la langue française en 1905 et en 1912, ainsi que de l'abîme creusé entre Canadiens français et anglais pendant la première guerre mondiale. Son principal organe, *L'Action française,* parut dès janvier 1917 sous la direction d'Omer Héroux qui avait exercé sa plume à *L'Action catholique.* Le nouveau périodique se définit ainsi : « L'Action française *est une revue de doctrine... avant tout elle ambitionne de faire apercevoir, dans une vue cohérente, l'ensemble des problèmes nationaux... elle a groupé autour d'elle une large famille de collaborateurs dont on peut dire qu'ils représentent la pensée saine de chez nous.* » [13] Il fut lancé par la *Ligue des droits du français,* fondée en mars 1913, à Montréal, par le père Joseph Papin-Archambault, s.j., du Collège Sainte-Marie, après consultation avec Omer Héroux et Joseph Gauvreau. A l'origine, le groupe réunissait le père Archambault, Gauvreau, A.-G. Casault, Henri Auger, Léon Lorrain et Anatole Vanier. Nombre des fondateurs avaient grandi dans le mouvement ACJC qui tendait toujours plus à mêler le nationalisme culturel et politique avec la religion. Ils étaient disciples de l'abbé Groulx, dont le zèle surpassait celui de leur maître, Henri Bourassa. Le but du groupe était « *de rendre à la langue française, dans les différents domaines où s'exerce l'activité des Canadiens français et, particulièrement, dans le commerce et l'industrie, la place à laquelle elle a droit.* » [14]

Ses membres s'engagèrent à utiliser le français dans leurs relations d'affaires, même avec les firmes anglaises et à donner la préférence aux sociétés qui reconnaissaient les droits du français. Par des conférences, des brochures, une liste blanche des négociants se servant du français, un service de publication et de traduction pour la publicité et les protestations officielles, la ligue chercha à atteindre son but. Les fondateurs publièrent un manifeste :

« *Le mouvement que nous entreprenons n'est nullement un mouvement de provocation, une déclaration de guerre. Notre langue a des*

*droits : droits naturels, droits constitutionnels. Nous voudrions qu'ils
ne restent pas lettre morte, nous voudrions surtout que nos compatriotes soient les premiers à les respecter. Et comme leur abandon pro-
vient le plus souvent du laisser-aller, de l'insouciance, de l'inertie,
c'est à ces plaies que la ligue va d'abord s'attaquer.* » [15]

Le bureau de traduction commença immédiatement ses travaux
et, en juin 1913, la ligue publia, avec une préface de Gauvreau, une
brochure intitulée *La langue française au Canada, faits et réflexions*,
écrite à l'origine en une série d'articles pour *Le Devoir* par le père
Archambault, sous le pseudonyme de *Pierre Homier*. La ligue publia
aussi, mensuellement, des listes d'expressions françaises en divers domaines techniques et intervint constamment auprès des organismes
gouvernementaux, du monde des affaires, des particuliers, dans l'intérêt de la langue française. Mgr Paul-Eugène Roy sanctionna cette
œuvre avec enthousiasme, en 1914. L'année suivante, Omer Héroux
et le père Guillaume Charlebois, provincial des oblats, se joignirent
aux dirigeants du mouvement qui s'établit au Monument national,
grâce à la Société Saint-Jean-Baptiste de Montréal. Plus tard, la ligue
occupa des locaux plus vastes dans l'Edifice Dandurand, Louis Hur-
tubise assumant la direction de ses affaires et l'abbé Groulx rempla-
çant Léon Lorrain. L'abbé Philippe Perrier prit la place du père
Charlebois, qui s'occupa désormais de la lutte pour les écoles bilingues en Ontario. La ligue passa ensuite progressivement de sa tentative
première de refrancisation du Québec à un nationalisme intellectuel
généralisé.

L'abbé Groulx, qui remplaça Héroux à la direction de *L'Action
française* à l'automne de 1920, devint bientôt l'âme dirigeante du
mouvement où il jouait un rôle important depuis 1917. [16] Sous la
direction d'Héroux, au cours de ses trois premières années, *L'Action
française* ne publia qu'un seul article provoquant, *La Revanche des
berceaux*, [17] du père jésuite Louis Lalande qui, dans l'amertume de
l'époque, exprimait la conviction que les Canadiens français vengeraient les insultes dirigées contre eux et leur situation actuelle d'infériorité quand leur natalité plus élevée leur donnerait la majorité au
Canada. Cette *revanche des berceaux* devint le cauchemar permanent
des Canadiens anglais imbus de préjugés racistes qui voyaient le surplus de la population canadienne-française se déverser constamment
du Québec dans l'est et le nord de l'Ontario et dans le nord du
Nouveau-Brunswick, y prenant peu à peu prépondérance, comme ils
l'avaient déjà fait dans les Cantons de l'Est, autrefois anglais. Pour
le reste, *L'Action française* n'avait publié que des articles érudits sur
des sujets tels que *Notre force nationale* et sur des précurseurs du
nationalisme intellectuel tels qu'Errol Bouchette, Edmond de Nevers
et Jules-Paul Tardivel. Un nouveau ton s'imposa tout de suite quand

Groulx prit la direction de la revue et qu'il publia, en septembre 1920, *Si la Confédération disparaissait*, d'Emile Bruchési, qui envisageait une république du Canada de l'Est, dominée par le Québec. [18] Dans les trois numéros suivants furent publiés des articles qui s'opposaient à l'enseignement de l'anglais sur le même pied que le français dans les écoles primaires, à la fondation d'une Maison canadienne pour les étudiants du Canada français et anglais à Paris, ainsi qu'à la tentative d'établir l'histoire du Canada sur une base britannique, comme le désiraient certains disciples du mouvement de bonne entente.

L'abbé Groulx, doué d'une grande puissance d'écrivain et d'orateur, professa un nationalisme très différent de celui d'Henri Bourassa et il tenta de distinguer nettement ses compatriotes des Canadiens anglais. Pendant ses études universitaires à Fribourg, en Suisse et à Paris, il avait subi l'influence de disciples du comte de Gobineau, l'éminent raciste français du dix-neuvième siècle, dont les doctrines avaient si fortement influencé Houston Stewart Chamberlain en Angleterre et les racistes nazis qui dérivaient de lui. Groulx fut aussi très influencé par le nationalisme romantique anti-démocratique de Maurice Barrès et de Charles Maurras. A ces sources furent empruntées maintes idées, ainsi que l'appellation même du mouvement canadien d'*Action française*.

C'était là une doctrine beaucoup plus étroite et violente que le large nationalisme traditionnel de Bourassa. A la base de ce nationalisme intégral il y avait, entre autres, le culte de la patrie et de la langue française, la vénération des héros du terroir, le catholicisme considéré comme force d'unité nationale, une tendance au césarisme ou au monarchisme et le corporatisme. A mesure qu'il évoluait en France et dans le Québec, ce nationalisme fut un inspirateur de haine des influences étrangères : protestante, anglo-saxonne, juive, maçonnique, libérale, républicaine et socialiste. En France, le mouvement se tourna même contre le pape, après avoir été condamné par Rome, en 1927. Au Canada, les chefs de file cléricaux du mouvement étaient trop catholiques pour franchir ce pas, qui n'était pas une évolution surprenante, puisque Maurras lui-même était un agnostique, tout en croyant au catholicisme pour les masses. Cependant, ils poursuivirent le mouvement dans la même tradition, qui était un développement logique de la vieille tradition « *castor* » ultramontaine, continuant à sympathiser avec la doctrine de Maurras, changeant simplement le nom de leur organe en celui de *L'Action canadienne-française,* sans abandonner les idées condamnées par Rome. Le mythe de la supériorité de la culture latine était cher au groupe minoritaire canadien-français, qui était regardé de haut par la culture de langue anglaise, prédominante en Amérique du Nord. Enfin, une opposition aigrie au régime démocratique était naturelle chez un peuple qui, né sous le régime de l'absolutisme français, n'avait pas réussi à accéder à l'égalité avec la majorité sous le régime britannique de gouvernement parlementaire.

Groulx lui-même avait atteint l'adolescence quand la langue française et le Québec subissaient des attaques constantes. Il fut parmi les premiers partisans de Bourassa, de Lavergne, d'Asselin, d'Omer Héroux et l'un des *leaders* de l'ACJC et, quand il revint de ses études européennes en 1909, la marée nationaliste commençait à submerger le Québec. Secondé par l'abbé Emile Chartier, Groulx répondit à la critique de l'enseignement canadien-français de l'histoire que Bourassa avait formulée dans *Le Devoir,* en 1913. En 1915, il fut le premier professeur d'histoire canadienne à l'Université de Montréal. Il était presque inévitable, en raison de sa préparation et de son milieu, qu'il vît l'histoire canadienne comme une lutte perpétuelle entre les races. Les jugements historiques qu'il exprima au cours des âpres années de guerre faisaient des Canadiens français de nobles martyrs — à moins qu'ils ne fussent des déracinés, traîtres à leur race — et des Anglais de durs tyrans qui semblaient se faire un jeu de prendre le contrepied de leur prétendue foi dans le *fairplay* britannique. Il élabora peu à peu un mythe héroïque dont les Canadiens français, peuple fier, pouvaient s'enorgueillir. Il décrivit les jours de la Nouvelle-France comme un âge d'or dont l'*habitant* et le *coureur de bois* étaient les héros folkloriques. Il créa le culte de Dollard, héros de la bataille du Long-Sault contre les Iroquois, qui devint l'idole de la jeunesse canadienne-française. Il affirma qu'une nouvelle race française était née au Canada au cours des dix-septième et dix-huitième siècles, avec la mission providentielle de répandre les bienfaits du catholicisme et de la culture française.

L'histoire de Groulx était dominée par l'idée de race, non pas dans le sens anthropologique, mais dans le sens ethnologique historique. Selon lui, « *la race est de tous les éléments historiques le plus actif, le plus irréductible. Quand on croyait l'avoir noyée, elle surgit, après des siècles, pour revendiquer son droit immortel. Elle transforme, sans être transformée. Plus que toutes les influences réunies, sauf l'influence religieuse, elle détermine la vie politique, économique, sociale, intellectuelle d'une nation.* » [19] Il insistait sans relâche sur le facteur racial, car : « *La réalité de notre personnalité nationale, la conscience profonde de notre entité distincte pourraient soutenir nos instincts de race, fortifier notre volonté de vivre.* » [20] Selon lui, le particularisme canadien-français se manifestait par les faits historiques : « *L'histoire le démontre d'elle-même, sans dessein préconçu.* » [21] Écrivant en partisan passionné, il décrivit l'évolution d'une race singulièrement pure qui avait survécu, malgré les erreurs de la politique coloniale française et la tyrannie des conquérants anglais. Il fit beaucoup valoir les justes causes de la rébellion de Papineau et de l'opposition canadienne-

française à la confédération. Il sut évoquer la persécution des minorités canadiennes-françaises en matière d'enseignement et l'opposition à
l'impérialisme britannique. Il prêcha un culte de dévotion à l'histoire
et aux traditions de la race, de fierté nationale et d'opposition à l'anglomanie et à l'exotisme culturel. [22]

Groulx résumait ainsi sa doctrine dans *L'Action française*, en
janvier 1921 :

« *Notre doctrine, elle peut tenir tout entière en cette brève formule : nous voulons reconstituer la plénitude de notre vie française.
Nous voulons retrouver, ressaisir, dans son intégrité, le type ethnique
qu'avait laissé ici la France et qu'avaient modelé cent cinquante ans
d'histoire. Nous voulons refaire l'inventaire des forces morales et
sociales qui, en lui, se préparaient alors à l'épanouissement. Ce type,
nous voulons l'émonder de ses végétations étrangères, développer en
lui, avec intensité, la culture originelle, lui rattacher les vertus nouvelles qu'il a acquises depuis la conquête, le maintenir surtout en
contact intime avec les sources vives de son passé, pour ensuite le laisser
aller de sa vie personnelle et régulière. Et c'est ce type français rigoureusement caractérisé, dépendant d'une histoire et d'une géographie,
ayant ses hérédités ethniques et psychologiques, c'est ce type que nous
voulons continuer, sur lequel nous appuyons l'espérance de notre avenir, parce qu'un peuple, comme tout être qui grandit, ne peut développer que ce qui est en soi, que les puissances dont il a le germe
vivant.*

*Ce germe de peuple fut, un jour, profondément atteint dans sa
vie ; il fut gêné, paralysé dans son développement. Les conséquences
de la conquête ont durement pesé sur lui ; ses lois, sa langue ont été
entamées ; sa culture intellectuelle fut longtemps entravée ; son système d'éducation a dévié en quelques-unes de ses parties, sacrifié plus
qu'il ne convenait à la culture anglaise ; son domaine naturel a été
envahi, ne le laissant que partiellement maître de ses forces économiques ; par l'atmosphère protestante et saxonne ses mœurs privées et
publiques ont été contaminées. Un maquillage désolant a recouvert
graduellement la physionomie de nos villes et de nos villages, signe
implacable de la sujétion des âmes à la loi du conquérant. Ce mal
de la conquête s'est aggravé, depuis 1867, du mal du fédéralisme. La
confédération peut avoir été une nécessité politique ; elle peut avoir
déterminé en ce pays de grands progrès matériels ; pour un temps,
elle a pu même rendre au Québec une grande somme d'autonomie.
Elle n'a pas empêché que le système n'ait tourné contre nous de considérables influences. Notre situation particulière dans l'alliance fédé-
rative, l'isolement de notre province catholique et française au milieu
de huit provinces à majorités anglaises et protestantes, le déséquilibre
des forces qui s'ensuit, accru quelquefois par la politique hostile de
quelques gouvernants, entraînent peu à peu la législation fédérale*

*vers des principes ou des actes qui mettent en péril nos intérêts fon-
damentaux. Le système politique de notre pays, tel qu'en voie de
s'appliquer, ne conduit pas à l'unité, mais tout droit à l'uniformité.
Les idées qui prédominent à l'heure actuelle, au siège du gouvernement central, tendent à restreindre d'année en année le domaine de la
langue française, à miner sourdement l'autonomie de nos institutions
sociales, religieuses et même politiques. Il suffit de rappeler les luttes
soutenues ici, depuis si longtemps, pour faire respecter les clauses du
pacte fédéral relatives au français, les projets de loi récents sur le
divorce, la suppression de beaucoup de nos fêtes religieuses pour les
fonctionnaires fédéraux, les tentatives pour l'uniformité des lois et de
l'éducation, les multiples assauts enfin dirigés contre notre province
et dénoncés par nul autre que le premier ministre du Québec, l'honorable Alexandre Taschereau, dans son discours du 22 novembre 1920
à l'Hôtel Viger. Autant de symptômes, autant de faits indéniables qui
suffisent à expliquer les régressions de la personnalité nationale chez
nous et la part très grande qu'a faite* L'Action française *et que longtemps encore elle devra faire aux œuvres de pure défense.* » [23]

En plus de ce programme négatif, l'abbé Groulx proposait de
renforcer la culture canadienne-française en puisant aux « *deux grandes sources de vie* », Rome et la France :

« *Pour notre élite intellectuelle, nous demandons la culture romaine et la culture française. La première nous donnera des maîtres
de vérité, ceux qui fournissent des règles aux esprits, qui font briller
de haut les principes sans lesquels il n'est point de ferme direction,
point de fondements sociaux intangibles, point d'ordre permanent,
point de peuple assuré de sa fin. Dans l'ordre naturel, la culture de
France, l'éducatrice immortelle de nos pensées, achèvera le perfectionnement de nos esprits. Et quand nous parlons de culture française, nous l'entendons, non pas au sens restreint de culture littéraire,
mais au sens large et élevé où l'esprit français nous apparaît comme
un maître incomparable de clarté, d'ordre et de finesse, le créateur
de la civilisation la plus saine et la plus humaine, la plus haute expression de la santé intellectuelle et de l'équilibre mental. Et nous
entendons également non pas une initiation qui tourne au dilettan-
tisme ou au déracinement, mais une culture qui serve sans asservir, qui
sauvegarde nos attitudes traditionnelles devant la vérité, qui, devenue
une force réelle et bienfaisante, permette à notre élite prochaine de
s'appliquer plus vigoureusement à la solution de nos problèmes, au
service de sa race, de son pays et de sa foi.* » [24]

L'élite et le peuple seraient sauvés de l'oubli de leur race, en
mêlant aux sources romaine et française ces sources plus proches qui
incarnent « *la substance de notre passé et de nos traditions.* »

L'importance attachée à l'histoire était un élément essentiel du
nationalisme de Groulx :

« *Par l'histoire qui maintient la continuité entre les générations,
qui charrie de l'une à l'autre, ainsi qu'un fleuve, le flot accumulé des
vertus de la race, un peuple reste en possession constante, actuelle, de
sa richesse morale. Par l'histoire nous éprouverons, en nous-mêmes,
comme dirait Charles Maurras, que* "nul être vivant, nulle réalité
précise ne vaut l'activité et le pouvoir latent de la volonté collective
de nos ancêtres" ; *et ce sont leurs impulsions, leurs directions impé-
rieuses qui nous pousseront vers notre avenir. Par l'histoire nous
apprendrons les aptitudes de notre peuple ; elle nous dira, selon le
respect de quelles lois, de quelles exigences de sa nature intime, il
faut aujourd'hui le gouverner, l'initier aux progrès nouveaux, aux
évolutions qui n'apportent point de prospérités éphémères et factices,
mais qui s'adaptent à la vie comme à des pierres d'attente. Par l'histoire enfin restera mêlé à nos âmes l'ensemble de nos traditions, celles
du moins qui contiennent de la vie et qui ne sont que le prolongement
de l'âme des ancêtres. Les traditions, comme la langue, quoique moins
parfaitement, sont un signe de la race, et par cela même, un élément
de durée. Qu'y faut-il voir autre chose qu'une série d'actions des
anciens issues de leurs façons de penser les plus profondes, de leurs
attitudes sentimentales devant les grands objets de la vie, actions si
fortement liées à leur âme intime et collective qu'elles ont fini par se
fixer en coutumes, en gestes permanents ? Et qu'est-ce à dire, sinon
que par l'histoire, nous sera restitué, dans sa plénitude, l'être fondamental de la nationalité, celui qu'il faut chercher et que nous avons
besoin de retrouver ?* » [25]

Groulx proposa, comme but de l'action nationale, l'idéal d'être
« *un peuple catholique et latin, de n'avoir plus que cette volonté :
être absolument, opiniâtrement nous-mêmes, le type de race créé par
l'histoire et voulu par Dieu.* » [26]

Dans son mot d'ordre, « *Rester d'abord nous-mêmes* », il ne voyait
rien qui fût contraire à l'esprit de la Confédération : « *Plus nous
gardons nos vertus françaises et catholiques, plus nous restons
fidèles à notre histoire et à nos traditions, plus aussi nous gardons
l'habitude d'aimer ce pays comme notre seule patrie, plus nous restons
l'élément irréductible à l'esprit américain, le représentant le plus ferme
de l'ordre et de la stabilité.* » [27] Or, les Canadiens français ne voulaient d'aucune alliance où ils devraient faire tous les sacrifices et
s'exposer à tous les dangers, tandis que tous les honneurs et tous les
profits iraient aux Canadiens anglais. Groulx estimait que son pays
devait conserver ses aspirations, ses droits sacrés et sa force, afin que,
si la Confédération venait à se rompre ou était reconstruite sur une
nouvelle base et qu'il ait à choisir entre l'absorption impériale ou
l'annexion aux Etats-Unis, ou si un Etat français était constitué, il
soit capable de faire face à son destin.

On discernait toujours une tendance au séparatisme dans les pensées de Groulx, bien qu'à plusieurs reprises il rejetât cette accusation. Il avait été un adolescent impressionnable aux jours de Mercier et de Riel et les fréquentes allusions, dans son œuvre, au roman de Jules-Paul Tardivel *Pour la Patrie* (1895) indiquent bien l'influence qu'exerça sur son esprit le livre de ce séparatiste exalté. De plus, il avait mûri sa conception de l'histoire canadienne au cours des pénibles années de guerre qui virent le Québec se dresser contre les provinces de langue anglaise. D'après lui, les Canadiens français possédaient la plupart des attributs essentiels d'une nation et leur accession à l'indépendance politique serait une conséquence normale de leur maturité en tant que peuple. Pendant les premières années d'après-guerre, l'Empire britannique parut se désintégrer aux yeux d'un grand nombre d'observateurs, témoins des troubles en Irlande, en Egypte, en Inde et de l'arrivée au pouvoir, pour la première fois, d'un gouvernement travailliste anti-impérialiste. De plus, l'Ouest du Canada libre-échangiste s'opposait à l'Est protectionniste et la question scolaire, ainsi que la conscription avaient dressé Anglais contre Français. La rupture de la Confédération paraissait ainsi inévitable aux yeux de l'abbé Groulx en 1922, quand il entreprit la publication, dans *L'Action française,* de l'ensemble des opinions sur *Notre Avenir national* dont la conclusion était indubitablement séparatiste.

Les colloques annuels constituent l'œuvre la plus appréciable et la plus révélatrice du mouvement de *L'Action française* mais, avant de nous tourner vers eux, examinons les débuts de l'homme qui les a inspirés en s'entourant d'une richesse de talents dont il demeura le guide inspirateur et incontesté.

L'abbé Lionel Groulx s'était déjà assuré une place notable dans la vie canadienne-française quand il devint directeur de *L'Action française* en 1920. Il naquit à Vaudreuil en 1878 et fit ses études au Séminaire de Sainte-Thérèse et au Grand Séminaire de Montréal. Ses ancêtres avaient longtemps vécu dans cette région. Son père, qui avait été bûcheron et s'embauchait pour les travaux de saison dans l'Etat de New-York, cultivateur aussi, mourut l'année de sa naissance, mais sa mère, vite remariée, fut en mesure d'élever sa famille de quatre enfants. Le jeune Lionel montra de bonne heure beaucoup plus de goût pour les livres que pour la ferme et il fut envoyé au collège afin de se préparer au sacerdoce.

Au collège, il lut abondamment, se passionnant pour Louis Veuillot, Joseph de Maistre et Montalembert. [28] Dans Garneau, Ferland et les *Relations des Jésuites,* il puisa une connaissance de l'histoire canadienne et un patriotisme qui le menèrent à diriger une révolte d'étudiants contre le sujet étrange choisi pour le Prix du Prince de Galles en 1897, le discours d'un puritain à la Cour générale du Massachusetts en faveur du projet d'expédition de Shirley contre

Louisbourg : « *Il s'agissait de favoriser les intérêts des colonies, d'humilier le nom français et surtout de combattre une religion exécrée, le papisme.* » [29]

Indécis entre la prêtrise et le droit, vocations de ses idoles Lacordaire et Montalembert, le jeune homme se décida enfin pour la prêtrise. Ses quatre ans au Grand Séminaire de Montréal furent interrompus par une période où il fut secrétaire de Mgr Emard, évêque de Valleyfield et par l'enseignement au Séminaire de Valleyfield où il montra, pour la première fois, son talent d'inspirateur de la jeunesse. Maxime Raymond et Jules Fournier furent au nombre de ses élèves en rhétorique. En 1906, Groulx se rendit à Rome afin d'y poursuivre ses études. Il obtint son doctorat en philosophie en 1907 et en théologie en 1908. Il passa sa troisième année en Europe à étudier les lettres à Fribourg, en Suisse, après un été en Bretagne où il fut aumônier de l'amiral de Cuverville, qui avait connu Montalembert, Lacordaire et Veuillot : ce catholique très conservateur considérait que le Canada ne devait pas envoyer ses jeunes hommes étudier dans une France contaminée. [30]

A Fribourg, Groulx fut initié aux techniques historiques par le père Mandonnet, dominicain historien d'église, mais il consacra la plupart de son temps à l'étude de la littérature française, sous la direction de Pierre-Maurice Masson et à la préparation d'une thèse sur la langue canadienne-française. Après un bref séjour en Sorbonne et à l'Institut catholique de Paris, il revint au Canada et reprit son enseignement à Valleyfield, à l'automne de 1909. Il y forma un groupe d'Action catholique et fut considéré comme un homme d'idées avancées parce qu'il insistait avec force pour la participation laïque à ce mouvement et qu'il appuyait Bourassa. Après que *Le Devoir* eut vivement critiqué l'enseignement de l'histoire canadienne, Groulx passa quatre mois aux Archives d'Ottawa pendant l'hiver 1913-1914, dans l'intention de préparer un nouveau manuel d'histoire du Canada.

L'automne suivant, il quitta le diocèse de Valleyfield, évêché de Mgr Emard, ami de Laurier et modéré dans ses idées, pour celui de Montréal, où ses amis nationalistes cherchèrent à lui obtenir un poste à la faculté des lettres de l'université. Jusque-là, il n'avait publié qu'un tract sur les devoirs sociaux, une monographie de Valleyfield (1913) et *Une Croisade d'Adolescents* (1912), récit des origines de l'ACJC. Quand l'unique Français qui constituait alors, à lui seul, la faculté des lettres tout entière à l'université fut rappelé dans son pays par la déclaration de guerre, Groulx devint professeur d'histoire à Montréal, tandis que son ami l'abbé Emile Chartier devenait professeur de littérature canadienne.

Groulx commença ses conférences en novembre 1915 par le sujet *Nos luttes constitutionnelles de 1791 à 1837*, attirant un vaste public étranger à l'université grâce à la publicité du *Devoir*. Depuis la mort de l'abbé Ferland cinquante ans auparavant, c'était la première nomination d'un professeur d'histoire canadienne dans une université de langue française. Une chaire supplémentaire d'histoire à l'Ecole des Hautes Etudes Commerciales l'amena à porter beaucoup plus d'attention à l'histoire économique que tout autre historien canadien-français antérieur. N'ayant pas de maître, il dut apprendre sa profession seul, ses travaux de recherches précédant à peine ses conférences. En 1916 et 1917, il traita de la lutte constitutionnelle jusqu'en 1867, en 1917 et 1918, du temps de la Confédération, en 1918 et 1919 de la période française, en 1919 et 1920 de l'époque qui suivit immédiatement la Conquête, en 1920 et 1921 des événements qui se déroulèrent entre 1774 et 1791. Ses cinq conférences annuelles sur chacun de ces sujets furent publiées sous forme de brochure à la fin de chaque année académique et largement diffusées. [31] Leur ton combatif et leur éloquence émouvante firent de Groulx l'idole de la jeunesse nationaliste et de nombreux aînés qui s'étaient réfugiés dans le nationalisme, au sein d'un Québec isolé du reste du Canada par la question scolaire et la conscription.

Olivar Asselin fit la première et peut-être la meilleure critique de l'œuvre de Groulx dans une conférence aux étudiants en la Salle Saint-Sulpice, à Montréal, le 15 février 1923, qui fut plus tard imprimée sous forme de brochure. Il souligna que Groulx fut le premier historien canadien-français à préférer la période française à la période anglaise et à juger que ses institutions étaient supérieures aux institutions britanniques ultérieures. Groulx avait su redonner de l'intérêt à une histoire archi-connue : « *Nous avons tâché de découvrir, sous l'amoncellement des faits, l'évolution de la jeune race, les états sociaux manifestés par elle... Les moindres révélations des vieilles formes du passé, de la petite histoire des aïeux, nous apportèrent de plus hautes satisfactions que toute autre découverte.* » [32] Dans *Les lendemains de la conquête, Vers l'émancipation, Les luttes constitutionnelles* et *La Confédération*, Groulx décrivit par la suite le « *terrifiant malheur* » que la conquête apporta aux Canadiens français, détruisant l'enseignement, les seigneurs, le régime de colonisation et corrompant le système judiciaire. Le régime anglais, dans sa prédilection pour le commerce, avait négligé l'agriculture, ouvrant ainsi la voie à l'exode ultérieur vers les villes et les Etats-Unis. Pour l'administration de la justice, les lois, le commerce et l'industrie, un horrible jargon se substitua au français. Comme seules compensations, le régime anglais avait introduit le parlementarisme et le droit criminel anglais. La brève période de liberté en 1848 fut suivie de la Confédération, qui ouvrit une ère d'abdications et de défaites pour les catholiques français.

Asselin accusa Groulx de manquer de réalisme en niant que du sang indien coulait dans les veines canadiennes-françaises, de faire

revivre les premiers Canadiens français sous de trop brillantes cou-
leurs et il lui reprocha ses attaques contre la politique française des
dernières années du régime français. Asselin lui-même convenait que
« *tout ce que nous avons de bon, nous le devons à la France ; tout
ce qui nous menace vient des sociétés anglo-saxonnes.* »[33] Pourtant,
il défendit l'histoire de Groulx contre les accusations de partisannerie,
de jugement préconçu, de documents falsifiés et de références tru-
quées que lança Gustave Lanctôt. D'après Groulx, l'impartialité historique n'était pas la neutralité :

« *L'histoire est un acte moral, non affranchi par conséquent des
finalités suprêmes. Notre ambition et notre droit sont de l'écrire et de
l'enseigner comme doivent le faire un catholique et un Canadien français. L'historien doit travailler avec toute sa personnalité ; s'il fait le
neutre et l'indifférent, dirons-nous avec Bossuet, il abdique sa qualité
d'homme.* »[34]

Asselin compara le nationalisme partisan de Groulx au loyalisme
serein de Thomas Chapais. Les deux historiens croyaient à l'intervention de la Providence dans les affaires humaines, mais la Providence
de Chapais était « *un* gentleman *qui boit de l'*ale, *mange du rosbif,
fait beaucoup de* business — a great, a roaring business — *et occupe
ses loisirs de bon géant à affranchir les peuples, après les avoir taquinés
un brin pour éprouver leur bon naturel.* » Chapais avait « *l'esprit
timoré des hommes de sa génération* » en défendant sa langue et sa
foi, auxquelles il était néanmoins très attaché et, comme il était fils de
l'un des Pères de la Confédération, ce pacte était doublement sacré
pour lui. Selon Asselin, « *les Anglais de M. Chapais sont des gens que
nous n'avons jamais vus que dans les livres ; ceux de M. Groulx, avec
leur double personnalité de Jekyll et Hyde, sont ceux que nous voyons
depuis notre enfance.* »[35]

Asselin critiqua Groulx pour ses fautes de style sous forme d'angli-
cismes et de barbarismes, pour ses erreurs de grammaire et d'ortho-
graphe, enfin parce qu'il faisait écho aux auteurs français, à Barrès
en particulier. Il le loua pour insister sur la grandeur des figures anonymes de l'histoire et pour le don qu'il avait d'évoquer avec éloquence
l'atmosphère et les circonstances des temps révolus. Selon lui, l'œuvre
de Groulx était « *le plus bel élément de l'actif intellectuel canadien-
français.* »[36] Il était d'accord avec lui pour affirmer que la Conquête
avait été une grande catastrophe plutôt qu'un événement providentiel,
comme l'enseignaient les historiens loyalistes. Il approuvait sa théorie
d'une psychologie canadienne-française défaitiste, provenant du rôle
parasitaire alors imposé aux seigneurs, ainsi que sa répudiation de
« *cette imposture historique d'une Angleterre libérale et maternelle
qui nous aurait traités en enfants gâtés de son Empire.* »[37] Asselin
trouvait acceptable l'analyse faite par Groulx du défaitisme canadien-
français : « *De là la foi spontanée à la supériorité du conquérant, à*

*ses mœurs, à ses institutions ; de là le doute de soi, la méfiance de ses forces, le mépris des siens et du génie ethnique ; de là aussi un goût morbide de la paix sans dignité, l'oubli facile des injures qu'on accepte comme la monnaie de sa condition : un tempérament de valet dans sa propre maison ; au lieu de l'élan superbe vers les restaurations qui effacent la défaite, le désir de la consommer entièrement par l'abdication totale ; pour tout dire, l'arbre inconscient, penché par la tempête et qui n'a plus que l'obsession stupide de la chute. »* [38] Selon Groulx, les Canadiens français, « *déracinés par le colonialisme politique et moral, dédoublés par le dualisme d'un pays fédératif* », avaient besoin de regagner le sentiment de leur personnalité et de leur fierté rac'ale. [39]

Cependant, il avait de grands espoirs pour l'avenir :

« *Après une trop longue période d'indifférence et de léthargie, voici que nous assistons à un incomparable réveil de la race... ...Laissons là les espérances extravagantes et attachons-nous à la solide réalité. Et la réalité, c'est que nous sommes actuellement dans la Puissance du Canada deux millions de Canadiens français. Nous avons un imprenable pied-à-terre dans la province de Québec ; nous occupons un territoire qui a l'unité géographique, nous avons toutes les richesses du sol, toutes les voies de communication, tous les débouchés vers la mer, toutes les ressources qui assurent la force et l'indépendance d'une nation. Nous pouvons, si nous le voulons, si nous développons toutes les puissances de notre race et de notre sol, devenir assez forts pour prêter une assistance vigoureuse à tous nos frères dispersés.*

*L'avenir et la Providence vont travailler pour nous. Joseph de Maistre écrivait, au lendemain de la Révolution française, que Dieu ne fait de si terribles nettoyages que pour mettre à nu les assises de l'avenir. Croyons d'une foi ferme qu'après le bouleversement de la grande guerre il y aura place pour de merveilleuses constructions. Nous faisons seulement cette prière à nos dirigeants et à tous les chefs de notre race, de savoir prévoir et d'agir. De grâce, qu'ils n'abandonnent plus à l'improvisation et à une action incohérente le développement de notre vie ; que, pour la vanité d'un patriotisme trop largement canadien, ils ne nous sacrifient point au rêve d'une impossible unité ; qu'ils sachent réserver l'avenir ; qu'avant de conclure et de prendre parti sur nos destinées, ils tiennent compte des prémisses de notre histoire, et Dieu ne laissera point périr ce qu'il a conservé par tant de miracles. »* [40]

Par son œuvre historique, Groulx s'affirme comme un ultra-nationaliste d'une hardiesse d'idées jusque-là inconnue au Québec. Plus réaliste et mieux doué que Jules-Paul Tardivel, il poursuivit la tradition ultramontaine en lui imprimant une tendance raciste et séparatiste. Il publia, en 1922, *L'appel de la race*, sous le pseudonyme *Alonie de Lestres*. C'était un « roman à clef », sentimental, écrit en même temps pour servir une thèse. C'est l'histoire d'un supposé Jules de Lantagnac, député bilingue et ornement du barreau d'Ottawa, vivant comme un déraciné dans l'atmosphère anglaise de la capitale et auprès de sa femme canadienne-anglaise. Faisant partie du groupe des *leaders* parlementaires qui luttaient pour les écoles séparées (bien que l'action se passe entre 1914 et 1916, il n'est aucunement fait mention de la guerre, mais souvent du conflit scolaire), il retourne finalement à son type initial et, sous la direction spirituelle d'un confesseur oblat, il place la loyauté à sa race au-dessus de la loyauté à sa famille qu'il abandonne.

Cet ouvrage est, avant tout, une thèse habile qui condamne l'anglicisation, les influences assimilatrices et les mariages mixtes par le sang ou la religion. C'est, en même temps, une assez bonne dramatisation de la question des écoles, vue sous l'angle personnel. Imprégné de nationalisme et de racisme intransigeants, avec de fréquentes comparaisons tirées de l'histoire d'autres peuples minoritaires, ce roman fut critiqué avec acrimonie, dans *La Revue moderne,* par Louvigny de Montigny, parlant au nom des Canadiens français d'Ottawa et dans le *Le Canada français,* par Mgr Camille Roy, au nom du Québec loyaliste. René du Roure, professeur français enseignant à McGill, le critiqua aussi dans *La Revue moderne,* mais ce fut un succès populaire et sa curieuse théologie fut défendue, dans *L'Action française,* [41] par nul autre que le futur cardinal Villeneuve, alors jeune théologien oblat qui avait fait, en 1914, un voyage en Acadie avec l'abbé Groulx et aussi participé activement à l'agitation scolaire d'Ottawa.

Deux ouvrages mineurs, *Rapaillages* (1916) et *Chez nos Ancêtres* (1920), étaient des poèmes en prose consacrés aux beaux jours de la vie pastorale du Canada français d'autrefois, dans la manière de l'école du terroir lancée par Adjutor Rivard. C'était un tableau sentimental d'une vie rurale qui n'avait aucun attrait pour Groulx lui-même dans son enfance, [42] mais qu'il idéalisa plus tard, avec d'autres membres éminents de l'élite intellectuelle, comme la vie la meilleure pour les masses du Canada français. L'intérêt qu'il porta dès ses débuts aux canadianismes l'amena à parsemer son texte d'expressions de patois en italique, pratique irritante pour tous, sauf pour les admirateurs les plus narcissistes de la culture canadienne-française. Comme Asselin le souligna, le meilleur de l'œuvre régionaliste de Groulx se trouve dans ses écrits historiques, plutôt que dans ses travaux secondaires.

En définitive, Groulx exerça une influence considérable par ses conférences publiques sur des sujets patriotiques, dont peut-être les plus remarquables, à ses débuts, furent *Pour l'Action française* en 1918, *Si Dollard revenait* en 1919 et *Méditation patriotique* en 1920. [43] Il prit en grande partie la place de Bourassa comme premier orateur canadien-français dans les manifestations patriotiques et, au cours d'une année d'étude à Paris de 1921 à 1922, il acquit une réputation d'éloquence qui lui valut plus tard d'être invité à donner un cours sur les Français au Canada, en Sorbonne, en 1931. Indigné de l'ignorance du Canada chez les Français, il créa un comité, à Paris, pour encourager les relations entre les intellectuels de France et ceux du Canada français. Il donna aussi nombre de conférences sur l'histoire canadienne-française. La plus remarquable, celle du 2 février 1922, fut imprimée, sous forme de brochure, par *L'Action française* de France. [44] A son retour, comme Bourassa avant lui, il entreprit des pèlerinages pour s'adresser aux Franco-Américains et autres groupes minoritaires canadiens-français du dehors, tentant de réaliser ainsi une réunion de la race. [45]

2

Le plus valable des influents colloques annuels tenus par l'*Action française* fut le premier, en 1921, sur *Les problèmes économiques*. La guerre, la dépression d'après-guerre et le recensement de cette année-là servirent à fixer l'attention de l'opinion nationaliste canadienne-française, pour la première fois d'une manière sérieuse, sur la question économique.

Edouard Montpetit, premier économiste canadien-français parfaitement compétent, qui fit œuvre de pionnier par l'inauguration de cours de sciences économiques à l'Ecole des Hautes Etudes Commerciales à son retour de Paris, en 1910, ouvrit le débat par un article sur *L'indépendance économique des Canadiens français,* fruit de ses quinze années d'étude des sciences sociales. Il soulignait que, par suite surtout de la guerre, les Canadiens français s'intéressaient enfin aux questions économiques. Il expliquait qu'il ne s'agissait pas de sacrifier l'intellectuel au matériel. La tâche des Canadiens français d'aujourd'hui était d'établir une base matérielle pour une vie intellectuelle plus intense : il était temps de remplacer les vieux mots d'ordre « *Emparons-nous du sol !* » et « *Emparons-nous de l'industrie !* » par celui de « *Emparons-nous de la science et de l'art !* » Aux anciennes menaces politiques s'ajoutait maintenant celle de l'impérialisme commercial et le Canada français devait s'adapter au nouvel ordre ou mourir.

Montpetit affirma que le Canada français était plus riche qu'il ne le croyait, mais pas assez riche pour ses besoins. L'histoire et la géographie devraient être enseignées dans les écoles primaires, de manière à inculquer la connaissance des facteurs fondamentaux de l'économie du Québec. Des écoles techniques devraient former des ouvriers, des artisans et les écoles supérieures produire des spécialistes. Ces dernières devraient enseigner la sociologie, les sciences économiques et politiques autant que l'histoire et la philosophie. Un ministre du commerce et de l'industrie serait nécessaire pour accélérer l'évolution économique. En plus d'exploiter le sol, il faudrait aussi exploiter la houille blanche et les forêts. Il affirmait que le Québec possède la main-d'œuvre, le capital et l'intelligence que nécessite l'industrie moderne. Il fallait laisser l'exploitation des mines, des forêts et de l'énergie aux grands capitalistes, mais le Québec pouvait produire une proportion beaucoup plus grande de ce qu'il consommait alors en nourriture, vêtement et habitation, en plus de pourvoir à ses besoins intellectuels, artistiques et moraux. Montpetit conseillait aussi à ses compatriotes d'acheter leurs propres produits, leur art propre. Les institutions canadiennes-françaises de crédit et de finance méritaient d'être soutenues pour qu'en retour elles puissent encourager le développement des affaires canadiennes-françaises. En résumé, il déclarait : « *Enrichissons-nous pour faire rayonner notre innéité française, pour qu'une question d'argent ne retarde plus nos volontés et la satisfaction des plus nobles besoins.* » [46]

En mars, Olivar Asselin faisait remarquer *Les lacunes de notre organisation économique* : l'aliénation de nos ressources hydrauliques et forestières par les politiciens, dans le passé ; le besoin de nouvelles régions de colonisation dans le Québec et l'Ontario, d'amélioration des méthodes de l'agriculture, le besoin de plus grands crédits pour l'industrie ; la nécessité de former surtout des chimistes industriels, de développer les banques et les compagnies d'assurance et, surtout, d'être moins défaitiste en matière économique. En avril, Emile Miller, géographe de l'Université de Montréal dont la carrière fut interrompue prématurément par la mort, discuta des ressources naturelles de la province. En juin, Georges Pelletier, du *Devoir*, traça l'histoire du développement industriel du Québec, soulignant jusqu'à quel point il était dû aux Canadiens anglais et aux Américains. Il réclama le développement des industries canadiennes-françaises pour subvenir aux besoins de la province. En juillet, Léon Lorrain fit un exposé des affaires canadiennes-françaises. En août, Beaudry-Leman traita des institutions bancaires. Enfin, en septembre, Henry Laureys parla de l'enseignement commercial et technique. Omer Héroux traita des compagnies d'assurance en octobre, tandis qu'en novembre J.-E. Gendreau demandait un enseignement scientifique plus avancé dans les universités canadiennes-françaises.

En décembre, l'abbé Groulx résuma le colloque en préconisant un nationalisme économique :

« *Il appartiendra à la jeune génération, si elle veut atteindre aux réalisations puissantes, de faire admettre que l'être ethnique de l'Etat québécois est fixé depuis longtemps et de façon irrévocable. Une histoire déjà longue de trois siècles, la possession presque entière du sol par une race déterminée, l'empreinte profonde que cette race y a gravée par ses mœurs et ses institutions originales, le statut spécial*

*qu'elle s'est réservé dans toutes les constitutions politiques depuis 1774,*
*ont fait du Québec un Etat français qu'il faut reconnaître en théorie*
*comme en fait. C'est cette vérité qu'il faut replacer en haut pour*
*qu'elle y gouverne chez nous l'ordre économique, comme on admet*
*spontanément qu'elle doive gouverner les autres fonctions de notre*
*vie. Disons que nous cesserons de penser en vaincus et en conquis.*
*Ensemble, nous élèverons plutôt nos pensées vers la réalité de la patrie,*
*vers cette idée maîtresse qui mettra de l'ordre et de la puissance dans*
*notre action. Elle nous rendra le noble sentiment de respect que nous*
*nous devons à nous-mêmes ; mieux que tous les discours, au rôle de*
*maçons et de mercenaires elle nous fera préférer celui d'architectes*
*et de constructeurs. Et, dans notre maison, nous ferons autre chose*
*que préparer à un rival le repas du lion. »* [47]

Groulx trouva impossible, par la suite, de réunir un groupe aussi
remarquable de *leaders* canadiens-français pour ses colloques annuels.
Pour ceux qui vinrent après 1921, de plus jeunes écrivains, plus exaltés, remplacèrent certaines des personnalités distinguées qui avaient
pris part au colloque sur *Les problèmes économiques.* Le nationalisme
latent que tout Canadien français porte en soi revient à la surface
en temps de crise économique ou politique. Alors, l'individualisme
effréné et la tendance au dénigrement qui font partie du tempérament national font place à une union sacrée qui amène, temporairement, une trêve à ce que Mercier appela « *nos luttes fratricides* ».
En 1921, le Canada français était isolé du Canada anglais par les
amères conséquences de la question scolaire et de la conscription et
par une dépression d'après-guerre qui toucha le monde du travail
canadien-français plus profondément que le patronat et le capital
canadiens-anglais et américains. L'amélioration rapide de la situation
économique amenant le relâchement de la tension ethnique, le nationalisme canadien-français devint une fois de plus un mouvement
minoritaire d'avant-garde plutôt qu'un mouvement national des
masses. Groulx et ses partisans furent alors critiqués par un grand
nombre de *leaders* plus pondérés d'un peuple qui voue un culte fondamental à la règle d'or de la moyenne et à la modération, dont il
fait les principes directeurs de sa vie.

Le nationalisme intransigeant déjà évident dans l'œuvre de Groulx
à ses débuts et qui s'affirma par sa conclusion du colloque de 1921
apparut encore plus clairement dans le colloque sur *Notre Avenir*
*politique* en 1922. Dans une introduction, Groulx souligna que la
Confédération « *paraît s'en aller inévitablement vers la rupture. L'issue*
*paraît certaine aux esprits les plus clairvoyants ; la date seule de*
*l'échéance reste encore dans l'inconnu. »* [48] Il affirma n'avoir aucun
désir de détruire la Confédération ou d'offenser le sens du devoir de
quiconque, mais il était du devoir des Canadiens français de se préparer pour un avenir qu'annonçaient « *des signes qui ne trompent*

*pas* ». Groulx prit alors comme point de départ du colloque annuel la prédiction faite par Bourassa en 1901 dans *Grande-Bretagne et Canada :* le Canada, tiraillé entre les impérialismes britannique et américain, devait acquérir une force suffisante pour prolonger « *ce statu quo qui serait pour notre peuple le plus grand des bonheurs* », ou alors il serait dirigé vers une autre destinée, mais, en tout cas, il lui faudrait être prêt quand arriverait l'heure décisive. Il se défendit avec soin contre toute accusation de désirer troubler le *statu quo*, « *quelque mal que nous fassent le colonialisme et le fédéralisme.* »[49] Cependant, selon toutes les apparences, il serait aboli dans un proche avenir. L'Europe, qui se transformait en colonie économique de l'Amérique, déclinait, tandis qu'un continental'sme panaméricain se développait sans aucune participation canadienne. L'Empire britannique ébranlé en Irlande, en Egypte et en Inde se voyait éclipser par les Etats-Unis, dont la rivalité avec le Japon dans le Pacifique pouvait hâter sa désintégration. Il demandait franchement si l'impérialisme n'était pas « *une organisation de peuples devenue artificielle, une formule politique surannée, impuissante à soutenir le choc des prochaines réalités* ».[50]

La confédération canadienne paraissait également menacée, parce que l'Ouest libre-échangiste avait pris position contre l'Est protectionniste aux élections de 1921 et que persistait la rivalité raciale soulevée par la guerre, malgré une trêve momentanée dictée par l'intérêt commercial et politique, ainsi que par « *la peur salutaire qu'inspire momentanément aux adversaires d'hier, la force du Québec. La vérité, toujours attristante, c'est qu'en dépit de l'apaisement passager, l'attitude des Canadiens français à l'égard du pouvoir fédéral et de la majorité anglo-saxonne n'en reste pas moins une attitude de vigilance toujours inquiète et nullement superflue.* »[51] Depuis vingt ans, la langue française avait été traitée, par le gouvernement fédéral, d'une manière qui constituait la plus déloyale interprétation du pacte fédératif et elle continuait d'être ainsi traitée, en dépit des protestations de bonne entente. Dans la plupart des provinces de langue anglaise, le gouvernement tendait, comme dans toutes les confédérations, à réaliser l'uniformité par tous les moyens, y compris la force arbitraire. Non seulement il existait une opposition absolue entre les races au sujet de l'interprétation du pacte de 1867, mais il y avait la même opposition au sujet des relations du Canada avec l'Empire, les Anglo-Saxons penchant presque unanimement vers l'impérialisme, tandis que les Canadiens français étaient des « *autonomistes irréductibles* ».

D'autres forces favorisaient l'action centrifuge créée par la trop grande étendue du territoire de la Confédération : l'absence de continuité géographique, l'américanisation de l'Ouest canadien par l'immigration en provenance du sud, tendaient à créer, au Canada, « *deux peuples nettement séparés par la géographie et par l'idéal, deux états de société aussi divers que possible.* » [52] Edmond de Nevers prévoyait une réorganisation des Etats-Unis dans le sens ethnique, tandis que les économistes prédisaient que de nouveaux Etats fédératifs surgiraient de l'unité économique, plutôt que de divisions géographiques aussi arbitraires que celles du Canada. Groulx cita l'observation du premier ministre Taschereau le 17 avril 1921 : le Canada était à la croisée des chemins pour la conservation du *statu quo,* la rupture de la Confédération, l'annexion aux Etats-Unis ou l'indépendance. La nationalisation des chemins de fer reliant tout le Canada avait sauvé les provinces de l'Ouest de la banqueroute, mais elle avait chargé les provinces de l'Est, plus anciennes, d'un fardeau qui menaçait d'être trop lourd. Taschereau n'était pas certain qu'elle ne constituait pas le premier pas important vers la rupture du pacte de la Confédération. Aussi Groulx en concluait-il que le Québec devait se préparer à la création future d'un Canada de l'Est.

Groulx ne croyait pas au déterminisme économique ou géographique. Il prétendait que l'histoire est déterminée par la prévoyance et la volonté de l'homme, en accord avec le plan de la Providence : « *C'est donc pour lui un devoir que de chercher la destinée temporelle, la vocation historique où il pourra collaborer plus parfaitement aux desseins de Dieu.* » [53] La situation du peuple canadien-français sur un territoire dont il avait fait sa patrie par trois cents ans d'efforts semblait lui assigner une destinée distincte. Homogène par la race et la foi, uni par de puissantes traditions et possesseur d'un territoire plus grand que celui de maints Etats européens, sa situation même semblait lui offrir un avenir distinct, conçu par la Providence. Sa mission providentielle l'appelait donc à préserver son âme de toute contamination et de toute entrave dans sa marche vers la maturité nationale, à laquelle aspirent toutes les nationalités qui veulent être maîtresses de leur vie. Le rêve d'une nationalité canadienne-française était un rêve ancien, remontant au temps de la Conquête et il avait toujours, depuis lors, « *hanté l'esprit de la race.* » [54] Aux yeux de Groulx, il ne s'agissait pas d'une création artificielle, du rêve d'une élite d'intellectuels et de propagandistes, mais de « *la manifestation spontanée d'une vie nationale maintenue à un certain degré de perfection, l'âme d'une histoire où le conflit ardent des races avait été prolongé jusqu'à un état chronique.* » Les nations se développaient là où des groupes humains s'opposaient le plus violemment les uns aux autres par leurs institutions familiales et sociales, par la diversité géographique de leurs territoires et, surtout, par leurs différences ethniques :

« *Partout où une collectivité humaine, consciente de sa vie et de son patrimoine moral, trouve un jour à trembler pour la possession ou l'intégrité de ses biens, dès lors un pressant instinct de conservation la pousse à mettre son patrimoine hors d'atteinte. D'elle-même,*

Université de Montréal

Le nouvel édifice sur le Mont-Royal fut commencé en 1926 et terminé en 1941, suivant les plans d'Ernest Cormier, ingénieur et architecte de formation anglaise. Ce monument est le plus considérable de l'école d'imitation qui fit ses débuts un siècle plus tôt. (IOAPQ)

Cour d'école

Peinture à l'huile (1941), de Jean-Charles Faucher (né en 1907).
Etude, dans l'esprit de Brueghel, d'un moment de récréation dans une
école des Frères des Ecoles chrétiennes. (Musée provincial de Québec)

Scène de rue

Peinture à l'huile (vers 1940), de Jean-Charles Faucher. Autre étude
de la vie en ville, par l'un des meilleurs peintres montréalais. (Musée
provincial de Québec)

*par une force plus puissante que sa volonté, elle s'arrache aux tutelles oppressives, elle cherche des conditions d'existence qui lui procurent la sécurité : elle s'organise en Etat.* » [55]

C'est sur ce raisonnement que l'abbé Groulx s'appuyait pour approuver la création d'un Etat français dans l'Est du Canada, si le pacte de la Confédération était rompu. Il n'invoquait pas le droit des nations à disposer d'elles-mêmes, mais plutôt le droit élémentaire d'un peuple à préparer la destinée qu'il s'est choisie avec l'aide de Dieu. Il minimisait le danger d'un geste semblable pour les Canadiens français des autres provinces envers lesquels le sentiment de solidarité québecois était plus fort que les liens politiques. Le nouvel Etat serait nécessairement fondé sur la géographie politique et économique. Il lui faudrait garantir les droits des enclaves ethniques qu'il trouverait sur son territoire. Beaucoup de préparation et une grande prévoyance seraient nécessaires. Il préférait une solution définitive à une transition qui passerait par l'indépendance canadienne, l'annexion aux Etats-Unis, ou l'entrée dans une confédération plus restreinte. Les aspirations du peuple canadien-français devaient toujours s'inspirer de l'idéal politique qui est le but ultime de son existence : « *Etre nous-mêmes, absolument nous-mêmes, constituer, aussitôt que le voudra la Providence, un Etat français indépendant, tel doit être, dès aujourd'hui, l'aspiration où s'animeront nos labeurs, le flambeau qui ne doit plus s'éteindre.* » [56] Groulx fixait ce but comme principe de l'action de la jeunesse canadienne-française qu'il considérait comme « *l'architecte et l'ouvrier des grandes choses.* »

Louis Durand voyait le Canada comme un pays conquis devenu colonie autonome, obligée de défendre uniquement son propre territoire et en route vers l'indépendance. Cependant, son évolution politique normale avait été interrompue par l'impérialisme de Chamberlain qui l'avait amenée à contribuer, en hommes et en argent, à la guerre sud-africaine, puis à sacrifier des légions et des millions dans la guerre mondiale, enfin à garantir l'intégrité territoriale de l'Empire aux quatre coins du monde. Durand examina à son tour le présent statut du Canada et se demanda s'il valait la peine qu'on le maintienne, s'il était impossible de rompre les liens de l'Empire, si le Québec serait en droit de répudier la Confédération dans le cas où le Canada serait séparé de l'Empire et quelles solutions restaient possibles pour le Québec, en dehors de l'annexion par les Etats-Unis, ou la constitution d'un Canada de l'Est indépendant dont le Québec serait le noyau. Il retraça les événements impériaux depuis 1910 et trouva le Canada inextricablement mêlé à un nouvel impérialisme dont l'autorité devait inévitablement être centralisée à Londres, à moins de désintégration de l'Empire britannique. Cependant, l'allégeance au roi était maintenant le seul lien d'un Empire qui semblait se désintégrer chez lui et au dehors : les Anglo-Saxons du Canada étaient prêts à briser ce dernier lien pour une simple question de dollars et de cents.

Durand était sceptique quant à l'avenir d'une Confédération où la nouvelle nationalité canadienne alors créée avait été submergée par l'immigration et écrasée par l'impérialisme. Français et Anglais étaient encore incapables de s'accorder sur l'interprétation du contrat de base qui les unissait, tandis que provinces de l'Ouest et de l'Est s'opposaient sur les grands problèmes de libre-échange, de transport, de ressources naturelles et d'immigration. Minorité qui, constamment sur la défensive à Ottawa, avait perdu du terrain culturel d'une manière décisive en 1872, 1890, 1892, 1896, 1905 et 1912, le Canada français n'avait pas le droit de faire d'autres sacrifices pour essayer d'empêcher l'inévitable rupture de la Confédération. L'annexion et la fusion dans le creuset américain répugnaient à « *un peuple qui a trois cents ans d'existence, qui a ses coutumes, ses traditions, sa langue, sa religion.* » [57] Durand pensait à la création d'un Etat de l'Est du Canada indépendant qui unirait le Québec aux Maritimes, en englobant un certain territoire vers l'Ouest et qui compterait quatre ou cinq millions d'habitants. L'unité de cet Etat, fondamentalement français, serait assurée par la langue et la foi communes des Canadiens français et des Acadiens, ainsi que par la tolérance et l'amour sincère de la patrie dont faisaient preuve les citoyens anglais des Maritimes. Il pourrait compter sur des ressources essentielles de blé, de fer et de charbon, en plus de son agriculture, de ses pêcheries et de ses forêts. Tout ce qui restait à faire était la tâche de l'organisation nationale définie par Maurras comme l'ordonnance de sa vie et l'application de cet ordre à son action.

L'abbé Arthur Robert, du Séminaire de Québec, apporta une justification théologique aux *Aspirations du Canada français* : « *On ne peut refuser à notre pays le droit de chercher, par des moyens légaux et constitutionnels, à obtenir l'autonomie complète et, si la chose est possible, la souveraineté d'un Etat.* » Il affirma que la nationalité avait pour bases l'origine, la langue, le territoire et le gouvernement, mais que l'unité de sang et de langue était plus essentielle que celle de territoire et de gouvernement. S'il advenait une rupture de l'allégeance britannique qui ne serait pas de leur faute, les Canadiens français seraient en droit de tenter de sauver la Confédération, de s'annexer aux Etats-Unis, ou de fonder un Etat français. La question restait ouverte, mais l'abbé concluait que les Canadiens français auraient alors parfaitement le droit de fonder un Etat indépendant « *destiné à continuer en Amérique ce qu'on a si bien appelé la mission providentielle de la race française.* » [58]

Sous le titre *L'Etat français et les Etats-Unis,* Anatole Vanier demandait que financiers, négociants et industriels du Québec agissent de concert avec les partisans d'un Etat français. L'indépendance économique du Québec était d'abord nécessaire pour établir son indépendance politique. La supériorité commerciale des Etats-Unis était due à leurs produits bon marché : le Québec devait s'efforcer de produire en même temps des marchandises bon marché et d'autres de bonne qualité. L'exploitation des ressources naturelles du Québec par les Américains devait être prohibée par la loi, qui leur interdirait non seulement d'exporter les matières premières, mais encore de les traiter dans leurs usines de la province. Le Québec, aidé par son gouvernement provincial, devait devenir maître de son industrie. La province était menacée d'une nouvelle vague d'impérialisme économique américain par le projet d'internationalisation du Saint-Laurent, venant après les infiltrations existant déjà dans les industries de la pâte à papier et de l'amiante. Il assurait que le Québec, parce qu'il possédait ces matières premières, pouvait obtenir un tarif américain favorisant ses producteurs agricoles, ses éleveurs et ses consommateurs. Grâce à sa balance commerciale favorable, il pouvait entretenir des relations commerciales profitables avec l'étranger. La sympathie et la solidarité raciale de la France et de l'Amérique latine avec le Québec feraient progresser les relations commerciales. La création d'un Etat français donnerait du prestige aux Franco-Américains et, par des relations culturelles, une vieille alliance morale pourrait être réaffirmée au bénéfice de la civilisation française en Amérique. Selon lui, du point de vue des Canadiens français, l'échec de la Confédération était complet et des considérations messianiques autant qu'économiques le menaient à croire en la naissance éventuelle d'un Etat français. [59]

La contribution d'Emile Bruchési, *L'Etat français et l'Amérique latine,* prenait pour point de départ que le rêve de Tardivel, en 1895, était la fondation, en 1945, d'une république imaginaire de Nouvelle-France *« dont la mission sera de continuer sur cette terre d'Amérique l'œuvre de civilisation chrétienne que la vieille France a poursuivie avec tant de gloire pendant de si longs siècles. »* [60] Il jugeait exagérée l'influence attribuée par Tardivel aux francs-maçons mais, dans l'ensemble, il pensait que Tardivel avait clairement entrevu l'avenir qui s'annonçait déjà par la désintégration de l'Empire et de la Confédération. Il souligna qu'Alexander Galt prévoyait déjà l'indépendance canadienne en 1869 et que, depuis lors, les Canadiens français étaient libres de concevoir un Etat français. Un tel Etat serait bien vu des Etats-Unis, qui se réjouiraient de voir le drapeau anglais banni d'Amérique du Nord, mais le Canada français devrait chercher des alliés en Amérique du Sud pour se protéger de la convoitise rapace du Géant du Nord. Il existait, dans ce Nouveau Monde latin, de nombreux adversaires de la civilisation anglo-saxonne des Etats-Unis, *« cousins par le sang, par la race, par la mentalité, mais cousins inconnus et qui nous le rendent bien.* » [61] Le Canada se faisait enfin connaître en Amérique latine par des investissements, la navigation et le commerce. Par ses propres industries, le Québec pouvait approvisionner les pays d'Amérique du Sud en produits manufacturés dont ils ont besoin en échange de leurs matières premières. Il terminait en affirmant que, si le Québec entretenait des relations commerciales et culturelles avec l'Amérique latine et y cultivait ses alliés naturels, il pourrait réaliser le rêve de Tardivel.

Le père Rodrigue Villeneuve, o.m.i., présenta *Nos frères de la dispersion,* étude du problème des minorités canadiennes-françaises en dehors du Québec. Sa conclusion était que les Canadiens français n'avaient rien à gagner à perpétuer la Confédération et qu'ils resteraient unis par les liens patriotiques et religieux à un Etat français et catholique qui serait « *le flambeau d'une civilisation idéaliste et généreuse dans le grand tout que fusionne l'avenir américain. Qu'elle soit, en un mot, au milieu de la Babylone en formation, l'Israël des temps nouveaux, la France d'Amérique, la nation-lumière et la nation-apôtre.* » [62]

Georges Pelletier présenta, avec plus de réalisme, *Les obstacles économiques à l'indépendance du Canada français.* Des étrangers d'une autre langue et d'une autre race avaient pris la plus grande partie du patrimoine de ressources naturelles du Canada français, ne laissant que l'agriculture aux autochtones qui désertaient déjà leurs champs pour devenir des prolétaires, déracinés, dans les villes. Anglais, Américains, Juifs prospéraient dans le Québec, tandis que les Canadiens français étaient réduits à les servir. Une grande partie des forêts du Québec avait déjà été détruite et ne pouvait être reboisée. D'autres parties, louées au lieu d'être vendues sans retour, pouvaient être préservées par une réglementation de la coupe et le reboisement. Dans les régions lointaines, il y avait encore des forêts inexploitées qu'il fallait conserver pour l'avenir, plutôt que de les céder à des étrangers. Les gisements d'amiante et autres minerais du Québec devaient être protégés contre l'exportation à l'état brut par des étrangers, comme ce fut finalement le cas du bois et il ne fallait les louer que pour de courtes périodes. Les ressources du Nouveau-Québec (Ungava) devaient être sauvegardées pour les générations futures de Canadiens français. L'énergie hydraulique devait être réglementée et, à l'avenir, louée seulement à des compagnies canadiennes. Un inventaire de toutes nos ressources naturelles devait être fait pour qu'elles puissent être sagement exploitées dans l'intérêt du pays.

Pelletier se faisait ainsi l'écho des conclusions du colloque de 1921 sur l'industrie du Québec, insistant sur la nécessité d'industrialiser l'agriculture et l'exploitation du sous-sol et sur celle de l'autarcie du Québec. En créant une classe de techniciens canadiens-français et en soutenant les entreprises canadiennes-françaises, le Québec pouvait se défendre contre l'américanisation qui menaçait déjà l'industrie canadienne. Il insistait particulièrement sur le danger de la concentration du capital et de son transfert dans des mains qui ne seraient pas canadiennes-françaises. Il ne prévoyait pas que les capitalistes et industriels étrangers seraient effrayés par la création d'un Etat français, puisque le Québec était bien connu pour son esprit conservateur et sa tolérance des étrangers devant une marée montante de socialisme chez les gouvernements et le monde ouvrier de l'Amérique du Nord de langue anglaise. Le Québec possédait une part des chemins de fer qui étaient maintenant propriété gouvernementale, ayant contribué à les construire et à les entretenir : le Canadien-Pacifique abandonnerait à regret Montréal et Québec, entrepôts et ports principaux du Canada. Le nouvel Etat contrôlerait le Saint-Laurent, artère principale d'un immense pays intérieur et source d'une énergie hydraulique incalculable. Pelletier concluait en exprimant sa conviction que les obstacles s'opposant à la création d'un Etat français pouvaient être surmontés par l'effort, le travail acharné et la planification, après une période difficile et modeste. Il préférait la perspective de cette indépendance chèrement payée à celle de l'annihilation nationale ou d'une servitude dorée, mais perpétuelle. [63]

Joseph Bouchard traita du problème des étrangers vivant en milieu québecois dans *Le Canada français et les Etrangers*. Il prévoyait que cet élément, réduit à 20 pour cent de la population dans un Etat à prédominance française et divisé en plusieurs groupes différents, pourrait être absorbé ou assimilé et que la natalité canadienne-française plus élevée réduirait peu à peu cette proportion minoritaire. Il demanda avec chaleur qu'il soit mis un terme au vieux complexe d'infériorité des Canadiens français en matière économique et qu'il leur soit inculqué un patriotisme et une fierté nationale qui auraient vite fait de refranciser le Québec. Le bilinguisme et les mariages mixtes seraient dorénavant à l'avantage des Canadiens français plutôt que contre eux et l'émigration serait mise en échec. [64]

Le père dominicain M.-Ceslas Forest présenta *La préparation intellectuelle,* demandant la création d'une vie intellectuelle canadienne-française et sa défense contre les influences étrangères. Il fit écho à l'appel d'Edouard Montpetit en 1917 pour la formation d'une élite de spécialistes compétents. Or, l'organisation scientifique de l'agriculture, du commerce et de l'industrie ne suffisait pas. Il fallait la compléter par la création d'une philosophie, d'une science, d'une littérature et d'un art dans lesquels les Canadiens français, grâce à leur héritage de civilisation française, pourraient surpasser leurs voisins. Le père Forest insista pour que la culture du Québec soit française, préférant que les Canadiens français empruntent d'une France suspecte, mais latine et catholique, plutôt que de l'Angleterre et des

Etats-Unis, protestants et matérialistes. Quelques éléments de valeur pouvaient, quand même, être tirés de la civilisation anglo-saxonne, avec la prudence qui s'impose pour conserver une culture essentiellement française. La culture du Québec devait être canadienne, c'est-à-dire française, mais pure de toute corruption moderne, adaptée à l'Amérique du Nord et reflétant le milieu canadien. Elle devait être catholique, puisqu'elle reposait sur les traditions catholiques, canadiennes et françaises et puisqu'il lui fallait être catholique pour fructifier et durer. [65]

Antonio Perrault présenta *Le Sens national*, établissant une distinction entre patriotisme et sentiment national. Ce dernier était un sentiment plus élevé, plus conscient, disciplinant le patriotisme et le guidant à la lumière de l'esprit. Il jugeait qu'il existait déjà, depuis longtemps, chez les Canadiens français et qu'il s'était manifesté chaque fois que l'on avait tenté d'écraser le Canada français. Cependant, il fallait le développer davantage. Le type ethnique créé en Nouvelle-France devait être pur de toute excroissance anglo-saxonne et américaine : il fallait accentuer le particularisme historique et traditionnel des Canadiens français, en renforçant leur attachement à leurs coutumes et l'amour de leur coin de la terre. Une élite d'intellectuels et d'hommes d'action devait s'efforcer d'inculquer aux masses un plus grand amour de leur foi, leur langue, leur culture, leur droit, leurs traditions et coutumes. Il était pour la nationalisation de la littérature, en mettant l'accent sur le régionalisme, le patriotisme et la répudiation de l'exotisme et du cosmopolitisme. « *Dans la famille et à l'école, l'éducation et l'instruction doivent tourner à fixer pour toujours l'esprit et le cœur de l'enfant à l'âme de sa race.* » [66] La nationalisation de l'enseignement éveillerait un sens des responsabilités nationales, la fierté de race et la volonté de servir la race.

L'abbé Philippe Perrier traita de *L'Etat français et sa valeur d'idéal pour nous*, affirmant qu'un homme avait le devoir de développer sa personnalité nationale, aussi bien que sa personnalité morale. Il demanda que l'on mette fin au colonialisme culturel et que l'on développe l'unité de sang, de langue, de foi, d'histoire, de patrie, de coutumes et d'intérêts qui, d'après Etienne Lamy, était l'attribut d'une nation. L'idéal d'un Etat français aiderait à réaliser l'acquisition de cet attribut. [67]

L'abbé Groulx résuma les conclusions de ce colloque de 1922 en affirmant, une fois de plus, qu'il n'était pas disposé à rejeter le *statu quo* et que son désir était tout simplement de se préparer à la rupture imminente de la Confédération. La vision d'avenir de son introduction aux travaux du colloque, écrite en novembre 1921, lui paraissait avoir été confirmée par les profonds antagonismes qui se manifestèrent aux élections fédérales de décembre et qui portèrent même Bourassa à considérer comme prochaine la fin de la Confédération. La désintégration de l'Empire paraissait encore plus certaine qu'au début du colloque. Les conclusions des participants avaient confirmé celles de l'instigateur du colloque et Groulx s'efforça de tirer autant d'avantages qu'il le put des conclusions qui s'accordaient avec les siennes.

Il fit valoir que, depuis un demi-siècle, le Canada français avait mis l'accent davantage sur la survivance que sur son but idéal d'indépendance, par suite du « *mariage mixte contracté par notre race en 1841* » [68] qui n'avait évité un éclatant divorce que par l'erreur encore pire de la Confédération. Le Québec avait abdiqué son sens de nationalité, son patrimoine de ressources nationales et même ses traditions et coutumes. L'américanisation et l'anglomanie avaient tout bouleversé et une grande partie de la bourgeoisie avait trahi l'idéal national. L'indépendance, comme but, donnerait une nouvelle orientation : « *Le devoir du moment, c'est donc de rallumer le flambeau ancien et d'empêcher qu'on ne l'éteigne jamais.* » [69] Ce flambeau serait porté par la jeunesse, à laquelle Groulx s'adressait encore tout spécialement. Selon lui, il était clair que « *l'idéal d'un Etat français va correspondre de plus en plus parmi nous à une sorte d'impulsion vitale.* » [70] C'était un principe sauveur, propre à libérer les Canadiens français du chaos de leurs divisions et de la dispersion de leurs efforts. Il avertit la jeunesse que certaines heures décisives ne reviennent pas deux fois dans la vie d'une nation et il affirma qu'il ne voulait pas être un idéaliste spéculatif. Il n'avait pas promis d'agir : il était à l'œuvre.

### 3

Le franc séparatisme du colloque de 1922 provoqua la discorde chez les partisans de l'abbé Groulx, car les Canadiens français avaient perdu leur psychologie de temps de crise avec la remise au Québec d'une large part du gouvernement fédéral. La Confédération se maintint parce que le nouveau chef libéral, Mackenzie King, était parvenu à conclure une alliance satisfaisante avec les progressistes de l'Ouest et qu'il avait suivi une voie menant à une maturité nationale plus complète, politique qui lui était partiellement dictée par sa fidélité à Laurier. L'Empire britannique ne s'écroula pas mais, en 1926, il se transforma en un *Commonwealth* britannique des Nations dans lequel le vieil impérialisme anglo-centriste céda le pas à l'auto-détermination par les nations constituantes. Au cours de l'évolution de ce troisième Empire britannique, le Canada avait joué un rôle de premier plan, comme le souligna Alfred Zimmern, d'Oxford, qui considérait, de plus, que l'Acte constitutionnel de 1791 avait marqué « *un tournant décisif de l'histoire du* Commonwealth *britannique* ». [71] Le 23 novembre 1923, Bourassa critiqua publiquement le colloque *Notre Avenir politique,* en qualifiant son séparatisme de « *rêve ni réalisable, ni désirable* » et en observant que « *les ten-*

*dances du nationalisme immodéré, ici comme ailleurs, vont à l'encontre du patriotisme réel et du vrai nationalisme.* » [72]

Les conclusions de *Notre Avenir politique* furent aussi critiquées par les Canadiens français partisans du juste milieu qui avaient peu à peu retrouvé leur confiance en la politique du *statu quo*. Edouard Montpetit se fit l'apôtre d'un fédéralisme fondé sur l'égalité des Français et des Anglais, [73] tout en consacrant son énergie à l'amélioration des études économiques et sociales à la jeune Université de Montréal qui luttait pour vivre et où il devint un personnage de premier plan. Henry Laureys continua à diriger le progrès de l'Ecole des Hautes Etudes Commerciales, qui fut seule, au Canada français pendant longtemps, à dispenser un enseignement économique universitaire. Beaudry-Leman devint le plus important banquier canadien-français. Il répliqua, en 1928, à la xénophobie des ultra-nationalistes : « *La menace la plus sérieuse n'est pas celle qui pénètre sous forme de capital-argent, mais celle qui est représentée par le capital moral et intellectuel d'hommes mieux préparés que nous à tirer parti de richesses naturelles que la Providence avait mises à notre disposition...* » [74] Léon Lorrain quitta *L'Action française*, Georges Pelletier remplaça Bourassa à la direction du *Devoir* et prêcha un nationalisme modéré. Olivar Asselin vendit des actions et des obligations pour les deux principales compagnies de courtiers canadiens-français, ne retournant au journalisme, sa profession initiale, qu'en 1929, après l'effondrement du marché des valeurs qui frappa durement Montréal et appauvrit un certain nombre de communautés religieuses qui avaient fait des investissements considérables. Tout en continuant à s'intéresser au nationalisme économique, Asselin n'était pas d'un tempérament enclin à suivre d'autre tendance que la sienne et son attachement à la culture française lui causa des embarras avec le nationalisme de plus en plus provincial de l'école Groulx.

Cependant, Antonio Perrault, Anatole Vanier et l'abbé Philippe Perrier restèrent des disciples dévoués de Groulx, qui garda aussi son influence sur les collèges classiques. A ce noyau de vétérans vinrent s'ajouter de jeunes recrues telles que Jean Bruchési qui poursuivit, en qualité d'étudiant à Paris, l'œuvre du développement des relations culturelles entre la France et le Québec, commencée par Groulx en 1921. Il y eut aussi Esdras Minville, premier économiste compétent de formation québecoise dont le nationalisme était d'autant plus réaliste qu'il appartenait à une humble famille de pêcheurs gaspésiens, qu'il s'était élevé lui-même et qu'il n'était jamais passé par le collège classique qui encourageait l'attachement à la théorie au mépris des faits embarrassants. Enfin d'autres jeunes, tels qu'Emile Bruchési, Yves Tessier-Lavigne, Harry Bernard et Hermas Bastien se joignirent au mouvement.

Le colloque annuel de *L'Action française* fut consacré, en 1923, à *Notre intégrité catholique* et la revue s'opposa aussi à l'émigration des campagnes vers les villes et les Etats-Unis, à l'impérialisme économique américain et à la persécution continue du français dans les écoles de l'Ontario. En 1924, le sujet choisi fut *L'Ennemi dans la place* qui réunissait des critiques indignées contre la forte mortalité infantile dans le Québec, le déclin prévu de la natalité par suite de l'urbanisation, l'émigration vers les Etats-Unis, l'impérialisme économique et le cinéma américains. En 1925, on rev'nt au but initial du mouvement en prenant pour sujet le bilinguisme, en revendiquant les droits les plus étendus possibles pour la langue française et en protestant amèrement contre la violation du principe bilinguiste de la Confédération. Le déclin de la confiance dans le nationalisme ne se révéla pas seulement par la faveur dont jouit à nouveau le bilinguisme, autrefois écarté comme impossible dès les premiers jours où l'on rêva d'un Etat français : en effet, on exigea aussi que la Saint-Jean-Baptiste, le 24 juin, soit décrétée fête officielle, pour unir une race à laquelle manquaient son indépendance nationale, son propre Etat, son propre territoire et son propre drapeau. Cette nouvelle attitude défensive se révéla aussi par des articles soutenant les mouvements favorables à la création de syndicats nationaux catholiques, ouvriers et paysans. Il fut fortement conseillé aux Canadiens français de n'élire que des compatriotes aux élections fédérales d'octobre 1925, car leur influence aux Communes ne cessait de diminuer.

Il y eut deux principaux thèmes de discussion en 1926 : *Défense de notre capital humain* et *Doctrines de notre jeunesse*. Montpetit, le père jésuite Louis Lalande et Olivar Asselin prêtèrent une fois de plus leur concours aux collaborateurs habituels afin d'insister sur l'importance du plus grand actif du Québec, son capital humain, menacé, malgré sa forte vitalité, par la mortalité infantile, la tuberculose, l'émigration, l'urbanisation et l'industrialisation. Comme toujours, la colonisation fut préconisée pour résoudre le problème social et l'on insista davantage sur des mesures de santé publique et la création d'industries rurales. Esdras Minville, Léon Lortie, René Chaloult, Jean Bruchési, Albert Lévesque et Séraphin Marion furent, au nom de la génération montante, les soutiens de la doctrine de *L'Action française*. Un colloque ayant pour sujet *La Doctrine de l'Action française* fut ouvert en 1927, essentiellement sur la politique. On critiqua l'influence économique et culturelle des Etats-Unis, la décision rendue par le Conseil Privé dans l'affaire du Labrador, le fait que le Québec avait plus de Juifs que toute autre province et l'on approuva certaines mesures prises par le gouvernement de Mussolini.

Un numéro spécial double, publié à l'occasion du soixantième anniversaire de la Confédération, donna le colloque le plus remarquable depuis 1922.[75] Comme on pouvait s'y attendre, il n'y fut

brossé aucun tableau idyllique de la Confédération, semblable à ceux
de la plupart des porte-parole canadiens-anglais en cette occasion mais,
contrairement à ce qui avait été écrit en 1922, on exprimait le dessein
de défendre les droits du Canada français dans la Confédération, ce
qui impliquait une croyance désenchantée en sa survivance. *L'Action
française* s'était toujours moquée du mouvement de bonne entente
mais, maintenant, elle justifiait sa liberté et sa franchise en parlant
de la Confédération comme de l'unique moyen d'arriver à la compréhension.

Groulx prit pour sujet *Les Canadiens français et l'établissement
de la Confédération*. Il insista sur le rôle primordial du Québec : un
tiers de la population totale proposée, unité politique et situation
géographique. Il mit aussi l'accent sur les risques que prenait le
Québec en unissant sa destinée à celle de quatre provinces anglaises
au lieu d'une. Le Québec avait à protéger son autonomie provinciale,
ses droits nationaux et religieux, ainsi que ceux des minorités françaises dans les autres provinces. Ce fut à cause du Canada français
que la Confédération prit la forme d'une union fédérale, plutôt que
législative. Il attacha beaucoup d'importance aux appréhensions exprimées alors par A.-A. Dorion, Henri Taschereau et L.-O. David.
Cartier et ses partisans, Langevin et Cauchon, avaient persuadé le
Québec d'accepter la Confédération avec trop de confiance en « *la
bonne foi de leurs associés politiques.* » [76] Groulx était d'avis qu'ils
n'auraient pas réussi à l'imposer sans l'appui de la hiérarchie et il
soulignait que Mgr Bourget ne l'avait approuvée qu'avec hésitation.
Il concluait que la bonne foi des chefs politiques et spirituels du
Canada français avait été trahie par les événements qui suivirent et
qu' « *après plus d'un demi-siècle d'existence, la Confédération canadienne reste encore un géant anémique, porteur de maints germes de
dissolution...* » [77]

Il adressa un sévère avertissement aux Canadiens anglais :

« *Tout ce qu'on a tenté depuis soixante ans et tout ce que l'on
tentera dans l'avenir contre la sécurité de la race canadienne-française
en ce pays, on l'a tenté et on le tentera contre son intérêt à maintenir
la Confédération. Elle n'y est pas entrée pour y mourir, ni même pour
s'y laisser entamer ; mais pour y vivre, y subsister intègrement. Ce
n'est donc pas l'heure de subtiliser ou de retrécir l'esprit fédéral ;
il doit d'autant plus se fortifier et se généraliser à travers le Canada
que le contact des deux races s'y est plus étendu. La race canadienne-
française n'est plus cantonnée dans l'est du pays ; malgré les barrières
dressées devant elle, elle a exporté des hommes dans toutes les provinces occidentales, jusqu'aux côtes du Pacifique. Les réactions de ces
groupes français aussi bien que celles du Québec actuel contre les
dénis de justice et les mesquineries administratives devraient avertir
que si jadis l'on put troquer bon marché notre adhésion au pacte*

*fédératif, la génération d'aujourd'hui n'admet point qu'on ait vendu ses chances de vie, non plus que son droit de vivre dignement.* » [78]

Anatole Vanier protesta contre la politique d'immigration qui permettait à un Anglais d'Angleterre, ou à un Américain de venir au Canada et de s'établir dans l'Ouest, à meilleur compte que ne le pourrait un Canadien français du Québec. En de telles circonstances, il n'était pas étonnant que les Canadiens français émigrent vers les Etats-Unis et c'était sans doute précisément ce que désiraient les Canadiens anglais. [79] Olivar Asselin prit pour sujet *Les Canadiens français et le développement économique du Canada,* estimant que les Canadiens français constituaient environ les deux septièmes de la population du pays et ne possédaient qu'environ un septième de ses richesses. [80] Il attribua l'infériorité économique canadienne-française à la conquête, à une agriculture rétrograde qui appauvrissait la terre, à l'émigration, à la prépondérance des Anglais dans le commerce et l'industrie, à l'imposition de la lourde dette du Haut-Canada au Bas-Canada en 1841, au favoritisme exercé au profit des Canadiens anglais pour les travaux publics et les nominations aux postes administratifs, au développement de l'Ouest sur les fonds publics, pour le seul bénéfice des Canadiens anglais. Il conclut que les Canadiens français n'avaient pas été une barrière au développement du pays, mais qu'au contraire, ils avaient fait tout en leur pouvoir pour le favoriser et que le Québec jouissait, à l'étranger, d'un meilleur crédit que toute autre province canadienne. Hermas Bastien répéta, en une note brève, les anciens griefs canadiens-français contre les Irlandais qui, au lieu de faire cause commune, s'étaient dressés contre leurs coreligionnaires. [81]

Montpetit présenta *Les Canadiens français et le développement intellectuel du Canada,* racontant l'histoire des progrès de l'enseignement sous le régime français, qui avaient été interrompus par la conquête et par la tentative de création d'un système d'écoles anglaises. Le régime d'enseignement avait été reconstitué peu à peu par le clergé et, ayant obtenu l'autonomie en matière scolaire par l'article 93 de l'Acte de l'Amérique britannique du Nord, le Québec seul avait pleinement réalisé les intentions de Macdonald et de Cartier par son système d'écoles séparées, catholiques et protestantes, avec 7 000 écoles fréquentées par un cinquième de la population et quinze écoles normales. Ses vingt et un collèges classiques avaient formé une élite intellectuelle qui avait influencé le développement de la politique coloniale anglaise, tout en défendant la cause de la culture générale. Deux universités avaient grandi, assurant un enseignement professionnel et technique, tout comme les quatre facultés fondamentales de théologie, de droit, de médecine et des lettres. Le Québec avait ouvert une voie nouvelle en fondant l'Ecole des Hautes Études Commerciales et des écoles techniques. Son gouvernement octroyait des bourses pour des études à l'étranger où plus de la moitié des professeurs des universités et des collèges avaient été formés. Depuis la visite de *La Capricieuse* en 1855, les relations culturelles avaient été renouées avec la France, permettant au Québec d'être le centre de la culture française en Amérique. En gardant sa personnalité, le Canada français avait préservé le Canada de l'américanisation et donné à un jeune pays la richesse de deux grandes civilisations. [82]

Yves Tessier-Lavigne, dans un article intitulé *Québec, chemins de fer et Confédération*, affirma que le Québec avait au moins une raison de ne pas célébrer le soixantième anniversaire de la Confédération, le gouvernement fédéral n'ayant guère fait pour le développement de ses voies ferrées, alors qu'il faisait beaucoup pour les autres provinces. [83] L'abbé Philippe Perrier, sous le titre *Les Canadiens français et la vie morale et sociale du Canada*, insista sur la contribution du Québec à la moralité canadienne par son catholicisme, qui maintenait la sainteté de la fam'lle et du mariage, donnait au pays un riche « *capital humain* », respectait le droit des parents en matière scolaire, insistait sur l'enseignement de la morale dans les écoles et apportait une réponse à la question sociale. [84] Mgr Béliveau présenta *Les Canadiens français et le rôle de l'Eglise dans l'Ouest*, en décrivant l'exploration de l'Ouest par les missionnaires oblats et la fondation, par eux, des premières écoles de cette région. Cependant, la Confédération avait fait naître de nombreux griefs chez les Canadiens français de l'Ouest qui virent ce pacte constamment violé par Ottawa. Mgr Béliveau demanda que l'on soit loyal au pacte de 1867, par un retour à son esprit et la restauration des droits civils et religieux égaux pour Français et Anglais dans toute l'étendue du Canada, afin que l'œuvre des pionniers canadiens-français de l'Ouest, accomplie pour leur foi et leur patrie, ne soit pas perdue. [85]

Louis Durand, dans *Les Canadiens français et l'esprit national*, fit valoir que la Confédération avait été fondée sur le respect absolu de la langue et des droits des deux nationalités contractantes et que l'esprit national devait prendre sa source et son inspiration dans « *la conception supérieure qui rend à chaque race et à chaque province la justice qui lui est due et qui, les unissant dans des aspirations et des vouloirs communs, au-dessus de la prospérité matérielle, donne à chacune le sentiment des possibilités, des nécessités et des devoirs d'une vie nationale pleine et féconde.* » [86] Il affirma que le Canadien français était celui qui avait le plus fidèlement respecté le principe fondamental de la Confédération et qu'il était demeuré le plus ferme défenseur contre les dangers rivaux qui menaçaient le Canada : l'américanisation et l'impérialisme. Il conclut en observant ironiquement qu'au cent-vingtième anniversaire de la Confédération, le nombre des participants à la fête pourrait avoir diminué, si les autres ne restaient pas aussi fidèles au principe du pacte, ou cherchaient à dévoyer le patriotisme canadien, ou étaient injustes envers leurs partenaires nationaux.

Esdras Minville protesta contre la décision politique du Conseil Privé au sujet de la frontière du Labrador, qui avait coûté au Québec 110 000 milles carrés de territoire dans l'Ungava et l'accès à l'Atlantique par le nord-est. [87] Antonio Perrault traita des *Déceptions et griefs* sous le régime de la Confédération, soulevant la théorie nationaliste selon laquelle la Confédération était un pacte entre deux races et deux groupes religieux sur la base d'une égalité parfaite. [88] Il attribua les injustices que les Canadiens français eurent à subir par la suite au fait que l'esprit du pacte ne fut pas pleinement incorporé à sa lettre. La tendance assimilatrice des Anglo-Saxons en fut aussi une cause. Il affirma que la plupart des Canadiens français seraient d'accord pour juger que les pères de la Confédération méritaient d'être fusillés pour n'avoir pas précisé davantage les garanties prévues par le pacte. Il rappela les violations du pacte en matière d'enseignement, en 1871, 1877, 1890, 1892, 1905, 1912, 1916 et 1926, sans aucune réaction de la part du gouvernement fédéral, le refus d'admettre que le Canada soit bilingue, le refus de donner aux Canadiens français leur juste place dans la fonction publique et les insultes constantes dirigées contre eux et leur province. Il assura qu'ils étaient persuadés que ni l'Empire, ni la Confédération ne survivraient mais qu'en attendant la désintégration anticipée, ils devaient appuyer loyalement la Confédération, mais pas aux dépens de leur patriotisme ethnique. L'union canadienne des deux nationalités ne pouvait être perpétuée que par le maintien de la dualité ethnique et de la diversité provinciale. Les Canadiens français avaient deux devoirs, « *exprimer franchement leurs griefs, travailler sans relâche à rendre la Confédération conforme à ses origines et à ses principes.* » [89] Il déplora que les députés canadiens-français n'aient pas amendé la résolution de la Chambre commémorant l'anniversaire en ajoutant le vœu que l'esprit et la lettre de la Confédération soient mieux compris à l'avenir. Il conclut en demandant que le premier ministre Taschereau, en qualité de porte-parole du Canada français, exprime le grief des Canadiens français contre l'injuste interprétation de la Confédération et leur désir de voir leurs droits reconnus équitablement.

Albert Lévesque clôtura le colloque en se faisant le porte-parole de la jeunesse dans *La Confédération et la Jeunesse canadienne-française*. La jeunesse se montrait indifférente à cet anniversaire, ce qui contrastait avec son fervent patriotisme habituel. Elle était résolue, grâce au mouvement nationaliste lancé en 1900, à mettre en œuvre l'esprit de la Confédération, tout en développant sa propre personnalité ethnique et la prospérité du Québec. Si les Canadiens anglais refusaient de collaborer, la jeunesse canadienne-française « *organise-rait autrement son avenir.* » [90]

Ce colloque sur la Confédération fut, en fait, le chant du cygne de *L'Action française.* Elle dut faire face à des difficultés financières en ses dernières années et ne survécut que grâce aux efforts d'Albert Lévesque qui entreprit la publication d'un almanach, de livres et de brochures. L'Université de Montréal accorda enfin un traitement res-pectable à l'abbé Groulx, mais en imposant d'abord comme condi-tion qu'il signe l'engagement de respecter la Confédération et les susceptibilités canadiennes-anglaises. Groulx refusa de signer, mais un arrangement fut finalement conclu : il consacrerait tout son temps à des travaux d'histoire. [91] Il quitta le poste de rédacteur de *L'Action française* au printemps de 1928. Au mois de décembre suivant, les administrateurs annoncèrent leur décision de mettre fin à la publica-tion de la revue et de l'*Almanach de la Langue française,* qui avait été une sorte de supplément populaire annuel destiné à atteindre les masses, tandis que la revue s'adressait à un groupe plus restreint de l'élite.

En janvier 1928, la revue avait changé de nom et s'était appelée *L'Action canadienne-française,* une année entière après la condamna-tion par Rome de Maurras et de son mouvement en France. Ce changement fut annoncé dans l'éditorial : « *Nous n'avions rien de commun avec l'œuvre royaliste de Paris... pour le reste, rien ne sera changé, ni à l'esprit, ni à la direction de la Revue.* » [92] C'était là désavouer, en douceur, une influence plus constamment évidente que toute autre, à l'exception, peut-être, de celle de Maurice Barrès et l'insincérité du désaveu ressortait clairement de la volonté de ne pas changer la politique de la revue. Cette réaction à la condamnation de Maurras fut plus ou moins générale au Canada français et nombre de ses admirateurs continuèrent à lire son journal. Cependant, elle ajouta à la méfiance qu'éprouvait déjà pour ce mouvement la nou-velle école de « *Canadiens, tout court* » et précipita la fin de *L'Action canadienne-française* en décembre 1928. Pendant ses années de déclin, la revue s'était consacrée à ce qu'on pourrait appeler un nationalisme de détail, différent de son nationalisme intégral du début. Des colla-borateurs de second plan déploraient la baisse de la natalité, l'atten-tion plus grande apportée à l'étude de l'anglais, les influences amé-ricaines et ils prêchaient un canadianisme français étroit, plutôt que le canadianisme large, alors de plus en plus en vogue au Canada fran-çais. Le débat entre Beaudry-Leman et Minville sur la politique éco-nomique et celui entre G.-E. Marquis et Vanier sur l'unité nationale montrèrent que la revue n'exprimait plus, désormais, que l'opinion d'une fraction de l'élite.

En 1928, à l'âge de cinquante ans, l'abbé Groulx vit s'effondrer le mouvement auquel il avait consacré dix années de sa vie. La prospérité des années 1920 avait enrichi le Québec et les Canadiens français, qui en avaient bénéficié, croyaient que la politique n'avait rien à voir avec les affaires et que le nationalisme leur était nuisible. Le Québec était devenu, une fois de plus, une force puissante à Ottawa, avec Lomer Gouin et Ernest Lapointe assumant successivement des rôles importants dans le cabinet fédéral. Mackenzie King avait résisté aux pressions impérialistes d'après-guerre et continué dans la voie de Laurier, cherchant une nationalité plus complète pour le Canada au sein de l'Empire. Lapointe avait signé le traité du flétan de 1923 en qualité de représentant indépendant du Canada et, pour la première fois, un ministre canadien aux Etats-Unis entrait en fonction en 1927, de sorte qu'enfin on ne pouvait plus se plaindre que l'ambassadeur britannique à Washington sacrifiât les intérêts du Canada à ceux de l'Angleterre. Le sénateur Dandurand devint président de l'Assemblée de la SDN en 1925 et le Canada fut élu membre de son Conseil en 1927, rehaussant ainsi sa nationalité et la fierté du Canada français. La vieille blessure de la question scolaire en Ontario fut partiellement guérie en 1927 par le rapport Merchant qui reconnaissait les droits de la langue française. Un coup décisif fut porté à la survivance du contrôle britannique de la politique canadienne par le gouverneur général lors de l'incident Byng en 1926. Le gouverneur général ayant refusé la dissolution du parlement au gouvernement King et l'ayant accordée à un gouvernement Meighen, le pays approuva l'attitude du gouvernement King qui affirmait que le gouverneur général n'avait pas le droit de faire de la politique.

Malgré tous les problèmes sociaux et culturels créés par la rapide industrialisation du Québec, en grande partie sous les auspices américains, au cours de cette période, la province se réjouit d'une prospérité qu'elle n'avait jamais connue auparavant. Le nationalisme se trouva privé de sa base de mécontentement populaire. Sauf pour l'élite et le clergé, le nationalisme était à peu près mort à la veille de la grande dépression qui devait le faire renaître, presqu'aussi puissant à la veille de la seconde guerre mondiale qu'il l'avait été à la fin de la première.

Dans les dernières années 1920, l'abbé Groulx trouva, à l'université, son public réduit à une maigre cinquantaine au lieu des grandes foules qui l'avaient acclamé dix ans auparavant, tandis qu'il lui manquait un journal et qu'il ne recevait que peu d'invitations à donner des conférences publiques. [93] Au temps où l'on avait exigé de lui une promesse forcée, il avait songé à abandonner son œuvre et à se faire curé, mais il renonça à cette idée et se contenta de poursuivre ses recherches historiques en conseillant les jeunes nationalistes qui sollicitaient son avis. Son influence sur la jeunesse continua d'être forte.

La jeunesse canadienne-française est naturellement d'esprit nationaliste, comme la jeunesse américaine est naturellement d'esprit libéral et ce penchant était encouragé parce que les collèges classiques étaient dirigés surtout par des prêtres sympathiques au nationalisme et que l'histoire était surtout enseignée dans les écoles par d'anciens élèves de Groulx. Même à l'Université Laval de Québec, traditionnellement loyaliste, l'interprétation de l'histoire canadienne par Thomas Chapais, qui était essentiellement celle d'un libéral britannique du dix-neuvième siècle, semblait pâle et trop impérialiste à la génération montante, en comparaison avec celle de Groulx.

4

Bien que le mouvement de *L'Action française* déclinât plutôt qu'il ne gagnât en force après ses débuts confiants et triomphants dans la période d'après-guerre, son influence s'étendait à un grand nombre d'hommes plus modérés que Groulx et ses disciples immédiats. Son insistance dans le sens du développement d'une culture canadienne-française bien équilibrée avait fait progresser un mouvement général amorcé vers 1900. Edouard Montpetit, fort de trois années d'études à l'Ecole Libre des Sciences Politiques et au Collège des Sciences Sociales à Paris, poursuivit, après 1910, l'effort dont Errol Bouchette et Léon Gérin avaient pris l'initiative pour étudier le milieu canadien-français sur le plan économique et sociologique, ainsi que pour dispenser un enseignement canadien-français pour l'industrie et les affaires. D'abord comme professeur à l'Ecole des Hautes Etudes Commerciales, dans la fondation de laquelle Honoré Gervais avait joué le rôle principal et, après 1920, en qualité de secrétaire général de l'Université de Montréal et de directeur de son Ecole des Sciences Sociales, Montpetit fit un travail remarquable pour le réveil économique du Canada français. Ses fonctions de professeur de droit, d'économie politique, de finances publiques et de politique économique ne lui laissaient guère de loisir pour la production de travaux originaux, mais il utilisa son éloquence française classique en de nombreuses réunions publiques pour faire comprendre le point de vue économique et insister sur les liens naturels entre le Canada français et la culture française.

Marius Barbeau, rapportant d'Oxford des connaissances anthropologiques, les appliqua à l'étude du folklore et de l'histoire de l'art des Indiens et des Canadiens français. Le Belge Henry Laureys, habile directeur de l'Ecole des Hautes Etudes Commerciales, tenta d'adapter les théories économiques françaises aux pratiques nord-américaines. Augustin Frigon s'efforça d'élargir le domaine de l'Ecole Polytechnique qui, fondée en 1873, ne préparait depuis que des ingénieurs civils,

La famille de l'artiste

Peinture à l'huile (vers 1940), de Marie Bouchard. Tableau primitif charmant, œuvre de la fille d'un artiste bien connu. La scène est caractéristique d'une salle de séjour à la campagne, dans le goût canadien-français.
*(Patrick Morgan Collection)*

Le poème de la terre

Peinture à l'huile (1940), de Maurice Raymond. Ce peintre, de naissance et d'éducation montréalaises, exprime l'idéalisation de la vie rurale, telle que la rêvent certains intellectuels canadiens-français. (Musée provincial de Québec)

en procurant un enseignement pour les nouvelles carrières industrielles dont le personnel technique dirigeant était depuis longtemps recruté hors des milieux canadiens-français. Il se heurta à la résistance d'une élite imbue de préjugés de caste, opposée à toute occupation dans laquelle il fallait se retrousser les manches et se salir les mains, résistance née de la force de l'ancienne tradition de cette classe des professions libérales et qui n'était pas sans rapport avec le mépris canadien-anglais traditionnel des Canadiens français, qu'ils traitaient de race de bûcherons et de porteurs d'eau.

Les écoles secondaires ne dispensaient pas encore l'enseignement scientifique indispensable. Cependant, le frère Marie-Victorin, fondateur du Jardin Botanique de Montréal, en inculquant à la jeunesse canadienne-française le goût des sciences et en insistant sur l'importance de l'observation et de l'expérimentation, bien préférables à la vieille tradition de l'enseignement purement dogmatique, aida à rendre possible la création, à Laval, d'une admirable école de science sous la direction de l'abbé Alexandre Vachon et d'Adrien Pouliot. Cette initiative de Québec fut bientôt imitée à Montréal et davantage d'attention fut, par la suite, accordée à la science dans les écoles secondaires. Les normes d'enseignement dans ce domaine essentiel de la connaissance, depuis longtemps négligé, furent graduellement élevées au niveau international. Le gouvernement provincial, sous l'intelligente administration du secrétaire provincial Athanase David, garantit le paiement des frais encourus pour la plupart de ces réalisations. Il créa aussi des bourses pour permettre aux diplômés de poursuivre leurs études supérieures à l'étranger et aida les écoles d'agriculture, de génie forestier et de pisciculture affiliées aux deux universités, ainsi qu'un grand nombre d'écoles d'arts et métiers, techniques et commerciales, dans toute l'étendue de la province.

Ce ferment intellectuel se refléta dans la littérature. Grâce en grande partie à l'œuvre critique de Mgr Camille Roy, plusieurs fois Recteur de l'Université Laval, une tradition littéraire canadienne-française s'établit fermement et commença bientôt à porter fruit dans des œuvres qui n'étaient pas de simples échos attardés de tendances littéraires françaises. Cette nouvelle littérature fut beaucoup consacrée à glorifier le bon vieux temps du régime français et le monde rural patriarcal d'une autre époque qui était resté immuable, à l'abri des influences étrangères, car l'élite privilégiée du clergé et des professions libérales demeurait convaincue que le génie national était destiné à la vie dure du pionnier et du laboureur et non à la nouvelle vie industrielle qui menaçait mainte tradition du Canada français et où les Canadiens français étaient largement dépassés par des étrangers. Cette école du terroir, dirigée par Adjutor Rivard dans *Chez nos gens* (1914-19), le frère Marie-Victorin dans *Récits laurentiens* (1919) et *Croquis laurentiens* (1920), par Blanche Lamontagne dans de nombreux hymnes à Gaspé, en prose et en vers, se perpétua dans la poésie d'Emile Coderre et d'Alfred Desrochers. En 1925, Robert Choquette prit d'emblée le premier rang parmi les jeunes poètes canadiens-français en publiant son recueil *A travers les vents,* dont l'authentique émotion poétique, l'éloquence et la puissance précoce éclipsèrent les œuvres précédentes qui avaient souffert de l'imitation des modèles français, de la pauvreté des thèmes et de la méfiance du réalisme.

En histoire, forme la plus populaire d'expression littéraire au Canada français, Thomas Chapais poursuivit son étude constitutionnelle de la période d'entre 1760 et 1867 en volumes publiés de 1919 à 1934. L'abbé Ivanhoë Caron publia une série de monographies scrupuleusement exactes sur la colonisation du Québec, reposant sur les documents fournis par les Archives provinciales établies en 1920. Aegidius Fauteux et E.-Z. Massicotte poursuivirent inlassablement leurs recherches sur le passé, tandis que Pierre-Georges Roy publiait un grand nombre d'études archéologiques, tout en dirigeant les précieux rapports annuels des Archives provinciales et le *Bulletin des recherches historiques.* Séraphin Marion, l'un des premiers historiens ayant une formation européenne, publia ses *Relations des Voyageurs français en Nouvelle-France au XVIIème siècle* en 1923 et une monographie, *Pierre Boucher,* en 1927. Gustave Lanctôt écrivit une bonne étude critique de Garneau, en 1925 et présenta une remarquable thèse en Sorbonne sur *L'Administration de la Nouvelle-France,* en 1929. L'année suivante vit la publication de l'utile ouvrage d'Antoine Roy, *Les Lettres, les Sciences et les Arts au Canada sous le Régime français.* L'œuvre de Noël Fauteux, *Essai sur l'industrie au Canada sous le Régime français* (1927), était un effort de pionnier en histoire économique. Arthur Vallée écrivait aussi une étude également nouvelle en histoire de la science dans sa monographie sur Michel Sarrazin. Le flot d'histoires de paroisse était une preuve évidente que l'antique organisation paroissiale était toujours vigoureuse. L'abbé Groulx fut le seul qui résista à la tendance de tous à se concentrer sur la période française et à négliger l'histoire récente, moins séduisante mais plus importante pour comprendre le présent.

Le roman ne devint une forme d'expression littéraire populaire pendant cette période qu'après que *Maria Chapdelaine* (1912), de Louis Hémon, tableau émouvant de la vie du pionnier et de la survivance française dans la région du lac Saint-Jean, eut remporté un remarquable succès, d'abord en France et, plus tard, au Canada. Ce jeune Français fut tué en 1913, peu de temps après avoir terminé son manuscrit, mais son livre eut une profonde influence sur le roman canadien-français d'après-guerre. Harry Bernard poursuivit la tradition du terroir en imitant l'œuvre de Louis Hémon, par une longue série de romans qui s'inspiraient de la vie rurale et qui com-

mencèrent par *L'Homme tombé,* en 1924. Il écrivait une langue populaire qu'il préférait à un français froidement classique et il fit preuve
d'un plus grand réalisme que les romanciers antérieurs. Robert de
Roquebrune publia un roman historique, *Les Habits rouges,* en 1923,
qui évoquait les événements de 1837 puis, après un second effort
infructueux dans ce genre, il se tourna vers le roman psychologique
dans *Les Dames et le Marchand* (1937). Léo-Paul Desrosiers renonça
à son engouement du début pour les thèmes du terroir qui atteignit
son apogée dans *Nord-Sud* (1931), pour se consacrer au genre historique, dont *L'Accalmie* (1937) et *Les Engagés du Grand Portage*
(1938) sont au nombre des meilleurs romans du Canada français.
Jean-Charles Harvey écrivit *Marcel Faure* en 1922, roman qui reflète
la préoccupation d'émancipation économique à cette époque et, en
1929, *L'Homme qui va,* série d'histoires symboliques et fantastiques
que caractérisent un style raffiné, un réalisme marqué et un penchant
pour le mélodrame. Par les *Demi-civilisés* (1934), roman à sensation
qui évoque la vie mondaine de Québec et l'influence corruptrice
américaine et qui est à la fois fantastique et réaliste, il provoqua,
à Québec, une petite tempête qui lui fit quitter son poste de rédacteur en chef du *Soleil* et s'installer dans un Montréal moins prude.
Une autre série de nouvelles, intitulée *Sébastien Pierre* (1935), révèle
les mêmes qualités et les mêmes défauts que ceux de son œuvre à ses
débuts et demeure, parmi les œuvres d'imagination canadiennes-françaises, l'une des plus vivantes et des mieux écrites.

En 1933, Claude-Henri Grignon publiait *Un Homme et son
péché,* qui est devenu un classique et sert de base au plus populaire roman-fleuve radiophonique canadien-français. C'est une étude
réaliste de l'avarice de l'*habitant,* teintée du romantisme de l'école
du terroir. Le roman poétique de l'abbé Félix-Antoine Savard,
*Menaud, maître-draveur* (1937) marqua un retour à l'idéalisation lyrique du pionnier et *Trente Arpents* (1938), de Philippe Panneton, sous le nom de Ringuet, d'un réalisme plus habile que celui
de Claude-Henri Grignon, détruisit le romanesque de la vie de l'*habitant,* d'une manière convaincante et émouvante. Les *Demi-civilisés,* de
Harvey et *Trente Arpents,* de Ringuet furent les premiers romans
canadiens-français traduits en anglais et le second obtint, à l'étranger,
une célébrité presque égale à celle de *Maria Chapdelaine.* La tradition nationaliste fit son entrée dans le roman avec Tardivel. Il y
eut ensuite *L'Appel de la Race* de l'abbé Groulx, *La campagne canadienne* (1925) du père jésuite Adélard Dugré, *Le Cap Blomidon* de
l'abbé Groulx sur le thème de la survivance acadienne, *Le Feu intérieur* et *La Chesnaie* de Rex Desmarchais. mais toutes ces œuvres
étaient des illustrations de thèses nationalistes beaucoup plus que des
romans.

La critique fit de notables progrès et s'éleva au-dessus de la tendance traditionnelle aux louanges mutuelles intéressées. Mgr Roy continua d'être le premier critique canadien-français, dirigeant l'influente revue de Laval, *Le Canada français* et faisant preuve d'une remarquable tolérance envers tous les écrivains qui cherchaient à atteindre son but qui était de fonder une littérature canadienne-française. Ses essais critiques d'avant-guerre furent revisés et parurent sous les titres de *Poètes de chez nous* (1934), *Historiens de chez nous* (1935) et *Romanciers de chez nous* (1935). De son exil en Nouvelle-Angleterre, Louis Dantin, qui avait lancé la poésie de Nelligan en 1904, continuait d'observer l'évolution de la littérature canadienne-française d'un œil critique, tout en écrivant lui-même quelques vers. Ses *Gloses critiques* (1931, 1935) contiennent l'analyse la plus pénétrante faite depuis que les livres de première recherche de Charles ab der Halden, en 1904 et 1907, ont fait connaître à l'Europe l'existence d'une littérature canadienne-française. Jean-Charles Harvey, dans ses *Pages de Critique,* (1926), écrivit une part de la meilleure et de la plus franche critique du temps et agit énergiquement contre la vieille tradition des coups d'encensoir intéressés. Maurice Hébert, disciple de Mgr Roy, devint le critique littéraire du *Canada français* et se consacra à de pénétrantes études psychologiques des nouveaux livres : elles parurent dans les recueils *De Livres en Livres* (1929), *D'un livre à l'autre* (1932) et *Les Lettres au Canada français* (1936). Marcel Dugas, exilé à Paris jusqu'à la déclaration de la seconde guerre mondiale, écrivit une critique plus rigoureuse dans sa *Littérature canadienne : Aperçus* (1929) et son étude *Louis Fréchette* (1934). Dugas devint le prophète des « *anciens de Paris* », c'est-à-dire des étudiants canadiens-français qui revenaient de Paris convaincus que toute sagesse et toute beauté y trouvaient leur source. Albert Pelletier, dans *Carquois* et *Egrappages* (1933), déploya habileté et originalité en jugeant les livres du jour. Claude-Henri Grignon, dans ses *Ombres et Clameurs* (1933) et ses brefs écrits ultérieurs signés Valdombre, fit preuve d'un jugement sûr, mais rendu un peu excessif par la violence de son ton de polémiste.

La tendance analytique de la discipline du collège classique fut reflétée dans le fait que le Canada français produisit plus de critiques que d'écrivains créateurs. Dans les années 1930, comme dans les années 1860, plus d'encre fut répandue sur l'existence ou la possibilité d'une culture canadienne-française qu'en efforts pour la faire avancer. En 1940 et 1941, *L'Action nationale* entreprit encore un colloque sur la question au moment où la culture européenne tombait sous l'assaut nazi. La séparation forcée d'avec la France après juin 1940 et le rôle inattendu de Montréal, pendant la guerre, comme l'un des deux centres de culture française libre, émancipèrent le Canada français de son colonialisme culturel et favorisèrent, en même temps,

le développement d'une culture originale. Le Canada français devenait enfin adulte, après une longue période d'imitation rappelant
celle de la culture américaine avant la floraison de la Nouvelle-Angleterre.

5

Le nationalisme canad'en-français atteint toujours son paroxysme
en période de crise économique ou politique. Il était inévitable, considérant la tendance économique que l'abbé Groulx avait imprimée
au mouvement, qu'il renaisse avec une nouvelle intensité dans les
années troublées de 1930, le Canada frança`s subissant alors les effets
de la grande dépression plus profondément que le Canada anglais,
parce que son niveau de vie, moins élevé, laissait moins de marge pour
sa subsistance. Le chômage atteignit un point extrême de gravité dans
le Québec en 1932 : 100 000 personnes, pour la plupart des Canadiens
français, vivaient alors du secours direct à Montréal. [94] Il n'était
pas surprenant qu'en janv'er 1933 renaisse *L'Action canadienne-
française*, sous son nouveau nom *L'Action nationale* et dirigée par
Harry Bernard. Parmi les rédacteurs figuraient Esdras Minville, Hermas Bastien, Pierre Homier, l'abbé Groulx, Eugène l'Heureux, l'abbé
Olivier Maurault, Anatole Vanier, l'abbé Tessier, Arthur Laurendeau,
René Chaloult, Wilfrid Guérin et Léopold Richer, pour la plupart
des aînés extrémistes du groupe initial et un certain nombre d'ultra-
nationalistes de la génération montante. Le premier numéro annonça
que la revue était entièrement consacrée au catholicisme et aux traditions canadiennes-françaises, avec une nuance de racisme qu'indiquait
son insistance sur « *notre originalité ethnique* » et qui s'accentua avec
le temps. Groulx y écrivit un article qui conseillait l'offensive plutôt
que la défensive au sujet des droits canadiens-français. Il était évident
que son nationalisme s'inspirait maintenant davantage de celui de
Gonzague de Reynold que de celui de Charles Maurras. Les rédacteurs sollicitèrent des abonnements des collèges classiques et ce fut
dans ces institutions, qui bannissaient ordinairement tous les périodiques d'actualité, sauf *L'Action nationale* et *Le Devoir,* que le nouveau
nationalisme se centralisa.

C'était maintenant, d'abord, un mouvement de jeunesse, car les
jeunes Canadiens français se lancèrent dans la politique quand la
dépression leur barra la route de carrières normales et leur enleva
des occasions de réussite financière. Le cri de guerre du nouveau nationalisme fut lancé lors d'une assemblée d'étudiants le 19 décembre
1932 à Montréal qui, présidée par Armand Lavergne, idole de la
jeunesse nationaliste, fut haranguée par Esdras Minville. Leur manifeste, déjà publié dans *Le Quartier Latin* de novembre, demandait
le respect scrupuleux des droits de chaque race au Canada et insistait

pour que les droits de la langue française soient respectés partout, comme ceux de l'anglais. Faisant allusion à l'indignation croissante des Canadiens français devant la négation de leurs droits, il donnait cet avertissement : « *Nous demandons aujourd'hui ce que nous exigerons demain.* » [95] Il soulignait que les Canadiens français constituaient près du tiers de la population totale du Canada, les quatre cinquièmes de celle du Québec, les trois quarts de celle de Montréal et il demandait qu'ils obtiennent leur juste part des emplois fédéraux. Il observait qu'ils étaient en voie de devenir un peuple prolétarien et il exigeait qu'il soit remédié à cette situation. Les méthodes d'exploitation des richesses naturelles de la province ne devaient pas compromettre, ou perdre l'héritage des Canadiens français, en même temps que les « *capitalistes étrangers* » leur imposaient « *la pire des dictatures* », ostracisaient leurs ingénieurs et leurs techniciens en ne laissant à leur portée que les rôles de manœuvres et de serviteurs. Ce manifeste se terminait par un appel à la jeunesse :

« *Nous faisons donc appel à la jeunesse, à toute la jeunesse de notre race : à la jeunesse universitaire, à la jeunesse des collèges et des écoles, à la jeunesse ouvrière, à la jeunesse agricole, à la jeunesse professionnelle. Que, dans tous les domaines de la vie nationale, le souci s'éveille, ardent, de reconquérir les positions perdues, de faire meilleur l'avenir. C'est à un vaste labeur : intellectuel, littéraire, artistique, scientifique, économique, national que nous, les jeunes, sommes conviés par les exigences de notre temps. Souvenons-nous que nous ne serons maîtres chez nous que si nous devenons dignes de l'être.* » [96]

Ce *Manifeste de la jeune génération* était rédigé par André Laurendeau, fils de l'un des plus anciens rédacteurs de *L'Action* au cours de ses incarnations successives et fut approuvé par les douze ou quinze autres membres du mouvement qui fut bientôt appelé *Les Jeune-Canada*. La plupart étaient des étudiants de l'Université de Montréal, diplômés du Collège Sainte-Marie dirigé par les jésuites et ils étaient sous l'influence de l'abbé Groulx.

Ce mouvement, qui avait débuté par des articles dans le journal universitaire *Le Quartier Latin,* se poursuivit par des réunions populaires à la Salle du Gésu pendant l'hiver 1932-33 et au Monument national, l'hiver suivant. Pierre Dansereau le décrivit, dans *L'Action nationale,* comme une réaction contre « *la marche du peuple canadien-français vers l'abîme.* » [97] Il expliquait qu'il avait pour but de transformer plutôt que de révolutionner, de consolider l'effort commencé, mais abandonné dans le passé, plutôt que de détruire. Le mouvement n'éprouvait que colère et mépris à l'égard de ses aînés, à l'exception d'Edouard Montpetit, de l'abbé Groulx et d'Esdras Minville. Il était particulièrement acerbe contre les politiciens qu'il tenait responsables de la présente situation et qu'il considérait comme « *les éternels ennemis de notre race* » [98] parce qu'ils favorisaient les divisions de parti

plutôt que l'unité canadienne-française. Les Jeune-Canada se signalèrent en exploitant le sentiment canadien-français grandissant contre
les juifs de Montréal, qui devenaient politiquement puissants et
chassaient les Canadiens français des petites affaires dédaignées des
magnats de langue anglaise dans le Québec. Pour stimuler le sentiment national, ils organisèrent, le jour anniversaire de Dollard, un
pèlerinage à Carillon, scène de la fameuse bataille du héros contre
les Iroquois, où ils louèrent sa mémoire et son exemple à l'instigation
de l'abbé Groulx qui était l'initiateur de ce culte de Dollard. Ils
s'occupèrent aussi, activement, de la commémoration du troisième
centenaire du débarquement de Jacques Cartier à Gaspé, qui fut officiellement célébré le 26 août, en présence du premier ministre Bennett,
du cardinal Villeneuve et des représentants de la France, de l'Angleterre et des Etats-Unis.

*L'Action nationale* favorisait le mouvement Jeune-Canada tout
en poursuivant ses propres campagnes contre le bilinguisme intégral
et pour un mouvement de retour à la terre, de re-francisation du
Québec et d'antisémitisme. En avril 1933, elle lança son attaque contre le régime capitaliste qu'elle tenait responsable non seulement de la
dépression, mais encore de la situation des Canadiens français. Elle
adhéra au *Programme de Restauration sociale,* rédigé en mai par les
jésuites de l'Ecole sociale populaire, qui demandait l'intervention de
l'Etat pour mettre fin aux abus de la « *dictature économique* » et
exigeait l'adoption du corporatisme et la suspension de l'immigration.
Le programme demandait aussi la restauration de l'agriculture, l'appui
de la colonisation et l'encouragement des arts domestiques et des
industries locales. Sa politique ouvrière prévoyait des lois sur les heures
de travail et les salaires, l'assurance sociale, les pensions de vieillesse
et le contrat collectif. Il demandait aussi la guerre contre les *trusts,*
surtout ceux du charbon, du gaz et de l'électricité. Une enquête était
réclamée contre la *Beauharnois Power Company* et, au besoin, en vue
de son étatisation. Le programme de réformes financières demandait
la réglementation des affaires et une enquête sur les sociétés de fiducie.
Les réformes politiques proposées comprenaient l'élimination de la
corruption, la déclaration de l'origine des fonds de campagne électorale et la création d'un conseil économique provincial composé de
spécialistes des diverses classes et professions. Le but général était
d'établir « *un ordre plus conforme à la justice sociale et de le préserver ainsi des bouleversements auxquels nous expose la situation
actuelle.* » [99] Au nombre des signataires se trouvaient Minville, qui
fut le prophète économique de ces nouveaux nationalistes, Philippe
Hamel, chef des croisés contre le *trust* de l'énergie hydro-électrique,
Alfred Charpentier, doyen des politiciens du mouvement syndical catholique, ainsi qu'Albert Rioux, V.-E. Beaupré, J.-B. Prince, Anatole
Vanier, Arthur Laurendeau, Wilfrid Guérin et René Chaloult.

En 1934, *L'Action nationale* publia une série d'articles sur *L'Education nationale*. L'abbé Groulx ouvrit le colloque en demandant une renaissance de la fierté nationale, mais il nia les accusations de racisme. Jacques Brassier salua l'avènement de Dolfuss : « *Heureuse Autriche, qui a pourtant trouvé son chef et, avec lui, le chemin de la résurrection ! Comme nous aurions besoin, nous aussi, d'un Front national et d'un homme qui, ainsi que le jeune et séduisant chancelier d'Autriche, oserait dire ces paroles émouvantes :* Je veux reconstituer mon pays sur la base de l'Encyclique « *Quadragesimo Anno.* » [100] Ce besoin d'un chef, exprimé avec tant d'énergie, fut désormais réaffirmé d'écho en écho avec accompagnement de citations de Gonzague de Reynold, Barrès, Maurras et Massis, prophètes du culte de l'homme-fort.

En mai, Arthur Laurendeau répéta les arguments de Groulx sur la nécessité de faire naître une fierté de race, tout en rejetant un racisme fondé sur la pureté du sang : « *Nous voulons parler d'une race affinée par une culture qui, traversant la Méditerranée, fut ensuite transfigurée par le Christ. C'est sur la vertu de cette civilisation que nous appuyons nos défenses et non sur un fol orgueil emprunté aux mythes de la Forêt Noire.* » [101] Ce fut Laurendeau l'aîné qui remplaça Bernard au poste de rédacteur en chef à l'automne de 1934 et, sous sa direction, la revue prit un ton plus agressif. Dans un article sur *Langue et Survivance*, en septembre, l'abbé Groulx déplorait l'absence d'un chef national tel que « *le de Valera, le Mussolini, dont on peut discuter la politique, mais qui, en dix ans, ont refait psychologiquement une nouvelle Irlande et une nouvelle Italie, comme un Dolfuss et un Salazar sont en train de refaire une nouvelle Autriche et un nouveau Portugal.* » [102] Ce *chefisme* sur lequel Groulx insistait, en novembre, dans une lettre à Jean-Louis Gagnon, directeur d'une nouvelle revue de jeunes intitulée *Vivre*, [103] avec tout ce qu'il comportait d'antisémitisme croissant, de croisades contre le communisme et les *trusts*, d'appels passionnés à la jeunesse pour sauver « *la race* », ne rappelait que trop, aux observateurs américains et canadiens-anglais, la montée des mouvements fascistes européens.

Sous l'influence d'une dépression qui pesa beaucoup plus sur les Canadiens français désavantagés que sur leurs compatriotes de langue anglaise, le nouveau nationalisme devint étroitement provincial et la tendance latente au séparatisme, qui a toujours été implicite dans le nationalisme canadien-français en temps de crise, s'accrut. *L'Action nationale* était remplie d'attaques contre les *trusts* américains et canadiens-anglais qui contrôlaient la vie économique de la province et contre la constitution et la Confédération. En janvier 1935, la revue appuya Groulx qui demandait un *leader* national, un chef qui guiderait le Québec dans l' « *ordre nouveau [qui] s'élabore [et] où des théories dont nous vivons aujourd'hui apparaîtront peut-être péri-*

Histoire du Canada

Tableau satirique de Robert Lapalme (1945), pour la décoration du rideau de la revue *Fridolinons*, de Gratien Gélinas. (Collection Gratien Gélinas)

Architecture de Montréal, 1935.

Dessins en blanc et noir par Jean-Charles Faucher, pour le dernier journal publié par Asselin, *La Renaissance*. L'artiste s'efforce de rendre l'atmosphère de divers quartiers de Montréal en mettant en relief les escaliers extérieurs caractéristiques.

*mées.* » [104] Devant le *New Deal* de Bennett, les rédacteurs protestèrent contre la tendance centralisatrice de ce programme et exigèrent la décentralisation, ou la rupture de la Confédération.

On manifesta peu de respect à l'égard des anciens chefs du Canada français. En avril, Thomas Chapais fut critiqué pour son dévouement au parti conservateur et, en mai, des reproches amers furent adressés à Bourassa pour ses récentes conférences « *lamentables* » où il avait mis les jeunes nationalistes en garde contre les dangers de l'orgueil racial, de l'ultra-nationalisme et du séparatisme. Tout en admettant les services importants rendus par Bourassa à la cause du nationalisme avant 1922, *L'Action nationale* répudiait maintenant formellement sa direction en faveur de celle de l'abbé Groulx qui, en février, avait déclaré à l'*Association du Jeune Barreau de Québec* : « *Nul nationalisme au monde n'est plus légitime, plus orthodoxe que le nationalisme canadien-français* », affirmation qui fut sanctionnée par l'*imprimatur* du cardinal Villeneuve quand le discours parut sous forme de brochure. [105]

Ce n'était plus Bourassa, mais Armand Lavergne qui était l'idole politique de la nouvelle génération de nationalistes : ils jugeaient démodées les opinions du vieux chef nationaliste sur les problèmes religieux ou sociaux dont il s'était surtout occupé depuis 1920. Cependant, tout comme l'épisode Byng avait poussé Bourassa à exprimer son anti-impérialisme fondamental, la tendance de Bennett à se laisser guider par l'Angleterre pour les affaires étrangères dans un monde de plus en plus ébranlé amena Bourassa à exprimer un nord-américanisme tempéré par une vision internationale qu'aucun de ses disciples plus provinciaux n'avait jamais égalée. En Chambre, le 1er avril 1935, Bourassa fit un long discours sur la situation européenne. [106] Il demanda une nouvelle approbation du pacte Kellogg de 1928 et engagea le gouvernement à « *donner son appui à toutes mesures efficaces propres à assurer la paix mondiale, soit par l'entremise de la Société des Nations ou autrement, en coopération avec d'autres gouvernements qui se sont voués à la cause de la paix.* » Bourassa désigna King en particulier, avec qui il se sentait une certaine parenté parce qu'ils étaient tous deux petits-fils de meneurs de l'insurrection de 1837, comme étant « *l'homme d'Etat canadien qui a le plus contribué à la cause de la paix, non seulement en paroles, mais par ses actes.* » Il déclara que le devoir du Canada était de prévenir les guerres, ou de prendre au moins des mesures pour éviter d'y être entraîné. Il recommanda quatre méthodes « *convergentes* » pour atteindre ce but : le Canada devait définir sa propre politique de paix, coopérer avec l'Angleterre si cette dernière travaillait pour la paix, coopérer avec les Etats-Unis épris de la paix, enfin travailler pour la paix par l'intermédiaire de la SDN.

Bourassa déclara que l'esprit de Locarno avait été enterré avec les deux grands hommes, Briand et Stresemann et il insista pour que le Canada se méfie du « *Locarno de l'Orient* » : « *Tenez-vous à l'écart pour l'amour du ciel et pour le plus grand bien du Canada.* » Il critiqua la politique adoptée à l'égard de la Russie en 1927 et 1934, qui consistait à « *conspuer et embrasser tour à tour.* » Il posa un principe fondamental : « *Il n'y a pas un seul grand problème de politique intérieure ou extérieure que nous puissions régler au Canada sans tenir compte de la politique des Etats-Unis.* » Il demanda instamment que le Canada fasse comprendre clairement aux Etats-Unis que le Canada se tiendrait loyalement aux côtés de l'Angleterre tant que l'Angleterre voudrait la paix et fasse comprendre aussi clairement à l'Angleterre que si le Royaume-Uni choisissait la guerre et les Etats-Unis la paix, le Canada choisirait aussi la paix. Il rappela ses conversations de 1914 avec lord Fisher, qui avait trouvé les politiques navales de Laurier et de Borden « *également stupides* ». Le meilleur moyen d'organiser la défense du Canada était d'aller à Washington. Dans la tradition de son anti-militarisme fondamental et de son isolationnisme nord-américain, Bourassa déclara : « *Proclamons à la face du monde que nous voyons dans le désarmement le meilleur moyen de défendre le Canada... pourquoi ne pas entrer dans l'Union panaméricaine ? Nous nous sentirions plus chez nous qu'à la Société des Nations... le Canada est une nation de l'Amérique et non pas de l'Europe ou de l'Asie.* » La politique du Canada devrait reposer sur son nord-américanisme. La confiance dans la SDN était maintenant très ébranlée et il déplorait profondément que le Canada ait voté pour l'admission de la Russie.

L'ultra-nationalisme nouveau se porta à des extrêmes dont témoignent des comptes rendus de *L'Action nationale* approuvant la théorie « *laurentienne* » inculquée aux jeunes élèves du Collège Sainte-Marie par le père jésuite Thomas Mignault qui faisait graviter histoire, géologie, botanique, art, littérature et économie autour de l'idée d'une « *Laurentie* » qui serait un Canada français unique et séparé. [107] En septembre, Arthur Laurendeau approuva le manifeste de Paul Gouin au moment où celui-ci lança son *Action libérale nationale,* mouvement politique de jeunesse et réimprima le document qui demandait la création d'une mystique nationale. [108] En octobre, Minville désignait l'abbé Groulx comme chef prédestiné du Canada français : il paraphrasa les paroles de Gonzague de Reynold approuvant le mouvement national-socialiste allemand comme étant applicables à Groulx et aux directeurs de *L'Action nationale*. Il acclama la formule de Groulx dans son livre *Orientations : « Ce que nous voulons, c'est un peuple français dans un pays français.* » [109] Dans ce même numéro furent présentées des citations des papes, du cardinal Villeneuve et de Mgr Paquet pour appuyer la thèse que le nationalisme est une vertu plutôt qu'un péché. Tandis que des critiques de l'extérieur déploraient l'avènement d'un « *fascisme clérical* » dans le Québec, André Marois critiquait les efforts de certains prêtres pour éliminer les tendances politiques ou nationalistes des mouvements de jeunesse catholique. Le cardinal Villeneuve régla ce différend en déclarant : « *Aucune action sociale, nationale, économique, etc., ne peut être entreprise pour elle-même par les groupements en question [les mouvements de jeunesse catholique], mais seulement comme moyen par rapport aux fins de l'action catholique.* » En janvier 1936, les rédacteurs de *L'Action nationale* interprétèrent cette déclaration selon leurs propres idées car, dans leur esprit, religion et nationalisme étaient inextricablement mêlés. [110] La publication, par l'*Action nationale,* en avril 1936, de *Dieu et Patrie,* du père oblat Juneau, sorte de litanie nationaliste écrite pour être jouée dans un collège classique, révéla jusqu'à quel point ces idées étaient répandues. [111]

En mars, renouvelant leur proposition de drapeau canadien-français faite l'année précédente, les rédacteurs exprimèrent leur désir « *de créer, dans notre province, un peuple français et un Etat français.* » Le drapeau proposé était le *drapeau de Carillon,* portant une croix blanche et quatre fleurs de lis sur fond bleu pâle : il devait être le symbole d'une « *unanimité spirituelle* ». [112] Les écrivains de la revue continuèrent d'insister dans le sens d'un nationalisme économique, en appuyant la campagne de « *l'achat chez nous* » et en combattant les projets de réformes centralisatrices de la constitution. L'annonce que la *Semaine sociale* annuelle de l'automne serait consacrée au corporatisme fut hautement approuvée et la menace du communisme, ainsi que la « *trahison de l'élite* » furent dénoncées par les éditorialistes. En septembre, la revue approuva la politique de trois de ses directeurs, Hamel, Albert Rioux et René Chaloult. En décembre, Arthur Laurendeau se fit l'écho d'un appel pour la création d'une mystique canadienne-française, tandis que son fils André, qui étudiait alors en Europe, prenait conscience des dangers de l'hitlérisme et du fascisme italien qu'il exposa plus tard dans la revue.

Le colloque de 1937 eut pour sujet *Une politique nationale,* au moment même où les prévisions budgétaires de la défense, doublant celles de l'année précédente, réveillaient le vieil anti-impérialisme du Canada français, malgré les assurances de King que « *le parlement canadien se réserve le droit de déclarer, d'après les circonstances de l'heure, jusqu'à quel point le Canada participera aux conflits dans lesquels d'autres membres du* commonwealth *pourraient être engagés, ou s'abstiendra.* » [113] En mai, on attacha beaucoup d'importance au fait que, dans un discours clôturant une série de six conférences de Groulx à Québec sur *La Nouvelle-France au temps de Champlain,* le cardinal Villeneuve remarqua : « *Je suis venu ici ce soir afin de manifester l'amitié que j'ai pour M. l'abbé Groulx, afin de lui appor-*

*ter le sentiment de ma reconnaissance, au risque de scandaliser les faibles. M. l'abbé Groulx est l'un des maîtres de l'heure, il est un de ceux à qui notre race doit davantage.* » [114] Dans ce même numéro, André Marois écrivit : « *Nos bavards parlementaires pourraient avec profit aller prendre des leçons en Italie, en Autriche, au Portugal* » [115] et il exprima une admiration particulière pour Mussolini et Salazar.

Cependant, l'admiration de *L'Action nationale* pour les dictateurs fut freinée quand, en septembre, André Laurendeau devint directeur de la revue, après deux ans d'études de philosophie et de sciences sociales à Paris. Immédiatement après un contact personnel avec la marée montante du fascisme et de l'hitlérisme en Europe, Laurendeau fut horrifié de l'étendue du racisme qu'il trouva à son retour au Québec. Dans une brève préface à l'*Introduction à la thèse de Rosenberg* d'Emile Baas, Laurendeau observa :

« ... *le racisme, au sens fort du terme, représente, dans certains secteurs de notre vie intellectuelle, une menace d'autant plus réelle que personne ne la prend encore au sérieux. De fait, le mouvement, qui ne trouve en nous aucune complicité profonde, ne saurait s'implanter massivement. Ce serait déjà trop qu'il s'infiltre et contamine les principes toujours branlants de notre nationalisme. Connaissant la source actuelle de l'erreur, on en jugera plus sévèrement les effets, et le partage se fera entre les racistes conscients et la masse des matérialistes sans le savoir.*

.    .    .    .    .    .

*Il suffira de rappeler, pour que croule la doctrine nationale-socialiste, que selon l'ethnologie actuelle il n'existe plus dans le monde de race pure, ni saxonne, ni slave, ni germaine. Nous sommes en présence d'une fantaisie pseudo-scientifique, dont il ne faudrait cependant pas sous-estimer le dynamisme...*

*Et pour se convaincre que l'idéologie raciste est essentiellement antichrétienne, aussi antichrétienne que le communisme par exemple, on se remémorera quelques textes capitaux de l'Evangile et tout l'enseignement paulinien. Contre la primauté du sang, nous continuons d'affirmer la royauté du spirituel.* » [116]

Dans un long éditorial commentant le second *Congrès de la Langue française* à Québec, en juin 1937, les rédacteurs s'efforcèrent de faire disparaître le conflit d'opinion entre séparatistes et anti-séparatistes, après que l'abbé Groulx eut déclaré en cette occasion : « *Notre seul destin, légitime et impérieux... ne peut être que celui-ci : constituer en Amérique, dans la plus grande autonomie possible, cette réalité politique et spirituelle... un Etat catholique et français... Qu'on le veuille ou qu'on ne le veuille pas, notre Etat français nous l'aurons.* » [117] Mgr Yelle, parlant au nom des Canadiens français de l'Ouest, avait dit aussi, en cette même occasion : « *Quand sérieuse-*

*ment nous entendons parler de séparatisme pour la Province de Québec, nous voyons là, non pas des paroles de salut, mais des paroles de découragement et de défaitisme.* »

*L'Action nationale* se hâta de rassurer les anti-séparatistes en citant des déclarations antérieures pour prouver que, dans la pensée de l'abbé Groulx, il s'agissait d'un Etat au sein de la Confédération et qu'il n'était nullement séparatiste. [118] Or, s'il n'était pas séparatiste du fond du cœur, — et toute la tendance de son œuvre indique qu'il l'était —, un grand nombre de ses partisans méritaient ce reproche, sans aucun doute possible, comme ceux de Bourassa qui avaient dépassé les limites fixées par les idées de leur chef. Ces déclarations de Groulx furent sévèrement critiquées à Québec et il fut accusé de cultiver un racisme canadien-français. Dans un éditorial commentant l'encyclique *Mit brennender Sorge* qui condamnait le nazisme, André Laurendeau défendit Groulx contre l'accusation de racisme, tout en laissant clairement voir qu'il craignait qu'un élément raciste n'eût pénétré le nationalisme canadien-français. Il observa : « *Les Canadiens français applaudissent toujours plus volontiers aux anathèmes contre l'extrême-gauche qu'aux anathèmes contre l'extrême-droite. Nous sommes trop souvent de ceux qui pensent, suivant la dure formule de* La vie intellectuelle, *que Dieu est à droite.* » [119] Il déplora que cette objurgation du pape ait eu moins de publicité qu'à l'ordinaire dans le Québec et il prédit que de dangereuses alliances pourraient être conclues au nom de l'anti-communisme. Dans le même numéro, Gérard Plourde, des Jeune-Canada, comparait deux récentes conférences sur la rébellion de 1837, par Bourassa et Groulx, en indiquant sa préférence pour celle de Groulx, plus extrémiste.

Dans le numéro de janvier 1938, la collaboration du groupe Jeune-Canada avec *L'Action nationale* fut acclamée et il fut en même temps annoncé que le colloque annuel serait consacré au problème de l'organisation corporatiste. Les rédacteurs nièrent les accusations selon lesquelles le corporatisme serait un régime subversif, médiéval et fasciste qui signifierait la fin du gouvernement parlementaire. Ils citèrent la déclaration du cardinal Villeneuve, du 17 avril 1937 : « *Nous avons, ici et là, quelques bribes de justice sociale, mais ces semblants de correctifs ne suffisent pas. C'est plus que cela qu'il nous faut : c'est du corporatisme à plein.* » [120]

André Laurendeau considéra que la croisade anti-fasciste de Godbout contre la « loi du cadenas » avait peu d'importance, comme d'ailleurs l'attitude anti-communiste de Duplessis pendant la grève de la *Dominion Textile*, communisme et fascisme n'ayant chacun que de très rares partisans. Selon lui, il ne s'était agi là que de distraire l'opinion des véritables problèmes. Malgré son échec, la campagne de Paul Bouchard, du journal *La Nation*, séparatiste et anti-impérialiste, qui se présenta aux élections fédérales partielles, à Lotb'nière, contre J.-N. Francœur, avec l'appui d'Ernest Lapointe, fut accueillie avec satisfaction par Roger Duhamel comme ayant porté devant le peuple les questions brûlantes du militarisme et de la centralisation. C'était un signe révélateur de la puissance du nationalisme que le *leader* canadien-français au gouvernement fédéral se fût cru obligé de prendre part à ces élections locales. Dans le numéro de févr er, on demanda aux Canadiens français de se méfier de la centralisation, en les avertissant que cette période était aussi décisive que celle de 1867 et en déplorant que Camillien Houde eût été défait dans Saint-Henri par une faible majorité.

En avril, André Laurendeau répondit à des articles récents sur le fascisme québecois parus dans le *Daily Herald* de Londres, le *New York Post*, le *Magazine Digest* de Toronto et la *Nation* de New-York. Il admit que des organisations fascistes existaient dans le Québec, mais il assura qu'elles n'étaient pas prises au sérieux. Il attribuait leur récente activité et leur succès de recrutement à un déclin de foi populaire dans le régime parlementaire. Il nia que l'Eglise fût à la tête de ces organisations ou derrière elles, mais il admit qu'un petit nombre de clercs bien intentionnés pouvaient en être devenus les propagandistes. Il était convaincu que l'Eglise s'opposerait au fascisme dans le Québec, s'il prenait un jour de l'importance, comme elle l'avait fait ailleurs. Il admit l'existence d'une mentalité pré-fasciste qui pourrait favoriser le développement du fascisme si le désordre politique, économique et social continuait. La vigoureuse lettre pastorale de Mgr Gauthier, en mars, contre le communisme, faisait aussi savoir que *Le Fasciste canadien,* journal du Parti National Social Chrétien d'Adrien Arcand, préconisait un nazisme à l'allemande, mais dilué, ce qui atténuait ses tendances anti-catholiques et césaristes. Pourtant, dans le Québec comme ailleurs, la hiérarchie catholique parla beaucoup plus des dangers du communisme que de ceux du fascisme.

En mai, deux articles de *L'Action nationale* posèrent la question de l'attitude que devait adopter le Canadien français devant l'amoncellement des nuages de guerre en Europe. Léopold Richer, commentant les débats de la Chambre fédérale sur le programme de réarmement, partagea l'opinion de Maxime Raymond qui estimait que le Canada ne devait défendre que son propre territoire contre l'agression, plutôt que d'adhérer à des plans de sécurité collective ou à des alliances impériales. En septembre, après la crise tchécoslovaque, André Laurendeau protesta contre l'acceptation passive, par les Canadiens français, de la pression impérialiste et fit appel à l'unité d'attitude contre les tentatives qui seraient inévitablement faites pour provoquer l'intervention du Canada dès la prochaine crise. Roger Duhamel, qui avait commencé, en septembre, une nouvelle série d'articles politiques mensuels, accueillit la déclaration du président Roosevelt à Kingston comme une extension de la doctrine de Monroe au Canada et proposa que le Canada rompe avec la SDN et l'Angleterre et suive son destin américain. [121] Un jeune nationaliste économiste, F.-A. Angers, qui était en voie de se faire un nom comme principal disciple de Minville, lança aussi une série de commentaires économiques mensuels. En décembre, Laurendeau observa que les principes invoqués par lord Runciman dans son rapport sur la Tchécoslovaquie pourraient bien s'appliquer au Canada, où les garanties de la Confédération aux Canadiens français étaient violées par la race dominante.

Le colloque annuel de 1939 fut consacré au *Canada dans le Commonwealth,* les rédacteurs de *L'Action nationale* s'alarmant, évidemment, de ce que le Canada fût venu si près de se laisser entraîner dans une guerre européenne l'automne précédent. Roger Duhamel prévoyait que la visite royale projetée serait utilisée pour renforcer l'impérialisme et il loua la récente déclaration du professeur Percy Corbett, de McGill, qui encourageait le Canada à adhérer à l'Union panaméricaine, plutôt que de poursuivre son association avec la Grande-Bretagne. Une note éditoriale saluait le nombre grandissant d'anti-impérialistes canadiens-anglais et conseillait une alliance « *prudente* » avec ces gauchistes. Duhamel considéra l'élection de Camillien Houde à la mairie de Montréal comme un signe de mécontentement populaire contre le gouvernement d'Union nationale de Duplessis qui s'y était opposé fortement. En février, un éditorial demandait le retour du Labrador au Québec, parce que sa possession par Terre-Neuve, colonie de la Couronne, pourrait entraîner le Canada dans la guerre et que ses riches ressources naturelles pourraient être mieux exploitées par le Québec que par Terre-Neuve en banqueroute. F.-A. Angers s'opposa violemment au projet fédéral d'assurance-chômage, le considérant comme un empiétement sur les droits provinciaux et Duhamel approuva ceux qui avaient critiqué les lourdes dépenses militaires annoncées dans le discours du trône.

Duhamel s'inquiétait de la divergence des opinions libérales qui se manifestait dans les déclarations de Mackenzie King défendant la doctrine de Laurier « *Quand l'Angleterre est en guerre, le Canada est en guerre* », dans celles de Lapointe qui affirmait, lors d'une réunion publique, à Québec, que « *nous devrons rester chez nous et protéger notre pays,* dans celles, enfin, du sénateur Dandurand qui conseillait un référendum avant que le Canada ne participe à une guerre. Duhamel approuva l'opposition de Liguori Lacombe à toute participation à un conflit qui ne mettrait pas en danger la sécurité canadienne, mais il reconnut que c'était là l'opinion d'une minorité et conclut : « *Ce sera un jour heureux pour notre patrie celui où nos représentants auront résolu, en conservant des relations amicales avec l'ancienne mère-patrie, de limiter leur activité et leurs efforts à la*

*sauvegarde de notre intégrité territoriale et de l'unité canadienne en-
tendue dans son acception bilatérale.* » [122] Il appuya aussi, chaleureusement, le programme du parti nationaliste fédéral, tel que Paul
Bouchard le formula, lors de son premier congrès à Montréal le 20
novembre 1938, sous le mot d'ordre : « *Provinces autonomes dans
un Canada libre* », ainsi qu'un programme de neutralité canadienne
qui ne serait abandonné qu'après un référendum provincial. Duhamel
souhaita la nomination d'un gouverneur général canadien pour remplacer lord Tweedsmuir, à la suite des précédents créés en Irlande
et en Australie.

Au printemps de 1939, *L'Action nationale* continua de mettre en
doute les promesses de King et de Lapointe de donner leur démission
plutôt que de voter pour la conscription en cas de guerre. Elle continua aussi de décrire la visite royale et celle de Stanley Baldwin,
ainsi que les déclarations de R.B. Bennett, comme autant de parties
d'un programme impérialiste pour s'assurer la collaboration canadienne en cas de guerre. Enfin, elle approuvait toujours la déclaration
de Maxime Raymond en Chambre, affirmant l'opposition canadienne-
française à toutes les guerres extra-territoriales. Toutefois, en juin, les
éditorialistes se réjouirent de ce que le roi et la reine eussent parlé
français et exprimé leur sympathie pour les Canadiens français, le roi
ayant affirmé de nouveau, formellement, l'association « *libre et égale* »
des nations du *Commonwealth* et la reine ayant exprimé le vœu de
voir les deux grandes races du Canada unies, comme les Écossais et
les Anglais, par « *les liens de l'affection, du respect et d'un commun
idéal.* » La vieille tradition monarchiste du Canada français fut sensible à la visite royale, les Canadiens français furent charmés par le
roi et la reine, surtout parce qu'ils avaient parlé français et Montréal
dépensa plus d'argent pour la réception royale que l'ultra-loyaliste
Toronto.

Néanmoins, dans le même numéro, à la fin d'une analyse très
complète de la propagande impérialiste, Georges Pelletier lançait
l'avertissement suivant :

« *Si nous voulons rester Canadiens, il s'agit de ne plus tarder, de
réagir, de nous organiser enfin. Il est déjà fort tard. Si nous n'agissons,
nous ne serons plus véritablement Canadiens, en 1950. A toutes fins,
nous ne serons plus même des* « quality niggers ». *Nous serons devenus des* « non-entities » *dans l'Empire britannique : la propagande
nous aura fondus, par notre propre faute, dans le Grand-Tout impérial.* » [123]

De son côté, Roger Duhamel loua hautement l'opposition aux
crédits militaires faite, au parlement, par Maxime Raymond, Liguori
Lacombe, J.-A. Crète, L. Dubois, Pierre Gauthier, Wilfrid Gariépy,
Wilfrid Lacroix et Jean-François Pouliot, qui avaient réclamé une
politique canadienne autonome, libre de toute sujétion à l'Angleterre

et qui avaient été rejoints par un certain nombre de députés canadiens-anglais.

Ainsi, à la veille de la seconde guerre mondiale, le Canada français se targuait déjà d'avoir, à la Chambre fédérale, un groupe opposé à la guerre, appuyé par un embryon de parti nationaliste dans le Québec. Le gouvernement Duplessis était hostile à la guerre, mais il était aussi anti-nationaliste, ayant rompu avec ses alliés électoraux de 1936, tout comme les conservateurs fédéraux avaient rompu avec les nationalistes après 1911. Personne ne pouvait nier la forte emprise des libéraux sur les sentiments du Québec, King et Lapointe ayant fait de si nombreuses et solennelles promesses de rester opposés à la guerre et à la conscription, tandis que Bennett et Meighen avaient, à maintes reprises, réaffirmé leur foi impérialiste. Les ultra-nationalistes admettaient que le gouvernement King serait revenu au pouvoir à la faveur d'élections, mais ils avaient des doutes sur ce qu'il pourrait faire ensuite. Deux générations de l'élite canadienne-française avaient grandi dans une atmosphère de haine des Anglais, considérés comme les ennemis éternels de tout ce qui est français et catholique, de méfiance des Américains, décrits comme les esclaves matérialistes du tout-puissant dollar, qui assimilaient implacablement tous les autres peuples à leur médiocrité et stérilité culturelle, d'admiration enfin pour les prophètes de second ordre du nouveau culte du surhomme et du totalitarisme qui devait engloutir l'Europe dans la plus grande de ses guerres. Ce fut sur cette toile de fond, soumis à l'influence d'intellectuels qu'une tradition de préoccupation passionnée des problèmes canadiens-français écartait des problèmes internationaux, que le Canada français fit face à l'ouverture du grand conflit qui devait durer six ans. Pendant presque toute cette guerre, le Québec se vit séparé de Rome et de la France qui avaient été ses sources traditionnelles de force spirituelle au cours de la longue lutte pour sa survivance culturelle.

### Notes

1. *Canada Year Book 1922-23,* 159, Table 20 : 1871, 31,07 pour cent ; 1881, 30,03 pour cent ; 1901, 30,70 pour cent ; 1911, 28,52 pour cent ; 1921, 27,92 pour cent.

2. *Ibid.,* Table 4 : la perte de population rurale par l'émigration ne fut jamais inférieure à 50 pour cent par décennie après 1871. *CJEPS,* IV, 1938, 344, E.C. Hughes, *Industry & the Rural System in Quebec.*

3. Truesdale, L.E., *The Canadian-Born in the United States* (New Haven, 1943), 92, Table 35 : 1920-24, 55 352 ; 1925-30, 36 096.

4. *Canada Year Book 1945,* 114, Table 23.

5. *Canada Year Book 1922-23,* 416, Table 1 ; 739, Table 16.

6. *Ibid.,* 171-72, Table 32.

7. *Can. An. Rev.* 1921, 680.

8. Hughes, E.C., *French Canada in Transition* (Chicago, 1943).

9. Bouchette, Errol, *Emparons-nous de l'industrie* (Ottawa, 1901).

10. Hughes, *Industry and the Rural System,* 349.

11. *CHAR 1944,* 31, M. Wade, *Relations of French Canada & the US ;* H. Marshall, F.A. Southard and K.W. Taylor, *Canadian-American Industry* (New Haven, 1936).

12. *Quebec Statistical Yearbook* 1918, 128 ; *Canada Year Book 1922-23,* 164.

13. *L'Action française,* I, janvier 1917, I (Montréal).

14. Perrault, Antonio, Groulx, l'abbé Lionel, Homier, Pierre (pseudonyme du R.P. J. Papin-Archambault, SJ), *Consignes de demain* (Montréal, 1921), 14.

15. *Ibid.,* 19.

16. Laurendeau, André, *L'abbé Lionel Groulx* (Montréal, 1939), 51.

17. *L'Action française,* II, mars 1918, 3.

18. *Ibid.,* IV, septembre 1920, 9.

19. Asselin, Olivar, *L'œuvre de l'abbé Groulx* (Montréal, 1923), 87.

20. Laurendeau, André, *L'abbé Lionel Groulx* (Montréal, 1939), 47-48.

21. *Ibid.,* 48.

22. *L'Action française,* V, janvier 1921, I.

23. *Ibid.,* 25, 26, 27.

24. *Ibid.,* 28.

25. *Ibid.,* 28-29.

26. *Ibid.,* 30.

27. *Ibid.,* 31.

28. Laurendeau, 20.

29. *Annuaire de l'Université Laval* (Québec, 1897-98), 156. Cité par Laurendeau, 22.

30. Laurendeau, 31.

31. Groulx, l'abbé Lionel, *La Naissance d'une race* (Montréal, 1919) ; *Lendemains de la conquête* (1920) ; *Nos luttes constitutionnelles* (1916) ; *Les Patriotes de 1837* (1917) ne fut pas publié ; *La Confédération canadienne* (1918) ; *Vers l'Emancipation* (1921).

32. Asselin, Olivar, *L'œuvre de l'abbé Groulx* (Montréal, 1923), 27-28.

33. *Ibid.,* 54-55.

34. *Ibid.,* 62-63.

35. *Ibid.,* 63-64, 67.

36. *Ibid.,* 86.

37. *Ibid.,* 91.

38. *Ibid.,* 89.

39. *Ibid.,* 90.

40. *Ibid.,* 93.

41. *Ibid.,* 93.

42. *L'Action française,* IX (février 1923), 2.

43. Groulx, l'abbé Lionel, *Dix ans de l'Action française ;* 43-73, *Pour l'Action française ;* 74-88, *Méditation patriotique ;* 89-122, *Si Dollard revenait...*

44. *L'Action française* (conférences données à Paris), VII, mars 1922, 3.

45. Groulx, l'abbé Lionel : ses discours ont été réunis dans *Dix ans de l'Action française* (Montréal, 1926), *Orientations* (Montréal, 1935), *Directives* (Montréal, 1937) et publiés en brochures pour la plupart.

46. *L'Action française,* V, janvier 1921, 7 et 21.

47. *Ibid.,* V, décembre 1921, 721-722.

48. *Notre Avenir politique: Enquête de l'Action française,* 1922 (Montréal, 1923), 5.

49. *Ibid.,* 7.

50. *Ibid.,* 12.

51. *Ibid.,* 13.

52. *Ibid.,* 15.

53. *Ibid.,* 20.

54. *Ibid.,* 23.

55. *Ibid.,* 25.

56. *Ibid.,* 29-30.

57. *Ibid.,* 50.

58. *Ibid.,* 55, 71.

59. *Ibid.,* 84-85.

60. *Ibid.,* 93.

61. *Ibid.,* 107.

62. *Ibid.,* 113.

63. *Ibid.,* 141-59.

64. *Ibid.,* 161-78.

65. *Ibid.,* 179-96.

66. *Ibid.,* 216.

67. *Ibid.,* 219-31.

68. *Ibid.,* 244.

69. *Ibid.,* 249.

70. *Ibid.,* 250.

71. Zimmern, A., *The Third British Empire* (Londres, 1926), 24.

72. *L'Action française,* X, décembre 1923, *Notre avenir politique,* 350.

73. Montpetit, Edouard, cf. *D'Azur à trois lys d'or* (Montréal, 1937).

74. *Revue trimestrielle,* septembre 1928, Beaudry-Leman, *Les Canadiens français et le milieu américain,* 273.

75. *Les Canadiens français et la Confédération canadienne; enquête de l'Action française* (Montréal, 1927).

76. *Ibid.,* 12.

77. *Ibid.,* 20.

78. *Ibid.,* 20-21.

79. *Ibid.,* 22-23.

80. *Ibid.,* 39.

81. *Ibid.,* 47-48.

82. *Ibid.,* 49-58.

83. *Ibid.,* 63.

84. *Ibid.,* 70.

85. *Ibid.,* 83-84.

86. *Ibid.,* 89.

87. *Ibid.,* 103-104.

88. *Ibid.,* 107.

89. *Ibid.,* 120.
90. *Ibid.,* 123.
91. Laurendeau, 61.
92. *L'Action canadienne-française,* XIX, janvier 1928, 3.
93. Laurendeau, 63.
94. *Can. An. Rev.* 1932, 400.
95. *L'Action nationale,* I, février 1933, 118.
96. *Ibid.,* 120.
97. *Ibid.,* I, mai 1933, 268.
98. *Ibid.,* I, juin 1933, 359.
99. *Ibid.,* II, novembre 1933, 210-16 et septembre 1933, 31.
100. *Ibid.,* III, janvier 1934, 53-54.
101. *Ibid.,* III, mai 1934, 265, note.
102. *Ibid.,* IV, septembre 1934, 61.
103. *Ibid.,* IV, novembre 1934, 175-76.
104. *Ibid.,* V, janvier 1935, 4.
105. Groulx, *Directives,* 52-94.
106. *Débats, Communes du Canada, 6ème session — 17ème législature 1935* (Ottawa, Patenaude, 1935), 1er avril 1935, 2283, 2288, · 2289, 2290.
107. *L'Action nationale,* V, mai 1935, 317.
108. *Ibid.,* VI, septembre 1935, 81.
109. *Ibid.,* VI, octobre 1935, 92-102.
110. *Ibid.,* VII, janvier 1936, 3.
111. *Ibid.,* VII, avril 1936, 235.
112. *Ibid.,* VII, mars 1936, 129.
113. *Can. An. Rev.* 1935-36, 79.
114. *L'Action française.* IX, mai 1937, 271.
115. *Ibid.,* 311.
116. *Ibid.,* X, septembre 1937, 14-15.
117. Groulx, l'abbé Lionel, *Directives* (Montréal, 1937), 234, 242.
118. *L'Action nationale,* X, septembre 1937, 32.
119. *Ibid.,* X, novembre 1937, 181.
120. *Ibid.,* XI, janvier 1938, 25.
121. *Ibid.,* XII, novembre 1938, 262.
122. *Ibid.,* XIII, février 1939, 154.
123. *Ibid.,* XIII, juin 1939, 508.

# CHAPITRE XV

# LE CANADA FRANÇAIS ET LA SECONDE GUERRE MONDIALE

## (1939-1944)

La seconde guerre mondiale s'abattit sur un Québec pas encore rétabli après dix ans d'une crise économique qui avait ébranlé son organisation sociale et provoqué des tendances inquiétantes. Les Canadiens anglais et les Américains en devinrent méfiants, parce qu'un certain nombre de Canadiens français, élevés dans l'esprit d'une tradition autoritaire et conscients d'être des Latins dans une Amérique du Nord anglo-saxonne, inclinaient quelque peu vers le nationalisme totalitaire de Mussolini, de Franco et de Salazar que les Nord-Américains anglophones avaient en si grande aversion. Une certaine tendance raciste du nationalisme canadien-français avait été accentuée pendant vingt ans par l'enseignement de l'abbé Groulx. De plus, dix ans d'existence comme peuple-sujet en une période de désordre économique dont la race-maîtresse eut moins à souffrir avaient fait naître une certaine sympathie pour Hitler dans quelques milieux canadiens-français. Traditionnellement anti-impérialistes, il leur était naturellement difficile de ne pas considérer avec scepticisme l'anti-impérialisme tout neuf des Anglais et des Américains, au moment même où Allemands et Italiens tentaient de conquérir des empires comme ceux dont jouissaient depuis longtemps les autres puissances.

A la recherche de solutions à ses propres difficultés sociales et économiques, le Canada français était resté à l'écart d'une foi en la sécurité collective de plus en plus grande dans l'Ouest et, à mesure que la conflagration mondiale approchait, il avait accentué sa tendance à l'isolement. De plus, en raison du caractère provincialiste du nationalisme de Groulx et de la crainte du monde extérieur, jamais le vieux rêve d'un Etat indépendant, catholique et français, une « *Laurentie* », n'avait été plus populaire que pendant la période qui précéda immédiatement la guerre. Selon quelques Canadiens français, cet Etat pourrait faire partie du *Commonwealth* britannique des Nations et serait un autre *Eire* qui jouirait des privilèges, mais n'assumerait aucune des responsabilités de membre de ce *commonwealth*. D'autres étaient en faveur d'une neutralité canadienne indifférente à ce qui

pourrait arriver en Europe. D'autres enfin, dont la conscience d'être
des Nord-Américains était plus forte que leurs sentiments de parenté
avec la France ou Rome, assuraient même que l'annexion aux Etats-
Unis serait préférable aux engagements sans fin dans les guerres impériales de l'Angleterre.

1

Si l'on considère ces tendances et le fait que beaucoup d'argent
italien et allemand fut répandu dans le Québec pour embarrasser
l'Angleterre à mesure qu'approchait la seconde guerre mondiale,[1] il est
assez surprenant que l'opinion canadienne-française se soit si spontanément prononcée pour l'Angleterre et la France au moment de la
crise finale. Le pacte germano-soviétique provoqua une explosion
générale de violente colère dans la presse canadienne-française,[2]
qui ne fut modérée que par la remarque de *La Presse* : ce n'était
peut-être pas regrettable, puisque les démocraties évitaient ainsi une
alliance malheureuse avec la Russie athée. *La Patrie, Le Soleil, Le
Canada, L'Evénement-Journal* et *Le Droit* ne virent dans ce pacte
qu'une alliance formelle de régimes totalitaires ayant les mêmes conceptions tyranniques et anti-religieuses de la vie, de la politique et du
pouvoir, ainsi que la même déloyauté cynique à l'égard des promesses
et des engagements. Louis-Philippe Roy, de *L'Action catholique,* considérait que c'était une bonne occasion pour Mussolini de se dissocier
d'Hitler, tandis que *Le Soleil* prévoyait le jour où l'Italie s'alignerait
sur l'Allemagne et la Russie. *L'Evénement-Journal* se moqua de l'armée italienne et approuva la campagne du *Droit* contre les articles
anti-français d'*Italia Nuova,* hebdomadaire italien fasciste de Montréal. *La Presse* et *L'Action catholique,* toutefois, laissèrent toutes deux
entendre que Mussolini pourrait assumer le rôle de médiateur dans
la situation tendue de l'Europe, mais *La Tribune,* de Sherbrooke, ne
le croyait pas qualifié pour ce rôle. *L'Illustration nouvelle,* d'Adrien
Arcand, soutenait que la paix ne pouvait être sauvée que par un pacte
à quatre entre le Royaume-Uni, la France, l'Italie et l'Allemagne.
    Les journaux canadiens-français désiraient la paix, mais pas la
paix à tout prix. *La Presse* admit, au cours de la crise polonaise du
mois d'août, qu'il n'était peut-être pas souhaitable de céder aux exigences d'Hitler. *La Patrie* condamna ses buts et ses méthodes plus
sévèrement que tout autre journal du Québec. *Le Soleil,* en particulier et tous les journaux libéraux s'opposèrent catégoriquement à
un autre Munich. *Le Canada* affirma, vers fin août, que la guerre
dépendait de la volonté d'un seul homme, celle d'Hitler. La presse
nationaliste se souciait moins de cette crise que de l'attitude que devait adopter le Canada en cas de guerre européenne, mais *Le Devoir*

reconnut à Chamberlain le mérite d'avoir jusqu'alors évité la guerre en s'efforçant d'en limiter l'étendue si elle devenait inévitable. *L'Evéne-ment-Journal* blâma sa patience excessive et sa faiblesse diplomatique, mais attribua à Hitler toute la responsabilité de la guerre imminente. Louis-Philippe Roy, de *L'Action catholique,* qui s'efforçait toujours de suivre les directives pontificales, prétendit que l'Allemagne et l'Italie, nations non possédantes, n'avaient pas tort de faire valoir leurs besoins puisque la richesse du monde était injustement répartie, mais il reprocha aux dictateurs de violer les traités et de s'efforcer de dépouiller des pays plus faibles. *L'Action catholique* et *Le Droit* étaient tous deux convaincus que Danzig n'était qu'un simple prétexte et qu'Hitler cherchait un règlement complet de la question polonaise. La Pologne, pays catholique, jouissait d'une grande sympathie de la part de ces journaux.

*L'Illustration nouvelle* approuva la thèse officielle nazie que Danzig était ville allemande et que la Pologne n'avait pas plus de droit que l'Angleterre et la France de décider de son sort. Ce journal affirmait qu'Hitler considérait la guerre comme la plus grande calamité et il accusait les grandes entreprises et les agences de nouvelles internationales de soutenir les partis de la guerre dans les démocraties. Il déplorait aussi l'encerclement de l'Allemagne et la persécution des Ukrainiens par les Polonais. Il attribuait aux francs-maçons la résistance opposée à Hitler par les démocraties. A part cette publication franchement fasciste, qui était aussi le journal le plus important de l'Union nationale de Duplessis, la presse canadienne-française prenait parti pour les démocraties contre les dictatures — en dépit d'une sympathie persistante pour Mussolini — et elle considérait qu'il fallait mettre fin à la guerre de chantage une fois pour toutes. [3] Cependant, un étrange optimisme persistait : la guerre pourrait encore une fois être évitée, comme l'année précédente.

Ce fut sans doute parce que son gouvernement dépendait de l'appui du Québec que le premier ministre King, tenant compte de l'opinion dans cette province, persista dans son ambiguïté au sujet de la décision qui s'annonçait de plus en plus proche. Le 23 août, il annonça que le gouvernement se servirait, au besoin, des pouvoirs étendus que lui conférait le *War Measures Act* de 1914 en cas de guerre, ou de danger de guerre. [4] Le 25 août, il affirma de nouveau que le parlement serait convoqué pour que lui soit soumise la politique du gouvernement si la guerre devenait inévitable en Europe. Il câbla aussi des appels à Hitler, au président de la République polonaise et à Staline, les adjurant d'éviter de déclencher une guerre générale. Quand l'Allemagne envahit la Pologne le 1er septembre, il lança une proclamation annonçant qu'une menace de guerre existait depuis le 25 août. [5] Il convoqua ensuite le parlement pour le 7 septembre, en déclarant que si l'Angleterre était entraînée dans la guerre contre l'Allemagne, son gouvernement demanderait au parlement les pouvoirs nécessaires à « *une coopération effective à ses côtés* ». [6] Quand la guerre fut officiellement déclarée le 3 septembre par la Grande-Bretagne, il affirma, dans un message radiodiffusé, que le gouvernement recommanderait au parlement « *les mesures qu'il croit être les plus efficaces pour la coopération et la défense* ». [7] En attendant, des mesures de semi-belligérance furent adoptées par la promulgation des *Règles pour la défense du Canada*, la mise des forces armées sur pied de guerre, l'internement des ressortissants de pays ennemis, l'interdiction de commercer avec l'ennemi et la création d'un *Wartime Prices and Trade Board* pour éviter les profits abusifs. [8]

Bien qu'une politique de neutralité fût incompatible avec ces mesures, le discours du trône à l'ouverture de la session spéciale, le 7 septembre, laissa encore dans le vague la position du gouvernement. Le parlement avait été convoqué, lui fut-il expliqué, « *afin que le gouvernement puisse demander des pouvoirs pour prendre les mesures nécessaires à la défense du Canada et à la coopération à l'effort résolu fait pour résister à d'autres plus grandes agressions et pour prévenir le recours à la force plutôt qu'aux moyens pacifiques dans le règlement des conflits internationaux.* » [9] Le 8 septembre, malgré la pression de Manion, chef de l'opposition, le premier ministre refusa de dévoiler ses intentions au sujet d'une force expéditionnaire et d'une action outre-mer. Maxime Raymond présenta une pétition signée par des milliers de citoyens contre la participation du Canada à une guerre étrangère. [10] En appuyant la réponse au discours du trône, J.-A. Blanchette, député de Compton, déclara : « *J'ai donc raison de croire que j'exprime l'opinion de la majorité des électeurs de la province que j'habite, ainsi que celle de toutes les provinces, en déclarant que je suis favorable à une coopération raisonnable et mesurée, conforme à nos intérêts et à nos moyens d'action. Je suis entièrement opposé au régime de la conscription.* » [11]

Le lendemain, King s'engageait à une déclaration de guerre en annonçant que, si la Chambre approuvait la réponse au discours du trône, une proclamation d'état de guerre entre le Canada et le Reich allemand serait publiée sur-le-champ. La réponse au discours du trône fut votée le soir du 9 septembre et, le lendemain, 10 septembre, le roi approuvait officiellement cette proclamation. [12]

King révéla plus tard que, depuis la crise de Munich, il pensait, lui-même, que le Canada devait se préparer à la guerre contre l'Allemagne [13] et sa conduite hésitante, en 1939, était dictée par le désir, comme il le déclara le 8 septembre, « *de ne laisser aucune menace ou déclaration, hâtive ou prématurée, créer de la méfiance et des divisions entre les divers éléments qui composent la population de notre vaste dominion, de telle sorte que, lorsque le moment de la décision serait venu, tous pourraient juger par eux-mêmes de la situation, permettant ainsi à notre effort national d'être marqué par l'unité de but, de cœur et d'entreprise.* » [14]   Il s'inspirait clairement de l'exemple de Laurier et de ses propres souvenirs de la tragique division du Canada pendant la première guerre mondiale. Dans son discours de réponse au discours du trône, le 8 septembre, il chercha à se concilier les nationalistes canadiens-français et les Canadiens anglais de gauche qui s'opposaient à la pleine participation. Il fit beaucoup valoir le double héritage du Canada, français et anglais, le besoin d'unité et le souci primordial du gouvernement pour la défense et la sécurité du Canada. Il ne parla guère de la possibilité d'une force expéditionnaire et réitéra avec énergie sa promesse du 30 mars selon laquelle le présent gouvernement n'introduirait pas la conscription pour le service armé outre-mer. [15]   Il indiqua que la tâche du Canada serait naturellement d'assurer la défense de son propre territoire et de ceux du Labrador et de Terre-Neuve, en donnant une aide économique à l'Angleterre. En somme, il laissa la porte ouverte à une politique de neutralité agressive, semblable à celle que les Etats-Unis adoptèrent plus tard, prévoyant le cas où l'opinion publique empêcherait une participation plus active.

Cependant, l'éloquence d'Ernest Lapointe renforça les tactiques de prudence et de persuasion du premier ministre pour gagner l'appui canadien-français aux propositions gouvernementales. Le ministre de la justice fit le bilan des raisons pour lesquelles, « *dans la pratique, le Canada ne pourrait rester neutre dans une guerre importante qui engloberait l'Angleterre.* » [16]   Il fit remarquer que la neutralité canadienne ne pouvait être « *qu'un geste favorable aux ennemis de l'Angleterre et de la France.* » [17]   Quant à une force expéditionnaire, « *nul gouvernement ne saurait rester au pouvoir s'il refusait d'agir selon la volonté de la grande majorité des Canadiens.* » En réponse à Raymond, qui lui avait reproché d'avoir déclaré à Québec, au mois de décembre précédent, qu' « *au lieu d'aller à la guerre en pays étranger, nous resterons ici et nous défendrons le Canada que nous aimons* », il déclara : « *Je sais et je crois qu'il devrait savoir qu'en vue de l'union nous ne pouvons être neutres au Canada.* » [18]   Or, Lapointe prit alors un engagement solennel contre la conscription pour le service armé outre-mer :

« *La province entière de Québec — et je parle ici avec toute ma responsabilité et la solennité que je puis donner à mes paroles — ne voudra jamais accepter le service obligatoire ou la conscription en dehors du Canada. J'irai encore plus loin. Quand je dis « toute la province de Québec », je veux dire que telle est aussi mon opinion personnelle. Je suis autorisé par mes collègues de la province de Québec dans le cabinet — le vénérable leader du Sénat [Dandurand], mon bon ami et collègue le ministre des travaux publics [Cardin], mon ami, concitoyen et collègue le ministre des pensions et de la santé nationale* [Power] — *à déclarer que nous ne consentirons jamais à la conscription, que nous ne serons jamais membres d'un gouvernement qui essaiera d'appliquer la conscription et que nous n'appuierons jamais un tel gouvernement. Est-ce assez clair ?* »

Il ajouta un avertissement destiné probablement à certains de ses collègues du cabinet, autant qu'aux *tories* auxquels il s'adressait :

« *Je me permets d'ajouter que je doute fort que l'on pourrait remplacer mes honorables collègues de la province de Québec et moi-même advenant le cas où nous serions forcés d'abandonner le gouvernement. Si nos honorables amis qui siègent dans l'angle de la Chambre et si l'Ottawa Citizen, qui fait actuellement une campagne en faveur de la conscription, s'imaginent servir les intérêts du Canada en y semant la dissension dès le début des hostilités, je dois leur dire qu'ils commettent une grave erreur.* » [19]

Lapointe adressa alors un appel au Canada français, tel que lui seul pouvait le faire en sa qualité de porte-parole du Québec à Ottawa :

« *Nous sommes prêts, pourvu que l'on comprenne bien ces points, à offrir nos services sans restriction et à vouer le meilleur de nous-mêmes au succès de la cause que nous avons tous à cœur. Et les gens de la province de Québec qui prétendent que la conscription sera adoptée en dépit des déclarations formulées par certains d'entre nous, ces gens, dis-je, aident l'ennemi en semant le germe de la désunion. Par leur conduite et par leurs paroles, ils diminuent l'autorité de ceux qui les représentent au sein du Gouvernement. Quant aux insultes et aux injures des agitateurs, je m'en moque ! Elles ne m'éloigneront pas de mon devoir, ainsi que je le comprends grâce aux lumières du Ciel. Je les protégerai contre eux-mêmes, convaincu que la majorité de mes concitoyens du Québec ont confiance en moi... Je ne les ai jamais déçus et je n'ai pas l'intention de le faire maintenant. D'aucuns m'ont laissé entendre que mon attitude sur cette question me tuera au point de vue politique. Eh bien, ce ne serait pas une fin déshonorante... Mais permettez-moi de vous dire, monsieur l'Orateur, que si je conserve la santé, ce ne sera la fin ni pour moi, ni pour mes amis !* » [20]

Dans une vision d'avenir que devaient justifier les événements, il mit en garde contre « *un Canada balkanisé, un plébiscite par province* » pour répondre à Raymond qui conseillait d'en référer directement au pays. La conclusion fut une émouvante paraphrase des paroles d'adieu prononcées par la reine, à Halifax, au moment du départ : « *Que Dieu bénisse le Canada !* » Il s'écria :

« *Oui, que Dieu bénisse le Canada ! Que Dieu sauve le Canada, qu'Il sauve l'honneur, l'âme, la dignité et la conscience de notre pays, qu'Il guide les Canadiens dans ces heures d'épreuve et leur indique leur devoir afin que nos enfants et les enfants de nos enfants héritent d'un pays où règnent la paix et la liberté, où subsistent en paix nos institutions sociales, politiques et religieuses et d'où les doctrines tyranniques du nazisme et du communisme seront bannies à jamais ! Oui, que Dieu bénisse le Canada, qu'Il bénisse notre reine, qu'Il bénisse notre roi !* » [21]

Evoquant avec tant d'émotion l'amour du Canada français pour le pays et sa loyauté à la monarchie, Lapointe gagna les députés indécis du Québec au programme du gouvernement. Ce fut en vain que Liguori Lacombe déclara que le sacrifice de la neutralité était un prix trop élevé pour l'unité nationale et demanda la dissolution du parlement et des élections. [22] Il présenta un amendement à la réponse au discours du trône, qui fut appuyé par Wilfrid Lacroix : « *La Chambre regrette que le Gouvernement n'ait pas jugé à propos d'aviser Son Excellence le Gouverneur général que le Canada doit s'abstenir de participer à toute guerre extérieure.* » Cette motion ne trouva presqu'aucun partisan. L'enquête de Georges Héon sur le sentiment populaire dans sa circonscription d'Argenteuil donnait probablement une idée exacte de l'opinion canadienne-française moyenne : 15 pour cent approuvaient la conscription jusqu'au dernier homme et jusqu'au dernier dollar ; 20 pour cent voulaient l'isolement complet et 65 pour cent « *étaient en faveur de la collaboration dans la mesure de nos moyens et de nos ressources, de préférence en accordant des crédits, en faisant des dons de vivres et de produits alimentaires, et en fabriquant des aéroplanes et des munitions* ». Il apparaissait aussi que « *le sentiment est fort et sincère contre la conscription du capital humain et l'envoi d'un corps expéditionnaire.* » [23] La motion du gouvernement reçut un appui presque unanime par un vote à main levée où l'on remarqua qu'un seul homme s'était levé en signe d'opposition.

## 2

Quand l'Angleterre entra en guerre le 3 septembre, la presse canadienne-française fut unanime à penser que ce conflit était juste et que les démocraties y avaient été forcées par Hitler. *La Presse* affirma que les Canadiens approuvaient l'attitude prise par le roi, le premier ministre britannique et le président de la République française à l'ouverture des hostilités. Le mot méprisant de « *boche* » était largement employé par *La Patrie*, *L'Action catholique* et *Le Soleil*. Hebdomadaires et quotidiens condamnèrent Hitler pour recourir à la guerre. *L'Action catholique* estimait que l'hitlérisme était le plus grand danger en Europe, surtout depuis son alliance avec le communisme, mais *Le Droit* blâma surtout le communisme. En éditorial, *Le Devoir* porta peu d'attention à la guerre pendant les deux premiers mois mais, le 16 septembre, son rédacteur, Georges Pelletier, spécula sur les raisons qu'avaient eues Londres et Paris de n'avoir pas agi contre Lénine et Staline en Russie et Negrin en Espagne, qui s'étaient longtemps conduits comme Hitler. *L'Illustration nouvelle* évita soigneusement de faire allusion à la guerre. [24]

Les journaux canadiens-anglais l'acclamèrent comme une guerre sainte contre les ennemis de la religion et de la civilisation, mais la presse canadienne-française se hâta un peu moins de la considérer comme une croisade. *Le Canada* mit en doute cette interprétation mais, pour *L'Action catholique,* les nazis étaient les « *ennemis de la chrétienté* », pour *La Patrie* Hitler était un « *Antéchrist* » et *Le Droit* souligna le « *véritable caractère catholique qu'avaient les Alliés dans cette croisade contre l'alliance de l'hitlérisme et du communisme.* » Le malheur des catholiques de Pologne et d'Allemagne éveilla beaucoup de sympathie. *L'Action catholique* demanda instamment un Front chrétien contre le bolchevisme qui réunirait les Alliés, l'Italie, l'Espagne et autres neutres, pour que l'on n'oublie pas que « *le plus grand péril de l'heure est le bolchevisme, plutôt que l'hitlérisme.* » Des mesures de répression furent recommandées contre les communistes canadiens et les propositions de paix d'Hitler n'obtinrent aucune sympathie après le rapide écrasement de la Pologne. [25]

Bien que la presse française fût presque unanimement hostile à l'Allemagne et à la Russie, elle n'était pas favorable à la guerre dans la mesure où il s'agissait de participation canadienne. Elle préconisait la neutralité, ou une participation limitée, dans l'intérêt du Canada, de l'unité nationale et de la liberté d'action canadienne dans les affaires étrangères. Louis Francœur, l'un des plus populaires commentateurs des affaires mondiales dans le Québec, affirma que le gouvernement britannique devait assumer les frais de la guerre, parce que : « *Bien que ce soit le devoir de tout homme libre et responsable de faire sa part pour défendre la civilisation contre la force brutale et les nations coupables d'agression, le Canada lui-même n'est pas directement intéressé à cette crise de l'Europe centrale.* » [26] Il fut souligné que les Etats-Unis, aux termes du *Neutrality Act,* seraient obligés d'interrompre le ravitaillement du Canada quand celui-ci aurait déclaré la guerre et les conséquences toucheraient « *très fortement tout belligérant ami.* » La plupart des journaux approuvèrent la neutralité américaine, pensant qu'elle favorisait la paix intérieure du Canada.

Quand il devint évident que l'opinion publique canadienne en général approuvait la participation, la presse française vanta la politique de participation limitée annoncée par Mackenzie King et Ernest Lapointe à l'ouverture de la session spéciale du parlement le 1er septembre. *La Presse* se prononça, le 6 septembre, pour une aide « *juste et raisonnable* » à l'Angleterre :

« *La province de Québec est prête à accorder son concours le plus entier et le plus généreux, dans les limites déterminées par les discours de MM. King et Lapointe, c'est-à-dire en faisant passer d'abord nos intérêts nationaux et en demeurant fidèles au principe du volontariat. Elle refuse de s'associer à l'application d'une politique qui, en compromettant ces intérêts, conduirait le Canada à la ruine économique et entraînerait la désunion des esprits à travers le pays.* » [27]

Deux jours plus tard, *La Presse* approuva, comme saine et constitutionnelle, la politique de prudence annoncée par le gouvernement King dans le discours du trône. *La Patrie* du 10 septembre observa : « *Par bonheur, le ministère King-Lapointe sait faire la somme des courants d'opinion et tirer la ligne d'une façon qui respecte le plus humainement possible le sentiment de la majorité, ainsi que celui de la minorité.* » [28]

La presse libérale hésita beaucoup avant d'approuver sans réserve la politique de participation. Le 6 septembre, *Le Canada* déclara que le Canada avait le droit d'affirmer sa neutralité, mais que la neutralité complète était impossible en raison de l'opinion de la majorité de langue anglaise. Il critiqua les agitateurs hostiles à la participation, assurant qu'ils rendaient un mauvais service aux Canadiens français en faisant de la question une affaire de race. Puisque le Canada retirait des avantages du *Commonwealth* en temps de paix, il était logique qu'il coopère avec l'Angleterre en temps de guerre. *Le Canada* considérait que Lapointe remplissait un double rôle dans le cabinet, comme défenseur des intérêts canadiens et comme protecteur du lien entre le Canada français et l'Angleterre. Dans son éditorial du 9 septembre sur la politique de guerre du gouvernement, il demanda au Québec d'appuyer cette « *participation guerrière intelligente, raisonnée* », consistant en une aide économique raisonnable et ne comportant ni conscription pour le service armé outre-mer, ni force expéditionnaire. Il observa : « *Si la coopération efficace du Canada devait signifier sa ruine économique et financière, elle rendrait un mauvais service au* Commonwealth *et serait désastreuse pour le peuple canadien lui-même.* » La défense et la sécurité du Canada étaient placées au premier rang des responsabilités du peuple canadien. *La Tribune* de Sherbrooke rappela que 90 pour cent des électeurs canadiens-français étaient hostiles à la conscription : « *Qu'aucun gouvernement de ce pays ne commette jamais l'erreur d'imposer une loi si grosse de troubles et qui, dans le passé, n'a produit que du mal.* » [29]

En août, *Le Soleil* avait exigé qu'il soit mis un frein à la propagande britannique et française pour la participation canadienne et il avait affirmé qu'il n'y avait aucune raison de croire que l'opinion populaire avait changé depuis que le gouvernement King avait obtenu le pouvoir, en 1935, en présentant un programme de paix. Le 6 septembre, il expliqua son attitude en détail :

« *Depuis un certain nombre d'années, le conflit des idées et des intérêts a permis à chacun de prévoir la déclaration soudaine d'une guerre européenne catastrophique.* Le Soleil *a fortement pressé les autorités canadiennes de baser leur politique étrangère sur l'intérêt national, en tenant compte de la solidarité des pays du continent américain. Ce n'est pas notre faute si cet avis, si généralement approuvé par l'opinion canadienne-française, n'a pas prévalu. Mais la majorité étant d'un avis contraire, nous n'aurions pas la témérité de douter de leur patriotisme ou d'encourager une forme quelconque de sédition. La guerre est une grande calamité, mais l'anarchie est pire !* » [30]

Le lendemain, il assura qu'à l'exemple de l'Eire, le Canada resterait neutre et, le 9 septembre, il constata que Mackenzie King avait tenu compte des opinions divergentes sur la question de la participation. Il conclut : « *Sauf dans le cas d'une crise ou d'un coup d'Etat, la paix intérieure du Canada ne sera pas troublée, comme en 1917, par une nouvelle tentative de répandre le sang canadien au profit d'un pouvoir impérial.* » [31]

Une attitude aussi indépendante de la part du journal libéral canadien-français qui avait le plus fort tirage indiquait bien la pression qu'exerçait le Québec sur Ottawa au moment de la déclaration de guerre. Les hebdomadaires ruraux acceptèrent la nécessité de participer, puisque la majorité anglaise le voulait ainsi, mais ils se joignirent au chœur de ceux qui s'opposaient au service militaire obligatoire en dehors des limites du Canada. Jean-Charles Harvey, dans *Le Jour*, resta seul à prétendre, le 9 septembre, qu'il était « *logique, naturel et salutaire que le Canada même, pays démocratique uni au* Commonwealth *britannique par une sorte de traité non écrit, traité qui nous lie plus encore que celui qui unit aujourd'hui la France et l'Angleterre à la Pologne et à toutes les petites nations d'Europe désireuses de garder leur liberté, se joigne, par une participation intelligente, au bloc démocratique, pour défendre et faire triompher un idéal qui doit être celui de tout homme de cœur.* » Cependant, Harvey lui-même était en faveur d'une participation modérée : « *Je pense qu'il existe, au Canada, deux nationalités d'origines différentes, qui ne partagent pas tout à fait les mêmes vues quant à l'effort militaire et qui ne doivent pas oublier une seconde que la guerre n'est pas la fin du monde et que demain, une fois les fumées du combat dissipées, nous aurons encore à vivre côte à côte, fils d'une même patrie, frères d'une même famille.* » [32]

La presse nationaliste réclamait une politique étrangère « *qui tiendrait compte des réalités géographiques et de nos intérêts primordiaux.* » Le Canada, en tant que pays nord-américain, devait limiter ses responsabilités au Nouveau-Monde et, puisqu'il n'avait aucune influence sur la politique étrangère britannique, il n'était pas obligé d'endosser les engagements britanniques. Le Canada avait le droit, d'après le Statut de Westminster, de rester neutre et il devait le rester : l'intervention serait un retour au statut colonial. L'exemple des Etats-Unis et des petites puissances européennes, qui restaient neutres, fut souligné, bien qu'ils eussent de plus grands intérêts en jeu, ou qu'ils fussent plus près du champ de bataille que le Canada.

Le Devoir poursuivit une vigoureuse campagne contre l'intervention. Omer Héroux ne voyait dans cette crise qu'un « conflit entre l'Allemagne et la Pologne à propos de frontière », dans lequel la France et l'Angleterre pouvaient être entraînées parce qu'elles avaient promis d'aider la Pologne. Or, écrivait-il, « ces promesses ont été faites par l'Angleterre et la France seules : elles n'ont pas prétendu, elles ne pouvaient prétendre engager le Canada », qui n'avait aucune raison d'intervenir, ni pour la survivance de l'Angleterre, de la France et de la Pologne, ni pour restaurer l'équilibre européen, ou défendre une démocratie qui, pendant des mois, a recherché une alliance avec l'autocratie russe. Georges Pelletier souligna que le Canada n'était pas partie au traité invoqué par les Polonais, mais que l'ensemble du pays était partie au pacte de la Confédération :

« ... où l'on convint, entre autres choses, que les Canadiens devaient défendre leur patrie commune. Or, leur patrie est en Amérique, ses frontières ne sont ni en Rhénanie, ni aux bords de la Baltique ou de la Vistule. Elle s'étend sur le continent américain seulement, de l'Atlantique au Pacifique et à la Mer Arctique. La sainteté de ce traité, car c'en est un·et qui porte de hautes et fermes signatures, qu'en a-t-on fait, qu'en veut-on faire ? On l'a tailladé de 1914 à 1918. On se prépare à le taillader derechef en septembre 1939. Et c'est en Europe que seraient menacés les traités... Parlons de celui d'ici... » [33]

Léopold Richer, correspondant du Devoir à Ottawa, accepta l'intervention avec tristesse en affirmant qu'elle était fatale et qu'on aurait pu la prévoir dès le début. Il écrivit que la théorie de Mackenzie King, prétendant que le parlement déciderait, contredisait celle de Laurier : « Quand l'Angleterre est en guerre, le Canada est en guerre et peut être attaqué. » Si les chefs libéraux s'en tenaient à la théorie de Laurier, le parlement n'avait qu'à décider le mode et l'étendue de l'intervention. Si les libéraux rejetaient l'idée de neutralité canadienne, cela ne signifiait pas que le Canada n'y avait aucun droit, mais que le gouvernement libéral avait des doutes, ou avait décidé de ne pas exercer ce droit. Héroux fit revivre quelques-uns des arguments de Bourassa en proclamant : « Certes, nous ne voulons pas l'annexion, mais elle n'a pas de plus dangereux ouvriers que ceux qui veulent que le Canada se ruine pour l'Empire. » Il prédit aussi que cette intervention, comme celles de 1899 et 1914, constituerait un nouveau précédent pour justifier d'autres interventions ultérieures dans le monde entier. Il répéta que la conscription serait la conséquence inévitable de l'intervention et que, « *d'ailleurs, qu'ils se fassent tuer à titre de conscrits ou de volontaires, les soldats qui tombent constituent une pareille -perte pour le pays, les frais de la guerre sont les mêmes.* » Dès le 3 août, Richer préféra l'indépendance à l'intervention : « *Tout Canadien sincèrement désireux d'éviter à son pays les pertes énormes, en hommes et en argent, qu'une guerre lui coûterait inévitablement, ne peut pas ne pas se prononcer en faveur de l'indépendance... ..Mieux vaut de beaucoup, pour la paix intérieure et l'avenir du pays, adopter un* modus vivendi *avec les nations du* Commonwealth *qui nous permettrait pleine liberté d'action dans un cas de conflit armé en Europe ou en Asie.* » *Le Devoir* ne voyait que deux circonstances où le Canada pourrait intervenir : si un plébiscite démontrait que c'était la volonté de la nation, ou si les Etats-Unis se joignaient aux Alliés. [34] Les nationalistes étaient convaincus que le verdict d'un plébiscite serait contraire à l'intervention : conclusion qui paraît un peu douteuse.

*Le Droit* fut activement anti-interventionniste, affirmant que la politique étrangère canadienne était entre les mains de Londres et que le Canada était devenu une banlieue de l'Angleterre. Le 6 septembre, il accusa Mackenzie King de saboter l'unité canadienne : « *S'appuyant sur la majorité parlementaire qu'il croit obtenir demain, le gouvernement fédéral se prépare à imposer, par la force du nombre, à une partie de la population canadienne, une politique dont cette population ne veut pas. C'est le régime de l'oppression des minorités que l'on condamne lorsqu'il s'agit de l'Europe, tout en la pratiquant ici.* » Cependant, le 9 septembre, il admettait : « *Le gouvernement de notre pays, dont je suis fier, a adopté l'attitude qu'il convenait d'adopter dans les circonstances.* » Camille L'Heureux parut envisager la formation d'un parti canadien-français, après avoir demandé que les membres canadiens-français du parlement placent leur devoir envers leurs électeurs au-dessus de la loyauté de parti :

« *Le Canada français n'a aucune chance d'obtenir une politique étrangère strictement canadienne, pour ne rien dire du respect de la constitution canadienne. Dans chaque parti, la représentation des nôtres est soumise à la dictature d'une majorité anglo-canadienne qui s'unit, chaque fois que la chose fait son affaire, pour s'opposer à une entente conforme aux aspirations légitimes des Canadiens français. La volonté brutale du nombre l'emporte presque toujours. A la lumière des derniers événements, on comprend, de plus en plus, qu'il n'y aura de salut pour nous qu'en dehors des présents partis politiques. L'attitude actuelle du gouvernement fédéral accentue cette conviction au Canada français et fortifie chez lui la détermination de rompre définitivement les chaînes qui l'attachent aux partis actuels, pour se tourner vers un parti strictement canadien.* » [35]

*L'Action catholique,* en août, écrivit qu'avant de se lancer dans une intervention « *plus généreuse que sage* », il fallait considérer que « *nous sommes une nation américaine* », que « *notre assistance militaire ne pourrait être que relativement minime* », que « *les nations belligérantes devaient compter presqu'exclusivement sur la production des pays amis* », que « *la civilisation a besoin de quelques coins pour se réfugier pendant le carnage qui approche* », que « *du fait que nous participons avec des forces militaires, nous assumons le rôle de belligérant et attirons sur nous des représailles* », que « *la prudence nous commande d'organiser une certaine défense de notre immense territoire* » et que « *nos gens, ployant sous le fardeau de la dette contractée au cours de la dernière guerre, sont incapables de payer les frais d'une nouvelle guerre infiniment plus désastreuse que la dernière.* » Ensuite, l'*Action catholique* exposa, le 2 septembre, ses principes pour l'établissement d'une politique étrangère :

*1. Avant tout, dans la mesure possible, nous voulons encore le maintien de la paix, même au prix de grands sacrifices.*

*2. En principe, nous refusons d'admettre la doctrine voulant que le Canada soit en guerre du seul fait que l'Angleterre s'y trouve et, en pratique, nous nous opposons fortement à toute participation militaire résultant de ce seul fait.*

*3. Cependant, si une situation de fait extraordinaire tentait de s'établir dans le monde, qui mît réellement en péril l'un ou l'autre des grands intérêts de l'humanité, surtout les intérêts chrétiens, le peuple canadien déciderait alors s'il y a lieu de s'associer à d'autres nations pour conjurer efficacement ce grave péril.*

*4. Même en ce cas, notre participation, en hommes, devrait rester volontaire et notre participation, en nature, ne devrait en aucune façon dépasser les limites rigoureusement fixées par nos ressources.*

*Ces principes devraient convenir à tous les Canadiens, de quelque origine qu'ils soient, parce qu'ils découlent du canadianisme le plus pur, tout en tenant compte de notre affection pour les peuples pacifiques et de nos préoccupations de bien commun mondial.* » [36]

*L'Evénement-Journal,* le 7 septembre, avertit les représentants du Canada français à Ottawa qu'ils seraient tenus responsables s'ils violaient les engagements de paix qu'ils avaient pris aux élections de 1935. Le lendemain, il exprima l'espoir que Mackenzie King ne prendrait pas l'habitude de mettre le pays en face du fait accompli. *L'Illustration nouvelle* mêla l'isolationnisme nationaliste à l'inspiration fasciste par son insistance sur la neutralité, en prétendant que l'Angleterre et la France, prenant les armes contre Hitler, « *livraient une guerre agressive d'intervention.* » [37]     Le nationalisme concentré sur lui-même, pénétré de son « *égoïsme sacré* » qui faisait passer les droits et les sentiments canadiens-français avant la volonté de la majorité et qui, pendant des années, avait tenté d'élever un Mur de Chine autour du Québec, trouva tout naturel de ne s'occuper que des difficultés du Canada français au cours d'un conflit mondial. Cet isolationnisme et sa longue tradition d'anti-impérialisme offraient un terrain d'exploitation facile aux propagandistes italiens et allemands qui furent actifs dans le Québec jusqu'à la déclaration de guerre et dont l'œuvre fut plus tard poursuivie, dans quelques rares cas, par des Canadiens français convertis aux idées de « *l'ordre nouveau* ».

Quand le parlement eut approuvé, le 9 septembre, la décision gouvernementale de participation et eut affirmé la souveraineté canadienne en faisant sa propre déclaration de guerre, qui n'était pas la conséquence automatique de celle de l'Angleterre une semaine plus tôt, tous les journaux francophones demandèrent une contribution modérée et le maintien des intérêts canadiens au-dessus de ceux de la Grande-Bretagne. *La Presse* estima que le Canada serait la plus importante base de ravitaillement des Alliés. Elle insista pour que l'on ne permette pas que cette contribution nuise à la vie agricole, industrielle ou économique et exprima l'espoir que le budget de guerre serait limité aux dépenses nécessaires. Elle s'opposa à ce que l'on fasse pression sur les chômeurs pour qu'ils s'engagent. *La Patrie* montra un peu plus d'enthousiasme pour l'enrôlement mais adopta, en somme, la même attitude. La presse libérale continua d'être réticente et *Le Canada* alla jusqu'à comparer l'envoi d'une force expéditionnaire à « *une complète participation qui ruinerait notre pays.* » Cependant, cette même presse engageait les Canadiens français à la reconnaissance envers le gouvernement King qui avait su persuader le pays d'adopter une politique de compromis. Elle les invitait aussi à ne pas se faire d'ennemis en s'opposant à l'intervention. [38]

Les journaux nationalistes avalèrent la pilule de l'intervention avec une certaine aigreur et ils demandèrent instamment que la participation soit modérée. Cependant, *Le Devoir* y resta résolument opposé et protesta sans cesse contre ce qu'elle coûtait. *L'Action catholique proposa* un programme en deux points : « *Répandre par tous les moyens chrétiens et sages l'esprit de "Canadianisme" partout où il manque et puis, chaque fois que l'occasion se présentera, user de notre droit constitutionnel de discuter la meilleure manière et l'étendue de notre participation, en évitant de faire appel aux passions troublantes et en suivant toujours la voie de la raison.* » Au milieu de septembre, *Le Droit* et *Le Devoir* demandèrent que le Canada déclare sa neutralité à la fin de la guerre, puisque sa déclaration de guerre avait établi un précédent : il n'était pas automatiquement en guerre quand l'Angleterre était en guerre. La presse nationaliste insistait inlassablement sur le danger de conscription qui « *ne pouvait pas être accepté ou appliqué dans le Québec* » et déplorait que l'on parle de gouvernement d'union, tout en rappelant sans cesse au gouvernement les engagements qu'il avait pris. La presse canadienne-française hors du Québec, qui n'avait guère participé au débat précédent sur l'opportunité d'intervenir, se joignait maintenant à ses confrères du Québec en prenant une ferme attitude contre la conscription. [39]

Le numéro de septembre de *L'Action nationale* fut retardé par l'établissement de la censure, qui fut imposée à quelques-uns de ses articles, diminuant ainsi son influence pendant la période cruciale de la session spéciale. Cependant, les opinions qui furent exprimées peuvent être considérées comme typiques de l'élite nationaliste, bien que sans doute atténuées par la censure. L'attitude des rédacteurs était que le gouvernement ne devait imposer aucune mesure contraire à la volonté des interventionnistes, ou des non-participationnistes. Ils s'opposaient à la conscription et aux impôts de guerre : « *Pas de volontariat organisé par le gouvernement canadien aux frais du Canada pour des opérations militaires en dehors du Canada, puisqu'il est bien entendu que nous acceptons résolument le principe d'une défense nationale authentique, rationnelle et proportionnée à nos moyens.* » Les rédacteurs déclaraient que les Canadiens français, « *pour faire droit à l'opinion d'une part importante du groupe anglais* », accepteraient un embargo sur les exportations à l'Allemagne ou à ses alliés, la liberté des Canadiens, individuellement, de s'engager dans l'armée britannique ou de recruter des volontaires pour cette armée à leurs propres frais et de vendre à l'Angleterre les armes et autres marchandises dont elle aurait besoin. La note dominante de ce programme hautement individualiste était : « *Puisque le Canada est divisé sur cette question, que la politique du Canada soit de laisser chacun libre d'agir selon ses convictions.* » [40] Les convictions de ces rédacteurs se précisèrent par les éloges qu'ils firent de Paul Gouin, de René Chaloult, de Liguori Lacombe, de Paul Bouchard et de Philippe Hamel, ainsi que des chefs de syndicats catholiques et de l'Union catholique des Cultivateurs qui organisèrent des protestations contre la conscription et des programmes de compromis, tout ce que Lapointe avait qualifié de « *déshonorant, éhonté, ignoble.* » [41]

Devant la campagne de l'*Ottawa Citizen* pour l'adoption immédiate de la conscription, tandis que le *Montreal Star* exploitait les demandes faites dans ce sens par les conservateurs, le Crédit social et les groupes d'anciens combattants, les isolationnistes de *L'Action nationale* se firent des arguments tant de l'esprit de belligérance que de l'isolationnisme américains. Roger Duhamel souligna la déclaration de Roosevelt lors d'une conférence de presse en septembre : les Etats-Unis ne toléreraient aucune domination du Canada par une puissance non britannique. C'était réfuter l'argument selon lequel le Canada serait la proie des vainqueurs s'il n'aidait pas à l'écrasement de l'Allemagne. [42] *L'Action nationale* cita aussi, avec une satisfaction évidente, le discours du colonel Lindbergh, le 13 octobre, qui admettait le devoir des Etats-Unis de défendre les nations américaines contre l'invasion, mais demandait qu'elles soient affranchies de « *l'influence autoritaire de l'Europe* » et mettait en doute le droit du Canada « *d'entraîner ce continent dans une guerre européenne pour la simple raison qu'il préfère la Couronne d'Angleterre à l'indépendance américaine* ». Lindbergh avait aussi affirmé que « *les avant-postes des Etats-Unis s'étendent de l'Alaska au Labrador, des îles Hawaï aux Bermudes et du Canada à l'Amérique du Sud... Les Etats-Unis ne peuvent vraiment permettre à aucun pays d'Amérique d'accorder l'usage de ses bases à des navires de guerre étrangers et d'envoyer son armée combattre à l'étranger en demeurant en sécurité sous notre protection.* » [43] Les isolationnistes du Canada français, cachés derrière leur Mur de Chine intellectuel, avaient davantage en commun avec les isolationnistes du *Middle-West* américain, protégés par la moitié d'un continent, qu'avec les autres habitants du littoral atlantique, qui faisaient face à la possibilité d'une guerre bientôt portée jusqu'au seuil de leurs foyers.

## 3

L'opposition qui était à craindre et l'isolement possible du reste du Canada furent en grande partie neutralisés par le résultat des élections provinciales du Québec en octobre 1939, décrétées par le premier ministre Duplessis deux semaines après que le Canada eut déclaré la guerre. Il avait affirmé qu'un vote pour lui serait un vote contre la conscription et la guerre et que ces élections étaient « *une bataille pour la survivance de nos libertés populaires.* » [44] Cependant, son gouvernement autonomiste et opposé à la guerre fut chassé du pouvoir par une poussée électorale presqu'aussi spectaculaire que celle qui avait délogé les libéraux trois ans auparavant. Par son régime autocratique et extravagant qui avait doublé la dette de la province en trois ans, L'Union nationale s'était aliéné le monde du travail et avait choqué l'instinct canadien-français de modération. Quand Ernest Lapointe qualifia « *l'aventure électorale* » de Duplessis « *d'acte de sabotage national* » et menaça de démissionner, avec ses collègues canadiens-français, du cabinet fédéral, à moins que la province fasse maison nette et appuie la politique de guerre en élisant un gouvernement libéral, le Canada français répondit avec enthousiasme. Le nouveau premier ministre, Adélard Godbout, avait déclaré : « *Je m'engage sur l'honneur, en pesant chacun de mes mots, à quitter mon parti et même à le combattre si un seul Canadien français, d'ici la fin des hostilités, est mobilisé contre son gré sous un régime libéral, ou même sous un régime provisoire auquel participeraient nos ministres actuels dans le cabinet de M. King.* » [45]

La *Presse* et *La Patrie* estimèrent que le verdict électoral indiquait que « *le Québec ne permettrait pas qu'on le mette dans une position qui l'isolerait des autres provinces du dominion* », mais *La Patrie* ajouta que l'approbation de la politique de guerre ne signifiait pas l'approbation du service militaire obligatoire outre-mer. [46]

Les quatre ministres fédéraux promirent qu'aussi longtemps qu'ils sera'ent au gouvernement, il n'y aurait pas de service militaire obligatoire outre-mer et la presse libérale interpréta le résultat du scrutin comme une ratification de l'attitude adoptée par les ministres et les députés canadiens-français à Ottawa. Au cours des élections, Duplessis fut favorisé un peu indirectement par *Le Devoir*, mais surtout par *L'Illustration* et *L'Evénement-Journal*. Le 4 novembre, *Le Devoir* minimisa l'importance des élections parce qu'elles étaient exclusivement provinciales, mais *L'Illustration* s'empressa d'affirmer que le Canada s'était prononcé contre l'autonomie provinciale. *L'Action catholique*, qui penchait vers les libéraux avant les élections, exprima plus tard la crainte que la victoire d'Adélard Godbout soit considérée comme un blanc-seing par le gouvernement fédéral et donna l'interprétation suivante du résultat du scrutin : « *Messieurs les Ministres canadiens-français à Ottawa, Québec accepte la politique que vous avez obtenue et veut que vous restiez à vos postes et résistiez vigoureusement à toute tentative d'aller au delà du compromis, de crainte que le Canada soit ruiné.* » [47]

La presse canadienne-anglaise accueillit le résultat des élections comme un resserrement du lien de la Confédération et le désaveu d'un gouvernement qui s'était associé aux mouvements fascistes du Canada français. Mackenzie King lui-même observa : « *Rien n'a davantage contribué à l'unité nationale depuis la Confédération.* » [48] La confiance canadienne-anglaise dans le Québec fut encore mieux restaurée par les élections fédérales de mars 1940, les libéraux obtenant alors tous les sièges du Québec à l'exception d'un seul. C'était une approbation imposante de la politique de Mackenzie King, qui avait été critiquée par le gouvernement Hepburn, en Ontario. *Le Soleil* exprimait l'attitude générale du Canada français en disant que le gouvernement King était « *le vivant symbole de la coopération pratique* » pour l'effort de guerre, tandis que *Le Progrès du Saguenay* observait qu'il était hors de doute que la politique des libéraux comportait moins de dangers pour le Québec. [49] Le cours placide de la « drôle de guerre » avait désarmé les Canadiens anglais exagérément zélés, qui auraient préféré la conscription immédiate et l'assistance économique jusqu'au dernier sou dès la déclaration de guerre, tandis que le Canada français était amené à prendre une part modeste, mais respectable, à l'effort de guerre sur la base de la politique modérée de King, qui consistait à payer à mesure. Une petite force expéditionnaire canadienne d'une division débarqua en Angleterre le 17 décembre sans

protestation de la part du Québec. Le Canada faisait face au véritable déclenchement des hostilités dans l'Europe de l'Ouest au printemps de 1940 beaucoup plus uni qu'il ne l'était un an auparavant.

4

La guerre-éclair, qui commença par l'invasion de la Norvège
au début d'avril et se termina par la chute de la France en juin,
amena le conflit bien près du Canada. L'internement d'Adrien Arcand en mai, pour avoir publié des déclarations préjudiciables à la
sûreté de l'Etat, fut accueilli avec calme. Le Québec vit la France
qu'il aimait, en dépit de tous les différends, se courber sous le joug
nazi. Le Canada anglais vit l'Angleterre désormais seule devant le
conquérant, avec les seuls débris d'une armée rescapée à Dunkerque
et il brûla d'enthousiasme lors de la déclaration de Winston Churchill
aux Communes anglaises le 4 juin :

> « Nous irons jusqu'à la fin, nous combattrons en France, nous com-
> battrons sur les mers et les océans, nous combattrons avec une con-
> fiance croissante et une force croissante dans les airs, nous défendrons
> notre île, quel que puisse être le prix, nous combattrons sur les plages,
> nous combattrons sur les pistes d'atterrissage, nous combattrons dans
> les champs et dans les rues, nous combattrons dans les collines. Nous
> ne capitulerons jamais et même si, ce que je ne crois pas un instant,
> cette île ou une grande partie était subjuguée et affamée, alors notre
> Empire au delà des mers, armé et gardé par la flotte britannique,
> poursuivrait la lutte jusqu'à ce que, au temps choisi de Dieu, le
> Nouveau Monde, avec tout son pouvoir et sa puissance, vienne secou-
> rir et libérer le Vieux. » [50]

Les Canadiens anglais furent emportés par un désir irrésistible de
faire parvenir à la hâte toute l'aide possible à l'Angleterre et d'accélérer l'effort de guerre du Canada. Le loyalisme s'accrut devant la
possibilité d'avoir à accueillir la famille royale qui pourrait être forcée
de chercher refuge au Canada. L'émotion fut très forte en Ontario qui
vit un rassemblement populaire de 10 000 personnes à Toronto acclamer, le 24 mai, l'appel du Globe and Mail : « Donnez-nous des chefs
et des armes et les Canadiens feront le reste. » [51] La prudence de
Mackenzie King fut critiquée et il répondit en Chambre à la marée
montante des reproches par une mise en garde contre l'hystérie et
la panique, après avoir récapitulé l'effort fait jusqu'alors par le Canada qui avait déjà 25 000 soldats en Angleterre.

La presse française du Québec tout entière exprima sa sympathie
pour la France lors de son effondrement qui stupéfia le Canada français et causa un certain défaitisme. Le Guide, nationaliste, observa,
le 19 juin : « Le cœur de la Nouvelle-France saigne aussi. Ce deuil

*est bien le nôtre... quelle sera la répercussion... de cette capitulation
sur nos destinées ?... L'annexion aux Etats-Unis est une probabilité.* » [52]
Ce journal poursuivait en adjurant les Canadiens français de préparer leur défense, de ramener la flotte canadienne d'Europe pour défendre le Canada et d'entrer plus complètement dans l'orbite nord-américaine. La trahison de la France par ses propres gens suscita de l'indignation. Cependant, *Le Soleil* exprima l'opinion générale, le 25 juin, en écrivant : « *Ne jugeons pas trop rapidement. Le moins que nous, Canadiens français, pouvons faire pour la France, c'est d'être justes.*» [53] Le Canada français se sentit plus isolé que jamais par la chute de la France, que le monde de langue anglaise accusa de lâcheté et de trahison de la cause alliée. Mackenzie King profita de la Fête de la Saint-Jean-Baptiste pour déclarer : « *Le sort tragique de la France laisse aux Canadiens français le devoir de maintenir les traditions de culture, de civilisation et de passion française pour la liberté, dans le monde entier.* » [54]

Ce message remonta le moral canadien-français et aida à rendre possible le consentement à la conscription pour la défense du Canada à la fin de juin. La Loi de Mobilisation des Ressources nationales (LMRN) ordonnait que « *les personnes se placent elles-mêmes, leurs services et leur propriété* » à la disposition du pays, « *comme il pourra être jugé nécessaire ou approprié pour assurer la sécurité publique, la défense du Canada, le maintien de l'ordre public ou la poursuite efficace de la guerre* », en évitant soigneusement de décréter la réquisition des « *personnes pour servir dans les forces militaires, navales ou aériennes en dehors du Canada et de ses eaux territoriales.* » [55] Grâce à cette précaution, cette loi de mobilisation limitée fut acceptée volontiers par le Québec et les dirigeants canadiens-français de l'Eglise et de l'Etat engagèrent leurs compatriotes à s'y conformer.

La France tombée et l'Angleterre presque à genoux, il devenait évident que le Canada lui-même pourrait être bientôt menacé et les vieilles objections au service militaire obligatoire perdirent beaucoup de leur force. En vain *Le Devoir* du 19 juin imprima-t-il, en gros titre de première page, *LE GOUVERNEMENT IMPOSE LE SERVICE MILITAIRE OBLIGATOIRE AU PAYS,* soulignant que c'était l'abandon de la participation libre, volontaire et modérée promise par les chefs politiques du Canada français, à Ottawa. [56] Cette accusation n'éveilla que de faibles échos, même dans les régions rurales où l'on accepta avec calme la nécessité du service obligatoire pour la défense du Canada. Au parlement provincial, une résolution contre la mobilisation, proposée par René Chaloult et appuyée par Camillien Houde, fut rejetée le 19 juin par 56 voix à 13, bien que Chaloult prétendît que cette résolution représentait l'opinion de la grande majorité des Canadiens français et que Maurice Duplessis affirmât avoir eu raison de prédire, en 1939, que la participation signifierait la coercition. [57] Maxime Raymond, le plus notable député fédéral canadien-français qui se fût opposé à la participation en septembre 1939, déclara en Chambre qu'il soutiendrait la mobilisation, puisque le service obligatoire était limité à la défense du Canada sur le sol canadien. Liguori Lacombe la critiqua, toutefois, comme étant en flagrante contradiction avec les promesses du gouvernement et Wilfrid Lacroix insista pour qu'elle soit limitée aux « *possibilités* ». [58] La hiérarchie approuva cette mesure dès le début, le cardinal Villeneuve donnant pour instruction à son clergé d'expliquer la loi en chaire, afin que le peuple fasse avec exactitude et soumission un devoir que les autorités civiles exigeaient d'eux légitimement. [59]

L'intervention du cardinal annula l'effet du conseil donné par le maire Houde le 2 août, à Montréal, de ne pas s'immatriculer comme l'exigeait la loi, de crainte que celle-ci ne soit utilisée pour expédier les hommes outre-mer contre leur gré. Houde fut interné sur-le-champ et le gouvernement s'efforça maladroitement de garder cet incident secret,[60] ce qui était inutile. En effet, une tempête de protestations s'éleva contre le geste de Houde et *Le Devoir* lui-même observa qu'il avait agi comme un sot et méritait ce qui lui était arrivé, mais en assurant toutefois qu'il avait droit d'appel contre cet internement. *La Presse* du 6 août souligna que les Canadiens français respectaient profondément la loi et l'ordre et qu'ils étaient indignés du défi lancé par Houde à l'autorité. Quelques jours plus tard, *L'Action catholique* affirmait qu'ils ne pouvaient pas choisir les lois auxquelles ils devaient obéir et ajouta que le cardinal Villeneuve avait agi selon les meilleures traditions canadiennes-françaises. René Chaloult, Philippe Hamel et Paul Bouchard firent circuler une pétition pour la libération de Houde, mais on n'y prêta guère attention. Un journal rural, *L'Eclaireur,* de Beauceville, demanda instamment que Houde soit libéré sans trop tarder pour éviter une réaction en sa faveur qui provoquerait de l'agitation, mais il approuva l'action du gouvernement qui avait pour but de prévenir le sabotage de l'effort de guerre. La réaction en faveur de Houde ne se produisit que longtemps plus tard pendant la guerre, quand le sentiment ethnique fut soulevé par une nouvelle crise de conscription et que Houde pouvait être évoqué comme un martyr de la race. Entre temps, la *Winnipeg Free Press* salua le désaveu de Houde par le Québec comme une expression d'unité nationale qui méritait la gratitude du Canada tout entier.[61]

La veille de l'immatriculation nationale, qui eut lieu du 15 au 19 août, Ernest Lapointe prononça un discours radiodiffusé à l'intention de ses compatriotes, où il attaqua ceux qui avaient poussé les Canadiens français à désobéir à la loi et fit valoir l'attitude du cardinal Villeneuve. Il souligna que le but de l'immatriculation était de recenser les hommes et les ressources pour la défense du Canada et que le service outre-mer demeurait purement volontaire. Il rassura ses compatriotes sur son intention de tenir sa promesse de ne pas faire mobiliser pour le service outre-mer.[62] Toutes les autorités convinrent que le Québec avait coopéré pleinement à l'immatriculation et le *Toronto Globe and Mail,* qui n'était pourtant pas un ami du Québec ou du clergé catholique, souligna avec satisfaction que, même dans les paroisses lointaines, les *habitants* s'étaient présentés en foule à l'immatriculation, en réponse à l'explication, donnée par leurs prêtres, de la nécessité de la mesure.[63]

L'acceptation par le Québec de la Loi de mobilisation des ressources nationales et sa contribution à l'effort de guerre au cours des mois suivants portèrent nombre de Canadiens anglais à concevoir l'idée erronée que les Canadiens français accepteraient la conscription pour le service armé outre-mer, qui leur semblait être de plus en plus nécessaire à mesure que le temps passait. L'opposition à une telle politique résultait d'une longue tradition canadienne-française et les deux partis politiques avaient inlassablement répété leur promesse de ne jamais l'adopter, quelles que soient les circonstances. Le Canadien français était tout à fait prêt à défendre le Canada, son pays, mais il s'intéressait moins que ses concitoyens canadiens-anglais au sort de l'Angleterre et il voulait éviter de créer un précédent qui justifierait ensuite le service obligatoire pour les guerres impériales. Les porte-parole nationalistes ne manquaient pas de faire remarquer qu'il s'agissait d'une guerre de l'Angleterre et non pas du Canada français. Parmi les masses du Québec, le sentiment populaire désirait la défaite de l'Allemagne, mais on était persuadé que ce ne serait pas un si grand mal si les Anglais étaient un peu humiliés en même temps. Il n'y eut aucune approbation populaire de la doctrine selon laquelle la défense du Canada commençait en Europe, avant que l'entrée en guerre des Etats-Unis n'ait fait disparaître l'un des piliers de l'isolationnisme canadien-français.

Quand la presse canadienne-anglaise proposa la conscription, ou un gouvernement de coalition qui serait libre d'adopter la conscription si elle était nécessaire, la presse canadienne-française repoussa les deux idées. Il fut fait grand état de l'argument selon lequel, dans l'intérêt de l'Angleterre elle-même, le Canada devait conserver son capital humain, non seulement pour défendre son propre territoire, mais encore pour soutenir les industries de guerre dont les produits manquaient tellement à l'Angleterre. L'idée de coalition ranima les pénibles souvenirs de 1917 et *Le Devoir* ne manqua pas de les entretenir, pendant que la plus grande partie de la presse canadienne-française exprimait une indéfectible loyauté au gouvernement King, dont la politique avait été guidée par les sentiments du Québec. A la fin de février 1941, Ernest Lapointe déclara que lui-même et ses collègues canadiens-français démissionneraient du cabinet s'il se formait un gouvernement de coalition avec une politique de conscription. Enfin, le 12 juin, le ministre de la défense Ralston déclara que c'était une question de conscription ou d'unité nationale et que la sagesse commandait de laisser les choses en l'état, puisque le Canada français appuyait le programme d'engagement volontaire.[64]

Le rythme des engagements de Canadiens français, dans les premières années de la seconde guerre mondiale, fut bien différent de ce qu'il avait été pendant la première. Une unité canadienne-française, le Régiment de Maisonneuve, de Montréal, fut la première à remplir ses rangs de volontaires pour le service armé outre-mer et le général L.-R. Laflèche, ministre adjoint de la défense nationale, estima que 50 000 Canadiens français étaient sous les drapeaux dès le 1er janvier 1941.[65] La même autorité estima que 30 pour cent de la Marine royale canadienne étaient des Canadiens français et qu'un grand nombre de Canadiens français, également, faisaient partie de l'Aviation royale canadienne (RCAF), dont la fameuse escadrille de combat canadienne-française, *Les Alouettes,* fut formée en juin 1942. La Marine royale canadienne fut d'abord encadrée d'officiers britanniques imposant une tradition fortement anglaise et la RCAF fut intégrée à la RAF. Les Canadiens français, portés à se grouper, s'engagèrent de préférence dans l'armée où des unités régionales furent organisées dès le début et où un programme de formation d'officiers bilingues, annoncé par Lapointe le 24 septembre 1941, leur permettait d'entrer dans tous les services et d'accéder aux échelons de commandement. Des mesures semblables furent adoptées plus tard pour la marine et l'aviation, mais l'on continua généralement de penser qu'un Canadien français n'y avait pas toutes ses chances.

D'abord en privé, puis ouvertement, un grand nombre de Canadiens anglais accusèrent les Canadiens français de s'engager en beaucoup plus grand nombre dans l'armée de réserve que dans les unités d'active destinées à servir outre-mer. Cette critique négligeait de considérer que le sentiment populaire au Canada français était favorable à la défense du Canada plutôt qu'aux aventures au delà des mers et que, pour plus d'un Canadien français qui n'était jamais sorti du Québec, servir dans les Maritimes ou en Colombie britannique et, plus tard, en Alaska ou au Groënland, c'était vraiment servir à l'étranger. En plus de son effort militaire, le Canada français apporta une notable contribution à l'industrie de guerre qui se développa dans le Québec beaucoup plus rapidement que pendant la première guerre mondiale et les années 1920.

## 5

Après l'effondrement de la France, la rivalité entre pétainistes et gaullistes fut un facteur de discorde dans le Québec, bien que la question n'intéressât qu'une bien plus petite proportion de la population canadienne-française que ne le croyaient les Canadiens anglais. Une partie de l'élite éprouva d'abord beaucoup de sympathie pour le régime Pétain, surtout le bas-clergé qui fut ébloui par la devise *Travail — Famille — Patrie,* le rétablissement des privilèges des communautés religieuses et la reprise de l'enseignement de la religion dans les écoles de l'Etat. Ces mesures semblaient indiquer un retour aux traditions de la Vieille France et l'abandon de l'attitude anti-cléricale adoptée par tous les gouvernements français depuis le début du siècle. D'autres groupes de l'élite accueillirent les gaullistes avec grand enthousiasme après la capitulation du régime de Vichy, considérant ce mouvement comme la survivance de la tradition française qu'ils chérissaient. Pourtant, dans l'ensemble, la chute de la France laissa le Québec singulièrement froid, au grand étonnement des gens de langue anglaise qui n'avaient pas compris l'intensité du sentiment isolationniste du Québec et jusqu'à quel point les liens de cette province avec la France s'étaient rompus. Cet isolationnisme était, en partie, le résultat naturel d'un Mur de Chine érigé depuis longtemps autour de la province pour que les Canadiens français ne soient corrompus ni par la masse anglo-saxonne environnante, ni par la France athée contemporaine et il rappelait, par plus d'un côté, l'isolationnisme du *Middle-West* américain.

Les propagandistes britanniques et gaullistes sous-estimèrent le nord-américanisme du Québec et s'aliénèrent plusieurs de leurs sympathisants du début et la masse populaire lorsqu'ils essayèrent de faire vibrer les fibres du cœur canadien-français dans l'intérêt de la guerre, en invoquant les liens rattachant le Québec à la France. La population du Québec n'avait pas réagi avec une chaleur particulière aux missions militaires et culturelles de la première guerre mondiale et elle fut encore moins séduite par les réfugiés intellectuels et commis voyageurs politiques de la seconde qui déclaraient ouvertement que le Québec était une province culturelle de la France, avec un vernis très mince de culture française sur sa barbarie nord-américaine. Les gaullistes fervents, surtout, s'aliénèrent toute sympathie en déclarant que les Canadiens français n'étaient pas français, pas émancipés, et odieusement indifférents à la tragédie de l'Europe. En somme, la question de Gaulle-Vichy n'intéressa que la presse et l'élite : la masse resta indifférente.

En juillet 1940, *La Patrie* demanda : « *Pourquoi pleurer un régime* [qui] *confondit liberté avec licence ?* » *L'Action catholique* et *Le Devoir* furent très favorables au régime Pétain, celui-ci le louant pour avoir formé le seul gouvernement possible dans les circonstances et le défendant contre les accusations de fascisme, celui-là rendant hommage, le 10 septembre, à ses efforts pour réorganiser la vie française dans la tradition chrétienne et supprimer la franc-maçonnerie.

Cependant, au cours de la même période, *L'Action catholique* exprima son opinion sur les mérites relatifs de Pétain et de de Gaulle, en expliquant que, bien que le gouvernement de Vichy fût le seul gouvernement légitime de la France et que les réformes de Pétain fussent dignes d'éloge, Vichy était naturellement sous la surveillance nazie et, par conséquent, il fallait approuver de Gaulle parce qu'il continuait la lutte aux côtés de l'Angleterre et restaurait ainsi le crédit de la France auprès de ses alliés du début. Il n'y eut guère de réaction dans la presse à l'appel radiodiffusé par de Gaulle, le 2 août, au Canada français : « *L'âme de la France cherche et appelle votre secours parce qu'elle trouve dans votre exemple de quoi ranimer son espérance en l'avenir, puisque, par vous, un rameau de la vieille souche française est devenu un arbre magnifique... et parce qu'elle mesure votre rôle à votre importance à l'intérieur de l'Empire britannique.* » Comme *Le Devoir* le fit remarquer plus tard, bien que le Canadien français éprouve une sympathie naturelle pour la France, il est absurde de penser pouvoir le rallier en faisant appel à des sentiments d'un patriotisme français dont il est dépourvu depuis que le Canada est devenu son unique patrie, depuis plus de 175 ans. [66]

Cependant, *L'Evénement* approuva le mouvement *France libre* après la destruction de la flotte française à Oran le 4 juillet, par les Britanniques et, à mesure que Vichy passait sous l'emprise nazie et que l'Angleterre se rétablissait du désastre de juin, la presse du Québec en vint à la conviction croissante que l'espoir de la France reposait sur le mouvement de Gaulle. L'organisation à Québec, par Mme André Simard et le père Delos, o.p., du premier groupe *France libre* hors d'Europe, aida à retourner l'opinion et à l'orienter contre Vichy. Tandis que le message des évêques, à l'occasion de la Fête du Travail, mettait Pétain à l'honneur, Ernest Lapointe lançait, le 25 octobre, le premier de nombreux appels radiodiffusés des Canadiens français à la France, où il adjurait les Français de ne pas se tourner contre l'Angleterre. Déclarant qu'ils parlent « *une langue que nous avons héritée de vous... avec... un peu de l'âme de la France éternelle* », Lapointe affirma que les Canadiens français considéraient encore la France comme leur alliée, car ils ne pouvaient concevoir une France, même vaincue, renonçant à ses idéals séculaires. Les Canadiens français ne pouvaient pas croire que leur ancienne mère-patrie deviendrait l'ennemie de l'Angleterre à laquelle ils étaient attachés non seulement par une communauté d'intérêts, mais encore par un serment français de fidélité. Le Canada, fils à la fois de la France et de l'Angleterre, constituait un lien indissoluble entre les deux pays. *L'Action catholique,* commentant l'allocution de Lapointe, exprima l'espoir qu'elle préviendrait la complète soumission des Français aux nazis et montrerait aux autres Canadiens le rôle important que pourrait jouer le Québec dans les relations franco-britanniques. [67]

*L'Action catholique,* qui avait glorifié Pétain, admit le 29 octobre, sous la manchette *France trahie,* que Vichy commençait à faire le jeu d'Hitler et déclara craindre que la nazification de la France, au lieu de sa restauration, en serait le résultat. Quand les gaullistes envoyèrent le commandant Thierry d'Argenlieu, moine carmélite qui avait de distingués états de service en qualité d'officier de marine, plaider leur cause au Canada en mars 1941, un dîner fut donné en son honneur à Québec, auquel assistèrent le premier ministre Godbout et Mgr Camille Roy, recteur de l'Université Laval. L'argument du commandant d'Argenlieu que c'était dérision pure que de prétendre ériger un Etat chrétien à l'intérieur de la structure nazie et ses références prudentes à Pétain, selon lui un grand Français induit en erreur, gagnèrent nombre de nouveaux amis à la cause de de Gaulle. Mackenzie King favorisa cette aliénation des sympathies canadiennes-françaises à l'égard de Pétain en refusant de rompre les relations diplomatiques avec Vichy, malgré une forte pression exercée par les milieux canadiens-anglais. Le 7 octobre, ne voulant pas encore condamner le régime de Vichy, *L'Action catholique* avait déclaré que ce geste mettrait sérieusement en danger l'unité nationale. Cependant, il convient de noter que le général Georges Vanier, ministre canadien en France resté à son poste jusqu'à l'armistice de juin 1940 et jouissant au Québec d'un grand prestige comme héros du Royal 22ème de la première guerre mondiale, quand il revint au Canada le 4 octobre après un séjour en Angleterre, affirma que la France demeurait inébranlable dans sa volonté de résister. [68]

Une autre conséquence de la chute de la France fut une nouvelle attitude canadienne-française à l'égard des Etats-Unis, dont la présence imposante se dessina peu à peu à l'horizon du Québec après que le contact avec l'Europe eut été en grande partie perdu. L'Accord d'Ogdensburg du 18 août 1940, établissant une Commission permanente conjointe pour « *considérer dans le sens large la défense de la moitié nord de l'hémisphère occidental* », [69] n'était pas loin d'une alliance militaire Canada-Etats-Unis. *L'Action catholique* du 21 août l'accueillit comme un événement d'une portée incalculable, soulignant que si l'Angleterre était vaincue par l'Allemagne, la coopération avec les Etats-Unis et les autres nations américaines serait le seul moyen de protéger la liberté et la personnalité nationale du Canada français.

Or, pour consolante que fût l'idée de l'aide qu'apporterait à la défense du Canada son puissant voisin du sud, on ne laissait pas de craindre que les Etats-Unis n'absorbent éventuellement le Canada. On faisait remarquer qu'après la guerre, le Canada pourrait être appelé à choisir entre les mondes britannique et américain, en espérant qu'il n'y perdrait pas son indépendance. *L'Evénement* du 20 août écrivit que les Canadiens partageaient avec les Américains un même héritage, un même mode de vie et un même désir de rester libres, toutes choses qu'il fallait protéger de concert avec les Etats-Unis. *Le Devoir* n'éprouvait guère d'enthousiasme pour la défense en commun et *L'Action catholique* du 7 novembre était d'avis que le Canada devait agir comme partenaire et non comme pupille des Etats-Unis pour défendre le continent, car, autrement, les Américains pourraient être amenés à annexer un voisin incapable d'assurer sa propre sécurité. [70]

La Déclaration de Hyde Park [71] du 20 avril 1941, qui ouvrait la perspective d'une étroite coopération avec les Etats-Unis, éveilla le vieux spectre de l'annexion chez maints Canadiens français, car elle prévoyait l'intégration économique pour les buts de guerre. *L'Action nationale* s'en inspira pour consacrer son numéro de juin à une enquête dont on parla davantage en privé que dans la presse. Cette enquête fut ouverte par un éditorial intitulé *There'll always be an England, mais... y aura-t-il un Canada ?* qui déclarait croire que la France et l'Angleterre survivraient à la catastrophe de la guerre, mais douter que le Canada, sans culture propre, unité géographique ou unité nationale, pourrait survivre. Il envisageait des hypothèses où le Canada pourrait devenir une colonie ou un protectorat des Etats-Unis, ou bien où les provinces, individuellement ou par groupes, pourraient être admises dans l'Union en tant que nouveaux Etats, enfin où le Québec pourrait devenir un Etat en conservant ses frontières et son autonomie. Cette dernière possibilité fut étudiée sous ses aspects juridique, politique, économique, culturel et religieux, avec une note historique sur l'annexionnisme par l'abbé Groulx et une note sur l'attitude américaine envers le Canada français par Burton Ledoux. L'avant-propos éditorial conseillait une étude prudente de la question et concluait : « *Vous avez mille motifs de vous plaindre de la Confédération canadienne ; n'allez pas conclure que tout vaudrait mieux que le présent. On ne guérit pas un mal par un mal plus grand. Et avant de s'engager dans une aventure, encore faut-il savoir où elle mène.* » [72]

Examinant l'histoire de l'annexionnisme jusqu'en 1849, l'abbé Groulx affirma : « *L'on reconnaîtra comme l'un des faits merveilleux de l'histoire la résistance de notre petit peuple au continentalisme américain, autant dire à toute forme d'impérialisme.* » [73] Dans une étude juridique, Jacques Perrault affirma sa conviction que le Canada français jouirait de plus de sécurité pour sa religion, sa langue et ses droits scolaires sous le régime des droits des Etats américains que sous celui de la constitution canadienne. [74] Cependant, Edmond Lemieux maintint qu'en dépit du fait que les trois principaux partis canadiens étaient engagés dans des politiques centralisatrices, la tendance à la centralisation était encore plus forte aux Etats-Unis et le Canada français aurait encore moins d'influence à Washington qu'à Ottawa. [75] Dans une étude économique, François-Albert Angers prédisait que, par l'annexion, le Québec perdrait ses industries et deviendrait une réserve où l'agriculture et les industries d'extraction seraient florissantes, en même temps qu'un grand nombre de Canadiens français seraient attirés ailleurs par des salaires plus élevés. Même si le Québec s'industrialisait davantage, le besoin d'une main-d'œuvre plus cons dérable submergerait les Canadiens français par un flot d'étrangers. [76] Jean Nicolet craignait que l'annexion ne signifie la fin du groupe ethnique canadien-français, le français devenant une langue secondaire moribonde. Il reprit les vieux arguments contre l'américanisation par le cinéma, la radio, les magazines. [77]

Le père jésuite Jacques Cousineau estimait que le catholicisme canadien-français n'avait rien à gagner et tout à perdre par l'annexion, puisque les Etats-Unis étaient mo ns catholiques et chrétiens que le Canada. [78] Burton Ledoux évoqua « *les anciennes rancunes anglo-saxonnes contre la culture gallo-romaine* » des Canadiens français, considérés par les Américains comme un peuple arriéré, tyrannisé par les prêtres, adonné au fascisme et à l'antisémitisme. Il estimait que le Québec jouirait d'une autonomie beaucoup moindre après l'annexion. [79] André Laurendeau résuma les conclusions de cette enquête en déclarant que l'annexion mènerait à la « *mort par immersion* », ou à la « *mort par inanition.* » Il était persuadé que le mouvement annexionniste était un nouveau défaitisme qui signifie rait la diminution de l'autonomie du Canada français et de son rayonnement. Il conclut : « *Nous ne devons pas désirer l'annexion* » et, si elle était imposée, « *nous vivrons si nous sommes des vivants,* c'est-à-dire si les Canadiens français stimulent leur volonté de vivre en devenant créateurs et en affirmant tant leur culture que leur conscience nationale. [80]

## 6

Dès le début de la guerre, nombre de Canadiens, anglais et français, s'appliquèrent à empêcher qu'entre les races s'ouvre cet abîme qui avait été un fait si tragique de la première guerre mondiale. Mackenzie King, inspiré par sa loyauté à la mémoire de Laurier et sagement guidé par Ernest Lapointe dans toutes les affaires touchant au Québec, évita beaucoup des fautes commises par Ottawa au cours de la première guerre mondiale. Certains Canadiens anglais murmurèrent contre le gouvernement en l'accusant de se faire le serviteur du Québec, mais le sentiment général était qu'il ne fallait pas mettre l'unité nationale en péril. Dans l'ensemble, on laissa le Canada français faire ce qu'il pouvait ou voulait pour l'effort de guerre, sans excès de zèle loyaliste venant lui appuyer un canon de pistolet sur la tempe. Ottawa n'essaya pas d'imposer au Québec les idées du Canada anglais sur l'unité nationale et laissa la tâche de stimuler le patriotisme du Canada français à ses propres chefs, laïcs et cléricaux. Le rôle important d'Ernest Lapointe pour assurer l'appui du Québec à la déclaration de guerre, à la participation et à la mobilisation nationale a déjà été évoqué.

Le premier ministre Godbout se rendit à Toronto le 4 décembre 1940, en une sorte de pèlerinage pour parler de *L'Unité canadienne* [81] devant le *Canadian Club* et l'*Empire Club* réunis. Il rappela que les discours de Taschereau à Toronto, au cours des années 1920, avaient beaucoup aidé les Canadiens français et anglais à mieux se comprendre et il souligna, en passant, que les Franco-Ontariens étaient « *un lien vivant et nécessaire entre nous.* » Puis, il présenta ses arguments, demandant que l'unité canadienne soit affermie par la réalisation « *d'un parfait accord en tout ce qui touche aux facteurs de base des problèmes canadiens, qui ne doit jamais être atteint aux dépens ni d'une race, ni de l'autre, mais à l'avantage de tous.* » Il affirma à son auditoire : « *D'aucune manière nous n'épargnons nos sous, nos peines et notre sang quand il est question du Canada, de la liberté humaine, de l'idéal démocratique ou de l'honneur qui sont notre âme même.* » Il insista sur le fait historique que les Canadiens français sont les plus canadiens des Canadiens et qu'ils ont apporté de nombreuses contributions au progrès de la nationalité canadienne. Il fit l'éloge des efforts de bonne entente de William Henry Moore, Arthur Hawkes, P.F. Morley, Lorne Pierce, Wilfrid Bovey, Howard Ferguson, Harry Stapells et F.C.A. Jeanneret. Il plaida aussi en faveur du bilinguisme : « *Quand les deux principales langues du pays seront d'un usage courant d'un océan à l'autre, nous aurons tellement multiplié les points de contact entre nos deux races que beaucoup de nos difficultés auront disparu d'elles-mêmes sans qu'il soit nécessaire de recourir à la persuasion, aux congrès, aux campagnes de presse et autres moyens semblables.* » Il ajouta : « *Ce que nous devons sauvegarder, ce que nous devons défendre, c'est le privilège de nous développer, nous-mêmes, suivant nos préférences.* » L'unité d'esprit et de cœur pouvait exister, même si chacune des provinces conservait ses propres usages, coutumes, pratiques religieuses et vie culturelle.

Godbout déclara que les Canadiens français étaient un élément constitutif du Canada, non seulement parce qu'ils étaient la majorité du Québec, mais encore parce que « *partout ils sont présents, partout ils font sentir cette présence, partout ils enrichissent de leur culture, de leur langue, de leur labeur, de leur dévouement, de leurs sacrifices, le patrimoine du Canada tout entier.* » Il affirma avec force que le Canada français faisait son devoir, tout comme le Canada anglais, mais il ajouta : « *Il est temps d'accorder à notre province et aux nôtres une part adéquate des travaux de défense nationale, des postes responsables dans l'armée, l'administration et le gouverne *ment.* » Il décrivit le Canada français en guerre et, par une image inspirée de son ancienne carrière d'agronome, il affirma : « *A la ruche nationale, il n'est pas une abeille canadienne-française qui n'apporte son miel à côté de celui des abeilles canadiennes-anglaises.* » Il souhaita la réalisation d'une « *unité d'intention, unité de fait, unité générale, équité sur toute la ligne, aux dépens d'aucun de nos caractères et de nos particularismes respectifs.* »

Ayant rendu hommage aux héros des deux races et fait l'éloge des deux Canadiens français qui avaient gagné la Croix de Victoria au cours de la première guerre mondiale, il affirma que le Québec resterait fidèle à ses morts. Il termina par ces paroles éloquentes :

« *Séparatistes, Messieurs, nous ne le sommes pas, nous ne pouvons pas l'être ! Nous avons consenti au Canada trop de sacrifices. Il n'est pas une motte du sol de la patrie qui n'ait été foulée par les nôtres ; pas une ville, pas un village qui n'aient donné naissance à des bâtisseurs de pays, à des faiseurs d'hommes, à un héros discret ou illustre. Nous ne renonçons à aucune parcelle de notre patrimoine, car il s'identifie à nous et nous à lui. Bien plus, vous nous comprenez assez désormais pour savoir que nous n'abandonnerons jamais nos frères canadiens-français des autres provinces. Nous exigeons simplement que l'on nous respecte comme nous respectons les autres et que notre conception de l'indissoluble unité du Canada dans la guerre et dans la paix soit admise comme partant d'un cœur fervent et réaliste tout à la fois, dont l'idéal est de servir la patrie, dressée de toutes les puissances de son être pour que l'opprobre et la honte du joug nazi n'atteignent point nos bords et que la couronne britannique ne cesse de trouver au Canada son plus beau fleuron.* »

Cette assertion franche et courageuse, clôturant une série de discours semblables dans la Province de Québec, fut applaudie avec enthousiasme par tous les journaux français ou anglais, quelle que fût leur appartenance politique.

Le cardinal Villeneuve, qui avait déclaré, le 5 juin 1940, que « *nos alliés ont le droit de compter sur nos sacrifices pour assurer leur victoire* » [82] et avait approuvé avec fermeté le recensement national, nia énergiquement, le 22 novembre, les rumeurs selon lesquelles les Canadiens français songeraient au séparatisme sous sa direction. Il fit remarquer qu'ils avaient prouvé leur sincère loyauté et qu' « *au cours de l'an dernier, ils ont apporté à l'unité nationale la contribution la plus éclatante depuis un quart de siècle, au moment même où l'heure paraissait la plus sombre pour cette unité.* » [83] La plus grande contribution du cardinal à la cause de l'unité nationale fut sa demande de célébration de messes pour la victoire, le 9 février 1941, dans chacune des paroisses du Québec. Il officia lui-même à Notre-Dame de Montréal, devant une assistance où l'on remarquait la présence d'Ernest Lapointe et de presque tous les hauts dignitaires

de l'Eglise et de l'Etat. Après avoir exhorté les fidèles à s'inspirer de
la fermeté britannique et à combattre pour venir à bout de ces conquérants dont les idées fausses devaient être vaincues à tout prix,
il termina ainsi son sermon : « *Nous, l'Eglise, l'Etat et le peuple de
cette province... supplions le Dieu des armées de nous aider à triompher du mal.* » [84] Ce geste, sans précédent au Canada français depuis
que des messes avaient été offertes pour la victoire de l'Angleterre
contre Napoléon, impressionna fortement les Canadiens anglais qui
inclinaient à croire que l'Eglise était la source unique de toute déloyauté dans le Québec. Il stimula aussi l'effort de guerre du Canada
en lui apportant ouvertement l'appui de l'Eglise.

En de nombreuses occasions, le cardinal insista sur l'unité nationale et, notamment, à l'*Empire Club* de Toronto, le 16 avril 1941.
Il rejeta une fois de plus, les accusations de séparatisme, de cléricalisme et de fascisme dirigées contre le Québec :

« *Jamais je n'ai souhaité que le Québec devienne un Etat clérical
ou fasciste. L'Eglise n'admet pas que le patriotisme soit l'amour de
l'isolement... Non, notre patriotisme doit s'étendre à tout le Canada.
La divine Providence semble avoir destiné les Canadiens de langue
française à coopérer pour édifier une nation assise sur la civilisation
anglo-saxonne et française.* » [85]

Les Canadiens français étaient, selon lui, l'élément le plus stable
de la population et constituaient un rempart contre le communisme
et les autres doctrines subversives. Il demanda avec force que les
minorités canadiennes-françaises des autres provinces jouissent des
mêmes droits que ceux dont jouissait la minorité anglaise du Québec
en matière scolaire et il rappela que les Québecois seraient toujours
aux côtés de leurs frères pour la défense de leurs droits. Il conclut
en rendant hommage à l'héroïsme du peuple britannique, déclarant
que le patriotisme est la plus noble des vertus et faisant l'éloge de
tous ces Canadiens qui s'étaient enrôlés pour la défense d'une juste
cause.

Un petit groupe d'ultra-nationalistes continua toutefois de protester contre les changements apportés par la guerre au mode de vie du
Québec et contre les empiétements sur son autonomie. Quand le sénateur Athanase David, en août 1940, mit ses compatriotes en garde
contre la tendance des nationalistes intransigeants à considérer le
Québec comme le centre autour duquel tournait le Canada et contre
leur désir d'amener les Canadiens français à haïr leurs compatriotes
anglais, *Le Devoir* déplora la tendance de David à s'adresser aux
Canadiens français comme s'ils étaient un peuple réfractaire, hési-
tant à obéir à la loi ou même la sabotant. *L'Illustration nouvelle*
écrivit que le discours de David ne diminuerait pas les animosités politiques et qu'il n'était que la millième édition des promesses de King,

de Lapointe et de leurs associés. Il fit remarquer que le programme libéral de demi-vérités et de réticences faisait douter des chefs et de la cause elle-même. [86] La conférence fédérale-prov'nciale convoquée pour le Rapport Rowell-Sirois s'effondrant au bout de deux jours en janvier 1941, les milieux nationalistes accusèrent le premier ministre Godbout d'avoir failli à la défense des droits provinciaux pour ne pas offenser ses chefs, King et Lapointe. Le premier m'nistre Hepburn, de l'Ontario, qui joua le rôle principal pour empêcher qu'il fût donné suite aux recommandations du rapport, accusa Godbout d'avoir trahi les autres provinces dans leur lutte pour l'autonomie provinciale. Par la suite, ce devint une habitude, dans les m'lieux nationalistes, de considérer Godbout comme une simple créature d'Ottawa, sacrifiant les droits du Québec à la loyauté de parti. Cette loyauté de parti joua sans doute son rôle dans la politique de Godbout à l'égard d'Ottawa, mais il était aussi fortement convaincu de la nécessité de l'un'té nationale et d'éviter au Québec l'isolement qui s'était produit lors de la première guerre.

Maxime Raymond, qui était devenu le porte-parole du groupe ultra-nationaliste à Ottawa par son attitude au sujet de la neutralité canadienne, son vote contre la participation et son acceptation hésitante de la conscription pour la défense du Canada, lança une autre attaque contre la politique du gouvernement, en mai 1941. Il insista pour que le gouvernement cesse de dire au pays que le Canada risquait une invasion, qu'il considérait impossible. Il déclara que la puissance du Canada et ses ressources n'étaient pas sans limites et demanda pourquoi le Canada devrait se ruiner pour les intérêts d'une Angleterre qui, après la guerre, pourrait redevenir amie de l'Allemagne. Selon lui, le Québec était unanimement opposé à la conscription et l'Angleterre avait besoin de munitions et de nourriture et non pas d'hommes. Il se plaignit qu'il fût demandé à l'ouvrier canadien-français de travailler pour des salaires misérables et dans des conditions révoltantes, tout en s'entendant dire qu'il devait combattre pour libérer de l'esclavage les travailleurs de Pologne ou d'ailleurs en Europe. Il conclut en demandant au gouvernement de se rappeler que la loyauté première d'un Canadien doit être envers sa terre natale et de tenir compte de l'avenir du Canada dans sa politique de guerre. [87]

Ernest Lapointe répondit à Raymond avec véhémence, niant qu'il ne représentait qu'une petite minorité d'un Québec qui avait désavoué, aux élections provinciales d'octobre 1939 et aux élections fédérales de mars 1940, les sentiments de tous les adversaires de la participation et de tous les isolationnistes. *La Presse* observa que le désaveu de Raymond par Lapointe reflétait le sentiment général des Canadiens français et la *Montreal Gazette* souligna que Raymond ne représentait qu'une petite coterie de mécontents. [88]

Malgré ce courant sous-jacent d'opposition nationaliste en juin 1941, le Québec jouait un rôle important dans l'effort de guerre du Canada. Il avait répondu généreusement aux emprunts de guerre et était devenu l'un des principaux centres d'industrie de guerre et de matières premières d'importance vitale. Bien qu'il fût un peu en retard sur les autres provinces en ce qui avait trait aux engagements volontaires pour le service armé outre-mer, il coopérait pleinement à l'entraînement des forces pour la défense du territoire national. Sa sympathie du début pour Vichy avait à peu près disparu et cette question avait cessé de l'isoler du reste du Canada.

Cependant, la déclaration de guerre de l'Allemagne à la Russie le 22 juin 1941 souleva la question de ce que serait la réaction canadienne-française à la coopération avec la Russie soviétique. Le Québec était notoirement anti-communiste, comme en faisaient foi sa Loi du Cadenas, son adhésion à la cause de Franco en Espagne et sa sympathie pour les croisades anti-communistes des dictateurs de l'Allemagne et de l'Italie. La hiérarchie comprit que le Québec devait s'aligner sur le reste du Canada au sujet de l'alliance russe, si l'on voulait sauver l'unité nationale. Le 25 juin, *L'Action catholique* déclara que, même si la Russie ne jouissait guère de sympathie dans le Québec, il n'était que juste de souhaiter la continuation de la résistance russe et de lourdes pertes nazies. Deux jours plus tard, *L'Action* exhorta le Canada français à soutenir la Russie contre l'ennemi commun et à se réjouir de voir l'Allemagne obligée de combattre un ennemi aussi puissant, bien qu'elle détestât le communisme tout autant qu'avant. L'aide, de quelque côté qu'elle vînt, devait être la bienvenue, puisqu'on avait pour soi le droit et que c'était un combat pour une juste cause. *L'Action* répondit à la question de savoir si l'aide à la Russie aiderait le communisme dans un autre article du 11 juillet, où elle écrivit que l'Allemagne était l'ennemi commun et que le Canada et l'Angleterre aidaient la Russie dans leur propre intérêt. Il n'était pas question d'aider le communisme indépendamment du peuple russe, à moins que l'on ne permette aux organisations communistes interdites de reprendre leur activité au Canada. [89]

La presse provinciale, en général, suivit les directives de *L'Action catholique* que l'on crut avoir été inspirées par le cardinal Villeneuve, acceptant l'aide russe contre les Allemands comme souhaitable, mais faisant écho à la répugnance du Québec pour le communisme. Il n'y eut rien de cette acceptation sans réserve de la Russie en tant qu'alliée démocratique qui fit de maints Canadiens anglais idéalistes des dupes innocentes du communisme. Un Canada anglais traditionnellement conservateur manifesta de l'enthousiasme pour tout ce qui était russe, sous le charme de l'héroïque résistance de la Russie qui finit par refouler la marée d'invasion nazie et, chez les jeunes intellectuels, les sympathies communistes devinrent aussi populaires qu'elles l'avaient été aux Etats-Unis dix ans auparavant. Cette vague d'enthousiasme fut exploitée sans vergogne par les communistes canadiens et les diplomates russes, pour organiser un réseau d'espionnage qui ne fut découvert qu'après la fin de la guerre. [90] Les réserves du Québec au sujet de l'alliance russe, que l'on avait qualifiées de déloyales, furent alors pleinement justifiées.

7

Le Canada français figura largement dans la guerre psychologique livrée sur les ondes courtes. Après la chute de la France, Radio-Paris dirigea sur le Québec un programme qui jouait l'air *Alouette* comme indicatif musical. L'émission tentait de garder vivant le souvenir de la domination française au Canada en faisant sans cesse allusion aux liens historiques, d'influencer l'attitude du Canada français à l'égard du reste du Canada en cultivant le séparatisme et l'opposition à la conscription, de rallier la France de Pétain au Canada, d'amplifier les différences culturelles pour inciter à la désunion et de justifier la collaboration de la France non occupée avec l'Allemagne. Pour atteindre ces buts, l'émission utilisait la flatterie, l'obsession de la persécution et des complexes de minorité, exploitait les griefs et cultivait antisémitisme et anticommunisme. La radio de Vichy dirigea aussi des émissions d'abord sur Saint-Pierre et Miquelon, puis sur l'Amérique du Nord tout entière. Sa propagande encourageait l'hostilité envers l'Angleterre, minimisait l'importance de la puissance américaine, insistait sur les vertus de la collaboration, attaquait le gaullisme et défendait la politique de Vichy. Ses thèmes étaient que la France considérait les Canadiens français comme des Français, que l'influence canadienne-française au Canada était devenue de plus en plus forte depuis 1763 et qu'elle continuerait à croître, que la France était encore la mère-patrie des Canadiens français, que les Canadiens français étaient attachés à la France, mais non déloyaux, politiquement, à l'égard du Canada, que la France et le Canada français jouissaient d'une profonde identité culturelle, que les Canadiens français étaient persécutés parce qu'ils avaient des opinions françaises, enfin que la France de Pétain tendait vers la manière de vivre française, longtemps chérie au Canada français, en ce qui avait trait à la famille, la terre, le foyer et l'éducation religieuse. [91]

Pendant un an, un homme s'imposa la tâche de répondre à ce barrage de propagande. C'était Louis Francœur, journaliste montréalais bien connu qui n'avait guère d'amour pour l'Allemagne, ayant été interné par les Allemands de 1914 à 1918 pendant qu'il étudiait en Belgique en qualité de membre de l'Ordre des Bénédictins. Son programme de radio quotidien, *La situation ce soir,* acquit une large audience au Canada français et fut si hautement prisé que les textes en furent imprimés en brochures [92] bi-mensuelles de janvier 1941 à sa mort dans un accident d'automobile au début de l'été suivant. Francœur, avec son érudition facile, son sens psychologique aigu et l'horizon d'un citoyen du monde, fit beaucoup pour guider l'opinion canadienne-française à travers les confusions de la question Vichy-de Gaulle et lui faire comprendre la nature cruciale et mondiale d'une guerre qui n'était pas seulement celle de l'Angleterre, comme le prétendaient les nationalistes. Francœur lui-même était pro-britannique et très épris de la France et de la Belgique. Il détestait le fascisme sous toutes ses formes, mais respectait les divergences d'opinions sur la question française. Il protesta contre l'importation dans le Québec des querelles meurtrières entre Français et contre l'identification des Canadiens français aux Français par le monde de langue anglaise. Par son adroite analyse des nouvelles, il gagna peu à peu le Canada français à la cause de de Gaulle.

Après sa mort, Mlle Béatrice Belcourt, de la CBC, inaugura un programme intitulé *Le Canada parle à la France,* qui fut d'abord radiodiffusé sur ondes courtes de Boston puis, plus tard, de Sackville, dans le Nouveau-Brunswick, quand le Canada construisit son premier émetteur sur ondes courtes. Le programme comporta surtout des discours du premier ministre Godbout, du cardinal Villeneuve, de l'archevêque Vachon, d'Ottawa, du général Vanier, du général Laflèche et d'un grand nombre d'autres notables qui insistèrent sur la sympathie du Canada pour la France et aussi sur sa loyauté enthousiaste à la cause alliée et sa volonté inébranlable de libérer la France de l'oppression germanique. [93] Ces émissions aidèrent sans aucun doute à soutenir le moral français pendant l'occupation et, en même temps, répondirent au désir, chez les Canadiens français, de savoir que la France ne mourrait pas. Assez peu de gens possédant, dans le Québec, des récepteurs à ondes courtes, la propagande nazie et celle de Vichy n'eurent guère d'influence, si ce n'est sur un petit groupe de l'élite nationaliste, tandis que les messages du Canada français à la France atteignirent, sans doute, des auditeurs beaucoup plus nombreux.

8

La mort d'Ernest Lapointe, à la fin de 1941, priva le Canada français de son seul représentant au gouvernement fédéral qui comprît parfaitement sa province, qui jouît de son entière confiance et qui fût canadien d'abord et canadien-français ensuite. Ce fut alors, le conflit s'étendant et s'aggravant, les Etats-Unis étant enfin forcés, à la suite de Pearl Harbour, d'entrer dans la guerre avec tous leurs moyens, que le gouvernement canadien décida de demander au pays de le libérer de ses promesses de ne pas recourir à la conscription pour le service armé outre-mer. Un plébiscite fut proposé dans le discours du trône, en janvier 1942. Maxime Raymond s'y opposa immédiatement, le 5 février, dans un discours qui critiquait aussi l'effort de guerre proposé pour l'année, qui comportait un budget de guerre de trois milliards, un don de un milliard et un prêt de 700 millions de dollars à l'Angleterre, sans intérêt, comme étant au-dessus des moyens « *d'un petit peuple de onze millions et demi, encore à l'époque du développement.* » [94] Raymond accusa un groupe de patriotes fanatiques de Toronto, connu sous le nom de « *Deux-Cents* », de vouloir imposer sa volonté au pays par « *une campagne de propagande et d'intimidation, dans le but de forcer le gouvernement à imposer la conscription pour le service outre-mer, au mépris de la parole donnée et au mépris de la volonté populaire exprimée le 26 mars 1940.* » Il compara ironiquement leur enthousiasme pour défendre la démocratie et punir les violateurs de traités avec leur désir de forcer le gouvernement à violer sa promesse de ne pas appliquer la conscription.

Raymond rappela alors les engagements pris par Lapointe le 9 septembre 1939 et le compromis, alors accepté, d'une contribution sans conscription qui avait été approuvée par le pays aux élections de mars 1940. Il affirma que ceux qui s'opposaient alors à la conscription — auxquels cette promesse avait été faite pour obtenir leur consentement — étaient les seuls en mesure de rendre sa liberté d'action au gouvernement. Le besoin d'unité nationale et l'inefficacité avérée de la conscription étaient des raisons de l'éviter, encore plus fortes en 1942 qu'elles ne l'étaient en 1939. Il affirma que l'effort de guerre du Canada pouvait être comparé avantageusement à celui de tout autre pays allié et qu'il ne convenait pas de l'accélérer.

« *Ce n'est pas au moment où l'on nous demande d'augmenter la production agricole, qui réclame une main-d'œuvre plus considérable qui fait déjà défaut ; ce n'est pas au moment où l'on nous demande d'augmenter la production industrielle, qui réclame plus d'ouvriers pour équiper et armer les soldats ; ce n'est pas au moment où notre défense réclame plus de soldats pour défendre notre territoire, que nous devrions songer à augmenter le nombre des soldats pour le service outre-mer par le mode de conscription, avec une population limitée, qui représente moins de 1 pour 100 de la population totale des pays alliés.* » [95]

Il ne voyait qu'un seul but au plébiscite : libérer le gouvernement de son engagement contre la conscription, en lui donnant mandat de l'imposer, à son gré, quand il le jugerait bon. Tout en admettant qu'il préférait voir King à la tête du gouvernement plutôt que tout autre rival, il aimait mieux que le premier ministre reste lié par sa promesse, au lieu de recevoir un chèque en blanc qu'il pourrait remplir et utiliser quand il le voudrait. Il demanda le respect des engagements solennellement pris au nom de l'unité nationale, pendant et après la guerre :

*« Nous ne sommes pas séparatistes, mais qu'on ne nous oblige pas à le devenir. Nous voulons bien habiter dans la même maison, mais il faut que la maison soit habitable pour tous. Nous sommes partisans de l'unité nationale, mais suivant certaines conditions équitables, et quand nos conditions sont fixées d'avance et acceptées, nous demandons qu'on les observe.*

*Et je crains que les Deux-Cents de Toronto, qui font de l'agitation pour le service outre-mer, en violation du pacte de septembre 1939, soient en train de forger les clous qui serviront à sceller le cercueil de l'unité nationale et, peut-être, de la confédération. »* [96]

Le 3 mars, le projet de loi du plébiscite étant encore à l'étude en commission, Raymond l'attaqua de nouveau, soulignant qu'il était clair que le but du plébiscite était de permettre au gouvernement d'imposer la conscription à volonté et qu'en tout cas, il fallait amender la mesure pour permettre aux jeunes gens de 18 à 21 ans, qui seraient appelés, de voter à son sujet.

Malgré les très grands efforts du gouvernement pour convaincre le Québec que la question n'était pas la conscription immédiate, mais le droit qu'aurait le gouvernement de l'envisager si elle devenait nécessaire, le Canada français, peut-être plus réaliste, vit dans le plébiscite l'occasion de voter directement pour ou contre. Ce fut en vain que Mackenzie King lança un appel radiodiffusé sur le réseau français de la CBC le 7 avril, demandant un vote qui donnerait au gouvernement toute liberté d'action pour accomplir son devoir qui était de poursuivre la guerre. Il déclara que le gouvernement avait le pouvoir, en droit et de par la constitution, de conduire la guerre comme il l'entendait, mais que la tradition démocratique l'obligeait à consulter le pays quand il voulait se libérer d'une promesse solennelle. Il rappela dans quelles circonstances avait été faite la promesse et qu'elle avait été adoptée pour préserver l'unité nationale, mais il déclara qu'elle mettait maintenant en danger cette unité nationale :

*« Vous savez parfaitement bien que le maintien de l'unité nationale a toujours été l'une de mes plus chères aspirations politiques. Je dois dire que la situation n'est plus la même et que le Canada ayant joué depuis deux ans et demi le rôle que l'on sait, je ne vois plus de risque de mettre notre unité en danger en faisant disparaître cette restriction. Au contraire, j'ai la ferme conviction qu'ainsi les germes d'irritation et de désunion qui ont pris naissance dans notre pays seront étouffés. »* [97]

Comme argument pour donner au gouvernement toute liberté d'action, il fit remarquer que cette restriction sur l'effort de guerre du Canada créait des malentendus avec les autres pays qui ne comprenaient pas que « *le fait de n'avoir pas imposé la conscription n'avait aucunement limité notre effort de guerre.* »

King expliqua que la question posée dans le plébiscite n'était pas celle de la conscription : « *Il s'agit d'établir si, oui ou non, le gouvernement doit être libre de prendre une décision sur la question, en tenant compte de tous les facteurs de l'intérêt national.* » Il demanda instamment que le gouvernement et le parlement soient chargés de prendre la décision en jugeant de la question quant à sa nature intrinsèque, puisqu'elle était essentiellement militaire et que toutes les données nécessaires à une sage décision ne pouvaient pas être fournies au grand public. Il demanda à ses auditeurs de déclarer leur confiance au gouvernement en votant *oui*. En conclusion, il affirma que le maintien de l'existence de la nation venait avant l'unité nationale, que la situation militaire était critique et que le Canada pouvait mieux se défendre contre l'attaque en battant l'ennemi avant qu'il atteigne ses côtes. Le Canada ne combattait pas pour aider les autres, pour appuyer une « *fin impériale égoïste* », mais « *pour la conservation de notre liberté et de notre existence nationale, pour la défense de nos foyers et de nos familles, contre un ennemi qui se rapproche de plus en plus de nous, à l'est et à l'ouest.* »

Deux soirs plus tard, le 9 avril, P.-J.-A. Cardin, depuis longtemps ministre des transports, s'efforçant de remplacer Lapointe comme porte-parole du Canada français à Ottawa, fit aussi un discours à Radio-Canada demandant un *oui* pour le plébiscite. Il demanda instamment la loyauté à l'égard de King et de son programme et présenta des arguments pour que l'on défende le Canada en allant combattre outre-mer et écarter ainsi un ennemi qui avait rapidement vaincu d'autres peuples qui l'avaient attendu pour se défendre sur leur territoire. Il assura, aussi, qu'il n'était pas question de voter pour ou contre la conscription : « *Monsieur King a, en effet, plusieurs fois déclaré à la Chambre et ailleurs que, pour le présent, la conscription n'était pas nécessaire. Il a même dit qu'il croyait fermement qu'on n'aurait pas à l'imposer, parce que l'enrôlement volontaire suffisait et que, peut-être, les circonstances présentes pourraient changer.* »

Il déclara que les critiques qui reprochaient à King de ne pas avoir imposé immédiatement la conscription pour le service armé outre-mer étaient ceux-là mêmes qui le remplaceraient si la confiance de la majorité ne lui était pas accordée. Cardin se réserva de se prononcer sur la question de la conscription quand elle se poserait et mit en garde contre une agitation prématurée qui nuirait au bon renom du Canada en général et du Québec en particulier.

Cardin déclara que l'évolution des circonstances justifiait l'évolution de l'attitude à l'égard de la conscription et il demanda à tous les partis d'appuyer un gouvernement qui avait dirigé un Canada uni, presque sans accroc, pendant deux années de guerre :

« *A mes concitoyens du Québec, je veux dire simplement, sans faiblesse et sans honte non plus, qu'il vaut mieux ne pas courir le risque de nous isoler. Nous voulons qu'on nous fasse confiance, alors faisons aussi confiance aux autres. Ne parlons pas seulement de droits, songeons quelquefois aussi aux obligations qui les garantissent...*

*Soyez les premiers à répondre* oui *à la question du plébiscite. C'est votre intérêt d'agir ainsi, d'abord comme citoyens et ensuite comme membres d'une minorité qui a besoin non seulement de la loi et de traités pour se développer suivant son idéal, mais qui doit compter sur la bonne volonté de tous et sentir autour de son âme le respect et la réconfortante amitié de la grande majorité des citoyens du pays !* » [98]

Cependant, grâce aux efforts de la *Ligue pour la Défense du Canada,* dirigée par Jean Drapeau et appuyée par la plupart des ultra-nationalistes, le Canada français répondit par un *non* éclatant à la question du plébiscite, le 27 avril 1942. Il n'y eut pas de distinction des votes selon l'origine ethnique, parce qu'il n'y avait eu, sur cette base, aucun classement des chiffres d'enrôlement, mais le Québec, dans son ensemble, vota *non* à 72 pour cent, tandis que toutes les autres provinces votèrent *oui* à 80 pour cent. La vieille querelle de la conscription avait, une fois de plus, isolé le Québec du reste du Canada. Le plébiscite détruisit l'unité nationale et, désormais, l'opposition à la guerre grandit au Canada français réagissant contre les Canadiens anglais qui l'accusaient de ne pas faire son devoir. [99]

Le gouvernement, se jugeant libéré de son engagement et subissant la pression des conservateurs, ne tarda pas à présenter le *Bill 80* qui amendait la Loi de Mobilisation des Ressources nationales (LMRN) et prévoyait la conscription pour le service armé outre-mer. Au mois de juin, en deuxième lecture, King déclara que la conscription « *n'était pas nécessaire en ce moment et ne le serait peut-être jamais.* »

Le premier ministre préférait consulter le parlement avant de mettre la conscription en vigueur, tandis que le colonel Ralston, ministre de la défense, insistait pour l'imposer par arrêté-en-conseil sans en référer au parlement si elle devenait nécessaire et quand le moment serait venu. Deux autres ministres, T.A. Crerar et Angus MacDonald, préconisaient aussi cette manière de procéder et, pour mettre fin à une crise ministérielle, King consentit à agir par arrêté-en-conseil, en réunissant ensuite le parlement pour approuver sa décision. Ralston déclara plus tard, au parlement, qu'il jugerait lui-même du moment où la conscription serait nécessaire [100] et il définit la politique du gouvernement comme n'étant « *pas nécessairement la conscription, mais la conscription si elle était nécessaire.* » [101] Les libéraux du Québec protestèrent énergiquement contre cette mesure et

P.-J.-A. Cardin démissionna du cabinet, pour ne pas faillir à ses promesses. [102]

Maxime Raymond attaqua violemment le projet de loi en juin, rappelant toutes les promesses solennelles de King et de Lapointe contre la conscription. Il affirma que seul le Québec pouvait libérer le gouvernement de l'engagement qu'il avait pris en échange de l'appui de la participation par le Québec. Il répéta que les deux motifs de la promesse de ne pas recourir à la conscription — son inefficacité et le besoin d'unité — étaient plus valables que jamais, le plébiscite ayant montré les profondes divergences d'opinion sur la question et la déclaration officielle du 9 juin révélant que 52 615 hommes s'étaient enrôlés au cours des cinq derniers mois, soit plus de la moitié de l'objectif de l'année. Il cita les déclarations de King, de Ralston, ministre de la défense, de Howe, ministre des munitions et approvisionnements, de MacDonald, ministre de la marine et de Power, ministre de l'air, pour prouver les excellents résultats de la politique d'engagement volontaire. Il tourna en dérision les déclarations de King, selon qui il était possible que cette loi ne soit jamais appliquée et il la critiqua parce qu'elle ne prévoyait ni limite d'âge, ni exemption, ni recours en justice. Il prédit qu'après la guerre le gouvernement subirait la plus grande crise de manque de confiance jamais connue, pour avoir promis avant 1939 qu'il n'y aurait pas de force expéditionnaire pour l'Europe, promis une participation modérée en 1939, promis que la conscription ne serait utilisée que pour la défense du pays, en 1940, pour se servir ensuite de la Loi de Mobilisation des Ressources nationales qui impose une « conscription déguisée », avoir dit que le plébiscite ne portait pas sur la conscription et utilisé ensuite son résultat pour la justifier. Il se plaignit avec amertume : « On viole les engagements les plus solennels, au nom du droit de la majorité, en même temps que l'on nous demande d'aller nous battre pour défendre les droits des minorités. » [103] Il déclara que le Québec n'avait pas oublié la conscription de 1917, que « la conscription votée en 1942 sera infiniment plus odieuse et révoltante » et qu'il ne l'oubliera pas non plus.

Quand le projet revint en troisième lecture, Raymond appuya, le 23 juillet, la motion de Sasseville Roy demandant son ajournement à six mois. Il souligna que, « depuis cent ans, l'unité nationale s'est toujours faite aux dépens de la Province de Québec... Il doit y avoir une limite au sacrifice toujours aux dépens de la Province de Québec. » A l'argument que la volonté de la majorité devait prévaloir, il répliqua que la majorité « ne doit pas abuser de ses pouvoirs et qu'un engagement pris par la majorité envers la minorité est sacré. » Il répéta avec insistance que le plébiscite n'avait pas libéré le gouvernement de son engagement puisque la partie intéressée, le Québec, avait voté non. Il repoussa l'accusation de déloyauté par deux questions :

« *Depuis quand est-il déloyal d'insister pour que l'on respecte ses engagements ? N'est-ce pas celui qui cherche à les violer qui se montre déloyal ?* » [104] Cependant, la conscription fut votée le 23 juillet, par 141 voix contre 45, suivant les appartenances ethniques.

Raymond exprima aussi, au cours du débat de juillet sur le budget, une autre opinion nationaliste canadienne-française qui devait trouver de plus en plus d'appui dans le Québec, à mesure que le temps passait. Il cita la déclaration du Secrétaire d'Etat : « *Notre pays, proportion gardée de la population, fait plus pour la guerre qu'aucune autre des Nations Unies.* » Il protesta contre les dépenses de guerre, plus lourdes au Canada qu'en Angleterre, qui entraînaient par conséquent des impôts plus élevés et il s'opposa au don d'un milliard de dollars au Royaume-Uni, au moment même où ce pays prêtait de l'argent, avec intérêt, à d'autres nations alliées. Le Canadien français avait toujours fait preuve d'une résistance très nord-américaine à payer des impôts car il était, instinctivement, « *contre le gouvernement* » depuis les premiers jours de la Nouvelle-France où naquit un antagonisme entre les Canadiens et les personnages officiels venant de France. Il consentait à contribuer à la défense du Canada et il le prouvait en apportant un appui notable aux emprunts de guerre, auxquels le Québec avait plus que largement répondu, mais la perspective de se priver au bénéfice de l'Angleterre soulevait la même opposition que la propagande du début pour rallier le Canada aux côtés de l'Angleterre par un appel à une loyauté sentimentale qu'il ne ressentait pas. Le désastre de Hong-Kong en décembre 1941, qui coûta au Canada deux bataillons, dont l'un, le *Royal Rifles,* venait du Québec et se composait en partie de Canadiens français, avait stimulé son sentiment anti-britannique latent. Malheureusement, Winston Churchill avait alors proclamé que la perte de Hong-Kong, tombée en moins d'un mois en raison de l'insuffisance des préparatifs britanniques, était « *un grand désastre impérial* ». Il renforçait ainsi la thèse nationaliste selon laquelle la guerre était un conflit impérialiste dans lequel le Canada n'avait aucun intérêt réel.

Quand vint l'été de 1942, divers incidents et frictions avaient passablement éteint l'enthousiasme canadien-français pour la guerre. Au cours des six mois précédents, le sentiment anti-britannique avait pris une virulence extraordinaire qui fut attribuée aux activités de propagande nazie des consulats de Vichy. L'admiration pour Pétain et la France de Vichy fut utilisée pour réveiller la haine traditionnelle de l'Angleterre et susciter tant le mépris de l'effort de guerre britannique que l'opposition à celui du Canada. La réaction au plébiscite joua un rôle important dans l'évolution de l'opinion publique. Le Canadien français individualiste conçut du ressentiment contre la pression exercée sur ce qui était censé être un vote démocratique. Un certain nombre votèrent *non* et s'engagèrent aussitôt comme volontaires pour servir outre-mer. Le plébiscite fut considéré comme le seuil de la conscription et la plupart des Canadiens français demeurèrent convaincus que leurs principaux représentants à Ottawa avaient eu raison de déclarer que la conscription serait déplorable et inefficace. Ils jugeaient rationnellement une question que les Canadiens anglais jugeaient sentimentalement.

Les jeunes gens en âge de porter les armes acquirent la conviction que le système de recrutement était injuste, car il favorisait les riches. Ils ne pouvaient trouver d'emploi dans les affaires ou l'industrie et, à moins d'être financièrement indépendants, ils étaient forcés de s'engager. On estimait généralement que le Canada n'avait ni le capital humain, ni les moyens, ni les ressources pour maintenir des armées au combat partout en Europe. D'aucuns disaient que le Canada français était engagé dans deux guerres : la soi-disant « *guerre sainte* » contre l'Axe et la guerre traditionnelle contre « *les Anglais* ». Les Français réfugiés étaient les bienvenus dans le Québec, mais pas les Anglais. L'activité patriotique de la hiérarchie avait mené au développement de l'anti-cléricalisme à tous les niveaux : le zèle du cardinal Villeneuve lui attira les sobriquets de *Kid Villeneuve* et de *Newtown, OHMS*. On était convaincu qu'il n'était fidèle ni à son peuple, ni à son habit religieux. Le *Wartime Information Board* fit preuve d'une absence singulière de compréhension de la mentalité canadienne-française en lançant des appels tels que *Le Canada au côté de l'Angleterre* et en se servant de l'*Union Jack* sur les affiches de guerre. Un facteur fondamental de cette situation fut le refus d'un grand nombre de Canadiens anglais de reconnaître que le Canada a une origine ethnique double, deux cultures et deux langues. Bien qu'il y eût une amélioration de la compréhension mutuelle parmi les universitaires, les intellectuels et la jeune génération moins marquée par les vieux différends, une incompréhension fondamentale persista. J.-A. Blanchette, député de Compton, fit sensation en Chambre, en juillet, lorsqu'il proposa de la faire disparaître en organisant une partie de golf entre les rédacteurs du *Globe and Mail* et ceux du *Devoir* et entre le président de la Société Saint-Jean-Baptiste et le Grand Maître des Orangistes. [105]

## 9

L'appui de la guerre par le Québec fut momentanément stimulé par la bravoure des troupes canadiennes-françaises au cours du raid désastreux de Dieppe, le 19 août 1942. Pourtant, on reprochait toujours davantage à Ottawa de trahir le Canada français, surtout lorsque le cabinet décida, les 4 et 14 septembre, d'envoyer des territoriaux en Alaska, à Terre-Neuve et au Groënland. Ces décisions furent prises par arrêté-en-conseil, sans débat au parlement. En octobre, la *Ligue pour la Défense du Canada,* hostile à la guerre, prit forme politique et devint le *Bloc populaire canadien,* sous la direction de Maxime Raymond. Cette version française de l'ancien parti *Canada first* reçut un appui croissant à mesure que grandissait dans le Québec la conviction que le Canada entreprenait un effort de guerre excessif qui entraînerait inévitablement l'application de la conscription et la banqueroute nationale. Le *Bloc populaire* exploita aussi la détresse psychologique du Canada français qui était devenu, à la suite du plébiscite, la cible de toutes sortes d'insultes et s'entendait traiter de repaire de lâcheurs, de traîtres et de fascistes.

La maladroite décis⋅on officielle de rendre impossible la comparaison des contributions française et anglaise en effectifs, donna naissance à des soupçons chez les Canadiens anglais qui ne se gênaient pas pour déclarer que l'effort de guerre canadien-français était trop faible pour être divulgué, tandis que les Canadiens français le jugeaient supérieur à ce qu'il était en réalité. Il en résulta un heurt passionné d'opinions mal fondées, des deux côtés, sur la question, comme en 1917. L'irritation fut profonde dans un Canada français très averti, par le réseau complexe des parentés qui relient les familles dans toute la province, que ses fils étaient tués et blessés dans maintes parties du monde pour une guerre qui, il en demeurait convaincu, ne le concernait aucunement. En même temps, le Québec était constamment complimenté pour son effort de guerre par ses propres chefs patriotiques et par les porte-parole d'Ottawa. Le Canada anglais avait tendance à juger l'effort de guerre exclusivement en fonction du volontariat, tandis que le Canada français comptait, parmi ses états de service, sa très importante contribution à l'industrie de guerre et sa remarquable participation aux emprunts de guerre.

Malheureusement, en cette période difficile, Ernest Lapointe ne fut pas parfaitement remplacé comme porte-parole du Canada français à Ottawa. Son successeur Louis Saint-Laurent, nouveau venu en politique, avocat célèbre des grandes sociétés dans le Québec et fils d'une mère irlandaise, fut généralement considéré dans le peuple comme un « *anglifié* ». Il reçut son premier mandat de député à la suite de l'élection partielle de février 1942 que nécessita la mort de Lapointe. Son adversaire était Paul Bouchard, qui s'était déjà présenté contre Lapointe en 1940 et qui, en ces deux occasions, fut soutenu par la machine Duplessis et divers groupes nationalistes. Il était impossible que Saint-Laurent, nouvellement initié à la politique, malgré la sincérité de son dévouement au Canada français et aux intérêts de ses compatriotes, inspirât la même confiance et jouît du même prestige qu'Ernest Lapointe, politicien de carrière.

Le Québec cessa rapidement de se fier à ses représentants à Ottawa et se replia sur lui-même. Après trois ans de guerre, il s'inquiétait gravement de la disparition de son mode de vie traditionnel dont les causes étaient la mobilisation et l'industrial·sation intense du temps de guerre, qui provoquèrent un désordre social considérable. Son individualisme inné et son attachement à ses droits provinciaux le firent s'irriter contre le nombre toujours cro·ssant des contrôles de temps de guerre ordonnés par Ottawa. Il s'indigna des efforts tendant à attirer les jeunes femmes dans les services auxiliaires de l'armée, de la marine, de l'aviation et de l'industr·e de guerre, parce que sa conviction traditionnelle était que la place de la femme est au foyer. Sa fierté nat·onale se blessa des griefs, réels ou imaginaires, des Canadiens français, aux armées et dans les organismes de guerre. Surtout, il était profondément convaincu que les véritables intérêts du Canada étaient subordonnés à ceux de l'Angleterre et des Etats-Unis.

Des Canadiens profondément patriotes, français et anglais, travaillèrent dur pour endiguer ce raz de marée de mécontentement et d'opposition à l'effort de guerre du Canada français. Le colonel Dollard Ménard et l'abbé Sabourin, héros du *raid* de Dieppe, furent ramenés au Canada pour stimuler la fierté canadienne-française et l'appui de la guerre, mais le ressentiment du Québec contre le flot de propagande d'Ottawa n'épargnait pas ceux de ses fils qui épousaient cette cause. L'abbé Arthur Maheux, auteur d'un essai sur la période de bonne entente qui suivit immédiatement la Conquête, avait été désigné comme futur recteur de l'Université Laval de Québec, mais il se rendit très impopulaire par une série de causeries radiodiffusées par la CBC, de septembre 1942 à janvier 1943, sur le thème *Pourquoi sommes-nous divisés ?* [106] où il tentait de détruire les vieilles légendes qui sont à la base du sentiment anti-anglais dans le Québec. Son attitude au sujet de l'unité nationale, qui lui faisait nier ou minimiser l'importance de certains faits déplaisants, se heurta bientôt à la marée montante du nationalisme qui se traduisit très vite en attaques personnelles d'une virulence jusque-là inconnue au Québec dans le cas d'un prêtre. L'abbé Maheux fut chassé de la tribune de conférencier à Laval et, malgré l'appui de hautes autorités ecclésiastiques, il fut presque condamné à l'isolement dans sa propre université et dans son propre milieu. Ce fut probablement une erreur que de charger un prêtre d'être le porte-parole d'un mouvement de bonne entente, car son costume et ses attitudes cléricales, qui le menèrent à faire allusion aux « *gangsters de Garibaldi* » dans des milieux anglophones qui avaient toujours idolâtré Garibaldi, aliénèrent les sympathies de maints Canadiens anglais vaguement convaincus que l'Eglise catholique était la source de toute déloyauté et de tout sentiment antidémocratique dans un Québec vivant sous la férule des prêtres. L'abbé Maheux réussit quand même à former un axe académique entre Laval et l'Université de Toronto, qui obtint le concours de nombre d'hommes de bonne volonté et permit une meilleure compréhension entre les élites, française et anglaise, du Canada, sans toutefois réussir à exercer une grande influence sur le sentiment populaire.

F.R. Scott, professeur de droit à l'Université McGill et fils du bien-aimé *Padre* Scott de la première guerre mondiale, s'efforça de faire comprendre aux Canadiens anglais la signification anti-impérialiste et pro-canadienne du *non* du plébiscite. [107] Les journaux anglais, de façon toute gratuite, interprétèrent ce geste comme ayant pour but de recueillir des voix canadiennes-françaises en faveur du mouvement CCF, dont Scott était l'un des chefs nationaux. Vers la fin de 1942, Emile Vaillancourt publia, sous le titre *Le Canada et les Nations Unies,* un recueil de ses articles de journaux, discours, causeries à la radio et lettres à des hommes publics, dans lesquels il plaidait pour le respect de la France, des relations diplomatiques avec la Russie, l'appui du Canada aux Nations Unies, un second front en Europe et la reconnaissance de la mission d'après-guerre du Canada, à titre de pays désintéressé en quête d'un ordre mondial meilleur. [108] Le général Vanier, qui commanda la région militaire de Québec à son retour d'Europe en octobre 1941, continua ses exhortations au patriotisme jusqu'en février 1943. Il fut alors nommé représentant canadien chargé de négocier avec les gaullistes et ministre canadien auprès des gouvernements en exil à Londres. Le général Laflèche, qui avait joué un rôle important à Ottawa après avoir occupé le poste d'attaché militaire en France en 1940, fit vigoureusement campagne pour se faire élire député d'Outremont et fut nommé ministre des services de guerre en novembre 1942, réussissant à vaincre son adversaire Jean Drapeau, directeur de la *Ligue pour la défense du Canada.*

## 10

L'enthousiasme du Canada français pour la guerre était tombé rapidement dans la dernière partie de 1942. Le sondage de L'Institut canadien de l'Opinion publique montra qu'en août, 31 pour cent des Canadiens français accepteraient la paix si Hitler l'offrait sur la base du *statu quo* et 59 pour cent estimaient que le Canada ne serait pas en guerre s'il était complètement indépendant de l'Empire britannique. Tandis que 78 pour cent des Canadiens anglais approuvaient la conscription et 44 pour cent estimaient que le Canada faisait tout ce qu'il pouvait pour gagner la guerre, 90 pour cent des Canadiens français s'opposaient à la conscription et 89 pour cent étaient convaincus que le Canada faisait son possible. Ces sentiments trouvèrent l'occasion de se manifester en appuyant le *Bloc populaire,* dont la puissance grandit rapidement, malgré la désapprobation du cardinal Villeneuve, le 10 novembre 1942, blâmant l'« *impertinence* » de Léopold Richer, correspondant du *Devoir* à Ottawa, parce qu'il avait critiqué l'attitude de l'*Action catholique* qui refusait de soutenir le nouveau parti. Cette réprobation était fondée sur les règlements ecclésiastiques exigeant que les catholiques ne se plaignent, exclusivement, qu'aux évêques des institutions dépendant de la hiérarchie, mais elle faisait connaître indirectement l'opinion du cardinal au sujet du nouveau parti. Le *Bloc* ne trouva que peu de faveur auprès du cardinal Villeneuve et des archevêques Charbonneau de Montréal et Vachon d'Ottawa, mais il fut visiblement bien reçu par le bas-clergé. Les jésuites de l'*Ecole sociale populaire* avaient continué à soutenir le régime Pétain, malgré l'évolution de l'opinion. Ils déploraient les effets de l'industrialisation du temps de guerre sur la vie familiale et la moralité canadiennes-françaises. Leur organe mensuel, *Relations,* montrait fréquemment des sympathies nationalistes, ainsi que leur service de presse assuré par maints hebdomadaires ruraux publiés sous des auspices cléricaux. Les curés de campagne exprimaient leur crainte des effets corrupteurs de la vie dans les camps militaires et les usines de guerre et fermaient les yeux sur les tentatives d'échapper au service militaire.

Heureusement pour l'unité canadienne, le *Bloc populaire* fut loin d'être un bloc. Son développement fut entravé par les différends de ses chefs et son histoire fait songer aux combinaisons changeantes qui produisaient les chutes fréquentes des gouvernements en France. Ce mouvement du *Bloc* n'était, en somme, qu'une nouvelle phase de l'évolution nationaliste depuis 1933. Invoquant d'abord la tradition de Mercier et de Bourassa, il avait commencé par la *Ligue pour la défense du Canada* en 1941, le *Bloc universitaire* d'André Laurendeau en mars 1942, enfin l'idée d'un ralliement lancée par Paul Gouin qui, le 15 mai 1942, organisa un congrès canadien-français pour canaliser les sentiments anti-impérialistes et l'opposition à la conscription. Un peu plus tard, toujours en mai, Paul Gouin s'entretint avec l'abbé Pierre Gravel, orateur nationaliste bien connu dans le Québec, Emile Latrémouille, collaborateur de Paul Bouchard et Georges Lambert, ancien lieutenant d'Adrien Arcand, qui tentait de ranimer le mouvement fasciste d'Unité nationale. Cependant, ce fut Maxime Raymond qui assuma la direction du *Bloc populaire* quand le parti prit forme en octobre, tandis qu'André Laurendeau en devenait le secrétaire général. Gouin, Philippe Hamel et René Chaloult se rallièrent au nouveau parti, mais ils cessèrent bientôt de s'entendre lorsqu'il s'agit de décider si son champ d'action serait surtout fédéral ou provincial.

Entre temps, un sondage Gallup, en avril 1943, montrait que le *Bloc* était approuvé par 37 pour cent des électeurs du Québec, contre 26 pour cent en février, tandis que les libéraux n'avaient la faveur que de 39 pour cent. Le *Bloc*, à l'origine, reposait sur l'exploitation des sentiments nationalistes latents du Canada français, ramenés à la surface par la question de la conscription, mais il fut mis en pièces par le désaccord en matière économique. En effet, Gouin, Hamel et Chaloult étaient des cro'sés du corporatisme et de la nationalisation. Aussi, leurs discours enflammés contre les *trusts* se heurtèrent-ils à l'opposition de Raymond, homme nanti de grandes richesses provenant de puissantes entreprises. Lorsque Edmond Lacroix, membre opulent de l'industrie du bois, adhéra au *Bloc,* Chaloult et Hamel s'en allèrent. Celui-c'; en sa qualité de Québecois, croyait aussi à l'ancienne tradition selon laquelle rien de bon ne pouvait venir de Montréal. Cependant, le véritable obstacle au succès du *Bloc* fut le trop grand nombre de pré:endants à sa direction et un trop faible désir de s'unir dans l'effort.

Paul Gouin s'appliqua de toutes ses forces à obtenir la direction provinciale du *Bloc.* Pour son journal personnel *L'Union,* il adopta la devise pétainiste *Travail-Famille-Patrie* et son discours du 28 avril 1943, au Monument national, eut pour titre *Que devons-nous attendre du Bloc ?* Il affirma, pour commencer, pouvoir parler plus objectivement parce qu'il était un peu en dehors du parti. En même temps, il rejeta l'affirmation libérale selon laquelle la fondation d'un parti canadien-français serait désastreuse et dénonça la trahison de la cause nationaliste par Duplessis en 1936-39, accusant Godbout et Duplessis d'être « *tout simplement les deux faces d'un même sinistre Janus : le* trust. » Il affirma sa foi dans le succès de Raymond et de ses lieutenants s'ils évitaient d'accueillir un autre Duplessis dans leurs rangs et de trop limiter leur programme. Selon lui, le *Bloc* ne devait pas se limiter à créer un gouvernement honnête, à défendre les droits de la langue française et des Canadiens français et à continuer de faire campagne contre la conscription. Il déclara avec force : « *Le Bloc populaire canadien réussira à être un vrai bloc canadien-français s'il préconise, défend et réalise une doctrine sociale et économique complète, une politique pro-canadienne-française.* » A Ottawa, le *Bloc* devait réclamer « *l'application intégrale du Statut de Westminster qui fait du Canada, en droit et surtout en fait, une nation libre, adulte et maîtresse de ses destinées, comme l'Irlande.* » Gouin demandait que l'on cesse de laisser l'initiative à Downing Street en temps de guerre. Il demandait aussi la décentralisation, des garanties permettant aux minorités canadiennes-françaises des autres provinces de jouir des mêmes droits et privilèges que la minorité anglaise du Québec, une participation canadienne-française équitable à la fonction publique fédérale, l'adoption de *O Canada !* comme hymne national et un drapeau canadien distinctif.

Dans le domaine provincial, le *Bloc* devait travailler pour un Etat français : « *Le contrôle absolu de notre sol, de notre sous-sol, de notre économie et de notre éducation, Etat français qui sera l'essai loyal de l'Acte de l'Amérique britannique du Nord en son entier, lettre et esprit, ce qu'un jeune de chez nous a désigné par une formule heu-*

*reuse et très juste : des provinces autonomes dans un pays libre.* »
Faisant écho au célèbre impératif de Groulx en 1937, il s'écria :
« *Cet Etat français nous est dû et nous l'aurons.* » L'Etat laurentien
devait avoir une politique anti-trust et pro-canadienne-française. Il
devait nationaliser, une fois pour toutes, la production du gaz et de
l'électricité, les mines et les engrais chimiques. Il devait contrôler
strictement les compagnies d'assurance, les industries textiles et forestières, les distilleries, les raffineries et l'industrie du tabac. Il devait
remplacer par des coopératives les monopoles du charbon, du lait,
des instruments aratoires, des entrepôts frigorifiques, des viandes,
des pêcheries et des magasins à succursales. Il devait établir une banque provinciale pour régir les organisations de crédit mutuel. Il fallait
aider l'agriculture et le travailleur industriel devait recevoir une part
équitable des bénéfices de l'industrie, tandis que le corporatisme devait être appliqué pour remédier aux maux du capitalisme. Il fallait
aider la famille par des compensations ouvrières, des assurances contre la maladie, le chômage, la vieillesse et la mort, par des allocations
familiales, une réglementation stricte du travail des femmes et des
enfants et une aide aux jeunes couples.

Gouin fit justice de l'accusation d'isolationnisme en affirmant :
« *Ce n'est pas nous qui nous isolons, ce sont les autres qui veulent
nous isoler.* » Les Canadiens français désirent collaborer avec les
Canadiens anglais sur une base d'égalité. Pour faire contrepoids au
bloc canadien-anglais, un bloc canadien-français est nécessaire, avec
« *un seul chef, un vrai, comme Maxime Raymond, qui parle véritablement au nom des Canadiens français et derrière lequel les Canadiens français fassent une telle unanimité que le reste du pays s'aper-
çoive bien que c'est là la voix autorisée du Québec qui clame nos
revendications.* » Il souligna avec force que le *Bloc* devait faire connaître son programme aux Canadiens anglais par tous les moyens
possibles, afin de surmonter l'obstacle de la langue. Il nia les accusations de Valmore Bienvenue, d'Edmond Turcotte, de Jean-Charles
Harvey et de Fred Rose selon qui le *Bloc* serait un mouvement de
cinquième colonne : « *C'est... parce que nous voulons que notre pays
puisse continuer la guerre jusqu'au bout et ensuite soit en état de
gagner la paix, que nous ne voulons pas qu'il se saigne à blanc, qu'il
se ruine.* » Il conclut par une péroraison émouvante :

« *La lutte pour la civilisation, la chrétienté et la liberté n'est pas
chose nouvelle pour nous. Il y a trois cents ans que nous ne faisons
que cela. Cette lutte, nous allons la continuer jusqu'au bout afin qu'un
jour chaque pays connaisse la liberté, la vraie liberté, afin qu'un
jour le Canada soit enfin aux Canadiens et le Canada français aux
Canadiens français.*

*Oui, mesdames et messieurs, un jour viendra où ce drapeau de
Carillon que nous voyons ce soir, immobile dans sa force, immobile*

*dans sa patience séculaire, s'envolera, claquant au vent de la victoire,
pour aller flotter sur Québec, capitale de notre Etat français !* » [109]

En cette occasion, Gouin fut présenté par René Chaloult et remercié par Philippe Hamel. Chaloult assura l'auditoire que lui-même et Hamel resteraient aux côtés de Gouin. Hamel exprima la loyauté des trois à l'égard de Raymond et nia qu'il y eût dissension à l'intérieur du *Bloc*.

René Chaloult était déjà devenu l'idole des ultra-nationalistes par sa déclaration de mai 1942 : « *Si le peuple du Canada vote jamais pour le service militaire obligatoire outre-mer, que le gouvernement soit prêt à la guerre civile* » et par son acquittement lors d'un procès pour violation des règlements pour la défense du Canada. Etant le seul des chefs du *Bloc* qui siégeât au parlement provincial, il présenta, en février 1943, une motion contre la conscription, que personne ne voulut appuyer et il annonça plus tard, en avril, que son parti préconisait la nationalisation et le socialisme d'Etat. En guise de réponse aux attaques dirigées contre lui par les journaux anglais, il intenta un procès en diffamation au *Quebec Chronicle-Telegraph,* unique journal anglais de la capitale, pour ses commentaires sur le rôle qu'il avait joué l'année précédente dans la lutte contre la conscription. Ce procès raviva, à la fin de mai et au début de juin, les mouvements d'hostilité à l'égard de la conscription, le *Bloc* espérant alors forcer les libéraux à faire des élections provinciales. Il fut aussi exploité pour les commentaires hebdomadaires à la radio que prononçaient les orateurs du *Bloc* depuis avril.

L'opinion publique canadienne-française fut aussi alertée, à ce moment-là, par les nouvelles d'une rixe au Camp Sussex, dans le Nouveau-Brunswick, entre des soldats des Voltigeurs de Québec et des *Dufferin* et *Haldimand Rifles* d'Ontario, où un pugilat dégénéra en fusillade et causa la mort d'un soldat. Le général de brigade Topp, qui commandait le camp, nia que la querelle se fût élevée à propos de race ou de religion, ou par suite d'animosité entre volontaires et conscrits. Quoi qu'il en fût, elle fut ainsi interprétée par la presse canadienne-française, qui était déjà en guerre contre les attaques dirigées par la *Montreal Gazette* contre les conscrits, qu'elle appelait dédaigneusement les « *zombies* ». Elle demandait qu'ils soient mis au travail dans les industries agricoles et forestières, puisque « *dans les circonstances actuelles, ils ne feront jamais de bons soldats.* » [110] Emile Benoist écrivit une réponse acerbe dans *Le Devoir* du 20 mai, exprimant admirablement le sentiment du Canada français sur les forces destinées à la défense du territoire :

« *Les conscrits enrégimentés sont des citoyens auxquels l'Etat demande le sacrifice de leur liberté, qui se soumettent aux exigences de l'Etat, même s'ils considèrent que cette exigence, dans les présentes conjonctures, n'est pas opportune, n'est pas justifiée. Comme conscrits de l'Etat, le sacrifice qu'ils consentent est d'autant plus méritoire qu'ils ne le pensent pas justement motivé, que ce sacrifice qu'on exige d'eux vient en contradiction, en violation même des promesses qu'on leur a faites dans le temps. Et ils ont droit au respect de tous, même au respect des gens qui écrivent dans la* Gazette. *Que celle-ci prenne le ton qu'elle voudra pour parler de ces bons citoyens, qui se conforment à la loi, il n'en reste pas moins que les conscrits portent l'uniforme de Sa Majesté le Roi du Canada, qu'ils sont les soldats du roi du Canada et qu'ils sont prêts à défendre en tout temps le sol sacré de la patrie canadienne tout aussi bien que le feraient les rédacteurs de la* Gazette.

*Des* zombies ! *Que la vieille commère* tory *et ulstérienne de la rue Saint-Antoine apprenne donc que ce sont des soldats de cette sorte, c'est-à-dire fils de la terre canadienne, et de notre race aussi, qui, en 1775, entreprenaient de défendre la ville de Québec contre l'envahisseur yankee, alors que des Québécois d'une autre race se retiraient prudemment dans les tranquilles campagnes de l'Ile d'Orléans.* » [111]

Le mépris canadien-anglais pour les « *zombies* », que l'on prétendait être surtout des Canadiens français, continua d'augmenter quand les forces canadiennes furent engagées et subirent des revers. De son côté, le Canada français ne cessa jamais de sympathiser avec ceux qui observaient la lettre de la loi en servant au Canada, mais refusaient de servir comme volontaires outre-mer, malgré les arrogantes mises en demeure de leurs officiers supérieurs et les insultes des autres soldats et du public en général. Il est probable que l'effort fait pour obtenir que les unités canadiennes-françaises territoriales entrent dans l'active aurait mieux rendu, si le soin en avait été laissé à des officiers canadiens-français ayant obtenu des honneurs sur le champ de bataille européen. Quoi qu'il en fût, le nombre des volontaires augmenta sensiblement quand le commandement des camps du Québec fut confié à des officiers tels que Dollard Ménard, vers la fin de 1944.

Ce fut probablement aussi une erreur que de commencer par organiser l'armée en deux parties distinctes. Il est possible qu'une politique de conscription obligatoire pour le service armé outre-mer aurait été mieux acceptée par le Québec après une crise semblable à celle de Pearl Harbor, qui détruisit la justification américaine de l'isolationnisme canadien-français. L'extension graduelle de la conscription, à chaque étape, soulevait une réaction de plus en plus vive dans le Québec. Les extensions, par arrêté-en-conseil, du service de défense territoriale aux avant-postes de l'Amérique du Nord en 1942 amenèrent P.-J.-A. Cardin à proposer une suspension de la loi de mobilisation en février 1943 et à démissionner du cabinet quand King rejeta vigoureusement cette proposition.

Continuant d'attaquer la politique de guerre du gouvernement, qu'il considérait comme l'équivalent de celle d'Arthur Meighen, « *jusqu'au dernier homme, jusqu'au dernier sou* », Maxime Raymond souligna, le 10 février, la déclaration de Churchill qui n'arrivait pas à comprendre comment le Canada avait pu faire un tel effort : « *Si M. Churchill ne le sait pas, nous le savons, nous : c'est en ruinant le Canada, c'est en sabotant toute notre économie présente et future.* » Il cita aussi le rapport annuel de la Banque canadienne nationale où Beaudry-Leman insistait sur le risque qu'il y aurait à vouloir être, en même temps, « *grenier, arsenal et réservoir d'hommes* », tout en attirant les femmes hors du foyer pour les usines de guerre. Raymond insista sur la déclaration de King, « *Rien n'importe que la victoire* », mais en exprimant de sérieuses craintes pour la période d'après-guerre : « *Certes, nous la voulons tous, la victoire sur les puissances de l'Axe, mais nous ne voulons pas perdre la paix.* »

Il repoussa avec acrimonie les reproches que lui adressait King, ainsi qu'à ses partisans, pour avoir quitté le parti libéral et suivi une voie qui ne faisait honneur ni à eux-mêmes, ni à leur province, ni à leur pays. Il ajouta : « *Pour ce qui est de l'honneur, je ferai remarquer au premier ministre que nous n'avons pas tous la même notion de l'honneur. Dans la Province de Québec, puisqu'il est question de cette province, l'homme d'honneur est celui qui respecte sa parole, ses promesses et ses engagements ; et, quand viendra l'heure de nous présenter devant nos électeurs et de nous soumettre au jugement de notre province, nous ne craindrons pas le verdict.* » [112]

Une fois encore, il rappela à King ses engagements contre la conscription et ajouta : « *Nous nous sommes séparés du premier ministre parce que nous n'avons plus confiance dans ses déclarations, ni dans ses promesses, surtout depuis le plébiscite et depuis la loi de conscription... Nous avons perdu confiance parce que nous sommes constamment trompés.* » Il termina en concluant que le *Bloc populaire,* bien que n'ayant guère de représentants en Chambre, exprimait « *les sentiments d'une très grande partie de la population du Québec* » et s'inspirait des véritables intérêts canadiens. [113]

On ne peut que convenir avec Raymond, en effet, de l'emprise exercée par le *Bloc* sur le Canada français. La guerre commençait à peser lourdement sur un Québec qui voyait son mode de vie radicalement altéré sans son consentement, sans égard pour ses sentiments qui n'étaient plus clairement compris à Ottawa comme ils l'étaient du temps de Lapointe. Les promesses qu'on lui avait faites étaient violées et les attaques contre lui, venant de l'extérieur, se faisaient plus violentes. Une indignation particulière fut soulevée par la publication du tract de Fred Rose, *Hitler's Fifth Column in Quebec,* dans lequel le communiste montréalais dénonçait l'Ordre secret de Jacques-Cartier comme source principale de tous les mouvements nationalistes et le qualifiait d' « *anti-Soviet, pro-Vichy et pro-fasciste* », [114] ainsi que par un article dans *Life,* [115] qui représentait le Québec comme une région arriérée, médiévale où les mouvements de jeunesse fascistes florissaient. Le don d'un second milliard à l'Angleterre en 1943, au moment où les impôts grevaient toujours davantage les Canadiens, amena *L'Action catholique* du 25 mai à louer, comme de « *vrais Canadiens* », ceux qui insistaient pour que l'Angleterre cède en retour ses intérêts dans l'économie canadienne, que l'on évaluait à 2 900 000 000 de dollars. On espérait mettre fin, par ce moyen, à l'impérialisme économique britannique perpétué au Canada même après que le Statut de Westminster eut aboli l'impérialisme politique. Edouard Laurent terminait ainsi un éditorial : « *Pas un Canadien ne désire que son pays prenne avantage de la guerre actuelle pour acquérir des colonies, mais il en existe un grand nombre qui souhaitent que les sacrifices de la présente guerre soient en partie compensés par la conquête de notre propre territoire et de notre vie économique.* » [116]

Les protestations des députés du Québec, à la fin de la session fédérale, en juin 1943, contre la mobilisation des ouvriers agricoles, malgré les promesses d'exemption, trouvèrent un écho à l'assemblée législative provinciale. Un amendement fut proposé le 9 juin pour déplorer le manque de main-d'œuvre agricole et le refus du gouvernement fédéral de tenir ses promesses. Duplessis critiqua la politique suivant laquelle « *les cultivateurs et leurs fils sont enrôlés et, en vertu du paradoxe de l'administration fédérale, ils sont forcément enrôlés volontairement.* » [117] Il évoqua la possibilité d'une pénurie de nourriture et de combustible. Onésime Gagnon se plaignit de ce que les fils de cultivateurs soient mobilisés, sans égard pour leur rôle de travailleurs essentiels à l'effort de guerre et déplora la publication d'un communiqué annonçant que les prisonniers italiens et allemands faits en Afrique du Nord seraient amenés au Canada comme ouvriers agricoles, alors que l'on mobilisait les jeunes cultivateurs canadiens-français. Le premier ministre Godbout expliqua que les fils de cultivateurs n'étaient pas exemptés du service militaire *ipso facto* et qu'ils devaient répondre à l'appel, mais qu'ils seraient exemptés s'ils prouvaient qu'ils sont des travailleurs essentiels. Il admit que, s'ils négligeaient de se présenter, ils pouvaient être mobilisés.

Les statistiques déposées par le ministre du travail Humphrey Mitchell à la Chambre fédérale, le 23 juin, montrèrent que les régions de Montréal et de Québec avaient le plus grand nombre d'insoumis : on en comptait 14 932, soit légèrement plus de la moitié du total pour l'ensemble du pays. [118] John Diefenbaker commenta ces chiffres et déplora l'indulgence des tribunaux du Québec. La question des effectifs devint comme un ballon de football que se renvoyaient les politiciens, le Québec essuyant la plupart des coups de pied portés par les critiques du gouvernement et les nationalistes exploitant le mécontentement populaire provoqué par les règlements. L'hostilité à l'incorporation des recrues dans les régiments d'active et les services essentiels s'accrut encore lorsque la *Winnipeg Free Press* du 10 juin laissa entendre que les femmes pourraient être mobilisées dans les services auxiliaires. Le 18 juin, Omer Héroux fit remarquer, dans un éditorial du *Devoir,* que la conscription des femmes était légalement possible et exprima une forte opposition à ce projet, tandis qu'Emile Benoist observait que la vie de famille était menacée par l'absence des pères mobilisés et celle des mères travaillant dans les usines de guerre.

## 11

Des Canadiens français patriotes s'efforcèrent d'arrêter cette montée de l'opinion publique favorable au *Bloc* et hostile à la guerre. En mars 1943, Valmore Bienvenue, membre du cabinet Godbout, déclara à *L'Union démocratique du Canada français :*

    « *Il est temps, il est grandement temps que nous disions aux Canadiens des autres provinces : ne nous jugez pas tous par les déclarations de ceux mêmes qui font notre désespoir. Aussi, avant que le mal soit irréparable, il faut que nous arrêtions les démolisseurs de la patrie dont le travail ne peut que nous éclabousser, nous qui voudrions porter aussi haut que possible le prestige des Canadiens français. Il faut que nous empêchions ces démagogues de faire croire au peuple que nos ennemis se trouvent dans les autres provinces et non en Allemagne, en Italie et au Japon.* »

    Il déplora leur Utopie : « *Une Laurentie entourée d'un mur très épais et très haut, une Laurentie qui sera une* réserve *française où rien n'entrera, mais d'où rien ne sortira. Une* réserve *fermée à tout progrès social et économique, une espèce de musée pour les amateurs d'antiquités !* » Rejetant leur accusation selon laquelle le Canada était assujetti à l'Angleterre, il déclara : « *Nous sommes l'allié de l'Angleterre et non son vassal... Et si, dans cette lutte sans précédent dans l'histoire, nous sommes aux côtés de l'Angleterre, ce n'est pas parce que nous sommes une colonie qui épouse aveuglément les querelles de Londres, mais simplement parce que l'Angleterre, comme nous, combat du côté de la liberté et de la justice.* » Il conclut en affirmant : « *La liberté, comme la paix, requiert la solidarité. Nous ne pouvons pas conserver notre liberté dans un monde où les trois quarts de la population seront réduits en esclavage... Nous ne pouvons vivre seuls, nous ne pouvons être libres, seuls...* »[119]

    Cette *Union démocratique,* fondée par Jean-Charles Harvey, eut la vie courte, comme la *Ligue pancanadienne* précédente, mais la tendance des deux groupes fut perpétuée par *L'Institut démocratique* fondé par T.-D. Bouchard, ministre provincial des routes, le 8 mai, au cours d'une réunion à Montréal. Bouchard fut présenté par le sénateur Léon-Mercier Gouin, qui était l'un des gouverneurs de la nouvelle organisation avec Bouchard lui-même, Georges Savoie, Oscar Mercier et J.-P. Galipault. Bouchard affirma : « *L'objectif unique sera le progrès des Canadiens de langue française dans toutes les sphères de leur activité publique ou privée.* » Ayant été lui-même, toute sa vie, partisan du progrès, il voulait, au terme de sa carrière politique, fonder une société qui grouperait en permanence les hommes « *chérissant la liberté d'opinion, croyant dans la science et ayant des vues larges sur les questions de race et de nationalité.* » Il souligna que, dans tous les peuples, existaient toujours deux courants d'idée opposés :

> « ... *celui des gens qui n'ont foi que dans les règles établies par les tenants des vieilles coutumes, des anciennes traditions et des théories surannées, celui des hommes qui ont l'esprit de recherche, qui croient en l'évolution et qui ne craignent pas d'expérimenter des réformes dans toutes les sphères d'action, intellectuelle, économique et sociale... ce sont les deux pôles du champ magnétique de la société humaine...* » [120]

Il observa que le Québec avait subi, jusqu'alors, la domination de la première tendance et qu'elle lui avait coûté cher. Or, l'on assistait à une évolution des esprits : les laïcs étaient maintenant libres de réclamer des réformes de l'enseignement, des prêtres faisaient justice de la vieille légende des mauvais traitements infligés par les Anglais aux premiers Canadiens français et condamnaient l'inoculation du virus de haine raciale, tandis que la plupart des évêques recommandaient l'enseignement obligatoire.

Bouchard mit en garde contre le danger d'une réaction contre les idées modernes que susciterait une société secrète désireuse de fonder un Etat indépendant, français et catholique, sur le modèle de l'Eire. *L'Institut démocratique* avait été fondé pour combattre ces idées isolationnistes. Il n'était couvert d'aucun manteau religieux, charitable ou patriotique, n'avait aucun intérêt politique ou commercial et toute son activité devait s'inspirer d'une saine démocratie, ni démagogique, ni oligarchique. Il ne s'occupait que des Canadiens français, afin que ses ennemis ne puissent pas le considérer comme un instrument des Canadiens anglais. Il ne s'inspirerait que d'un patriotisme progressiste et chercherait à développer l'esprit public et à encourager les arts, les lettres et les sciences. Il chercherait à ouvrir à la jeune génération un horizon plus vaste, en améliorant l'enseignement. Il répandrait ses idées par la presse, la radio, des conférences et des concours récompensés par des prix. Il ferait enquête sur les problèmes publics étrangers aux organisations politiques et, par tous les moyens, chercherait à assurer le triomphe du « *progrès moderne* ».

La fondation de l'*Institut démocratique canadien* fut chaleureusement accueillie par des organes libéraux tels que *Le Soleil* et *Le*

*Canada,* mais condamnée, à la radio, par André Laurendeau qui
l'appela l' « *Institut ploutocratique canadien* », en le considérant
comme un front libéral qui revenait à l'idéal fanatique *rouge* du parti
à ses origines. *Le Devoir* s'alarma du nombre grandissant d'organisa-
t'ons antinationalistes et il se plaignit amèrement quand il apprit
l'existence d'un *Bloc d'Entente canadienne* qui avait distribué à tous
les diplômés de l'année, dans les collèges classiques, le *Pourquoi sommes-nous divisés ?* de l'abbé Maheux, publié sous les auspices de la
CBC. *Le Devoir* évoqua le lien entre Harvey, Bouchard et Maheux,
accusa le *Wartime Information Bureau* d'être responsable de la distribution gratuite de ce livre et protesta contre ce procédé unilatéral
de diffusion d'idées controversées, aux dépens du contribuable. [121]

Les dirigeants de l'Eglise et de l'Etat, dans le Québec, poursuivirent toutefois leurs efforts pour stimuler le sentiment patriotique.
Le cardinal Villeneuve ordonna un *Te Deum,* le 16 mai, dans son
archid'ocèse, pour célébrer la victoire des Alliés en Afrique du Nord.
Au cours du débat de juin sur les effectifs, à l'Assemblée législative
provinciale, le premier ministre Godbout défendit le patriotisme des
cultivateurs du Québec et critiqua ceux qui avaient mal guidé le pays
sur la question du service militaire. Le 14 juillet, anniversaire de la
prise de la Bastille, Godbout adressa ce message à la France : « *Le
Canada tout entier éprouve une grande fierté à voir la France... reprendre, en terre d'Afrique, son rang de combattante, aux côtés de
ses glorieux Alliés. Nous, les petits-fils de la France, nous, Canadiens
français et Acadiens de la Province de Québec et de toutes les provinces de la Confédération canadienne, avec tous les parlant-français
d'Amérique et, particulièrement, nos frères des Etats-Unis, nous
n'avons qu'une seule pensée : celle de remercier Dieu qui donne la
Victoire et de célébrer la France et ses Alliés qui savent s'en rendre
dignes.* » [122] Une grand'messe spéciale, le jour anniversaire de la
prise de la Bastille, — événement qui aurait fait figer d'horreur dans
ses veines le sang de Mgr Bourget —, fut célébrée en l'Eglise Notre-
Dame-des-Victoires de Québec, en présence des membres français et
canadiens-français de la RAF et de la RCAF, qui furent passés en
revue par le major-général Thomas Louis Tremblay, inspecteur-général
pour l'Est du Canada et héros de la première guerre mondiale.

Le gouvernement fédéral calma les protestations du Québec, qui
prétendait que la défense du Canada était négligée et, en même temps,
incita au patriotisme en aménageant Gaspé en zone de défense, sous
le commandement du général de brigade Edmond Blais, nouveau
commandant du MD 5. De nombreux cargos avaient été coulés dans
le Bas Saint-Laurent et le golfe par des sous-marins allemands pendant l'été de 1942 et l'on craignait un renouvellement de ces attaques.
De l'Ile Verte sur le Saint-Laurent à Douglastown sur la Baie-des-
Chaleurs, la péninsule gaspésienne fut partiellement soumise à un

régime d'occultation des feux, pour empêcher que les navires ne se profilent sur les lumières de la côte et les défenses de l'armée de terre, de mer et de l'air furent coordonnées sous les ordres d'officiers canadiens-frança's. Une défense civile et un système d'alerte furent organisés avec l'aide du clergé, tandis qu'une unité de l'armée de réserve, les Fusiliers du Bas Saint-Laurent, sous le commandement du colonel Joseph Pinault, héros gaspésien de la première guerre mondiale, fut postée dans une série d'installations de défense anti-aérienne et générale. La Gaspésie fut ainsi mise sur pied de guerre sans soulever d'autre sentiment que la fierté canadienne-française, grâce à un choix intelligent de chefs, une adroite publicité aussi et parce que la population, dont la mer était le principal moyen d'existence, avait vu la guerre venir sur le pas de sa porte.

Le Canada frança's fut encore mis à l'honneur lors de la première Conférence de Québec, en août. Pendant deux semaines, l'ancienne capitale abrita les réunions de Roosevelt, de Churchill et de King et, en général, des états-majors britannique, américain et canadien. Les rues étaient pleines de détachements de soldats et marins des nations alliées, des installations de radar et de défense ant'-aérienne couronnaient la crête rocheuse sur laquelle Québec est érigée et une escadrille de *Spitfires* montait la garde dans le ciel. La population faisait la haie dans les rues et s'attroupait pendant des heures aux entrées de la Citadelle et du Château Frontenac pour apercevoir les chefs civils et militaires des Nations Unies. Une forte rumeur courut selon laquelle Staline assisterait peut-être à la conférence et même la présence éventuelle du dictateur russe était bien vue d'un Québec qui prenait plaisir à se sentir, pour un moment, le centre du monde. Churchill assista à une réunion du cabinet provincial et fut ovationné quand il fit le tour de la ville en compagnie du premier ministre King. Quoique Roosevelt ne fît pas d'apparition officielle en public, il était quand même, pour l'opinion canadienne-française, le plus populaire des hommes d'Etat présents. Son discours à Ottawa, où il loua hautement l'effort de guerre du Canada, lui gagna encore un plus grand nombre d'amis canadiens.

Le débarquement conjoint canado-américain à Kiska, dans les îles aléoutiennes, le 16 août, qui fut annoncé au cours de la conférence, porta à son point culminant le sens de complète participation du Canada français à la guerre, car le Régiment de Hull, sous les ordres du colonel Dollard Ménard, était l'une des unités canadiennes engagées. Le succès de l'épisode de Kiska, sans effusion de sang, rendit moins odieuse l'extension ultérieure, par arrêté-en-conseil, des services de défense du Canada aux Bermudes, aux Bahamas et à la Guyane anglaise. De plus, la réussite de la campagne sicilienne en trente-huit jours encouragea le Canada français qui, en juin, s'inquiétait de la durée de la guerre. [123] Pourtant, un sondage du

*Canadian Institute of Public Opinion* indiqua, en août, que 66 pour cent des Canadiens français voulaient encore garder les recrues au Canada, tandis que 56 pour cent des Anglais voulaient leur départ outre-mer. La perspective d'une paix prochaine apporta un soulagement et ce fut une explosion de joie, dans le Québec, quand l'Italie capitula. *Le Canada* parla d'une condamnation du fascisme : « *La faillite du fascisme est une leçon de choses pour ceux qui se trompent en maintenant qu'il est possible d'exhorter un peuple à suivre un chef aveuglément.* » *Le Soleil* observa, avec plus de modération :
  « *La capitulation sans condition de l'Italie devrait faciliter l'entrée des troupes des Nations Unies en Allemagne. Il devrait être bientôt possible d'apporter une aide pratique aux patriotes grecs et yougoslaves. On peut même maintenant prévoir la libération prochaine de la France. Il est possible aussi que la Russie voie s'ouvrir, sur une grande échelle, ce second front depuis si longtemps attendu. La capitulation italienne est par conséquent un événement très important et d'une grande portée politique.* » [124]

12

  Ces étapes de la guerre une fois passées, le Québec se replia sur lui-même. Le gouvernement Godbout devait faire des élections avant un an et les partis d'opposition cherchèrent à exploiter le mécontentement qu'il avait causé et l'instabilité sociale provoquée par la guerre. En deux élections fédérales complémentaires significatives, en septembre, le communiste Fred Rose fut élu dans un quartier ouvrier de Montréal, à une majorité de 1 800 voix contre son rival du *Bloc,* Paul Massé et Armand Choquette, candidat du *Bloc,* était élu dans la circonscription agricole de Stanstead, à une majorité de 1 300 voix contre un Anglais libéral. Ces tendances avancées inquiétèrent les *leaders* libéraux et la presse demanda la revision de la loi électorale qui permettait l'élection de candidats qui n'obtenaient pas la majorité. *Le Devoir,* pensant à l'Etat libre d'Irlande dont les nationalistes enviaient le statut de neutralité, préconisait le système électoral irlandais, tandis que *Le Soleil* et *Le Droit* préféraient celui de France. Dans l'ensemble, cette agitation s'inspirait de la crainte que le système en vigueur ne permette aux nouveaux groupes politiques de faire élire un nombre excessif de représentants. Les deux vieux partis s'inquiétèrent du succès des nouveaux, le Bloc, le CCF et l'Ouvrier-Progressiste (communiste) qui exploitaient le malaise populaire.
  Des rumeurs selon lesquelles le Bloc pourrait joindre ses forces à celles de l'Union nationale de Duplessis furent dissipées, le 1er septembre, quand André Laurendeau, secrétaire général du groupe, déclara :

« *Nous lutterons de toutes nos forces contre M. King et contre
M. Godbout. Nous avons déjà porté de rudes coups au premier ; le
tour du second viendra l'un de ces jours. Mais l'article premier de
notre programme ce n'est pas de battre M. Un Tel ou M. Un Tel :
ç'a été la grande erreur de 1935 et de 1936. On s'est ainsi débarrassé
de M. Taschereau, mais l'on a eu M. Duplessis, c'est-à-dire une immense déception. Or, un peuple ne se laisse pas décevoir souvent. Lui
apporter cette fois un nouveau désappointement, c'est peut-être le jeter
un jour dans les bras du socialisme ou du communisme.* » [125]

Duplessis rendit la politesse en attaquant le Bloc, le 19 septembre,
tandis qu'à la même occasion l'un de ses principaux lieutenants,
Antonio Barrette, félicitait P.-J.-A. Cardin d'avoir quitté le parti
libéral. Il laissait ainsi la porte ouverte à une alliance avec le nouveau
parti fédéral que l'on disait en voie de formation sous la direction de
Cardin, avec des libéraux qui faisaient cavalier seul, tels que J.-F. Pouliot, Emmanuel d'Anjou, Wilfrid Lacroix et avec des conservateurs
de tendance Duplessis, tels que Frédéric Dorion et Sasseville Roy.
Ce groupe devait adopter un programme semblable à celui du Bloc,
procurant ainsi à Duplessis un allié fédéral préférable au parti conservateur compromis, aux yeux du Canada français, par ses traditions
impérialiste et capitaliste.

A la base de la situation politique confuse du Québec, il y avait
le problème ouvrier. L'industrialisation et le syndicalisme du temps
de guerre avaient créé une tension, les ouvriers canadiens-français
exigeant des barèmes de salaire égaux à ceux des autres provinces.
Le problème du logement était grave, parce que des milliers de
nouveaux travailleurs encombraient les centres industriels. Tandis
que les partis CCF et ouvrier-progressiste tentaient d'exploiter le mécontentement canadien-français au sujet des maigres salaires et des
mauvaises conditions de travail, le Bloc attribuait ces maux à l'exploitation étrangère et demandait la nationalisation des ressources naturelles. Même les chefs et les journaux traditionnellement conservateurs
préconisaient des réformes sociales. Cyrille Vaillancourt, l'un des directeurs du *Wartime Prices and Trade Board,* affirma à la Chambre
de Commerce des Jeunes :

« *Mais, transposée en temps de paix, l'économie dirigée apparaît
comme une nécessité sociale des temps présents... L'économie dirigée
selon un plan méthodique et progressif assurera le meilleur développement possible des ressources naturelles, de l'industrie, du commerce... Les idées vont leur marche accélérée et l'intervention de l'Etat
se fera de plus en plus fréquente.* » [126]

*Le Soleil, Le Droit* et presque toute la presse québecoise, à l'exception du journal *tory,* la *Montreal Gazette,* approuvèrent l'exposé de
Vaillancourt. Oscar Drouin, ministre du commerce provincial, fut
aussi applaudi lorsqu'il déclara :

« *Comme je vois les choses, les richesses, c'est-à-dire le capital de la nation, tel que nous le comprenons, peut venir d'une source principale : le développement de nos ressources naturelles — l'énergie hydro-électrique, les mines, les forêts — par une organisation suivant un plan tenant compte des intérêts nationaux pour assurer que les avantages qui en découleront profiteront aux masses et non seulement à quelques individus. Par-dessus tout, nous ne devons nous laisser leurrer, influencer ou cuisiner ni par les arguments, ni par les contes à faire peur avancés par l'entreprise privée qui prétend être plus honnête que les autres en matière d'économie politique. Le développement pratique de nos ressources naturelles ne doit pas être entravé par les prétentions de l'entreprise privée, soi-disant plus saine.* » [127]

La situation du monde ouvrier fut troublée par une guerre violente entre les syndicats dits internationaux, affiliés au *Trades and Labor Congress (AFL)*, ou au *Canadian Congress of Labor (CIO)* et les syndicats catholiques. Les « *internationales* » cherchaient à protéger le bien-être de leurs membres du Canada anglais et des Etats-Unis en organisant la main-d'œuvre canadienne-française pour obtenir des barèmes de salaire égaux, afin que le Québec ne devienne pas le refuge des usines et des industries en fuite. Les syndicats catholiques, exploitant l'esprit de corps et le sentiment nationaliste des Canadiens français, cherchaient à garder le monde ouvrier canadien-français sous l'autorité, habituellement cléricale, du Canada français, évitant ainsi l'emprise de l'étranger sur les ouvriers et l'industrie. L'erreur des syndicats internationaux fut de ne pas tenir compte des idéals canadiens-français traditionnels et de préconiser des méthodes violentes, contraires à la tradition de la classe ouvrière canadienne-française. Les syndicats, qui avaient grandi dans les anciennes et minuscules industries paternalistes, étaient mal équipés pour traiter sur une base d'égalité avec les industries nationales et internationales parce qu'ils n'étaient, en général, que des groupements locaux ou, tout au plus, provinciaux. La rivalité entre les syndicats fit à l'effort de guerre du Québec un tort considérable qui apparut pour la première fois en 1941, lors d'une grève qui suspendit la production de l'aluminium à Arvida, principale source mondiale d'une matière première essentielle à l'effort de guerre des Alliés.

13

La région du Saguenay-Lac Saint-Jean, dont Arvida est le centre industriel, procure un milieu social admirable pour l'étude expérimentale des effets de la révolution industrielle sur le Québec et du malaise qui en est résulté. En un peu plus d'un siècle, la région passa par le cycle complet de l'évolution économique du Québec. Jusqu'à une date avancée du dix-neuvième siècle, la région, d'abord explorée par des hommes blancs au dix-septième siècle, fut gardée en réserve comme empire de la traite des fourrures et dominée, tour à tour, par la Couronne française, la Compagnie du Nord-Ouest et la Compagnie de la Baie d'Hudson. En 1828, à l'instigation de P. Taché, ancien trafiquant de fourrures, l'Assemblée législative du Québec décida d'envoyer une expédition pour explorer la région. Le rapport présenté l'année suivante éveilla un certain intérêt, mais la Compagnie de la Baie d'Hudson, dont le bail sur ce territoire n'expirait qu'en 1842, s'arrangea pour décourager tout effort de colonisation.

Les premiers colons de la région vinrent en 1838 et leur objectif n'était pas de défricher des terres pour l'agriculture, ce qui était défendu par la compagnie de traite de fourrures, mais de couper du pin blanc pour William Price, de Québec. Price était venu au Canada comme agent de l'amirauté en 1810, afin d'acquérir le bois de mâture dont l'Angleterre manquait, par suite du blocus continental de Napoléon, qui la privait de son approvisionnement en Scandinavie. Malgré l'opposition acharnée de la Compagnie de la Baie d'Hudson, Price réussit à construire deux usines de bois de construction sur le Saguenay. Ses péniches apportaient des provisions aux colons et rapportaient du bois à Québec. Price utilisait les mêmes méthodes industrielles féodales que l'entreprise anglo-normande Charles Robin & Cie à Gaspé, payant sa main-d'œuvre avec du papier-monnaie négociable uniquement aux magasins de la compagnie, de manière que ses hommes restaient endettés envers elle. Gérants et contremaîtres étaient anglais ou écossais et les Canadiens français ne pouvaient jamais être que des subalternes. Cette exploitation d'un peuple-sujet et de ses ressources naturelles par une soi-disant race-maîtresse eut pour résultat une rancune durable contre la Compagnie Price, que l'on remarque encore dans le Québec, aujourd'hui.

Le pin blanc du Saguenay fut bientôt détruit par des méthodes dévastatrices d'exploitation forestière et par des incendies de forêt. Aussi, l'industrie poussa-t-elle vers le nord, dans la région du Lac Saint-Jean, établissant son quartier général à Chicoutimi, où le métis Peter MacLeod, ancien employé de la *Hudson's Bay,* avait fondé une usine en 1842. Après sa mort, dix ans plus tard, Price faisait l'acquisition de ses intérêts. La région expédiait déjà, de Chicoutimi en Europe, trente cargaisons de bois par an. Le port de Chicoutimi, à la tête du long fjord du Saguenay, était de plus en plus accessible aux transatlantiques, à mesure que la vapeur venait au secours de la voile. Ensuite, l'industrie du bois poussa constamment vers le nord et, en 1868, les chantiers de Price étaient déjà à dix lieues au nord-est du Lac Saint-Jean, dans la région de la Péribonka. Le surpeuplement et l'épuisement du sol des vieilles paroisses au bord du Saint-Laurent vers le milieu du siècle menèrent à la création de sociétés de colonisation dans Charlevoix, Québec et Kamouraska, d'où les colons furent envoyés au Lac Saint-Jean pour défricher la terre et pourvoir à la nourriture qu'il fallait à l'homme et au cheval de l'industrie du bois en expansion. Bien que freinée de temps en temps par les incendies de forêt qui accompagnaient l'effort de défrichement de la riche terre entourant le lac dans ce vaste bassin naturel, au milieu de l'inhospitalier Bouclier laurentien, la colonisation progressa avec une extrême rapidité. Dès 1921, environ 250 000 acres avaient été mis en culture et la région était devenue l'une des parties agricoles les plus prospères de la province. Trois routes d'hiver furent ouvertes à travers la forêt vierge, vers le Saint-Laurent, pour remplacer la voie naturelle de communication par le Saguenay, envahi par les glaces plus de cinq mois par an. Une voie ferrée, projetée la première fois en 1854, fut achevée de Québec à Chambord, sur le lac, en 1888, prolongée jusqu'à Chicoutimi en 1893, jusqu'à la Baie des Ha-Ha, terminus de la navigation en eau profonde sur le Saguenay, en 1908 et, plus tard, jusqu'à Dolbeau, au nord du Lac Saint-Jean.

Au cours de ces années, l'industrie forestière avait notablement évolué. Dès 1871, le pin blanc était presque épuisé et le cèdre était aussi en voie de rapide disparition. Les scieries du Saguenay n'employaient plus qu'environ 500 hommes et elles furent remplacées par celles du Lac Saint-Jean. Or, ces dernières ne jouirent plus des avantages d'un transport facile, à prix modique, qui avaient assuré le succès des établissements précédents. Après avoir décliné de 1880 à 1900, l'exploitation forestière fut rajeunie par la naissance de l'industrie de la pâte à papier. En 1897, Alfred Dubuc, de Chicoutimi, fonda une usine de pâte à Chicoutimi en se servant des grandes ressources hydrauliques de la région et il exporta en Grande-Bretagne, aux Etats-Unis et au Canada anglais. Grâce au rapide développement de cette industrie, la population de Chicoutimi quintupla de 1891 à 1921. Nombre d'autres petites usines s'installèrent dans la région et c'est l'industrie de la pâte à papier qui créa Port Alfred, nouveau port de mer en eau profonde sur la Baie des Ha-Ha. Cependant, après 1920, l'industrie de la pâte à papier eut à souffrir de la concurrence scandinave, des tarifs élevés du transport océanique, des tarifs élevés du transport ferroviaire, également, pendant les cinq mois d'interruption de la navigation sur le Saguenay. Entre temps, une autre phase de l'industrie avait été lancée par Sir William Price qui, en 1899, avait repris en main le chancelant empire forestier de son grand-père. Favorisé par d'énormes étendues de forêt et de grands moyens financiers, il acheta l'usine de pâte à papier de Jonquière et fabriqua d'abord du carton, puis du papier avec la pâte qu'elle produisait. Le papier était un produit beaucoup plus économique que la pâte, puisqu'il pouvait être transporté facilement par rail en toutes saisons, à meilleur marché. Peu à peu, Price se spécialisa dans l'appro-

visionnement du marché américain en papier-journal et son établissement de Kénogami-Jonquière en devint le plus grand producteur
canadien.

En 1922, la compagnie Price contrôlait environ les trois quarts
des 117 000 CV hydro-électriques produits dans la région, mais elle
avait besoin de davantage et d'un approvisionnement plus régulier.
Les frères Price se mirent alors en quête de capital américain et inté-
ressèrent les entreprises de tabac Duke. La *Duke-Price,* qui fut absorbée par la *Shawinigan Power* et l'*Aluminum Company of America*
en 1926, commença à exploiter, en 1923, la houille blanche disponible aux sorties du Lac Saint-Jean. Le niveau du lac fut haussé de
dix-huit pieds, huit digues furent construites et une centrale capable
de produire 540 000 CV fut installée à l'Ile Maligne. Le village de
Saint-Joseph d'Alma centupla sa population en deux ans et une nouvelle fabrique de papier forma le centre de la nouvelle ville de la
compagnie, Riverbend. Ce vaste programme n'alla pas sans opposition : les cultivateurs du Lac Saint-Jean y perdirent terres et bâtiments (15 000 milles carrés de terre cultivée furent inondés et une
plus grande surface encore subit des dégâts) et les colons se plaignirent
de n'avoir pas été suffisamment indemnisés par la compagnie Price.
En même temps, l'importation d'ouvriers d'Ontario, de Finlande,
d'Italie, de Tchécoslovaquie et de Pologne était mal accueillie, pour
des raisons nationalistes. Port-Alfred fut relié à la nouvelle source
d'énergie et devint un producteur à la fois de papier et de pâte.
Une nouvelle fabrique de papier à Dolbeau, dont les plans avaient
prévu l'utilisation de l'énergie locale, fut aussi reliée, plus tard, à
l'Ile Maligne. A la suite de ce succès, une nouvelle digue fut construite à la Chute-à-Caron, qui ajouta 240 000 CV aux ressources
de la région. Des plans étaient déjà prêts pour la production de
800 000 CV additionnels à Shipshaw, quand la crise de 1929 vint
couper court au projet.

*L'Aluminum Company of America* (une compagnie distincte,
l'*Aluminum Company of Canada,* fut fondée plus tard), artisan principal de ces entreprises et de celles qui suivirent, fut attirée dans cette
région par l'abondance de houille blanche facile à exploiter et constante, par l'accès facile à la navigation océanique et par l'abondance
d'une main-d'œuvre canadienne-française peu coûteuse, dure au travail et docile. Une énorme quantité d'énergie, une main-d'œuvre peu
coûteuse étaient les principaux besoins de l'industrie de l'aluminium
qui commença, en 1925, la construction d'une grande usine et d'une
ville industrielle, qu'on appela Arvida, d'après les premières syllabes
de chaque partie du nom du président de la compagnie, Arthur Vining
Davis. Elle créa un grand port à Port-Alfred, où les cargos océaniques pouvaient apporter de grandes quantités de bauxite de la Guyane
anglaise et de cryolithe du Groënland, matières premières de l'alumi-

nium et embarquer les lingots finis à destination des Etats-Unis, de l'Angleterre, du Japon et du reste du Canada. L'installation d'Arvida, avant la guerre, avait une capacité de 30 000 tonnes par an, mais les plans étaient déjà établis pour une production ultérieure de 300 000 tonnes. La ville d'Arvida, créée en plein désert par la compagnie, logeait 3 000 personnes dans ses maisons, dont chacune, habitée par une seule famille, était entourée de pelouses et de jardins.

Par cette évolution, l'avenir industriel de la région du Saguenay-Lac Saint-Jean semblait assuré d'une stabilité inconnue des industries forestières. Les scieries n'employaient plus qu'à peine une centaine d'ouvriers, tandis que l'industrie de la pâte et du papier pouvait employer 6 500 hommes quand elle travaillait à plein rendement. Cependant, le développement qui avait permis à la région, en huit ans, de produire trois fois plus de pâte à papier et quatre fois plus de papier, en multipliant par huit ses ressources d'énergie, se termina par la surproduction avant la crise de 1929. *Price Brothers* commença par acheter et fermer les petites usines concurrentes en 1927 et, trois ans plus tard, la compagnie elle-même était en faillite. L'année 1932 fut la pire de la crise pour cette région. Arvida n'employait plus que 300 hommes pour l'industrie de l'aluminium, Kénogami et Jonquière 1 000 hommes dans leurs usines de pâte et de papier, Port-Alfred 250 hommes et Riverbend la moitié de son effectif habituel. Une seule petite usine, à Dolbeau, fut peu touchée par la crise qui pesa si lourdement sur ses rivaux géants. Le surplus d'énergie fut utilisé pour chauffer les habitations et fut même transmis à Québec, de cette région qui fut, avec Montréal, la plus atteinte par la dépression. L'agriculture, dont la fonction essentielle était d'approvisionner les centres industriels, fut gravement touchée par le déclin de l'industrie. [128] L'opinion publique s'aigrit parce que les grandes industrie*s* « *étrangères* » avaient bouleversé avec arrogance toute la vie de la région pour l'abandonner ensuite, subitement, à sa détresse au moment de la crise. Un champ fertile fut ainsi préparé pour le nationalisme économique des années 1930 et les projets de la gauche de nationalisation de l'industrie.

Or, la guerre ramena bientôt la prospérité industrielle dans cette région où l'agriculture renaissait déjà, stimulée par les méthodes modernes de culture. La région du Lac Saint-Jean est l'une des rares, dans le Québec, où l'agriculture puisse être mécanisée sur une grande échelle. Arvida dut bientôt travailler à plein rendement pour fournir l'aluminium dont les Alliés avaient un si urgent besoin pour les avions. Sa production en 1942 fut égale à celle du monde entier en 1939. En 1943, Arvida employait 15 000 hommes et l'on travaillait jour et nuit au projet Shipshaw, à l'Ile Maligne, à la Chute-à-Caron et jusqu'à la Passe Dangereuse sur la Péribonka, pour accroître le potentiel d'énergie disponible, qui s'élevait maintenant à 2 000 000 de chevaux-vapeur, presque la moitié du total de la province.

Cette évolution énorme et rapide ne s'était pas faite sans créer de difficulté sociale. Une mauvaise administration, dépourvue d'égard pour les habitudes et les tendances canadiennes-françaises, fut la cause de la grève de l'aluminium en 1941 et de la lutte qui s'ensuivit entre l'*American Federation of Labor (AFL)* et le syndicat catholique. L'industrie de l'aluminium devint le jouet des politiciens. Les nationalistes et Duplessis demandèrent qu'elle soit placée sous le contrôle de l'Etat, en accusant les libéraux de s'être vendus aux entreprises « *étrangères* » et l'*Aluminum Company* d'avoir ruiné les industries locales de pâte et de papier. Arvida, ville-modèle industrielle, fut enlaidie par la construction de logements temporaires pour le temps de guerre et de camps de célibataires, très supérieurs à ceux de l'armée ou des bûcherons, mais qui n'en introduisaient pas moins dans la ville un élément d'instabilité et d'agitation. Instinctivement, pour préserver leur mode de vie traditionnel, les nouveaux venus à Arvida se dirigèrent vers les villes voisines de Kénogami, Jonquière, Chicoutimi et Port-Alfred, dont les pauvres taudis furent rendus encore plus misérables par cette affluence. La compagnie avait d'ailleurs été obligée de modifier les plans des maisons, dressés par un architecte américain, pour se conformer aux goûts canadiens-français traditionnels. La demande de main-d'œuvre toujours croissante draina le capital humain des vieux centres agricoles entourant le Lac Saint-Jean et même de la région du Bas Saint-Laurent. Les robustes paysans eurent la préférence pour le travail aux cuves, qui était le mieux payé, n'exigeait que des reins solides, une grande résistance aux fortes températures et un minimum d'intelligence. Les ouvriers plus âgés cherchaient à se faire relever de ce travail, surtout pendant les chaleurs où il fallait s'exténuer à briser la croûte qui se forme sur les cuves lors de la production électro-chimique de l'aluminium. On ne travaillait pourtant qu'à mi-temps dans ces salles torrides. Ce fut sur ce secteur crucial que l'*AFL* concentra son activité, parce qu'une grève en cet endroit paralyserait l'installation tout entière.

La région avait sans doute l'histoire syndicaliste la plus longue de presque toute la province. Chicoutimi avait été un centre du mouvement syndicaliste catholique depuis la fondation en cette ville, en 1907, de la *Fédération ouvrière mutuelle du Nord* par Mgr Eugène Lapointe. Le développement des syndicats avait été encouragé par Alfred Dubuc dans ses fabriques de pâte à papier, mais les entreprises canadiennes-anglaises et américaines s'y étaient opposées. Quand les syndicats des fabriques de pâte à papier, représentant 85 pour cent des ouvriers de la *Price Company,* demandèrent un contrat collectif en 1937, il leur fut refusé. L'année suivante, les internationales intensifièrent leur travail d'organisation et, en novembre, elles signaient un contrat avec la compagnie, bien qu'elles n'eussent réuni qu'une minorité de travailleurs à Kénogami et une poignée à Jonquière et Riverbend. Les syndicats protestèrent et demandèrent à être parties à tout contrat que la compagnie consentirait à signer avec le syndicat de la minorité, mais cette demande fut rejetée. Malgré l'intervention du ministre du travail provincial, la compagnie maintint sa décision de ne pas traiter avec des syndicats sous patronage clérical et elle encouragea l'intense campagne d'organisation de l'*International Brotherhood of Paper Makers (AFL)*.

L'*Aluminum Company* inversa toutefois le cours de la politique ouvrière de la compagnie *Price Brothers* et elle en profita. Elle reconnut la force sentimentale du particularisme canadien-français et les avantages commerciaux qu'il y avait à traiter avec un syndicat local faible plutôt qu'avec un puissant syndicat international qui, un jour, pourrait exiger que soient payés, dans le Québec, les mêmes salaires que dans les usines américaines et canadiennes-anglaises.

Le *Syndicat national catholique de l'aluminium*, fondé en 1937, obtint, cette année-là même, un contrat collectif de sa compagnie. Aux termes de ce contrat, renouvelable d'année en année, les salaires des ouvriers des cuves étaient augmentés de 20 à 25 pour cent, les ouvriers engagés à la semaine bénéficiaient de quinze jours de congé payé et ceux qui travaillaient à l'heure bénéficiaient de congé payé en fonction de la durée totale de leur emploi. Le contrat fut appliqué à tous les ouvriers de l'usine et des négociations étaient en cours au mois d'octobre 1942 quand l'*AFL* délégua un organisateur, Philip Cutler, pour diriger une intense campagne du syndicat international. Cet organisateur, dont on disait qu'il était juif et ancien communiste, promettait des augmentations de salaire fantastiques aux ouvriers et avertissait en même temps la compagnie que « *l'enfer ferait explosion si un accord n'était pas conclu dans des conditions satisfaisantes pour l'AFL.* » Le syndicat international réussit à recruter 3 000 membres et s'adressa immédiatement au premier ministre King pour obtenir que le ministère fédéral du travail fasse pression sur la compagnie afin de l'obliger à signer un contrat avec l'*International Union of Aluminum Workers (AFL)*, qui prétendait représenter la majorité des employés. C'était absolument faux puisque le syndicat ne réunissait que 4 000 ouvriers, tandis que la plupart des 15 000 travailleurs n'étaient pas organisés parce qu'ils ne voulaient pas se cotiser, étant satisfaits des salaires et des conditions de travail.

Une réunion internationale à Jonquière, le 1er décembre, dirigée par Cutler, aboutit à une résolution demandant au ministre fédéral du travail de nommer un arbitre et d'ordonner que les ouvriers votent pour désigner leur négociateur. Rose, enquêteur ouvrier fédéral, se mit à l'œuvre quinze jours plus tard. Cette hâte contrastait beaucoup avec ce qui s'était passé en 1941. Le syndicat, qui représentait alors les deux tiers des ouvriers des industries de la pâte et du papier, à Dolbeau, avait réclamé une enquête et un arbitrage sur leurs difficultés ouvrières. Cette demande d'intervention avait été rejetée après un délai de deux mois qui permit à la compagnie de conclure un *gentleman's agreement* avec le syndicat international. Le syndicat signala immédiatement que Rose était juif, ancien avocat-conseil des syndicats internationaux et sa décision prise en deux jours de recommander un vote à Arvida fut violemment attaquée comme étant une preuve flagrante de sa partialité. Le ministre provincial du travail, qui était aussi favorable aux syndicats que le ministre fédéral l'était aux internationales, fut averti à temps, grâce à une sténographe d'esprit syndicaliste qui lui procura une copie-carbone du rapport de Rose. Il protesta immédiatement à Ottawa contre cette décision de considérer le contrat existant avec le syndicat comme *« un chiffon de papier »*. Rose acheva son enquête, déclarant qu'il ne prenait aucun ordre à Québec et qu'il recommanderait un vote aux autorités fédérales. Pourtant, ce vote ne fut pas ordonné, car le syndicat international fut incapable de prouver qu'il représentait la majorité et aussi parce qu'il y eut pression de la part de Québec.

Le syndicat international menaça alors d'ordonner une grève qui arrêterait la production, déjà ralentie par de longues discussions, de ce métal indispensable à la poursuite de la guerre. En même temps que les syndicats disaient avec insistance aux organisateurs internationaux *« Restez chez vous, comme nous »* et s'opposaient à ce que *« l'on permette à ces gros personnages de New-York de vivre avec notre argent »*, les porte-parole internationaux critiquaient l'appui des syndicats par le clergé et les autorités provinciales, en les avertissant qu'ils se vengeraient, un jour. Le clergé local et le père Genest, jésuite, combattirent avec vigueur ce mouvement international. Quand le juif Philip Cutler fut remplacé par un Irlandais catholique, les *« catholiques étrangers »* furent dénoncés en chaire, autant que le syndicat international. L'opinion publique se dressa avec force contre ces syndicats qui continuaient leur campagne pour l'organisation de toutes les industries de guerre du Québec. Cutler et Claude Jodoin, son collègue, furent finalement emprisonnés quand ils commencèrent une autre campagne à Shawinigan.

L'*Aluminum Company,* qui craignait que l'on ne tente de faire monter les salaires d'Arvida au même niveau que ceux de ses usines américaines, soutint discrètement le syndicat. L'agitation des syndicats internationaux n'eut aucun succès, parce que les ouvriers reconnaissaient que la compagnie leur avait donné des salaires, des conditions de vie et de travail qu'il eût été difficile d'égaler au Canada. De plus, la compagnie avait adopté une politique favorable au particularisme canadien-français. Non seulement 92 pour cent des ouvriers d'Arvida étaient des Canadiens français, mais encore la compagnie employait autant de techniciens et d'administrateurs canadiens-français qu'elle pouvait en trouver. Son chimiste en chef et son gérant du personnel étaient des Canadiens français, bien que son gérant général à Arvida fût un Anglais et la plupart des chefs de service, des Américains. Cette compagnie, qui était un cartel international, n'était pas affligée de cette étroitesse d'esprit nationaliste qui avait causé tant de complications à la *Price Brothers*. Elle pouvait se permettre de n'afficher aucun drapeau national et sa loyauté fondamentale était pour l'empire de l'aluminium dont les dépôts de bauxite étaient en Guyane britannique, ses dépôts de cryolithe au Groënland, ses usines de préparation à Galveston, Massena, Toronto et Kingston, enfin ses compagnies subsidiaires en Angleterre, en Italie et en Allemagne.

Arvida offrant d'admirables conditions industrielles grâce aux plus grandes ressources d'énergie peu coûteuse du monde entier et à son accès facile pour la navigation océanique, la compagnie s'efforça de consolider sa position dans le Québec, de toutes sortes de manières. Elle déploya un paternalisme qui, parfois, manqua son but et irrita l'individualisme canadien-français. Elle revisa ses plans d'habitations modèles pour satisfaire les goûts des Canadiens français, elle loua ou vendit des maisons et des terrains au-dessous du prix coûtant, elle planta des arbres et encouragea les jardins, elle construisit un vaste centre de récréation d'intérieur pour les mois d'hiver et des installations pour les sports d'été, elle procura un journal, un hôpital, des écoles et contribua considérablement à la construction d'églises. Les Canadiens français s'intéressent à la politique : comme ils avaient la nostalgie des élections, elle ajouta un conseil municipal élu au régime de gérance qu'elle avait établi. Dans l'industrie elle-même, elle exigea que ses employés de langue anglaise apprennent et se servent du français, elle fit installer des appareils de sécurité, elle institua la semaine de 48 heures dans cette région qui avait grandi par un labeur incessant, de l'aube au couchant, elle plaça des représentants chargés des relations ouvrières dans tous les secteurs de l'usine, afin d'atténuer les heurts entre ouvriers et contremaîtres et de faire sentir la présence personnelle de la compagnie à chaque employé. En donnant des prix pour récompenser les suggestions utiles, elle s'efforça d'améliorer les pratiques industrielles et d'encourager la loyauté du personnel. Elle favorisa les mouvements de caisse populaire et de coopérative organisés par les syndicats et elle établit son propre régime de retraite.

Toutes ces mesures s'avérèrent profitables car, après leur mise en vigueur, l'*Aluminum Company* eut moins de différends ouvriers à régler qu'aucune autre industrie de guerre. Après que la direction de l'usine d'Arvida eut été placée, à la suite de la grève de 1941, entre les mains d'hommes qui comprenaient et respectaient les idées canadiennes-françaises, il ne se produisit plus de difficulté sérieuse. Le personnel montra sa loyauté lorsque, le jour de Noël 1943, des volontaires répondirent à l'appel lancé par la compagnie et passèrent cette journée à décharger un arrivage de bauxite gelée dans des wagons découverts, pour que l'usine puisse fonct'onner sans interruption.

En de telles conditions, le syndicat international ne pouvait faire que peu de progrès, surtout après que la compagnie eut discrètement donné à entendre que, si le syndicat réussissait à faire monter les salaires d'Arv'da au niveau américain, l'usine d'Arvida pourrait bien fermer ses portes afin de permettre aux usines américaines de continuer à tourner. Il est assez curieux que l'agitation entretenue à Montréal contre l'*Aluminum Company* par les journaux nationalistes n'en provoqua aucune semblable chez les ouvriers d'Arvida, bien qu'un petit groupe d'avant-garde y distr'buât de la propagande anti-anglaise et anti-capitaliste, sous forme de parodie des litanies. Malgré tous les propos de nationalisation, chez les nationalistes d'une part et chez les CCF d'autre part, l'*Aluminum Company* ne s'inqu'éta pas beaucoup pour la période d'après-guerre, mettant toute sa confiance dans le profond respect du Canada français pour la propriété privée et dans sa propre conviction que l'étatisation manquerait de souplesse, coûterait plus cher et rendrait moins que l'entreprise privée dans cette industrie. La compagnie s'inquiétait beaucoup plus du retour à la production du temps de paix et des débouchés qu'il faudrait alors trouver en fonction des énormes possibilités de rendement réalisées au cours de la guerre. Pourtant, on était convaincu qu'Arvida était devenu l'endroit idéal et le plus avantageux au monde pour la production économ'que de l'aluminium et qu'il continuerait d'en être ainsi quand les autres usines de guerre seraient fermées. Enfin, les énormes sources d'énergie pourraient très bien servir à d'autres usages industriels si l'on ne trouvait plus de débouché pour l'aluminium. [128a]

## 14

La situation des syndicats était à peu près la même qu'à Arvida partout ailleurs dans le Québec. Les internationales n'étaient puissantes que dans les industries depuis longtemps établies dans les vieux centres urbains et, même là, elles étaient attaquées comme organisations étrangères administrées pour des intérêts américains. Si la direction de la plupart des vieilles industries était forcée d'accepter les syndicats, elle préférait traiter avec les internationales de langue anglaise plutôt qu'avec les syndicats français influencés par le clergé. Quelques anciennes industries renoncèrent pourtant à cette tradition raciste de l'industrie dans le Québec et favorisèrent les syndicats, parce qu'ils pouvaient servir comme syndicats de compagnie, tout en paraissant acquis aux idées canadiennes-françaises. Telle fut la politique de la *Dominion Textile Company* à son usine de Magog où l'aumônier du syndicat réussit à faire échouer une campagne d'organisation du *CIO*. Il était aussi aumônier de l'hôpital financé par la compagnie : elle le payait et versait une retraite à son père.

Un résultat remarquable de la guerre fut le succès d'industriels canadiens-français, tels que les frères Simard, de Sorel, qui construisirent des bateaux sur le plan Kaiser et fabriquèrent aussi des canons. Deux vieilles rampes de lancement, qui employaient 160 hommes avant la guerre, furent transformées en un chantier naval bourdonnant d'activité qui en employa jusqu'à 6 000 au plus fort de son rendement. Les méthodes de direction et les techniques du génie industriel les plus récentes furent habilement adaptées aux coutumes du Québec et les relations paternalistes entre patron et ouvrier canadiens-français furent sauvegardées. Il n'y eut pas, dans les entreprises Simard, cette animosité qui est courante quand la direction et les subordonnés sont de race différente et qui procurait d'admirables prétextes d'agitation dans d'autres entreprises, telles que les industries de guerre des compagnies de la Couronne, habituellement dirigées par des hommes considérés comme des étrangers par les Canadiens français. La propagande patriotique, cependant, contribua à prévenir des conflits ouvriers dans ces usines et les syndicats convinrent d'ailleurs, loyalement, de l'illégalité des grèves en temps de guerre. Pourtant, les syndicats internationaux n'hésitèrent pas à menacer d'en déclencher quand même.

Devant l'intention annoncée par le porte-parole Robert Haddow du *Trades and Labor Congress* d'organiser d'abord les industries de guerre et, plus tard, toutes les autres dans le Québec, les syndicats furent forcés de devenir plus militants qu'ils ne l'avaient encore jamais été. Alfred Charpentier, président de la Confédération des Travailleurs catholiques du Canada, qui se réclamait d'un effectif de 53 000 travailleurs dans le Québec, accusa l'*American Federation of Labor (AFL)*, au vingt-deuxième congrès annuel des syndicats, à Granby, en 1944, d'être « *notre pire ennemi, un ennemi qui ne craint pas d'utiliser n'importe quel moyen à sa disposition pour atteindre son but.* » Il attribua le progrès des syndicats *CCL* et *CIO* à leurs grèves illégales et à leur propagande anti-religieuse. Mgr Douville, évêque de Saint-Hyacinthe, mit les ouvriers en garde contre la tentation de suivre le précédent établi par le *CCL (Canadian Congress of Labor)* en appuyant le *CCF* qu'il jugeait être communisant. Il souligna que c'était desservir les intérêts canadiens-français que d'appuyer les syndicats internationaux :

« *Les unions ouvrières américaines, auxquelles certains travailleurs du Québec sont affiliés, protégeront logiquement les leurs avant de prendre soin de votre bien-être. La situation au Québec doit être un exemple unique dans les annales ouvrières, de groupes de travailleurs attendant ici des ordres et des directives de* leaders *étrangers.* » [129]

Mgr Douville demandait instamment la fondation simultanée de syndicats d'employeurs et d'ouvriers, « *comme un prélude au corporatisme économique que nous considérons essentiel pour l'avenir, aussi bien des employeurs que des employés.* »

Le gouvernement provincial fit face à cette nouvelle tendance des milieux cléricaux et nationalistes vers le corporatisme en instituant un Conseil économique d'après-guerre, de quinze membres, dont firent partie le père Georges-Henri Lévesque, de Laval, Eugène L'Heureux, de *L'Action catholique,* Esdras Minville, de l'Ecole des Hautes Etudes Commerciales et Gérard Picard, de la Confédération des Travailleurs catholiques. Cependant, le président de ce conseil fut Jules Brillant, habile magnat des services d'utilité publique du Bas Saint-Laurent. Le mouvement corporatiste continua d'être fortement soutenu par les *Semaines sociales, Le Devoir, L'Action catholique* et *Le Droit,* mais il fut durement critiqué par *Le Jour,* dans lequel Jean-Charles Harvey poursuivait une vigoureuse campagne pour la défense du libéralisme de Manchester, tel que l'interprétaient le Canadien-Pacifique et autres grandes entreprises de la province. Les communistes s'opposèrent aussi, violemment, à ce mouvement corporatiste, qu'ils jugeaient d'inspiration fasciste, ce qui était aussi l'opinion de la majorité des Nord-Américains de langue anglaise que l'application du corporatisme en Italie par Mussolini et au Portugal par Salazar n'avait pas convertis.

Une autre preuve du malaise social et économique du Canada français en 1943 fut une recrudescence d'antisémitisme, sous l'impulsion d'un dominicain français pétainiste qui accusa Jacques Maritain, dans les journaux canadiens-français, de subir l'influence de son épouse juive. [130] Il fut interdit aux Juifs de Québec d'ériger une synagogue sur l'élégante Grande Allée et plusieurs Juifs furent battus à Plage Laval, près de Montréal, en septembre. Au cours de sa campagne contre Fred Rose, le *Bloc* avait repris la vieille tradition nationaliste antisémite. *L'Union,* de Paul Gouin et *La Boussole,* de l'Ordre de Jacques-Cartier, continuèrent à imprimer de la propagande contre les Juifs. Comme Everett Hughes l'a admirablement démontré, l'antisémitisme du Canada français est surtout la recherche d'un bouc émissaire sur qui rejeter la responsabilité de l'ordre économique du moment : « *Le Juif symbolique reçoit le pire des attaques que les Canadiens français aimeraient à diriger contre les Anglais, ou même contre un certain nombre de leurs propres chefs et propres institutions... le Juif, dans le Québec, est le petit concurrent physiquement présent, plutôt que le tireur de ficelles camouflé de la haute finance et des grandes entreprises.* » [131]

L'antisémitisme répond à un besoin sentimental du Canadien français et il est aussi instinctif que le préjugé de l'Américain du sud des Etats-Unis contre les Noirs. Un incident révélateur mit en contraste les deux attitudes : un médecin nègre, américain, n'ayant pas été admis dans la salle à manger du Château Frontenac, à Québec, il poursuivit l'hôtel. L'opinion canadienne-française l'approuva avec enthousiasme, déplorant pareil préjugé racial, mais protestant, en même temps, contre le grand nombre de Juifs de New-York qui fréquentaient cet hôtel. Le *Bloc,* qui exploitait à fond toutes les attitudes sentimentales populaires du Canada français, ne manqua pas d'utiliser l'antisémitisme à Montréal où les Juifs avaient mieux réussi que les Canadiens français, en beaucoup moins de temps.

Le mouvement du *Bloc* continua d'être contrarié par les dissensions internes malgré sa forte emprise sur l'opinion populaire, comme en témoigne un sondage de l'Institut canadien de l'Opinion publique à l'automne de 1943, qui révéla que le *Bloc* avait alors pour lui 33 pour cent des électeurs. [132] Pendant la maladie de Maxime Raymond, Edouard Lacroix, riche député fédéral de la Beauce, se chargea de l'organisation du mouvement et s'aliéna les sympathies des extrémistes anti-trust. Paul Gouin, Philippe Hamel, Jean Martineau et René Chaloult se consultèrent pour rompre avec le *Bloc.* Hamel et Martineau étaient partisans de joindre leurs forces à celles du *CCF,* qui avait fait des ouvertures par les déclarations publiques de Frank Scott, tandis que Gouin et Chaloult préféraient faire revivre le mouvement de L'Action libérale nationale des années 1930. Hamel annonça à la radio, le 16 octobre, la décision des dissidents de quitter le *Bloc,* puisqu'il était maintenant aux mains d'un millionnaire. René Chaloult déclara aussi à l'Assemblée législative : « *Nous nous sommes engagés à combattre les* trusts *et les puissances financières qui dominent la vie des Canadiens français et M. Lacroix étant lui-même un millionnaire qui a gagné cet argent en s'associant étroitement à ces* trusts, *nous ne pourrions pas en toute justice, pour nous-mêmes ou pour la politique que nous préconisons, prendre place à ses côtés sur une même tribune.* » [133] Cependant, il ne fut fait aucune allusion aux réformes économiques chères aux dissidents, bien que le gouvernement Godbout eût déjà annoncé son intention d'exproprier la *Montreal Light, Heat & Power Co.* Cette décision fut attaquée par Duplessis et le *CCF* comme étant une manœuvre électorale, mais elle fut approuvée par tous les journaux canadiens-français, excepté *Le Jour.*

Aucune mention ne fut faite de la fissure à l'intérieur du *Bloc* dans un autre discours à la radio le 17 octobre, où Raymond définit le programme provincial du parti : être le champion de l'autonomie provinciale, restaurer l'intégrité de la famille et refaire du Québec une province agricole. Raymond déclara que le Québec devait rester français et catholique et que l'individualisme né de la Révolution française devait être détruit. Il dénonça l'injustice des impôts qui pesaient plus lourdement sur les familles nombreuses et déclara que le *Bloc* chercherait à reviser les lois fiscales d'un point de vue familial. [134] Oscar Drouin, chef de l'aile nationaliste du parti libéral, tenta de gagner l'appui des partisans du *Bloc*, mécontents de la défection des ultra-nationalistes, en demandant un traitement équitable des Canadiens français dans la fonction publique fédérale et le droit, pour le Canada, d'amender l'Acte de l'Amérique britannique du Nord avec le consentement des provinces. Cette déclaration, venant après l'annonce du plan fédéral d'allocations familiales et du plan provincial d'étatisation de l'électricité à Montréal, indiqua clairement que le parti libéral avait pris la ferme résolution de couper l'herbe sous les pieds du *CCF* et du *Bloc*, en même temps.

Une bombe éclata sur la scène confuse de la politique : ce fut la lettre pastorale collective de la hiérarchie canadienne, en octobre 1943, qui déclarait le *CCF* parti neutre pour lequel les catholiques étaient aussi libres de voter que pour les deux vieux partis. Le communisme était encore une fois condamné, mais le *CCF* était absolument exempt de toute désapprobation de l'Eglise. Cette prise de position portait un coup aux libéraux et aux nationalistes, qui tentèrent d'en atténuer, autant que possible, les répercussions. Elle attira beaucoup plus l'attention de la presse anglaise que de la presse française. Le *Canadian Register,* organe catholique anglais du diocèse de Montréal, publia un long commentaire, tandis que *L'Action catholique* n'en imprima que ·le texte, comme d'ailleurs *Le Devoir,* sous ce titre désabusé : « *De quelque nom qu'il se couvre, le communisme reste condamnable* » et, dans un éditorial de ce journal, Omer Héroux écrivait : « *On doit essayer de ne voir dans ce qu'ils ont écrit que ce qu'ils pensent : rien de moins, rien de plus.* » [135] Les jésuites de l'Ecole sociale populaire allèrent jusqu'à déformer la signification claire de la déclaration, dans un sens anti-*CCF*. Le porte-parole communiste Stanley B. Ryerson déplora l'intervention des évêques en politique, mais M.J. Coldwell, Frank Scott et David Lewis l'accueillirent avec satisfaction au nom du *CCF*. Désormais, dans le Québec, le *CCF* n'avait plus sur sa route la barrière insurmontable de la désapprobation de l'Eglise.

Il restait, toutefois, un autre obstacle majeur : l'impossibilité, pour le parti, de trouver un chef canadien-français qui eût du prestige. Dans l'esprit de la masse, ce parti restait « *anglais* » et l'effort nationaliste pour troubler le cours limpide de la pensée des évêques annula l'effet initial de leur déclaration. La confusion des termes entre le socialisme fabien anglais, conciliant et le socialisme continental, anti-clérical et révolutionnaire, rappelait celle du libéralisme anglais et du libéralisme continental, au siècle précédent et elle semblait destinée à durer aussi longtemps. L'élimination de cette confusion ne fut pas facilitée par les affirmations révolutionnaires d'Harold Winch, chef extrémiste du *CCF* en Colombie britannique, qui furent dûment exploitées par les adversaires nationalistes et cléricaux du parti dans le Québec. En vain, Frank Scott et David Lewis tentèrent-ils, par des déclarations et des discours, de souligner l'étroite parenté du programme social des encycliques papales avec celui du *CCF* et l'opposition du parti à l'impérialisme et aux mouvements racistes. Le parti fut accusé par ses adversaires, anglais et français, de changer d'arguments suivant son public. L'organisation provinciale nouvellement formée du *CCF* s'écroula, parce que plusieurs de ses chefs canadiens-français, cédant à la pression exercée par leurs compatriotes, donnèrent leur démission.

La vague de grèves qui avait affligé la province au cours des récents mois se poursuivit, d'abord par celles de la police et des pompiers, puis par celle des employés de l'Hôtel de Ville, à Montréal. Les employés municipaux de Québec menacèrent aussi de faire grève et l'agitation contre le niveau trop bas des salaires, cause de mauvaises conditions de logement et de santé, prit de l'ampleur. Devant cette situation que déploraient tous les journaux français, ainsi que les communistes qui annoncèrent leur intention d'en tirer parti, le gouvernement de Québec présenta une nouvelle législation ouvrière dès le début de la session, en janvier 1944. Le projet de loi obligeait les employeurs à reconnaître tout syndicat groupant 60 pour cent de leurs employés et à conclure avec eux des contrats collectifs sous le contrôle d'une Commission des Relations ouvrières. Cette législation reposait sur les recommandations du Conseil supérieur du Travail, organisme provincial composé de huit représentants du capital, huit des ouvriers et huit économistes. Les autorités provinciales s'étaient hâtées de s'entendre sur un code du travail avant qu'Ottawa ne présente un code fédéral. Comme le déclara le premier ministre Godbout, cette mesure protégerait l'autonomie de la province contre les commissions fédérales qui ne voulaient pas comprendre les pouvoirs provinciaux dérivant de l'Acte de l'Amérique britannique du Nord. Le premier projet de loi fut unanimement approuvé par l'Assemblée législative. Un second soumettait à l'arbitrage obligatoire les conflits ouvriers dans les industries d'utilité publique, prohibait grèves et *lock-outs,* refusait enfin aux fonctionnaires et à la police le droit de se syndiquer. Ces textes furent accueillis avec enthousiasme par les syndicats catholiques. Les représentants provinciaux de la Fédération américaine du Travail *(AFL),* Elphège Beaudoin et Marcel Francq, les approuvèrent, mais ils furent désavoués par les dirigeants du *Montreal Trades and Labor Council.* Le Congrès canadien du Travail *(CCL),* qui avait travaillé à l'organisation syndicale de la police, des pompiers et des employés de tramway, protesta contre ces deux textes, mais tous les journaux les approuvèrent.

15

Une réaction unanime, telle que le Québec n'en avait pas connu depuis le plébiscite, accueillit le discours prononcé à Toronto, le 24 janvier 1944, par lord Halifax, ambassadeur de Grande-Bretagne aux Etats-Unis. Il proposait, pour l'après-guerre, l'adoption d'une seule politique des affaires extérieures et de la défense pour tout le *Commonwealth*. René Chaloult, qui avait déjà soumis à l'Assemblée législative une résolution qui déplorait l'effort de guerre « *excessif* » du Canada, déposa devant la Chambre, le 28 janvier, un avis de motion qui se lisait ainsi : « *Que cette Chambre croit qu'il est de son devoir d'enregistrer son opposition au nouvel impérialisme de lord Halifax et à ses dangereuses tendances* ». La réaction du Québec fut orageuse. Elle le fut aussi dans le Canada tout entier, contre la proposition de Halifax de créer un gouvernement central à Londres, après la guerre, pour tout le *Commonwealth*. Godbout et Duplessis, à l'exemple de leurs chefs fédéraux, se turent, mais Maxime Raymond fit écho à la déclaration d'opposition de M.J. Coldwell en affirmant :

« *Nous sommes pour l'indépendance du Canada. Le* Bloc *est d'opinion que le Canada a un rôle important à jouer dans les affaires mondiales, mais il ne considère pas le* Commonwealth *britannique des Nations comme la meilleure organisation qui lui permettrait de jouer ce rôle.* »

La presse française donna une grande publicité aux commentaires de la *Winnipeg Free Press,* déplorant que « *lord Halifax, membre du Cabinet de Guerre britannique, fasse un pareil discours sur le sol canadien, avant même de consulter le gouvernement canadien* » et à ceux du *Toronto Star :* « *La force du* Commonwealth *repose sur l'association autonome plutôt que sur l'autorité centralisée... Que les éléments de l'Empire doivent nécessairement parler comme un seul, c'est trop demander et aussi que le dominion doive, automatiquement, adopter le même point de vue que la métropole.* »

Omer Héroux, dans *Le Devoir,* dénonça cette nouvelle tentative de fédération impériale : « *Le Canada, nation souveraine, n'acceptera avec docilité ni de la Grande-Bretagne, ni des Etats-Unis, ou de qui que ce soit d'autre, l'attitude qu'il lui faut prendre envers le monde ; l'indépendance fera que le Canada, comme tous les peuples majeurs, ordonnera sa politique extérieure selon ses intérêts propres, selon les dictées de la géographie.* » *Le Droit* affirma que « *la solidarité de l'Empire a des limites inévitablement fixées par les intérêts de chaque dominion et ceux-ci ne peuvent être négligés.* » *L'Action catholique* déclara que la proposition de Halifax était « *inacceptable* » et observa : « *Il vaut beaucoup mieux que nous gardions notre liberté, non pour pratiquer dans les affaires internationales un isolationnisme qui ne serait pas sage, mais pour collaborer avec ceux que nous voudrons, dans l'intérêt du Canada et de la paix du monde, en nous souvenant du fait que nous sommes un pays américain.* » *La Patrie* déclara que le Canada « *doit d'abord considérer ses propres intérêts et ne doit pas oublier qu'il est un pays américain.* » *Le Canada* trouva « *quelque chose de juste et quelque chose de dangereux* » dans cette proposition, considérant que « *les nouvelles relations proposées par lord Halifax seraient sans doute un pas en avant* » mais que, d'un autre côté, elles paraîtraient, à beaucoup, « *une alliance de l'agneau et du lion* » qui pourrait entraîner le Canada « *dans un tourbillon d'impérialisme tory.* » *Le Jour* accusa Halifax de favoriser indirectement l'œuvre de l'élément anti-britannique dans le Québec et affirma que la souveraineté complète du Canada deviendrait inévitable avant cinquante ans. [136]

Le discours du trône, à l'ouverture de la session, apporta une réponse indirecte à la proposition de lord Halifax : « *Ce n'est que par l'organisation générale, sur le plan international, des nations éprises de paix qu'on abolira les dangers d'agression future et qu'on réalisera la sécurité du monde.* » [137] En proposant l'adoption de ce discours, Léonard Tremblay, député de Dorchester, affirma : « *De même que le canadianisme de Laurier l'emporta sur l'impérialisme de Chamberlain, celui de King saura déjouer aujourd'hui les intrigues de Halifax.* » [138] La presse nationaliste écrivit que les libéraux étaient, au fond du cœur, aussi impérialistes que les conservateurs et elle inclinait à croire que cette attitude n'était adoptée qu'en vue des élections, comme d'ailleurs le projet d'allocations familiales. La presse libérale acclama, naturellement, les deux politiques, s'attachant surtout à expliquer comment le Québec profiterait tout particulièrement du projet d'allocations familiales. A l'Assemblée législative de Québec, Oscar Drouin apporta un appui libéral à la résolution de Chaloult s'opposant à Halifax : « *Le discours de lord Halifax semble faire partie d'un plan concerté pour enlever au Canada tout ce qu'il a gagné par le Statut de Westminster. Nous ne pouvons accepter de perdre ce que nos pères ont réclamé avant nous et ce que nous avons obtenu au prix de luttes si persévérantes, si tenaces.* »

Le premier congrès plénier du *Bloc* eut lieu à Montréal, du 3 au 6 février. Des délégués furent invités de tous les centres de langue française du Canada. Le *Maclean's Magazine* avait fait connaître au Canada anglais le nouveau mouvement nationaliste, par la publication d'une entrevue avec Maxime Raymond. [139] Ses réponses à une série de questions précises, qui lui donnaient l'occasion d'exposer en entier le programme du *Bloc,* furent résumées par sa réponse à la question finale sur le statut futur du Canada : « *Indépendance.* » Cependant, Raymond ne put assister à l'ouverture de ce congrès et Gouin, Hamel et Chaloult brillèrent par leur absence, malgré un appel de

Raymond pour l'unité. André Laurendeau, qui agissait comme secrétaire général et porte-parole du groupe à la radio depuis plus d'un
an et avait été choisi comme rédacteur en chef du nouvel hebdomadaire *Le Bloc,* fut nommé chef provincial, poste presque aussi important que celui de Raymond, puisque le *Bloc* ne pouvait espérer
gagner en puissance que dans le Québec. Le bruit courut que Raymond, vieillissant, se retirerait de la politique pour des raisons de
santé et laisserait le parti sous la direction de Laurendeau. Bien qu'il
eût été prévu que la nomination de Laurendeau pourrait ramener
au sein du parti les dissidents et leurs jeunes partisans, Laurendeau
ne montra aucun empressement pour le retour de Chaloult, quand il
annonça que le *Bloc* présenterait des candidats dans tous les comtés
du Québec. De plus, dans le premier numéro de l'hebdomadaire
*Le Bloc,* Laurendeau rejeta l'idée d'une entente avec Duplessis dans
l'arène provinciale, en remarquant : « *Québec punira d'un seul coup
les deux coupables : Godbout et Duplessis.* » [140]

On prétendit aussitôt que Paul Gouin, Philippe Hamel et René
Chaloult pensaient déjà à organiser un nouveau groupe libéral-
nationaliste, car ils n'accepteraient pas la direction de Laurendeau.
Les dissidents émirent un communiqué, le 14 février, pour critiquer
le *Bloc* et affirmer que leurs tentatives de conciliation avaient été
repoussées et qu'ils n'avaient obtenu aucune des assurances qu'ils
réclamaient contre une répétition de ce qui s'était passé en 1936,
quand, après avoir aidé à remporter la victoire aux élections, ils
avaient été écartés par Duplessis. Maxime Raymond annonça, le 26
février, qu'il considérait « *l'incident clos, définitivement* » et, le lendemain, Paul Gouin radiodiffusait une réponse à Raymond et expliquait la division du parti. Il affirma que Raymond et Laurendeau
avaient rejeté toutes les offres de règlement équitables, que la division
n'était pas causée par des différends personnels entre les dissidents
et Lacroix, mais par une question de principe, fondamentale. Il
affirma que laisser la responsabilité financière de la région de Québec
entre les mains de Lacroix « *c'était revenir à la politique des vieux
partis, à la politique de la dictature des bailleurs de fonds électoraux.* » Il ajouta : « *En conséquence des pouvoirs et de l'influence
que son argent lui apportait, M. Lacroix a pu forcer M. Raymond à
prendre parti contre l'unité et l'intérêt du mouvement que nous lui
avions confié.* »

René Chaloult, affirmant être le porte-parole des nationalistes du
Québec, se fit l'écho, à l'Assemblée législative, des paroles de Gouin
et il accusa le *Bloc* de se refuser à étatiser l'assurance et le crédit.
Il déclara :

« *Il reste que le seul moyen de corriger les abus des* trusts, *c'est
de s'en emparer graduellement par l'expropriation... Ce n'est que par
la nationalisation que nous parviendrons à nous délivrer de la domina-*

*tion étrangère et à reprendre le contrôle de nos richesses. Quand notre gouvernement sera redevenu propriétaire de nos biens, alors il emploiera des ingénieurs, des gérants, des comptables, des chimistes, etc... canadiens-français pour les exploiter... Tant que nous permettrons à des capitalistes étrangers d'exploiter, contre nous, nos ressources naturelles, fatalement la graine du communisme continuera à germer.* » [141]

Paul Gouin poursuivit sa vigoureuse campagne contre le *Bloc* à la radio et dans son journal, *L'Union*. Le 5 mars, il déclara que les partisans de Duplessis s'étaient agités depuis de début à l'intérieur du *Bloc* et qu'ils projetaient maintenant une alliance formelle avec lui. Le *Bloc* laisserait ainsi le domaine provincial à Duplessis et ce dernier prêterait main-forte à Raymond dans le cas d'élections fédérales.

Le gouvernement Godbout se réjouit de ces prises de position et de la réception enthousiaste de ses lois ouvrières et de nationalisation. Il parut possible que le groupe Gouin-Hamel-Chaloult fasse cause commune avec les libéraux, affaiblissant ainsi considérablement le *Bloc*. D'un autre côté, le refus de Maurice Duplessis d'accepter la nationalisation de la *Montreal Light, Heat & Power* et son attitude passée, anti-ouvrière, le rendaient particulièrement vulnérable dans la conjoncture de l'opinion publique à ce moment. Bien que les syndicats *CCL* eussent promis de donner tout leur appui au *CCF*, un effort, d'inspiration communiste, pour créer un front ouvrier politique uni et la confusion, toujours présente dans l'esprit canadien-français, entre socialisme et communisme, diminuèrent la force du *CCF*. Des élections provinciales en juin paraissaient probables, pour profiter de la désintégration des partis d'opposition.

Le parti libéral provincial fut renforcé par la déclaration faite par King avant son départ pour la Conférence impériale, en mai :

« *La collaboration avec le* Commonwealth *se fait et continuera de se faire sur une base d'égalité très bien définie. Quand, de temps à autre, doivent être soumises à la discussion de grandes questions dont peuvent dépendre la paix ou la guerre, tout aussi bien qu'en matière de prospérité ou de dépression, cette collaboration ne peut être exclusive ni dans ses buts, ni par ses méthodes. Nos entreprises, en rapport avec ces grandes questions, doivent naître d'un plan général, d'envergure universelle ou régionale. Pour l'avenir, nous espérons, en conséquence, une étroite collaboration dans l'intérêt de la paix, non seulement au sein du* Commonwealth *mais aussi avec toutes les nations amies, qu'elles soient petites ou grandes.* » [142]

Le Canada français goûta beaucoup plus ce programme que celui formulé par John Bracken, le chef conservateur : « *J'espère, par conséquent, qu'à l'avenir le Canada agira comme une puissance autonome, renforcera les liens qui unissent entre eux les membres du* Commonwealth *et, ne perdant pas de vue cet objectif, je crois que nous devrions établir ensemble un plan de consultation permanente pour toutes choses qui nous sont communes.* » *Le Canada* assimila la position de Bracken à celle de lord Halifax. *Le Nouvelliste* prétendit qu' « *une politique isolationniste ne sera pas plus avantageuse pour le Canada qu'une politique impérialiste.* » Le Droit écrivit que, bien que les moyens proposés puissent différer, tous les politiciens anglophones cherchaient une plus grande unification de l'Empire et que cette conférence « *ne s'occuperait que des moyens pouvant être utilisés pour assurer cette coordination.* » *L'Action catholique* déclara : « *Nous ne sommes pas isolationnistes. Nous voulons que le Canada collabore avec les autres pays du monde : les Etats-Unis, les républiques américaines, les nations du* Commonwealth, *etc.; mais nous demandons au premier ministre du Canada de n'accepter aucune nouvelle obligation qui pourrait nous empêcher de considérer d'abord les intérêts du Canada... en affaires internationales, agissons enfin comme un pays véritablement autonome.* » *Le Soleil,* qui exprimait probablement l'opinion de la majorité, commenta : « *Il est important pour les nations du* Commonwealth *britannique que leur union intime soit maintenue, en temps de paix comme en temps de guerre. Cet heureux résultat sera facilement obtenu par une politique plus généreuse, qui ne limitera en rien les pays autonomes et favorisera l'évolution des colonies britanniques dans un sens démocratique. A moins qu'elle n'applique sincèrement cette doctrine, la Grande-Bretagne perdra rapidement l'amitié des peuples libres.* » *La Presse* s'aligna avec *Le Soleil* pour approuver King qui demandait avec insistance la liberté d'action canadienne pour les affaires extérieures. *L'Action catholique* reconnut à King le mérite d'avoir eu « *l'idée de jouer un rôle important et d'avoir conçu un plan pour faire opposition à certaines politiques impérialistes de M. Churchill.* » *Le Devoir* et *Le Droit* furent les seuls qui continuèrent à affirmer que rien ne séparait King de Bracken et, qu'une fois de plus, la souveraineté canadienne « *serait sacrifiée sur l'autel de l'impérialisme.* »

Pendant ce temps, le *Bloc* continuait d'avoir des difficultés, à l'intérieur et à l'extérieur. Le bruit courut qu'Edouard Lacroix et Pierre Gauthier étaient sur le point de rompre avec Raymond, tandis que Gouin, Hamel et Chaloult jouissaient d'une grande popularité dans la masse des adhérents. La campagne de Laurendeau, dans *Le Bloc,* pour « *des maisons avant des canons* » perdit de sa portée quand passa le 1er mai, jour des déménagements, sans qu'un nombre appréciable de gens reste à la rue. Duplessis continua à combattre le mouvement avec vigueur et Ernest Grégoire, du Crédit social, l'accusa de n'être qu'un parti d'opportunistes affamés de pouvoir. Le *Bloc* continua d'augmenter le nombre de ses réunions publiques, mais la question de savoir d'où viendraient les fonds électoraux se posa bientôt devant la perspective du départ prochain de Lacroix.

Aux élections partielles de Stanstead et de Cartier, l'année précédente, le *Bloc* avait essayé d'exploiter le prestige d'Henri Bourassa en le tirant de sa retraite pour qu'il fasse des discours à ses réunions. Bourassa avait évoqué avec succès la vieille tradition nationaliste chez les cultivateurs de Stanstead, mais il n'impressionna pas beaucoup les travailleurs industriels de Montréal.

Or Bourassa, ce 21 mai, faisait sa première apparition publique, sur une tribune politique, depuis que Lavergne et lui s'étaient fait lapider au Marché Saint-Pierre, en 1907. Ce fut pour appuyer la candidature de Laurendeau. Après avoir demandé aux dissidents de revenir au *Bloc,* il stupéfia les politiciens qui l'avaient invité en donnant le conseil suivant : « *Dans les circonscriptions où il n'y aurait pas de candidat du* Bloc *aux prochaines élections fédérales, les vrais Canadiens devraient voter pour le candidat* CCF. » Il conseilla aussi la coopération entre Anglais et Français sur une base d'égalité, en faisant remarquer : « *Cela ne veut pas dire que nous devons cirer les bottes de Mackenzie King comme le premier ministre Godbout, ou tenir le cigare de Churchill comme Mackenzie King.* » Il réitéra son opposition aux impérialismes de toutes sortes, en ajoutant : « *Quand ils parlent d'une croisade pour la chrétienté, je ne peux pas oublier que notre première coopération avec l'impérialisme britannique, à la fin du dernier siècle, contribua à l'extermination d'une vaillante petite nation en Afrique du Sud.* » [143]

Dans son compte rendu de la réunion, *Le Bloc* évita de mentionner le conseil du « *Maître* » au sujet du *CCF* et, une semaine plus tard, il proclamait : « *Combattons contre le* CCF *impérialiste, germe de la révolution communiste !* » M.J. Coldwell se hâta de nier toute possibilité d'alliance entre le *CCF* et le *Bloc.* René Chaloult affirma, à la radio, qu'il admirait Bourassa, mais il ajouta : « *Cela ne signifie pas que j'accepte ses ordres dans le domaine de la stratégie politique.* » Il adjura ses auditeurs de voter pour le meilleur, sans tenir compte de son parti et cita, dans chacun des camps, quelques candidats qu'il favorisait. Paul Gouin annonça qu'il se présenterait comme indépendant et qu'il serait appuyé par Chaloult et Hamel. Ces dissidents condamnaient tous, avec une égale violence, les libéraux, l'Union nationale et le *Bloc.*

A la veille de l'invasion de l'Europe par les Alliés, depuis si longtemps attendue, le Canada français était en effervescence. La proposition du sénateur Athanase David qu'un même manuel d'histoire soit utilisé dans toutes les écoles canadiennes provoqua une violente opposition de la part des nationalistes. [144] La publicité hostile, répandue dans la nation entière, autour d'un crime d'incendiaire qui détruisit la nouvelle synagogue de Québec en mai avait irrité le Québec qui considérait qu'un incident semblable, survenu à Toronto peu de temps après, avait beaucoup moins retenu l'attention. Des batailles de rue à

Montréal, entre la police militaire et une certaine jeunesse oisive et insoumise, les *zootsuiters,* furent défavorablement commentées par les journaux canadiens-anglais et américains. Les partisans de Duplessis et du *Bloc* incitaient aux sentiments hostiles à la guerre et à la conscription dans les régions rurales et le monde ouvrier des villes était maintenu en effervescence par la lutte entre internationales et syndicats, ainsi que par les tentatives des communistes et du *CCF* pour former un front politique des ouvr'ers unis. Le gouvernement libéral s'empressa de voter plusieurs lois, à la fin de la session, qui furent considérées comme des manœuvres électorales : prêts du gouvernement à des sociétés ou coopératives pour faciliter la construction de maisons, gratuité des manuels dans les écoles, réduction de 18 pour cent du prix de l'électricité à Montréal et projet de réduction du prix des engrais chimiques.

La nouvelle de débarquements en Normandie éclata soudain sur cette scène troublée. Quand Mackenzie King annonça l'invasion à la Chambre, le parlement chanta *La Marseillaise,* sur l'invitation de Maurice Lalonde, député de Labelle. *Le Canada* applaudit : « *C'est un geste inspiré qui affirme encore une fois* [devant] *le monde entier le caractère profondément bi-ethnique du Canada et qui, de plus, solidarise dans une ferveur égale à celle de toutes les autres parties du dominion, la Province de Québec, d'où viennent la plupart des députés fédéraux de langue française* [et les] *glorieux volontaires qu'elle a délégués au front.* » Ernest Bertrand, ministre des pêcheries, fut le premier à parler au peuple français par la radio, au nom du Canada, adjurant les forces de la Résistance de suivre les instructions qui leur étaient envoyées par le Haut Commandement Allié et assurant ses auditeurs de l'amour éprouvé pour la France par les Canadiens français qui faisaient partie des armées d'invasion. Louis Saint-Laurent parla de « *la profonde émotion apportée par cette aube du 6 juin dans chacune des habitations du Canada et, plus spécialement, dans nos foyers de la Province de Québec où nous parlons votre langue et où tout ce qui est français nous est si cher et si familier. Comme une réponse aux misères des jours fatals de juin 1940 se lève l'exaltation de cette aurore de juin 1944.* »

Les sénateurs David et Bouchard, Valmore Bienvenue et le commandant René Garneau s'adressèrent aussi à la France par la radio, en cette occasion. Edmond Turcotte, du journal libéral *Le Canada,* évoqua la Normandie, patrie d'origine de nombreux fondateurs du Canada français. *Le Soleil* accueillit avec joie le commencement de la campagne de France : « *Puisse-t-elle combler nos vœux les plus chers et nous faire oublier le désastre de 1940.* » *La Patrie* affirma que les envahisseurs « *ne venaient pas en conquérants, mais en libérateurs* » et qu'ils seraient bien accueillis par une armée alliée composée de civils : la Résistance. *L'Evénement-Journal* écrivit : « *Le peuple*

*français se lève dans un élan collectif impétueux, en se réjouissant de
la douceur de leur libération prochaine. En cette heure décisive où le
sort de la liberté est scellé, ils ont entendu l'appel émouvant de ce
grand patriote Charles de Gaulle qui, pendant quatre longues années,
a personnifié la France qui lutte, qui résiste, la France qui ne capitule
jamais.* » L'*Action catholique* publia le message du cardinal Villeneuve qui demandait des prières au peuple canadien-français, en observant que le secret qui avait entouré les préparatifs d'invasion montrait bien que les Alliés avaient poursuivi la guerre des nerfs aussi
habilement que les nazis au début de la guerre. *Le Devoir* et *Le Droit*
se turent, le premier faisant observer : « *Les événements qui se dérou-
lent en Europe ne doivent point nous faire perdre de vue ce qui se
passe chez nous.* » *Le Canada* qui, sous la direction agressive d'Edmond Turcotte, perdait rarement une occasion d'attaquer les nationalistes, commenta ainsi l'éditorial du *Devoir* :

« *Le jour où les plus puissantes armées que des hommes libres
aient jamais réunies dans l'histoire du monde pour la défense de leur
liberté, se mettaient en branle pour la libération du principal foyer
de la civilisation occidentale, un continent tout entier asservi par une
bande de criminels sans foi ni morale, le rédacteur en chef du* Devoir
*s'occupait de deux hebdomadaires acadiens dont le sort est sans doute
intéressant, mais tout de même un peu moins que le sort du monde
civilisé pour plusieurs générations à venir.* » [145]

Comme en 1917, le Canada français avait atteint le stade crucial
d'un conflit mondial dans un état d'esprit de plus en plus préoccupé
de ses propres soucis domestiques, qui le mena à montrer une indifférence choquante pour ce que les Canadiens anglais, les Américains,
les Britanniques et les Français considéraient comme la lutte décisive
pour la survivance de leur mode commun de vie. Dans sa révolte
contre la propagande du temps de guerre et contre les altérations
profondes de sa manière de vivre imposées par Ottawa, le Canada
français minimisa l'importance du danger commun. L'idée dominante de sécurité égoïste était exprimée par un vieil *habitant*, dont le
bas traditionnel était réputé bien rempli d'économies et qui, lorsqu'un
vendeur d'obligations lui demanda s'il lui plairait de voir les Allemands envahir son village, violer ses femmes et corrompre ses enfants, répliqua : « *Non pas. Je voterais contre eux.* » Isolé de Rome
et de Paris par la guerre, le Canada français était en 1944, plus isolationniste que jamais. Il était maussade, peu enclin à coopérer, par
suite des attaques dont il avait été l'objet pour n'avoir pas participé
davantage à l'effort de guerre, alors qu'il estimait en avoir déjà trop
fait. Il subissait une révolution sociale rapide, bien que relativement
paisible qui avait ébranlé les cadres de sa société et dérangé son mode
traditionnel d'existence. Il n'était pas d'humeur à répondre avec
enthousiasme à l'intensification du programme de guerre que les

Canadiens anglais furent bientôt amenés à exiger, avec une passion hystérique et sentimentale suscitée par les premières pertes considérables que l'armée canadienne subit outre-mer. Une fois de plus, la question de conscription creusa un abîme profond entre les peuples du Canada et gâcha le peu d'unité nationale qui avait été réalisé grâce au sacrifice commun d'hommes et de femmes des deux races.

## Notes

1. La *Casa d'Italia* de Montréal fut un çentre de propagande s'adressant aux Canadiens français, en même temps qu'à la nombreuse population italienne. Bien que la sympathie conservatrice canadienne-française pour Mussolini tendît à se tourner plutôt vers Franco après 1939, elle n'était pas morte pour autant. Les bureaux des chemins de fer de l'Etat allemand furent un centre clandestin de propagande nazie qui versa des subsides à des publications ultra-nationalistes et quelques meneurs nationalistes accompagnèrent leurs payeurs allemands à Mexico, quand vint la guerre en 1939. Peu de temps avant le conflit, une société allemande tenta d'acheter l'île d'Anticosti dans l'estuaire du Saint-Laurent, afin de se procurer une base qui eût été excellente pour la guerre sous-marine livrée plus tard dans cette région. *Zwischen USA und dem Pol* (Colin Ross, Leipzig, 1934) est une étude générale du Canada qui met en lumière les problèmes canadiens-français et néo-canadiens et qui apporte des révélations intéressantes sur la politique nazie à l'égard du Canada.

2. Florent Lefebvre, *The French-Canadian Press and the War* (Toronto, 1940), 1-8.

3. *Ibid.*

4. *Canada, Commons Debates 1939, Special War Session,* 8 septembre, 28.

5. *Proceedings and Orders in Council passed under the authority of the War Measures Act* (Ottawa, 1940), I, 19-20.

6. *Montreal Gazette,* 2 septembre 1939.

7. *Ibid.,* 4 septembre 1939.

8. Dawson, R.M., *Canada in World Affairs : 1939-41.* (Toronto, 1943), 8.

9. *Commons Debates 1939,* 7 septembre, 1.

10. *Ibid.,* 8 septembre, 12-41, 6.

11. *Ibid.,* 12.

12. Dawson, 285-86. C'était la première fois que le roi déclarait la guerre au nom du Canada, sur le conseil de « *Notre Conseil Privé du Canada* ».

13. *Montreal Gazette,* 8 juillet 1941.

14. *Commons Debates 1939,* 8 septembre, 25.

15. *Ibid.,* 36.

16. *Débats, Communes du Canada, 5ème session — 18ème législature, 1939* (Ottawa, Patenaude, 1940), 9 septembre 1939, 69.

17. *Ibid.,* 70.

18. *Ibid.,* 67, 71.

19. *Ibid.,* 71, 72.

20. *Ibid.,* 72.

21. *Ibid.,* 73.

22. *Ibid.*

23. *Ibid.*, 76, 86.
24. Lefebvre, 9-13.
25. *Ibid.*, 13-14.
26. *Ibid.*, 18.
27. *La Presse*, 6 septembre 1939.
28. *La Patrie*, 10 septembre 1939.
29. *Le Canada*, 9 septembre 1939. *La Tribune de Sherbrooke*, 25 août 1939.
30. *Le Soleil*, 6 septembre 1939.
31. Lefebvre, 21-22.
32. *Le Jour*, 9 septembre 1939.
33. *Le Devoir*, 1er et 2 septembre 1939.
34. *Ibid.*, 1er septembre et 31 août 1939.
35. *Le Droit*, 6 septembre 1939.
36. *L'Action catholique*, 2 septembre 1939.
37. Lefebvre, 27, 28-29.
38. *Ibid.*, 31-32.
39. *Ibid.*, 32-35.
40 *L'Action Nationale*, XIV, septembre 1939, 3.
41. *Ibid.*, 81-83.
42. *Ibid.*, XIV, octobre 1939, 131-32.
43. *Ibid.*, novembre 1939, 176, note. *Le Devoir*, 14 octobre 1939.
44. Dawson, 17.
45. Rumilly, *L'autonomie provinciale* (Montréal, 1948), 120.
46. *Ibid.*
47. Lefebvre, 36.
48. *Le Devoir*, 4 novembre 1939.
49. Armstrong, E., *French-Canadian Opinion on the War* (Toronto, 1942), 6.
50. Churchill, W., *Blood, Sweat and Tears* (New-York, 1941), 297.
51. Armstrong, E., 7.
52. *Le Guide*, 19 juin 1940.
53. Armstrong, E., 9.
54. Dawson, 41 ; *Montreal Gazette*, 24 juin 1940.
55. *Ibid.*, 289, Texte de la loi de mobilisation *National Resources Mobilization Act*, 1940.
56. *Le Devoir*, 19 juin 1940.
57. Armstrong, E., 18.
58. *Ibid.*, 17-18.
59. *Ibid.*, 16.
60. *Montreal Gazette*, 3, 16 août 1940.
61. Armstrong, E., 18-19.
62. *Ibid.*, 19.
63. *Ibid.*, 20.
64. *Ibid.*, 22.
65. *Montreal Herald*, 30 juin 1941, *The Story of French Canada's War Effort*.
66. *La Patrie*, 11 juillet 1940.
67. Armstrong, E., 13.

68. Vanier, G., *Paroles de guerre* (Montréal, 1944), 15.

69. Dawson, 310-11, texte de l'accord *Ogdensburg Agreement,* 18 août 1941.

70. Armstrong, 23-24.

71. Dawson, 321-12, texte de *Hyde Park Declaration,* 20 avril 1941.

72. *L'Action nationale,* XVII, juin 1941, 441-42.

73. *Ibid.,* 453-54.

74. *Ibid.,* 455-72.

75. *Ibid.,* 473-80.

76. *Ibid.,* 481-99.

77. *Ibid.,* 500-507.

78. *Ibid.,* 508-21.

79. *Ibid.,* 521-33.

80. *Ibid.,* 534-37.

81. Godbout, Adélard, *Canadian Unity* (Québec, 1940).

82. *La Presse,* 4 décembre 1940, 16. Discours d'Adélard Godbout, à Toronto, en anglais.

83. *Montreal Gazette,* 23 novembre 1940.

84. *La Patrie,* 10 février 1941.

85. *Ibid.,* 17 avril 1941.

86. Armstrong, 29-30.

87. *Commons Debates 1941,* 7 mai, III, 2637-43.

88. *Ibid.,* III, 2651-52 ; Armstrong, 34-35.

89. Armstrong, 39.

90. *Report of the Royal Commission appointed under Order in Council PC 411...* (Ottawa, 1946).

91. Shea, A., & Estorick, E., *Canada & the Shortwave War* (Toronto, 1942), 14-16.

92. Francœur, Louis, *La situation ce soir* (Montréal, 1941), 1-10.

93. Belcourt, Béatrice, *Le Canada parle à la France,* programme de radio (Montréal, 1944).

94. Raymond, Maxime, *Politique en ligne droite* (Montréal, 1943), 183.

95. *Ibid.,* 184-192.

96. *Ibid.,* 194.

97. *The Plebiscite Question* (Ottawa, 1942).

98. *La question du plébiscite* (Ottawa, 1942).

99. *Canadian Forum,* juin 1942, F.R. Scott, *Quebec and the Plebiscite Vote.*

100. *Winnipeg Free Press,* 24 mai 1948, G. Dexter, *The Colonel ; Commons Debates 1942,* 23 juin, IV, 3553.

101. *Commons Debates 1942,* 10 juin, 3236.

102. Dawson, 95-96. Lettre de Cardin offrant sa démission et réponse de King, *Commons Debates 1942,* 11 mai, 2280.

103. Raymond, 209.

104. *Ibid.,* 210, 213, 214, 215.

105. *Débats, Communes du Canada, 3ème session — 19ème législature, 1942* (Ottawa, Edmond Cloutier, 1942), 2 juillet 1942, 4020.

106. Maheux, l'abbé Arthur, *Pourquoi sommes-nous divisés ?* (Montréal, 1943).

107. *Canadian Forum,* juin 1942, F.R. Scott, *Quebec & the Plebiscite Vote.*

108. Vaillancourt, Emile, *Le Canada et les Nations-Unies* (Montréal, 1942).

109. *Le Devoir,* 29 avril 1943.

110. *Montreal Gazette,* 17 avril 1943.

111. *Le Devoir,* 20 mai 1943.

112. Raymond, 225-31.

113. *Ibid.,* 236.

114. Rose, F., *Hitler's Fifth Column in Quebec* (Toronto, 1942).

115. *Life,* 19 octobre 1942.

116. *L'Action catholique,* 25 mai 1943.

117. *Le Devoir,* 9 juin 1943.

118. *Montreal Daily Star,* 24 juin 1943.

119. *La Presse,* 29 mars 1943.

120. *Le Jour,* 15 mai 1943 ; *Le Devoir,* 10 mai 1943.

121. *Le Canada,* 11 mai ; *Le Soleil,* 12 mai ; *Le Devoir,* 26 mai, 19 juin 1943.

122. *Le Canada,* 13 juillet 1943.

123. *Le Devoir,* 19 juin 1943, *Depuis bientôt quatre ans.*

124. *Le Soleil,* 9 septembre 1943.

125. *Le Devoir,* 2 septembre 1943.

126. *Ibid.,* 21 septembre 1943.

127. *Press Information Bureau,* I, 6.

128. Blanchard, R., *L'Est du Canada français* (Montréal, 1935), II, 61-155 ; Tremblay, l'abbé V., *Histoire du Saguenay (Chicoutimi, 1938).*

128a. Laurent, E., *Une enquête au pays de l'aluminium* (au sujet des troubles ouvriers du temps de guerre), Québec, 1943.

129. PIB, I, 5.

130. *Le Devoir,* 26 mai, 12 juin 1943.

131. Hughes, E., *French Canada in Transition* (Chicago, 1944), 217-18.

132. PIB, I, 12.

133. *Ibid.,* II.

134. *Ibid.,* 13.

135. *Canadian Register,* 17 octobre 1943 ; *Le Devoir,* 20 octobre 1943 ; *L'Action catholique,* 21 octobre 1943.

136. *Le Devoir,* 25 janvier 1944.

137. *Débats, Communes du Canada, 5ème session — 19ème législature 1944* (Ottawa, Edmond Cloutier), 27 janvier 1944, 2.

138. *Ibid.,* 28 janvier 1944, 13.

139. *Le Canada,* 3 février 1944 ; *MacLean's Magazine,* 1er janvier 1944, *What does the Bloc Populaire Stand for ?*

140. *Le Bloc,* I, 14 février 1944, 2.

141. *Le Canada,* 28 février 1944.

142. PIB, I, 67.

143. *Le Bloc,* I, 29 avril 1944, I.

144. *Senate Debates* 1944, 4 mai, 147-49.

145. *Le Canada,* 1er mars, 8 juin 1944 ; *Le Devoir,* 6 juin 1944.

# CHAPITRE XVI

# LA CRISE DES RENFORTS ET SES SUITES

## (1944-1945)

Quand commença la bataille de l'Europe, les premières pertes sérieuses de l'armée canadienne, s'ajoutant à celles de Dieppe, eurent pour résultat une scission entre Canadiens français et anglais qui faill't bien déchirer le Canada. La conscription, après cinq ans de guerre et à la veille même de la victoire, dressa encore une fois, comme en 1917, les deux principales races l'une contre l'autre. Selon les Canadiens anglais, elle assurait l'égalité des sacrifices, mais les Canadiens français étaient persuadés qu'il s'agissait uniquement d'atteindre des objectifs britanniques et américains aux dépens du Canada. Amertume, irritation, rancœurs et griefs accumulés dans un pays qui ne comptait que douze millions d'âmes [1] et se voyait contraint de maintenir de puissantes armées de terre, de mer et de l'air, tout en continuant à fabriquer des munitions et à servir de grenier et d' « aérodrome de la démocratie », firent naître, au cours de l'été et de l'automne de 1944, une tension ethnique qui ne cessa de s'aggraver.

1

Après le premier enthousiasme qui salua les débarquements en Normandie, les conflits d'opinion entre le Canada français et ses voisins anglophones s'aggravèrent. Des combats de rue à Montréal entre la police militaire et certains jeunes oisifs que l'on appelait « zoot-suiters » * indiquaient bien l'existence d'une animosité depuis longtemps refoulée. Ces fauteurs de trouble, selon les Canadiens anglais, étaient des Canadiens français qui narguaient les volontaires anglais, mais on leur opposait que les « zoot-suiters » n'étaient pas, en général, des Canadiens français et qu'au contraire « la plupart des soldats en uniforme que l'on rencontre dans les rues de Montréal sont de langue française. » Le Montreal Herald écrivit que le règne

---

\* On les appelait ainsi à cause de la coupe fantaisiste de leurs complets. Peu après, la France allait connaître ses « zazous ».

de la voyoucratie menaçait et dénonça le mépris des lois et l'animosité raciale révélés par les rixes. Le *Newsweek* de New-York fit des commentaires malveillants sur ces incidents et, comme toujours, les porte-parole canadiens-français se rallièrent pour défendre leur province contre ces critiques tendancieuses venant de l'extérieur. En Chambre, à Ottawa, Saint-Laurent, ministre de la justice, déclara que la police montée avait enquêté sur ces rixes et qu'il ne s'agissait pas du tout de conflit racial. Roger Duhamel * le contredit bientôt dans *La Patrie,* mais en déplorant les batailles qui s'ensuivirent entre écoliers français et anglais : « *Des gens civilisés devraient avoir d'autres procédés pour rechercher un dénominateur commun à leurs différences de vues.* » En fait, ces troubles semblent avoir été le résultat naturel du bouleversement social de la population cosmopolite de Montréal, provoqué par la guerre. [2]

Les troubles de Montréal cessèrent, mais l'animosité raciale qu'ils avaient éveillée ne cessa de croître, surtout chez les Canadiens anglais, à mesure que les forces canadiennes en Europe subissaient des pertes de plus en plus lourdes. Ils pensaient, en général, que ces pertes étaient plus graves pour le Canada anglais parce que ses familles étaient moins nombreuses et qu'il fournissait un plus grand nombre de volontaires. La politique adoptée par le gouvernement empêcha de connaître exactement les faits, parce qu'il évita de révéler les chiffres officiels des enrôlements par catégories ethniques et des soupçons mal fondés créèrent probablement ainsi une atmosphère pire que celle qu'aurait pu produire une prise de conscience des réalités.

L'attitude du Canada français envers la France fut encore une fois discutée, mais très mal comprise. Aucune feuille canadienne-française, à l'exception du *Canada,* ne montra autant d'enthousiasme que les journaux anglais au sujet de la libération prochaine de la France mais, quand une tension se déclara entre le haut commandement américain et le comité gaulliste de libération nationale, elle fut profondément déplorée par la presse française. Lorsque l'on apprit que de Gaulle se rendrait à Washington, cette presse exprima son soulagement et *Montréal-Matin* qui, avec *Le Soleil* et les autres journaux de Nicol, avait souvent critiqué le Département d'Etat américain, accueillit ce fait nouveau en soulignant qu' « *une très forte amitié entre la France et l'Amérique est indispensable au maintien de la paix.* » [3] La plupart des journaux du Québec donnèrent beaucoup d'importance à l'enthousiasme du peuple de France pour de Gaulle et déplorèrent que les Etats-Unis craignissent une alliance entre les groupes communistes de la Résistance et la Russie soviétique. Cependant, *Le Devoir* refusait toujours de sourire aux gaullistes et Roger Duhamel, dans *La Patrie,* qualifia leur politique d' « *intransi-*

---

\* Président de la SSJB de Montréal.

geante », mais *L'Action catholique*, pourtant favorable à Pétain après la chute de la France, déclara : « *Le groupe d'Alger est le plus représentatif de la nation* » et demanda que le gouvernement provisoire soit reconnu par Londres et Washington. Elle fit donc, ce qui n'arrivait pas souvent, cause commune avec la *Montreal Gazette* et *Le Canada* qui demandaient aussi que les gaullistes soient reconnus. Quand les Alliés furent sur le point d'entrer dans Rome, il y eut un bref conflit entre la presse cléricale française et les journaux anglais parce que le pape avait alors lancé un appel au monde entier pour demander qu'une paix juste soit préférée à un programme impitoyable de « *capitulation sans condition* ». Un sondage Gallup, le 14 juin, révéla que 62 pour cent des Canadiens français étaient quand même pour la capitulation sans condition et ne voulaient pas de négociations immédiates de paix avec l'Allemagne. *Le Canada* qui, au contraire des nationalistes, n'avait jamais eu de sympathie pour Mussolini [4] commenta avec satisfaction la libération de l'Italie et l'établissement d'un gouvernement démocratique dans ce pays.

## 2

Ce fut dans cette atmosphère troublée que, le 21 juin, tomba comme une bombe le premier discours prononcé au Sénat par T.-D. Bouchard, qui était, depuis longtemps, l'un des piliers du parti libéral dans le Québec. Il avait pour thème une motion d'Athanase David qu'il voulait appuyer et qui demandait l'adoption d'un manuel scolaire unique pour l'enseignement de l'histoire canadienne dans toutes les provinces. Bouchard, commençant son discours en français, souligna que l'une des lacunes des textes canadiens-anglais était de ne pas enseigner que le français est langue officielle dans les deux parlements d'Ottawa et de Québec. Il affirma vouloir mettre en relief et rendre hommage à sa langue maternelle, mais sans prétendre imposer aux Canadiens anglais l'étude du français : « *Les Canadiens d'origine française ont beaucoup plus besoin d'apprendre une langue seconde pour leur développement économique que les Canadiens d'origine anglaise.* » En effet, poursuivait-il, plus de cent cinquante millions d'hommes parlent anglais en Amérique du Nord, tandis qu'à peine cinq millions parlent français.

Répétant ses premières remarques, il continua son discours en anglais : « *Il sied de parler la langue comprise de tous, puisque la parole a été donnée à l'homme pour communiquer ses idées à ses semblables, plutôt que pour glorifier le coin de terre sur lequel le hasard l'a fait naître et que cette parole n'est, en somme, que le simple véhicule de la pensée...* » Il déplora ne parler que très mal l'anglais, parce que les professeurs du Québec avaient remplacé la recommandation de Mgr Laflèche : « *Parlez l'anglais, mais parlez-le mal* », par celle-ci : « *Enseignez l'anglais, mais enseignez-le mal.* » Il affirma énergiquement son approbation de la motion David, dont le but fondamental était le progrès de l'unité canadienne. Il se demandait si tous les Canadiens souhaitaient aussi ardemment que les membres du parlement cette unité canadienne, Expliquant qu'il était lui-même autodidacte et sans culture classique, il se déclarait incompétent pour juger de la valeur des manuels scolaires des provinces anglaises, mais il conseillait aux citoyens de chacune de chercher à découvrir les lacunes de leur propre enseignement de l'histoire canadienne.

Enfin, ayant déploré les résultats de l'enseignement de l'histoire dans le Québec, Bouchard laissa tomber sa bombe, qui ébranla violemment le calme coutumier du Sénat et, en une seule nuit, fit de lui une figure nationale :

« *C'est en exposant ouvertement la situation actuelle dans ma province, en montrant notre histoire telle qu'elle s'écrit et qui procède de l'histoire faussée que la génération passée et la nôtre ont apprise dans nos écoles, que je démontrerai jusqu'à quel point il y a urgence d'apporter un changement radical dans cet enseignement. L'histoire du Canada ne doit pas servir d'instrument à la propagande subversive dans les mains de ceux qui ont pour but d'amener la rupture du système confédératif et de renverser notre forme de gouvernement démocratique.* »

Il promit de prouver ses accusations en citant des extraits des manuels scolaires des écoles de sa province et en décrivant « *les tendances subversives... créées par la façon dont on enseigne l'histoire du Canada dans nos écoles publiques.* » Il répéta : « *Les profanes en histoire, comme j'en suis un, devraient se contenter de déplorer les déficiences de l'enseignement de l'histoire dans leur domaine respectif.* » Son avis était que la motion David aiderait à la formation d'une mentalité véritablement canadienne, car un « *manuel de faits essentiels, accepté par chaque province, tendrait nécessairement à aplanir la route de la bonne entente.* » De plus, à la mentalité nord-américaine moderne qui veut réaliser l'entente mutuelle en dépit des différentes origines et croyances s'opposent ceux dont la vieille mentalité européenne de caste voudraient « *reconstituer, dans notre pays, un des petits royaumes provinciaux qui existaient en France au temps jadis* », tandis que d'autres, affligés d'un complexe colonial invétéré, refusent de reconnaître que le Canada est maintenant devenu une véritable nation. Il admettait qu'il existe des causes profondes de mésentente entre Canadiens d'ascendance différente, française et anglaise : « *La différence de religion et de langue est, même s'il ne devrait pas en être ainsi, un champ fertile où les semeurs de discorde travaillent nuit et jour, mais la plupart du temps dans l'ombre* », oubliant le précepte chrétien de fraternité et la devise française du blason de l'Angleterre.

Selon lui, l'enseignement de l'histoire était l'une des causes principales de ces mésententes et il affirmait que, depuis son enfance, on lui avait appris que : « *Tout ce que le Canadien français a eu à souffrir provenait du fait qu'il était de descendance française ou catholique.* » Ce n'était qu'en entrant dans les affaires qu'il avait constaté que « *les Canadiens d'origine britannique n'avaient pas tous le pied fourchu, ni des cornes sur la tête, mais étaient animés des mêmes bons sentiments que les Canadiens de descendance française.* » Du manuel élémentaire d'enseignement de l'histoire des Frères des Ecoles chrétiennes, il cita des extraits tels que le suivant : « *Le but poursuivi par la politique de l'Angleterre, dans les premiers temps de son administration au Canada, fut d'angliciser la nation franco-canadienne, de lui ravir sa religion, sa langue et ses coutumes nationales.* » Bouchard prétendait qu'un tel enseignement était « *donné avec l'intention de remplir la jeunesse de préjugés contre nos compatriotes de langue et de croyance différentes. Cela est anti-canadien, voire anti-chrétien. Le fondateur du christianisme n'a jamais demandé de soulever les hommes les uns contre les autres à cause de divergences de race et de langue.* »

Il poursuivit en affirmant que ceux qui avaient enseigné ainsi l'histoire canadienne avaient « *jusqu'aujourd'hui atteint leurs fins à tel point qu'ils ont compromis la paix à l'intérieur du pays.* » D'autres Canadiens français pensaient, comme lui, que « *le temps est arrivé, et prions Dieu qu'il ne soit pas trop tard, de mettre fin à une propagande subversive intensifiée par l'état de guerre dans lequel nous sommes plongés depuis maintenant plus de quatre ans ; cette propagande peut nous donner, à brève échéance, le régime des émeutes et peut-être la guerre civile avant longtemps. Je ne puis accepter les vues de certains de nos concitoyens haut placés qui prétendent qu'il vaut mieux fermer les yeux sur de telles activités subversives et je persiste à croire que la grande majorité de mes compatriotes aiment leur pays tel qu'il existe d'après la constitution et ne désirent pas un changement d'allégeance.* » Il attribuait l'origine du désir nationaliste d'indépendance au faux enseignement de l'histoire qu'il accusait de mettre en relief les inconvénients, mais aucun des avantages du régime britannique. Les partisans d'une sécession appelaient à leur aide toutes les forces ayant le plus d'attrait pour les masses populaires : la religion, la race et la cupidité. Le nouvel Etat serait « *catholique, français et corporatiste, pour que le travailleur catholique et français puisse devenir maître de ses propres destinées, religieuse, sociale ou économique.* »

Ce mouvement révolutionnaire était encouragé par une société secrète, l'Ordre de Jacques-Cartier, dont le quartier général était à

Ottawa et qui avait été fondé vers 1928 « *avec la bénédiction du clergé catholique canadien-français* », malgré la condamnation des sociétés secrètes par l'Eglise :

« *Des Canadiens français éminents furent invités à se joindre au mouvement, le but pratique et avoué de la Société n'étant pas une révolution, mais tendant à permettre aux Canadiens français d'obtenir leur juste part des emplois dans le service civil. Plus tard, lorsque l'Ordre de Jacques-Cartier décida de se répandre en dehors de la capitale, les activités de l'Ordre devaient être employées à restreindre ce qu'on appelait les placements étrangers dans le commerce local, quand ce commerce n'appartenait pas aux Canadiens français. L'anti-sémitisme fut aussi appelé à la rescousse pour aider au recrutement des membres. Finalement, les officiers les plus haut placés donnèrent, dans le plus grand secret, le mot d'ordre d'envahir le domaine politique et de contrôler les sociétés patriotiques, les gouvernements et les administrations publiques de tous genres.*

*L'appel fut bien accueilli et presque toutes les sociétés Saint-Jean-Baptiste, les syndicats catholiques, les commissions scolaires des villes, les conseils municipaux, les chambres de commerce des jeunes sont sous l'influence directe de cette société secrète. C'est grâce à son organisation occulte, que l'Union nationale se hissa au pouvoir en 1936 pour nous donner le gouvernement le plus pauvre et le plus tyrannique que nous ayons connu dans l'histoire de notre province...*

*Cette société secrète est propriétaire de journaux publics et clandestins. La Boussole est son organe connu. L'Emerillon est sa revue clandestine.* »

Bouchard se déclarait convaincu que cette société secrète n'aurait pas été tolérée si l'enseignement de l'histoire canadienne dans les écoles n'avait pas « *préparé notre population à recevoir favorablement tout ce qui tend à nous séparer de nos concitoyens de langue anglaise.* » Il croyait aussi fermement qu'au moins 75 pour cent de ses 18 000 membres étaient « *de bons citoyens britanniques, ne soupçonnant aucunement où les conduisent les fanatiques de toute espèce qui sont les vrais chefs de cette société secrète. Peut-on s'imaginer tout le mal qui peut être accompli par ces agents très actifs de destruction au sein d'une population plus ou moins passive comme l'est celle de ma province ?* » Il cita, du numéro de septembre-octobre 1937, de l'*Emerillon* :

« *A noter l'enchaînement de nos groupes qui menacent d'encercler le centre de l'Ontario et, par suite, d'étouffer ceux qui redoutent, et avec raison, notre* French domination *pour un avenir plus ou moins rapproché. Nos masses françaises du nord, surtout, finiront par peser si lourdement sur celles du centre et du sud de l'ancien Haut-Canada que, de part et d'autre, l'on songera peut-être à une scission, en vue d'ériger une nouvelle province en grande majorité française.* »

Cette organisation non seulement rêvait de créer une nouvelle province française, mais elle projetait aussi, de plus en plus, d'établir un Etat indépendant, catholique et français, à mesure que le progrès du totalitarisme au cours des années 1930 imprimait « *un nouvel essor à ces mouvements réactionnaires tendant à nous faire retourner à l'état social et économique du Moyen-Age.* »

Ce n'était pas seulement de jeunes passionnés cherchant à attirer l'attention du public qui épousaient de telles idées. Mgr Mozzoni, chargé d'affaires de la Délégation apostolique au Canada, avait fait la déclaration suivante en 1937, à la Semaine sociale de Saint-Hyacinthe :

« *Les politiciens pourront nous parler de la grandeur et de la prospérité du pays sous telle ou telle forme de gouvernement ; cela ne nous intéresse qu'indirectement. Ce que nous voulons, ce que nous travaillerons à réaliser de toutes nos forces, c'est un Etat intégralement catholique, parce que seul un tel pays représente l'idéal du progrès humain, et parce qu'un peuple catholique a le droit et le devoir de s'organiser socialement et politiquement selon les enseignements de sa foi.* »

Bouchard affirma qu'il croyait à la liberté de pensée et de religion, mais il assura que la grande majorité des Canadiens français « *est entièrement satisfaite des présentes institutions gouvernementales et ne réclame pas de changements.* » Il voulait la paix et l'harmonie entre les gens d'origines différentes et il ne citait ces choses que pour prouver « *qu'il existe un malaise non seulement chez les masses... mais aussi chez les esprits dirigeants, pour que nous tenions les yeux ouverts sur les courants sous-marins qui produisent de tels remous à la surface troublée des eaux de notre vie nationale.* »

Cette situation avait encore empiré depuis 1937 : « *Un nombre toujours plus considérable de jeunes gens ont quitté l'école avec cette déformation d'esprit procédant d'un mauvais enseignement de l'histoire du Canada et la propagande secrète a augmenté en intensité.* » Il qualifia le gouvernement d'Union nationale de « *premier rejeton politique de l'Ordre Jacques-Cartier* » et lui reprocha d'avoir, de 1936 à 1939, promulgué des lois qui diminuaient le temps consacré à l'enseignement de la langue anglaise et donnaient la préséance à la version française des Statuts du Québec. Il décrivit sa propre expérience de la campagne poursuivie contre l'enseignement de l'anglais en l'attribuant à l'influence du clergé : « *Empêcher par tous les moyens les Canadiens français d'apprendre l'anglais, pour leur plus grand détriment, constitue l'une des activités secrètes de nos isolationnistes. Ils ne veulent pas nous voir rencontrer des Canadiens de langue anglaise, naturellement, parce que quand vous parlez à quelqu'un, les préjugés inspirés par la propagande disparaissent.* »

Bouchard cita des instructions données par l'Ordre de Jacques-Cartier pour noyauter les organismes politiques et sociaux, s'emparer de leur direction, en bannir les politiques de bonne entente et pour, en plus, éviter l'adoption des pratiques anglaises en affaires et l'anglicisation en général. Il décrivit le fonctionnement du commandement qui permettait au conseil suprême, à Ottawa, de transmettre ses mots d'ordre sans discussion possible, à la masse des adeptes. Il déplora que l'on eût arboré le drapeau de Carillon sur les nouveaux bâtiments de l'Université de Montréal :

« *Il y a trois semaines, alors que la guerre redoublait d'intensité, l'Ordre a en outre réussi à décider les autorités de l'Université de Montréal à bénir virtuellement ce drapeau comme le vrai labarum de l'Etat catholique français inexistant, en le hissant au mât de l'édifice de dix millions de dollars érigé avec l'argent du gouvernement. Cet argent appartient pourtant non seulement à ceux qui prônent la séparation de notre province, mais surtout aux Canadiens fidèles à leur régime politique et au* Commonwealth *des nations britanniques. On faisait cela au sommet de la montagne située au centre de la plus grande ville du Canada et en présence de milliers et de milliers de citoyens par la bénédiction, par un prêtre catholique éminent, du vieux drapeau de Louis XV comme drapeau national des Canadiens d'origine française. Evidemment, il y a nombre de gens qui jouent avec le feu sans s'en douter.* »

Il déplora la tempête de dénigrement déchaînée contre l'abbé Maheux par les séparatistes et les isolationnistes : « *Ce prêtre si respecté fut honni comme un traître à sa race parce qu'il disait la vérité.* » Il accusa les Jeunes Laurentiens d'être l'« *une des organisations les plus actives et les plus bruyantes de l'Ordre de Jacques-Cartier* », citant une déclaration de leur président, en mai : « *Et cette révolution que nous voulons sera pratique, efficace, calme et bonne, parce qu'elle réclame des hommes purs, fondamentalement catholiques et français. C'est la révolution de l'Espagne libérée, du Portugal organisé, de la France de Pétain.* »

A ses yeux, il semblait évident « *qu'un enseignement erroné de l'histoire du Canada dans notre province a déjà fait tout le tort que pouvaient désirer ceux qui favorisent la désunion en ce pays entre peuples d'origines et de langues différentes. Leur objectif ultime n'est pas uniquement la division du peuple sur les questions de langue et de religion, mais la rupture de la Confédération, l'abandon de l'idéal nord américain plus humain d'une grande nation composée de peuples de croyances religieuses différentes et d'origines diverses pour revenir au vieux concept européen des petites nations de même religion et d'ascendance racique identique.* » Selon lui, le terrain était déjà bien préparé pour une attaque concertée contre les institutions politiques canadiennes. Le vieux parti libéral-conservateur avait autrefois été détruit dans le Québec par « *les travailleurs clandestins et le Bloc populaire... est l'instrument politique bien connu de l'Ordre de Jacques-Cartier... si les amants de la liberté n'ouvrent pas les yeux, en temps utile, ils verront jusqu'à quel point les activités souterraines ont miné nos institutions libres.* »

Il affirma qu'il s'attendait à être critiqué parce qu'il exposait ses opinions au sujet de l'enseignement de l'histoire canadienne dans les écoles du Québec et aussi parce qu'il révélait ce qui se passe derrière « *le rideau où les acteurs s'exercent à répéter ce que beaucoup pensent devoir être une comédie, mais qui, à mon avis, peut bien aboutir à une tragédie nationale.* » Enfin, il préférait, disait-il, faire face à l'orage qui approchait plutôt que d'être pris à l'improviste. Il lança un appel final pour la motion David, en exprimant l'espoir que, si l'autonomie rendait une action officielle impossible, une association progressive veillerait « *au moins à éliminer des manuels d'histoire du Canada tout ce qui tend à diviser le peuple de ce pays et à n'enseigner aux jeunes que les faits authentiques.* » Ses derniers mots furent remarquables :

« *Nous devons édifier la mentalité des nouvelles générations sur des bases différentes de celles qui ont prévalu jusqu'aujourd'hui et, parlant pour ma province, j'espère que le jour viendra où les citoyens anglais et français réaliseront qu'ils ont tout à gagner à être de bons voisins, si nous ne pouvons être frères pour atteindre la perfection évangélique. Laissez-moi vous avouer que j'aurais voulu vous brosser un autre tableau de la véritable situation dans le Québec. Je l'ai fait parce que j'ai pensé qu'il était de mon devoir de vous présenter la situation véritable, persuadé qu'il est maintenant devenu dangereux de se flatter de choses qui n'existent pas. L'histoire du passé et du présent ont fait connaître les misères du peuple durant les émeutes et les révolutions et c'est pour préserver mes concitoyens de ces menaces que je les avertis de ne pas prêter l'oreille aux appels insidieux des réactionnaires et des politiciens de troisième ordre. Nos institutions représentatives et notre association avec les autres nations du Commonwealth nous ont donné la paix intérieure et la prospérité. Nous devons nous tenir aux côtés de ceux qui sont prêts à tous les sacrifices pour les maintenir dans leur intégrité. C'est là que nous trouverons le salut et le bonheur.* »[5]

## 3

Le discours de Bouchard, prononcé le jour même de l'ouverture d'un Congrès eucharistique dans sa ville natale de Saint-Hyacinthe et trois jours avant la fête nationale du Canada français, souleva une tempête comme le Canada n'en avait pas connue depuis le temps de l'affaire Guibord. Maurice Duplessis, chef de l'Union nationale, que Bouchard avait combattu en tant que citoyen privé et homme public de la province, fit le lendemain une déclaration qualifiant ce discours de « *méprisable et condamnable* », dénonçant les « *tendances anti-canad:ennes et anticléricales* » de Bouchard et demandant sa révoca-tion immédiate du poste de président de l'Hydro-Québec où il venait d'être nommé :

« *Il serait inconcevable et intolérable que le gouvernement de la Province de Québec garde à son emploi, particulièrement à un poste important, un homme public qui, sciemment et malicieusement, se rend coupable de semblable trahison et d'aussi viles calomnies.*

*L'immense majorité de la population de la province réclame avec insistance la destitution immédiate de ce politicien inqualifiable.* »

Le premier m:nistre Godbout, dont Bouchard était depuis long-temps le collègue dans la vie politique, désavoua immédiatement son discours et rejeta ses accusations en ces termes : « *Je les considère comme absolument injustifiées et dommageables et j'affirme qu'elles ne représentent en aucune façon l'opinion d'un seul membre du gou-vernement provincial.* »

Louis Saint-Laurent, porte-parole fédéral des libéraux du Québec, critiqua la violence et les vagues généralisations de Bouchard et mi-nimisa l'importance de l'Ordre de Jacques-Cartier, dont il dit qu'il ne représentait qu'un dixième de la moitié de un pour cent de la popu-lation. Il remarqua que Bouchard était de ceux qui croient qu'il faut appeler une pelle une pelle mais qui, dans l'exaltation de son discours, était parfois porté à parler de pelle à vapeur ou de *bull-dozer*. Maxi-me Raymond, porte-parole du Bloc populaire, condamna ce discours : « *C'est un tissu de faussetés et de calomnies... C'est le geste méprisable de celui qui renie et foule aux pieds tout ce qui a permis à ses com-patriotes de survivre et de conserver leur langue et leur foi. Il n'est pas digne des postes de confiance qu'il occupe présentement.* » Frédéric Dorion fit allusion, en Chambre, à ce « *Quisling de la Province de Québec, qui, hier, a satisfait sa haine maçonnique contre le clergé et les institutions religieuses du Québec en déblatérant près d'une heure sur ceux qu'il appelle ses coreligionnaires et ses concitoyens* » et il se déclara convaincu qu'il serait forcé de démissionner de la présidence de l'Hydro-Québec. Bouchard fut aussi désavoué par ses anciens col-lègues, conseillers législatifs du Québec. P.-A. Choquette, un enragé du libéralisme d'antan, affirma : « *Ce discours est celui d'un homme mal-honnête ou d'un fou* » et il demanda au gouvernement Godbout d'ex-pulser Bouchard de l'Hydro-Québec, à moins qu'il ne désire en subir les conséquences aux élections. Cyrille Vaillancourt observa qu'un oiseau normal ne souille pas son nid et Thomas Chapais, conserva-teur, commenta : « *Je ne puis comprendre pourquoi il a fait cela.*

*C'est impossible à comprendre. C'est une mauvaise action et elle peut tourner en tragédie.* »

Le Québec dans son ensemble, comme toujours quand il est attaqué, fit front commun contre Bouchard. Le flot de protestations qui s'abattit sur le gouvernement provincial, exigeant la révocation de Bouchard, fut irrésistible. Les dirigeants des sociétés Saint-Jean-Baptiste, des syndicats catholiques, des commissions scolaires, des conseils municipaux et des chambres de commerce des jeunes protestèrent contre ses accusations en exigeant son expulsion de l'Hydro avec une unanimité singulière qui donnait à penser que ces organismes publics étaient réellement sous l'obéissance de l'Ordre de Jacques-Cartier, comme il l'avait prétendu. Cependant, l'indignation du Québec devant les attaques publiques contre son clergé et le lavage de son linge sale à Ottawa peut avoir causé le raz de marée de protestation. Le premier ministre Godbout, ancien séminariste aussi bien que chef d'un gouvernement qui devait affronter le corps électoral dans quelques semaines, s'inclina devant l'orage.

Dans une conférence de presse, le 23 juin, Bouchard refusa de retirer ses accusations, demanda des preuves plutôt que des insultes de la part de ceux qui les niaient et répliqua à l'accusation d'anticléricalisme lancée par Duplessis et autres en déclarant espérer que le peuple du Québec comprendrait bientôt que « *le cléricalisme c'est la corruption de la religion, comme le nationalisme est la pourriture du patriotisme.* » De la déclaration de Godbout, il dit : « *M. Godbout est un homme de bonne foi et s'il s'est formé l'opinion qu'il a exprimée, c'est tout simplement parce qu'il n'a pas les informations que je possède moi-même.* » Une heure plus tard, les services de presse et de radio annonçaient que le gouvernement provincial avait relevé Bouchard de ses fonctions de président de l'Hydro-Québec par un arrêté-en-conseil adopté après une brève réunion du cabinet. Informé personnellement de cette décision par le premier ministre Godbout qui la communiqua aussi à la presse sans la commenter, Bouchard déclara aux journalistes : « *Je suis satisfait de la tournure des événements... Les circonstances montrent de façon claire et définitive à quel point ces gens* [l'Ordre de Jacques-Cartier] *ont de l'influence...* » La lutte ne faisait que commencer.

Le lendemain matin, Bouchard télégraphia à Mgr Douville, évêque de Saint-Hyacinthe, qu'il lui serait impossible d'assister, en qualité de maire, au Congrès eucharistique. Ce soir-là, le cardinal Villeneuve, s'adressant à 75 000 personnes assemblées pour le congrès, fit la déclaration suivante :

« *Cependant, l'histoire a des droits. Il fallait une ombre à ce tableau resplendissant qu'offre votre ville en ces jours où se trahit, à côté d'une religion admirable, un vieux courant d'anticléricalisme tantôt ouvert, tantôt latent. Et, en m'associant ce soir à la piété et à*

*la fierté du diocèse de Saint-Hyacinthe, je sens qu'il est de mon devoir,
comme l'un des chefs spirituels du Canada français, d'élever ici une
solennelle protestation. Les événements le commandent et vous-mêmes
le réclamez.*

*Un homme public, que je n'ai pas besoin de nommer, a tenu ré-
cemment devant la plus haute assemblée du pays des propos aussi
injustes et injurieux à l'égard de notre Province de Québec qu'irré-
fléchis et mal fondés. On ne peut vraiment pas se les expliquer chez
un homme qui prône droiture et équité et que, pour ma part, j'ai
toujours essayé de comprendre et d'interpréter avec bonne volonté. Je
laisse à d'autres de réfuter ses accusations d'ordre politique et racial.
Mais je dénonce hautement ses insinuations contre l'Eglise et le clergé.
Les propos tenus rendent exactement le même son et recèlent le même
fanatisme corrosif que ceux d'un autre semeur d'ivraie que la très
grande majorité de nos frères séparés désavouent avec humiliation.
Naguère, à la Chambre des Communes, le Très Honorable Premier
Ministre du Canada n'a point cru devoir dissimuler son mépris pour
de pareils fauteurs de division nationale que n'excuse qu'une ignorance
la plus grossière ou une rage congénitale. Mais ce qui, dans le cas
actuel, indigne encore davantage et humilie particulièrement le peuple
de notre province, et avec lui tous ceux qui, à travers le Canada,
partagent le même sang, la même foi et les mêmes traditions de pro-
bité et de fidélité canadienne, c'est que la diatribe malheureuse aura
été le fait de l'un des siens.*

*L'opinion publique jugera comme il convient ce défi lancé à la
conscience nationale.*

*Quant à moi, je me garderai de solidariser l'épiscopat de cette
province avec des mouvements que notre insulteur a si peu honnêtement confondus pour mieux jeter son venin. Mais, je dois réprouver
publiquement cet outrage à tout ce que le peuple canadien-français
a de plus cher : ses légitimes aspirations religieuses, sociales et politiques, l'autorité et la mission de ses évêques, directement responsables,
eux aussi, de l'instruction publique et, enfin, l'enseignement du Souverain Pontife et de ses très nombreux représentants parmi nous. Car,
c'est par une interprétation inintelligente, pour ne pas dire perfide,
du discours de Mgr le Secrétaire de la Délégation apostolique, prononcé en cette ville même en 1937, à la quinzième session de nos
Semaines sociales, que l'orateur qui soulève en ce moment une si
générale indignation aura voulu jeter des doutes sur la loyauté et la
réserve diplomatique de ce prélat. On pourra lire au texte qu'en parlant d'Etat intégralement catholique, le très digne semainier n'a
voulu exprimer par là que le vœu qu'une doctrine sociale intégralement inspirée des enseignements pontificaux s'établisse parmi nous.
Et qui pourra s'en offusquer de ceux qui croient à la sincérité et à la
profondeur de nos convictions religieuses ?*

*Et alors, de quel crime ne faudra-t-il pas accuser le Souverain Pontife et la hiérarchie catholique qui souhaitent de tout cœur que l'univers entier devienne catholique et, de par le mandat de Jésus-Christ, y travaillent alertement ?*

*Non, à la vérité, on s'étonne de tant de confusion dans les idées, de tant d'ignorance dans les faits affirmés et, hélas, de tant de fiel dans le style et la parole, sous couleur d'indépendance et de haute politique.*

*Au nom de mes vénérés collègues ici présents, au nom, j'en suis sûr, de toute la hiérarchie catholique du pays, au nom du peuple que nous aimons et que nous guidons, je m'inscris en faux contre d'aussi inqualifiables délations et j'affirme hautement que nul de ceux qui suivent l'enseignement de l'Eglise et sont fidèles aux vraies traditions canadiennes-françaises, n'est un péril pour le Canada non plus que, comme d'autres qui s'ignorent, hélas, un principe de division nationale.* »

Désavoué par les plus hauts personnages officiels de sa province et par les plus hautes autorités religieuses, Bouchard fit parvenir, le dimanche, un communiqué à la presse où il déclara : « *On ne nourrit plus les lions de la chair des réformateurs en religion, mais on fait périr de faim ceux qui demandent seulement qu'on leur laisse leur liberté d'opinion en simple matière politique. Je regrette que M. Godbout se soit vu dans la nécessité d'être l'arme de ceux qui dominent notre province par l'exploitation des préjugés populaires.* » Cependant, il conseilla quand même d'appuyer son gouvernement affirmant qu'il était : « *le plus progressiste et de beaucoup que nous ayons eu depuis la Confédération. Ce serait un suicide national que de le remplacer par l'ancienne administration Duplessis, ou par un gouvernement réactionnaire du Bloc populaire.* »

Sur une centaine de commentaires provenant de gens importants,[6] deux seulement lui furent favorables. Fidèle à son libéralisme du dix-neuvième siècle, le sénateur Thomas Chapais observa plus tard : « *Le discours de M. Bouchard prête à la critique comme d'ailleurs tout autre discours prononcé au parlement... il est regrettable jusqu'à un certain point, bien qu'il contienne quelques éléments justifiables.* » Mme Constance Garneau, présidente de la Ligue des Droits de la Femme, défendit Bouchard avec chaleur :

« *J'aimerais voir un Anglais dénoncer ses propres groupes, tout comme M. Bouchard a eu le courage de le faire pour les siens, car il n'y a pas à se leurrer, la même chose existe chez nos compatriotes de langue anglaise. En ce qui nous concerne, ce n'était pas à un Anglais qu'il appartenait de mettre le doigt sur la plaie et j'aimerais à voir un Anglais faire ce qu'a fait M. Bouchard : dénoncer ceux qui sont anti-canadiens-français.* »

La réaction de la presse présenta un aspect curieux. *Le Devoir* publia immédiatement le discours en entier et le présenta comme une tragédie nationale qui apporterait du discrédit au Canada français. Louis-Philippe Roy, en qualité de rédacteur en chef de *L'Action catholique,* condamna immédiatement, en première page, *Les vomissements de T.-D. Bouchard* :

*« S'associant au pasteur Shields, l'ex-député de Saint-Hyacinthe a répété quelques-unes des calomnies de cet hystérique à un moment doublement psychologique.*

*A Saint-Hyacinthe, dans la ville dont M. Bouchard est encore maire, se déroule actuellement un grand congrès eucharistique dont Son Excellence le Délégué Apostolique présidait l'ouverture hier. Au Sénat canadien, M. Bouchard attaque la délégation apostolique et tout le clergé québecois. Cela rappelle les procédés de la franc-maçonnerie française dans ses pires crises d'anticléricalisme, sous la IIIème République.*

*Nous célébrerons, samedi, la fête nationale. Le sénateur Bouchard fait une charge à fond de train contre les Canadiens français et nos institutions patriotiques. Simple coïncidence ? Une chose est certaine : les plus fanatiques de nos adversaires n'ont jamais mieux choisi leur heure pour nous attaquer. »*

Roy poursuivait en demandant que Bouchard soit expulsé du parti libéral et destitué de la charge de président de l'Hydro. Lorenzo Paré, correspondant de *L'Action catholique* à Ottawa, commenta : « *L'anticléricalisme qui avait été ravalé pendant quarante ans par M. Bouchard, pour ne pas être chassé de la vie publique par les Canadiens français, s'est donné libre cours en s'inspirant des procédés de nos pires ennemis.* » André Roy commenta, en page éditoriale : « *Non content de débiner ses compatriotes, M. Bouchard a profité de son premier discours pour attaquer irrévérencieusement la délégation apostolique en la personne de son secrétaire, Mgr Mozzoni.* » Il ajouta que Bouchard faisait partie du parti libéral depuis longtemps et qu'il lui avait fait beaucoup de mal. Si ce parti ne l'expulsait pas immédiatement, il serait éternellement ruiné dans la province catholique et canadienne-française sur laquelle il régnait.

Les grands quotidiens indépendants firent preuve d'hésitation dans leurs premières réactions. *La Patrie* garda un silence discret et *La Presse* fit allusion au discours d'une manière conciliante dans son éditorial, tout en publiant plusieurs lettres de protestation. *Le Canada,* organe officiel du parti libéral, se tut. *Le Soleil* et les autres feuilles appartenant au groupe de journaux du libéral Nicol, publièrent toutes les nouvelles, mais sans éditorial. Cependant, *Le Nouvelliste,* de Trois-Rivières, publia dans son éditorial la sortie de *L'Action catholique* contre Bouchard et aussi l'éditorial du *Montreal Star* qui faisait l'éloge de l'acte de courage du sénateur. Après que celui-ci eut été révoqué par Godbout, *La Presse* commenta que cette décision était « *de nature à rassurer les esprits inquiets et à satisfaire la conscience canadienne-française et catholique justement indignée.* » *La Patrie* soutint que Godbout avait cédé à la pression populaire parce que le pays avait besoin d'unité entre ses hommes de bonne volonté et ajouta : « *Le geste de M. Bouchard ne pouvait qu'exagérer l'importance et l'influence d'une société pour le moins obscure dont personne ne se préoccupait beaucoup chez nous et susciter chez nos compatriotes de langue anglaise des soupçons injustes.* »

Le moment où le discours fut prononcé empêcha les hebdomadaires de le commenter avant que ne fût calmée la première vague d'indignation. Cependant, l'initiative de Bouchard ne fut approuvée que par son propre journal *Le Clairon*, par *Le Jour* de Jean-Charles Harvey et par *La Victoire*, organe communiste de langue française. Jean-Charles Harvey consacra deux pages à l'incident, adjurant les hommes libres de s'unir pour la défense de leurs libertés menacées. D'après lui, Bouchard était une victime de l'obscurantisme et de la nationalisation et, par conséquent, l'incident stimulait son zèle d'apôtre de la lumière et de la libre entreprise : « *La Commission hydro-électrique de Québec, fondée sur le désastreux principe socialiste, connaît la pire intrusion politique que l'on puisse imaginer... M. Bouchard est jeté par-dessus bord pour une raison purement politique.* » André Bowman, dans un article intitulé *Le Munich de Québec*, affirma que Bouchard avait été sacrifié au cléricalisme par Godbout, tout comme Benès avait été sacrifié au fascisme par Chamberlain. Emile-Charles Hamel donna à entendre que le temps était venu de fonder un nouveau parti :

« *En voyant les libéraux devenir les instruments serviles des forces de réaction, nous sommes portés à désirer un grand parti, modérément gauchiste, qui combattrait pour les libertés démocratiques et nous assurerait le libre fonctionnement des institutions politiques que nous avons héritées de Grande-Bretagne, le libre épanouissement des talents que nous pouvons avoir et que nous devons à la France. Le cas Bouchard soulève une question de principe qui dépasse les personnalités et les faits en cause. C'est la liberté de conscience, la liberté de parole et la liberté de la presse qui sont en cause. La question est de savoir si, par suite de la dictature occulte de certaines sociétés secrètes ou de certains groupes travaillant dans les coulisses, un haut fonctionnaire du gouvernement peut être destitué parce qu'il a exprimé des idées, ou écrit des articles qui ne sont pas contraires aux lois de notre pays.* »

*La Victoire*, journal communiste, approuva Bouchard et attaqua l'Ordre de Jacques-Cartier en demandant une enquête par le ministre de la justice, ce que réclamaient aussi la *Montreal Gazette*, organe *tory* et plusieurs syndicats ouvriers. *La Victoire*, toutefois, reprochait au sénateur de ne pas avoir fait de distinction « *entre l'Église catholique dans son ensemble et la minorité peu nombreuse de membres du clergé qui s'abaisse à prendre part à des intrigues fascistes et subversives.* » Ce point valable était évidemment souligné en raison de la politique spéciale du parti communiste à ce moment précis dans le Québec, car l'éditorial continuait ainsi :

« *La grande majorité des catholiques est opposée au fascisme et travaille pour amener sa destruction par les Nations-Unies. C'est par l'action commune de catholiques et de non-catholiques qu'un puissant mouvement ouvrier a pu être édifié dans le Québec, assez fort pour persuader le gouvernement Godbout de prendre l'initiative de réformes sociales et économiques. Il serait désastreux que des controverses de nature religieuse propagent la discorde dans les rangs des forces démocratiques, libérales et ouvrières du Canada français.* »

*Le Bloc* consacra la moitié de ses colonnes à l'affaire Bouchard. Bien que reconnaissant à peine l'existence de l'Ordre de Jacques-Cartier, il accusait Bouchard, qu'il appelait un ennemi du clergé, de faire le jeu des ennemis de l'Eglise et du Canada français. *L'Action nationale* traita Bouchard d'« *insulteur public* », de traître à sa nationalité et se réclama de la déclaration du cardinal Villeneuve en ajoutant : « *La révolution dont parle Bouchard, ce sera la révolution de tous les esprits droits contre les abus d'un régime honni, révolution pacifique et constitutionnelle, révolution démocratique et chrétienne...* » [7] *Le Progrès du Saguenay*, hebdomadaire clérical et nationaliste, prit la défense de l'Ordre de Jacques-Cartier : « *Non, l'ennemi ce n'est point l'Ordre de Jacques-Cartier que dénoncent les Bouchard et les Harvey : c'est bien plutôt la franc-maçonnerie et le sénateur des Laurentides le sait parfaitement.* » *Le Clairon* de Saint-Hyacinthe, journal de Bouchard, souligna que la négation de ses accusations ne reposait sur aucun fait. Il affirma que l'intention du sénateur n'avait pas été d'attaquer l'ensemble du clergé, mais que certains faits ne pouvaient être méconnus. *Ce qui est bien certain, c'est que deux membres du clergé sont directeurs de l'ordre, puisqu'ils ont eux-mêmes signé un document qui en témoigne. Ce qui est aussi incontestable, c'est que chaque commandement régional ou cellule est doté d'un conseiller spirituel appartenant généralement à un ordre religieux, une communauté religieuse ou au clergé séculier.* »

Les attitudes de la presse française et de la presse anglaise furent complètement divergentes au sujet de l'affaire Bouchard. La presse anglaise admira son courage à dénoncer les conditions de sa propre province devant un auditoire anglais, tandis que la presse française jugea qu'il était honteux de laver le linge sale du Québec devant un Sénat en grande partie anglais — et en langue anglaise. Tandis que la presse française réclamait à grands cris et obtenait la démission de

Bouchard de son poste de 18 000 dollars par an à la présidence de l'Hydro, la presse anglaise était horrifiée de cette sévère pénalité imposée parce qu'il avait exprimé sa pensée. Ce n'étaient pas les accusations de Bouchard qui compromettaient la réputation du Québec dans l'esprit de la population anglophone, mais la violation de la doctrine sacrée de la liberté de parole. La *Montreal Gazette* appuya sur ce point le lendemain même de la décision de Godbout : « *Cette série d'événements signifie que le droit fondamental de la liberté de parole, même s'il est exercé dans l'enceinte du Sénat, est refusé par le gouvernement du Québec à toute personne nommée par lui, sous peine de destitution.* » La *Gazette* qui, en sa qualité d'organe conservateur associé aux grandes entreprises, s'était opposée avec acharnement à la nationalisation de la *Montreal Light Heat & Power*, poursuivit ainsi ses remarques :

« *L'aspect le plus troublant de cette destitution est qu'elle rejette au loin toute prétention de maintenir la Commission de l'Hydro-Québec comme corps entièrement non politique et indépendant, ce qui était la base officielle sur laquelle elle fut établie. Car le dernier geste du premier ministre est essentiellement politique, trahissant une faiblesse prise de panique en face d'une élection imminente et d'un ouragan de réaction adverse au discours du sénateur. Il ne peut manquer de causer la plus grande anxiété à tous ceux qui comprennent toutes les conséquences qu'impliquent ses effets, non seulement sur les organismes du gouvernement provincial, mais aussi sur la vie politique de cette province.* »

L'unique réaction canadienne-française de cette nature, en dehors des pages du journal *Le Jour,* fut l'annonce faite ce même jour par Hubert Désaulniers, président de l'Union des Libertés civiles canadiennes, fondée en 1937, que cet organisme allait reprendre son activité, suspendue depuis le début de la guerre.

Le Canada français n'avait guère été gagné à la doctrine de la liberté de parole : on put le constater, non seulement au prix très lourd que Bouchard dut payer pour son discours, mais encore lors de deux autres incidents en juin. Tim Buck et d'autres chefs ouvriers-progressistes se virent empêchés de tenir une réunion politique à Québec et furent expulsés de la ville par la police. Le quartier général du syndicat *AFL (American Federation of Labor)* fut attaqué à Valleyfield. Le *Labor World,* organe provincial de l'*AFL* commenta, le 24 juin, que « *la liberté de parole et le droit d'association seront bientôt choses du passé dans le Québec* », grâce aux « *conseils ridicules et stupides donnés dans certains milieux nationalistes et ultramontains.* »[8] Au début de juillet, Bouchard offrit sa démission du poste de président de l'Institut démocratique, qu'il avait fondé un an plus tôt, « *pour ne pas causer d'embarras à cette association.* » Elle fut acceptée par les gouverneurs et il refusa de se présenter à nouveau aux élections pour la mairie de Saint-Hyacinthe. Aux élections municipales ultérieures, aucun de ses partisans ne fut élu.

4

Quand arriva la fête de la Confédération en 1944, il régnait un malaise au Canada français, causé par les événements des récentes semaines. Profitant de cet anniversaire, *Le Droit* et *L'Action catholique* demandèrent que les Canadiens anglais aient plus de respect tant pour l'esprit que pour la lettre du pacte confédératif, assurant que l'unité nationale serait plus efficacement réalisée par cette attitude que par la réforme de l'enseignement de l'histoire du Canada. Même les grands quotidiens indépendants ou libéraux s'irritèrent des violations constantes des traditions du *fair play* britannique qui faisaient que les Canadiens français étaient traités comme des parents pauvres par le gouvernement fédéral et que les provinces anglaises n'avaient aucun égard pour les droits des Canadiens français qui y vivaient. Au début de la campagne électorale provinciale, un sondage Gallup refléta ces tendances en montrant que le corps électoral était favorable pour 37 pour cent au parti libéral, 27 pour cent au Bloc populaire, 14 pour cent à l'Union nationale, 22 pour cent, enfin, à l'ensemble des *CCF*, Crédit social et communistes. Ce dernier pourcentage comprenait aussi quelques électeurs indécis. [9] Le Bloc avait fait des gains aux dépens des libéraux et de l'Union nationale par ses violences contre les vieux partis, accusés d'être les instruments·des *trusts* et des impérialistes et contre le *CCF,* qui proposait un socialisme interdit aux catholiques. Chaque fois que l'occasion se présenta, le Bloc sut exploiter le ressentiment populaire contre les régimes libéraux de Québec et d'Ottawa : la conscription et les règlements exigeant que les employeurs signalent les réfractaires, l'internement de Camillien Houde, la détention de Marc Carrière, le remplacement d'ouvriers canadiens-français par d'autres de langue anglaise aux *Defence Industries* de Sainte-Thérèse, les profits de l'*Aluminum Company,* les plaidoyers en faveur de l'étude de l'anglais, par Edouard Simard, président des *Marine & Sorel Industries,* qui grandissaient avec la guerre, l'agitation pour l'adoption d'un unique manuel d'histoire canadienne, l'immigration de réfugiés juifs et de sujets britanniques, les prêts et cadeaux à l'Angleterre.. Le Bloc faisait feu de tout bois. Il s'intéressa particulièrement à Georges Guénette, jeune déserteur tué le 7 mai, à Saint-Lambert, par des membres canadiens-français de la police montée. Vers la fin de juin, le Bloc remplaça, au premier plan, l'affaire de Guénette par celle de Bouchard pour tenter d'associer celui-ci au gouvernement Godbout, tout en continuant à faire beaucoup de bruit

autour de l'autre incident qui eut probablement plus d'effet sur le
public que tout autre argument. Le Canada français, qui respecte
beaucoup la loi et l'ordre malgré ses tendances à des excès de langage,
s'indignait de voir couler le sang pour la mise en vigueur de cette
conscription détestée qui, introduite peu à peu, provoquait un ressentiment populaire toujours plus vif. Le Bloc dirigeait son feu surtout
contre les libéraux, mais il se montra aussi particulièrement violent
contre Duplessis et son Union nationale.

En ces temps troublés, Godbout et les libéraux livrèrent une dure
bataille pour reconquérir le prestige de leur parti. En juin, pour
donner quelque satisfaction aux masses agitées, ils firent entrer dans
le ministère un cultivateur et un ouvrier de l'industrie textile. Le 21
juin, dans un discours où il fixa au 8 août la date des élections, Godbout évoqua l'œuvre de son gouvernement, en proclamant que le mot
d'ordre des libéraux était « *Notre maître, l'avenir* », alors que l'Union
nationale et le Bloc avaient adopté celu: de Groulx, « *Notre maître,
le passé* ». Il combattait les deux partis d'opposition ensemble, bien
qu'il fût clair qu'il attachait davantage d':mportance aux partisans
de Duplessis qu'aux exaltés du Bloc. Il prédit que si ces partis accé-
daient au pouvoir, ce serait la montée redoutable de « *l'étroitesse d'esprit, de l'opportunisme et du fanatisme... la strangulation méthodique
et progressive d'une pensée nationale, si riche en possibilités* ». Il affirma son opposition irrévocable au fanatisme et à la haine : « *Ma
conscience d'homme, de citoyen et de chef politique bien au fait de
ses responsabilités m'impose le devoir strict de dire au fanatisme :
tu ne passeras pas, parce que tu es l'ennemi de mes frères et le des-
tructeur de la nation.* » [10] Godbout s'efforça de limiter la campagne
aux question provinciales, affirmant que son gouvernement devait
être jugé selon ses réalisations et que les contribuables auraient, plus
tard, l'occasion de prononcer leur verdict sur la politique de guerre
de King, aux élections fédérales. Il nomma à la Commission des Affaires municipales Oscar Drouin, son ministre le plus nationaliste et le
plus opposé à la conscription. Or, il était déjà évident que les deux
partis, l'Union nationale, qui n'avait pas oublié sa défaite, en 1939,
sur la question fédérale de la participation à la guerre et le Bloc, avec
son nationalisme provincial, feraient campagne surtout sur la base
de questions fédérales, Godbout étant représenté comme la marionnette d'un Ottawa impérialiste et centralisateur.

Le discours de Godbout fut bien accueilli par presque toute la
presse française, qui était visiblement mal à l'aise devant la montée
de l'excitation populaire au cours des récentes semaines. *Le Devoir*
ne fit que quelques réserves. *L'Action catholique* insista pour qu'on
ne laisse pas la passion partisane abolir la raison et déclara que ce qui
importait « *c'est que nos discussions politiques ne contribuent pas à
soulever les Canadiens français les uns contre les autres, ni à leur*

*faire perdre confiance en l'autorité.* » *La Presse* et *La Patrie* firent
l'éloge de ce discours et la presse libérale le reçut avec enthousiasme.
*Le Temps,* toutefois, organe de l'Union nationale, accusa violemment
Godbout de « *ne pas avoir dit un seul mot au sujet de la guerre, de la
mobilisation, de la conscription et de l'autonomie* », après avoir été,
pendant cinq ans, « *simplement le valet, l'esclave, la marionnette
d'Ottawa.* » Le Bloc considéra ce discours comme celui d'un « *condamné à mort* » et critiqua avec violence l'effort de Godbout pour
se dissocier de Mackenzie King et de T.-D. Bouchard qui avaient été
ses chefs et ses alliés politiques depuis le début de sa carrière politique
en 1935.

Au début de juillet, le Bloc avait probablement une bonne chance
de renverser le gouvernement Godbout, mais ses jeunes fanatiques,
enivrés de leur propre éloquence, allèrent bientôt trop loin pour le
goût des masses canadiennes-françaises modérées, malgré toute leur
colère. Le candidat du Bloc dans Maisonneuve, Jacques Sauriol,
journaliste de trente-trois ans qui avait un passé d'activité nationaliste
comme partisan de l'ACJC et de Camillien Houde, prononça un
discours d'une extrême violence au Marché Maisonneuve, le 9 juillet :

« *Moi, je suis pour la manière forte. L'ancien maire de Montréal,
Camillien Houde, a été arrêté injustement. Quand nous serons au
pouvoir à Québec, nous, du Bloc, nous allons voir à arranger cela.
Où qu'il soit Camillien, moi, Jacques Sauriol, je m'engage à aller le
chercher le 9 août s'il est encore la victime des persécutions de la
police fédérale... Ce qui importe, c'est pas de faire des bombes pour
détruire les logements des Allemands, des Polonais, des Ukrainiens et
même des Français, c'est de nous donner des logements à nous autres,
de nous bâtir des logements ouvriers qui seront accessibles aux plus
petits de nos salariés... Ça fait cinq ans qu'on nous achale avec la
menace du fascisme et du nazisme. L'avez-vous déjà vu Mussolini au
Canada ? Vous ne l'avez pas vu, mais vous y avez vu le roi et
Churchill... Le Bloc, à Québec, défendra notre jeunesse contre l'inique service sélectif. A Ottawa, la conscription on la cassera comme ça,
nous du Bloc... Si l'on veut que les usines du Québec travaillent pour
la guerre, il faudra nous laisser nos jeunes pour y travailler. L'Empire
britannique est une institution tellement néfaste et tellement condamnable qu'il lui faut une guerre à tous les vingt ans pour se maintenir. Police fédérale ou pas police fédérale, nous, du Bloc, nous sommes contre toutes les guerres étrangères. Nous userons de tous les
moyens, et je ne dis pas légitimes, nous userons de tous les moyens
nécessaires pour faire cesser ce drainage de toute notre jeunesse vers
les charniers de l'Europe... J'ai moi-même été menacé par le service
sélectif parce que l'Angleterre a besoin d'une guerre inique à tous les
vingt-cinq ans, parce que le soldat anglais est le plus pourri de la
terre et parce qu'il faut que ce soient des Canadiens qui aillent faire*

*la guerre des Anglais, qui aillent se faire tuer à la place des Anglais
dans l'enfer de Caen.* »

Des déclarations aussi incendiaires firent naître la crainte du Bloc
dans maints milieux canadiens-français respectueux des lois, qui appré-
hendèrent que des violences pires que celles de 1917-18 ne soient
l'unique fruit de telles paroles.

De plus, le Bloc avait un double désavantage : ses jeunes agitateurs citadins n'inspiraient pas confiance dans les campagnes et, dans
les villes, il manquait d'organisation et de moyens pour combattre la
machine solidement implantée des libéraux. Le Bloc était, avant tout,
un mouvement de jeunesse et de classe sociale dont la force provenait,
essentiellement, de la ferveur nationaliste de l'élite de la jeunesse
canadienne-française. Les Canadiens français d'âge mûr avaient dé-
laissé le nationalisme enthousiaste de leur jeunesse, tout comme les
Canadiens anglais délaissent si fréquemment les sympathies d'avant-
garde de leurs plus jeunes années. Ils se méfiaient de la direction du
Bloc qui était entre les mains de jeunes à peu près inconnus, car
Maxime Raymond était malade, Paul Gouin, René Chaloult et Philippe Hamel étaient encore en querelle avec le groupe et Edouard
Lacroix ne prenait aucune part active à la campagne. Les réunions
électorales du Bloc permirent au Québec de donner libre cours, comme
une soupape de sûreté, à toute la rancœur accumulée à la suite des
irritations, des griefs et des conflits provoqués par la guerre dans la
province, mais la population du Canada français n'était pas disposée,
dans son ensemble, à soutenir un mouvement d'idées aussi avancées.

Maurice Duplessis et sa machine bien organisée de l'Union nationale jouèrent habilement leurs cartes. Leur attaque contre les libéraux reposait sur la question des droits provinciaux. Ils accusaient
aussi Godbout d'avoir trahi la province pour les centralisateurs
d'Ottawa. Cependant, ils exploitèrent l'antisémitisme des Canadiens
français et leur opposition à la guerre presqu'aussi vigoureusement
que le Bloc, en même temps qu'ils faisaient des avances aux hommes
d'affaires conservateurs anglais dont dépendait une si grande partie
de la vie économique du Québec. Tout en blâmant l'expropriation de
la *Montreal Light, Heat & Power Company* dans la presse anglaise,
ils publiaient, en français, une violente circulaire électorale qui accusait Godbout d'être responsable de tout le sang versé par les Canadiens
français dans le pays et à l'étranger. Ils prodiguèrent leurs attentions
aux régions rurales, dont le vote était plus considérable que celui des
villes où était concentrée la puissance libérale, aux curés aussi, qui
étaient, dans l'ensemble, aussi opposés à la guerre et à la conscription
qu'en 1917, mais qui ne voulaient pas soutenir les extrémistes du Bloc.
La promesse de Duplessis de remettre en vigueur la Loi du Cadenas
l'aida aussi à gagner l'appui du clergé et d'autres éléments conservateurs, alarmés par la montée du communisme et l'agitation sociale

dans le Québec. Cependant, cette promesse le priva du faible appui qu'il aurait pu attendre des syndicats organisés. L'Union nationale ouvrait la voie du jus'e milieu aux Canad'ens français modérés qui avaient été poussés vers l'opposition par la politique de guerre des libéraux, ainsi que par l'affaire Bouchard, et qui ne voulaient pas aller aussi loin que le Bloc dans le sens de la réaction, ou vers la revision radicale de la société proposée par les partis *CCF*, Crédit social ou Progressiste-Ouvrier. Enfin, bien que John Bracken, chef national progressiste-conservateur, eût destitué, le 22 juillet, Bona Arsenault, organisateur conservateur provincial, parce qu'il avait traité Bouchard de « *Quisling du Québec* », les partisans de Duplessis obtinrent les voix des électeurs *bleus* trad'tionnels, dont le principal souci était de chasser les *rouges* détestés.

Cette campagne rappela à maints Canadiens français la bataille entre Laurier et Bourassa en 1911. Quand André Laurendeau annonça que le Bloc devait son inspiration aux principes formulés par Bourassa au début de sa carrière, le premier ministre Godbout répliqua :

*« Il nous serait facile de prêcher la haine et la discorde, mais nous n'en voulons pas dans le Québec. Les deux grandes intelligences de leur génération ont peut-être été Sir Wilfrid Laurier et le chef nationaliste Henri Bourassa.*

*Avec ses principes de bonté, de respect et de cordialité entre les hommes, Laurier est aujourd'hui une figure mondiale, tandis que Bourassa n'a rien fait que de la discorde. »*

*Le Devoir*, évidemment, courut à la défense de son fondateur, appelant Bourassa « *le grand interprète de la pensée canadienne et, particulièrement, de la pensée canadienne-française et catholique* » :

*« Il a été le champion de la liberté scolaire. Il n'a point cherché la discorde, mais bien la justice, créatrice de concorde et de paix.*

*Si on l'avait écouté dans l'ordre international, notre pays n'aurait pas été par deux fois en un quart de siècle entraîné dans les guerres formidables qui pèseront si lourdement sur sa vie.*

*Si on l'avait écouté dans l'ordre national, il y aurait plus de justice dans la vie canadienne et, partant, plus de chances d'une paix durable. »* [11]

Dans les milieux libéraux, l'on se remit à l'étude des discours de Laurier, en espérant découvrir le secret du triomphe qu'il avait remporté en son temps contre une opposition toute pareille, composée de conservateurs, de nationalistes et de clercs ennemis des libéraux. L'aile gauche libérale songea à fonder un nouveau parti plus avancé, ou plus démocratique si les libéraux perdaient les deux élections, la provinciale en cours et la fédérale qui allait suivre. Cependant, nombre de jeunes libéraux tendaient à sympathiser avec le *CCF*, mais la plupart étaient aussi *bleus* que les conservateurs eux-mêmes et, comme eux, ils tenaient à maintenir une société hiérarchique où les chefs politiques servaient d'intermédiaires entre les masses et les magnats anglophones de l'économie québecoise.

Bourassa prononça le dernier mot remarquable de la campagne quand, s'adressant à une réunion du Bloc, le 4 août, à Montréal, il lâcha une bombe dont l'effet fut encore plus grand que le conseil qu'il donnait à Québec, en mai, de soutenir les candidats *CCF*, à défaut de candidats du Bloc. Sans doute inquiet des progrès de Duplessis dans les milieux cléricaux et de l'anticléricalisme croissant, il observa :

« *Dans un pays qui se glorifie d'être chrétien (le sommes-nous ? je ne le sais pas) et où l'on ne fait pas scrupule de se servir de l'influence des évêques quand cela peut aider une cause profane, on devrait au moins avoir un peu de respect pour les principes que le Christ est venu implanter sur la terre... et dont nous nous moquons dans notre vie de chaque jour.*

*Le jour n'est pas loin, malheureusement, où l'on se moquera de ces évêques qui ont fait de la politique et ces hommes qui se servent d'eux aujourd'hui leur tourneront le dos en disant qu'ils ont fait leur temps. Non, ils n'ont pas fait leur temps et nous avons encore besoin de leurs conseils spirituels.*

*Oui, nous vous respectons, mais gardez votre prestige sur le peuple et ne vous faites pas les instruments de politiciens sans conscience qui vous exploitent.* »

Personne, au Canada français, n'avait osé, en public, parler de la hiérarchie sur un tel ton, depuis le temps où Laurier était combattu par elle au sujet des écoles du Manitoba en 1896. La répercussion de ce discours de Bourassa fut considérable.

On doit reconnaître la discrétion du cardinal Villeneuve qui attendit deux jours après les élections pour publier la réponse suivante :

« *Dans son dernier discours, à Montréal, M. Henri Bourassa a cru devoir, à son usage, jouer de son refrain coutumier contre les évêques. On pourrait se contenter d'en sourire. Mais, à cause des jeunes qui l'entendent, cette liberté qu'il se donne périodiquement de conter leur fait aux évêques, oblige à déclarer qu'il n'est ni pontife, ni docteur autorisé dans l'Eglise. On a toujours observé qu'il entend mieux un pape lointain, sinon mort, que des évêques vivants et qui le gênent. Malgré ses protestations et ses leçons de respect envers la hiérarchie, il prend toute occasion de traiter les évêques de haut et donne publiquement de scandaleux exemples d'outrecuidance et d'irrespect envers les autorités ecclésiastiques.*

*L'histoire lui reconnaît d'incontestables qualités et d'heureux services publics. Mais, sans juger pour le moment ses thèses doctrinales ou historiques, elle ne confirmera point sa prétention de théologien laïc. Elle ne le posera pas en fils respectueux et docile de l'épiscopat.*

*Il est temps qu'on fasse cesser là-dessus, toute équivoque. La jeunesse vraiment catholique doit le savoir.* » [12]

Il n'est pas surprenant que Bourassa soit retourné à sa retraite après cette rebuffade éclatante. L'attitude du cardinal peut avoir eu quelque influence pour faire passer les voix cléricales du Bloc à l'Union nationale. Une fois portée. à la connaissance du public, elle aida certainement à la ruine du Bloc, qui s'aperçut que son effort pour exploiter Bourassa tournait contre lui.

L'une des nombreuses surprises des élections fut que le Bloc n'obtint que 15 pour cent des suffrages, bien que le sondage Gallup de la mi-juillet en eût prédit 25 pour cent et que maints observateurs fussent convaincus qu'il aurait beaucoup plus de succès, en raison de la colère du Québec. Les libéraux recueillirent 37 pour cent des voix, mais ils ne reçurent que trente-sept sièges, tandis que l'Union nationale, avec 36 pour cent des suffrages, en obtenait quarante-cinq. Quatre candidats du Bloc et un seul du *CCF* furent élus. René Chaloult fut réélu comme indépendant. Aucun parti ne jouissait donc d'une véritable majorité. Il était douteux que l'Union nationale pût former un gouvernement, car l'un de ses membres devait être nommé président et un autre était au front en Normandie. Les libéraux obtinrent leur majorité populaire de 45 000 voix dans l'île de Montréal, où la haute société des circonscriptions de Jacques-Cartier, Notre-Dame-de-Grâce, Westmount, Outremont et Sainte-Anne manifestèrent leur opposition au Bloc et à l'Union nationale par d'écrasantes majorités. La violence régna le jour des élections dans les quartiers ouvriers de Montréal où des voyous armés de coups-de-poing américains, de couteaux et même de revolvers terrorisèrent les électeurs.

Les libéraux eurent l'avantage dans les villes, mais l'Union nationale fit élire presque tous les députés des campagnes. La population urbaine constituait les deux-tiers de la population totale, mais elle ne pouvait élire qu'un tiers des membres de l'Assemblée législative d'après le système électoral qui fut fortement critiqué au lendemain du scrutin. Les nouveaux partis avaient remporté un plus grand succès que les quatre sièges du Bloc et le siège unique du *CCF* ne semblaient l'indiquer, car le Bloc avait recueilli 172 626 suffrages, soit un tiers environ du total recueilli par les libéraux ou l'Union nationale. Le *CCF* en avait recueilli 33 158 et l'ensemble des partis Crédit social, Ouvrier-Progressiste et candidats indépendants 65 594. Il était évident que les nouveaux partis exerçaient un attrait marqué sur l'électeur du Québec puisqu'ils avaient recueilli, ensemble, 275 000 suffrages, soit les deux-tiers du total de l'Union nationale triomphante. Le progrès du sentiment nationaliste ressortait, surtout, de ce que le Bloc avait obtenu quatre fois plus de voix que L'Action nationale libérale de Paul Gouin, en 1936.

Au lendemain du scrutin, il fut bien quelque peu question que Godbout tente de faire de nouvelles élections, mais il avait admis sa défaite quelques heures après la fermeture des bureaux de vote, dans un émouvant communiqué radiodiffusé :

« *Ce qui m'intéresse, ce qui m'a toujours intéressé, ce n'est pas le pouvoir, c'est l'avenir de ma province. Chef du gouvernement ou chef de l'opposition provinciale, je tâcherai de continuer de servir, d'aider les miens, de travailler à préparer notre avenir... J'ai essayé de servir fidèlement. J'ai tâché d'être honnête. Non seulement dans le domaine financier, mais dans le domaine intellectuel et moral. J'ai tâché de faire comprendre à la population de la Province de Québec quels étaient mes principes, les principes véritablement sauveurs pour nous dans l'avenir.*

*Peut-être me suis-je trompé. Peut-être aussi avais-je raison, je le crois encore. Mais je croyais que la province définitivement reconnaîtrait que c'est dans l'ordre et dans la paix basés sur la coopération que véritablement elle aspirait à construire cet avenir.* »

Duplessis, s'adressant à une foule de 25 000 *bleus* triomphants, promit de restituer au Québec les droits cédés à Ottawa par les libéraux :

« *Nous lutterons jusqu'au bout, jusqu'à la victoire finale pour le respect et la récupération de nos droits... Je considère le résultat de l'élection d'hier comme la punition infligée par la province à ceux qui ont abandonné ses droits.* »

André Laurendeau, l'un des quatre candidats élus du Bloc, se montra nettement satisfait du résultat des élections, bien que le Bloc n'eût pas rallié « *tout Québec* », comme l'avaient prophétisé ses orateurs :

« *En deux mois, le Bloc populaire... a dû créer des cadres. Il l'a fait. Ses cadres sont créés, ses cadres sont fidèles... Je n'ai jamais éprouvé autant d'espoir, de confiance et de foi en l'avenir que ce soir, date de l'arrivée à Québec des premiers députés du Bloc populaire canadien.* »

R.-J. Lamoureux, chef provincial du *CCF*, déclara que son parti s'était assuré d'un levier pour la victoire aux prochaines élections fédérales dont les élections provinciales n'étaient que le prélude. Il comptait, manifestement, sur le maintien et l'extension du front ouvrier uni de Montréal qui avait été réalisé contre l'Union nationale et le Bloc, parce que les syndicats *CCL (Canadian Congress of Labor)* avaient voté pour le *CCF* et que l'*AFL (American Federation of Labor)* avait voté pour les libéraux. [13]

Les éditoriaux réagirent devant le résultat inattendu des élections. La *Gazette* adjura Duplessis de faire une distinction entre la défense légitime des droits provinciaux et un retour au nationalisme étroit et elle se réjouit de ce que le Bloc populaire canadien, qui ne fut jamais

« *canadien* » soit, également, si peu « *populaire* ». *La Presse* distribua
prudemment ses félicitations à Duplessis, Godbout et Laurendeau, en
se réjouissant de ce que le peuple se soit prononcé contre le *CCF*
socialiste. *Le Devoir* qui, avec *L'Action catholique* et *Le Droit,* avait
soutenu le Bloc, fut satisfait de la victoire de Laurendeau et prédit
que de nouvelles élections auraient lieu bientôt. Il souligna la révolte
populaire contre les deux partis traditionnels, en observant que « *l'aspect politique de la province est en pleine transition.* » *Le Canada,*
tout en faisant remarquer que le parti libéral avait été appuyé plus
que tout autre par le corps électoral, déclara que Duplessis devait
être appelé à former le gouvernement. Il prit un malin plaisir au
piètre succès du Bloc, qui « *révèle que la population du Québec n'est
ni séparatiste, ni isolationniste à l'égard de la politique nationale
canadienne, ni opposée à la participation pour ce qui concerne la
guerre.* » [14]

## 5

Le calme revint au Québec après la tempête électorale, car le
nouveau gouvernement Duplessis n'entra en fonction que le 30 août.
L'unité du Canada français fut rétablie, dans une certaine mesure,
par George Drew, premier ministre conservateur de l'Ontario, qui
prononça un discours, le 9 août, s'opposant au projet d'allocations
familiales qu'il considérait être une violation de l'autonomie provinciale et un appât offert au Québec à des fins électorales. Il devint évident que Duplessis cherchait à s'allier aux conservateurs de l'Ontario,
contre Ottawa, quand un communiqué officieux souligna que le discours de Drew était « *le plus puissant appui de l'extérieur obtenu par
Duplessis dans sa lutte pour l'autonomie provinciale.* » [15] Un autre
présage d'élections fédérales apparut lorsque Mackenzie King déclara
qu'il proposerait un drapeau national distinctif et *O Canada !* comme
hymne national. Le Québec se réjouit, car il désirait depuis longtemps
ces symboles de nationalité distincte et, de son côté, le nationalisme
canadien-anglais, qui s'était développé grâce à la guerre, demandait
maintenant une reconnaissance symbolique du statut du Canada. Ce
sentiment avait grandi, sans aucun doute, depuis que le sondage
Gallup d'août 1943 avait indiqué que 51 pour cent de la population
totale, tout comme 82 pour cent des Canadiens français, désiraient un
drapeau national, bien que 58 pour cent des Canadiens d'origine anglaise voulussent garder l'*Union Jack.* Dans un article du *Saturday
Night,* B.K. Sandwell exprima l'opinion que les Canadiens anglais
adopteraient volontiers le chant *O Canada !,* si ses paroles anglaises
n'étaient pas d'une « *inspiration intrinsèquement catholique et française.* » [16] La loyauté canadienne-anglaise à la Couronne se manifesta
aussi par l'argument que *God Save the King* n'était pas l'hymne na-

tional uniquement de la Grande-Bretagne, mais aussi de tous les pays sur lesquels régnait le roi.

Malgré tous les propos de la campagne électorale sur l'ingérence d'Ottawa dans les affaires provinciales, tous les groupes militants du Québec accueillirent avec calme l'intervention fédérale dans la grève de la *Montreal Tramways*. Cependant, la *Gazette* insista pour que l'on revienne au principe de liberté d'embauche *(« open shop »)* incorporé dans le code du travail par le gouvernement Duplessis, en 1938, mais qui n'avait jamais été appliqué. Pour apaiser le Québec, le gouvernement prit une autre mesure en libérant Camillien Houde, interné depuis quatre ans parce qu'il s'était opposé à l'immatriculation nationale. Houde déclara qu'il n'était *« victime que d'un parti politique et d'une organisation politique et rien de plus »* et menaça de prendre une revanche politique. Une réception triomphale à Montréal prouva que son *« martyre »* l'avait rendu encore plus populaire. Sa libération était réclamée depuis longtemps par les nationalistes, mais il semble qu'elle fut le résultat d'une pression exercée sur Ottawa par une action concertée du monde ouvrier de Montréal, les syndicats nationaux et internationaux ayant fait cause commune. Les dissidents libéraux du Québec et le monde ouvrier, qui s'intéressait maintenant à la politique, voulaient voir en Houde un *leader* populaire et il fut grandement question de son apparition prochaine dans l'arène fédérale et provinciale. Or, dans l'immédiat, il refusa de s'engager d'aucun côté.

L'invasion du midi de la France, le 15 août, convainquit le Canada français que la fin de la guerre était proche. La presse du Québec attacha beaucoup d'importance au rôle du maquis, mais elle ne dit rien de la participation des communistes à la Résistance. En revanche, *L'Action catholique* et *Relations* consacrèrent beaucoup d'espace, en août, à dénoncer le communisme international et surtout l'utilisation des ambassades soviétiques comme centres de propagande, particulièrement à Ottawa, Washington et Mexico. [17] Les sympathisants des Soviets prédirent une renaissance de la Loi du Cadenas quand le gouvernement Duplessis entra en fonction. Le Canada français avait toujours considéré avec méfiance l'alliance avec les Soviets et, maintenant que le conflit semblait tirer à sa fin en Europe, il exprima son opposition à des relations commerciales et culturelles, après la guerre, avec la Russie. La libération de Paris par les Français, le 25 août, déclencha une explosion de joie dans le Québec. Saint-Laurent, ministre de la justice, parla par la radio au peuple de Paris au nom du gouvernement canadien, comme d'ailleurs le maire Raynault, de Montréal. Le drapeau français fut arboré sur les édifices publics de Montréal, de Trois-Rivières et de Québec. Il décora aussi, partout, les habitations privées. Mme André Simard, maintenant déléguée à l'Assemblée d'Alger, qui venait de rentrer d'Afrique du Nord, s'écria devant une foule énorme, sur la Place d'Armes de Québec : « *Par la grâce de Dieu qui a perm:s cette résurrection, le cœur de la France commence à battre de nouveau.* » Tous ensemble, ils chantèrent alors *La Marseillaise.* A Montréal, le public d'un concert au Chalet du Mont-Royal en fit autant. Des *Te Deum* furent chantés dans toutes les églises de la province. La presse française et anglaise acclama la libération de Paris et la plupart des grandes entreprises commerciales utilisèrent leurs moyens de public:té pour s'unir au chœur des réjouissances. [18]

Le nouveau cabinet Duplessis fut assermenté le 30 août, ce qui mit fin aux rumeurs selon lesquelles une alliance Union nationale-Bloc populaire serait scellée par l'offre d'un portefeuille à René Chaloult, ou à un autre nationaliste. Duplessis ava:t déjà protesté contre le retard apporté à la nouvelle répartition des sièges fédéraux, en insistant pour qu'elle soit effectuée avant les prochaines élections fédérales, pour ne pas priver le Québec de sa représentation légitime à Ottawa. [19] On pouvait donc prévoir que le nouveau gouvernement adopterait une pol.tique bien définie d'autonomie provinciale, mais non séparatiste. Le cabinet Duplessis rompit avec la tradition sur deux points : d'abord, sur le nombre de ses membres qui fut de 21, alors qu'il y avait, au total, 43 députés de l'Union nationale, ensuite sur l'attribution du portefeuille des finances, traditionnellement confié à un ministre anglais, qui fut donné à un Canadien français. Jonathan Robinson, unique membre anglais du cabinet, fut nommé ministre des mines, tandis qu'Onésime Gagnon, ancien ministre fédéral tenu en très grande estime, tant par Ottawa que par Québec, fut chargé de la garde du trésor.

Dans les messages habituels de la Fête du Travail, peu après l'entrée en fonction du nouveau gouvernement, il ne fut fait aucune allusion à sa politique ouvrière, ni par le premier ministre, ni par le min:stre du travail. Les libéraux et le *CCF* tentaient d'attirer les suffrages ouvriers en prévision d'élections fédérales, en même temps que le conflit traditionnel entre syndicats nationaux et internationaux atteignait un point critique. Mgr C.-E. Parent, évêque auxiliaire de Rimouski, exprimait l'opposition traditionnelle du clergé aux syndicats internationaux quand, le 20 août, il déclara devant la Fédération nationale de l'industrie du bois : « *Evitez les unions neutres, bien qu'elles aient fait quelques gains dans les grandes villes... Le communisme se glisse dans l'ombre comme une vipère, il tâche de pêcher dans l'eau trouble et essaie de soulever les ouvriers contre leurs patrons, contre la religion et contre le clergé, telle la dernière grève des tramways à Montréal. Ces unions agitent les ouvriers contre les employeurs, contre la religion et contre le clergé.* » [20] Les *United Steel-Workers of America*, de la *CIO*, annoncèrent, le 6 août, une campagne pour organiser les ouvriers de l'aluminium à Arvida. D'après le scrutin de 1943, seulement 23 pour cent de ces ouvriers étaient organisés : 17 pour cent dans les syndicats nationaux et 6 pour cent dans l'*AFL*. La *CIO* prétendit que les salaires d'Arvida étaient inférieurs, de 40 à 60 pour cent, à ceux de l'industrie de l'aluminium aux Etats-Unis, malgré un prix de revient de 20 à 40 pour cent inférieur. La région du Lac Saint-Jean était un fief des syndicats catholiques et l'aumônier de celui d'Arvida, l'abbé Bertrand, avait récemment déclaré que « *les ouvriers catholiques ne pouvaient pas, en conscience, se joindre aux organisations non confessionnelles.* » [21]

La Seconde Conférence de Québec se réunit, du 11 au 16 septembre, pour discuter de la guerre contre le Japon, les Alliés étant alors sur le point de pénétrer en Allemagne. Québec en fut une fois de plus flattée et *L'Action catholique* exprima le désir de la population d'avoir ainsi l'occasion de rendre hommage à Churchill et à Roosevelt ensemble, en déplorant qu'à la conférence de 1943, Churchill eût été le seul à faire une brève apparition en public. Ce journal demanda aussi que soit conclue « *une paix juste et durable* ». La presse canadienne-française manifestait clairement son mécontentement de ce que la France n'eût pas été invitée à participer à cette conférence. Le Bloc tenta d'exploiter la rumeur d'un conflit entre les Etats-Unis et la Grande-Bretagne au sujet de la politique à suivre en Inde. Les règlements de sécurité empêchant les journalistes de rendre compte des délibérations de la conférence, la presse canadienne-française s'efforça d'établir le bilan de la contribution du Québec à la guerre, le jour du cinquième anniversaire de l'entrée en guerre du Canada. La participation du Canada français fut vigoureusement défendue et l'attitude méprisante de la presse canadienne-anglaise et américaine à son égard fut vivement critiquée.

*L'Action catholique* donna le plus complet exposé de la position canadienne-française :

« *Pour un* [grand] *nombre de journaux de langue anglaise, il n'y avait qu'un moyen de seconder l'effort de guerre : s'enrôler volontairement pour service outre-mer. Parce que les jeunes Canadiens français n'ont pas cru devoir le faire en nombre aussi grand que les Canadiens de langue anglaise, on s'étonne de nous voir triompher à l'occasion des récentes victoires alliées, notamment la libération de Paris.*

*Quand quelques-uns des nôtres se montraient hostiles à la participation telle que pratiquée, on épinglait leurs propos avec empressement, tout comme si ces personnages avaient parlé au nom de la Province de Québec. Par contre, si des représentants de l'autorité religieuse ou de l'autorité civile donnaient des directives, on y faisait écho sans doute, mais avec parcimonie et sans accompagnement de commentaires. Aujourd'hui, l'Eglise et l'Etat recommandent des prières et des réjouissances. Le peuple exulte parce que les Alliés triomphent et que la France est libérée. Nos confrères se scandalisent et prétendent que nous devrions avoir honte.*

*Nous sommes fiers de la victoire de nos armes. Nous saluons les succès des armées de terre en 1944, comme nous saluions les succès de la RAF en 1940 et de la marine en 1941 et 1943. Nous admirons le courage des patriotes français en 1944, comme nous admirions le moral des Anglais sous les bombes en 1940.*

*Nous n'avons pas honte parce que nous avons conscience d'avoir contribué au triomphe des Alliés.*

*Sans doute nous avons eu moins de volontaires et moins de mobilisés, mais nous avons produit proportionnellement autant de navires et de vivres. Tous les emprunts ont été de grandes réussites et les souscriptions aux œuvres de guerre ont chaque fois dépassé l'objectif.*

*Nous avons eu moins de soldats de toutes armes pour bien des raisons : un plus grand nombre de mobilisés ont été rejetés pour cause de santé (ce qu'il faudra expliquer un de ces jours) ; la terre en a retenu davantage parce que notre agriculture est moins industrialisée, plus familiale ; la politique a entretenu la phobie de la conscription pour service outre-mer durant vingt-cinq ans ; dans les différents services de guerre on nous a traités comme des étrangers, sans songer à l'antipathie que l'on cultivait ainsi contre la participation ; nos mobilisés étaient entraînés dans une langue qui n'était pas la leur ; l'impérialisme à peine voilé de certains propagandistes maladroits refroidissait l'enthousiasme au lieu de l'attiser ; etc.*

*Voilà quelques-unes des causes du succès modéré du volontariat dans le Québec. Mais, et nos chefs politiques eux-mêmes l'ont proclamé plusieurs fois, tout comme ceux d'Angleterre et des Etats-Unis d'ailleurs, on pouvait soutenir efficacement l'effort de guerre autrement que sous les armes. A l'usine et dans les champs, les Canadiens français ont accompli leur large . part. Ils l'ont faite généreusement malgré les moqueries, les calomnies, les injustices... et les violations officielles des promesses de participation « volontaire » et « modérée ».*

De son côté, Jean-Charles Harvey, dans *Le Jour*, attaqua violemment « *l'élément anti-britannique, les anti-participationnistes, isolationnistes, fascistes, pro-fascistes, Bloc-istes et déserteurs* » qui avaient acclamé Houde à la libération de son internement. Il avait déjà souligné, jadis, que la cadence des engagements dans le Québec, qui était de 22,1 pour cent, était la moitié de celle dont les autres provinces pouvaient se prévaloir et que ce fait serait toujours retenu contre le Québec. [22] Les lourdes pertes canadiennes dans la bataille de France avaient provoqué, chez les Canadiens anglais, un fort ressentiment contre le Québec, qui ne fit que s'accroître. *Le Canada* tenta de réfuter les accusations d' « *inégalité de sacrifice* », en faisant remarquer, d'après la liste des pertes, qu'un grand nombre de Canadiens français servaient outre-mer dans des unités canadiennes-anglaises et que la participation du Québec ne devait donc pas être jugée uniquement sur la base des unités canadiennes-françaises. *Le Soleil* prédit que le Canada paierait son juste tribut en menant la guerre du Pacifique jusqu'à la victoire, comme il l'avait déjà fait à Hong-Kong, aux Aléoutiennes, dans l'air et sur les mers. [23]

Tandis que le premier ministre King profitait de la Conférence de Québec pour courtiser les libéraux canadiens-français dans l'intérêt d'un front uni aux prochaines élections fédérales, le gouvernement Duplessis, par l'intermédiaire de Paul Beaulieu, ministre du commerce et de l'industrie et de l'organe officiel *Le Temps* de Québec, accusait *Le Devoir* de « *nous avoir fait un tort irréparable* » et les nationalistes, dont le mot d'ordre était « *Notre maître, le passé.* » Un appel fut lancé pour l'union de tous les hommes de bonne volonté, afin de défendre le bon renom du Québec et de préparer la voie de la prospérité dans le monde d'après-guerre. Toute la presse du Québec, à l'exception du *Devoir* et du *Bloc,* approuva l'attitude de Beaulieu. [24] Après les excès de langage de la campagne électorale provinciale, le Québec était revenu à la modération et au loyalisme inné de la très grande majorité de sa population. Jusqu'à un certain point, cette évolution fut le résultat d'une publicité défavorable faite à l'étranger, de la Conférence de Québec et de la Conférence de l'UNNRA qui suivit à Montréal.

Un indice significatif du retour du Québec à une humeur plus calme fut la réélection de T.-D. Bouchard à la présidence de l'Institut démocratique, qui avait accepté sa démission pendant l'orage qui avait suivi son discours au Sénat. Quoique dépouillé, pour ainsi dire, de la nationalité canadienne-française, Bouchard était resté attaché aux idées qu'il avait exprimées en cette occasion et il les avait réaffirmées, en août, devant la Conférence de l'Institut canadien des Affaires publiques qui eut lieu à Couchiching. Acceptant la présidence, Bouchard déclara : « *Du témoignage que vous m'avez rendu, je ne conclus pas que vous approuvez les opinions que j'ai exposées dans mon discours au Sénat, mais je conclus simplement que vous avez reconnu mon droit de les exprimer* » [25] et il applaudit au progrès de la liberté d'opinion et de parole dans la province.

## 6

Les réflexions du premier ministre Drew sur le Québec dans son discours du 9 août contre les allocations familiales continuèrent de provoquer d'amères réactions dans la province qui n'ignorait pas que l'opinion publique canadienne-anglaise était de plus en plus montée contre le Canada français. Il se produisit des incidents mineurs, mais significatifs, qui révélèrent la gravité croissante du désaccord. Des délégués à une réunion des progressistes-conservateurs de l'Est de l'Ontario à Ottawa protestèrent contre le chant de *O Canada!* à la fin d'une réunion ouverte par le *God Save the King*. En septembre, le commandant Connie Smythe, mutilé de guerre bien connu dans les milieux de hockey à Toronto, prétendit que des troupes à demi-entraînées étaient envoyées au front par suite des lourdes pertes et de la pénurie de renforts dont il rendait le Québec responsable. En octobre, il devint notoire que l'armée manquait de réserves, tandis que la marine et l'aviation, plus populaires, cessaient de recruter, l'aviation renvoyant même des recrues déjà à l'entraînement. Ces hommes pouvaient être mobilisés, en vertu de la loi de mobilisation des ressources nationales, pour la défense du Canada s'ils ne s'engageaient pas comme volontaires pour servir outre-mer. Les correspondants de guerre signalèrent que rares étaient les soldats d'outre-mer disposés à s'engager volontairement pour la guerre du Pacifique quand la guerre européenne serait finie et qu'ils s'irritaient de voir renvoyer au front des hommes malades et blessés, pendant que les troupes destinées à la défense territoriale restaient oisives au Canada. La presse conservatrice imprima dans ce sens des lettres anonymes censées provenir de combattants. Il y eut des demandes, en grande partie de la part des conservateurs, pour que la question des effectifs soit reprise et que toutes les troupes canadiennes soient rendues disponibles pour servir n'importe où.

En juin, le général Stuart, chef d'état-major de l'armée à Londres, indiqua qu'il deviendrait peut-être nécessaire de prélever sur les formations d'outre-mer, ou d'envoyer en Europe des recrues LMRN afin de répondre à un besoin de renforts qui serait probablement pressant d'octobre à 1945. Le général conseillait toutefois au gouvernement d'attendre et de voir comment la guerre allait évoluer avant de prendre une décision : il pensait, en effet, qu'il y avait de « *grandes chances que nous pourrons finir la guerre sur une base de volontariat.* » [26] Il conseillait aussi de nouveaux efforts de recrutement, surtout pour l'infanterie. Les trois ministres de la défense s'entendirent pour ralentir le recrutement de la marine et de l'aviation au bénéfice de l'armée. Le colonel Ralston porta cette situation à l'attention du comité de guerre du cabinet, en juin 1944. [27]

Dans la première semaine d'août, le chef de l'état-major assura le comité de guerre du cabinet que la situation des renforts était satisfaisante. [28] Le 26 août, toutefois, il signalait qu'il manquait 3 000 fantassins en France et que, devant cette pénurie, on utilisait des hommes entraînés pour d'autres affectations. Les pertes de l'infanterie étaient plus considérables qu'on ne l'avait prévu, tandis que celles des autres armes l'étaient moins. Quand on se rendit compte, en octobre, qu'il ne se produirait pas d'effondrement allemand immédiat et qu'il fallait s'attendre à d'autres pertes considérables, de nouveaux calculs indiquèrent qu'à la fin de l'année, il y aurait une pénurie de 2 380 hommes sur le front.

Le général Stuart conseilla alors de prélever des renforts sur les troupes LMRN entraînées. Ralston, min·stre de la défense, fut du même avis, après une visite de trois semaines en Angleterre et sur les fronts canadiens d'Europe occidentale et d'Italie. Après avoir averti le premier ministre par câble, le 13 octobre, Ralston revint à Ottawa avec Stuart le 18 octobre, présenta immédiatement son rapport à King en ins·tant pour que la décision soit discutée par le cabinet dès le lendemain et les jours suivants. Le premier ministre hésitait à recourir à la conscription pour le service armé outre-mer, car il voulait rester fidèle à la promesse qu'il avait faite en 1942, quand le *Bill 80* fut présenté à la Chambre : cette mesure, en effet, « *provoque-rait la plus sérieuse controverse pouvant s'élever au Canada.* » Ralston, cependant, insista sur sa nécessité. Il s'opposa à réduire les engage-ments du Canada, ou à morceler des unités et il exigea l'assurance que, si les volontaires nécessaires ne répondaient pas à un nouvel appel, des recrues LMRN seraient envoyées au front. [29] Le 31 octobre, King eut une entrevue avec le général Andrew McNaughton, organi-sateur de l'armée canadienne, qui s'était retiré, en décembre 1943, pour cause de « *mauvaise santé* » où tous comprirent qu'il s'agissait de difficultés avec les Anglais. McNaughton affirma sa conviction que les recrues nécessaires pouvaient être levées par le volontariat, bien que seulement 4 956 hommes se fussent engagés en octobre [30] et il déclara consentir à accepter le poste de ministre de la défense si Ralston donnait sa démission. Devant cette situation, Ralston démis-sionna sur la requête du premier ministre, le 31 octobre, comme il avait menacé de le faire, depuis juillet 1942, si la conscription n'était pas adoptée au moment où elle deviendrait nécessaire. [31] Le lende-main, McNaughton fut assermenté comme ministre de la défense et le général Montague fut nommé pour remplacer le général Stuart au poste de chef d'état-major du quartier général canadien à Londres.

Ce fut alors que se déchaîna le plus violent orage politique de toute l'histoire du Canada. On parla beaucoup de l'intention qu'avaient plusieurs autres ministres de donner leur démission par sympathie pour Ralston : le ministre de la marine, Angus MacDonald, était le plus fréquemment nommé, mais T.A. Crerar paraissait le plus attaché à l'idée de conscription. Les forces conservatrices, la Légion cana-dienne, les officiers et la plupart des Canadiens anglais exigeaient la conscription intégrale, tandis que la presse canadienne-fran-çaise félicitait Mackenzie King d'être resté fidèle à sa promesse de ne pas imposer la conscription. Elle le loua aussi d'avoir, avec sagesse, remplacé un ministre libéral de la défense qui voulait la conscription par un conservateur qui n'en voulait pas et qui jouissait d'un prestige personnel plus grand que tout autre Canadien. Il était évident que maints conservateurs tentaient de profiter de la situation pour renverser le gouvernement King. De son côté, John Bracken, *leader* conservateur, était en grave désaccord avec un groupe dirigé par George Drew qui était prêt à vaincre l'opposition du Québec, par la force s'il le fallait, bien que Bracken niât officiellement qu'il y eût un groupe anti-canadien-français dans son parti et qu'il y eût aucune divergence d'opinion entre lui et Drew.

Saint-Laurent, ministre de la justice, prononça un discours à Québec, le 4 novembre, qui signifiait que le cabinet était décidé à ne pas imposer la conscription, quelles que soient les circonstances. Le 5 novembre, à Arnprior, McNaughton lança un appel pour qu'il n'y ait pas de relâchement d'effort pendant la dernière étape de la guerre et exhorta le public à encourager les volontaires. Le lendemain, à Ottawa, il répéta ces observations devant une réunion hostile de la Légion canadienne, exprimant sa conviction que le meilleur espoir de résoudre le problème des renforts était de les obtenir par le volontariat et demandant qu'on se laisse guider par la raison plutôt que par les sentiments.

L'agitation continua quand même dans toute la nation et, le 8 novembre, Mackenzie King prononça un discours à la radio, annonçant qu'il n'y aurait pas de conscription pour le service armé outre-mer et que les autorités de la défense nationale travaillaient à des plans préparés par le général McNaughton pour augmenter le nombre de volontaires. Le premier ministre déclara : « *Le système volontaire n'a pas failli* », soulignant aussi que le nombre de volontaires engagés depuis le *Jour-J* dépassait celui des conscrits. Il affirma qu'un très petit nombre d'hommes étaient allés au front sans avoir bénéficé d'un entraînement complet. Les forces LMRN seraient maintenues pour les services essentiels à la défense territoriale et comme source de volontaires pour le service armé outre-mer. Il révéla que les effectifs LMRN chiffraient, en ce moment, à 60 000, dont 25 000 de langue française et 23 000 du Québec. Ces chiffres montrèrent, contrairement à la croyance populaire, que les conscrits ayant refusé de s'engager volontairement pour servir outre-mer n'étaient pas surtout des Canadiens français, mais étaient partagés entre trois groupes presque égaux de Canadiens français, de Canadiens anglais et de Néo-Canadiens, en fonction de l'importance numérique de ces groupes dans la population.

King exprima sa conviction : « *Sans aucune contrainte ou intensification des présentes méthodes, un nombre considérable de ces conscrits seraient des volontaires. Nous croyons que beaucoup d'autres pourraient être obtenus par un appel spécial.* » Il demanda alors aux jeunes gens, actuellement dans l'armée ou en dehors, de s'engager volontairement, en ce moment même où le besoin était impérieux et il les avertit que de très graves difficultés pourraient résulter de la substitution de la conscription au volontariat. Il rendit hommage au colonel Ralston, déplorant les divergences d'opinion qui avaient amené la démission du ministre et au général McNaughton, qui était résolu à donner son plein appui à l'armée. Le premier ministre caractérisa la situation des renforts comme « *non pas une déficience actuelle, mais une déficience éventuelle au cours des prochains mois.* » Il fit comprendre que, bien qu'il préférât le volontariat, il pourrait devenir nécessaire de reconsidérer la question de contrainte, en raison des circonstances nouvelles.

Le lendemain, John Bracken publia un communiqué accusant le premier ministre de manquer à son devoir et de tromper tout ensemble l'armée d'outre-mer et le pays en omettant de dévoiler le rapport du colonel Ralston et les raisons de sa démission. Il résuma la situation par ces mots : « *Notre armée d'outre-mer a terriblement besoin de renforts entraînés, elle a grandement besoin de repos et de secours et tous les hommes disponibles au Canada doivent y être envoyés. C'est là un besoin national immédiat.* » Bracken affirma de nouveau la politique conservatrice qui exigeait la conscription intégrale et déclara que la situation dépassait maintenant la politique partisane.

Le 12 novembre, le colonel Ralston, qui s'était absenté d'Ottawa, publia aussi un communiqué en réponse à l'allocution radiodiffusée du premier ministre. Il déclara inexacte la description de la situation telle que l'avait donnée King et insista sur l'urgence du problème des renforts. Il fit aussi clairement comprendre qu'il avait démissionné à la requête du premier ministre et non pas de sa propre initiative. [32]

## 7

Le 15 novembre, le premier ministre s'inclina devant la tempête dont la fureur montait et convoqua la Chambre en session secrète spéciale, le 22 novembre, pour examiner la question des renforts. Après une déclaration publique du sénateur Ballantyne, le Sénat fut aussi convoqué le 17 novembre. Le 16 novembre, la *Gazette* de Montréal qui, avec le *Globe and Mail* et le *Telegram* de Toronto, avait toujours exigé la conscription, écrivit que les commandants de toutes les régions militaires du Canada avaient avisé le général McNaughton qu'il fallait employer la contrainte pour réunir le nombre d'hommes nécessaire. Cette assertion fut niée par le premier ministre et le général McNaughton. Le général Laflèche, ministre des services de guerre, déclara, le 19 novembre, qu'il avait pris sur lui de trouver, dans le Québec, les renforts nécessaires aux unités canadiennes-françaises d'outre-mer. Il ajouta que quatre régiments canadiens-français, les Fusiliers de Mont-Royal, le Maisonneuve, le Châteauguay et le

Joliette, avaient déjà promis de trouver des hommes pour les bataillons de réserve et il se déclara convaincu que le problème des renforts pouvait être résolu par le volontariat.

Quand le parlement se réunit le 22 novembre, le premier ministre lut et déposa ensuite la correspondance qu'il avait échangée avec le colonel Ralston au sujet de sa démission et de ses raisons. Bien qu'il donnât ainsi à entendre que le colonel Ralston avait violé le secret du cabinet par sa déclaration du 12 novembre, King rendit hommage à la sincérité, à l'intégrité et au patriotisme de son ancien collègue. Il annonça la nomination du général McNaughton au poste de ministre de la défense, en observant que, « *depuis qu'il avait été nommé commandant de la première division canadienne, le 5 octobre, aucun autre homme au Canada n'a été tenu en plus haute estime et n'exerça le commandement en inspirant plus de confiance aux citoyens du Canada, aux membres de l'armée canadienne, ou à leurs parents et amis.* » [33] Gordon Graydon, chef de l'opposition à la Chambre, insista pour que l'on agisse au sujet des renforts avec un « *minimum de paroles* », en demandant l'application intégrale de la loi de mobilisation des ressources nationales (LMRN), suivie de l'envoi immédiat, outre-mer, de toutes les troupes entraînées pour la défense territoriale. Cette motion fut immédiatement rejetée et le premier ministre demanda instamment une « *étude bien raisonnée* » du « *problème peut-être le plus grave soumis, jusqu'à aujourd'hui, à la décision du parlement canadien.* » Il rejeta la proposition des conservateurs qui voulaient que la Chambre siège « *matins, après-midi, soirs et samedis* », jusqu'au règlement définitif de la question. [34] M.J. Coldwell, *leader CCF*, proposa une séance secrète pour permettre à la Chambre de recueillir toutes les données disponibles. Le chef conservateur s'opposa à l'idée de séance secrète et King demanda que le général McNaughton fasse, à la Chambre dès le lendemain, un exposé complet de la situation et qu'il réponde aux questions qui lui seraient posées. La Chambre accepta la proposition du premier ministre.

Le ministère s'étant réuni le soir du 22 novembre, King céda à la pression de ses collègues qui exigeaient la conscription et l'avaient menacé d'en appeler à une réunion secrète du parti libéral. Le premier ministre déclara que le général McNaughton l'avait avisé que l'appel de volontaires ne pouvait plus réussir et qu'il jugeait nécessaire de recommander la conscription. Il ajouta qu'il avait beaucoup hésité avant de donner suite à cette recommandation. Un arrêté-en-conseil fut alors adopté. [35]

Quand la Chambre se réunit de nouveau le 23 novembre, le premier ministre déposa cet arrêté-en-conseil (PC 8891), signé le jour même, qui, sur la recommandation du ministre de la défense et en vertu de la loi de la milice *(Militia Act, Section 67),* de la loi de mobilisation des ressources nationales (LMRN), de la loi sur les mesures de guerre *(War Measures Act)*, autorisait l'envoi outre-mer de 16 000 hommes de troupes LMRN, « *pour renforcer les troupes canadiennes combattant en Europe et dans les pays méditerranéens.* » [36] Cet arrêté-en-conseil laissait la voie ouverte à l'envoi d'autres hommes, par décret. Le chiffre indiqué correspondait au nombre de fantassins disponibles, dont l'entraînement était complètement ou presque terminé. Il était, d'ailleurs, légèrement supérieur à ce qu'il fallait pour assurer une réserve de renforts. Le chef de l'opposition exprima du mécontentement devant cette capitulation part elle du gouvernement, s'opposa à une session secrète et annonça une motion de non-confiance, demandant aussi l'application immédiate de toutes les dispositions de la loi de mobilisation des ressources nationales. Le gouvernement avait demandé un vote de confiance et le prem er ministre laissa à la Chambre le soin de décider s'il fallait tenir une session secrète.

Au parlement, à l'ouverture du débat, par une déclaration qu'il avait préparée à l'avance, le général McNaughton fit savoir qu'il ne différait de son prédécesseur que par la méthode qu'il préconisait et non par le but qu'il fallait atte ndre. En octobre, le colonel Ralston avait affirmé que le volontariat ne suffisait plus au maintien des forces d'outre-mer, tandis que McNaughton estimait qu'il suffisait encore, à condition d'être convenablement appuyé par le public. Il assura qu'un changement de méthode eût été dangereux « *avant que toutes les mesures propres à la méthode existante aient été pleinement utilisées et qu'il soit devenu clair et évident pour tous qu'elles ne suffiraient pas.* » [37] Il déclara toujours préférer le volontariat, mais sans exclure la contrainte, si elle devenait nécessaire. Il rappela les efforts qu'il avait faits pour maintenir le volontariat, révélant que les commandants des régions militaires lui avaient fait part de leur peu d'espoir de répondre ainsi aux besoins, mais qu'ils avaient loyalement consenti à un nouvel effort. [38] Il admit que les résultats de la campagne de volontariat pour le service armé outre-mer n'avaient pas été satisfaisants et qu'on lui avait assuré qu' « *il existe un très grand nombre de soldats LMRN qui ne s'engageront pas dans les circonstances actuelles, mais se soumettraient volontiers si on les envoyait outre-mer.* » Il déclara qu'il n'y avait, à ce moment, aucune pénurie générale de renforts, mais « *une pénurie possible de soldats complètement entraînés pour l'infanterie* » qu'il fallait prévoir pour la fin de janvier ou le début de février 1945. Il était aussi très inquiet des renforts pour les unités canadiennes-françaises, mais des « *résultats prometteurs* » avaient déjà été atteints pour régler cette situation, grâce à « *nos collègues de la Province de Québec et autres* ».

Le point crucial de l'exposé du général McNaughton fut le suivant :

« *Je veux dire, d'une manière bien précise, que toute inquiétude disparaîtrait si nous pouvions trouver, en décembre, en plus du nom-*

*bre déjà établi, un total de 5 000 fantassins, presque ou complètement entraînés, encore autant en janvier et 6 000 au cours des mois qui suivront.*

*Toute économie possible d'emploi de personnel qualifié pour le service général dans le pays est maintenant terminée, ou en voie de l'être et les recrues rendues ainsi disponibles sont déjà calculées pour les contingents prévus.*

*La LMRN est donc la seule source dont peuvent venir ces 16 000 soldats supplémentaires.* » [39]

Pour l'avenir, il prévoyait une guerre de position au nord-ouest dé l'Europe et en Italie, dans des conditions semblables à celles des dernières phases de la première guerre mondiale. Il fallait intensifier la fabrication d'obus et de munitions et, pour cet effort, pourraient être utilisés « *un grand nombre d'hommes enrôlés dans l'armée du Canada, tant sous l'empire de la loi LMRN que pour le service général et qui sont absolument impropres au combat.* » [40] Il affirma qu'un grand nombre de soldats LMRN occupaient des postes qui ne devraient pas l'être par des militaires pouvant être envoyés au front.

Il annonça que les soldats mobilisés pour la défense territoriale qui n'avaient pas consenti à s'engager volontairement pour servir outre-mer ne seraient pas libérés « *avant qu'ils puissent être démobilisés sans nuire aux intérêts de nos hommes revenant de là-bas.* » Ceux qui avaient servi volontairement « *deviendront à tous égards partie intégrante de ce grand nombre de ceux qui ont servi le Canada de leur plein gré et qui se font une gloire d'aller partout où le devoir les appelle et les besoins l'exigent.* » De ceux qui n'ont pas été versés au service général, « *tous les hommes physiquement aptes et jugés capables de faire de bons combattants* » seront concentrés en des unités LMRN et « *pourront être envoyés au front.* » [41] Ceux qui seront jugés inaptes au service armé seront groupés en compagnies spéciales afin de « *répondre à toutes réquisitions faites pour aider à l'exécution de travaux d'une importance nationale pour mener la guerre à bonne fin.* » Les soldats LMRN qui ne pourraient servir à aucun de ces buts seront libérés ou versés dans l'industrie. En conclusion, McNaughton déclarait absolument nécessaire de rendre disponible pour le front « *une réserve importante de renforts* » et que cette réserve nécessaire était trop considérable pour pouvoir être constituée en temps utile par la transformation volontaire de troupes LMRN en soldats aptes à servir sur tous les champs de bataille. Le décret ministériel qui permettait l'envoi de 16 000 soldats LMRN sur le théâtre des opérations en Europe donnait au ministre le pouvoir de combler l'écart entre les besoins de l'armée et le nombre de volontaires. Toutefois, McNaughton ajoutait : « *Ce pouvoir ne sera utilisé qu'autant qu'il faudra compléter l'effectif des renforts nécessaires.* » [42]

Le chef de l'opposition laissa au colonel Ralston le soin de poser les premières questions au général McNaughton. Ralston émit l'opinion qu'une session secrète pourrait être souhaitable pour des raisons de sécurité et il déclara que McNaughton semblait avoir adopté l'idée que lui-même avait toujours défendue : « *La conscription quand elle est nécessaire.* » [43] Il insista pour connaître l'ampleur de la pénurie de renforts, ce qui fut refusé pour des raisons de sécurité. Il voulut aussi savoir si les 16 000 hommes qui partiraient pour le front entre décembre et mai seraient tous des soldats LMRN et s'ils constitueraient un appoint suffisant de renforts. McNaughton déclara qu'un certain nombre d'hommes mobilisés pour le service général pourraient être inclus et que les renforts répondraient ainsi aux besoins. [44] Questionné de nouveau par H.C. Green, député de Vancouver-Sud, sur l'usage que l'on ferait des soldats LMRN, McNaughton définit ainsi la politique du gouvernement : « *Tant qu'il restera des soldats enrôlés pour servir sur tous les champs de bataille en nombre suffisant pour répondre à tous les besoins, notre intention est de les utiliser. Nous nous servirons des soldats LMRN pour remédier à toute insuffisance... Je n'ai l'intention d'utiliser la contrainte que pour remédier aux insuffisances et maintenir, au front, la puissance de nos armées.* » [45] Il nia, malgré les efforts de Green pour le prouver, que des hommes du service général regroupés, insuffisamment entraînés pour le combat, seraient renvoyés au front, alors que des soldats LMRN, dont l'entraînement était terminé, restaient au Canada.

Hansell, député de MacLeod, clôtura la séance de l'après-midi par une question embarrassante, adressée peut-être davantage au premier ministre qu'au général McNaughton : « *La démission du colonel Ralston aurait-elle été nécessaire si cet arrêté-en-conseil avait été adopté sur la présentation de son rapport au cabinet, au moment de son retour ?* » [46] King s'opposa au barrage de questions presque ininterrompu posées au général McNaughton par les membres d'un seul groupe, lorsque le chef conservateur eut demandé que la présence du général soit limitée à un jour et qu'il exprima l'espoir que le *CCF* et le Crédit social auraient aussi la possibilité de poser des questions. A la question de Hansell, il fit cette réponse, en son meilleur style impénétrable :

« *Il y a certaines choses qui peuvent être faites, ou peuvent être nécessaires en un certain temps, qui ne peuvent pas être faites ou peuvent devenir inutiles dans un autre et si le gouvernement avait tenté, il y a un mois ou deux, ce qui à ce moment ne paraissait pas nécessaire, ou ce qui a été fait aujourd'hui, je me risque à dire que son action aurait frustré le département de la défense du pouvoir de donner aux hommes qui sont outre-mer les renforts nécessaires au moment où ils peuvent être nécessaires.* » [47]

M. J. Coldwell se chargea alors de poser les questions et, après
avoir demandé des renseignements sur les permissions et la marge
de sécurité des renforts, il prépara de nouveau le terrain en vue
d'une séance secrète. En réponse à une interruption conservatrice, il
nia avoir étudié avec quiconque les questions qu'il posait, [48] bien que
le bruit courût qu'il collaborait avec King.

Ce même soir, en réponse à d'autres questions de Coldwell, le
général McNaughton déclara que 16 000 hommes LMRN étaient
entraînés pour l'infanterie et que 26 000 autres étaient d'un âge et
d'une catégorie médicale qui justifiaient cet entraînement. En réponse
à John G. Diefenbaker, il donna les chiffres suivants d'enrôlement
pour le service général : juin, 6 282 ; juillet, 4 860 ; août, 5 256 ;
septembre, 5 318 ; octobre, 4 710. Ces chiffres représentaient, environ,
2 000 de plus que le total mensuel des démobilisés. [49] A d'autres
questions provenant de la même source, il répondit qu'il avait acquis
une « *profonde conviction* » que les soldats LMRN avaient été persuadés, plutôt que contraints, par le chantage, de se porter volontaires et,
qu'avec une ferme direction, de la persuasion et les avantages offerts,
ces soldats s'engageraient volontiers pour le front. [50] Le nombre de
ces hommes passés dans l'active depuis le 1er novembre était de 734
et la cadence hebdomadaire des engagements augmentait sans cesse. [51]
Jusqu'à ce jour, toutefois, la cadence mensuelle s'était maintenue à peu
près au même niveau qu'en juillet, août et septembre et elle avait
dépassé de 50 pour cent celle d'octobre. [52] Le feu roulant des questions
conservatrices continuait. Le général servait de cible aux attaques
contre le gouvernement. Le premier ministre intervint à plusieurs
reprises et finit par menacer de donner sa démission. [53] Sur sa proposition, la Chambre accepta de continuer les interpellations le lendemain, partiellement en séance secrète si la Chambre le désirait et
d'ouvrir le débat sur le vote de confiance le lundi 27 novembre.

Jean-François Pouliot, député de Témiscouata, déclara qu'il devait choisir entre ses électeurs et le gouvernement et, à la fin de la
séance du jeudi, il traversa la Chambre pour prendre place dans
l'opposition et Wilfrid Lacroix, député de Québec-Montmorency, fit
de même le vendredi après-midi. Le premier ministre informa alors
la Chambre que C.G. Power, ministre de l'air, avait offert sa démission, comme d'ailleurs la presse l'avait annoncé, mais qu'elle
n'était pas encore acceptée. Jean-François Pouliot affirma : « *La
Province de Québec n'est aucunement opposée à une conscription bien
équilibrée sous le régime de laquelle les services de chaque homme
qui travaille dans une industrie essentielle sont considérés comme aide
à l'effort de guerre... J'espère qu'à l'avenir on ne mêlera pas la politique à cette question.* » Puis il insista pour que l'on donne carte
blanche au général McNaughton pour la réforme du ministère de
la défense. [54]

McNaughton commença la deuxième journée de comptes rendus par une déclaration écrite qui clarifiait la discussion de la veille, pendant laquelle, soldat sans expérience parlementaire, il s'était troublé sous le feu des questions posées, sans aucun ménagement, par des parlementaires et des juristes aguerris :

*« J'ai fait connaître ma préférence marquée pour notre système volontaire traditionnel et aussi mon espoir qu'il puisse ne pas être nécessaire d'utiliser pleinement les pouvoirs donnés au ministre de la défense nationale par l'arrêté-en-conseil déposé hier sur la table des délibérations. Dans certains milieux, mes remarques ont été interprétées comme une intention de ma part d'accaparer tous les sujets disponibles engagés pour servir partout où ce sera nécessaire, de me servir d'eux en premier lieu, même s'ils ne sont pas aussi bien entraînés que les troupes LMRN. Il n'en est rien. Ce que j'ai désiré faire comprendre, c'est mon espérance que des hommes entraînés pour la défense nationale s'offriront comme volontaires assez tôt et en nombre suffisant pour qu'il ne soit pas nécessaire d'user de contrainte pour les diriger vers le front. Ce que je désire rendre clair, c'est que, si des soldats bien entraînés ne s'offrent pas volontairement en nombre suffisant, nous compléterons les effectifs avec les meilleurs que nous avons. Ceux-là seront choisis en vertu du décret. Bien que ce décret soit applicable à l'effectif LMRN tout entier, le ministre de la défense nationale n'est autorisé par le présent arrêté-en-conseil à n'en prélever qu'un maximum de 16 000 pour servir sur tous les champs de bataille. Ce pouvoir ne servira que pour obtenir des sujets dont l'entraînement est terminé, qu'ils soient ou non LMRN, si des volontaires ne s'offrent pas suffisamment rapidement pour organiser les contingents requis. On a fixé le nombre à 16 000 pour assurer des réserves adéquates. En plus de préparer ces réserves pour le temps où elles seront nécessaires, ce nombre permettra de prolonger les périodes de repos des individus et donnera un surplus qui rendra possible le remplacement de ceux qui obtiendront des congés au Canada à mesure que se réaliseront ces prévisions. »* [55]

Il annonça aussi que les unités LMRN qui fourniraient les 10 000 hommes de renfort devant partir en décembre et janvier avaient été choisies ce matin même et qu'elles seraient bientôt dirigées vers des « *régions de concentration· dans l'Est du Canada.* » Ceux qui voudraient s'engager volontairement en auraient toutes les possibilités, mais ces unités entières, y compris ces volontaires, partiraient sans faute aux dates actuellement prévues. [56]

Le total des enrôlements LMRN de 1941 au 27 septembre 1944 s'établissait à 150 000. De ce nombre, 42 000 s'étaient engagés depuis pour servir hors du Canada, 6 000 avaient été transférés dans d'autres services et 33 500 avaient été démobilisés, ce qui laissait un total net de 68 500, dont 8 500 en congé de durée indéfinie pour du travail d'intérêt national. Ceux qui s'étaient enrôlés en 1942, l'année la plus intensive, constituaient plus du tiers du total actuel. La plupart de ces 60 000 provenaient des régions militaires du Québec (22 800), de l'Ontario (15 000), des Prairies (13 800), des Maritimes (4 300), de la Colombie britannique (4 100). [57] Les *leaders* du *CCF* et du Crédit social dénoncèrent la contrainte exercée pour obliger les troupes LMRN à servir hors du Canada et des députés conservateurs protestèrent contre des cas pénibles où des réformés avaient été mobilisés de nouveau, où d'autres, blessés, avaient été remis en service actif, où, enfin, des démobilisés de l'armée de l'air ayant moins de deux ans de service pouvaient être rappelés. A la fin de la séance, Coldwell demanda encore une séance à huis-clos, mais la Chambre s'ajourna pour le *week-end,* sans s'être prononcée.

Quand le parlement se réunit de nouveau le lundi 27 novembre, dans l'après-midi, le premier ministre annonça qu'il n'avait pu persuader le ministre de l'air Power de retirer sa démission et qu'elle avait été, par conséquent, acceptée. Dans la correspondance qui fut lue et déposée, Power déclarait ne pouvoir accepter la politique du gouvernement sur l'utilisation des hommes du LMRN :

« *Je ne crois pas à la nécessité d'une semblable politique en ce moment, ni qu'elle épargnera une seule vie canadienne.*

*Je me suis séparé du colonel Ralston après mûre réflexion, surtout parce que le nombre de soldats qu'il prétendait nécessaire était comparativement si minime, les moyens de remédier à la situation si faciles à utiliser sans soumettre les soldats du front à une tension indue et la fin de la guerre si imminente, qu'en faisant la part de toutes choses nous n'étions pas justifiables de provoquer une scission nationale.*

*Je ne peux pas accepter maintenant de la part d'un nouveau ministre, le général McNaughton, une recommandation qu'à regret je me sentis obligé de rejeter quand elle fut faite par un vieux camarade et un associé éprouvé, Layton Ralston.* » [58]

Dans un discours où il expliquait sa position, Power rendit hommage à la sincérité et à la conscience du colonel Ralston, mais il se déclara convaincu que l'armée aurait pu réduire ses pertes et éliminer la crise des renforts en enlevant « *les hommes de la ligne de feu, temporairement, pour les remettre en état, les équiper de nouveau, les reposer, leur permettre de récupérer et remplir les vides de leurs rangs... Si la pratique de récupération systématique avait été adoptée, alors le système volontaire que nous avons suivi, qui a procuré plus d'hommes l'an dernier qu'il n'en fut jamais prévu et qui, selon les paroles mêmes du ministre actuel de la défense nationale, M. Mc-Naughton, n'a pas failli, aurait suffi à ce stade actuel de la guerre où, d'après les rapports les plus autorisés, la victoire est certaine.* » [59] Il était convaincu que « *ni la victoire ultime, ni l'honneur national*

*n'exigeaient que les troupes canadiennes soient en action à toute heure,*
*ou tous les jours. »* Il n'avait pu changer ses convictions au sujet de
la conscription « *en l'espace de quelques minutes* ». Par conséquent,
« *pour des raisons contraires à celles du colonel Ralston, mais en sui-*
*vant son exemple* », il quittait, lui aussi, le cabinet, en accord avec la
doctrine de solidarité ministérielle.

Power, le libéral de langue anglaise qui avait la plus profonde
connaissance du Québec, pouvait dire :

« *La conscription peut être justifiée en des moments de crise na-*
*tionale et pour la défense de son propre pays : au cours de la dis-*
*cussion du Bill 80, en 1942, c'est ce que j'ai dit. Elle aurait pu être*
*justifiée en certaines périodes et phases de cette guerre, quand nous*
*étions au bord d'une défaite presque certaine. Elle aurait pu être*
*justifiée si le Jour-J avait été une catastrophe écrasante au lieu d'un*
*brillant succès. Mais ces jours sont maintenant passés. Nous n'avons*
*aucun droit de mettre ce pays en pièces à ce stade et en cet état de*
*la guerre.*

> .        .        .        .        .        .

*Un mot sur les conséquences de cette controverse. Des millions de*
*gens honnêtes et respectables, de toutes les parties du Canada et de*
*toutes nuances d'opinion, sont en voie de se haïr et de se rabaisser*
*les uns les autres. La raison et la conviction sincère ont laissé le*
*chemin libre à l'hystérie, des deux côtés. La séparation des classes et*
*des races a été poussée de plus en plus profondément. Le résultat le*
*plus tragique de tous est l'affaiblissement de la foi et de la confiance*
*aux hommes publics, non seulement du peuple d'une seule province,*
*mais de toutes les provinces, non seulement parmi ceux qui main-*
*tiennent une certaine opinion, mais chez les hommes et les femmes*
*de tous les côtés de ce malheureux débat.*

*Quant à la séparation à laquelle j'ai fait allusion, je chéris et reste*
*fortement attaché aux idées du chef sous l'égide duquel je suis entré*
*en cette Chambre, Sir Wilfrid Laurier. Il ne pouvait pas et n'aurait*
*pas cru qu'en tant que Canadien il pouvait appartenir au parti d'une*
*seule province. Avec lui, je ne peux pas et je ne souscrirai pas à un*
*point de vue purement isolationniste et provincial.*

*Il est possible que, pour quelque temps encore, soit oublié le jour*
*où des hommes partageant des principes et des idées semblables pou-*
*vaient se rencontrer et s'unir pour une action commune en traversant*
*la rivière Ottawa.*

*Mon espérance et ma prière sont que nous n'assistions pas à une*
*telle séparation et qu'à l'avènement de la victoire et de la paix exté-*
*rieure, la paix et la compréhension puissent revenir à l'intérieur de*
*notre propre pays. »* [60]

Ayant perdu un collègue de son cabinet parce qu'il avait refusé d'adopter la conscription et un autre parce qu'il avait fini par l'adopter, le premier ministre demanda alors un vote de confiance, espérant que « *la Chambre aidera le gouvernement dans sa politique de maintien d'un vigoureux effort de guerre* » et il fit un long et émouvant plaidoyer pour son gouvernement. Il déclara que la conscription était la véritable question et que les démissions de Power et de Ralston, pour des raisons contraires, faisaient clairement voir les difficultés qu'il devait affronter « *en cherchant à poursuivre ce qui fut avant tout le but suprême de ma vie publique : le maintien de l'unité au sein du gouvernement de ce pays et du dominion tout entier, autant qu'il serait possible.* » [61] Il évoqua alors, assez longtemps, l'histoire de la conscription, depuis septembre 1939 quand le parlement était uni dans la pensée qu'il ne devait pas y avoir de conscription pour le service armé outre-mer et depuis mars 1940 quand le gouvernement avait reçu « *mandat de poursuivre la guerre et de la poursuivre sans recourir à la conscription.* » [62] Lorsque la France s'effondra et que le Canada fut menacé d'invasion, la loi LMRN établit la conscription pour la défense du pays, à l'intérieur de son territoire. Cette loi fut votée et acceptée par le pays. Ce fut alors qu'il y eut de l'agitation pour qu'elle s'applique aussi au service hors de ses frontières et le plébiscite avait relevé le gouvernement de son obligation morale de ne pas recourir à son pouvoir légal d'établir la conscription pour le service armé outre-mer. Réfutant l'opinion selon laquelle le résultat du plébiscite aurait été un mandat pour l'établissement de la conscription, King affirma que la politique du gouvernement, telle que le *Bill 80* l'avait définie « *n'était pas obligatoirement la conscription, mais la conscription si elle devenait nécessaire... et jusqu'au point où elle serait nécessaire.* [63] Or, aucune mesure de ce genre ne s'était avérée nécessaire avant les événements actuels.

Abordant alors l'histoire de la crise, il déclara que, bien que le colonel Ralston pensât depuis longtemps qu'il pourrait devenir nécessaire de recourir à la conscription pour réunir les renforts indispensables, aucune demande de ce genre n'avait été faite avant octobre, lorsque Ralston revint d'Europe. Il déclara que la pénurie de renforts n'était alors prévue que pour le commencement de la nouvelle année et que, par conséquent, « *bien que le gouvernement eût consacré à cette question toute l'attention que nécessitaient sa grande importance et sa grave signification, nous n'avons couru aucun risque, malgré les accusations conservatrices, pour ce qui concerne nos soldats qui combattent outre-mer.* [64] *Le cabinet a cherché une solution au problème, qui ne provoquerait pas la chute du gouvernement en temps de guerre, espérant qu'à l'avenir la propagande organisée pour la conscription au Canada* », qui avait créé « *un degré d'agitation... dont le pareil n'avait jamais été vu auparavant dans l'histoire du Canada* », serait condamnée. Le cabinet, ayant le sentiment que tout ce qui était possible avait été fait « *pour faire de l'effort du Canada, un effort total de guerre* », [65] s'était demandé pourquoi il était nécessaire de courir le risque de diviser le pays à la veille d'une victoire certaine. Le premier ministre, lui-même, s'était particulièrement inquiété de l'effet que pourrait avoir, sur le rôle du Canada dans le monde après la guerre, toute décision de nature à semer la discorde à l'intérieur du pays.

Le cabinet avait admis le besoin de renforts, mais il était resté divisé sur la manière de les obtenir. On s'accorda pour un nouvel appel de volontaires, mais aucun accord ne put être réalisé sur sa durée. Ralston « *n'avait pas foi* » dans le succès de cet appel et il menaça de démissionner, à moins que la contrainte ne soit utilisée, si elle était nécessaire. Power, ministre de l'air, était malade et ne pouvait remplacer Ralston comme ministre associé de la défense nationale. D'autres ministres affirmèrent que si Ralston démissionnait, ils démissionneraient eux aussi. [66] King appela alors le général McNaughton qui exprima sa conviction que le nombre d'hommes nécessaire pouvait être obtenu par le volontariat et il consentit à entrer dans le gouvernement si une crise se déclarait. Le premier ministre en informa alors le cabinet et Ralston démissionna. McNaughton le remplaça, après que Ralston et d'autres ministres eurent refusé d'accepter la responsabilité de prendre la tête du gouvernement et d'imposer la conscription. [67]

Le premier ministre avait refusé d'en appeler au pays, bien qu'il n'eût aucun doute qu'il serait remis au pouvoir par une belle majorité, parce que des élections auraient entraîné une campagne acharnée et retardé l'envoi de renforts. [68] Il déclara que, jusqu'à la réunion du parlement le 22 novembre, il avait pensé que l'appel de volontaires réussirait mais, à une réunion du cabinet ce soir-là, McNaughton exprima l'opinion, résultant « *d'une conférence avec son état-major* » que « *peut-être ce serait prendre un trop grand risque que de ne pas agir immédiatement.* » [69] Alors, le ministère avait choisi un moyen terme entre la conscription intégrale et pas de conscription du tout, en adoptant l'arrêté-en-conseil qui garantissait les renforts nécessaires. Citant Sir John A. Macdonald, qui avait décrit l'immobilisme et son implication d'anarchie qui pesaient sur le Canada quand le Québec et l'Ontario n'arrivaient pas à s'unir pour former un gouvernement fort avant la Confédération, King déclara qu' « *à moins que la Chambre des Communes ne parvienne à s'unir raisonnablement pour soutenir un gouvernement qui pourra continuer, à ce stade, la guerre, nous aurons à faire face à la possibilité de l'anarchie au Canada, pendant que nos hommes combattent outre-mer, donnant leurs vies pour que nous puissions garder nos libres institutions et jouir de la paix et de la concorde au cours des années à venir.* » [70]

La décision prise en cette occasion était conforme à l'attitude adoptée autrefois par le gouvernement au sujet du *Bill 80,* comme le premier ministre l'avait maintes fois déclaré en Chambre. Or, le gouvernement demandait, aujourd'hui, l'appui du parlement pour appliquer une décision prise en 1942. King expliqua la portée du décret dans les termes suivants :

« *Cet arrêté-en-conseil PC 8891 s'applique à tous ceux qui servent ou peuvent être appelés à servir sous l'autorité de la Loi de Mobilisation des Ressources nationales (LMRN)... Ce décret autorise le ministre de la défense nationale à expédier outre-mer un maximum de 16 000 soldats LMRN. En calculant le nombre d'hommes ainsi expédiés, l'on ne comptera comme sujets LMRN que les hommes qui seront embarqués sans avoir été transférés pour servir en dehors du pays. Tous les hommes transférés avant leur embarcation pour servir hors de nos frontières iront outre-mer en qualité de volontaires. Le nombre supplémentaire des soldats nécessaires totalise 16 000, sans tenir compte de leur statut en quittant le Canada.* » [71]

King fit valo.r que le gouvernement avait surmonté deux crises, avec succès : la démission de Ralston et l'adoption de l'arrêté-en-conseil qui aurait pu provoquer « *la démission du ministère tout entier, avec quelles conséquences, je laisse à d'autres le soin de l'imaginer !* » Adjurant la Chambre d'appuyer le gouvernement et d'éviter ainsi une nouvelle crise, « *crise pire que tout autre qui soit jamais parue à l'horizon du Canada* », il déclara : « *Ce n'aiderait pas l'armée que de renverser le gouvernement actuel, en imposant, peut-être, la nécessité d'élections générales.* » [72] Il évoqua encore le danger d'élections en temps de guerre, affirma qu'il resterait ou tomberait avec son parti et il demanda si l'un quelconque de ses collègues du cabinet ou des chefs des partis conservateur, *CCF* ou Crédit social, était prêt à prendre la responsabilité du gouvernement : « *A moins que vous le soyez, à moins que vous sentiez que vous pouvez présenter au pays un gouvernement de transition digne de son appui en ce moment, je pense que vous devez à mon gouvernement de le soutenir.* » [73]

S'adressant à ses partisans du Québec, il affirma que ses actes publics avaient toujours eu pour but l'intérêt de l'ensemble du Canada et non celui d'une province en particulier, bien qu'il eût été souvent accusé de tenter d'apaiser le Québec pour conserver son appui à n'importe quel prix. Il avait, toutefois, fait des efforts pour que la population du Canada comprennne la Province de Québec. Le Québec avait droit à des égards de la part des autres provinces parce que, grâce à lui, le Canada était resté britannique en 1775 et 1812 et qu'il avait toujours, depuis cette époque, pleinement collaboré à l'évolution de la nation canadienne. King affirma avoir toujours défendu la population du Québec contre « *les attaques sans pitié, sans principes et souvent brutales* » venant d'autres parties du pays, non pas simplement dans l'intérêt de l'équité et de la justice, mais parce que « *le Canada ne peut pas être gouverné, à moins que les droits des minorités soient respectés.* » Il déclara que les Canadiens français ne craignaient pas la conscription, à laquelle ils s'étaient soumis sous le régime de la Loi de Mobilisation des Ressources nationales, mais qu'ils la considéraient comme un symbole de domination par la majorité. Rejetant l'accusation d'apaisement, il fit remarquer que le Québec avait accepté de différer la réfection de la carte électorale, à ses dépens. Il avait accepté le *Bill 80,* bien qu'avec cette mesure commençât la légère fêlure au cœur du parti libéral et, maintenant, il lui était demandé d'accepter la conscription partielle. Il fit appel à ses partisans du Québec, « *qui ont eu si fermement confiance en moi au cours des années passées* », leur demandant de lui faire encore confiance en cette occasion. [74]

Citant les appels de Laurier, qui demandait aux Canadiens français, en 1887, d'être Canadiens d'abord et, en 1916, de s'unir aux Canadiens anglais pour offrir leurs services, il ajouta les paroles prononcées en 1939 par Lapointe, « *l'ami le plus intime, le plus sincère et le plus dévoué que j'aie eu dans ma vie politique* » : « *Aucun gouvernement ne pourrait rester au pouvoir s'il refusait de faire ce que la grande majorité des Canadiens voudrait qu'il fasse.* » Il demanda alors un vote de confiance, non comme approbation de l'arrêté-en-conseil, non comme approbation de la conscription, non comme approbation sans réserve de la politique du gouvernement, mais comme indication de consentement « *à soutenir le gouvernement qui continue à poursuivre l'effort de guerre du Canada dans le temps présent.* » Un vote contre la motion serait considéré par le gouvernement comme un vote « *pour que le gouvernement actuel démissionne et qu'un autre prenne immédiatement sa place.* » Il termina par quelques paroles de Laurier prononcées en 1900, qu'il désirait faire siennes, en cette occasion, « *pour que mes concitoyens se souviennent de moi quand, moi aussi, je serai parti* » :

« *S'il est une tâche à laquelle je me suis dévoué au cours de ma carrière politique, c'est celle d'avoir cherché à favoriser l'unité, l'harmonie et l'amitié parmi les divers éléments de notre pays. Mes amis peuvent me délaisser ; ils peuvent me retirer leur confiance ; ils peuvent remettre à d'autres ce qu'ils m'avaient confié : jamais je ne dévierai de cette ligne de conduite. Quelles que soient les conséquences : perte de prestige, de popularité ou du pouvoir, je sens que je marche dans le droit chemin, je sais qu'un jour viendra où tous me rendront entière justice sur cette question.* » [75]

Ce discours fut l'un des plus remarquables de Mackenzie King. Il s'exprima alors avec l'éloquence et l'émotion qu'il avait si souvent sacrifiées à la prudence et à l'anticipation de toutes les éventualités. Bien qu'il ne cachât point qu'il se jugeait indispensable, ce qui irritait ses critiques, il donnait, dans ce discours, une preuve éclatante de son habileté à fixer le cours que devait suivre la nation sur ces eaux troublées, en tenant compte de toutes les tendances de l'opinion publique canadienne. Ce fut le chef-d'œuvre d'un personnage extraordinaire, qui unissait en lui les talents d'un idéaliste érudit à ceux d'un politicien hautement pratique.

Ce soir-là, Gordon Graydon, chef de l'opposition, affirma en Chambre : « *Je pense que ce parlement est surtout celui de ceux qui combattent pour le Canada et aussi, tout autant, indirectement, celui de leurs mandataires.* » Il déclara que le gouvernement aurait pu faire face à la crise des renforts et la résoudre « *s'il avait eu le courage de le faire avant qu'elle atteigne les proportions actuelles, acculant notre population à l'inquiétude et à la détresse, autant ici qu'outre-mer, par cette longue et tragique procédure.* » Il demanda instamment que les distinctions de parti soient abolies dans l'intérêt national et que l'on se soucie de l'unité nationale « *sans haine dans nos cœurs pour une partie quelconque du Canada.* » [76] L'essentiel était de gagner la guerre et, quoi qu'en dît le cabinet, celle-ci n'était pas encore gagnée. Le pays voulait que le parlement règle la question une fois pour toutes, sans crise ministérielle et sans retarder l'envoi des renforts. Il protestait donc contre le décret limitant ces renforts à 16 000 hommes et il prédisait d'autres crises quand de nouveaux décrets deviendraient nécessaires.

Graydon déclara que le gouvernement semblait appliquer à contre-cœur sa politique de « *conscription contrôlée* ». Le premier ministre demandait qu'il lui soit fait confiance pour la réalisation de son programme législatif, mais les paroles qu'il avait prononcées cet après-midi avaient fait davantage pour discréditer ce programme que toute démarche que l'opposition aurait pu entreprendre à son encontre. [77] Il compara défavorablement ce décret avec celui qui ordonnait l'envoi de troupes LMRN sur le front Alaska-Aléoutiennes et affirma l'opposition conservatrice à ce relâchement de la lutte pendant la dernière phase du combat. Il réclama une armée unique et la fin de cette « *politique de morcellement et d'apaisement* » qui avait jeté la confusion dans l'opinion publique à mesure que le gouvernement reculait de tranchée en tranchée. Il demanda instamment un maximum plutôt qu'un minimum de renforts, en posant cette question : sera-t-il demandé aux Canadiens qui servent sur le front européen d'aller combattre dans le Pacifique, pendant que les soldats LMRN resteront au Canada ? Il insista pour que l'on accorde davantage de permissions aux soldats sur le point de passer leur sixième Noël outre-mer. Il reprocha au premier ministre d'avoir lancé le mot d'ordre : « *King ou l'anarchie au Canada.* » L'opposition voulait la guerre totale et ne l'ayant pas obtenue du gouvernement, il présenta un amendement à la motion de confiance :

« *Cette Chambre considère qu'un flot continu de renforts suffisants et bien entraînés n'a pas été assuré par le gouvernement en ordonnant que toutes les troupes LMRN, présentes et futures, servent sur tous les champs de bataille et il n'a pas réussi dans sa tâche d'assurer l'égalité de service et de sacrifice.* » [78]

M.J. Coldwell, chef du *CCF*, déclara qu'il s'agissait de renforts et non de conscription, affaire qui avait été réglée dès 1940. Il regretta que le gouvernement n'eût pas jugé à propos de mobiliser les ressources aussi bien que les hommes, comme le pouvoir lui en avait été donné par la Loi de Mobilisation des Ressources nationales et qu'il n'eût jamais fait un inventaire complet des ressources nationales, ni affecté les hommes à l'agriculture, à l'industrie ou au service militaire. Il avait insisté sur la convocation du parlement à la suite de la démission de Ralston, parce qu'il croya't que le parlement et non le gouvernement seul devait connaître la situation en détail et prendre la responsabilité de ce qui était fait. Le *CCF* n'avait pris aucune part à « *la récente discussion à travers tout le pays, fondée sur des suppos'tions et des rumeurs* » et il ne s'était pas joint au « *chœur de haine contre les mobilisés qui avaient refusé de se porter volontaires pour servir outre-mer.* » Un certain nombre auraient dû se porter volontaires, mais d'autres étaient déchirés « *entre leur devoir envers leur patrie et les nécessités de leur foyer, sans compter d'ailleurs, parfois, le souci des besoins du pays pour la production de denrées alimentaires et autres approvisionnements.* » [79] Il exigea des renseignements sur l'usage des troupes canadiennes dans le Pacifique et déclara que trop de questions demeuraient sans réponse, par suite de l'opposition des conservateurs à une séance à huis-clos.

Critiquant l'arrêté-en-conseil, Coldwell présenta un nouvel amendement, qui annulait l'amendement des conservateurs et ajoutait les mots suivants à la motion du gouvernement :

« *Qui, de l'avis de cette Chambre, exige l'abolition immédiate de toute distinction de conscrits et volontaires, rendant ainsi disponible, pour les renforts, l'armée de la défense nationale tout entière et réclame, en plus, la mobilisation totale de toutes les ressources du Canada, matérielles et financières autant qu'humaines, pour assurer un effort de guerre total, un rétablissement suffisant des membres de nos forces combattantes et le plein emploi après la guerre.* » [80]

Il estimait que le gouvernement ne pouvait pas poursuivre une guerre énergique, parce que ses dispositions restaient, à tous égards, inférieures aux besoins évidents. Il n'avait pas non plus confiance en les intentions et capacités des conservateurs, en raison de l'irresponsabilité dont ils avaient fait preuve en cette crise. Il parla du « *déploiement vraiment choquant de leurs manœuvres politiques* » et ajouta : « *Un certain nombre de leurs amis les plus haut placés et une partie de la presse les appuyant ont fait de leur mieux pour enflammer les différends et les haines sectaires.* » En conclusion, il raconta, de manière émouvante, sa récente visite au cimetière canadien de Dieppe :

« *Il n'y avait là aucune distinction de race, de croyance ou de couleur. C'était tout simplement de jeunes Canadiens morts pour leur patrie. Pourquoi, oh pourquoi ne pouvons-nous pas, nous qui sommes laissés en arrière dans ce pays, vivre ensemble, jouir de la liberté pour laquelle ils sont morts ? Ceux qui, au milieu de la guerre, s'emploient à dresser race contre race, doctrine contre doctrine et couleur en ce pays, sont, à mon avis, indignes des vivants et des morts.* » [81]

J.H. Blackmore, chef du groupe du Crédit social, écarta l'agitation comme de la « *pure politique* » et s'associa aux vues exprimées par Coldwell sur les conservateurs, avant de considérer les questions économiques auxquelles il attachait une bien plus grande importance.

Le premier ministre prit alors les conservateurs au dépourvu en proposant que la Chambre se réunisse le lendemain en séance secrète, puisque MM. Coldwell, Ralston et autres désiraient obtenir de plus amples renseignements, que l'on ne pouvait donner qu'à huis clos. Graydon demanda que la presse soit présente, ce qui fut refusé, conformément à l'usage britannique. La Chambre se réunit donc à huis clos le mardi 28 novembre, de trois heures de l'après-midi à onze heures du soir et le seul compte rendu des débats fut celui du président : « *L'Honorable Général A.G.L. McNaughton, Ministre de la Défense Nationale, était présent et donna des renseignements au sujet des troupes canadiennes.* » [82]

8

Quand la Chambre se réunit de nouveau en séance ordinaire, le mercredi 29 novembre, un conservateur, R.B. Hanson, député de York-Sunbury, demanda quelles mesures étaient prises par le gouvernement contre la « *mutinerie parmi les hommes de l'armée nationale* » sur la côte du Pacifique. Le premier ministre nia qu'il y eût « *mutinerie* » et déclara que la situation « *était soigneusement surveillée et complètement contrôlée.* » [83] D'autres pétitions furent reçues de l'Ontario, en faveur d'un effort de guerre illimité. Le premier ministre nia aussi que le ministre des travaux publics, Alphonse Fournier, eût donné sa démission. L'Honorable Mitchell, ministre du travail, déclara que les démobilisés de l'aviation ou de la marine qui avaient servi outre-mer, ou pendant trois ans au Canada, ne seraient pas rappelés pour servir dans l'armée. Des députés conservateurs avaient protesté contre l'injustice de leur situation. L'Orateur déclara ensuite que l'amendement secondaire CCF n'était pas recevable et le débat reprit sur la politique de guerre du gouvernement.

J.A. Johnston, député libéral de London, qui avait quatre ans de service actif, défendit l'effort de guerre du gouvernement en citant l'éloge fait la veille par Churchill, à la Chambre des Communes britannique, du « *magnifique caractère de l'effort de guerre canadien.* » Il rejeta la possibilité d'un « *gouvernement d'union hybride* ». [84] W.Earl Rowe, député de Dufferin-Simcoe, fit, de la part des progressistes-conservateurs, « *une offre de coopération, pourvu que soit trouvée la vraie direction... sans aucune demande ou proposition de gouvernement d'union* » :

« *Le parti progressiste-conservateur, avec la pleine autorité de son chef John Bracken et avec l'assentiment unanime de sa représentation en ce parlement, déclare, par la présente, qu'en cette heure de crise nationale où les fortunes des partis politiques doivent être subordonnées au bien-être national, il est prêt à coopérer avec tout gouvernement qui, sous la direction qui assurera l'égalité de service, offrira la preuve de sa volonté et détermination d'envoyer à nos soldats outre-mer les renforts qu'exigent nos engagements de guerre.* » [85]

Il critiqua les décisions prises par le premier ministre au sujet de la conscription et déplora la démission de « *deux des plus importants membres du cabinet* ». Comme il continuait par des paroles aimables à l'égard du colonel Ralston et de sévères critiques contre le général McNaughton, il y eut plusieurs interruptions venant des bancs du gouvernement, d'où l'on cria à la conspiration des conservateurs.

Victor Quelch, député d'Acadie, proposa un amendement du Crédit social demandant au gouvernement :

« *1. L'assurance absolue que nos hommes qui sont au front vont recevoir sans délai d'abondants approvisionnements et des renforts suffisants et que toutes les personnes de tous les services armés du Canada seront utilisées sur tous les champs de bataille où elles pourront être nécessaires.*

*2. L'assurance, confirmée par des actes, que :*

*a) Les hommes et les femmes des services armés démobilisés, ainsi que leurs familles, seront assurés de la sécurité économique accompagnée de gratifications substantielles et de facilités de réadaptation pour permettre leur réintégration dans la vie économique du pays.*

*b) Des pensions suffisantes et des soins médicaux gratuits seront donnés à toutes les personnes dont la santé se sera détériorée pour quelque cause que ce soit pendant leur service actif.*

*c) Toutes les personnes dépendant des soldats tués au combat ou morts au cours de leur service actif dans les armées canadiennes seront pourvues d'une indépendance économique pour la durée de leur vie.*

*d) Tout ce qui précède constituera une première charge de la nation.*

*3. L'assurance au peuple du Canada, confirmée dès maintenant par des actes, qu'après la guerre les abondantes ressources productives du pays seront utilisées à plein et que les bienfaits et les richesses qui*

*en résulteront seront équitablement répartis pour assurer à tout Cana-*
*dien la sécurité économique ainsi qu'une liberté complète.*

4. *L'assurance que les contrôles établis par le gouvernement en*
*temps de guerre, l'enrégimentation bureaucratique et la taxation op-*
*pressive cesseront aussitôt que possible après la guerre et que l'écono-*
*mie du temps de paix sera fondée sur une véritable démocratie libre*
*de l'emprise de l'État sur la vie des citoyens.*

5. *Des dispositions immédiates pour réaliser les réformes néces-*
*saires de notre système fiscal, sans lesquelles tout ce qui précède serait*
*impossible.* » [86]

Liguori Lacombe rappela son passé antimilitariste et les prophéties
du « *présent désastre* » qu'il avait faites depuis 1939 en déclarant :
« *Par la participation du Canada à la guerre, le gouvernement a sacri-*
*fié près de seize mille millions de nos deniers ; l'agriculture a perdu*
*plus d'un demi-million de travailleurs, hommes et femmes ; la famille*
*est désorganisée, pendant qu'à l'usine et dans l'armée s'étiolent nos*
*mères de famille et nos jeunes filles et que notre jeunesse est sacrifiée*
*par milliers et par milliers sur une terre étrangère.* » [87] Il affirma : « *Des*
*protestations, non seulement du Québec, mais de toutes les régions du*
*pays, nous arrivent contre la conscription... Je ne trouve pas de mots*
*assez cinglants pour condamner cette autre volte-face d'un gouverne-*
*ment qui, à l'expiration de son mandat, impose cette loi néfaste et*
*antinationale. Jamais un gouvernement n'a violé autant de promesses.*
*Jamais il n'a semé ainsi le doute et la défiance... Depuis la participa-*
*tion du Canada à la guerre, nous avons perdu toutes nos prérogatives.*
*Nous avons reculé d'un siècle vers le colonialisme... Puissions-nous en-*
*fin sortir de ce chaos et arborer, une fois pour toutes, un drapeau*
*canadien dans un pays indépendant et maître de ses destinées... qu'on*
*le veuille ou non, les réactions profondes de l'après-guerre l'imposе-*
*ront.* » L'attitude du gouvernement en 1939, en faveur de la participation, avait inévitablement amené la conscription et, si cette mesure avait été, en 1917, suivant l'expression d'Ernest Lapointe, « *une*
*erreur d'une ampleur effroyable* », elle était « *doublement condamna-*
*ble aujourd'hui* ». Il considérait cet « *impôt du sang* », venant maintenant s'ajouter au « *fardeau déjà trop lourd des taxes et des emprunts* »,
comme une conséquence de l'impérialisme militaire et financier qui
était « *érigé en doctrine par ceux-là mêmes qui prétendaient le com-*
*battre.* » [88]

Fred Rose, député communiste de Cartier, faubourg ouvrier de
Montréal, affirma que le parti ouvrier-progressiste ne comptait parmi
ses membres aucun soldat LMRN et qu'il avait tout fait en son
pouvoir pour encourager le volontariat. Il se déclara convaincu que,
si le caractère de la guerre avait été bien expliqué au peuple du Québec au moment du plébiscite, cette province aurait adopté une autre
attitude à son égard. Il ne fallait pas distraire l'attention du pays de

la question des renforts en soulevant celle de la mobilisation des richesses et des ressources nationales. Il engagea la Chambre à reconnaître que le Canada est un « *Etat composé de deux nations* », que les Canadiens français avaient raison de se méfier des guerres à cause du passé et qu'ils avaient des griefs qui n'avaient jamais été redressés. Il qualifia de venimeuse et anticanadienne la campagne de presse dans les huit autres provinces contre « *le Québec et les* zombies *du Québec* », affirmant que les animateurs de cette campagne étaient les chefs du parti progressiste-conservateur :

> « *Tout cela commença il y a quelques mois au sujet des allocations familiales. Drew, premier ministre de l'Ontario, s'écria alors : Ontario ne paiera pas pour les* zombies *du Québec. Cette campagne fut alors poursuivie avec tant de violence qu'il vint tout près de s'y casser le cou. Il décida alors de se rendre outre-mer et il en revint avec une autre question, celle des renforts. Je ne nie pas son importance, mais je n'aime pas qu'on l'ait posée de cette manière. Le premier ministre Drew revint au pays et, presqu'en même temps, le major Connie Smythe qui déclara publiquement que des hommes sans entraînement suffisant étaient envoyés au front. Si je comprends bien la loi militaire, ce major aurait dû, avant tout, traiter cette affaire avec les autorités concernées et non en faire une question politique. Mais il n'en fut rien ! Quand les troupes LMRN paradent, nous entendons parler de mutinerie, mais quand les officiers violent tous les règlements, personne ne souffle mot de mutinerie ou de trahison.* »[89]

L'isolationnisme canadien-français avait été nourri par des *leaders* tant canadiens-anglais que canadiens-français. Rose accusa la *Dominion Textile* et les compagnies d'aluminium d'avoir encouragé leurs ouvriers à adhérer aux syndicats catholiques, les isolant ainsi du reste du Canada et gardant leurs salaires plus bas. Le niveau de santé et d'instruction du Québec était inférieur à celui des autres provinces et c'était toujours un Canadien anglais qui tenait les cordons de la bourse provinciale.

Rose affirma que le poison répandu dans le pays tout entier contre le Québec était l'œuvre des mêmes éléments conservateurs qui, dans le passé, avaient profité de l'isolationnisme du peuple.[90] La population de la province avait été soumise à une plus forte dose de propagande fasciste que toute autre partie du pays. Les publications électorales conservatrices, en 1935, avaient été diffusées avec l'aide d'Adrien Arcand, lieutenant d'Hitler au Canada. De son côté, l'Honorable Sam Gobeil, chef du parti conservateur québécois, était l'auteur de tracts plus ouvertement pro-hitlériens que ceux de tout autre politicien du pays. Paul Bouchard, rédacteur en chef de *La Nation*, l'une des pires feuilles fascistes de la province, avait été financé pour sa campagne dans Lotbinière, en 1937, par Maurice Dupré, *leader* conservateur fédéral dans la province.[91] Ce journal avait reçu l'appui de

Frédéric Dorion, en ce temps-là conservateur et, maintenant, chef du Groupement des Indépendants, que Rose accusait d'être un front conservateur. Il accusait aussi les Canadiens anglais d'avoir financé, aux dernières élections provinciales, la machine anti-guerre de Duplessis, alors soutenue par la même *Gazette* de Montréal qui, aujourd'hui, réclamait si bruyamment la conscription. Il n'exonérait pas le parti libéral de tout blâme, mais il tenait les *tories* comme principalement responsables de l'attitude du Québec.

Il défendit l'activité des Canadiens français dans les services et l'industrie de guerre et déclara que, si le recrutement avait été plus faible dans le Québec, c'était parce que sa population était .« *victime de certaines conditions dont les Canadiens anglais sont en grande partie responsables.* » Il préférait la manière employée par le général Laflèche pour obtenir des volontaires canadiens-français à celle de certains membres du parlement, « *qui sont assis ici et qui attaquent et attaquent encore, sans relâche, toute tentative faite pour persuader ces hommes de s'enrôler volontairement.* » Il déplora les attaques lancées contre le général McNaughton et sa campagne pour recruter des volontaires, en déclarant que les *tories* s'intéressaient moins aux renforts qu'à renverser le gouvernement et à provoquer des élections qui leur permettraient d'accéder au pouvoir, non pas pour le bien des hommes qui sont allés se battre, mais pour qu'ils puissent ramener le pays aux anciens jours des verges de fer de Bennett. Il approuva l'arrêté-en-conseil, qu'il pensait devoir satisfaire tout le monde, « *c'est-à-dire, si l'on veut réellement des renforts et non pas imposer une élection sur la question de conscription... Les seuls qui auraient à gagner dans une telle élection seraient ceux-là mêmes dont l'intérêt est de nous diviser. Toutes les fois que Français et Anglais se sont tenus ensemble, la population tout entière en a bénéficié. Chaque fois qu'ils ont été divisés, tous en ont souffert, à l'exception de ceux qui voulaient les voir séparés. Il nous faut réaliser une plus grande unité nationale si l'on veut que nos hommes obtiennent les renforts dont ils ont besoin et si le peuple du Canada veut atteindre à la sécurité et à la paix dans la période d'après-guerre.* » [92]

Ce soir-là, le colonel Ralston, qui était devenu le personnage central de la crise et dont on parlait beaucoup comme premier ministre éventuel d'un gouvernement de coalition, [93] fit un discours de deux heures. Il contesta la version du premier ministre, qui donnait à entendre qu'il aurait violé le secret ministériel. Il retourna le compliment, en observant : « *Ce qui est très bien pour le premier ministre du Canada doit être bien aussi, je suis sûr qu'il l'admettra, pour un humble ex-ministre.* » Il déclara qu'à une séance du cabinet, vers la fin de septembre, il avait signalé que les lourdes pertes de l'infanterie pourraient nécessiter l'envoi de soldats LMRN dont l'entraînement était terminé. [94] Bien qu'il n'eût jamais prétendu que l'on n'aurait peut-être pas à recourir aux soldats LMRN, il avait travaillé quand même tant qu'il avait pu pour défendre le volontariat. Il se rendait compte maintenant, tout en préférant encore une armée de volontaires, que ce système n'avait pas répondu à son but qui était d'être une source sûre de remplacements d'infanterie à ce stade de la guerre. [95] Sa version de l'offre du premier ministre de démissionner en faveur de tout autre membre du cabinet, était que ce dernier n'avait demandé qu'à lui et à deux autres s'ils accepteraient le poste et qu'ils avaient tous refusé, considérant la question comme « *purement hypothétique.* » King nia aussitôt ces déclarations. [96]

Ralston soutint que la mesure qu'il avait proposée n'était pas nouvelle et qu'elle avait déjà été approuvée par le gouvernement en 1942. Il déclara n'avoir aucune ambition de devenir premier ministre et avoir donné sa démission devant le refus du cabinet d'accepter sa recommandation, mais pas à cause d'une limite de temps pour demander aux soldats LMRN de se porter volontaires. Quand le premier ministre avait dit que le général McNaughton croyait que les 15 000 hommes demandés par Ralston pouvaient être recrutés par le volontariat, il avait aussi déclaré qu'il fallait demander à McNaughton de remplacer Ralston et, comme il avait ajouté que celui-ci avait déjà offert sa démission deux ans auparavant et ne l'avait jamais retirée, Ralston démissionna. [97] Il contredit le premier ministre qui assurait qu'aucune pénurie de renforts ne se produirait avant le commencement de la nouvelle année, déclarant qu'au moment de sa démission « *les chiffres montraient qu'une pénurie considérable se produirait dès la fin de décembre : je veux dire, un affaiblissement des unités elles-mêmes, sans aucune réserve.* » C'était pour cette raison qu'il avait insisté pour que l'on agisse dès octobre, afin qu'il soit possible d'envoyer des soldats outre-mer dès novembre, sans perdre un autre mois. [98]

Ralston analysa en détail la situation des renforts telle qu'il l'avait constatée au cours de son voyage outre-mer et il rappela l'échec des campagnes précédentes pour amener les soldats LMRN à se porter volontaires. Il critiqua la politique adoptée par le gouvernement après sa démission mais, l'action étant plus importante que la méthode, il déclara qu'il voterait pour la motion du gouvernement, plutôt que de risquer d'autres retards par la formation d'un nouveau ministère, ou la dissolution qui résulterait de l'adoption de l'amendement conservateur. Cependant, il continuait de penser qu'il fallait tenir en disponibilité, pour servir hors du territoire canadien, tous les soldats LMRN. [99] Après avoir rendu un dernier hommage à l'armée canadienne, il demanda à la Chambre de s'assurer que tous les vides soient comblés dans les rangs de l'armée. Ralston était si manifestement, jusqu'alors, la figure dominante du débat, que R.B. Hanson proposa d'ajourner au lendemain pour permettre à ses paroles de pénétrer, après avoir reproché au premier ministre et au général McNaughton un retard de six semaines pour l'envoi de renforts, en les tenant responsables de tout le sang qui pourrait être versé par suite de ce retard. [100]

9

Quand la Chambre se réunit le jeudi 30 novembre, Daniel McIvor, député de Fort William, demanda à King si ce n'était pas une perte de temps et d'argent que de poursuivre le débat, puisque le premier ministre, le colonel Ralston, le général McNaughton et les chefs de l'opposition avaient parlé. Le premier ministre se déclara favorable à ce qu'un terme soit mis au débat, mais ajouta qu'il ne voulait priver aucun député de sa liberté d'intervention. A la reprise du débat, l'Orateur déclara que l'amendement du Crédit social n'était pas recevable.

Hanson, parlant en qualité de chef suppléant des progressistes-conservateurs, déclara que l'offre faite la veille au nom de John Bracken par Rowe était encore valable et qu'il ne s'agissait pas d'un « *simple geste politique.* » [101] Il nia qu'il y ait eu campagne organisée pour la conscription, sinon de la part de la Légi᷄  ᷄ canadienne, ou conspiration pour se débarrasser du premier min. ᷄᷄. « *Ce qu'a fait l'opinion publique en dehors de cette Chambre — et elle a été exprimée par les grands journaux métropolitains du Canada — a été de fixer l'attention sur une situation que nous savons maintenant avoir existé, qui existe encore et qui ne sera pas suffisamment corrigée par la volte-face politique du premier ministre et de ceux de ses collègues du cabinet qui ont fait demi-tour avec lui* », déclara Hanson. Il s'attribua le mérite d'avoir contribué à refaire la politique du gouvernement après Dunkerque en aidant à élaborer la Loi de Mobilisation des Ressources nationales, tout en déplorant « *qu'elle comporte une limitation rédhibitoire qui scandalise l'opinion publique au Canada.* » [102] Il tenta de prouver que Macdonald, Ralston, Ilsley et Power avaient approuvé la conscription intégrale après le plébiscite, mais qu'ils avaient cédé par solidarité ministérielle. Il demanda quelle confiance on pouvait avoir en King et McNaughton qui avaient fait volte-face en une nuit et adopté la politique qu'ils avaient récemment condamnée. Hanson déplora aussi que le colonel Ralston ne pousse pas sa cause jusqu'au bout pour la conversion immédiate de toutes les troupes LMRN. Il s'insurgea contre le premier ministre qui donnait à entendre que personne d'autre que lui et les « *dix-huit vieillards épuisés* » du cabinet ne pouvaient assumer la charge de gouverner le pays. Après cet éloquent exorde, Hanson s'aliéna la sympathie de la Chambre en attaquant les ministres du cabinet un par un, d'une manière partisane. Il termina en demandant un vote de non-confiance parce qu'il restait un doute sur « *l'autorité conférée par l'arrêté-en-conseil de prendre tout homme pouvant être nécessaire si l'occasion s'en présentait et même avant qu'elle se présente.* » [103] Cependant, il refusa de répondre quand on lui demanda si la Mandchourie, la Chine, la Birmanie et l'Inde étaient exclues des termes de l'amendement conservateur, comme l'était le Japon, selon ce qu'il avait déclaré.

L.-Philippe Picard, député de Bellechasse, apporta alors au débat la première contribution canadienne-française notable. Faisant remarquer que « *le bon sens et la raison sont rarement présents à l'origine des grandes crises nationales ou parlementaires* », il déclara que la crise actuelle était une autre preuve que « *les manifestations d'émoi général peuvent en arriver à forcer les dirigeants du pays à prendre certaines mesures susceptibles, à leur tour, d'inciter d'autres groupes à réagir de telle façon qu'il s'ensuit de la friction.* » [104] Il passa brièvement en revue les progrès accomplis par le Canada au cours des cinq dernières années, en soulignant qu'ils avaient pu être réalisés « *parce que le pays appuyait à fond les méthodes suivies jusqu'ici par le gouvernement... les difficultés ont commencé au Canada lorsque les éléments conscriptionnistes du cabinet ont cédé à la pression exercée par la presse* tory *et ont forcé le gouvernement à présenter le* Bill no 80. » La présentation de ce *bill* n'était aucunement urgente « *attendu que deux ans et quatre mois étaient passés depuis son adoption, en dépit de ma propre opposition et de celle d'un bon nombre d'autres honorables députés, avant qu'une nouvelle pression et la menace d'une rupture dans le cabinet eussent provoqué l'adoption d'un décret du conseil s'appliquant au* Bill no 80. » Tous étaient d'accord pour conduire la guerre vers une conclusion heureuse et rapide. La seule question qui pouvait les diviser était celle de la conscription qui avait « *divisé la nation britannique en 1916* » et qui, dans la présente guerre, divise encore l'opinion publique « *dans plusieurs, sinon l'ensemble des dominions britanniques. La presse* tory, *les loges orangistes et les tenants de la technocratie ne peuvent pas blâmer les Canadiens français ou le Québec de la situation qui existe dans d'autres parties de l'Empire.* »

Considérant l'historique contribution canadienne-française à l'évolution du pays, Picard protesta contre l'habitude canadienne-anglaise de faire d'eux « *une sorte de bouc émissaire national à qui on fait porter le blâme de tout ce qui va mal* » et aussi toute la responsabilité des opinions isolationnistes d'un Groulx ou d'un Laurendeau, que l'on fait retomber sur « *tout le groupe ethnique* ». L'on s'était aussi opposé à la conscription en Angleterre, en Irlande du Nord, en Australie, en Nouvelle-Zélande et en Afrique du Sud, au cours de cette guerre, mais « *au Canada, une question dont la discussion n'aurait dû porter que sur le fond ou sur le principe en jeu est devenue une cause de discorde entre les races et de préjugés de clocher.* » [105]

Après avoir cité des opinions sur la conscription exprimées en Angleterre et dans les autres dominions, Picard examina l'évolution de cette attitude d'opposition à la conscription dans le Québec. Il souligna que, de 1898 à 1912, « on n'a nullement encouragé un Canadien d'origine française à faire partie de l'armée, de peur qu'il n'utilise mal à propos les connaissances qu'il aurait ainsi acquises. » Quand fut déclarée la guerre sud-africaine, le Canada français n'avait guère éprouvé de sympathie pour elle et cette attitude est aujourd'hui partagée par « une forte proportion de la population anglaise, à l'esprit large ». Il voyait une certaine analogie entre la position prise en ce temps-là et celle adoptée au début de la présente crise ministérielle. Il voyait là l'origine de « la désunion dans le pays, relativement aux questions militaires » :

« C'est là que les difficultés ont surgi. On a vu Bourassa parcourir la Province de Québec, ameuter les gens, encourager le nationalisme et donner ainsi naissance au mouvement séparatiste. On a vu ces sentiments se développer au cours des élections de 1904, 1908 et 1911. En 1911, ces fauteurs de désordre réussirent à renverser Laurier dans le Québec. Certains de nos adversaires prétendent que les libéraux eux-mêmes sont responsables du fait que, dans la Province de Québec, les gens sont opposés à la conscription. Les libéraux, en conservant au Canada français un moyen d'action politique au sein d'un grand parti national, n'ont-ils pas bien servi le pays ? S'ils n'avaient pas adopté cette attitude en 1917, toute la Province de Québec se serait ralliée au nationalisme et au séparatisme et nous, Canadiens français, en aurions souffert, de même que le Canada tout entier. Mais, grâce à la largeur d'esprit et à la compréhension de Laurier, qui leur fournit un moyen de s'exprimer au sein d'un parti national, les Canadiens français se sont rendu compte qu'il était encore dans leur intérêt de collaborer avec les autres membres de la Confédération et c'est ce qu'ils ont continué à faire au cours des derniers vingt-sept ans.

Nous ne sommes pas responsables du courant d'opposition à la conscription. C'est un courant qui a été lancé par les nationalistes et par ceux qui croient qu'il devrait y avoir deux pays au Canada au lieu d'un. Mais nous, les membres du parti libéral, nous l'avons combattue. Laurier a maintenu de la sorte l'unité nationale. Il a jugé qu'il était de son devoir d'assurer aux Canadiens français un médium d'expression politique au moyen d'un parti national. Et, grâce à cette attitude, nous avons pu ultérieurement nous unir avec le reste du Canada, maintenir des relations cordiales et jouer le rôle que nous avons joué, sous le présent régime, depuis 1921 jusqu'à l'heure actuelle. » [107]

Bien que le gouvernement King eût conduit « un effort de guerre efficace » depuis cinq ans, « une puissante machine était à l'œuvre, tâchant de détruire la confiance dans le premier ministre et de con-

*vaincre la population que tout irait mal, à moins que nous eussions un cabinet d'union, ou à moins qu'une administration* tory *n'accédât au pouvoir :*

*Un monstre déchaîné s'est évertué à répandre des rumeurs, à chuchoter des mensonges et à lancer de la boue, au risque d'anéantir, sans le moindre scrupule, l'effort de guerre national tout entier... Qu'importe jusqu'à quel point en souffre le bien-être du pays, qu'importe jusqu'à quel point cela peut nuire à l'effort de guerre, la seule et unique question susceptible de diviser l'opinion publique au Canada devait être soulevée et devenir le symbole de la désunion. »* [108]

Tandis qu'au Canada anglais on critique le gouvernement parce qu'il ne fournit pas un effort de guerre suffisant et qu'il fait droit aux vues de la Province de Québec au sujet du service militaire obligatoire, au Canada français, les mêmes forces *tory « se déguisent en indépendants »* pour accuser le gouvernement de trahir le Québec.

Il fit remarquer que les libéraux du Québec avaient soutenu de tout cœur l'effort de guerre, ne différant d'opinion avec leurs collègues qu'au sujet du *Bill 80* et de l'arrêté-en-conseil qui expédiait outre-mer les soldats LMRN. Puis il déclara : *« Si j'avais cru, lors de l'adoption de ce décret, que la sécurité du Canada serait en jeu, à moins que nous n'expédiions outre-mer un supplément de quelques milliers d'hommes, je l'aurais approuvé et j'aurais tenté de convaincre la population de ma province de sa nécessité. Mais je ne puis le croire, comme je ne puis croire du reste que, sans ces quelques hommes, le résultat de la guerre serait modifié, ou même que la victoire serait retardée...* [109] *La difficulté, c'est que nos experts militaires désirent remplir les engagements qu'ils ont contractés, même si ces engagements se révèlent trop considérables. »* Il pensait que les forces canadiennes, au lieu d'être dispersées sur plusieurs fronts, auraient dû être concentrées sur un seul et qu'ainsi les problèmes de renfort et de récupération auraient été simplifiés. *« Si nous avons accaparé une trop forte partie du front, soyons donc raisonnables et corrigeons notre erreur »*, puisque le Canada *« ne dispose pas des immenses réservoirs auxquels peuvent puiser les Russes et les Américains et [que] l'on ne doit pas s'attendre à ce qu'il leur fasse concurrence. »* Il souligna que, tout comme la Nouvelle-Zélande, le Canada était en droit de ralentir son effort de guerre, si sa contribution industrielle et agricole était compromise par des méthodes qui ne jouiraient pas de l'approbation générale, ou qui feraient plus de mal que de bien. Il ne pouvait pas approuver ce décret du gouvernement.

Picard réprouva la *« panique hystérique... que les journaux des* tories *ont provoquée et entretenue. Tout cela se fonde sur l'opinion erronée que, sans l'envoi des mobilisés outre-mer, les fils et les parents de bons Canadiens patriotes courront plus de dangers sur la ligne de feu. »* Il sympathisait avec le gouvernement, mais croyait qu'il aurait dû céder la place à un autre si un changement de politique devait être adopté : « *C'est avec regret que je fais ces remarques, car j'ai plus confiance dans le premier ministre qu'en tout autre homme public et je sais que mes électeurs, abstraction faite de l'adoption du* Bill 80 *et du décret du conseil CP 8891, ont, même maintenant, plus confiance dans le premier ministre qu'en tout autre chef.* » [110] Il craignait, toutefois, que l'attitude d'un homme inclinant pour le volontariat, mais cédant à la pression de ministres qui voulaient la conscription, n'accroisse la méfiance du Québec à l'égard des hommes politiques, « *pendant que, dans le reste du pays, elle n'apaisera que temporairement les inquiétudes de ceux qui, sur cette question, sont dans un état d'hystérie.* » Il exprima longuement son admiration et sa sympathie pour le premier ministre, mais il déplora qu'Ernest Lapointe ne lui fût plus associé :

> « *Son influence au conseil de la nation eût raffermi la volonté du premier ministre et empêché l'adoption de certaines mesures qui nous ont divisés et qui, parfois, nous ont fait oublier l'œuvre magnifique du Canada dans la guerre. Jamais la disparition d'un homme n'aura été si vivement regrettée, surtout si nous comprenons jusqu'à quel point sa présence eût pu nous rapprocher et nous unir.* »

Appuyé par un Canadien anglais de l'Ouest, Walter Adam Tucker, député de Rosthern, Picard proposa alors un amendement à l'amendement : « *La Chambre aidera au maintien d'un effort de guerre efficace, mais n'approuve pas le service obligatoire pour outre-mer.* » [111]

Ce discours raisonnable de Picard ne réussit pas à ébranler les Canadiens anglais fanatiques de la conscription, comme le prouva immédiatement l'observation de Howard Green, député de Vancouver-Sud : « *Si cet amendement était adopté par la Chambre, son effet immédiat serait que le Canada abandonne ses enfants qui sont au delà des mers. Mais ni moi, ni aucun autre membre du parti progressiste-conservateur dans cette Chambre, ni aucun tory digne de ce nom, d'un océan à l'autre, n'a la moindre intention de trahir nos jeunes hommes qui sont au front, quelles qu'en puissent être les autres conséquences.* » [112] Green qualifia de « *compromis politique* » la mesure prise par le gouvernement, en affirmant : « *Cette Chambre et le peuple canadien ne doivent jamais permettre, à aucun gouvernement, de jouer avec les vies de nos fils.* » Il demanda que l'on vote pour l'amendement de son parti : « *Une honnête, courageuse politique des effectifs, qui est en accord avec la droiture du peuple canadien.* »

Walter Tucker, vétéran des deux guerres mondiales, reprocha aux *tories* de s'envelopper dans les plis du drapeau et de briser toutes leurs promesses de la campagne électorale de 1940 de ne pas imposer la conscription pour le service armé outre-mer. Il approuvait la motion

Picard, parce que, « *si nous sommes entrés dans cette guerre en parte-*
*naires sur la base d'un accord de service volontaire, si nous avons fait*
*le mieux que nous pouvions sur cette base et bénéficié de l'appui du*
*pays tout entier sur cette base, alors rien, sauf un danger véritable*
*pour l'existence du pays, ou la perte de la guerre, ne pourrait nous*
*donner le droit d'abandonner cette position.* » [113]  Ces conditions
n'existaient pas maintenant, la victoire étant assurée. Comme Picard,
il approuvait la solution de la crise des renforts selon la méthode
proposée par Power, c'est-à-dire en retirant, pour peu de temps, les
divisions canadiennes de la ligne de feu. Il croyait que les milliers
de membres d'équipage, complètement entraînés pour l'aviation, que
l'on démobilisait, pourraient apporter « *une plus grande contribution*
*à la défaite de l'Allemagne, que deux ou trois fois leur nombre de*
*mobilisés contre leur gré.* » [114]  Il déplora les attaques contre les Canadiens français et contre d'autres Canadiens d'origine étrangère et il
cita la situation existant dans sa propre circonscription de Saskatchewan pour prouver que, sous le régime du volontariat, « *toutes les*
*populations ont répondu, quelles que fussent leurs croyances reli-*
*gieuses ou leurs origines ethniques.* » Il réprouva les attaques du
pasteur Shields contre les catholiques. La contribution du Canada à
la guerre n'eût pas été possible si l'on avait, en imposant la contrainte, semé la discorde dans le pays.

La campagne en faveur de la conscription était commencée depuis
longtemps avant que ne se fasse sentir un besoin de renforts. On
l'avait intensifiée à ce moment, dans le dessein de renverser le gouvernement. Tucker assura que « *les forces de la réaction, qui détestent*
*et combattent le grand programme de réformes sociales et humanitaires*
*déposé par le premier ministre devant le parlement au cours de la*
*présente session, voyaient dans cette agitation une occasion de dé-*
*truire le plus grand premier ministre que le Canada ait jamais eu.* » [115]
Il fit l'éloge des troupes LMRN, déclarant que nombre de cultivateurs de Saskatchewan en faisaient partie, qui n'auraient jamais dû
être appelés. Le Canada faisait face à un monde troublé et une
situation semblable à celle de 1939 était possible. Il espérait qu'« *un*
*dommage irréparable n'avait pas été fait* » à l'unité nationale. Il considérait que la conscription de la première guerre avait causé plus de
mal que de bien et il était convaincu que l'histoire se répéterait et que
cette nouvelle tentative de conscription serait encore un échec, au
moins égal, sinon plus grand. Il termina par un appel à la coopération, « *quelles que soient les origines ethniques ou les croyances reli-*
*gieuses, afin que nous puissions édifier un pays digne des volontaires*
*qui sont allés se battre pour nous défendre contre nos ennemis.* »
L'Orateur jugea que l'amendement Picard n'était pas recevable.

P.-J.-A. Cardin, député de Richelieu-Verchères, ancien ministre
qui avait quitté le cabinet pour protester contre le *Bill 80,* prit alors

la parole, rendant d'abord hommage à Tucker par cette observation :
« *Nous, Canadiens français, n'avons pas souvent l'occasion, en cette
enceinte de la Chambre des Communes, d'entendre une voix anglaise
défendre notre attitude, exprimer des vues semblables aux nôtres et
avoir recours aux mêmes raisonnements que ceux que nous employons
nous-mêmes pour justifier notre manière de voir les choses.* [116] *Je le
félicite de la franchise avec laquelle il a exprimé ses sentiments et de
son plaidoyer si habile, si clair et si énergique, expression d'un véritable esprit canadien. Je désire aussi féliciter M. Picard qui a exprimé,
pour une large part, des sentiments que je partage et qui sont encore
ceux que j'ai exposés quand j'ai discuté le* Bill 80 *en 1942.* » Il approuva aussi les décisions de l'Orateur, qui avait écarté les sous-amende-
ments, parce que ces motions ne pouvaient avoir qu'un effet : « *purement et simplement, obscurcir la question en jeu et empêcher les
électeurs de comprendre ce qui est discuté au parlement.* » A son
point de vue, il s'agissait tout simplement d'approuver ou de désapprouver la politique du gouvernement, qui était « une politique de
conscription pour le service outre-mer. » [117]

Les *leaders* du Québec étaient accusés d'avoir créé le présent état
d'esprit dans cette province. Cardin n'avait aucune excuse à présenter, pour sa part : « *Ce que je leur ai dit* [aux électeurs québecois]
*a reçu l'approbation du premier ministre dont j'étais alors l'associé.
Ce que j'ai dit dans cette province, le chef de l'opposition l'a aussi
répété lors de la dernière campagne électorale. Il n'y avait pas alors
de divergence d'opinion entre libéraux et conservateurs relativement
à la conscription pour le service outre-mer. Nous avons tous affirmé
que cette politique ne valait rien pour le Canada, qu'elle avait fait
faillite dans le passé et qu'elle ferait encore faillite à l'avenir.* » [118]
Laurier, Lapointe et lui étaient restés fidèles à leur devoir: « *Nous
avons dit la vérité et, ce que nous avons dit dans la Province de
Québec, nous l'avons répété dans d'autres régions du pays, avec le
même courage, avec la même conviction d'exprimer un sentiment
vraiment canadien.* » [119] Lapointe et lui avaient obtenu du Québec,
en 1939, l'approbation de la participation, malgré une agitation dirigée contre elle. Les *leaders* du Québec avaient, depuis lors, fait face à
la situation telle qu'elle leur fut laissée, discuté avec le peuple « *et il
n'y eut aucune révolte dans ma province, bien que certains de mes
compatriotes aient eu l'impression d'avoir été traités avec injustice,
d'avoir même été insultés. Ils ont été appelés* zombies *par des gens
irresponsables qui n'ont jamais eu le courage d'affronter les électeurs
dans aucune partie du pays.* » Cette allusion à Bracken, chef conservateur titulaire, qui n'avait jamais tenté de se faire élire au parlement, indiquait bien jusqu'à quel point Cardin restait fidèle au parti
libéral, malgré sa rupture politique avec King. C'était tout aussi
vrai de maints autres libéraux canadiens-français, car la loyauté au

parti est profondément ancrée dans le caractère canadien-français en général.

Le Québec étant accusé de n'avoir pas fourni autant de soldats que les autres provinces du Canada, Cardin répéta, en réponse, la déclaration qu'il avait récemment faite à Montréal :

« *Nous avons fait plus que vous, Canadiens de langue anglaise et d'origine britannique. Vous n'avez fait qu'obéir à la voix du sang. Vous avez répondu aux sentiments de votre cœur et de votre âme. Nous, Canadiens français, nous avons obéi à la raison et après avoir considéré la situation comme un juge étudie une cause avant de prononcer jugement. Dans votre cas, il n'est pas question de raison, il s'agit d'un sentiment et je vous comprends. Pour un moment, afin de mieux interpréter mes sentiments et ceux de mes compatriotes canadiens-français, renversez les rôles, si vous le voulez bien. Représentez-vous un Canada faisant partie d'un Empire français et où les descendants de sujets britanniques seraient en minorité. Affirmeriez-vous que si cet Empire français, dont votre pays ferait partie, était menacé, vous vous porteriez à sa défense avec tout autant d'enthousiasme que les Canadiens de race française ? Je dirais à celui qui prétendrait qu'il adopterait la même attitude et serait animé des mêmes sentiments, qu'il manque de sincérité.*

*Songez à la situation dans laquelle nous nous trouvons. Songez aux concessions consenties par les Canadiens français et leurs représentants en vue de créer et de maintenir l'unité dans notre grand pays. Je n'ai pas le temps de les énumérer toutes, mais je vous demande de passer en revue dans votre esprit celles qu'ont faites Sir Wilfrid Laurier, Ernest Lapointe et moi-même, au risque de perdre l'appui, voire même malgré la perte de l'appui de certains éléments de ma province. Nous sommes ici, à la Chambre des Communes, tous amis et membres d'une famille capable d'entendre la vérité. Quelles sont les concessions que vous avez faites et que vous faites aux Canadiens français, vous, les Canadiens d'origine anglaise ? Qu'avez-vous jamais fait pour sauvegarder l'unité entre les deux grandes races qui habitent le Canada ? L'unité a été maintenue grâce aux concessions des Canadiens français à la Chambre des Communes et ailleurs. Ces paroles sont dures, mais elles sont vraies et personne ne peut les mettre en doute. L'histoire politique de notre pays est là pour les justifier.* » [120]

Cardin poursuivit en déclarant qu'il n'y avait pas plus d'agitation contre la conscription dans le Québec qu'en Colombie britannique ou en Nouvelle-Ecosse et que les récents incidents de la Colombie britannique ne pourraient pas être le fait d'une poignée de Canadiens français, « *si les autres soldats de là-bas ne partageaient pas les mêmes idées et si les personnes qui les regardaient passer ne nourrissaient pas dans une certaine mesure, les mêmes sentiments* ». Il convenait, avec C.D. Howe, que l'agitation était surtout politique, déplorant que « *des deux côtés, opposition et gouvernement, on fait de la conscription une question politique.* » [121] Le débat avait montré que la conscription était devenue la loi du pays et qu'elle était en vigueur depuis 1942. Il ne croyait pas que les volontaires d'outre-mer demanderaient « *qu'on leur envoie de l'aide par des moyens de coercition.* » [122] Il soutint qu'un grand nombre de soldats d'outre-mer ignoraient pourquoi ils combattaient et qu'il était lui-même persuadé que, sous les belles paroles, « *presque toutes les nations alliées ne font en définitive — même si on proclame qu'il s'agit d'une chose d'ordre secondaire — que protéger leurs propres intérêts.* » [123]

Il s'indignait de la « *situation aussi extraordinaire* » d'un homme qui démissionne du ministère et « *laisse dans le cabinet trois ou quatre membres qui partagent ses vues et qui, s'ils le jugent nécessaire, continueront la crise que nous traversons actuellement.* » Il affirma « *que le pays a le droit de savoir qui est responsable de cette crise, du changement de politique du gouvernement et de la décision dont nous avons été saisis le 23 novembre.* » Les ministres qui avaient partagé l'opinion de Ralston devraient « *se lever et assumer leur responsabilité devant la Chambre et devant le pays.* » Il écarta les craintes exprimées par King au sujet d'élections en temps de guerre, en rappelant qu'il y en avait eu, récemment, aux Etats-Unis et, en 1917, au Canada. Il souligna que Laurier avait lutté pour sa politique, qu'il avait été battu, mais qu' « *il en sortit même plus grand que jamais.* » Il remarqua avec amertume que le premier ministre avait choisi d'évoquer Laurier et Lapointe pour justifier la conscription, quand il aurait dû citer les textes où ils « *prônaient le système du volontariat et dénonçaient l'attitude même qu'il a été contraint de prendre par deux ou trois ministres qui ont menacé de démissionner, eux aussi, si la conscription n'était pas mise en vigueur.* » [124]

L'armée, l'aviation et la marine s'étaient, ensemble, efforcées d'attirer des recrues et le Canada avait « *tenté de faire trop pour un pays d'une population comme la nôtre.* » Affirmant que le Canada aurait dû suivre l'exemple de l'Australie, réduire ses forces armées pour aider ses industries civiles et militaires, Cardin réclama avec force des élections : « *Plus vite nous en aurons, plus vite l'atmosphère chargée dans laquelle nous vivons depuis cinq semaines ou plus se dissipera et plus vite nous pourrons suivre une ligne de conduite conforme aux meilleurs intérêts du Canada et des nations alliées.* » Il ne craignait pas l'opposition du parti auquel il avait appartenu si longtemps : « *Je n'ai pas cessé d'être un libéral, mais hélas ! mon parti a glissé vers l'autre côté, vers l'esprit impérialiste et* tory. » Il rendit hommage au discours de Ralston, qui était celui « *d'un homme très sincère et digne de confiance, d'un homme qui, quelles que soient ses opinions, mérite le respect et la confiance de tous les membres de la Chambre* », mais il dénonça « *quelque faiblesse* » dans la manière dont l'ancien ministre se défendit lorsque King l'accusa d'avoir été lent à porter à l'attention du cabinet la gravité de la situation. [125]

En sa qualité de doyen de la Chambre, Cardin prononça un dernier plaidoyer pour un rapprochement des opinions divergentes des Canadiens français, Canadiens anglais et Néo-Canadiens. Il conjura ses compatriotes du Québec, « *quels que puissent être leurs sentiments et leur état d'esprit à l'heure actuelle, de rester calmes, de se soumettre à ce qu'ils ne peuvent changer, de réfléchir avant d'agir et de se souvenir qu'ils ne sont pas seulement citoyens de la Province de Québec, mais citoyens du Canada tout entier, des citoyens qui, avec d'autres, espèrent bientôt voir leur pays devenir grand et, par la volonté de tous les intéressés, un pays indépendant.* » Ils avaient le droit d'être fermes, énergiques, de jouir de la liberté d'opinion et de parole, mais ils devaient se garder de perdre « *les amitiés que nous possédons, plus nombreuses que par le passé, dans les provinces de langue anglaise.* » Il ajouta : « *Les hommes de bonne volonté s'uniront, se dispenseront de cette caste militaire qui nous a fait tant de mal... pour penser d'abord et toujours au Canada.* » [126]

Dans une Chambre tumultueuse, Maxime Raymond, chef du Bloc populaire, déclara alors qu'un gouvernement qui violait ses promesses les plus solennelles ne méritait pas un vote de confiance. Il cita les paroles mêmes du premier ministre qui, en 1942, déclarait que l'état malheureux du monde était le résultat de promesses violées et il récapitula alors ses promesses contre la conscription pour le service armé outre-mer. [127] Il affirma une fois de plus que le plébiscite n'avait pas relevé le premier ministre de ses obligations, puisque son seul mandat était d'éviter la conscription. Il accusa le premier ministre de n'accepter le gouvernement responsable qu'en principe : « *En somme, le premier ministre est autonome dans ses déclarations, mais impérialiste dans ses actes.* » [128] Il retraça l'évolution de la « *conscription déguisée* », depuis 1942 et il insista pour que l'on en finisse avec « *les équivoques et les faux-fuyants* », tels que le nom de « *volontariat conditionnel* » donné à la conscription par l'arrêté-en-conseil de novembre. Il proclama que l'effort de guerre était déjà excessif et ridiculisa l'argument fantaisiste selon lequel le Canada faisait la guerre à l'Allemagne parce qu'elle avait envahi la Pologne, alors que, de son côté, il s'était allié et avait accordé son aide à une Russie qui avait envahi six pays, dont la Pologne. Le dernier acte du gouvernement accentuerait encore la désunion : « *Un pays a le droit de contraindre ses sujets à se battre pour la défense de ce pays, mais non pas pour la défense des autres, à plus forte raison quand il a déjà fourni un effort de guerre aussi considérable que le nôtre.* » [129] Il y avait deux principes fondamentaux à la base de la Confédération : « *Autonomie des provinces et respect des droits des minorités. Et, dans l'ordre national : autonomie du Canada à l'égard de l'Angleterre.* » Qui menaçait l'unité nationale ? « *Ceux qui pensent en impérialistes plutôt qu'en Canadiens.* » Les Canadiens d'origine française étaient canadiens d'abord, mais ils ne voulaient pas être contraints à défendre le territoire des autres en se ruinant. Il ajouta : « *Le premier ministre a trop souvent invoqué l'argument de l'unité nationale pour avoir le droit, aujourd'hui, de demander un vote de confiance sur la mesure la plus apte à la détruire.* »[130]

W.E. Harris, député de Grey-Bruce, blessé de guerre, nia l'affirmation de Cardin selon laquelle les soldats canadiens en Europe ignoraient pourquoi ils combattaient. Il s'opposa à l'amendement conservateur parce que, dans le passé, les renforts avaient été suffisants et qu'ils le seraient encore, puisque Ralston et McNaughton étaient d'accord sur le décret actuel. Il dénonça la campagne poursuivie en Ontario pour faire de l'armée LMRN, qui comptait 15 000 Ontariens en plus de 22 000 Québecois, un problème exclusif du Québec. Il fit l'éloge des unités canadiennes-françaises qui avaient combattu en Normandie et de la contribution « *très considérable* » du Québec aux armes canadiennes. Il termina par des louanges adressées au premier ministre et au gouvernement.[131] G.K. Fraser, député de Peterborough West, répéta l'accusation classique des conservateurs : le gouvernement King avait mis son enjeu sur les Canadiens français.[132] F.G. Hoblitzell, député d'Eglinton, se montra favorable à la position des députés du Québec et se déclara pour l'amendement conservateur, mais il annonça qu'il voterait pour la motion du gouvernement, parce que ce qui importait, d'abord, c'était de faire en sorte que les renforts partent pour l'Europe sans plus de retard.[133]

Emmanuel d'Anjou, député de Rimouski, affirma que le Québec, comme l'avaient récemment déclaré le premier ministre Godbout et le ministre de la justice, Saint-Laurent, « *se verrait trahi si la conscription pour le service militaire outre-mer était imposée au pays* » et qu'il considérait l'arrêté ministériel du 23 novembre comme « *la conclusion logique, inévitable du résultat du vote sur le plébiscite* », mais il déclara que le gouvernement n'avait aucun mandat pour imposer la conscription au Québec, après que cette province eut refusé de le libérer de ses engagements. Le gouvernement avait « *odieusement et brutalement trompé toute la population du Québec.* » Alors, pour tenir lui-même ses propres promesses à ses électeurs, il lui fallait quitter les bancs des libéraux pour aller s'asseoir avec les membres du Bloc, « *parce que le programme de ce parti contient les idées et les principes pour lesquels j'ai combattu depuis mon entrée dans la vie publique et pour lesquels j'entends bien continuer à combattre.* » Il dénonça les profiteurs de guerre, qu'il accusa d'être les instigateurs de la conscription et demanda un drapeau canadien distinctif, en exprimant l'espoir que le Canada deviendrait indépendant dans un proche avenir.[134] Ouvrant le débat le vendredi 1er décembre et appuyant le gouvernement, R.W. Mayhew, député de Victoria, en Colombie britannique, déclara que les Anglo-Saxons n'aiment pas la contrainte, mais : *« Nous nous y soumettons au besoin et voici justement une circonstance où elle s'impose. »* Il blâma l'usage du terme « *zombie* » : aucun Canadien digne de porter l'uniforme du roi ne devait être appelé « *zombie* » et il défendit autant les soldats LMRN que les hommes du service général au Canada. [135]   G.S. White, député de Hastings-Peterborough, appuyant l'amendement conservateur, mit Cardin au défi de consigner au *Hansard* les concessions faites par les Canadiens français aux Canadiens anglais. [136]

Joseph Jean, député de Mercier, ancien secrétaire d'Ernest Lapointe, qui avait démissionné, ce jour même, du poste d'assistant parlementaire de Saint-Laurent, ministre de la justice, déclara s'être opposé, toute sa vie, à la conscription et la coercition et il affirma : *« Il a été prouvé, au cours du présent débat, qu'on a quelque part manqué de bonne volonté et de compétence dans l'application du régime du volontariat »*, puisque la crise des renforts s'est produite après l'expédition de plus de 750 000 volontaires sur les fronts d'outre-mer. Il fournit un moyen de soutenir le gouvernement, sans approuver la conscription, en présentant un amendement à l'amendement conservateur, appuyé par Gaspard Fauteux, député de Sainte-Marie : *« Que cette Chambre est d'avis que le gouvernement n'a pas assuré des renforts continus et suffisamment entraînés, en utilisant le plus avantageusement possible le personnel du service général au Canada et les volontaires outre-mer, sans avoir recours à la conscription pour le service militaire outre-mer. »* Quand le chef de l'opposition demanda si Joseph Jean avait démissionné de son poste d'assistant parlementaire avant de présenter sa motion, celui-ci répondit par l'affirmative. Le premier ministre déclara qu'il n'y avait aucune raison pour qu'un assistant parlementaire démissionne avant de présenter une motion, mais que tous deux, W.C. Macdonald, assistant du colonel Ralston et Joseph Jean, l'avaient fait. Il exprima l'espoir que ce dernier reviendrait plus tard sur sa décision. [137]

L.-D. Tremblay, député de Dorchester, ouvrit le débat le lundi 4 décembre, en donnant beaucoup d'importance à la méfiance populaire résultant du décret, aux entraves mises aux engagements volontaires par des profiteurs qui cherchaient à faire imposer la conscription et aux insultes lancées contre les troupes LMRN du Québec par d'autres provinces.

*« Dans une démocratie ayant des chances de succès, la majorité, si elle en a le pouvoir, n'a pas le droit moral d'imposer à la minorité une obligation qu'à sa connaissance cette minorité ne veut pas accepter. Cela est particulièrement vrai lorsque la majorité, par l'entremise de ses chefs légitimes, s'est engagée à ne jamais imposer une telle obligation à la minorité. »*

Il termina par une question : « *Qui a manqué à cette promesse ?* » [138] Le colonel A.J. Brooks, du Royal, qui avait commandé deux camps d'instruction au Canada, fit la déclaration suivante, en réponse à Tremblay :

« *J'ai eu des Canadiens français et anglais dans ces camps et je peux dire sincèrement à cette Chambre que je ne connais aucun exemple de différend quelconque entre ces deux races... Ils ont joué ensemble, travaillé ensemble, fait l'exercice ensemble, ont dormi ensemble et jamais une querelle quelconque ne s'est élevée entre eux... Je sais aussi qu'outre-mer nos hommes ont un sentiment commun d'être tous canadiens et qu'il n'y existe aucune difficulté comparable à celle mentionnée par l'honorable député.* » [139]

Avec véhémence, Brooks affirma que, depuis le début, le volontariat avait été un échec complet et il indiqua que des milliers d'hommes LMRN, pour être expédiés en Europe, se changeraient volontiers en *AWOL*. Il critiqua la politique du gouvernement, la considérant comme moins qu'une demi-mesure et ne répondant aucunement aux besoins des soldats d'outre-mer. Il l'accusa, en plus, d'avoir encouragé des jeunes gens, dans une partie du Canada, à déchirer le drapeau et à le fouler aux pieds, dans la poussière, ce drapeau d'un pays qui soutint seul, pendant un an, tout le poids de la guerre. Il demanda que tous les Canadiens, français, anglais et juifs répondent à l'appel du sang canadien. [140]

Ralph Maybank, député de Winnipeg Centre-Sud, demanda aux Canadiens français de ne pas faire de complexe de persécution. Il admettait que les Canadiens anglais devraient essayer de mieux comprendre le Canada français, mais les Canadiens français devraient, eux aussi, essayer de mieux comprendre le Canada anglais. Il nia que le pasteur Shields et le *Globe and Mail* représentassent le Canada anglais : celui-ci était au service d'un groupe financier, celui-là n'était qu'un bigot. Il ne croyait pas que cette crise fût le résultat d'une conspiration. La crise venait de ce que les pertes de l'infanterie avaient dépassé de 50 pour cent les prévisions, mais il était convaincu qu'une fois déclarée, elle avait été exploitée par les agents d'une cabale qui désirait un gouvernement d'union faisant les tâches qu'on lui dicterait. Il critiqua les chefs conservateurs, comparant leur stratégie à celle de la marine italienne. [141] J.W. Noseworthy, député de York-Sud, assura que le peuple du Canada ne voulait pas d'élections fédérales, mais une loi ou un décret assurant, sans l'ombre d'un doute, des renforts suffisants, tant pour l'avenir que pour le présent et un programme législatif qui mobiliserait toutes les ressources du pays pour la poursuite de la guerre. Il ajouta que le pays voulait, en plus, un ministère qui soit d'accord avec la loi et sur lequel il saurait qu'il peut compter pour la faire appliquer. [142] J.R. MacNicol, député de Davenport, reprocha au *CCF* d'avoir voté contre la motion conser-

vatrice demandant un effort de guerre illimité en 1942 et il prit la
défense du pasteur Shields et du *Globe and Mail*, avant de répéter
les arguments *tory* habituels. L.A. Mutch, député de Winnipeg-Sud,
ancien combattant des deux guerres, vota pour la motion du gouvernement.

Frédéric Dorion, député de Charlevoix-Saguenay, parlant en tant
qu' « *indépendant de tout groupe politique* », déclara vouloir s'associer à P.-J.-A. Cardin pour féliciter W.A. Tucker et W.E. Harris qui
prouvaient « *qu'en dépit de la campagne malveillante de ces quelques
dernières semaines, il y a encore, dans d'autres provinces, des hommes
de bonne volonté qui peuvent comprendre les sentiments des Canadiens français, en même temps que le principe fondamental de l'unité
du pays.* » Mettant en doute le patriotisme de Fred Rose par une allusion voilée à son internement en 1939, il nia au Montréalais le droit
« *de parler au nom des Canadiens français, en cette Chambre.* » [143]
Il affirma que, l'arrêté ministériel étant maintenant adopté, le débat
était désormais sans objet et la discussion n'avait servi qu'à « *déclencher une campagne d'injures à l'adresse de la Province de Québec.* »
Il affirma qu'en réalité les questions de participation et de conscription étaient résolues depuis que le premier ministre était allé rendre
visite à Hitler en 1937, afin qu'il sût que, dans le cas d'une guerre
d'agression, rien n'empêcherait le Canada d'être au côté de l'Angleterre. Il rejeta tous les amendements, en affirmant que les ministres
canadiens-français auraient pu éviter la campagne d'insultes et l'adoption du décret s'ils étaient demeurés fermes sur leur position. Il était
aussi d'avis que, si le premier ministre avait maintenu son attitude
favorable au volontariat, il aurait repris le pouvoir avec « *une majorité plus forte que celle qu'il a aujourd'hui.* » Il conclut en observant
qu'unité ne voulait pas dire unification, que les deux races avaient
des mentalités différentes et qu'il pourrait y avoir compréhension,
« *mais la majorité ne doit pas chercher à dominer la minorité et à la
plier à tous ses désirs.* » [144]

Maurice Lalonde, député de Labelle, appuya le sous-amendement
de Joseph Jean, exprimant de la sympathie pour le premier ministre,
mais expliquant qu'un grand nombre de ses partisans avaient été
placés dans une « *situation intenable.* » [145] James Sinclair, député de
Vancouver-Nord, officier de la RCAF, déclara avoir été converti à
la conscription intégrale par son expérience, en Grande-Bretagne,
depuis 1940. Il affirma que l'armée n'avait pas fait un aussi bon usage
de ses effectifs que l'aviation, puisqu'elle disposait de 130 000 hommes
pour le service général et de 70 000 mobilisés au Canada et qu'elle
manquait de renforts outre-mer. [146] Il avait proposé que l'on forme
un régiment de la RCAF qui servirait dans l'infanterie, plutôt que
de renvoyer des aviateurs excédentaires. Il préconisait un plan uniforme de retraite et de démobilisation pour les trois armes, la mise

en service actif de l'armée LMRN tout entière et le principe de démobilisation « *premier entré — premier sorti* ». Bien que libéral, il voterait pour l'amendement conservateur et, s'il était rejeté par la Chambre, il appuierait la motion ministérielle.

Avant la reprise du débat, le mardi 5 décembre, le premier ministre, répondant à une question, déclara qu'au cours des vingt-six jours écoulés depuis le 8 novembre, 6 297 volontaires s'étaient engagés pour le service général, dont 2 701 provenaient du LMRN et 3 596 de la population dans son ensemble et de l'armée de réserve, « *l'enrôlement le plus considérable pour une période semblable depuis le début de la guerre.* » [147] J.G. Diefenbaker, député de Lake Centre, poussa l'attaque conservatrice contre l'arrêté-en-conseil, rappelant que la conscription avait été la loi du pays depuis le *Militia Act,* de Cartier en 1868 et que, depuis 1904, en vertu d'une disposition introduite par Laurier, la milice pouvait être mise en service actif outremer, en cas d'urgence. [148] Il affirma que l'on offrait des pots-de-vin aux soldats LMRN pour qu'ils s'engagent volontairement. Il cita le général Laflèche, Louis Saint-Laurent, ministre de la justice, C.D. Howe, ministre des munitions et approvisionnements, Ernest Bertrand, ministre des pêcheries et le général McNaughton pour prouver qu'ils préconisaient tous le volontariat et que le gouvernement appliquerait sa nouvelle politique à contrecœur. Il affirma que l'amendement de Joseph Jean avait pour seul but de permettre à certains députés « *d'appuyer le gouvernement et de rester, en même temps, en bons termes avec leurs électeurs.* » Il demanda si le premier ministre avait donné une assurance quelconque que le chiffre de 16 000 hommes serait la limite et qu'il ne serait pas adopté d'autre décret. King répliqua aussitôt qu'il n'avait « *fait de promesse à personne.* » [149] Diefenbaker nia que l'amendement conservateur eût un but politique mais, puisque les renforts étaient maintenant en route, rien, désormais, n'empêchait le gouvernement de faire des élections qui permettraient de se rendre compte si, oui ou non, le pays exigeait l' « *égalité de service et de sacrifice* ». A.G. Slaght, député de Parry Sound, approuva la politique du gouvernement et accusa les conservateurs de ne pas être sincères en présentant un amendement obligeant les soldats LMRN à servir sur tous les fronts, pour en exclure ensuite celui du Japon.

Armand Choquette, député de Stanstead, s'associa aux autres membres du Bloc pour déclarer qu'ils exprimaient « *les vues de la grande majorité de la population du Québec et aussi les vues d'un nombre croissant de gens dans les autres parties du pays.* » [150] Selon lui, les intrigues politiques étaient à l'origine de l'arrêté-en-conseil : « *Le premier ministre se croit indispensable et il semblerait que son maintien au pouvoir vaut bien le sacrifice de quelques vies, ou la violation de quelques principes.* [151] Il en appela à tous les représentants du Québec, du ministre de la justice au plus humble député, les adjurant d'honorer leurs engagements et de refuser d'approuver la politique du gouvernement. Il accusa le premier ministre d'avoir lui-même conçu l'amendement de Joseph Jean. Il nia que l'arrêté-en-conseil fût le résultat d'un compromis entre deux points de vue opposés, considérant qu'il était simplement une conséquence logique du *Bill 80*. Il défendit le chanoine Groulx et Laurendeau contre l'accusation d'isolationnisme et s'associa à eux en déclarant que les Canadiens français « *ne veulent pas plus séparer le Canada du reste du monde que séparer la Province de Québec du reste du pays :*

*Nous sommes, avant tout et par-dessus tout, des Canadiens et nous voulons que le Canada tout entier appartienne d'abord à ses citoyens et qu'il soit l'héritage de tous et chacun de nous. Nous réclamons l'indépendance complète pour notre pays et je ne crois pas que le fait d'être les maîtres suprêmes de nos destinées nous isole des autres pays et dresse un Mur de Chine entre nous et nos voisins. Ce sont là, Monsieur l'Orateur, des légendes colportées à dessein par des politiciens beaucoup plus préoccupés de l'unité de leur propre parti que de l'unité nationale. C'est le Canada tout entier que nous considérons comme notre patrie et nous voulons faire en sorte qu'il soit partout notre patrie... Non pas un Canada anglais ou un Canada français, mais un Canada où les deux races auront les mêmes droits, les mêmes privilèges et les mêmes avantages, non pas seulement dans le Québec, mais dans les huit autres provinces de la Confédération.* » [152]

Le lieutenant-colonel Hugues Lapointe, député de Lotbinière, fils de l'ancien ministre de la justice et combattant revenu du front depuis trois semaines, dénonça les critiques dirigées contre le général McNaughton. Il affirma : « *Le volontariat est le seul mode pratique de recrutement d'une armée efficace dans les circonstances où nous nous trouvons au pays... Non, ce système n'a pas fait défaut et il peut encore produire des résultats convenables si certains particuliers et des organismes publics du pays veulent s'en servir aux fins auxquelles il est destiné et non comme d'un instrument pour renverser le gouvernement King.* » [153] Le parlement était toutefois mis, aujourd'hui, en face d'un fait accompli. D'ailleurs, si l'on tenait compte des déclarations du premier ministre en 1942, affirmant que, si le *Bill 80* était mis en vigueur, les députés pourraient faire connaître leur approbation ou leur désapprobation, en présence de l'actuelle motion de confiance le sous-amendement de Joseph Jean était vraiment « *le seul moyen à leur disposition d'exprimer leur opinion, ou de faire connaître leur approbation de ce décret du conseil.* »

Lapointe fut élu la première fois à la Chambre en 1940 parce que, expliquait-il, les gens de Lotbinière « *ont cru que la tradition du parti libéral, dont j'étais le candidat et que les principes qu'il avait toujours préconisés, à tort ou à raison, s'opposaient à la conscription et ils m'ont élu pour que je m'en tienne à ces principes. Je pense avoir été à aussi bonne école politique que n'importe quel autre membre de cette Chambre »* [154] :

*« On m'a toujours enseigné que la politique n'est pas un jeu d'adresse diplomatique, mais que c'est la tâche la plus importante à laquelle un homme puisse consacrer son talent et ses aptitudes et qu'il n'y a peut-être pas de plus grand honneur que celui de représenter ses concitoyens à la Chambre des Communes. On m'a aussi enseigné que les promesses données et que les engagements pris doivent être respectés... Pour ma part, je ne puis manquer à la parole que j'ai solennellement donnée aux Canadiens que je représente dans cette enceinte, surtout quand je ne suis pas convaincu que ce décret du conseil était indispensable à la victoire de nos armes et à la sécurité du Canada. Je tiens à ajouter qu'à ce point de vue, je ne permettrai à personne de douter de ma sincérité, ou de prêter à mon attitude des motifs d'ordre politique. Cela ne regarde que ma propre conscience. On dira peut-être que c'est là une attitude égoïste, mais j'aimerais mieux sortir de la vie publique que de permettre à l'un de ceux qui ont mis leur confiance en moi de dire que j'ai manqué de parole. »* [155]

Il ne croyait pas que l'envoi de soldats LMRN soulagerait les hommes au front, parce qu' *« ils seront absorbés parmi les troupes qui sont déjà sur les lieux. »* Il ajouta : *« Il faut un homme de détermination, de caractère et de courage qui ira de l'avant, en dépit de n'importe quelle condition, afin de combler les rangs de l'infanterie. »* Il ne doutait du courage d'aucun soldat LMRN et il affirma n'avoir jamais entendu le terme *« zombie »* avant de revenir au Canada : *« Personne n'a le monopole du courage sur le champ de bataille... bien qu'il semble en exister un au Canada. »* Il critiqua le débat en cours et la campagne poursuivie d'un bout à l'autre du pays pour *« jouer sur les sentiments et les émotions des mères, des sœurs et des épouses :*

*Je demande à ces gens et je demande aux honorables membres pouvant avoir des fils sur la ligne de feu ce soir : qui préfèrent-ils avoir, ce soir, dans la tranchée de première ligne, pour se battre jusqu'au bout ou, peut-être, pour repousser une contre-attaque sous un feu intense, qui préfèrent-ils avoir ? Celui qui est là parce qu'il a voulu y être et qui y restera pour lutter jusqu'au bout et donner sa vie s'il le faut, ou bien le soldat qui est là simplement parce que le présent gouvernement a adopté le décret du Conseil CP 8891 ? »* [156]

Il ajouta : *« Je doute sérieusement que les conscrits seront bien accueillis en première ligne et qu'ils brûlent du désir de partir au delà des mers, attendant tout simplement que le gouvernement assume ses responsabilités, comme certains commandants l'ont affirmé au*

*Canada. Je crois que le point important n'est pas la contrainte, mais le fait de perdre la confiance du public :*

*A mon sens, ce qui est encore plus important que le fait que peut-être 15 000 Canadiens seront envoyés outre-mer contre leur gré, malgré les engagements souscrits par le gouvernement, c'est que longtemps le peuple canadien se refusera à accorder la confiance qu'il accorde généralement à ses hommes publics... Ce qui importe, c'est non pas le jugement que les électeurs porteront aujourd'hui, alors que le pays passe par une crise d'hystérie collective, mais celui qu'ils porteront plus tard, lorsque, la guerre terminée, ils pourront analyser les faits sous leur vrai jour, dans une atmosphère de paix.»*

Lapointe ne voulait pas partager la responsabilité de ceux qui sapent la foi et la confiance du peuple canadien en ses hommes publics. Il exprima sa grande admiration pour le premier ministre, sa profonde sympathie pour sa position tragique et son immense regret que *« le texte de la motion dont nous sommes saisis ne me permette pas de lui exprimer ma confiance dans son habileté à conduire le pays au cours des temps difficiles que nous traversons.»* Il estimait parler au nom des citoyens qu'il représentait en disant au premier ministre : *« Il n'est pas un autre homme qu'ils désirent voir à la tête du gouvernement canadien dans le moment mais, en même temps, ils ne peuvent oublier la violation d'une promesse qu'ils tenaient pour sacrée.»* Il exprima l'espoir *« qu'une fois la bataille terminée, les Canadiens comprendront enfin qu'il ne doit exister aucune scission dans leurs rangs, qu'ils ne doivent pas permettre à une simple querelle politique de semer la haine parmi eux.»* [157] Il raconta que, le jour du débarquement où il perdit la moitié de son effectif, des hommes de Toronto, de Régina et du Nouveau-Brunswick étaient venus renforcer sa compagnie du Régiment de la Chaudière et qu'à Carpiquet, Falaise, Calais et Boulogne il n'y eut aucune désunion nationale : *« Si nos hommes peuvent réaliser sur le front cette union nationale et entretenir cet esprit de fraternité, la population du pays et surtout les honorables députés de la Chambre peuvent certainement faire la guerre sur le front intérieur en suivant l'exemple que leur donnent nos troupes outre-mer.»* Autrement, il estimait parler au nom d'un grand nombre d'hommes au front en disant que *« si, au Canada, nous ne pouvons pas obtenir une communauté d'idées, si nous ne pouvons pas apprendre à nous mieux comprendre, les difficultés, les misères et les pertes que nous aurons subies durant la guerre auront été vaines.»* [158] Clarence Gillis, député de Cap-Breton Sud, salua le discours de Lapointe comme *« une bouffée d'air frais »*, avant de réaffirmer la position du CCF et d'exprimer des doutes graves au sujet de la sagesse de la politique du gouvernement.

Louis Saint-Laurent, parlant le 6 décembre vers la fin du débat, indiqua qu'il avait discuté les réalités du problème avec ses collègues, députés du Québec. Il parla des besoins de la guerre totale et résuma l'histoire de la contribution du Canada, en concluant que tout devait continuer, de manière équilibrée, jusqu'à la victoire. [159] Jusqu'au soir du 22 novembre, il avait cru que cet objectif pourrait être atteint en poursuivant une politique de volontariat. Cependant, il accepta le changement de politique quand on lui fit remarquer que l'armée canadienne pourrait être paralysée par un manque d'infanterie et qu'une insuffisance de réserve pourrait affecter le moral des hommes sur la ligne de feu. Il affirma savoir quelle réaction pourrait produire sa décision dans le Québec, mais, déclara-t-il, « *je suis venu ici pour accepter une tâche de guerre, parce que le premier ministre, à tort ou à raison, estimait que je pouvais rendre quelques services. Je crois devoir rester à mon poste, malgré les difficultés croissantes de la tâche, aussi longtemps que je serai persuadé que ces difficultés proviennent de faits influant de quelque façon sur la sécurité des hommes qui font pour nous tellement plus que nous ne pourrons jamais faire pour eux.* » Il assura qu'il pensait et espérait encore que la contrainte ne serait pas nécessaire pour obtenir les hommes qu'il fallait, mais l'on ne pouvait prendre aucun risque et, ajouta-t-il, « *j'ai décidé de demeurer, quoi qu'il arrive, aux côtés du premier ministre.* » [160]

Selon lui, il était probable que l'amendement de Joseph Jean ne serait pas adopté et il invita ceux qui l'approuvaient à accepter « *en véritables démocrates, cette décision démocratique :*

*Je suis convaincu qu'ils peuvent le faire sans adhérer à ce concept de la démocratie qu'on entend parfois exprimer et qui veut que ce soit à la fois légal et opportun pour la majorité d'affirmer, en tout temps et en toutes circonstances, sa volonté, indépendamment des sentiments et des vues de la minorité, ainsi que des raisons qui les motivent. Telle n'est pas l'idée que je me fais de la démocratie qui convient à des hommes libres et pour laquelle les nations libres font cette guerre. Ce n'est pas non plus la sorte de démocratie qu'ont prévue les pères de la Confédération. Ce n'est pas la sorte de démocratie qui assurera le plein épanouissement de la constitution qui unit en une nation les divers éléments qui constituent notre peuple canadien.*

*Il faut respecter la volonté de la majorité et c'est elle qui doit prévaloir. J'espère cependant qu'ici, au Canada, la majorité n'affirmera toujours sa volonté, comme dans le cas actuel, qu'après examen sérieux des sentiments et des vues de la minorité et des raisons de ces sentiments et de ces vues et dans la mesure seulement où la majorité a la conviction sincère que les intérêts généraux de tout le corps politique exigent que cette volonté soit ainsi affirmée.* »

Il demanda à tous les membres de la Chambre, « *quelles que soient leurs opinions personnelles sur l'à-propos de faire plus ou de faire moins que prévoit le décret du conseil, de s'unir et d'affirmer à nos soldats d'outre-mer que la nation, d'un océan à l'autre, se porte garante d'une victoire qui sera décisive et durable*... *Ne négligeons rien de ce qui est nécessaire pour remporter la victoire ; par contre, efforçons-nous d'éviter de faire ou de dire quoi que ce soit dont la nécessité ne s'avère pas réelle et qui serait de nature à détruire, ou à menacer cette unité qu'il nous a fallu et qu'il nous faut encore pour rendre notre effort puissant, constant et efficace.* » [161]  Saint-Laurent, en qualité de chef titulaire des libéraux du Québec, rallia un grand nombre des partisans vacillants de King en acceptant de bon cœur et courageusement la décision du premier ministre, qui semblait alors présager la fin probable et soudaine de sa carrière politique.


10


A l'ouverture de la séance du soir, le 6 décembre, le premier ministre annonça qu'il avait consulté les chefs de l'opposition et des partis *CCF* et Crédit social et que tous convenaient qu'il était très possible et plus sage de clore le débat le lendemain soir car, « *s'il se prolongeait plus longtemps, il aurait un effet de désagrégation plutôt qu'autre chose dans le pays tout entier.* » [162] Il fut donc décidé, d'un commun accord, de siéger le matin, jusqu'à l'achèvement du travail en cours.

L'attaque des conservateurs contre la motion du gouvernement et la division au sein du cabinet continuèrent, H.R. Jackman, député de Rosedale, faisant remarquer que Louis Saint-Laurent était le seul ministre qui eût parlé en faveur de la motion du gouvernement. [163] G.A. Cruickshank, député libéral de Fraser Valley, ancien combattant de la première guerre, déclara qu'il voterait pour l'amendement de l'opposition mais que, s'il n'était pas adopté, il voterait pour la motion principale, comme son collègue Sinclair. [164] Jean-François Pouliot, député de Témiscouata, expliqua son départ des bancs du gouvernement en observant, au sujet du décret : « *Ce fut la goutte d'eau qui fit déborder le verre.* » Il ajouta que le premier ministre, « *qui est plus libéral dans ses discours que dans les actions qu'il pose, a préféré, depuis le début de la guerre, les avis de ses adversaires à ceux de ses partisans.* » [165] Après avoir rappelé sa carrière politique, il affirma que le parti libéral était mort et que le premier ministre l'avait tué. [166] Armand Cloutier, député de Drummond-Arthabaska, déclara qu'il voterait contre la motion du gouvernement, parce qu'il s'opposait à la conscription. Il savait que Mackenzie King était « *l'objet d'une infâme conspiration, conspiration d'une majorité aveuglée de vieux préjugés et de nouvelles combines politico-militaires et financières* », mais il continuait d'avoir confiance en lui pour d'autres affaires que la politique de guerre. [167] D'autres opinions hostiles à la conscription, accompagnées de la même réticence devant une rupture avec leur chef, furent exprimées par d'autres libéraux du Québec. J.-A. Crète, député de Saint-Maurice-Laflèche, Maurice Bourget, député de Lévis et Charles Parent, député de Québec Ouest et Sud, approuvèrent avec enthousiasme l'attitude d'Hugues Lapointe.

Le 7 décembre, W.C. Macdonald, député de Halifax, qui avait démissionné du poste d'assistant parlementaire de Ralston, déclara qu'il appuierait la motion du gouvernement. Le colonel Ralston lui-même, depuis quelques jours, avait cherché querelle à des orateurs conservateurs, à mesure que s'atténuait la perspective d'une coalition sous sa direction. H.-E. Brunelle, député de Champlain, attaqua les conservateurs avec rancœur parce qu'ils dressaient un réquisitoire contre le Québec et il mit en relief cette vérité simpliste : « *Chaque fois qu'il y a eu des malentendus entre les différentes races au pays, ces malentendus ne provenaient pas de nous, mais ils ont surgi parce que certaines gens désiraient intervenir dans notre mode de vie et dans notre façon de penser.* » [168] Il considérait que la crise actuelle était une répétition de celle de 1917 et il cita les remarques du major David Maclellan, du *Halifax Chronicle* :

« *En qualité de Canadien ayant autant de sang des anciens bretons dans les veines que le plus énergique porte-étendard du pays, je suis frappé du fait que les Canadiens anglophones pourraient très bien aller se pendre de honte d'avoir fait cette stupide, honteuse campagne de calomnie contre le Québec. La tolérance qui, d'une manière ou de l'autre, a pris racine dans l'armée canadienne d'outre-mer fait, et a tristement fait défaut ici. C'est une tragédie qu'un grand nombre de Canadiens ne puissent pas acquérir l'esprit et la résolution qui animent leurs fils et leurs frères au delà des mers.*

*L'attitude du Québec au sujet de la conscription n'a été un secret pour personne depuis de nombreuses années et, quand même, ignorant volontairement le fait que presque les deux tiers des troupes de la défense nationale viennent des autres provinces, certains Canadiens ont été assez pervers pour accumuler les injures, toutes les injures possibles contre le peuple du Québec, au cœur chaud et fidèle.*

*Considérant qu'il s'agit d'une minorité parlant une autre langue et pratiquant une autre religion, la coopération de la population du Québec a été splendide. L'histoire des relations entre Canadiens francophones et anglophones a été salie à plusieurs reprises par des piqûres d'épingle, des remarques grossières et des insultes cinglantes versées en avalanche sur le Québec. Qu'il ait tort ou raison, le Québec a tous les droits d'éprouver du ressentiment et le fait stupéfiant c'est qu'il ne se soit pas permis de le manifester davantage.*

*La politique canadienne de volontariat a bien fonctionné pendant toute la durée de cette guerre. Il peut continuer d'en être ainsi, si on lui en laisse vraiment la possibilité. Une chose est plus importante que la controverse qui agite aujourd'hui le Canada et cela, c'est la nation canadienne.* » [169]

Brunelle gardait sa confiance au premier ministre, mais il ne croyait plus aux ministres partisans de la conscription et il se proposait de voter contre l'amendement conservateur et contre la motion du gouvernement.

Sasseville Roy, député de Gaspé, affirma que le débat avait été inutile, puisque le premier ministre avait déclaré, le 27 novembre, en présentant la motion de confiance, qu'il ne s'agissait pas d'approuver ou de désapprouver la conscription. [170] Il considérait que le parti libéral, avec sa forte majorité, était responsable de la conscription et déclara qu'il voterait contre la motion et contre les amendements. Tout en acceptant la conscription comme inévitable, il présenta contre elle un dernier argument : « *Si nous sommes canadiens, tout en aimant l'Angleterre, n'allons pas, pour l'amour de Dieu, semer au pays cette cruelle division qui fera plus de tort que le peu de bien que nous pouvons attendre de l'envoi de quelques hommes outre-mer.* » [171] Le premier ministre nia plus tard une accusation de Roy, fondée sur les mémoires de Sir Robert Borden, selon laquelle il aurait été prêt à se joindre au gouvernement d'union, au cours de l'été 1917. [172]

Wilfrid Lacroix, député de Québec-Montmorency, déclara qu'en fait le sous-amendement de Joseph Jean recommandait un plus vigoureux effort de guerre et il demanda : « *Pourquoi toujours et toujours sacrifier des vies canadiennes, alors que des Français, des Belges, des Hollandais ne demandent pas mieux que de prendre leur revanche ?* » Il insista pour que les troupes canadiennes soient retirées du front progressivement et il répéta : « *J'ai toujours été contre toute participation et je le suis encore.* » [173] Raymond Eudes, député d'Hochelaga, fit l'éloge de la participation canadienne et annonça qu'il voterait contre la motion ministérielle pour s'opposer à la conscription, mais qu'il approuvait l'ensemble de la politique du gouvernement et n'avait aucune intention d'encourager l'isolationnisme qui « *ne peut engendrer pour mes compatriotes que le trouble, la misère et le malheur.* » [174] Sarto Fournier, député de Maisonneuve-Rosemont, demanda au gouvernement de revenir sur sa politique de conscription, de crainte que cette décision ne produise les mêmes effets que ceux d'après la première guerre. [175] Joseph Lafontaine, député de Mégantic-Frontenac, père de trois volontaires, approuva le sous-amendement de Joseph Jean en déclarant : « *Ce qui me guide dans cette décision, c'est le principe qui m'a toujours inspiré de combattre la conscription car, pour tout le peuple canadien-français, ainsi que pour moi-même, c'est la fierté nationale qui compte.* » [176] D. King Hazen, député de St. John-Albert, en appuyant l'amendement conservateur par un discours remarquablement tolérant, rendit hommage au discours de Saint-Laurent en tant que contribution à l'unité nationale et il affirma qu'il n'avait jamais blâmé l'attitude des Canadiens français. T.V. Grant, député de Kings, partisan du volontariat, se prononça pour la motion du gouvernement comme étant le moindre de deux maux. P.-J.-A. Cardin voterait pour le sous-amendement de Joseph Jean, malgré la médiocrité de son texte, parce qu'il approuvait le volontariat et s'opposait à la conscription. [177]

Cinq députés anglophones du Québec appuyèrent le sous-amendement de Joseph Jean. Il fut rejeté par 168 voix à 43. George Russell Boucher, député de Carleton et Norman Jacques, député de Wetaskiwin, votèrent pour l'amendement conservateur, qui fut rejeté par 170 voix à 44.

Stanley Knowles, député de Winnipeg Nord-Centre, affirma qu'il était reconnu de tous que la motion gouvernementale n'était que l'équivalent d'un vote de confiance au gouvernement, « *en tant qu'instrument pour l'administration d'une loi actuellement en vigueur* » et qu'elle ne posait pas le problème devant le pays. Il proposa, comme amendement à la motion principale, le même amendement que M.J. Coldwell avait présenté en sous-amendement le 27 novembre et qui avait été jugé irrecevable. [178] L'Orateur le déclara de nouveau irrecevable et sa décision fut confirmée par 176 voix contre 20 quand Coldwell demanda le vote de la Chambre.

Mme Dorise Nielsen, député de North-Battleford, ouvrit le débat du soir en approuvant les remarques de Rose sur la position du parti ouvrier-progressiste et en s'associant à l'accusation de Leslie Roberts, qui écrivait dans le *Canadian Mining Reporter* : « *Ce qui se passe couramment au parlement et dans la presse n'est pas de l'obstruction politique, mais du pur gangstérisme politique, dirigé par des hommes prêts à diviser et à détruire le Canada si, en même temps, ils peuvent détruire King.* » [179] Elle déclara que les cultivateurs du Saskatchewan sympathisaient avec les Canadiens français, que les *trade unions* approuvaient les décisions du gouvernement et que la nécessité de maintenir l'unité était généralement reconnue dans tout le Canada. Elle définit l'arrêté-en-conseil comme étant un compromis : « *C'est plus que certaines gens de langue française croient qu'on devrait leur demander et c'est un peu moins que certaines gens de langue anglaise croient être nécessaire* » [180] et demanda que tous l'appuient. E.G. Hansell, député de MacLeod, déclara qu'avant la session spéciale, 90 pour cent de ses électeurs, qu'il avait consultés par circulaire, s'étaient déclarés en faveur du recours, pour les renforts, aux soldats LMRN. [181] Il fut interrompu par l'Orateur avant d'avoir présenté un nouvel amendement du Crédit social, qui fut alors présenté par C.E. Johnston, député de Bow River :

« *Que cette Chambre, bien qu'il ne lui soit pas demandé d'appuyer toutes les politiques du gouvernement, l'aidera pour l'envoi immédiat de renforts adéquats à nos hommes d'outre-mer et qu'elle l'aidera aussi toutes les fois qu'il entreprendra un effort de guerre vigoureux contre les puissances totalitaires, un effort proportionné à la puissance et à la position du Canada dans le monde.* » [182]

Maxime Raymond, rappelant que lui-même et J.S. Woodsworth s'étaient opposés à la participation canadienne le 9 septembre 1939, contesta l'assertion de Frédéric Dorion selon laquelle Liguori Lacombe et Wilfrid Lacroix auraient été les seuls à voter contre. Il fut contredit par Lacombe. [183] L'Orateur déclara alors que l'amendement du Crédit social était irrecevable et cette décision fut confirmée par 165 voix à 33.

Philippe Picard, pour expliquer la position de ceux qui s'opposaient au *Bill 80* et au décret, proposa alors un amendement semblable au sous-amendement de Joseph Jean, qui avait été rejeté : « *Que cette Chambre aidera une politique de poursuite d'un effort de guerre efficace, mais n'approuve pas le service obligatoire pour outre-mer.* » [184] L'Orateur déclara cet amendement irrecevable, malgré les protestations de Tucker, qui l'appuyait et celles de M.J. Coldwell, qui affirma qu'il n'était laissé aucune chance aux adversaires du gouvernement d'exprimer leur opinion par des motions. Il proposa alors l'amendement suivant à la motion gouvernementale : « *Que cette Chambre aidera le gouvernement à maintenir un vigoureux effort de guerre* », pour que ceux qui favorisaient cet effort, mais n'approuvaient pas les autres aspects de la politique du gouvernement, puissent quand même l'appuyer. Le premier ministre déclara que, selon lui, cet amendement était recevable, puisqu'il exprimait son intention. [185] La Chambre consentit à la proposition du premier ministre de ne pas s'ajourner à 11 heures du soir. Cardin affirma que tous les amendements proposés n'avaient servi qu'à embrouiller la question, que la modification du texte ne signifiait rien et qu'il voterait contre la motion de confiance, maintenant enjolivée des quelques fleurs répandues sur elle par le chef du parti *CCF*. [186]

Le *leader* de l'opposition rejeta l'accusation de Coldwell, selon laquelle les conservateurs auraient dupé ceux qui voulaient s'opposer au gouvernement, en revisant leurs motions entre les 22 et 27 novembre et il définit l'amendement Coldwell comme étant, en somme, « *un amendement du gouvernement proposé par les lèvres de l'honorable membre.* » [187] Il accusa le groupe *CCF* de faire cause commune avec le gouvernement. Knowles évoqua la part prise au débat par le *CCF*. Il convint, partiellement, avec Cardin que la motion du gouvernement, sous sa forme amendée, n'était plus un vote de confiance, mais « *une pieuse résolution de la Chambre, constatant que nous consentons à aider le gouvernement à poursuivre un vigoureux effort de guerre et qu'ensuite nous clôturons cette session et retournons chez nous.* » [188] Il accusa le chef de l'opposition de discréditer ceux qui avaient contribué à l'effort de guerre, en assurant que le parti progressiste-conservateur était « *tout simplement vexé* » de l'échec de son effort pour tirer un avantage politique de l'affaire. Il était persuadé que, « *parce que le gouvernement a accepté avec promptitude l'amendement que nous avons proposé en ce dernier moment, nous avons remporté une victoire sur la crise que nous venons de traverser, non seulement pour notre parti, mais pour le parlement et le peuple du Canada tout entier.* » [189] Picard demanda si le gouvernement avait encore changé de politique et il insista pour que l'amendement *CCF* soit déclaré irrecevable, puisque cette motion avait le même sens que le sous-amendement déjà proposé qui avait été déclaré irrecevable. Jean-François Pouliot affirma qu'il y avait eu entente préalable entre le chef *CCF* et le premier ministre. Coldwell niant cette accusation, [190] Pouliot déclara que la motion, sous sa forme amendée, était vague, incohérente et souillée par le *CCF*. [191] Blackmore, en qualité de chef du Crédit social, insista alors pour que soit approuvée la motion du gouvernement, parce qu'elle assurait des renforts, ce qui était l'essentiel. L'amendement *CCF* fut voté par 141 voix contre 70.

Le premier ministre prononça alors un dernier plaidoyer pour que l'on aille à l'aide des soldats combattants outre-mer et il accusa le chef de l'opposition de ne s'occuper « *presque exclusivement* », en un pareil moment, que « *de querelles de politique mesquine entre les différents partis politiques de ce pays.* » [192] Réitérant son opinion que la résolution amendée avait le même sens que la motion initiale, il remercia Coldwell de son désir de prouver que la Chambre était « *unie et résolue à obtenir un effort de guerre vigoureux pour appuyer nos soldats au delà des mers, une politique de vigoureux maintien de notre contribution de guerre.* » Il convint, avec Coldwell et Knowles, que le gouvernement ne demandait pas un vote de confiance illimité pour sa politique en général et il insista pour que la motion soit adoptée par un vote massif. Il déclara que Blackmore avait trouvé la « *note juste* » en observant que les yeux du monde étaient fixés sur le Canada. En effet, l'ennemi ne pourrait recevoir de meilleur encouragement s'il décelait le moindre indice que le *Commonwealth* n'est pas uni dans l'appui qu'il donne à ses combattants et dans sa détermination d'aller aux extrêmes limites pour faire un succès complet de son grand effort de guerre. [193] Evoquant les paroles de Lapointe, « *son jeune ami et brave soldat, fils de l'ami le plus sincère que j'aie jamais eu dans cette Chambre des Communes* », il affirma que les soldats du front seraient ou encouragés, ou démoralisés, selon le résultat du vote. Il admit qu'il pouvait être difficile, pour certains députés d'expliquer pourquoi ils appuyaient la politique du gouvernement mais, déclara-t-il, « *plus que certains orateurs que nous avons entendus, j'ai foi dans l'intelligence et le cœur de leurs électeurs, si la situation leur était convenablement expliquée.* »

Insistant encore, de façon voilée, sur la gravité des situations, présente et future, il adjura les membres du parlement et le peuple du Canada « *de prendre garde de faire, ou laisser faire quoi que ce soit qui puisse donner à nos ennemis, ou au peuple de tout autre pays, une raison de croire que les démocraties faiblissent, qu'à l'intérieur de leurs frontières, ou entre elles, s'installe la discorde, car la conséquence serait qu'à leurs propres yeux, la puissance, présente ou future, que peuvent posséder, ou venir à posséder nos ennemis, pourrait leur paraître plus grande que tout ce qu'ils voient eux-mêmes ailleurs.* » Il déclara que le jour était passé « *où les questions locales, ou provinciales — je pourrais presque dire nationales, de n'importe quel pays — peuvent être séparées de la grande question de savoir comment ce monde pourra tenir ensemble dans les quelques prochaines années, de manière à permettre aux hommes de jouir de la liberté et de conserver leurs vies et leurs foyers.* » [194] Quant aux promesses rompues et à la confiance perdue, il admettait que lui-même, comme les chefs de tous les partis en 1939, avait donné des assurances contre la conscription, « *au pays dans son ensemble et non pas à une province, ou une partie du pays.* » Le résultat du plébiscite avait libéré le gouvernement et tous les partis de ces engagements et le *Bill 80* avait donné la liberté de recourir à la conscription pour le service militaire outre-mer, s'il le fallait. Il s'était engagé à utiliser ce pouvoir, s'il le fallait et, en l'invoquant, il avait conscience de rester fidèle à « *cette Chambre des Communes, au peuple du Canada et aux hommes de l'armée du Canada combattant au-delà des mers.* » [195]

La motion amendée fut votée, peu après une heure du matin, par 143 voix à 70. Bien que trente-deux députés canadiens-français du Québec eussent voté contre le gouvernement, Mackenzie King avait remporté une victoire écrasante et incroyable contre l'opposition *tory* et nationaliste. Ces deux pôles de la politique canadienne n'avaient pas été réunis en 1944 comme ils l'avaient été, pour renverser Laurier, en 1911, surtout grâce au refus loyal du colonel Ralston de se prêter à la formation d'un gouvernement de coalition à forte majorité conservatrice. L'appui des groupes *CCF* et Crédit social compensa la défection des libéraux du Québec qui s'étaient séparés de King et de Saint-Laurent. Le résultat du débat sur la conscription était un indice de la profonde évolution du sentiment national canadien en un tiers de siècle. C'était aussi un hommage à l'habileté politique consommée de l'homme qui avait remporté la victoire dans une situation qui, pensait-on généralement quand la session spéciale s'ouvrit le 22 novembre, ne pouvait entraîner que sa défaite.

11

Le Sénat fut appelé tardivement, le 17 novembre, à se réunir le 22 novembre, après que le sénateur C.C. Ballantyne eut exprimé dans la presse, le 16 novembre, l'opinion qu'il aurait dû, comme la Chambre, être convoqué. Quand il se réunit, le *leader* du gouvernement, J.H. King, proposa aussitôt l'ajournement, pour que les sénateurs puissent assister au débat de la Chambre. Le sénateur Ballantyne, en qualité de *leader* conservateur, approuva, mais déplora que le Sénat n'eût pas été appelé en même temps que les Communes, « *au moment de la plus grande crise par laquelle le monde ait jamais passé.* » Quand le Sénat se réunit de nouveau le 24 novembre, Ballantyne demanda si le gouvernement enverrait d'abord au front les soldats LMRN entraînés, en vertu de l'arrêté-en-conseil annoncé le jour précédent. Le général McNaughton étant encore interpellé en Chambre, le sénateur King remit au 28 novembre une déclaration au nom du gouvernement, tout en accusant « *quelques journaux publiés dans deux de nos grandes villes* » d'imprimer des éditoriaux inspirés par « *l'idée d'embarrasser le gouvernement dans son effort de guerre.* » [196] Le Sénat se réunit encore les 28 et 29 novembre, mais s'ajourna aussitôt, pendant que se poursuivait, aux Communes, le débat sur le vote de confiance.

Enfin, le 30 novembre, le sénateur King défendit le premier ministre et l'effort de guerre et mit en garde contre le danger de soulever l'opinion publique. Il condamna l'usage du terme « *zombie* » et du slogan de conscription, qu'il dit avoir eu « *un effet désastreux sur un grand parti politique.* » Il cita les discours de Meighen à Hamilton et à Bagot en 1926 et la promesse faite par R.J. Manion, en 1940, de ne pas recourir à la conscription. Le sénateur Ballantyne répondit au nom des conservateurs, en critiquant la politique du gouvernement au sujet des effectifs et sa création de « *deux armées* ». Il rappela qu'au congrès de Winnipeg, du 9 au 11 décembre 1942, le parti conservateur, qui s'était choisi John Bracken comme chef, s'était engagé à « *fournir jusqu'à la limite de nos ressources* », aux forces armées, « *renforts, matériel et munitions de guerre.* » Il déclara : « *Non seulement c'était notre politique en 1942 mais, depuis ce temps, ce fut toujours notre politique et c'est celle que nous soutiendrons jusqu'à la fin.* » [197] Niant les assertions libérales selon lesquelles la conscription aurait été inefficace au cours de la dernière guerre et affirmant une ressemblance frappante entre la situation d'alors et celle d'aujourd'hui, Ballantyne cita les chiffres officiels de l'armée montrant que, tandis que les engagements volontaires des dix mois avant l'application du *Military Service Act* en janvier 1918 s'étaient élevé à 51 101, un total de 154 560 hommes avaient été obtenus dans les dix mois après son application. [198] Au cours du débat qui suivit, le sénateur Ballantyne, qui avait appartenu au gouvernement d'union, déclara que le ressentiment provoqué en 1917 n'était « *rien en comparaison du ressentiment qui règne aujourd'hui.* » [199]

Le sénateur Chapais, seul Canadien français qui prît une part notable à la discussion au Sénat, réitéra son opposition à la conscription sous Mackenzie King, comme sous Sir Robert Borden. Il déclara que la conscription pouvait être justifiable pour la défense nationale contre l'agression, « *mais la conscription, la contrainte pour arracher aux foyers la fleur d'une jeunesse afin de l'envoyer à l'étranger, à travers les océans et peut-être aux antipodes, vers de lointains champs de carnage, c'est une mesure abusive et tyrannique.* » Il affirma que la conscription allait à l'encontre de la tradition britannique et qu'il ne voyait aucune raison d'y recourir puisque la victoire était en vue. Il cita, en l'approuvant, la déclaration de C.G. Power aux Communes : « *Nous n'avons pas le droit de déchirer en deux ce pays au point où la guerre en est rendue.* » Il cita aussi plusieurs déclarations du premier ministre pour renforcer son argument que le Canada avait entrepris un effort de guerre trop considérable et il se servit de la déclaration faite par Ralston contre la conscription en 1941, au nom de l'unité nationale, pour conclure sa protestation contre « *tous les excès de paroles et d'actions dont nous sommes les témoins :*

*Nous allons avoir la conscription, au mépris de tous les engagements et de toutes les promesses. Nous allons avoir cette mesure excessive, qui nous a divisés, qui va nous diviser encore et que nous aurions dû éviter...* » [200]

L'éloquence, en français, du sénateur Chapais fut en grande partie perdue pour ses collègues de langue anglaise. Ce fut la seule expression nette, au Sénat, d'une opposition complète à la conscription. Cependant, les sénateurs libéraux et conservateurs se querellèrent sur la question, surtout sur le plan des idéologies de parti, malgré le caractère théoriquement non politique de la Chambre Haute. Les discours les plus notables prononcés devant le Sénat, qui s'ajourna le 5 décembre, furent celui de J.A. Calder, libéral de l'Ouest, membre du gouvernement d'union en 1917, qui fit une critique réfléchie et modérée de la politique du gouvernement, déclarant que la conscription était une « *question nationale, plutôt que purement locale* », [201] ainsi que celui du major-général W.A. Griesbach, qui parla en faveur de la conscription intégrale, ce qui allait dans le sens de l'opinion extrémiste des militaristes canadiens-anglais de sa génération. Il fut le seul orateur à mettre en opposition Canada anglais et Canada français :

« *On nous a dit que, si nous voulions l'unité nationale, nous aurions dû rester en dehors de cette guerre et maintenant que nous y*

*sommes, nous devrions faire aussi peu que possible. Honorables séna-*
*teurs, c'est là un prix trop élevé à payer pour l'unité nationale... La*
*vérité, c'est qu'une majorité des gens de ce pays sont las d'essayer*
*d'acheter l'unité nationale à un trop grand prix. Nous ne paierons*
*pas ce prix. Ce que nous espérons avoir en ce pays — pour changer*
*— c'est un régime démocratique, dominé par la majorité. Nous espé-*
*rons que nos hommes publics et nos* leaders *auront assez de cœur au*
*ventre pour poursuivre cette politique, en laissant tomber les copeaux*
*là où ils pourront. »* [202]

Le Sénat ne servit ainsi qu'à permettre aux Canadiens de la
vieille génération d'exprimer leur opinion au cours de la session
spéciale. Il se borna à commenter ce qui se passait à la Chambre
des Communes, car il n'avait aucune affaire officielle à traiter.


## 12


Les passions montèrent, dans le Québec, à la fin de novembre,
pendant les premières phases du débat à Ottawa. On apprit que des
*Union Jacks* avaient été déchirés ou brûlés à Chicoutimi et à Rimouski, en réponse au mot d'ordre lancé par Maxime Raymond et
répété par René Chaloult : « *L'indépendance est la seule réponse*
*appropriée à la conscription.* » Le Bloc organisa des réunions massives
à Montréal et à Québec et chercha à profiter de l'agitation. Cependant, la presse française de toutes nuances politiques conseilla le
calme et minimisa l'importance des troubles auxquels on portait beaucoup d'attention en dehors de la province. Le Canada français était
généralement uni pour s'opposer à la conscription, mais un très fort
courant d'opinion soutenait le gouvernement King, ouvertement ou
tacitement, « *pour éviter un mal beaucoup plus grand.* » A mesure
que montaient les passions, la presse française passait d'une attitude
de défense du Québec à des attaques contre la « *clique des colonels* »
et la *Rue Saint-Jacques,* parce que l'on estimait que les militaristes
et les grosses entreprises s'étaient ligués pour renverser le gouvernement King.

Considérant l'atmosphère de fièvre qui régnait alors, les désordres
du 29 novembre, à Montréal et à Québec, se produisirent quelque peu
à retardement. A Montréal, un énorme rassemblement fut organisé
par le Bloc populaire, au Marché Saint-Jacques. André Laurendeau
y lança un appel pour « *un front uni contre la conscription* », en
accusant « *la dictature de la majorité d'être aussi tyrannique que*
*n'importe quel fascisme.* » [203] Une foule de jeunes gens, évaluée à
quelque 2 000, parcourut le quartier financier en brisant les vitres
des bureaux du Service national sélectif, du journal *Le Canada,* de
la Banque de Montréal, de la *Montreal Trust Co.* et d'autres maisons

d'affaires. Le *Star* écrivit qu'une marche contre ses bureaux et ceux de la *Gazette* avait été empêchée par la police. Le 30 novembre, le *Star* publia, en première page, un éditorial intitulé *This Rioting Must Stop (Ces émeutes doivent cesser)*, affirmant le droit constitutionnel de protester contre la conscription dans des réunions publiques, mais exigeant la répression des manifestations violentes contre la loi et l'ordre. Affirmant que « *ce pays ne veut pas d'une répétition de 1917* » et que « *les meilleurs éléments du Québec lui-même ne veulent pas pareille répétition* », le *Star* somma « *ces jeunes voyous... d'écouter le conseil des éléments plus pondérés, qui savent que les relations du Québec avec le reste du Canada peuvent dépendre, pour des années à venir, de son attitude à l'égard des décisions prises par le gouvernement et le parlement du peuple.* »

Le *Devoir* déplora, le 30 novembre, les incidents de Chicoutimi et de Rimouski. Il rappela son éditorial du 27 novembre où il écrivait que « *brûler ou déchirer des drapeaux n'avance à rien, ne sert de rien et peut faire beaucoup de mal à la cause que l'on prétend servir. Briser des vitres n'a pas plus de sens. Et nous trouvons que les deux types de manifestations sont pareillement regrettables.* » Puis, pour protester contre une fausse description des scènes qui s'étaient déroulées le soir précédent, il cita le compte rendu de la *Gazette : « Dans la plupart des cas, les vitres furent brisées par des gamins en veine d'escapade qui se sont joints à la manifestation au moment où elle quittait le Marché Saint-Jacques.* » A Québec, une foule de jeunes gens brisa des vitres aux bureaux du *Chronicle-Telegraph* conscriptionniste et à la résidence de Saint-Laurent, ministre de la justice. [204] Cependant, après ces colères éphémères des masses populaires, qui ne furent jamais comparables aux désordres de 1917, le Canada français se calma rapidement et accepta l'inévitable avec assez de bonne grâce. Heureusement, il n'y eut pas d'effusion de sang et les manifestations furent prudemment combattues par la police locale, plutôt que par la troupe. Cependant, un certain nombre de Canadiens anglais, oubliant la leçon de 1917, eurent quand même l'inconséquence de conseiller l'emploi de mitrailleuses pour faire accepter au Québec la volonté du reste du Canada.

L'acceptation réticente d'une mesure qu'abhorrait l'esprit canadien-français était évidente dans les éditoriaux sur le vote de confiance au gouvernement King. Le *Soleil* exprima ainsi l'attitude des libéraux du Québec à l'égard de King, dont les partisans fédéraux votèrent, pour la plupart, contre le gouvernement : « *Ses anciens partisans de la Province de Québec sont bien disposés à croire que l'application d'une mesure détestable sera moins cruelle sous sa direction qu'elle ne l'aurait été sous tout autre gouvernement que le sien, mais ils se sentent trompés et traités injustement par le politicien auquel ils avaient accordé leur confiance depuis vingt-cinq ans.* »

*L'Action catholique*, intitulant son éditorial *Heureux dénouement d'une pénible crise*, exprima son opposition persistante à la conscription et blâma les concessions successives de King, mais elle ajouta :

« *Nous préférons ce verdict à un renversement du gouvernement pour trois raisons : nous aimons mieux un gouvernement conscriptionniste malgré lui, qu'un gouvernement conscriptionniste enragé de n'avoir pas eu plus tôt la contrainte ; nous aimons mieux un gouvernement qui a sacrifié le Québec à regret qu'un gouvernement qui eût peut-être cherché des occasions de nous sacrifier davantage, sinon de se venger de notre attitude anti-conscriptionniste ; nous aimons mieux un gouvernement qui a approuvé le rappel des recrues canadiennes-françaises au Québec qu'un gouvernement qui eût annulé ce rappel et ordonné une discipline répressive fort dangereuse pour la paix dans les camps militaires et ailleurs.*

*...Tout comme ses représentants à Ottawa, l'électorat québecois préfère le maintien du gouvernement à une élection, mais il réprouve sa politique de contrainte.* »

*La Patrie* accueillit le vote de confiance comme « *une solution qui devrait être acceptable à tous ceux qui, opposés à la conscription, s'arrêteront à réfléchir à ce qu'aurait signifié toute autre alternative* », déplorant « *l'application partielle d'un principe que la grande majorité de notre peuple repousse, comme en témoignent les votes donnés par nos députés* », mais ajoutant : « *Il était devenu évident, dès les premières heures qui suivirent la convocation du parlement, que la crise ne pourrait être tranchée de la façon absolue que souhaitait la Province de Québec et qu'elle ne pourrait se dénouer que par un compromis.* »

*Le Canada* salua la victoire de King sur la « *conspiration* » des tories et des nationalistes laurentiens, semblable à celle qu'avait dû combattre Laurier une génération auparavant. *Le Devoir* estimait que le triomphe de King, pour être faux, n'en était pas moins retentissant :

« *Il a réduit à néant les efforts de tous les puissants adversaires qui s'étaient ligués pour le déposer... La vaste conspiration qui s'était ourdie contre lui réunissait les politiciens conservateurs, la presse anglo-canadienne presque tout entière, de nombreux éléments conscriptionnistes chez les libéraux, les éléments militaires et probablement aussi, dans la coulisse, les gros intérêts financiers. La presse et la Légion canadienne ont brillamment réussi à soulever l'opinion publique dans les provinces anglaises, les militaires ont saboté la tentative du général McNaughton de renouveler la politique du volontariat, mais ceux qui avaient été choisis comme les principaux exécutants du coup, le colonel Ralston et les leaders parlementaires conservateurs, ont manqué d'habileté et de décision au moment critique. M. King conserve donc le pouvoir, mais il a obtenu ce triomphe en sacrifiant des amitiés et des dévouements fidèles, en sacrifiant probablement aussi l'avenir de son parti et la place qu'il aurait pu occuper dans l'histoire politique du Canada.* » [205]

Cette opinion de la crise fut généralement partagée au Canada français.

La lutte pour la mairie de Montréal en décembre, entre Camillien Houde, faisant campagne comme victime d'un internement arbitraire et comme adversaire de la conscription d'une part et, d'autre part, Adhémar Raynault, qui se proclamait partisan de l'ordre et d'une pleine collaboration avec les autorités provinciales et fédérales, procura, à ce moment, un dérivatif permettant d'épancher le sentiment de colère refoulé contre la conscription, qui était probablement plus intense à Montréal que partout ailleurs dans la province. Houde, qui n'était soutenu que par *Montréal-Matin,* fut réélu à son ancien poste avec une majorité confortable, les quartiers français votant massivement pour lui, tandis que, dans les quartiers anglais, les votes allaient à son adversaire. Quand le résultat fut connu, *La Presse, Le Canada* et *La Patrie* avertirent le vainqueur qu'il n'avait reçu qu'un mandat municipal, qui ne devait pas être utilisé comme tremplin pour Québec ou Ottawa.

Le premier ministre Duplessis, l'autre *leader* qui pouvait exploiter la réaction du Québec contre Ottawa provoquée par la conscription, s'affirma de nouveau comme champion de l'autonomie provinciale et de la théorie du pacte de la Confédération dans un discours à la Société Saint-Jean-Baptiste de Québec. Le trésorier provincial, Onésime Gagnon, s'adressant à un dîner d'hommes d'affaires de Montréal, fit la première déclaration du gouvernement Duplessis au sujet de l'expropriation de la compagnie *Montreal Light Heat & Power.* Il la qualifia de dictatoriale, de bolcheviste et de honteuse pour nos statuts. Il s'attaqua aussi au *CCF,* en le comparant au nazisme et il proclama que le Québec continuerait d'être « *un rempart de sécurité et de stabilité* ». [206] Bien que le gouvernement Duplessis eût protesté officiellement contre l'imposition de la conscription, il devenait maintenant évident, à la suite de ces déclarations, qu'il serait plus *tory* que nationaliste. Les libéraux provinciaux lancèrent leur propre journal, *Le Canadien,* pour symboliser leur rupture avec le parti fédéral sur la question de la conscription et ils renouvelèrent leurs efforts pour obtenir l'appui ouvrier par l'influence des plus jeunes membres du parti, qui tentèrent d'arrêter les progrès que faisaient alors les partis *CCF* et ouvrier-progressiste, en cette période où les masses avaient perdu confiance dans les deux partis traditionnels.

Les conséquences militaires de la crise de conscription furent longtemps tenues secrètes par la censure. L'arrêté-en-conseil du 23 novembre provoqua une vague de désertion des soldats LMRN désignés pour le front, quand ils furent transférés vers les camps de l'Est et reçurent leur permis d'embarquer. De fantastiques rumeurs se répandirent à ce sujet et elles n'eurent d'autre frein que l'apaisement naturel qui vint après le violent orage de l'opinion publique en novembre, ainsi que les distractions des fêtes de Noël. On annonçait enfin le 20 janvier 1945 que, sur les 10 000 hommes sommés de se présenter pour embarquer les 3 et 10 janvier, 7 800 avaient été, à un moment ou l'autre, absents sans autorisation ou en retard et que 6 300 manquaient encore à l'appel le 16 janvier. Il y eut des désordres dans certains camps, aussi bien en Ontario que dans le Québec, jusqu'au 24 février, mais l'absentéisme déclina rapidement pour le troisième embarquement et il était devenu négligeable pour le quatrième. Sur le total de 14 500 hommes LMRN sommés de se présenter pour aller au front, 4 082 manquaient encore à l'appel à la fin du mois de mars, d'après la déclaration que fit D.C. Abbott, assistant parlementaire du ministre de la défense, le 5 avril. [207]

La répartition des absents par régions militaires de recrutement fut donnée comme suit :

| | |
|---|---:|
| MD 1, 2 et 3 (Ontario) | 450 |
| MD 4 et 5 (Québec) | 2 400 |
| MD 6 et 7 (Maritimes) | 100 |
| MD 10, 12 et 13 (Prairies) | 1 000 |
| Commandement du Pacifique | 150 |
| *Total* | 4 100 |

Le nombre de soldats LMRN envoyés au front par les régions militaires fut donné comme suit :

| | |
|---|---:|
| MD 1, 2, 3 (Ontario) | 3 466 |
| MD 4 et 5 (Québec) | 2 391 |
| MD 6 et 7 (Maritimes) | 888 |
| MD 10, 12 et 13 (Prairies) | 3 899 |
| Commandement du Pacifique | 1 192 |
| *Total* | 11 836 |

On indiqua, en même temps, que 10 279 soldats LMRN avaient été versés au service actif depuis le 1er novembre — environ la moitié en novembre et décembre — et que plus de 2 400 anciens LMRN étaient partis outre-mer, pour le service général. [208] En tout, 12 908 soldats LMRN furent envoyés outre-mer, le reste des 16 000 prévus par le décret n'étant pas nécessaire. Les pertes en novembre, décembre et janvier furent beaucoup moindres que celles qui avaient été prévues en octobre et les renforts disponibles au front, en avril, étaient de 75 pour cent plus élevés qu'il n'avait été envisagé en séance secrète. [209] De février à la fin des hostilités en Europe, « *il n'y eut aucune difficulté sérieuse pour garder en pleine force nos bataillons en campagne et la question de renvoyer dans leurs foyers des formations canadiennes ne se posa jamais »*, d'après l'histoire officielle de l'armée canadienne pendant la deuxième guerre mondiale. [210]

En d'autres termes, le Canada s'était presque mis en pièces en prévision d'une situation qui ne se réalisa pas. La crise des renforts de 1944 était, pour une bonne part, artificielle. Elle avait été causée par les efforts sans scrupule d'un parti qui, depuis longtemps dans l'opposition, voulait accéder au pouvoir à tout prix. L'enjeu n'était pas la victoire militaire en Europe, qui était déjà assurée, ou la défense de la réputation et de l'honneur du Canada, qui avaient été maintenus au-dessus de tout soupçon, mais le pouvoir au Canada, dans un monde d'après-guerre qui s'annonçait plein de dangers pour les gens d'esprit conservateur.

La crise de conscription de 1944 fournit aussi un autre exemple des heurts périodiques de deux mentalités canadiennes très différentes. Le Canadien français donne fréquemment libre cours à ses émotions refoulées, mais il ne leur permet pas de le faire dévier d'une ligne de conduite raisonnable dictée par la logique, bien qu'il puisse garder rancune longtemps après. Le Canadien anglais est beaucoup moins enclin à des réactions émotives mais, quand le sens commun et la raison cèdent devant elles, l'explosion est beaucoup plus violente, quoique de courte durée. La crise de 1944 fut heureusement marquée par moins de violence que celle de 1917-18 : aussi ses conséquences furent-elles moindres et de plus courte durée qu'on ne l'avait craint. Il est probable que la question de conscription ne divisera plus jamais les peuples du Canada, qui ont appris, par deux fois, ce qu'il en coûte de tenter de violenter les plus profonds sentiments des Français ou des Anglais.

L'échec de leur campagne pour prendre le pouvoir n'empêcha pas les conservateurs de poursuivre leurs attaques contre l'effort militaire du Canada français par un interrogatoire serré de D.C. Abbott après sa déclaration du 5 avril. J.G. Diefenbaker cita les statistiques données dans le numéro de février-mars du *Canada at War* pour montrer que le Québec avait le plus faible taux de volontariat et d'engagements LMRN. [211] Georges Stanley White, député d'Ontario, fit ressortir que les régions militaires du Québec avaient le plus grand nombre de déserteurs, soit 7 800 et 3 713 sur un total de 18 943 pour tout le Canada. [212] Le lendemain, Diefenbaker fit remarquer que plus de 50 pour cent des soldats LMRN du Québec sommés de se présenter pour aller au front avaient déserté. Abbott protesta contre « *cette manie de publier à son de trompe que le Canada est un pays de déserteurs »* et Jean-François Pouliot souligna que les attaques conservatrices contre le Québec étaient malheureuses, « *parce que nous devons vivre ensemble et nous aider mutuellement. »* [213] Or, l'attaque conservatrice contre le gouvernement, au sujet des affaires militaires, était maintenant centrée sur la démission du major-général G.R. Pearkes, du Commandement du Pacifique. Il l'avait offerte depuis le 26 novembre 1944 et elle fut enfin acceptée le 14 février par le département de la défense. Elle comportait des implications politiques, car l'opposition du général à la politique LMRN était connue et il avait annoncé sa candidature pour les élections fédérales imminentes.

## 13

Les sentiments partagés du Québec, en 1945, s'exprimèrent par deux courants culturels d'orientation opposée. Au début de l'année, une Académie canadienne-française, inspirée de l'Académie française, fut fondée à Montréal. De ses vingt-quatre membres, seize représentaient les arts libéraux et huit les sciences morales, politiques et religieuses. Son bureau de direction, qui avait pour chef Victor Barbeau, comprenait Léo-Paul Desrosiers et Robert Charbonneau, tandis que les autres membres étaient Marius Barbeau, Roger Brien, Robert Choquette, Marie-Claire Daveluy, l'abbé Rodolphe Dubé, dit François Hertel, Guy Frégault, Alain Grandbois, le chanoine Lionel Groulx, le père Louis Lachance, O.P., le père Gustave Lamarche, O.P., Rina Lasnier, Philippe Panneton, dit Ringuet et Robert Rumilly. Huit sièges restaient vacants pour des Canadiens de l'un ou l'autre sexe, âgés d'au moins vingt-huit ans et ayant publié au moins deux ouvrages. La fondation de cette académie marquait une étape de l'évolution consciente d'une culture canadienne-française, séparée et distincte de celle de France. Elle était aussi une révolte contre l'asservissement artificiel de deux cultures coloniales distinctes par la Société royale du Canada, dont les hommes d'Etat canadiens-français, déjà âgés, ne commandaient plus beaucoup le respect de la jeune génération dans le Québec. De nombreux membres de la nouvelle académie étaient des nationalistes qui soutenaient que les cultures canadiennes, française et anglaise, étaient inconciliables et que la Société royale n'était qu'une société d'admiration mutuelle de « bonne-ententistes ». L'art canadien-français, qui avait longtemps reflété les modes changeantes de Paris, retourna à des thèmes du terroir, tout en évitant le sentimentalisme d'un Henri Julien. Ainsi, l'isolationnisme culturel prit une direction parallèle à celle de l'isolationnisme politique du Québec, à la suite de la crise des renforts.

De son côté, le caricaturiste Robert Lapalme, le Low canadien-français, parvint à marier le point de vue d'un citoyen de l'univers à un esprit canadien-français distinctif. Les anonymes Compagnons de Saint-Laurent insufflèrent une vie nouvelle au théâtre de Montréal par leurs productions stylisées de Molière, Racine et Corneille, ainsi que des dramaturges modernes français, anglais et américains. Leur directeur, le père Legault, n'avait cure de la tradition janséniste qui avait tellement nui au théâtre canadien-français depuis le temps de Mgr de Saint-Vallier. Gratien Gélinas, dit Fridolin, satiriste dramatique bien-aimé du Canada français, avait épousé la cause nationaliste dans les premières années de la guerre, mais il se moquait maintenant du Bloc populaire et de l'Ordre de Jacques-Cartier. Il sut faire disparaître, par le rire, la tension entre Anglais et Français dans sa revue annuelle *Fridolinons* qui annonçait sa prem'ère pièce complète *Tit-Coq* (1948), où il donna une expression poignante à la question de la conscription, d'un point de vue français qui était fondamentalement canadien. Un autre indice de maturité culturelle fut donné par le roman de Roger Lemel'n, *Au pied de la pente douce* (1944), qui est une satire du nationalisme et reflète l'inquiétude des travailleurs urbains. La parution du livre de Lemelin et du roman *Bonheur d'Occasion*, de Gabrielle Roy, en anglais, appela l'attention du reste de l'Amérique du Nord sur la rapide évolution sociale du Canada français. [213bis]

En dépit de ces preuves d'une indépendance culturelle grandissante qui dépassait le développement artistique du Canada anglais, le Canada français recherchait toujours plus avidement un appui culturel en Amérique latine. Isolé de la France par la guerre, sa vieille sympathie pour la culture-mère divisée et affaiblie par la controverse Pétain-de Gaulle, le Québec comprit soudain qu'il y avait d'autres pays de culture latine sur un continent qu'au delà de sa frontière, il avait depuis longtemps considéré comme exclusivement anglo-saxon. Il s'empressa, avec enthousiasme, de nouer des relations avec ces pays. Cette conduite avait été conseillée avec insistance, à plusieurs reprises depuis 1915, par Henri Bourassa, qui voyait une sauvegarde contre l'impérialisme des Etats-Unis dans le développement des relations diplomatiques et commerciales avec les pays de l'Amérique du Sud et qui avait proposé une alliance de l'hémisphère contre l'agression européenne en 1916. [214] A la Chambre, en 1935, il avait demandé l'entrée du Canada dans l'Union panaméricaine : « *Nous nous y sentirions plus chez nous qu'à la SDN.* [215] *Nous y rencontrerions les Etats de l'Amérique du Sud qui, à certains égards, sont en accord parfait avec les Etats-Unis, mais qui, sur d'autres points, partagent avec nous les sentiments de défiance qu'éprouvent naturellement les nations faibles ou petites à l'égard d'une très grande puissance qui domine sur le continent.* » *Le Devoir* avait toujours été fidèle à l'idée panaméricaine de son fondateur et Emile Bruchési écrivait en 1922, dans *L'Action française*, que les Américains latins sont comme « *des cousins par le sang, par la race, par la mentalité* », en évoquant la vision d'un Nouveau-Monde latin faisant pièce à l'anglo-saxon. [216] Toutefois, dans l'ensemble, jusqu'en 1940, l'on ne montra guère d'autre intérêt pour l'Amérique latine qu'une tendance à favoriser le panaméricanisme pour faire échec à l'impérialisme britannique. La France étant alors tombée et le Canada anglais étant à la recherche des marchés de l'Amérique latine pour remplacer les débouchés européens, le premier ministre King s'en remit au Canada français pour assumer la direction culturelle française dans le monde.

Cette année-là, l'Union des Latins d'Amérique fut fondée à Montréal par Dostaler O'Leary, avocat, depuis avant la guerre, du séparatisme et de la création, sur les bords du Saint-Laurent, d'un Etat français libre qui s'inspirerait de la tradition culturelle d'Athènes, de Rome et de Paris et la perpétuerait. [217] Bien que l'on insinuât alors que l'enthousiasme de O'Leary était stimulé par le racisme et l'hospitalité offerte par l'Amérique latine aux Canadiens français fascisants qui y trouvèrent refuge quand le Canada entra en guerre, [218] le mouvement fut sanctionné par l'Université de Montréal et son recteur en devint le président honoraire. Ne pouvaient adhérer à l'Union que des Canadiens français. Il y en eut environ 1 500, dont près de 250 entreprirent l'étude de la langue espagnole. Par des cercles d'étude, des expositions, des conférences, l'Union s'efforça d'encourager l'unité culturelle des Latins d'Amérique, lors des journées latino-américaines qui furent célébrées à l'université en 1942, 1943 et 1944. Sous les auspices de l'Union, 100 étudiants canadiens-français se rendirent au Mexique en 1944 et 50 autres s'y rendirent, en 1945, sous les auspices du Cercle Cervantes de l'Université Laval, de Québec.

La guerre amena aussi aux institutions canadiennes-françaises des étudiants du Mexique, d'Amérique centrale et des Antilles qui, normalement, seraient allés en France. Le Club Tertulia, d'Ottawa et le Comité Canada-Brésil organisèrent aussi des échanges d'étudiants et de professeurs entre le Québec et l'Amérique latine. En plus, des cours d'espagnol furent donnés dans les universités canadiennes-françaises et complétés, à l'Université de Montréal et à l'Ecole des Hautes Etudes, par des cours sur l'Amérique latine.

C'est dans les cercles nationalistes que la sympathie pour l'Amérique latine était la plus forte. Pourtant, la théorie de liens culturels puissants, fondés sur un héritage commun, catholique et latin, fut troublée par quelques faits embarrassants. L'Amérique latine s'enorgueillissait de son héritage de la Révolution française qui demeurait, pour le Canada français, une malédiction à laquelle il avait heureusement échappé. Le catholicisme de l'Amérique latine se révéla très différent de celui du Canada français et il était loin d'être universel dans le monde académique latino-américain, avec ses vieilles traditions de libre-pensée et d'anti-cléricalisme et son nouveau marxisme. L'Amérique latine était fière de son héritage indien, tandis que le Canada français avait honte de son sang indien. Des expressions trop enthousiastes de fraternité de la part d'envoyés culturels d'Haïti dans le Québec provoquèrent, dans certains milieux canadiens-français, cette réaction : « *Après tout, nous ne sommes pas des Nègres nord-américains.* » Une évolution imprévue de l'enthousiasme latino-américain fut déterminée par la découverte que les Canadiens français étaient plus nord-américains que latins par leurs manières de vivre et de penser, malgré l'enseignement nationaliste du dernier quart de siècle. Cependant, le mouvement latino-américain bénéficia d'un appui assez général par l'intermédiaire de *L'Oeil,* qui mettait en relief une latinité commune et celui du journal *Le Bloc* qui voyait l'entrée du Canada dans l'Union panaméricaine comme un moyen permettant aux Latins de s'unir contre la finance judéo-américaine. [219]

Dépourvue de la mentalité raciste de l'Union des Latins et s'intéressant davantage au développement de relations commerciales qu'à celui de relations culturelles avec l'Amérique latine, la *Pan-American League* fut fondée en 1943, avec un siège central à Toronto et une succursale à Montréal. Cette dernière mena une enquête, en 1944, sur l'enseignement de l'espagnol et du portugais dans dix-sept universités canadiennes et, en 1945, sur le rôle du Canada dans l'hémisphère occidental. Ce fut à l'instigation d'Hector C. Boulay, directeur national de la ligue, qui avait préalablement écrit aux ministres des affaires étrangères du Chili, du Pérou et de l'Uruguay en les engageant à faire cette démarche, que la délégation du Chili à la réunion de l'Union panaméricaine à Mexico, en 1945, proposa une résolution pour que le Canada soit invité à se joindre à l'Union.

La presse française réagit de façon remarquablement favorable à ce geste, bien qu'elle fût généralement persuadée que le Canada n'entrerait pas dans l'Union, parce que les Etats-Unis objectaient que le Canada n'était pas une république et que les Canadiens anglais jugeaient qu'être membre de l'Union était incompatible avec l'appartenance au *Commonwealth* britannique. *L'Action catholique* parla de « *la sourde mais puissante hostilité de certains milieux anglo-saxons qui n'admettent pas que la lumière puisse venir d'ailleurs que de Londres.* » *Le Soleil* regretta que, « *dans la politique panaméricaine, les Canadiens soient encore considérés comme des sujets britanniques plutôt que comme les citoyens libres d'un pays libre.* » *L'Evénement-Journal* déplora que le Canada ne soit pas officiellement représenté à Mexico, car « *nous devons comprendre que nous vivons en Amérique et que les décisions qui seront prises à Mexico intéressent tous et chacun de nous.* »

*Le Canada* fut seul à estimer que l'entrée dans l'Union panaméricaine exposerait le Canada à une « *forte pression de Washington* » incompatible avec l'autonomie canadienne. Cette opinion montrait clairement qu'Ottawa désirait temporiser. En fait, subissant la pression des intérêts à la fois britanniques et américains au Canada, Ottawa préférait attendre, pour régler la question panaméricaine, que le choix soit fait entre les systèmes de sécurité, régionale ou mondiale, qui seraient discutés à la Conférence de San Francisco. Le nationalisme canadien-anglais, affermi par la guerre, hésitait à augmenter encore l'influence de Washington sur Ottawa, qui s'était accrue à mesure que celle de Londres avait décliné pendant la guerre, tandis que les impérialistes canadiens-anglais tentaient de restaurer l'ancienne domination britannique de la politique étrangère canadienne. Dans l'ensemble, les Canadiens français étaient plus favorables que les Canadiens anglais à la participation du Canada aux affaires inter-américaines. La déclaration de Malcolm Macdonald, Haut Commissaire britannique au Canada, lors d'un discours à Québec : « *Vous demeurez maîtres de vos destinées* » fut utilisée par *Le Devoir* pour donner une leçon aux impérialistes sur leur colonialisme démodé, tandis que *La Patrie* voyait une garantie pour la survivance des institutions britanniques dans le fait que « *la structure politique du* Commonwealth *et de l'Empire britannique est dans un état de constante évolution et n'a jamais été cristallisée, fossilisée ou momifiée, ce qui aurait signifié sa destruction...* » Le but britannique poursuivi était, selon *La Patrie* « *l'expansion toujours plus grande de la liberté des sujets du roi, quelles que soient leur couleur, leur race, leur croyance, ou la partie du globe où ils vivent.* » [220]

L'Amérique latine avait des charmes commerciaux aussi bien que culturels pour un Québec en quête de nouveaux marchés, qui désirait faire échec à l'emprise des Anglo-Saxons sur sa vie économique. Après la chute de la France, les journalistes français de Montréal eurent vite fait de voir un marché pour leur production en Amérique latine, où les intellectuels avaient toujours eu le français comme langue commune. L'Amérique latine était avide de papier-journal canadien, dont la répartition avait été contrôlée par des agences américaines, à des fins politiques. Dès le début de janvier 1945, Onésime Gagnon, trésorier provincial et Paul Beaulieu, ministre du commerce et de l'industrie, partaient pour Mexico et Haïti en réponse aux invitations faites l'année précédente par l'ambassadeur du Mexique et par le président Lescaut, au cours de visites protocolaires à Québec. *Montréal-Matin*, organe du gouvernement Duplessis, vanta le Québec comme agent de liaison entre l'Amérique latine et le Canada anglais, loua l'œuvre de l'Union des Latins qui faisait mieux connaître le Canada à l'étranger et observa que « *la signature d'ententes activerait le commerce et l'industrie du Québec et nous placerait en meilleure position pour faire face à la période incertaine de l'après-guerre.* » [221]

14

La tempête soulevée dans le Québec par la crise de conscription s'apaisa vite, mais la province resta irritée, ombrageuse. Le Québec était, une fois de plus, isolé du reste du Canada, comme en 1918 mais, cette fois, il se tourna surtout vers l'extérieur, vers le monde international, plutôt que de se replier sur lui-même, en attendant l'occasion de se venger du gouvernement King, aux élections. Le 3 janvier 1945, le cardinal Villeneuve renouvela, en des termes encore plus énergiques, l'avertissement qu'il avait déjà donné contre la menace mondiale du communisme lors de son retour, en automne, de son voyage en Angleterre et de sa tournée au front et sur les champs de bataille. *L'Action catholique* et *Montréal-Matin* rappelèrent que ce danger existait dans le pays, *Montréal-Matin* insistant pour que l'on se méfie de « *tous ceux qui cherchent à semer la désunion, l'agitation et la révolte.* » [222]   Le choix du Syndicat catholique national comme agent négociateur préféré des ouvriers de l'aluminium à Arvida, malgré une vigoureuse campagne de quatre mois du Congrès canadien du Travail *(CIO)*, fut salué comme une victoire sur les « *racketeers* » américains et les communistes. [223]  La Conférence de Yalta, qui ne provoqua d'abord que des expressions de regret sur l'absence de la France aux délibérations, souleva une tempête de protestations indignées de la part de *L'Action catholique,* du *Droit* et du *Devoir*, qui l'accueillirent comme un « *nouveau Munich* » contenant les germes d'une troisième guerre mondiale quand on sut que la Pologne avait été sacrifiée à la Russie soviétique. *Le Canada* et *Le Soleil* défendirent les accords de Yalta, mais un raz de marée de sympathie pour les sept millions de Polonais catholiques placés ainsi sous la domination soviétique par « *le cinquième partage de la Pologne* » déferla sur le Québec et renforça le scepticisme des nationalistes à l'égard des principes des Trois Grands et de leurs plans de paix. [224] L'arrivée, en février, du comte Jean de Hautecloque, premier ambassadeur de France au Canada, fut chaleureusement accueillie par la presse française, qui loua son rôle dans la Résistance et exprima le vœu que les relations entre la France et le Canada deviennent plus étroites. [225] Cependant, à peine arrivé à Ottawa, l'ambassadeur recevait une protestation de la Société Saint-Jean-Baptiste contre la peine de mort infligée aux intellectuels français accusés de collaboration. Un groupe d'intellectuels canadiens-français composé d'Edouard Turcotte, Jean-Charles Harvey, René Garneau et Lucien Parizeau protestèrent aussitôt contre l'intervention de la société. [226]

Aux élections partielles de Grey-Nord, le 5 février, le général McNaughton fut battu par le candidat progressiste-conservateur et le candidat *CCF* fut accusé d'avoir divisé le vote anticonservateur. Ce résultat fut interprété comme un signe avant-coureur d'élections générales inévitables. *L'Action catholique* constata que le gouvernement King était pris entre les forces pour et contre la conscription, l'Ontario reprochant au premier ministre de ne pas l'avoir appliquée et le Québec dè l'avoir fait. *Le Devoir* estimait qu'aucun parti ne serait assez fort pour former un gouvernement au prochain parlement et il se réjouissait de la perspective d'un groupe québecois qui disposerait de l'équilibre du pouvoir. [227] La presse française exprima généralement de la sympathie pour le général McNaughton et elle reprocha aux orateurs conservateurs d'avoir exploité les préjugés ethniques contre le Québec. Or, le Québec était moins sensible au sujet de la conscription qu'il ne l'avait été en novembre, car il était devenu évident que les désertions des soldats LMRN désignés pour le front, pas plus que les désordres, n'avaient été le fait exclusif des Canadiens français. Lorsque le général McNaughton annonça que la coercition ne serait plus nécessaire, la situation des renforts étant désormais satisfaisante, la tension diminua encore dans le Québec. La colère populaire contre la conscription se fit sentir une dernière fois lors d'une bataille de rue à Drummondville, le samedi soir 24 février, quand la police montée et des officiers du Corps de la Prévôté tentèrent de cerner des jeunes gens dont les papiers militaires n'étaient pas en règle. Si les journaux exprimèrent des regrets à propos de l'incident, ils dirent bien davantage leur indignation à constater que l'affaire avait suscité une attention excessive de la part de la presse anglaise. Le caractère sensationnel donné aux articles consacrés à l'opposition du Québec à la conscription au cours des derniers mois indisposa beaucoup les Canadiens français à l'égard des Canadiens anglais et des Américains. [228]

La solidarité ethnique éveillée par la crise de conscription et ses conséquences fut en quête d'expression politique, dans les arènes provinciale et fédérale, au cours des premiers mois de 1945. Un groupe fédéral indépendant, ayant à sa tête Frédéric Dorion, Wilfrid Lacroix, Liguori Lacombe et Sasseville Roy, conclut une entente au milieu de janvier. Son premier but était de renverser Mackenzie King puis, en exploitant les sentiments d'autonomie et d'opposition à la conscription, d'unir tous les députés du Québec nationalistes et hostiles au gouvernement en un parti qui s'efforcerait de s'assurer l'équilibre du pouvoir à Ottawa. La plus grande force des indépendants était dans la région de Québec. Ils cherchaient manifestement une alliance pratique avec le Bloc, qui commandait encore le sentiment nationaliste dans la région de Montréal. Dorion, élu sous l'étiquette d'indépendant en 1943, était un partisan reconnu de l'Union nationale, Lacroix avait quitté le parti libéral à propos de la conscription des soldats LMRN, Lacombe avait été élu sous l'égide libérale en 1940, mais il avait, par la suite, créé le Parti canadien pour lui seul, enfin Roy était un conservateur indépendant qui avait renié son parti. On tenta d'inciter P.-J.-A. Cardin à amener l'aile nationaliste des libéraux du Québec au sein du nouveau parti. *Le Devoir* et *Le Droit* auraient appuyé avec enthousiasme un parti canadien-français.

Devant la révolte générale de la section québecoise du parti libéral, King donna à la province le temps de se calmer en prorogeant le parlement quand il se réunit le 31 janvier et en ne fixant pas la date des élections générales. Le 3 février, *L'Action catholique* publia un article, d'inspiration libérale, disant que King décréterait bientôt des élections générales, avec un programme demandant la nomination d'un Canadien au poste de gouverneur général, l'adoption d'un drapeau canadien, l'abolition des appels au Conseil Privé, l'entrée du Canada dans l'Union panaméricaine et l'indépendance du Canada. [229] Ce programme aurait immédiatement gagné beaucoup d'alliés aux libéraux, aux dépens du *CCF*, ainsi que dans le Québec. La déclaration du premier ministre au sujet du résultat des élections de Grey-Nord, évoquant « *la division du vote de ceux qui sont opposés aux forces réactionnaires* », [230] renforça le soupçon, éveillé pendant la crise de la conscription, selon lequel les libéraux s'entendraient avec le *CCF* lors des prochaines élections fédérales. Bien que les aspects nationalistes du programme *CCF* eussent beaucoup d'attrait pour le Québec, les chances du parti, dans cette province, étaient compromises par la trop grande importance donnée à son désir d'un pouvoir plus centralisé à Ottawa et par son socialisme, que l'on crut être du type continental révolutionnaire, plutôt que du type anglais, reposant sur l'évolution.

La première session de l'Assemblée législative du Québec, sous le nouveau gouvernement Duplessis, s'ouvrit le 6 février, au lendemain des élections de Grey-Nord. Quatre jours plus tôt, le premier ministre Duplessis avait rendu publique une lettre à King dans laquelle le gouvernement du Québec déclarait que la loi fédérale des allocations familiales était inconstitutionnelle, parce qu'elle empiétait sur « *les droits exclusifs des provinces dans les domaines de la vie familiale, de l'éducation et du droit civil.* » Les déclarations de Sir Wilfrid Laurier et de Sir Lomer Gouin sur l'inviolabilité des droits provinciaux étaient citées pour appuyer cette opinion. Les libéraux du Québec firent beaucoup valoir l'anomalie d'un axe Duplessis-Drew, le premier ministre Drew, de l'Ontario, attaquant la loi des allocations familiales comme une prime électorale offerte au Québec qui allait grever les contribuables canadiens-anglais pour le soutien des familles canadiennes-françaises nombreuses, tandis que le premier ministre Duplessis l'attaquerait comme un empiétement fédéral, donc canadien-anglais, sur les droits du Québec. Le gouvernement Duplessis procéda rapidement à l'introduction d'une loi d'allocations familiales provinciales, dont les dispositions étaient plus généreuses que celles de la loi fédérale pour les familles de plus de quatre enfants. Le discours du trône annonçait aussi la création d'un réseau provincial de radiodiffusion.

L'esprit général d'opposition à Ottawa se manifesta par l'appui que donnèrent tous les partis à une résolution de protestation contre l'imposition de la conscription pour le service militaire outre-mer, présentée par René Chaloult, dont les précédentes résolutions contre la guerre avaient eu la vie brève sous le régime libéral. Au début de mars, le premier ministre annonça un projet de loi pour prévenir les appels à la Cour suprême du Canada dans les affaires de droit civil du Québec, mais, plus tard, il s'opposa à une résolution du Bloc pour abolir les appels au Conseil privé. Quelques jours plus tard, l'Assemblée législative, par un vote unanime, demanda une réfection de la carte électorale avant les élections fédérales, pour rendre justice au Québec, dont la population s'était accrue plus considérablement que celle des autres provinces depuis la dernière répartition des sièges en 1931. Le jour même où le *bill* provincial sur la radio passait en troisième lecture, le premier ministre présentait une loi qui annulait l'accord conclu entre Québec et Ottawa en 1942, par lequel la province renonçait en faveur du gouvernement fédéral, pour la durée de la guerre, au droit de percevoir des impôts sur les sociétés.

L'avalanche de motions contre Ottawa cessa toutefois vers la fin de mars, lorsque l'accusation de Chaloult, qui prétendait que le gouvernement fédéral était responsable de la corruption des jeunes filles en les forçant à travailler dans les usines de guerre, fit long feu. La presse libérale répondit aux accusations de Chaloult, qui déclarait que la moitié des jeunes filles de la campagne engagées pour le service national à Montréal étaient des filles-mères et que la moitié des employées à l'Arsenal de Québec étaient dans la même situation, en faisant remarquer que le Québec avait un chiffre de naissances illégitimes plus bas que celui de toute autre province. [231] Le monde ouvrier du Québec protesta aussi, sans tarder, contre les accusations de Chaloult. En avril, le premier ministre présenta un *bill* amendant la loi électorale du Québec pour faire de la « *nationalité canadienne* » l'une des conditions nécessaires pour voter, au lieu de l'ancienne condition qui était d'être sujet britannique, de naissance ou naturalisé. Le 12 mars, au moment de son départ pour une conférence à Washington avec le président Roosevelt, le premier ministre King mit fin aux rumeurs qui couraient bon train depuis la prorogation du parlement, en annonçant que la vie du parlement ne serait pas prolongée, que le ministère avait été remanié et que l'opposition serait invitée à faire partie de la délégation du Canada à la Conférence de San-Francisco.

Quand le parlement se réunit le 19 mars 1945, le discours du trône annonça l'acceptation, par le gouvernement, d'une invitation à participer à la Conférence de San-Francisco qui s'ouvrait le 25 avril et il demanda le vote d'une résolution des deux assemblées pour assurer la délégation canadienne de « *l'appui le plus ample possible du Parlement* ». [232] Il fut aussi souligné que le mandat du parlement expirait le 17 avril et que des élections générales seraient décrétées pour peu de temps après. En prévision, la Chambre aurait à voter les fonds nécessaires à la poursuite de la guerre et les dépenses courantes du gouvernement jusqu'à la réunion d'un nouveau parlement.

## 15

La motion sur la Conférence de San-Francisco, présentée par King et appuyée par le ministre de la justice Saint-Laurent le lendemain, demandait que soit approuvée la décision gouvernementale d'y participer et qu'il soit reconnu que « *l'établissement d'une organisation internationale effective pour le maintien de la paix et de la sécurité est d'importance vitale pour le Canada et, en fait, pour le bien-être futur de l'humanité et qu'il est de l'intérêt du Canada de devenir membre d'une organisation de ce genre.* » [233] La motion demandait aussi l'approbation des propositions faites par les Etats-Unis, le Royaume-Uni, l'URSS et la Chine pour la fondation d'une organisation internationale. La charte qui serait adoptée à San-Francisco et à la préparation de laquelle les délégués canadiens contribueraient de leur mieux serait obligatoirement soumise à l'approbation du parlement avant sa ratification par le Canada.

Après avoir donné un aperçu général des propositions, King traita des difficultés et des objections qui pouvaient s'élever. Tout en approuvant le rôle prédominant donné aux grandes puissances, il demanda instamment que soit précisée « *la position constitutionnelle des pays secondaires importants au sein de l'organisation.* » Il admettait aussi que « *l'obligation d'appliquer des sanctions diplomatiques, économiques et militaires, à la requête du Conseil de Sécurité, posait une autre question difficile pour le Canada et les autres Etats secondaires* », mais il donna à entendre que « *si l'application des sanctions nécessitait l'aide active d'un pays non représenté au conseil, son consentement serait probablement demandé.* » Il conseilla instamment la largeur de vue et l'anticipation de l'avenir, car « *les bienfaits que le Canada peut espérer d'une pleine participation sont immenses.* » A part la question de prestige, « *aucun pays n'a plus d'intérêt que le nôtre à la prévention d'une autre guerre générale.* » Il se déclara convaincu qu' « *il est possible que notre contribution pour organiser la paix ne soit ni moins urgente, ni moins effective* » qu'elle ne le fut pour obtenir la victoire. Il demanda avec instance que l'on consente à donner autant qu'à recevoir dans l'effort de tous pour organiser la sécurité mondiale, soulignant que, par suite de l'invention et du perfectionnement des armes nouvelles, nul pays n'était à l'abri d'une agression soudaine et qu' « *aussi longtemps qu'une nation quelconque pourra remplacer le droit par la force, il ne peut y avoir de sécurité, ni pour la présente génération de Canadiens, ni pour la suivante, ou pour les autres générations de Canadiens qui naîtront.* » Il termina en observant que la leçon suprême des cinq ans et demi de guerre était que « *l'humanité ne devait plus servir à des fins nationales égoïstes, que ces fins soient la domination du monde, ou tout simplement une légitime défense, dans l'isolement.* » [234]

La perspective de contribution canadienne à une organisation mondiale portait un défi à la tradition isolationniste du Canada français. Gaspard Fauteux, député de Sainte-Marie, en appuyant la résolution, souligna qu'il s'agissait de « *réaliser la coopération internationale dans la solution des problèmes humanitaires internationaux d'ordre économique, social ou autre* » et il insista sur l'avantage qu'avaient ses compatriotes à transformer « *l'économie de guerre en économie de paix, en s'inspirant des mêmes principes et des mêmes nécessités.* » [235] Cependant, Liguori Lacombe protesta que les délégués canadiens seraient dépourvus d'autorité, puisque la Conférence de San-Francisco n'aurait lieu qu'après la date d'expiration du présent parlement et il demanda la dissolution immédiate, puisque le peuple du Canada avait perdu confiance dans le gouvernement. Il accusa le premier ministre « *de tout compromettre, depuis la loi de mobilisation, en sacrifiant les amis du Canada à ceux pour qui le canadianisme est lettre morte.* » [236] Il demanda pourquoi le Canada devait être représenté à San-Francisco, où les débats porteraient sur des questions réglées à d'autres conférences où il n'avait pas été entendu. Il qualifia d'inutile la participation à la SDN et se montra sceptique au sujet de la charte proposée, en considérant l'inanité de la Charte de l'Atlantique et le démembrement de la Pologne : « *Il est beau d'établir une organisation internationale pour maintenir la paix et la sécurité dans le monde, mais cette organisation ne construira rien de durable qu'en respectant les droits à la vie, à la justice et à la liberté de tous les peuples martyrs de la guerre.* » Il dénonça la « *dictature économique* » qui dominait le Canada depuis la loi LMRN : le gouvernement, oubliant désormais la suprématie du parlement, demandait l'approbation d'une décision déjà prise. Il terminait en avertissant qu'il y aurait un règlement de comptes le jour des élections.

Lacombe affirma que, d'après ces propositions, « *nos forces aériennes, navales et terrestres seraient réquisitionnées à n'importe quel moment pour la future Société des Nations, pour servir n'importe où dans l'univers.* » Il résuma, sans aucun doute, l'opinion d'un grand nombre de Canadiens français traditionalistes en concluant :

« *Le parlement ne peut et ne doit pas autoriser une délégation nantie de tels pouvoirs. Je me refuse à croire que le Canada, une fois la guerre terminée, devra mobiliser toutes ses ressources pour protéger la sécurité du monde. Je m'oppose à ce qu'une délégation de députés — qui ne le seront plus alors — siègent à cette conférence au mépris de la Constitution, des coutumes et du droit. Je me demande, avec tant d'autres, s'il n'est pas plus opportun et plus raisonnable de remettre l'ordre dans notre pays, de stabiliser nos finances, de préparer à notre jeunesse sacrifiée des carrières dignes d'elle. Enfin, trêve aux engagements internationaux ! Mettons-nous à la tâche pour rebâtir notre structure économique qui menace de s'écrouler. Songeons d'abord aux nôtres, aux fils et aux filles du Canada qui reviendront au pays. Ils auront droit au travail et à des situations dignes de leurs sacrifices. Le gouvernement a trouvé jusqu'à date vingt milliards pour la poursuite de la guerre. Il devra en trouver autant, sinon davantage, pour des œuvres constructives. La paix et la sécurité nationale au Canada doivent nous intéresser avant tout. Cette noble tâche a besoin de toutes nos énergies et de toutes nos ressources. Réservons-les aux nôtres et à notre pays. Je sais que mon appel ne sera pas entendu. J'aurai du moins accompli un devoir que je dois aux miens et à mon pays. »* [237]

L.-P. Picard, député de Bellechasse, ancien secrétaire d'Ernest Lapointe, qui avait tenu un rôle important au cours de la session spéciale, réfuta l'accusation des conservateurs, selon laquelle le gouvernement aurait fait preuve de mollesse dans le passé et mit en relief les contributions française et anglaise au développement de la nationalité canadienne, en insistant particulièrement sur celles de Laurier et de Lapointe. [238] Il était évident, à la suite de ses remarques, que les libéraux du Québec étaient revenus sous l'aile du gouvernement. Fred Rose, député de Cartier, approuva la motion au nom du parti ouvrier-progressiste, en affirmant que les Canadiens français et anglais partageaient pleinement la ferme volonté des *« peuples de l'univers »* d'établir la paix et des relations économiques. Il dénonça *« le suicide qu'était l'isolationnisme prôné par les nationalistes d'inspiration tory, dont le programme était, tout ensemble, la négation des réalités du monde actuel et une trahison des véritables intérêts de la grande collectivité canadienne-française. »* [239] Il demanda avec instance qu'une représentation ouvrière fasse partie de la délégation canadienne.

Wilfrid Lacroix, député de Québec-Montmorency, affirma que les décisions déjà prises à Yalta et dont il prévoyait la ratification à San-Francisco *« contiennent déjà les germes d'une nouvelle guerre. »* [240] Il s'attaqua vivement à Yalta, autre Munich qui sacrifiait le droit de la Pologne à l'auto-détermination et il prédit : *« Nous verrons, après cette guerre, l'influence communiste déferler sur toute l'Europe et, si le Canada approuve les fins et principes exposés dans les propositions déjà déterminées à Yalta, cela veut dire, pour nous, une nouvelle*

*guerre dans laquelle nous serons forcément entraînés, dans dix ou
quinze ans.* » Il fit écho à la critique de Lacombe selon laquelle le
gouvernement n'avait aucun mandat pour engager le Canada dans
quelque politique que ce soit à San-Francisco. Il accusa le premier
ministre d'être devenu « *aussi* tory *que le plus* tory *des impérialistes
qui siègent en face de lui* » et il déclara que, considérant le passé de
promesses violées par King, la Province de Québec avait perdu confiance « *en celui qu'elle a fait ce qu'il est aujourd'hui.* » Cependant,
l'on ne pouvait avoir confiance, non plus, dans les progressistes-conservateurs, en pensant « *à leur doctrine impérialiste et réactionaire
et à leurs méthodes électorales, qui consistent à dégobiller continuellement contre la Province de Québec* », ni dans le *CCF*, parce qu'il n'a
« *jamais perdu une occasion de défendre, dans le domaine de la politique internationale, le point de vue du gouvernement russe.* » Prévoyant qu'aucun de ces trois partis n'aurait une majorité suffisante
pour gouverner après les élections, il pensait qu'il faudrait « *un groupement de députés... qui forcerait les... autres groupes à adopter une
politique essentiellement canadienne.* » Lacroix prédit enfin que le
peuple canadien serait encore mis en face d' « *un fait accompli qui
aura été dicté par Londres et non par Ottawa* » et il protesta contre
une politique qui l'engagerait « *sur la voie de l'internationalisme et
de la collaboration à l'établissement d'un système de sécurité mondiale, dont le pivot sera le bon vouloir du dictateur Staline et celui,
encore plus dangereux, de la haute finance internationale.* »

Le 22 mars, **Frédéric** Dorion, député de Charlevoix-Saguenay,
protesta que le gouvernement ne suivait pas une procédure démocratique en demandant la ratification de sa décision déjà arrêtée de participer à la Conférence de San-Francisco et il déclara que les indépendants ne se considéreraient liés par aucune décision prise par une
délégation canadienne dépourvue de mandat. [241] Affirmant que cette
résolution était la plus importante soumise au parlement depuis septembre 1939, il observa : « *On nous demande de déclarer que nous participerons à toute guerre future dans le monde* » et il poursuivit avec
force : « *Nous devons songer d'abord à nous-mêmes, plutôt qu'à l'univers en général... et je demande quel crime il y a à songer au Canada
tout d'abord* », comme Roosevelt sert l'Amérique d'abord, Churchill
sert l'Angleterre d'abord et Staline sert la Russie d'abord. Il accusa
le gouvernement d'avoir fait bien peu pour le bien-être du peuple
canadien, tandis qu'il avait tout fait pour d'autres nations « *sous le
fallacieux prétexte que nous devions sauver l'humanité et la civilisation.* » Le Canada passait alors par une crise nationale et souffrait de
désunion : par conséquent, le gouvernement « *ne devrait-il pas, tout
d'abord, considérer que sa tâche la plus importante est d'établir une
paix véritable et durable dans notre pays, avant d'essayer d'organiser
la paix dans l'univers ?* » Il soutint que la conférence projetée non

seulement n'offrait pas de meilleures perspectives que les conférences de paix précédentes qui n'avaient pas réussi à éviter la guerre, mais encore, par suite du rôle dictatorial de la Russie, n'offrait guère d'espoir. Il attribua les guerres à la finance internationale et au communisme, en déplorant que « *la plus grande puissance internationale du monde, le Vatican,* » ait été oublié pour la conférence projetée. [242]

J.-A. Bonnier, député de Saint-Henri, parla en faveur de la participation, mais insista beaucoup pour que les délégués canadiens s'occupent des intérêts de la Pologne. [243] J. Emmanuel d'Anjou, député de Rimouski, exprima l'opinion qu'il y avait déjà eu trop de conférences, puisque la Pologne, dans l'intérêt de laquelle le Canada était entré en guerre, avait déjà été sacrifiée à Yalta, au bénéfice de la Russie. Il qualifia la SDN de « *fiasco monumental* » et prédit que la nouvelle organisation serait un échec semblable. [244] Il cita des motions de C.G. Power, en 1923, pour que le Canada se retire de la SDN et pour qu'il ne participe pas aux guerres étrangères sans le consentement du parlement, qu'il avait toutes deux appuyées. Il déclara que la délégation canadienne n'aurait aucun mandat pour engager le Canada à une participation, que la conférence entraînerait inévitablement le Canada dans un autre conflit et il ajouta : « *Dès 1923, je me suis prononcé contre notre participation aux guerres de l'Empire et, Dieu merci, je n'ai pas changé d'opinion.* » [245]

Le 23 mars, Ernest Bertrand, ministre des pêcheries, parla en faveur d'une organisation internationale qu'il jugeait nécessaire dans un monde qui rétrécit sans cesse. Inversant les termes employés par le chef conservateur : « *Aucun acte de cette nation, à la prochaine conférence ou ailleurs, ne doit mettre en péril notre union étroite au sein du* Commonwealth *et de l'Empire* », Bertrand insista pour que l'on pense canadien et que l'on dise : « *Rien de ce que fera l'Empire britannique, à la prochaine conférence ou ailleurs, ne doit mettre en danger nos relations avec les autres nations avec lesquelles nous sommes en paix et nous ne devrons être entraînés dans aucun conflit où nous n'aurions aucun intérêt immédiat.* » Cependant, il condamna, en termes énergiques, l'attitude des quatre indépendants du Québec :

« *S'il existe un groupe de députés qui devrait appuyer la création d'une organisation chargée de régler les différends et de prévenir les guerres, c'est bien celui-là. S'ils s'opposent à la guerre, ils devraient favoriser une organisation en vue de l'empêcher. La classe de la population à qui ces honorables députés font appel n'a qu'un article précis à son programme : la séparation du Québec du reste du pays. Voilà un programme qui ferait immédiatement éclater une guerre civile, si Québec tentait de l'appliquer. La guerre désastreuse que la sécession causa aux Etats-Unis se reproduirait sans doute chez nous. Nous avons donc un groupe qui condamne toute participation à la présente guerre, tout en désirant vendre, à des prix très avantageux, nos produits agricoles et industriels à l'Angleterre. Ce même groupe s'oppose à une organisation qui empêchera la guerre, tout en essayant de pousser en même temps sa province à une guerre de sécession.* » [246]

Quant à la question polonaise soulevée par les indépendants, il fit remarquer : « *Nous sommes entrés en guerre non seulement pour défendre la Pologne, mais pour sauver notre propre peau et celle de vingt-quatre autres nations.* » Il défendit la frontière polonaise et le *veto* et termina en déclarant : « *L'immense majorité des citoyens du Québec favorisent l'établissement d'un organisme international qui pourra, au début, n'être pas parfait, mais qui pourra s'améliorer avec le temps.* » [247]

Maurice Lalonde, député de Labelle, convint de ce que les quatre indépendants ne représentaient pas la majorité du Québec : « *Je suis persuadé que les efforts de ces isolationnistes qui veulent, en quelque sorte, faire du Québec une réserve indifférente à tous les grands mouvements constitutionnels et économiques de notre époque seront répudiés par l'opinion saine et éclairée de la population de ma province :*

*Il est grandement temps que nos indépendants nationalistes se rendent compte de la véritable situation de notre groupement ethnique au Canada... Nous sommes entourés par plus de 150 millions d'Anglo-Saxons avec qui, selon les décrets de la Providence, nous devons vivre, bon gré mal gré. Il ne servira de rien aux indépendants modérés, comme l'honorable député de Charlevoix-Saguenay, M. Dorion, ou aux extrémistes du type Chaloult, de prêcher une résistance provocante. Il ne servira de rien aux révolutionnaires du groupe Shields de nous menacer de leurs foudres. L'harmonie sera le fruit d'un compromis acceptable qui sauvegardera l'honneur des parties intéressées et leur avenir dans la Confédération.* » [248]

Il critiqua sévèrement ceux qui tentaient, par opportunisme politique ou dans un dessein de vengeance politique, de tenir le Canada à l'écart des conférences de paix.

Les indépendants furent soumis à une attaque venant d'un camp inattendu quand, le 27 mars, Maxime Raymond, porte-parole fédéral du Bloc populaire, prit Dorion à partie pour avoir mal interprété la motion et pour avoir pris le contre-pied de l'attitude adoptée en février 1944 par les députés indépendants et ceux du Bloc qui étaient favorables à la participation du Canada aux conférences internationales. Après avoir affirmé que lui-même et son collègue du Bloc, J.-A. Choquette, appuieraient la motion du gouvernement, Raymond réfuta les arguments de Dorion, en soulignant que le pape, dans son message de Noël, avait insisté sur le besoin d'une organisation internationale. Raymond renouvela l'attitude qu'il avait prise, au sujet des relations internationales, dans une entrevue publiée par le *Maclean's Magazine* en 1944 : [249] « *Nous voulons une paix durable, fondée sur le droit et non sur la force.* » [250] Il s'opposa au *veto* et au mode de formation du conseil de sécurité, en insistant pour que le commerce international des armements soit prohibé comme étant une cause de guerre. Cependant, Raymond souhaitait la coopération économique et sociale, parce que : « *La paix qui suivra cette guerre devra être autre chose qu'un balancement ingénieux de puissances guerrières : elle devra être faite dans un effort de justice internationale.* » [251]

Sasseville Roy, député de Gaspé, répondit à Raymond et à Bertrand, au nom des indépendants, en déclarant qu'ils s'opposaient à la Conférence de San-Francisco parce que le Canada ignorait quelles décisions avaient été prises aux conférences de l'Atlantique, de Casablanca, de Téhéran, de Québec et de Yalta et quelle était la nature de la paix que cette organisation internationale chercherait à établir. Il nia que les indépendants fussent séparatistes et affirma qu'ils préconisaient « *une saine collaboration entre les deux éléments ethniques de notre pays.* » [252] Il fit part de ses craintes que le Canada puisse s'engager, à San-Francisco, à maintenir le service militaire obligatoire et que le premier ministre puisse, une fois de plus, tromper le pays comme il l'avait fait sur la question de la participation à la guerre. Il conclut en faisant observer, au nom des indépendants : « *Nous sommes en faveur de la tenue d'une telle conférence, mais nous condamnons la façon dont s'y prennent notre gouvernement et les grandes puissances.* » Il maintint que cette conférence était inopportune, parce que la paix n'avait pas encore été faite et que le gouvernement n'avait aucun mandat pour engager l'avenir du Canada.

Armand Choquette répéta l'argument de Raymond en faveur d'une organisation mondiale démocratique, cita le message papal de Noël, critiqua les propositions relatives au conseil de sécurité et au *veto* et affirma que les décisions de Yalta reposaient « *beaucoup plus sur la brutale politique de la force que sur la politique de la saine justice et du droit.* » Puis, il insista pour que l'organisation internationale projetée élimine de tels abus. Il approuvait les projets de paix du gouvernement, bien qu'il se fût opposé à ses mesures de guerre, pourvu que le Canada « *y participe à titre de pays libre et indépendant, en tenant compte de nos intérêts.* » A son point de vue, il était plus important pour le Canada d'être représenté à San-Francisco qu'aux Conférences du *Commonwealth,* « *qui sentent malheureusement l'impérialisme.* » [253]

Clôturant le débat le 28 mars, le premier ministre invita les indépendants du Québec, « *dans l'intérêt de l'ensemble du Canada* », à revenir sur leur intention de voter contre la motion, afin que le Canada puisse faire entendre une seule voix. Il affirma qu'ils ne représenteraient le sentiment ni du Canada, ni de la Province de Québec, ni de leurs circonscriptions s'ils votaient contre la résolution et il laissa entendre qu'ils feraient mieux de s'abstenir de voter « *que de montrer au monde entier qu'au Canada il y avait des membres de son parlement qui se sentaient incapables d'agir pour répondre à une grande nécessité mondiale.* » [254] Pourtant, d'Anjou, Dorion, Lacombe, Lacroix et Roy restèrent irréductibles et furent les seuls à s'opposer à la motion. Il vaut la peine de remarquer que les indépendants ne furent que très faiblement appuyés par la presse. *Le Droit* soutint que le Canada devait participer à l'organisation de la paix mondiale, tandis que *L'Action catholique* expliqua simplement que la position des indépendants était la conséquence logique de leur opposition à l'entrée en guerre du Canada. [255] Cependant, la presse française déplora la demande de solidarité impériale à San-Francisco, faite par Gordon Graydon, chef parlementaire progressiste-conservateur et elle dénonça le « *colonialisme politique* ». *Le Droit,* pourtant, approuva énergiquement Graydon qui exigeait que le parlement s'attache davantage aux affaires étrangères et qu'elles cessent d'être une simple distraction pour « *un premier ministre très occupé* ».

Bien que King déplorât l'idée d'un *Commonwealth* agissant comme un tout, la déclaration qu'il fit, en sollicitant l'appui de la motion par les conservateurs : « *J'ai fait mon devoir à l'égard du* Commonwealth *des Nations britanniques, à l'égard de l'Empire britannique, tout le temps que j'ai été premier ministre de notre pays* » fut aussitôt relevée par Wilfrid Lacroix, le 3 avril, comme preuve que le Canada « *continuera à être une colonie de l'Empire, comme il l'a toujours été.* » [256] En cette même occasion, Lacroix s'opposa à toute forme de conscription pour la guerre du Pacifique en raison de ce qu'elle coûterait, du tort qu'elle causerait à la reconstruction économique et de la rupture qu'elle constituerait des promesses faites au Québec par le gouvernement. Il blâma l'attitude de Maxime Raymond au sujet de la Conférence de San-Francisco et aussi de la Loi de Mobilisation des Ressources nationales, tout en souhaitant sa nomination comme membre de la délégation à cette conférence. [257] Le ministre de la justice Saint-Laurent et le sénateur Lucien Moraud furent, toutefois, les seuls délégués canadiens-français nommés le 9 avril par le premier ministre et Jean Désy, ambassadeur au Brésil, fut l'un des sept principaux conseillers qui accompagnèrent la délégation. Le choix du premier ministre fut généralement approuvé par la presse française. Cependant, *Le Droit* déplora que Maxime Raymond et John Blackmore, *leaders* des autres groupes parlementaires, n'eussent pas été nommés. [258] Le 11 avril, Philippe Picard insista pour que le français soit une langue officielle de la conférence. Son attitude fut très approuvée par toute la presse française, *Le Droit* en tête, mais *La Patrie* craignait que la prédominance des Etats-Unis et de la Grande-Bretagne ne cause l'élimination du français. La presse française s'inquiéta de la proposition de donner plusieurs voix aux Etats-Unis, à l'URSS et à ses satellites pour contrebalancer les six voix des nations du

*Commonwealth* britannique. *Le Devoir* profita de l'occasion pour réclamer une « *réelle indépendance* », qui serait la solution de cette difficulté internationale et, en même temps, du problème de l'unité nationale. [259]

Pendant la discussion des crédits de guerre, les députés indépendants et ceux du Bloc firent cause commune contre le maintien de la conscription et, surtout, contre la conscription pour la guerre du Pacifique. Le premier ministre annonça à la Chambre que la participation canadienne serait « *strictement limitée* » et que seulement des volontaires partiraient pour le front du Pacifique. Cette attitude fut approuvée par la presse française. Cependant, un profond courant de méfiance trouva l'occasion de s'exprimer le 13 avril, lorsque Dorion fit le procès du gouvernement et du parti libéral pour leur passé de promesses faites au Québec et violées et qu'il présenta une motion pour l'abrogation de la LMRN et du décret PC 8891. [260] Il n'y eut que neuf voix en faveur de cette motion et, ayant fait cet effort, le mouvement indépendant, qui avait tenté de créer un bloc canadien-français qui pourrait déplacer à son gré la majorité à Ottawa, s'effondra presque totalement, sans toutefois cesser de proférer de sombres prédictions sur l'opposition que le premier ministre allait rencontrer devant les urnes du Québec. La dernière session du dix-neuvième parlement se termina le 16 avril, les élections étant fixées au 11 juin.

Un sondage Gallup au début d'avril indiqua que le parti libéral venait à peine en tête des progressistes-conservateurs dans l'opinion publique et qu'aucun parti n'obtiendrait une majorité absolue. [261] Les libéraux du Québec, qui avaient décidé de se venger de la conscription en votant contre King, se trouvèrent dans un fâcheux dilemme : avantager les impérialistes du camp *tory*, ou les socialistes du *CCF*, dont les uns et les autres étaient maudits de la plupart des Canadiens français. L'animosité contre King s'était beaucoup calmée depuis le mois de décembre précédent et ceux qui l'éprouvaient encore étaient très divisés. Tandis que les nationalistes hésitaient sur la voie qu'ils devaient suivre, *Le Canada, Le Soleil, Le Nouvelliste* et *La Tribune* s'alignaient, une fois de plus, derrière King, louant sa conduite pendant la guerre et son programme d'après-guerre. [262] Une refonte pré-électorale du cabinet coûta un siège aux Canadiens français du Québec, lorsque le général Laflèche prit sa retraite, un autre aux Acadiens du Nouveau-Brunswick, lorsque J.-E. Michaud prit la sienne, tandis que les Franco-Ontariens en gagnèrent deux, lorsque Paul Martin fut nommé Secrétaire d'Etat et Lionel Chevrier ministre du transport. Joseph Jean, de Montréal, devint conseiller juridique de la Couronne.

Le 27 avril, P.-J.-A. Cardin annonçait, dans un discours à la radio, la formation, dont le bruit courait depuis longtemps, d'une coalition anti-King sous le nom de Front national. Frédéric Dorion promit l'adhésion de son groupe d'indépendants et Camillien Houde annonça qu'il avait uni ses forces au Bloc populaire. *Le Canada* reprocha au Front national de n'avoir aucun programme, mais seulement de « *vagues griefs* », tandis que *Montréal-Matin* le soutint. *Le Droit,* favorisant le groupement de tous ceux qui s'opposaient à la conscription, s'abstint d'abord de commenter, comme d'ailleurs *Le Devoir* et *L'Action catholique.* [263] Le Front national s'effrita en peu de temps et ceux qui l'avaient soutenu se présentèrent comme indépendants. Alfred Charpentier, président de la Confédération du Travail canadienne et catholique, affirma la tradition non politique des syndicats par un article dans le journal *Le Travail,* bien que l'on crût que la plupart des syndicalistes voteraient pour le Bloc ou le Front national. *Le Labor World,* organe provincial de l'*AFL,* se prononça le 5 mai pour King, tandis que le *Canadian Congress of Labor* s'était déjà engagé envers le *CCF.* Le 17 mai, il y avait 294 candidats dans les 65 régions électorales du Québec : 72 indépendants, 58 libéraux, 29 progressistes-conservateurs, 28 *CCF,* 42 Crédit social, 35 Bloc populaire et 7 ouvriers-progressistes.

*Le Devoir,* dans une analyse électorale préliminaire, parla des candidats conservateurs déguisés en indépendants, précisa que la principale question était celle de la politique étrangère canadienne et s'opposa à l'intervention canadienne dans un conflit entre Anglo-Américains et Soviets dont, pessimiste, il envisageait la possibilité dans quelques années. [264] *Le Droit* continua à regretter l'absence d'un parti de véritable Front canadien-français et *La Patrie* vit, dans le nombre exceptionnellement élevé des candidats, une preuve de la vitalité du régime démocratique et de sa complète liberté politique. Dans le premier discours de sa campagne électorale, à Montréal, le maire Houde souligna qu'il avait eu raison, en 1938, d'annoncer l'approche du conflit et, en 1940, de mettre en garde contre la conscription, dont il prédit d'ailleurs qu'elle serait encore invoquée dans un nouveau conflit contre l'un des alliés actuels du Canada. Il déclara que le Bloc populaire encourageait la libre entreprise et il affirma que sa position était « *non pas à gauche du centre, mais à droite du centre.* » [265] *Montréal-Matin* mit en garde le Québec contre les dangers qu'il courrait s'il demandait la nationalisation de ses industries, ce qui d'ailleurs, selon lui, serait faire preuve de piètre patriotisme. [266]

La promesse faite par Mackenzie King, dans ses discours de campagne électorale à Prince-Albert et à Winnipeg, que le Canada aurait un drapeau distinctif si son gouvernement revenait au pouvoir, fut reçue avec une grande satisfaction par le Québec, où la plupart des Canadiens français désiraient depuis longtemps ce symbole de l'autonomie canadienne. [267] Lorsque, fin mai, le ministre de la santé Brooke Claxton annonça un projet fédéral d'assurance-hospitalisation, la presse nationaliste parla de manœuvre électorale. *La Presse* conseilla d'être prudent avant d'adopter une loi sociale qui serait un lourd fardeau pour le revenu national. *Le Canada* souligna que l'adoption de mesures sociales devait être l'objet d'une coopération des gouvernements fédéral et provinciaux. Les objections du Québec au projet d'allocations familiales, considéré comme un empiétement sur les droits provinciaux, avaient été dûment notées à Ottawa.

Les élections du 4 juin en Ontario, qui ramenèrent le premier ministre Drew au pouvoir par un raz de marée conservateur qui coûta vingt-cinq sièges au *CCF* et deux aux libéraux, convainquirent les libéraux canadiens-français que le *toryisme* était plus dangereux que le socialisme pour les élections fédérales qui devaient avoir lieu une semaine plus tard. Les actes de vandalisme commis dans le cimetière juif de Rivière-des-Prairies, attribués à des nationalistes antisémites, firent une publicité défavorable au Bloc populaire, déjà désavantagé par l'insuffisance de ses fonds de campagne électorale et de son organisation. Deux candidats seulement du Bloc populaire furent élus et Camillien Houde fut battu dans son fief de Montréal-Sainte-Marie. Quarante-huit libéraux réguliers furent réélus, avec six libéraux indépendants. Un seul candidat progressiste-conservateur fut élu, mais un conservateur indépendant gagna aussi, par une faible majorité. Le *CCF* ne réussit pas à faire élire un seul candidat dans le Québec et Fred Rose garda la distinction d'être l'unique membre communiste du parlement. Avec un réalisme qui triompha des appels de race ou de classe, le Québec resta loyal au parti libéral en lui assurant presque la moitié de ses forces à Ottawa.

*Montréal-Matin*, conservateur, vit juste en déclarant que le gouvernement King avait gardé le pouvoir « *parce que sa politique a été suffisamment élastique pour s'adapter aux volontés du peuple, alors que les autres partis cherchaient à imposer leur programme et leur doctrine.* » Le résultat des élections montrait la nécessité de faire un nouveau départ pour la formation d'un parti d'opposition dans le Québec. *La Patrie* présenta l'analyse probablement la plus probante du verdict électoral :

« *La diversité des groupements en présence et la multiplicité des candidatures indépendantes posaient une épreuve difficile au discernement des électeurs de notre province. Il y avait un grave danger de confusion, que nous avons su éviter. Il y avait aussi le danger d'une division de nos forces, d'un éparpillement de la députation canadienne-française en plusieurs groupes irréconciliables. Il y avait, enfin, la menace de l'isolement du Québec, auquel un fort groupe d'adversaires du gouvernement invitait notre province au nom du nationalisme, en exhortant les électeurs canadiens-français à donner un vote négatif fondé sur le passé.*

*La Province de Québec a répondu à ces appels par un vote qui est, avant toute chose, une approbation de la doctrine d'unité canadienne prêchée par M. Mackenzie King. Nos compatriotes ont compris qu'ils devaient demeurer unis, mais qu'ils ne pouvaient s'isoler de la majorité de la population canadienne et risquer de provoquer la formation d'une coalition parlementaire anticanadienne-française.*

*Après les événements de l'automne dernier, le vote que vient de donner notre province est une extraordinaire manifestation de confiance à l'égard du chef du gouvernement. L'appui que M. King reçoit aujourd'hui des Canadiens français ne comporte aucunement l'abandon de leurs exigences essentielles : il signifie que notre province sait, le cas échéant, tenir compte des circonstances et qu'elle veut, par-dessus tout, sauvegarder l'union de la nation canadienne. Elle vient d'approuver un compromis et de donner aussi un exemple à tous les Canadiens.* » [268]

Plusieurs journaux firent remarquer que le Québec avait choisi une voie médiane entre la ploutocratie et le socialisme, préférant l'évolution économique à la révolution. Jean-Charles Harvey, qui avait poursuivi une vigoureuse campagne contre le Bloc populaire dans *Le Jour*, proclama : « *Il faut que nos compatriotes d'une autre langue et d'une autre foi sachent, une fois pour toutes, que la Province de Québec ne marche pas, n'a jamais marché et ne marchera jamais dans le sillage empuanti des Chaloult, des Houde, des Laurendeau et des Groulx.* » En effet, l'un des aspects les plus intéressants du résultat des élections était que le Bloc populaire n'avait recueilli que 200 000 voix, soit environ 10 000 de plus qu'aux élections provinciales d'août 1944, ou un septième du total, malgré le mécontentement provoqué par l'imposition de la conscription en novembre et tous les efforts faits pour exploiter la popularité personnelle de Camillien Houde et sa valeur symbolique de « *martyr* » de la cause de l'opposition québecoise à la conscription et à l'imposition, en temps de guerre, de contrôles fédéraux sur le mode individualiste de vie des Canadiens français.

Les élections fédérales de juin 1945 anéantirent les derniers espoirs de ceux qui cherchaient à unir les Canadiens français en un parti ethnique qui tenterait de jouer le jeu dangereux de faire pencher la balance du pouvoir, à Ottawa, en faveur de tout parti national qui l'aiderait à atteindre ses buts. Une fois de plus, comme aux élections provinciales d'août 1944, le Canada français prouva son attachement fondamental à la règle d'or de la moyenne, après ce déploiement de violence verbale qui trompe si souvent les observateurs superficiels attachant trop d'importance à la rhétorique passionnée de l'élite nationaliste et pas assez au sens commun inexprimé des masses canadiennes-françaises. L'un des liens les plus puissants qui retiennent ensemble les peuples du Canada est une modération fondamentale, également partagée entre Anglais et Français. Il y aurait moins de malentendus entre eux si les affirmations des extrémistes des deux côtés de la clôture ethnique recevaient moins de publicité de la part de la presse qui met, inévitablement, l'accent sur le sensationnel.

Tandis que le Québec abandonnait le séparatisme aux élections d'après-guerre, le Canada anglais, de son côté, abandonnait l'effort que firent les progressistes-conservateurs, au temps de la crise de la conscription, pour rallier le reste du Canada contre le Québec, car l'Ontario fut la seule province à réélire une majorité de conservateurs, et encore, à peine quarante-huit sur un total de quatre-vingt-deux. Même dans ce fief *tory*, les libéraux firent bonne figure. Le *CCF,* seul groupe national qui, avec les libéraux, acceptât le caractère bi-ethnique du Canada, n'eut de succès que dans les provinces de l'Ouest, depuis longtemps en rébellion contre les deux vieux partis.

## 16

La fin de la guerre en Europe, le 8 mai 1945, influa sans doute sur le résultat des élections de juin. La presse française considéra généralement que Mussolini avait eu la mort qu'il méritait. Cependant, *Le Droit* et *Le Devoir* exprimèrent de l'admiration pour ses réalisations du début et déplorèrent la justice sommaire dont il avait été victime. [269] A la nouvelle de la mort d'Hitler, aucune sympathie semblable ne fut exprimée, bien que *Le Devoir* le considérât comme « *l'une des principales figures de notre temps.* » Il admit qu'il fut « *un des grands fléaux de l'humanité* », mais il admira aussi sa réussite : « *Il a aussi incarné l'âme d'un grand pays... il a su galvaniser un pays humilié.* » *Le Canada* critiqua violemment cette affirmation, comme il avait critiqué l'éditorial du *Devoir* au sujet de Mussolini. *L'Action catholique,* comparant le deuil universellement ressenti à la mort de Roosevelt aux fins ignominieuses de Mussolini et de Hitler, souligna qu'au point de vue de Hitler, « *religion, moralité, conscience, Eglise, Dieu lui-même, n'étaient absolument rien, l'esprit raciste allemand étant la seule chose qui comptait.* » *Le Droit* profita de l'occasion pour faire écho aux paroles de Haïlé Sélassié quand l'Italie attaqua l'Ethiopie : « *Ces nations qui cherchent la paix sans la justice ne trouveront ni la justice, ni la paix.* » [270]

Le Canada français accueillit la nouvelle de la capitulation de l'Allemagne avec une joie exubérante. Les rues pavoisées des villes et des villages se remplirent de foules en liesse, pendant qu'un grand nombre de fidèles offraient des actions de grâce dans les églises. Sous le titre *La guerre est finie,* les journaux donnèrent libre cours à leur sentiment de délivrance après six ans de guerre, mais tous rappelèrent que la tâche de la nation n'était pas terminée. Quelques-uns parlèrent de la guerre du Pacifique, d'autres des problèmes de l'organisation de la pa᠎x. *Le Canada*, s'appuyant sur la déclaration de King à San-Francisco, écrivit : « *Pour cela, il nous faudra vaincre le fascisme et le militarisme partout, comme nous les avons vaincus, hier, en Allemagne et comme nous les vaincrons, demain, au Japon. Alors, et alors seulement, nous pourrons nous réjouir sans arrière-pensée et goûter une paix qui ne sera plus menacée.* » Cependant, la guerre du Pacifique demeurait lo᠎ntaine dans la pensée de la plupart des Canadiens français et ils s'intéressaient beaucoup plus à l'organisation de la paix. *La Patrie* exhorta ses lecteurs à « *remercier la Providence du grand bienfait qui nous est accordé et lui demander de guider les hommes dans l'édificat:on de la paix qui commence.* » *Montréal-Matin* conseilla à ses lecteurs de ne pas oublier les hommes qui avaient donné leur vie pour rendre la victoire possible et *La Presse* dit que la joie ne serait complète que lorsque les mobilisés, hommes et femmes, reviendraient au foyer « *pour que nous puissions fêter ensemble la victoire et la délivrance dans des cérémonies dignes de leurs brillants exploits.* » *Le Devoir*, seul, fit entendre une note discordante dans l'allégresse générale :

« *Victoire illusoire. Est-il beaucoup de belligérants qui peuvent se féliciter des résultats obtenus au prix de sacrifices incalculables ? Les premières des Nations-Unies sont entrées en guerre pour garantir l'intégrité de la Pologne. La Pologne est aujourd'hui dépouillée de près de la moitié de son territoire et ce qui en reste est asservi à un gouvernement imposé de l'étranger. Les Nations-Unies ont fait la guerre surtout pour empêcher un régime totalitaire d'établir son hégémonie sur l'Europe et de prendre trop de place dans le monde. Un autre régime totalitaire qui s'appuie sur des populations encore plus nombreuses, sur des ressources naturelles encore plus riches, sur des sympathies encore plus efficaces au delà de ses frontières, a établi son hégémonie sur toute l'Europe orientale et menace de déferler sur l'Europe occidentale. Le nazisme est mort avec Hitler, l'impérialisme allemand est réduit à l'impuissance : le communisme sort du conflit plus fort que jamais, l'impérialisme russe, soutenu par l'armée rouge victorieuse, est en train de s'entourer de toute une couronne d'Etats vassaux et menace même l'indépendance de grandes nations européennes.* » [271]

Ce point de vue pessimiste fut aussitôt réfuté par *Le Canada*, qui l'attribua à la déception du *Devoir* devant la chute de ses idoles fascistes et l'effondrement de son ultra-nationalisme. Cependant, une fois passée la première réaction après la victoire en Europe, le Canada français, dans son ensemble, envisagea le monde d'après-guerre avec une méfiance de la Russie des Soviets beaucoup plus grande que celle du Canada anglais, en raison de ses sympathies pour la Pologne et il fut moins surpris des révélations ultérieures sur l'espionnage soviétique au Canada, qui opérait sous le prétexte d'une association du temps de guerre qu'il n'avait jamais acceptée de bonne grâce.

Dans les trois mois qui s'écoulèrent entre le Jour VE et le Jour VJ, le Canada français témoigna bien plus d'intérêt à l'organisation de la paix qu'à la conclusion de la guerre. Les attitudes qui furent siennes au cours de cette période révèlent un mélange instable d'idées anciennes et nouvelles. Dès les premières années 1930, le gouvernement provincial avait lancé un mouvement de retour à la terre, réservant 16 000 000 de dollars pour aider à l'établissement de colons : il s'agissait d'exploiter les régions lointaines du nord de la province et d'orienter en sens inverse le mouvement des populations vers les villes qui avait commencé pendant la guerre. Le Nord, longtemps négligé, était devenu la nouvelle frontière du Québec par ses richesses minières et certaines possibilités d'industrialisation et de colonisation. L'élite s'inquiétait du mécontentement contre l'ancien ordre de choses qui agitait les masses urbaines nouvellement industrialisées. Les autorités provinciales et cléricales cherchaient, ensemble, à stimuler la colonisation, afin d'éviter une répétition possible des désordres sociaux des années 1930 pendant une période de dépression et de chômage qui semblait inévitable, avec tant de création d'industries de temps de guerre, pour la guerre, dans le Québec. Elles voulaient, aussi, garder au Canada français les nouvelles régions industrielles du Nord. La région de Rouyn-Noranda, en Abitibi, avec ses riches mines d'or et de cuivre, devenait une frontière de Toronto plutôt que de Montréal, sous un régime de propriété et d'administration canadien-anglais et américain, avec une nombreuse main-d'œuvre néo-canadienne. Le développement, pendant la guerre, de l'industrie de l'aluminium à Arvida internationalisa considérablement la région du Lac Saint-Jean qui, jadis, était un territoire de colonisation canadien-français. Nombre d'autres régions septentrionales, en particulier la rive nord du Bas Saint-Laurent, étaient entre les mains d'entreprises américaines et canadiennes-anglaises de pâte à papier et de papier, que dominait puissamment la plus grande industrie manufacturière du Québec en temps de paix. Le Québec était déchiré entre son besoin des capitaux et des connaissances techniques de l'étranger et son désir de garder pour soi ses ressources naturelles. Son premier économiste nationaliste, Esdras Minville, proposa de décentraliser l'industrie et d'intégrer le travail de manufacture saisonnier à l'économie régionale traditionnelle dominée par l'industrie forestière, l'agriculture et les pêcheries. Toutefois, ce plan méconnaissait l'intégration intime du Québec à une économie continentale fondée sur la concentration de la fabrication de série.

Le nouvel intérêt porté par le Canada français aux affaires internationales continua à s'affirmer. Le Québec s'enorgueillit du grand nombre de Canadiens français nommés à des postes diplomatiques à l'étranger et il approuva l'idée de dissocier le ministère des affaires extérieures de la charge de premier ministre et de le confier à Louis Saint-Laurent. Il critiqua la Charte de San-Francisco, la trouvant imparfaite parce qu'elle ne donnait aux moyennes et petites puissances aucun rôle comparable à celui des trois grands, mais il attribua ses défauts à la mauvaise volonté de coopération de la part de la Russie. L'Accord de Potsdam fut critiqué pour son caractère secret et les concessions qu'il faisait à la Russie. Le panaméricanisme continua d'être généralement approuvé par la presse. Les propositions de lord Beaverbrook, tendant à faire revivre la préférence impériale, furent aussitôt rejetées : on préférait la politique commerciale multilatérale adoptée à Bretton Woods. Sir Harold Alexander, qui avait commandé les troupes canadiennes en Italie, fut nommé gouverneur général. Cette nomination fut acceptée de bonne grâce, bien qu'en général le Canada français eût préféré qu'un Canadien fût nommé. Le succès du parti travailliste en Grande-Bretagne réveilla, dans le Québec, la crainte du socialisme, qui s'atténuait, mais la différence entre le socialisme britannique, fondé sur l'évolution et le socialisme continental révolutionnaire fut généralement établie par la presse, ce qu'elle n'avait pas fait quand le *CCF*, qui s'inspirait du parti travailliste anglais, était considéré comme une menace sérieuse pour les vieux partis canadiens.

La Fête du Dominion et la réunion, en août, de la première Conférence fédérale-provinciale depuis 1941 amenèrent, une fois de plus, le Québec à exprimer un certain consentement à collaborer avec le Canada anglais, pourvu que les termes de la Confédération soient respectés et qu'ils ne soient pas modifiés pour favoriser la centralisation du pouvoir à Ottawa, centralisation qui répugnait à l'individualisme canadien-français et qui était considéré comme un grave danger pour le maintien de la langue, des lois et des coutumes du Québec. Le conflit qui menaçait, à cette occasion, entre les premiers ministres King et Duplessis, avait été évité et l'opinion s'en réjouit. La conférence fut remise à novembre pour l'étude des propositions fédérales et une clameur s'éleva pour réclamer la fin immédiate des restrictions, de la conscription et des impôts du temps de guerre.

Lorsque le Japon capitula, on rendit hommage à ceux qui avaient remporté la victoire, on demanda que l'on fasse une paix plus durable que celle de 1918 et on réfléchit sérieusement à ce monde changé dans lequel la Grande-Bretagne était gravement affaiblie, la France tombée à un rang secondaire, tandis que les Etats-Unis et la Russie devenaient les premières puissances mondiales. *Le Devoir* fit de sombres réflexions : bien que le combat eût cessé, le monde était loin de la paix, la discorde régnait entre les vainqueurs et leurs décisions étaient injustes.

La nouvelle du procès et de la condamnation à mort du maréchal Pétain éteignit l'allégresse de la fin de la guerre et elle fut diversement accuellie par la presse canadienne-française. *Le Canada* considéra qu'elle mettait fin à une fâcheuse divergence d'opinion entre les Canadiens français. *Le Devoir* affirma que c'était « *un coup redoutable au prestige de la France dans le monde* » et, selon *L'Action catholique*, la franc-maçonnerie, bannie par le maréchal, s'était vengée en empêchant un procès équitable. On exprima, généralement, le vœu que le général de Gaulle commue la sentence, mais *Le Jour* défendit la France en affirmant qu'elle avait le droit « *de condamner ceux qui avaient tenté de l'assassiner.* » [272]

## 17

C'était un nouveau Canada français qui affrontait le monde d'après-guerre, bien que nombre de ses anciennes caractéristiques eussent survécu aux changements apportés par le conflit. Une minorité, qui avait longtemps cherché son édification culturelle à l'étranger, émergeait maintenant du colonialisme culturel et apprenait à être elle-même, plutôt qu'une imitation provinciale de la France. Le Québec s'intégrait ainsi plus complètement et plus consciemment dans la vie tant nord-américaine qu'internationale, bien qu'il fût encore résolu à affirmer son caractère français et sa catholicité dans une civilisation qu'il jugeait anglo-saxonne et protestante. Il rêvait encore, suivant l'expression du cardinal Villeneuve, d'être « *un petit Paris et une petite Rome* ». La guerre fit porter le plein impact de la révolution industrielle sur le Québec qui, ainsi, sortit plus vite de son état rural et agricole pour devenir une société urbaine et industrielle. Les profonds changements entraînés par cette évolution se compliquèrent encore, du fait que les industries qui donnaient ainsi un visage neuf à la province étaient, pour la plupart, des intruses, dont la possession et l'exploitation revenaient à des hommes qui, sur le plan culturel, ou parfois politique, méconnaissaient le Canada français. La guerre activa l'évolution du mouvement syndical et, surtout, celle des internationales, ce qui rendit l'ouvrier du Québec moins disposé à accepter des rémunérations, des conditions et heures de travail défavorables par rapport à celles de ses camarades canadiens-anglais ou américains. Il chercha, de plus en plus, à jouir du même standard de vie qu'eux et à avoir, dans le domaine de l'instruction, des possibilités plus grandes que celles que lui avait offertes, jusqu'alors, la structure mal équilibrée du Canada français.

Le Canadien français commençait à se détourner, dans une certaine mesure, de ses chefs traditionnels, le clergé et les juristes politiciens, qui agissaient en intermédiaires entre les masses et les magnats anglais de l'économie et de la politique. De nouveaux *leaders*, politiques et sociaux, se révélèrent en dehors de la caste de l'élite dirigeante, traditionnelle et héréditaire, tandis qu'un certain nombre de membres du clergé firent preuve d'une nouvelle mentalité démocratique, plus en accord avec leurs origines qu'avec leur conservatisme institué qui provenait de leur isolement au sein d'une vie populaire en pleine évolution. La direction laïque de la grande variété de mouvements sociaux dans le Québec, notamment des syndicats catholiques, fut encouragée pour mettre en échec un anticléricalisme croissant et pour satisfaire un désir d'usages plus démocratiques. Les Canadiens français revenus du front avaient perdu leur crainte traditionnelle de l'inconnu et ils furent enclins à remettre en question l'ancien régime. Ils tentèrent, en particulier, de résoudre le problème que posait l'effondrement du vieux régime paroissial des campagnes selon des principes inspirés des expériences belge et française.

Dans la période d'après-guerre, deux mentalités opposées se heurtèrent : d'une part, très largement chez l'élite traditionnelle, une intention arrêtée, semblable à celle des Bourbons, de maintenir le vieux monde fermé, sans tenir compte d'aucune évolution, une attitude d'esprit figée qui n'a rien appris, ni rien oublié et, d'autre part, un désir, très répandu chez les jeunes intellectuels et les ouvriers nouvellement émancipés qu'animait la constatation d'une évolution sociale universelle et de l'expérience française, de créer un nouvel ordre incorporant au meilleur de la tradition canadienne-française ce que le monde extérieur pouvait offrir. Le nationalisme canadien-français était encore vigoureux, malgré l'effondrement du vieil isolationnisme replié sur lui-même mais, grâce au formidable développement du sentiment national canadien pendant la guerre, il y avait une meilleure chance de fusion entre le particularisme canadien-français et le nationalisme canadien-anglais dans ce grand canadianisme que voulait Laurier. L'unité nationale demeurait, sans doute, un idéal impossible à atteindre, car Français et Anglais ne se fondront jamais parfaitement au Canada. Pourtant, les perspectives d'union nationale étaient plus encourageantes qu'auparavant, grâce à l'établissement, pendant la guerre, de relations plus libres et plus franches entre beaucoup plus de Canadiens anglais et français, grâce aussi à une fierté commune de l'œuvre de guerre du Canada. Il restait à voir si le nouveau rôle international du Canada, à la tête des petites nations et intermédiaire entre la Grande-Bretagne et les Etats-Unis, ferait encore progresser cette union par un effort commun à l'étranger, ou si des divergences d'opinion sur la politique extérieure viendraient s'ajouter à celles qui sont inévitables quand il s'agit de questions nationales.

## Notes

1. Soward, F.H., *Canada in World Affairs : From Normandy to Paris*, 1944-45 (Toronto, 1950), 32. La citation : « *aérodrome de la démocratie* » est du président Roosevelt.

2. *La Patrie*, 10 juin 1944, 24.

3. *PIB*, 81.

4. *Ibid.*, 82.

5. *Débats du Sénat du Canada, 1944-45, 5ème session — 19ème législature* (Ottawa, Cloutier, 1945), 21 juin 1944, 226-235. Discours de T.-D. Bouchard sur l'enseignement de l'histoire canadienne.

6. *L'Ecole sociale populaire : Tout un peuple se dresse..., le discours du sénateur Bouchard à la Chambre Haute soulève la réprobation générale des Canadiens français et resserre leur unité d'un bout à l'autre du pays* (Montréal, 26 juillet 1944), 5-15 ; *La Presse*, 23 et 24 juin 1944 ; *Le Canada*, 23 et 27 juin 1944.

7. *L'Action nationale*, XXII, juin-juillet 1944, 490-91 ; *L'Action catholique*, 22 juin 1944 ; *La Presse*, 23 et 24 juin 1944 ; *La Patrie*, 24 juin 1944 ; *Le Progrès du Saguenay*, 29 juin 1944 ; *Le Jour*, 1er juillet 1944.

8. *PIB*, I, 86.

9. *Ibid.*, 89.

10. *Le Devoir*, 29 juin 1944.

11. *L'Action catholique*, 29 juin 1944 ; *Le Canada*, 10 juillet 1944 ; *Le Devoir*, 20 juillet et 4 août 1944.

12. *Le Devoir*, 4 et 10 août 1944.

13. *Ibid.* et *Le Canada*, 9 août 1944.

14. *Ibid.*, 9 août 1944.

15. *The Gazette*, Montréal, 17 août 1944.

16. *Saturday Night*, 17 août 1944.

17. *PIB*, I, 100.

18. *Ibid.*, 102.

19. *Ibid.*, 100.

20. *La Presse*, 26 août 1944, 27.

21. *PIB*, II, I.

22. *L'Action catholique*, 7 septembre et 4 octobre 1944.

23. *Le Jour*, 26 août 1944.

24. *PIB*, II, 4.

25. *Ibid.*

26. Stacey, C., *The Canadian Army, 1939-1945* (Ottawa, 1948), 234.

27. *Commons Debates, 1944*, 29 novembre, VI, 6660.

28. *Ibid.*, 22 novembre, 6508.

29. *La Tribune*, Sherbrooke, 25 août 1939 ; *Le Canada*, 9 septembre 1939.

30. *Commons Debates, 1944*, 22 novembre, VI, 6505-6.

31. *Halifax Chronicle-Herald*, 29 décembre 1949, déclaration de Angus Macdonald.

32. *Winnipeg Free Press*, 24 mai 1948, G. Dexter, *The Colonel*.

33. *Commons Debates, 1944*, 22 novembre, 6510.

34. *Ibid.*, 6513, 6511.

35. *Ottawa Citizen*, 6 janvier 1950, G. Dexter, *In Defence of Ralston*.
36. *Commons Debates, 1944*, 23 novembre, 6516.
37. *Ibid.*, 6519.
38. *Ibid.*, 6520.
39. *Ibid.*, 6521.
40. *Ibid.*, 6522.
41. *Ibid.*, 6522-3.
42. *Ibid.*, 6524.
43. *Ibid.*
44. *Ibid.*, 6524-8.
45. *Ibid.*, 6529.
46. *Ibid.*, 6537.
47. *Ibid.*, 6538.
48. *Ibid.*
49. *Ibid.*, 6539.
50. *Ibid.*, 6540.
51. *Ibid.*, 6541.
52. *Ibid.*, 6545.
53. *Ibid.*, 6559.
54. *Débats, Chambre des Communes, 5ème session — 19ème législature, 1944* (Ottawa, Edmond Cloutier, 24 novembre 1944), 6796-6797.
55. *Commons Debates, 1944*, 24 novembre, 6568.
56. *Ibid.*, 6579.
57. *Ibid.*, 6579-80.
58. *Ibid.*, 27 novembre, 6591.
59. *Ibid.*, 6593.
60. *Ibid.*, 6593-4.
61. *Ibid.*, 6594.
62. *Ibid.*, 6595.
63. *Ibid.*, 6597.
64. *Ibid.*, 6599.
65. *Ibid.*, 6600.
66. *Ibid.*, 6602.
67. *Ibid.*, 6603.
68. *Ibid.*, 6603-4.
69. *Ibid.*, 6605.
70. *Ibid.*, 6606.
71. *Ibid.*, 6609.
72. *Ibid.*, 6610.
73. *Ibid.*, 6614.
74. *Ibid.*, 6615.
75. *Débats, Chambre des Communes, 5ème session — 19ème législature, 1944*, 27 novembre, 6846-6847.
76. *Commons Debates, 1944*, 27 novembre, 6618.
77. *Ibid.*, 6619.
78. *Ibid.*, 6622.

79. *Ibid.*, 6623.
80. *Ibid.*, 6625.
81. *Ibid.*, 6626.
82. *Ibid.*, 28 novembre, 6634.
83. *Ibid.*, 29 novembre, 6635.
84. *Ibid.*, 6641.
85. *Ibid.*, 6642.
86. *Ibid.*, 6652.
87. *Débats, Chambre des Communes, 5ème session — 19ème législature, 1944,* 29 novembre, 6883.
88. *Ibid.*
89. *Commons Debates, 1944,* 29 novembre, 6654.
90. *Ibid.*
91. *Ibid.*, 6654-55.
92. *Ibid.*, 6657.
93. *Winnipeg Free Press,* 24 mai 1948, G. Dexter, *The Colonel.*
94. *Commons Debates, 1944,* 29 novembre, 6659, 6661-3.
95. *Ibid.*, 6663.
96. *Ibid.*, 6663-4.
97. *Ibid.*, 6666.
98. *Ibid.*, 6665-6.
99. *Ibid.*, 6676-7.
100. *Ibid.*, 6680.
101. *Ibid.*, 30 novembre, 6682.
102. *Ibid.*, 6683.
103. *Ibid.*, 6690.
104. *Débats, Chambre des Communes, 5ème session — 19ème législature, 1944,* 30 novembre 1944, 6922.
105. *Ibid.*, 6922-6923.
106. *Ibid.*, 6925.
107. *Ibid.*
108. *Ibid.*, 6926.
109. *Ibid.*
110. *Ibid.*, 6927.
111. *Ibid.*, 6928.
112. *Commons Debates, 1944,* 30 novembre, 6697.
113. *Ibid.*, 6701-2.
114. *Ibid.*, 6703.
115. *Ibid.*, 6704.
116. *Débats, Chambre des Communes, 5ème session — 19ème législature, 1944,* 30 novembre 1944, 6939.
117. *Ibid.*, 6939.
118. *Ibid.*, 6940.
119. *Ibid.*
120. *Ibid.*, 6940-6941.

121. *Ibid.*, 6941.
122. *Ibid.*, 6942.
123. *Ibid.*, 6942.
124. *Ibid.*, 6943.
125. *Ibid.*, 6943-6944.
126. *Ibid.*, 6944-6945.
127. *Commons Debates, 1944*, 30 novembre, 6713.
128. *Débats, Communes, 1944,* 30 novembre 1944, 6946.
129. *Ibid.*, 6947-6948.
130. *Ibid.*, 6948.
131. *Commons Debates, 1944*, 30 novembre, 6718.
132. *Ibid.*, 6722.
133. *Ibid.*, 6723.
134. *Ibid.*, 6724-5.
135. *Ibid.*, 6728.
136. *Ibid.*, 6734.
137. *Débats, Communes, 1944*, 1er décembre 1944, 6966.
138. *Ibid.*, 4 décembre, 6990.
139. *Commons Debates, 1944*, 4 décembre, 6758.
140. *Ibid.*, 6759-61.
141. *Ibid.*, 6763.
142. *Ibid.*, 6768-9.
143. *Débats, Communes, 1944*, 4 décembre, 7015-7016.
144. *Ibid.*, 7017-7021-7022.
145. *Ibid.*, 7025.
146. *Commons Debates, 1944*, 4 décembre, 6791.
147. *Ibid.*, 5 décembre, 6803.
148. *Ibid.*, 6806.
149. *Ibid.*, 6809.
150. *Débats, Communes, 1944*, 5 décembre, 7053.
151. *Ibid.*, 7055.
152. *Ibid.*, 7056-7057.
153. *Ibid.*, 7066.
154. *Ibid.*, 7066.
155. *Ibid.*, 7066-7067.
156. *Ibid.*, 7067.
157. *Ibid.*, 7068.
158. *Ibid.*, 7069.
159. *Ibid.*, 6 décembre, 7096-7097.
160. *Ibid.*, 7098.
161. *Ibid.*, 7098-7099.
162. *Commons Debates, 1944*, 6 décembre, 6863.
163. *Ibid.*, 6864.
164. *Ibid.*, 6869.
165. *Débats, Communes, 1944*, 6 décembre, 7108.

166. *Commons Debates, 1944,* 6 décembre, 6872-3.
167. *Débats, Communes, 1944,* 6 décembre, 7113.
168. *Ibid.,* 7 décembre, 7132.
169. *Commons Debates, 1944,* 7 décembre, 6893-4.
170. *Ibid.,* 6895.
171. *Débats, Communes, 1944,* 7 décembre, 7139.
172. *Commons Debates, 1944,* 7 décembre, 6897, 6901.
173. *Débats, Communes, 1944,* 7 décembre, 7140-7141.
174. *Ibid.,* 7143.
175. *Commons Debates, 1944,* 7 décembre, 6907.
176. *Débats, Communes, 1944,* 7 décembre, 7149-7150.
177. *Ibid.,* 7152.
178. *Commons Debates, 1944,* 7 décembre, 6914-16.
179. *Ibid.,* 6918.
180. *Ibid.,* 6920.
181. *Ibid.,* 6922.
182. *Ibid.,* 6926.
183. *Ibid.,* 6928-30.
184. *Débats, Communes, 1944,* 7 décembre, 7174.
185. *Commons Debates, 1944,* 7 décembre, 6935.
186. *Ibid.,* 6939.
187. *Ibid.,* 6941.
188. *Ibid.,* 6942.
189. *Ibid.,* 6943.
190. *Ibid.,* 6944.
191. *Ibid.,* 6945.
192. *Ibid.,* 6949-50.
193. *Ibid.,* 6950-51.
194. *Ibid.,* 6951.
195. *Ibid.,* 6952.
196. *Senate Debates, 1944-1945,* 28 novembre, 464-5.
197. *Ibid.,* 30 novembre, 477.
198. *Ibid.,* 478.
199. *Ibid.,* 489.
200. *Débats du Sénat du Canada, 1944-1945, 5ème session — 19ème législature* (Ottawa, Edmond Cloutier, 1945), 30 novembre 1944, 514, 516. Discours de Chapais sur la conscription.
201. *Senate Debates, 1944-1945,* 30 novembre, 530.
202. *Ibid.,* 536.
203. *Montreal Herald,* 30 novembre 1944.
204. *Le Devoir,* 30 novembre 1944.
205. *Ibid.,* 11 décembre 1944 ; *La Patrie, L'Action catholique,* 9 décembre 1944.
206. *PIB,* II, 30.
207. *Commons Debates, 1945,* Session I, 5 avril, I, 578.
208. *Ibid.*

209. *Ibid.*, 577.

210. Stacey, 235.

211. *Commons Debates*, 1945, Session I, 5 avril, 584.

212. *Ibid.*

213. *Débats, Chambre des Communes, 6ème session — 19ème législature, 1945* (Ottawa, Edmond Cloutier, 1946), 6 avril 1945, 651-659.

213*bis*. Tels étaient les progrès accomplis depuis 1884 quand Sir Wilfrid Laurier avait dit aux journalistes et écrivains de son temps : « *C'est prodigieux ce que nous avons de critiques littéraires quand nous avons si peu de littérature... Dans la Chambre des Communes la tâche de proposer et seconder l'adresse est d'ordinaire confiée aux plus jeunes députés. Je viens de me servir du verbe seconder. C'est là encore un mot qui agace une certaine classe de critiques. Ils veulent que l'on dise* appuyer. *Je leur remets sous les yeux que le verbe anglais* to second *vient du verbe français* seconder *et qu'il ne saurait y avoir assurément de meilleure traduction que l'expression étymologique du mot à traduire. Je leur fais remarquer encore que toutes les expressions :* adresse, seconder, *discours du trône, motion, ont été introduites dans la langue parlementaire de l'Angleterre à une époque où la langue officielle de l'Angleterre était la langue française, et que plus tard, quand la race saxonne eut absorbé la race conquérante et que l'anglais fut redevenu la langue de la nation, toutes ces expressions ont été littéralement traduites du français en anglais.*

*Par une étrange fortune pendant que ces expressions ont perdu en France leur signification technique par suite de la disparition des institutions auxquelles elles étaient adaptées, nous, descendants de la France sur ce continent, nous sommes destinés à les faire revenir de nouveau dans la langue. N'est-ce pas une tâche aimable,* a labor of love, *que de reprendre ces vieilles expressions telles qu'elles ont été apportées de France en Angleterre par les Normands ?* » (Discours à l'étranger et au Canada, Beauchemin, Montréal, 1909, page 197).

214. Bourassa, Henri, *Hier, aujourd'hui et demain* (Montréal, 1916), 169-170.

215. *Débats, Chambre des Communes, 6ème session — 17ème législature, 1935* (Ottawa, Patenaude, 1935), 1er avril 1935, 2290.

216. *L'Action française*, VII, mai 1922, 5, 258-74.

217. O'Leary, D., *Séparatisme, doctrine constructive* (Montréal, 1937).

218. *L'Autorité*, Montréal, 19 mai 1945.

219. *Le Bloc*, I, 19 février 1944, 2.

220. *L'Action catholique*, 28 février 1945 ; *International Journal*, III (automne 1944), 4, 334-48, Iris C. Podea, *Pan-American Sentiment in French Canada.*

221. *Montréal-Matin*, 9 janvier 1945.

222. *PIB*, II, 36.

223. *Ibid.*, 47.

224. *Ibid.*, 48.

225. *Ibid.*, 49.

226. *Ibid.*, 51.

227. *Ibid.*, 45.

228. *Ibid.*, 51.

229. *Ibid.*, 45.

230. *Ibid.*

231. *Ibid.*, 58.

232. *Commons Debates*, 1945, Session I, 19 mars, I.

233. *Ibid.*, 20 mars, 21-2.

234. *Ibid.*, 29-30.
235. *Débats, Chambre des Communes, 6ème session — 19ème législature, 1945* (Ottawa, Edmond Cloutier, 1946), 20 mars 1945, 55-57.
236. *Ibid.*, 61.
237. *Ibid.*, 61, 62, 63.
238. *Commons Debates, 1945,* Session I, 20 mars, 70-6.
239. *Ibid.*, 100.
240. *Débats, Communes, 1945,* 21 mars 1945, 105.
241. *Ibid.*, 106-107.
242. *Ibid.*, 22 mars, 131-132-134.
243. *Commons Debates, 1945,* Session I, 22 mars, 146.
244. *Débats, Communes, 1945,* 22 mars, 154.
245. *Ibid.*, 155.
246. *Ibid.*, 23 mars, 167-168.
247. *Ibid.*, 168.
248. *Ibid.*, 195.
249. *Maclean's Magazine,* 1er janvier 1944, Maxime Raymond, *What Does the* Bloc Populaire *Stand For ?* Texte original en français.
250. *Débats, Communes, 1945,* 27 mars 1945, 284.
251. *Ibid.*, 285.
252. *Ibid.*, 293.
253. *Ibid.*, 297-298-299.
254. *Commons Debates, 1945,* 27 mars, 295-6.
255. *PIB,* II, 58.
256. *Débats, Chambre des Communes, 6ème session — 19ème législature, 1945* (Ottawa, Cloutier, 1946), 3 avril 1945, 424.
257. *Commons Debates, 1945,* Session I, 3 avril, I, 404.
258. *PIB,* II, 64.
259. *Commons Debates, 1945,* Session I, 11 avril, I, 764 ; *PIB,* II, 61.
260. *Ibid.*, 13 avril, 865-6.
261. Sondage Gallup : libéraux, 36 pour cent ; progressistes-conservateurs, 34 pour cent ; *CCF,* 12 pour cent ; indépendants, 12 pour cent. *PIB,* II, 62.
262. *PIB,* II, 65.
263. *Ibid.*, 68.
264. *Ibid.*, 73.
265. *Ibid.*, 74.
266. *Ibid.*, 76.
267. *Ibid.*, 79.
268. *Montréal-Matin,* 12 juin 1945 ; *La Patrie,* 12 juin 1945.
269. *Le Jour,* 16 juin 1945.
270. *Le Devoir,* 2 mai 1945 ; *Le Droit,* 2 mai 1945.
271. *Ibid.*, 8 mai 1945 ; *La Presse,* 7 mai 1945 ; *Le Canada,* 8 mai 1945 ; *La Patrie,* 7 mai 1945.
272. *Le Devoir,* 15 août 1945.

# CHAPITRE XVII

# RÉVOLUTION PLUS OU MOINS TRANQUILLE : MAÎTRES CHEZ NOUS ENFIN ?

## 1945-1966

La lutte d'après-guerre entre les anciennes et nouvelles tendances dans le Québec se prolongea plus longtemps qu'il n'avait été prévu en 1945 en raison, à la fois, du respect des traditions et de l'entêtement forcené avec lequel le Premier Ministre Maurice Duplessis résistait à la marée sans cesse montante de l'évolution.

Les pouvoirs fédéraux du temps de guerre étant affaiblis ou abolis, le gouvernement provincial put s'opposer plus fortement à la concentration du pouvoir à Ottawa, tandis que la prospérité d'après-guerre, qui se prolongea de façon inattendue jusqu'en 1957, remplissait les coffres du Québec. Duplessis se posait en champion des droits provinciaux et prétendait défendre la citadelle des valeurs catholiques et françaises contre les empiétements du gouvernement fédéral, en accusant ce dernier de tendances communistes et athées. Il torpilla successivement plusieurs conférences fédérales-provinciales et combattit avec âpreté toutes les tentatives faites par les autorités fédérales pour s'immiscer dans les domaines de l'enseignement et de la culture réservés depuis toujours, par la constitution et la tradition, exclusivement aux Provinces.

Bien que, pendant neuf des années d'après-guerre avant la mort de Duplessis en 1959, le Canada eût pour Premier Ministre, de 1948 à 1957, un éminent Canadien français, Louis Stephen St-Laurent, qui ne négligeait pas les intérêts de ses compatriotes québécois, Duplessis réussit cependant à convaincre le peuple de la Province en général que c'était lui, et non pas St-Laurent, son véritable champion. Entre-temps, les fonds de l'Union nationale pour la lutte électorale augmentaient sans cesse, à mesure que des sociétés — qui n'étaient pas canadiennes-françaises — sollicitaient et obtenaient, en payant le prix, le droit d'exploiter les immenses richesses naturelles du Québec, la grande masse de main-d'œuvre mal ou faiblement organisée et habituée à un niveau de vie inférieur à celui des Nord-Américains anglophones, enfin les nombreux avantages consentis par un gouvernement accommodant, en un temps où, presque partout ailleurs, les gouvernements soumettaient le monde des affaires à de multiples réglementations.

Cependant, cette marée de mécontentement que soulevait le vieil ordre québécois, dans lequel les riches et les politiciens recevaient plus que leur part des biens de ce monde, tandis que les masses ne pouvaient pourvoir à leurs besoins élémentaires, il était possible de l'endiguer, mais pas de l'arrêter. Les forces du progrès continuaient à agir dans une clandestinité à laquelle les contraignait l'impitoyable répression, par Duplessis, des partisans d'une réforme. Duplessis ne réussit pourtant qu'à faire naître contre l'Union nationale une coalition de syndicats ouvriers, d'intellectuels, de prêtres éclairés et même de certains industriels las de payer de lourds tributs à sa redoutable machine électorale. Sous sa direction tyrannique, l'Union nationale avait toujours été le parti d'un seul homme et, quand il mourut en septembre 1959, des fissures se produisirent dans sa puissante organisation qui s'écroula. Paul Sauvé, fils du chef des conservateurs de la Province pendant les années vingt et seul ministre de Duplessis qui eût osé différer d'opinion avec « le Chef », en moins de quatre mois succomba à la tâche en essayant de réformer le régime et de réaliser, avec Ottawa, une entente qui aurait dû être conclue depuis longtemps. Une lutte byzantine pour le pouvoir s'engagea alors entre les petits chefs rivaux de l'Union nationale et le gouvernement d'Antonio Barrette, qui durait depuis six mois, s'en trouva encore affaibli. Le 15 juillet 1960, les libéraux revenaient au pouvoir, après les seize ans de règne de l'Union nationale. Ils avaient une faible majorité de huit sièges : ils en remportèrent cinquante et un, contre quarante-trois qui allaient à l'Union nationale et un aux indépendants. Les suffrages allèrent dans la proportion de 51 pour cent aux libéraux, contre 47 pour cent à leurs adversaires.

Cependant, aux élections provinciales de 1962, la victoire des libéraux fut décisive : soixante-trois sièges allèrent aux libéraux, trente et un à l'Union nationale et un aux indépendants. Jean Lesage, choisi en 1958, était le nouveau chef libéral. Jeune avocat de Québec devenu Ministre du Nord-Canadien au gouvernement fédéral (1953-1958), il avait réussi à unir autour du mot d'ordre « Il est temps de changer » les nombreuses tendances de l'Opposition, si variées et parfois disparates. Il s'était servi des mêmes tactiques que Georges-Emile Lapalme, son prédécesseur, mais il faut attribuer une bonne part de sa victoire au talent extraordinaire de René Lévesque. Annonceur et commentateur à la radio et à la télévision, d'expérience internationale, celui-ci exprimait les opinions des intellectuels d'avant-garde et il savait convaincre le prolétariat industriel mécontent. Un autre personnage d'envergure de ce nouveau gouvernement libéral était Paul Gérin-Lajoie. Ayant bénéficié d'un *Rhodes' Scholarship,* il était expert en droit constitutionnel et avocat. Il fut le premier Ministre de l'Education au Québec et il dirigea une refonte totale et énergique du régime d'enseignement de la Province, tombé en désuétude.

Bien que le régime Duplessis eût paru invincible dans ses plus beaux jours, il n'avait pu empêcher certaines manifestations révolutionnaires qu'il tentait de maintenir sous un couvercle de plus en plus étanche et fortement vissé. La grève d'Asbestos, en 1949, fut la première révolte notable contre son régime et il tenta de l'écraser par tous les moyens légaux et extra-légaux dont il disposait. Il alla même — fait admis par tous — jusqu'à donner des instructions spéciales à un juge et à se servir d'agents de la Police provinciale comme briseurs de grève. Or, les mineurs étant membres de syndicats catholiques, la Hiérarchie intervint, sous la direction libérale de l'archevêque Joseph Charbonneau de Montréal, de l'archevêque Maurice Roy de Québec, des évêques Philippe Desranleau de Sherbrooke et Arthur Douville de Saint-Hyacinthe. Elle appuya les grévistes et autorisa des quêtes spéciales à la porte des églises pour leur venir en aide. Mgr Charbonneau, président de la Commission épiscopale des Questions sociales déclara, dans un sermon prononcé à Notre-Dame de Montréal, le 1er mai : « *Nous voulons la paix sociale, mais nous ne voulons pas l'écrasement de la classe ouvrière. Nous nous attachons plus à l'homme qu'au capital. Voilà pourquoi le clergé a décidé d'intervenir. Il veut faire respecter la justice et la charité et il désire que l'on cesse d'accorder plus d'attention aux intérêts d'argent qu'à l'élément humain.* » [1] Avec l'aide de Mgr Maurice Roy, cette grève se termina enfin par un compromis, mais non sans que les instigateurs laïcs eussent à subir de dures sanctions. L'année suivante, l'épiscopat du Québec émettait une lettre pastorale importante qui reconnaissait que la Province de Québec était devenue une région industrielle et qui établissait les principes de doctrine qui obligent les employeurs tout autant que les employés. [2] Ce texte marquait une étape importante de l'évolution de la pensée sociale du Québec et un progrès énorme sur la position prise par les évêques cinq ans auparavant lorsque, comme solution des problèmes sociaux d'après-guerre, ils avaient préconisé un retour à la terre, bien que ce remède désuet se fût révélé absolument inopérant devant les problèmes du chômage pendant la grande crise des années trente.

Cette prise de position des évêques du Québec, qui fait époque, n'était cependant qu'une infime partie des preuves accumulées de la nouvelle orientation socio-économique prise par le nationalisme canadien-français dès 1945. Ce nouvel esprit était beaucoup plus réaliste et propre à la solution des problèmes du Québec que le nationalisme politique plutôt stérile d'Henri Bourassa avant la première guerre mondiale, que le provincialisme raciste encore plus stérile du Chanoine Lionel Groulx pendant les années vingt, enfin que le séparatisme politico-économique qui, pendant la crise des années trente, avait abouti aux fiascos de la *Ligue pour la Défense du Canada* et du *Bloc Populaire* lors de la seconde guerre mondiale. C'est peut-être dans *Le Devoir*, journal nationaliste traditionnel par excellence, que ce nouvel esprit se manifesta le plus clairement. Ce journal, sous la direction conjointe de Gérard Filion, ancien secrétaire de l'Union des Cultivateurs catholiques du Québec, et d'André Laurendeau, autrefois chef du *Bloc Populaire* et maintenant désabusé, fut l'ardent champion des réformes sociales et économiques. Il s'attaqua courageusement au régime Duplessis. Les révélations du journal sur la corruption de l'Union nationale finirent par irriter tellement Duplessis et ses ministres qu'en 1958 tous les membres du cabinet intentèrent, individuellement, des poursuites en diffamation contre les directeurs qui les accusaient d'être impliqués dans le scandale du gaz naturel du Québec. [3] En 1950, ce nouvel esprit s'exprima avec peut-être plus de hardiesse encore dans *Cité Libre*, revue de l'aile gauche catholique dirigée par Gérard Pelletier, journaliste syndical, et Pierre-Elliott Trudeau, expert en science politique et avocat, spécialiste des questions ouvrières, qui vouaient toutes les vaches sacrées à la dissection par des sociologues.

Les syndicats catholiques, par la grève d'Asbestos en 1949 et encore plus par celle de Murdochville, en 1957, dans les mines de cuivre de Gaspé, avaient bien fait comprendre qu'à l'avenir ils seraient aussi exigeants que les syndicats internationaux pour obtenir de meilleures conditions de travail et des salaires plus élevés. C'est ainsi que, malgré un long passé de querelles, tous les syndicats du Québec s'unirent pour exiger d'abord que les conditions de travail et les salaires soient portés au même niveau qu'en Ontario et dans le reste de l'Amérique du Nord anglophone. Ensuite, le *AFL (Trades and Labor Congress)* et le *CIO (Canadian Congress of Labor)* ayant décidé, en 1956, de fusionner en un seul *Canadian Labour Congress,* les syndicats catholiques décidèrent en principe, cette même année, de se joindre au nouveau congrès. Il y avait là le signe d'un nouvel esprit de coopération entre les trois mouvements principaux pour faire opposition au *Bill 5,* nouveau code draconien du travail imposé par Duplessis. Ce *bill* avait bien été rejeté en 1949, mais nombre de mesures qu'il comportait avaient quand même été incorporées, par la suite, aux *Bill 60* (1949), *19* (1954) et *20* (1954). Les syndicats nationaux et internationaux firent cause commune pour protester contre les agissements du gouvernement pendant la grève d'Asbestos et appuyer, en 1957, les *United Steel Workers of America (CLC)* pendant la grève de Murdochville. Ainsi, l'habituelle politique de l'Union nationale, qui consistait à jouer l'un contre l'autre les mouvements ouvriers devint inopérante et l'activisme grandissant de la classe ouvrière contribua beaucoup à la répudiation populaire du régime de 1960. Ce fut Antonio Barrette, Ministre du Travail de Duplessis depuis 1944 et maintenant à la tête du parti et Premier Ministre, qui fut renversé en juin 1960. Cependant, les pourparlers de fusion des syndicats se prolongèrent indûment et de façon décousue après 1956 en raison des différences fondamentales de philosophie entre les syndicats nationaux et internationaux et les syndicats nationaux, à quelques exceptions près, n'approuvèrent pas officiellement le NPD (Nouveau Parti démocratique), fondé au cours de l'été 1960 avec l'appui du *Canadian Labour Congress* pour remplacer le *CCF*. Aussi, aux élections fédérales de 1962, le NPD ne fut que faiblement appuyé dans le Québec, les *leaders* ouvriers ayant senti la nécessité de soutenir les libéraux. Ceux-ci n'avaient, en effet, qu'un faible avantage contre le ralliement des forces de l'Union nationale mais, en revanche, leur programme de réformes sociales comportait plusieurs objectifs traditionnels de la classe ouvrière.

La grande surprise des élections fédérales de 1962 fut la renaissance du Crédit Social qui s'empara de vingt-six sièges du Québec, sous l'impulsion dynamique de Réal Caouette. Ce démagogue frénétique avait su exploiter la désaffection du Québec à l'égard des deux partis traditionnels et le mécontentement causé par l'ordre social existant dans des régions pauvres telles que le Lac St-Jean, l'Abitibi et Gaspé. Toutefois, il est remarquable que le Crédit Social ne fit sienne aucune des bruyantes professions de foi séparatistes qui attirèrent tellement l'attention en 1961 et 1962, aussi bien à l'intérieur qu'au dehors de la Province. En effet, tout en exploitant le particularisme québécois, le Crédit Social, en tant que parti national, était tout aussi engagé, vis-à-vis de la coexistence franco-anglaise, que les libéraux et les conservateurs. L'alliance du Crédit Social de Caouette avec celui de Robert Thompson en Alberta eut la vie courte. La version québécoise de l'évangile du Major Douglas avait toujours été différente de celle de l'Alberta et leurs idéologies se compliquèrent encore de leurs différends personnels. Après les élections de 1963, quand il fut bien évident que Thompson ne pouvait pas réunir un grand nombre de partisans dans le reste du Canada, Caouette et ses fidèles se séparèrent de leurs alliés de l'Ouest et, vers la fin de cette même année, leur parti devint le Ralliement des Créditistes. Cependant, ils se rendirent bientôt compte qu'il était peu probable que le gouvernement fédéral donne suite aux idées du Crédit Social et, comme d'ailleurs ils n'avaient jamais été bien à leur aise à Ottawa, une autre métamorphose en fit des nationalistes québécois. Au début de 1964, ils annoncèrent leur programme provincial qui comportait un contrôle absolu du crédit des banques, du commerce extérieur, de l'immigration et de la perception des impôts. Ce programme fut ratifié au mois d'août de la même année par le congrès du parti à Québec, qui demanda aussi, pour le Québec, un statut d'Etat associé dans une nouvelle Confédération. Il était bien clair, pour les Créditistes, qu'il n'y avait d'autre issue que la sécession.

Cependant, en passant ainsi du fédéral au provincial, les créditistes du Québec eux-mêmes ne s'accordèrent pas entre eux. N'ayant plus déjà que vingt et un représentants au parlement fédéral en 1963, treize seulement suivirent Caouette quand il se sépara du groupe albertain et ils ne furent plus que neuf après les élections fédérales de novembre 1965, sans réussir, non plus, à organiser un puissant parti provincial. Le succès spectaculaire du Crédit Social en 1962 semble avoir été le résultat d'un vote conservateur de protestation, qui répudiait les deux vieux partis sans vouloir cependant appuyer l'avant-garde séparatiste. La discorde, chez les créditistes, s'aggrava encore aux élections provinciales du 5 juin 1966, quand Laurent Legault quitta le parti dont il était depuis longtemps le président provincial et devint membre du Ralliement pour l'Indépendance nationale (RIN), groupe de séparatistes dissidents dont René Jutras était le chef. Réal Caouette resta à l'écart. Aucun de leurs candidats ne fut élu. C'était le séparatisme et non le Crédit Social qui était désormais l'idéal des jeunes qui venaient d'acquérir le droit de vote [4] : ce fait fut implicitement reconnu lorsque Gilles Grégoire dirigea la fusion du Crédit Social provincial et du RIN.

La renaissance du séparatisme fut pourtant l'événement le plus marquant des dernières années cinquante et du début des années soixante. A la fin des années quarante et au début des années cinquante, le vieux rêve nationaliste d'un Etat canadien-français séparé semblait avoir disparu devant les impératifs de la géographie et de l'économie, matières beaucoup mieux enseignées dans la Province de Québec qu'elles ne l'avaient jamais été auparavant et, bien que Duplessis se posât en défenseur des droits provinciaux, on se rendait compte que, sous les gouvernements d'après-guerre de Mackenzie King et de Louis St-Laurent, les relations entre Québec et Ottawa étaient devenues bien meilleures que depuis les premiers temps du régime de Sir Wilfrid Laurier. Les rapports s'étant améliorés, les guerres fédérales-provinciales traditionnelles tendaient à devenir d'insignifiantes escarmouches et non pas ces conflits dévastateurs qui, jadis, avaient si souvent mis en péril l'existence même du Canada. Or, après la victoire des conservateurs en 1958 et la déclaration publique de Gordon Churchill, l'un des principaux lieutenants de Diefenbaker, le séparatisme se ranima. Churchill affirma, en effet, que le Canada anglais n'avait aucun besoin des Canadiens français et pouvait parfaitement former, sans eux, un gouvernement fédéral. Le nouveau séparatisme, d'abord marginal, n'apparut cependant que chez de rares et traditionnels nationalistes, aigris ou illuminés et la génération montante d'étudiants encore peu avertis en politique. Cependant, le mouvement prit vite de l'ampleur, les Canadiens français ayant bientôt constaté que leur représentation était insignifiante dans ce nouveau gouvernement. Ils lui avaient pourtant donné cinquante députés en 1958, en un revirement révolutionnaire de la tradition du Québec qui, depuis 1896, votait libéral aux élections fédérales. De plus, dans l'Ouest, l'hostilité ouverte des partisans de Diefenbaker à l'égard des Canadiens français catholiques, la vieille passion qui faisait clamer « A bas la domination française » et qui avait aussi contribué à former la majorité la plus considérable des annales politiques canadiennes, tout cela encouragea la croissance du séparatisme.

Il y eut aussi les insultes gratuites d'Ontariens unilingues, tels Douglas Fisher, du NPD, qui détruisit toutes les chances de son parti dans le Québec aux élections de 1962 en déclarant, à l'occasion d'un congrès d'étudiants réuni à Laval en 1961 sur le thème du séparatisme que, si les Canadiens français voulaient quitter la Confédération, les Canadiens anglais s'en réjouiraient puisqu'aussi bien le Canada français ne produisait que des joueurs de hockey et des danseuses de cabaret et que ses représentants fédéraux n'étaient que d'irresponsables nullités [5]. Douglas Fisher fit ainsi preuve de son ignorance d'une vérité que René Lévesque, nouveau Ministre des Richesses naturelles du Québec, proclama au cours de la même réunion : le Canada anglais avait besoin du Canada français beaucoup plus que le Canada français n'avait besoin du Canada anglais et le Canada ne pouvait rester le Canada que s'il était à la fois français et anglais car, s'il cessait d'être l'un et l'autre, inévitablement il deviendrait bientôt américain. D'ailleurs le Rapport Massey sur l'état de la culture canadienne en 1951, le Rapport Fowler [6] sur la radiodiffusion en 1957 et le Rapport O'Leary en 1961 sur les publications périodiques, avaient insisté sur la nécessité de conserver les deux éléments essentiels de la tradition canadienne et formulé des recommandations pour en assurer l'évolution. Ces rapports contribuèrent beaucoup à améliorer les relations entre Canadiens français et anglais pendant la période d'après-guerre. La vérité de plus en plus reconnue par les Canadiens anglais de la contribution canadienne-française à la vie nationale et la volonté nouvelle, au Canada anglais, de répondre aux aspirations du Canada français tendaient aussi à faire échec au nationalisme politico-économique d'antan. En brossant un tableau de conflits perpétuels entre Français et Anglais, ce nationalisme attribuait l'infériorité économique du Canada français à la discrimination raciale pratiquée par les Anglo-Saxons et aux abus des magnats anglophones qui, par leur puissance économique, avaient exploité sans scrupule ce qui aurait dû être une économie canadienne-française. Or, le Québec avait profité équitablement de la vague de prospérité de l'après-guerre [7] et les sciences économiques et sociales étaient maintenant mieux connues et enseignées. Ainsi, les Canadiens français en vinrent à comprendre que leur destin économique était lié à celui du Canada anglais et des Américains, dont la participation à l'économie canadienne croissait de jour en jour, à mesure que celle de la Grande-Bretagne déclinait. Devant les impératifs de la seconde guerre mondiale, l'intégration des économies canadienne et américaine s'accentua et elle se poursuivit de plus belle après la guerre, ce qui porta au nationalisme économique provincial un coup plus fatal encore qu'au nationalisme économique fédéral. Pourtant, ces deux nationalismes devaient devenir caractéristiques des années soixante.

L'on avait vu, dès les premières années d'après-guerre, une élite de jeunes Canadiens français de la nouvelle génération prendre la direction du mouvement ouvrier. Ils avaient étudié, en Europe et aux Etats-Unis, les sciences économiques, les théories sociales et les problèmes des relations ouvrières. C'était, en vérité, un énorme chemin parcouru depuis l'engouement traditionnel de la précédente génération pour un nationalisme arithmétique : on prouvait alors, triomphalement, qu'en proportion de la population canadienne-française, il manquait 2,75 sous-ministres canadiens-français à Ottawa et, dans l'armée, 10,5 officiers canadiens-français de grade supérieur à celui de colonel. L'on ajoutait, bien sûr, que c'était là, probablement, le résultat d'intrigues machiavéliques des francs-maçons. A ce nouveau mouvement, la Faculté des Sciences de l'Université Laval apporta une importante contribution. Dirigée par le Père Georges-Henri Lévesque, dominicain d'esprit très progressiste, cette école forma les dirigeants laïcs du nouvel ordre social, malgré Duplessis qui s'efforça d'entraver son œuvre en l'accusant d'être un foyer de socialisme et de communisme. Ces attaques finirent cependant par contraindre le Père Lévesque à donner sa démission de doyen, le gouvernement provincial ayant menacé de priver l'université des habituels subsides annuels dont dépendait son existence même. Maints diplômés de la faculté, qui ne voulaient pas faire carrière dans l'enseignement, ou dans les mouvements ouvriers, entrèrent dans la fonction publique fédérale, non pas cependant comme animaux savants et subalternes d'un bloc québécois bien dressé, mais en tant que grands commis de l'Etat à Ottawa et à l'étranger. Quand le régime Duplessis s'écroula, le gouvernement Lesage, en accédant au pouvoir, rappela maints d'entre eux au service du gouvernement provincial. Ces technocrates furent les véritables instigateurs de la « révolution tranquille », même s'ils jouèrent le rôle de techniciens, plutôt que celui d'hommes politiques.

L'influence de l'Université Laval s'étendait aussi au Canada tout entier, ses diplômés occupant des postes d'enseignement dans des institutions de langue française hors du Québec et aussi, à titre de professeurs externes, dans les universités canadiennes-anglaises dont plusieurs créèrent de nouvelles chaires d'histoire, de littérature et de sociologie canadiennes-françaises. Il y eut aussi des échanges particulièrement fructueux de professeurs et d'étudiants entre l'Université Laval, celles de Montréal et de Sherbrooke, l'Université McGill, celles de Toronto, de Western Ontario et de Colombie britannique, Bishop's enfin, échanges qui dénotaient un esprit d'étroite collaboration tout à fait nouveau entre les universités anglaises et françaises du Canada. On reconnaissait enfin que toutes les universités canadiennes ont de nombreux problèmes en commun, malgré les différences de tradition, de coutume et de langue de travail. La création de la *Fédération des Universités canadiennes*, devenue l'*Association des Universités et Collèges du Canada*, a rendu ce fait plus tangible et cette solidarité s'est affirmée quand les universités françaises et anglaises firent front commun, en février 1966, contre la décision du gouvernement Lesage de diminuer les subsides de l'Université McGill pour augmenter ceux des universités françaises moins bien dotées.

Les attitudes et les points de vue des deux plus anciennes universités canadiennes-françaises continuèrent d'être bien différents cependant, malgré cette tendance à s'unir pour défendre les intérêts communs. A l'Université Laval, on semblait en général accepter les réalités de la vie au Québec et on encourageait les étudiants à s'adapter au nouvel ordre industriel en se formant aux sciences physiques et sociales autant qu'aux humanités. L'Université Laval maintenait des relations beaucoup plus étroites avec les universités canadiennes-anglaises et américaines que l'Université de Montréal, qui continuait de considérer Paris comme l'unique source d'une véritable culture et qui rejetait la culture des « *Anglais* », la considérant comme une menace pour la sauvegarde de celle des Canadiens français et de leur mode de vie. Toutefois, cette mentalité était beaucoup plus celle des historiens que celle des physiciens et des sociologues dont l'esprit était davantage ouvert à l'universel qu'au nationalisme [8]. Faute de donations privées, l'Université de Montréal dépendait beaucoup plus du gouvernement provincial que l'Université Laval. Un certain nombre de jeunes disciples du Chanoine Lionel Groulx, à l'Université de Montréal, avaient fait des études en Europe ou aux Etats-Unis. Ainsi devenus des historiens scientifiques, mais sans perdre pour autant l'esprit nationaliste de leur maître, ils continuèrent à mettre l'accent sur la tradition canadienne-française, en affirmant que les cultures française et anglaise sont inconciliables. Selon Guy Frégault, Maurice Séguin et, à un moindre degré, Michel Brunet, la période française fut l'âge d'or du Canada français et toute l'histoire ultérieure du Québec, depuis 1760, ne fut que déclin et décadence, par suite de la Conquête. Cette école d'historiens tendait à faire croire que le séparatisme pourrait remédier à cette frustration. Elle était aussi affligée d'une si forte tendance au défaitisme qu'un Montréalais a pu dire, non sans esprit, qu'elle se composait de « *Un qui pense, un qui écrit et un qui crie* ». Jean-Marc Léger, à Montréal, était aussi à la tête d'un autre groupe influent dont l'idéal était de resserrer le plus possible les liens avec la France pour combattre les influences anglo-saxonnes dominantes. De son côté la France, après la guerre, intensifia ses relations culturelles avec le Québec et distribua en abondance des bourses d'études. Ainsi, avec la rapidité et la facilité des communications, tout contribua à établir entre les deux pays des contacts qui n'avaient guère existé auparavant. Lorsqu'il prit le pouvoir en 1960, le gouvernement Lesage, reconnaissant le besoin d'un rapprochement, ouvrit la *Maison du Québec* à Paris et s'efforça d'attirer le capital français dans sa Province. Pour combattre la prédominance économique du Canada anglais et des Etats-Unis, il créa aussi un Ministère des Affaires culturelles spécialement chargé de venir en aide aux groupes minoritaires français des autres Provinces et des Etats-Unis. De plus, il institua un *Conseil des Arts* destiné au même rôle pour le Canada français que celui d'Ottawa pour le Canada tout entier.

Marcel Trudel est un disciple de l'Abbé Arthur Maheux. Après la guerre, il fut Directeur de l'Institut d'Histoire et de Géographie de l'Université Laval et il s'intéressa surtout, comme Guy Frégault, à l'histoire du régime français. Cependant, contrairement à son collègue de Montréal, il ne tenta pas de trouver dans la Nouvelle France des 17ème et 18ème siècles le nationalisme canadien-français des 19ème et 20ème siècles. Ses premiers ouvrages importants, *L'Influence de Voltaire au Canada* (Montréal, 1945) et *Chiniquy* (Trois-Rivières, 1955), révèlent la persistance de son intérêt pour l'histoire de l'Eglise qui l'amena d'ailleurs, récemment, à la conclusion que l'intransigeance religieuse avait beaucoup contribué à l'isolement réciproque des Canadiens français et anglais. Après avoir consacré quelques années à écrire l'histoire de la période qui suivit immédiatement la Conquête et, notamment, un volume remarquable sur l'influence de la révolution américaine [9], il entreprit de récrire une histoire détaillée de la Nouvelle-France qui, tout comme l'œuvre de Frégault, attache beaucoup d'importance à l'histoire économique très négligée de cette période. Jean Hamelin, son collègue de l'Université Laval, analyse encore plus rigoureusement, des points de vue économique et social, l'évolution de la Nouvelle-France dans *Economie et société en Nouvelle-France* [10]. De son côté, Fernand Ouellet, le plus influent peut-être des jeunes historiens québécois, étudie l'évolution économique du Québec pendant les années qui séparent la Conquête de la Confédération, en adoptant les mêmes conclusions que D.G. Creighton pour la même période. Ouellet a subi l'influence de l'historiographie de Freud et de Marx et s'est beaucoup intéressé aux aspects révolutionnaires du mouvement « *patriote* ». Il a cru en découvrir les causes d'abord dans la profonde crise de l'agriculture qui sévit au Québec pendant le premier tiers du 19ème siècle et aussi dans la formation d'une élite conservatrice, groupant les professions libérales, qui fut

le résultat de la fondation de collèges classiques par des prêtres réfugiés de France au moment de la révolution. L'esprit de ces réfugiés
était, en effet, fermé aux réalités d'une société capitaliste naissante
qui avait une plus grande valeur démocratique que l'ancien régime
seigneurial.

L'école de Québec rejetait la doctrine du groupe de Montréal qui
prétendait que la Conquête avait été un facteur décisif de l'histoire
des Canadiens français et que les Anglais étaient l'unique cause de
tous leurs griefs. En revanche, les historiens des deux groupes étaient
également convaincus de l'importance des facteurs économiques et
sociaux longtemps négligés par leurs prédécesseurs soucieux avant
tout de l'histoire politique et religieuse. Les deux groupes contribuèrent à un jugement plus réaliste du passé des Canadiens français
et des causes de leur actuelle infériorité économique. Comme les
sociologues, ils ouvrirent les voies de la « révolution tranquille », car
l'histoire intéresse un vaste public dans le Québec et elle aide à fa-
çonner son avenir. Le nationalisme canadien-français est bien, en
effet, la réaction naturelle d'une minorité ethnique et linguistique
isolée de la majorité par sa langue, sa religion et ses coutumes, mais
il est aussi, dans une très large mesure, la création des historiens,
depuis Garneau jusqu'à Brunet. De plus, certaines des critiques les
plus efficaces de ce nationalisme ont aussi été formulées par des historiens comme Chapais, Lanctôt et Ouellet [11].

Après la guerre, cependant, les Canadiens français et anglais se
sont beaucoup rapprochés, malgré la continuation de la tradition du
Chanoine Groulx par le groupe de ses disciples à Montréal. En raison
de la croissance énorme du nationalisme canadien-anglais pendant la
deuxième guerre mondiale et la période d'après-guerre, le nationalisme
canadien-français, beaucoup plus ancien, eut tendance à se fondre
avec lui pour ne plus former qu'un seul nationalisme canadien,
jusqu'à la renaissance du séparatisme pendant les années soixante.
Les Canadiens français apprirent que la loyauté de la plupart des
Canadiens anglais allait, en premier lieu, vers le Canada et non vers
la Grande-Bretagne et, de leur côté, les Canadiens anglais apprirent
que leurs compatriotes n'étaient pas des Français, mais des Canadiens [12]. Une fierté commune, née des insignes états de service du
Canada pendant la guerre, puis de son rôle dans les affaires internationales après la guerre, contribuait à rendre leurs relations meilleures que jamais. Il était bien naturel que le Général Georges Vanier,
héros et grand blessé de la première guerre mondiale, diplomate depuis la seconde, succédât à Vincent Massey au poste de Gouverneur
général en 1959. Très vite, il s'attira le respect de tous les Canadiens.
Le nationalisme pancanadien, dont Henri Bourassa avait été le premier prophète au début du siècle, s'affirmait alors de plus en plus.
Les deux éléments de la population étaient, en effet, résolus à résister

aux influences culturelles, politiques, économiques et militaires que les Etats-Unis exerçaient toujours davantage à mesure que le centre de gravité du pouvoir, après la guerre, passait de Londres à Washington et que l'activité militaire et l'industrie de l'Amérique du Nord s'intégraient plus étroitement pour la défense du continent.

Un facteur capital du progrès du nouveau nationalisme fut la reconnaissance d'un dualisme culturel au Canada dans le *Rapport de la Commission royale d'enquête sur le développement national des arts, des lettres et des sciences en 1951,* plus connu sous le nom de *Rapport Massey.* Le président de cette commission fut, en effet, Vincent Massey qui, en 1952, devait devenir le premier Gouverneur général de naissance canadienne. Il avait été aussi le premier à occuper le poste de Ministre du Canada à Washington de 1926 à 1931, puis il fut Haut-Commissaire du Canada à Londres pendant la deuxième guerre mondiale. Originaire d'une vieille famille loyaliste de l'Ontario, il vénérait profondément la tradition britannique et se méfiait des influences américaines, tout en reconnaissant que beaucoup de bon, au Canada, était venu des Etats-Unis. Cette commission avait, pour vice-président, le Père Georges-Henri Lévesque, porte-parole éloquent et persuasif de la tradition française, du nord-américanisme et d'un canadianisme très large. Le *Rapport* témoignait un grand intérêt, fait d'estime et de sympathie, pour la culture canadienne-française et il encourageait fortement l'évolution d'un dualisme culturel au Canada. C'est ainsi qu'il fut bien reçu au Québec, malgré le feu d'artillerie que déclenchèrent ses recommandations d'une aide fédérale à l'enseignement, car ce domaine, réservé aux Provinces par la constitution canadienne, est toujours jalousement gardé dans le Québec pour assurer la survivance culturelle canadienne-française.

Pour donner suite aux recommandations du *Rapport,* le gouvernement St-Laurent, par l'intermédiaire de ses principaux organismes culturels, qui sont la Société Radio-Canada, l'Office national du Film et la Galerie nationale, encouragea davantage le dualisme. On espérait ainsi rapprocher les deux cultures canadiennes, pour que les Canadiens se rendent compte de ce qui les unit plutôt que de ce qui les sépare. Puis le Conseil des Arts fut créé, en 1957, avec un fonds de cent millions de dollars, sur la recommandation de la Commission Massey. Dans l'immédiat, la moitié de ce fonds devait servir à la construction de locaux universitaires, tandis que l'intérêt sur l'autre moitié serait consacré à encourager les arts, l'étude des humanités et des sciences sociales. Le Conseil des Arts fit beaucoup pour améliorer le sort des artistes, écrivains et érudits canadiens-français et il favorisa aussi un important programme de traduction pour faciliter les échanges entre les deux cultures.

Or, après la première année de mise à exécution, le Premier Ministre Duplessis interdit aux universités québécoises d'accepter les subsides fédéraux. Prétendant qu'ils étaient offerts en violation de la constitution, il promit cependant de donner, quand il le jugerait bon, l'équivalent en subsides provinciaux. Ce fut alors que les étudiants, montrant plus de courage que leurs aînés, se mirent en grève contre cette politique en 1958, après que Laval, l'université canadienne-française la plus indépendante financièrement, se vit refuser l'appui des Universités McGill et Bishop's pour la combattre. Après la mort de Duplessis en 1959, le Premier Ministre Paul Sauvé élabora une formule compliquée pour permettre aux universités québécoises de recevoir leur part des subsides fédéraux répartis entre toutes les universités canadiennes et qui avaient été mis de côté en attendant qu'elles soient libres de les accepter.

Le geste fédéral avait, cependant, obligé le gouvernement provincial à plus de générosité dans son aide à l'enseignement et, depuis ce temps-là, les universités canadiennes-françaises jouissent d'une prospérité inaccoutumée. Les deux plus anciennes, l'Université Laval à Québec et l'Université de Montréal, se sont considérablement agrandies. Une troisième a été créée à Sherbrooke et l'on projette d'en fonder bientôt une quatrième à Montréal. Il s'agit de faire de la place pour accueillir les milliers de nouveaux étudiants qui veulent bénéficier de l'enseignement supérieur, d'autant plus que de nombreuses bourses d'étude sont maintenant à leur portée et que les portes jadis à demi-closes des universités sont désormais largement ouvertes à tous ceux qui veulent s'instruire.

Aujourd'hui, le régime d'enseignement du Québec, beaucoup plus libéral depuis la guerre, passe par une évolution rapide qui est loin d'être terminée. Le *Rapport Parent* (Québec, 1964-1966) indique bien la voie d'une véritable révolution. Les universités canadiennes-françaises sont des établissements privés d'enseignement supérieur où l'on admettait autrefois uniquement ceux qui étaient passés par le cycle complet de huit ans d'études dans les collèges classiques. De nombreux étudiants étaient ainsi éliminés quand, pour des raisons de famille, ou d'argent, ils ne pouvaient terminer à leurs frais cette préparation obligatoire. On peut, désormais, en suivant des cours du soir, accéder au baccalauréat tout en gagnant sa vie et obtenir ainsi la formation nécessaire pour entrer dans les professions libérales. Un vieux préjugé voulait, autrefois, qu'un clerc n'ait besoin que du prestige de sa soutane pour enseigner, sans autre titre académique. Cette idée est maintenant périmée et, de plus en plus, des laïcs bien préparés remplacent les clercs dans les collèges classiques. Les programmes d'étude ont été élargis et embrassent maintenant davantage de sciences sociales et économiques. Cependant, le Canada français reste fidèle à son ancienne tradition humaniste et il se plaît à constater que des instituts technologiques anglophones, tels que le *MIT (Massachusetts Institute of Technology)* insistent aujourd'hui sur l'importance des humanités pour la formation des ingénieurs et des savants. Dans le Québec, l'enseignement scientifique et technique a fait des progrès remarquables, grâce aux fonds fédéraux et provinciaux, ainsi qu'à l'octroi de nombreuses bourses d'étude. Le Canada français produit aujourd'hui, en nombre toujours croissant, des savants, des ingénieurs, des techniciens hautement spécialisés, des comptables, des économistes, des psychologues, dont la formation leur permet de participer au développement économique de la Province. Ils sont très recherchés par les compagnies étrangères installées au Québec qui, gérées intelligemment, comprennent que le vieux régime de la race des maîtres et du peuple asservi, source de main-d'œuvre à bon marché, est à jamais disparu.

Le Cardinal Paul-Emile Léger, Archevêque de Montréal, a récemment encouragé la fondation d'un collège classique entièrement laïc et il semble prêt à accepter la création d'écoles non-confessionnelles pour ceux qui ne sont ni catholiques, ni protestants[13]. Il est manifeste que l'emprise absolue du clergé sur l'enseignement, autrefois si caractéristique du Québec, n'est plus qu'un souvenir, malgré les pressions exercées par les évêques sur Paul Gérin-Lajoie, qui fut le premier à devenir Ministre de l'Education dans le gouvernement du Québec, pour l'amener à modifier ses réformes. Roger Gaudry, chimiste distingué, devint, en 1965, le premier recteur laïc de l'Université de Montréal et l'Université d'Ottawa fut transformée, la même année, en établissement séculier. Bien que Daniel Johnson et l'Union nationale aient pu encore, en 1966, augmenter leur prestige politique électoral en accusant le gouvernement Lesage de supprimer l'enseignement de la religion dans les écoles (étrange accusation si l'on songe que le *Rapport Parent* est l'œuvre d'une commission qui, ayant à sa tête Mgr Alphonse-Marie Parent, ancien recteur et vice-recteur actuel de l'Université Laval, est formée de clercs et de laïcs favorables aux réformes et au progrès), il semble quand même évident que la population en général, depuis longtemps, préfère le nouveau régime de contrôle des écoles par les laïcs. Au cours des années quarante, un prêtre avisé a pu faire cette sage remarque : « *Il n'y a aujourd'hui que quatre classes dans le Québec : les clercs cléricaux, les clercs anti- cléricaux, les laïcs cléricaux et les laïcs anticléricaux. La seconde et la quatrième classes deviennent dominantes et ce n'est pas une mau- vaise chose.* » Depuis 1945, un anticléricalisme croissant s'oppose à l'extension traditionnelle de l'autorité du clergé dans les domaines non religieux. Les syndicats catholiques sont dirigés maintenant par des laïcs et non plus par des aumôniers. Les laïcs assument un rôle de plus en plus important dans la direction de l'enseignement, de la vie intellectuelle et, même dans le monde religieux, le Cardinal Paul- Emile Léger demande avec insistance que laïcs et clercs travaillent ensemble et de tout cœur à l'œuvre de rénovation de l'Eglise. Cependant, les changements furent si brusques et si rapides qu'il ne faut pas s'étonner si quelques clercs, encore attachés aux anciennes traditions, se plaignent de la « *domination laïque* ». En deux livres célèbres, *Les Insolences du Frère Untel* (Montréal, 1962) et *Sous le Soleil de la Pitié* (Montréal, 1965), le Frère Jérôme (nom de plume de Jean-Paul Desbiens) [14] a bien décrit les attitudes très différentes des jeunes et des vieux prêtres. On se rend d'ailleurs compte de la rapidité de cette évolution si l'on considère que Jean-Paul Desbiens est aujourd'hui un personnage officiel du Ministère de l'Education, alors qu'en 1960 il avait été réduit au silence par sa communauté parce qu'il avait critiqué le régime d'enseignement alors en vigueur.

Au cours des années d'après-guerre, mais surtout depuis 1960, le Canada français a été en pleine et rapide évolution dans tous les domaines à mesure qu'a progressé à grands pas sa révolution industrielle. Son isolationnisme d'autrefois a disparu. Les Canadiens français ont servi, en maintes parties du monde, dans les forces armées et les administrations civiles du Canada et des Nations-Unies. La radio et la télévision ont aidé, par surcroît, à atteindre les plus lointaines régions québécoises qui, jadis isolées, sont ainsi, désormais, en contact avec le Grand Montréal où vit plus de la moitié de la population totale de la Province. Le Canadien français contemporain considère que le Canada tout entier est sa patrie, bien qu'il conserve encore pour son « *pays* » une affection toute particulière. Ces progrès ont amené le Québec à se préoccuper de plus en plus du sort des minorités françaises des autres Provinces et à réclamer l'égalité complète des langues française et anglaise dans le Canada tout entier. Cette préoccupation, d'ailleurs très ancienne, est à la base même d'une bonne part du séparatisme des récentes années. Si les Canadiens français ne peuvent pas être *chez eux* dans le Canada tout entier et *maîtres chez eux* dans le Québec, beaucoup inclinent à douter que la Confédération soit viable, à l'heure où l'on célèbre son centenaire. Cependant, le mouvement séparatiste donne une fausse idée du sentiment général de la population québécoise. La philosophie et le mode de vie de l'immense majorité sont toujours fondés sur des principes de modération et le sens de la mesure. Elle déplore la violence physique et verbale d'un petit groupe d'exaltés qui semblent parfois avoir perdu la raison et, en 1963, le terrorisme du FLQ (Front de Libération du Québec) a provoqué une vive réaction à Montréal. Le *Centre des Recherches sociales* avait évalué à 13 pour cent la proportion des sympathisants séparatistes [15]. Le séparatisme n'est peut-être pas mort, mais ses candidats n'ont obtenu, dans leur ensemble, que 5,6 pour cent des suffrages aux élections de juin 1966 et aucun n'a été élu. Les libéraux obtenaient, pour leur part, 47 pour cent des suffrages et l'Union nationale 45 pour cent. A la surprise générale, cependant, le gouvernement de Jean Lesage fut renversé, cinquante-cinq sièges allant à l'Union nationale et cinquante et un aux libéraux. Cette défaite inattendue est sans doute attribuable à l'instinct de modération du Québec quand il eut à choisir entre le séparatisme et cette « *révolution tranquille* » un peu précipitée qui contrariait, en effet, nombre de ses plus chères traditions. Elle fut aussi une réaction contre la politique de grandeur du chef libéral. Soucieux, avant tout, du prestige du Québec à l'étranger, Jean Lesage semblait parfois prendre le Général Charles de Gaulle pour modèle et il oubliait les tâches ingrates, mais nécessaires, de l'action politique qu'il convenait de mener dans le Québec. Le gouvernement de Daniel Johnson ne peut cependant pas détruire l'œuvre accomplie et empêcher les progrès de la « *révolution tranquille* », même si, avec son infime majorité et ses ministres inexpérimentés, il parvient à rester au pouvoir. L'évolution mise en marche peut, tout au plus, être retardée car, aujourd'hui, l'esprit du Québec est infiniment loin de celui que décrivait Louis Hémon, en 1912, dans son roman *Maria Chapdelaine*. Il faisait alors dire à l'un de ses personnages : « *Au pays du Québec rien ne change et rien ne doit changer* ». Or, de nos jours, tout change et tous conviennent que tout doit changer. Le Québec devient de plus en plus nord-américain, mais dans le sens qui lui est propre et il est clair qu'il restera français et catholique, toujours attaché à ses traditions, à l'avenir comme dans le passé.

### Notes

1. (*Le Devoir*, 2 mai 1949, 3.) Pour un compte rendu complet du rôle de l'Eglise au cours de la grève, voir, de l'Abbé Gérard Dion, *L'Eglise et le Conflit* dans *La Grève de l'Amiante*, de Pierre-Elliott Trudeau (éd.), Montréal, 1956, pages 244 à 262.

2. *Le problème ouvrier en regard de la doctrine sociale de l'Eglise* (Québec, 1950).

3. Voir Leslie Roberts, *The Chief* (Toronto, 1963), pages 171 à 177.

4. En 1966, les jeunes de 18 à 21 ans obtinrent le droit de vote aux élections provinciales et l'on évalue à environ 40 pour cent de la population de la Province les personnes qui ont de 18 à 28 ans : elles constituent la tendance séparatiste la plus forte. D'où l'attention spéciale portée par René Lévesque à ses auditoires universitaires et ce qu'il déclara un jour : « *Quand je regarde en arrière par-dessus mon épaule, je suis effrayé* ». La « *révolution tranquille* », comme les autres révolutions, a laissé en effet loin derrière elle ses premiers instigateurs. Gérard Pelletier, Pierre-Elliott Trudeau et même, jusqu'à un certain point, René Lévesque, sont considérés, par des *leaders* jeunes, comme démodés et arriérés.

5. Premier Congrès des Affaires canadiennes, *Le Canada, expérience ratée... ou réussie ?* (Québec, 1962), pages 15 et 16.

6. « *Le Canada a parcouru une longue route au cours d'une seule génération — et à un rythme particulièrement rapide depuis la seconde guerre mondiale — sur le chemin qui mène à une complète tolérance mutuelle qui caractérise maintenant, dans toutes les régions du pays, les anciens établissements où Anglais et Français se*

*coudoient depuis de nombreuses générations.* » (*Rapport de la Commission Royale sur la radiodiffusion*, Ottawa, 1957, page 241).

7. Une preuve convaincante est le fait que le nombre des automobiles immatriculées dans le Québec a quintuplé de 1945 à 1965. Les automobilistes canadiens-français font preuve aujourd'hui d'un tel zèle expéditionnaire que le *Canadien errant*, voyageant maintenant sur quatre roues dans les régions touristiques septentrionales du New-Hampshire, du Vermont et de l'Etat de New-York, y trouve désormais des indications bilingues le long des routes. C'est d'autant plus curieux qu'au Nouveau-Brunswick et en Ontario, il n'existe aucune indication pareille. En Ontario, dans une région pourtant fortement peuplée de Franco-Ontariens, on tenta d'en installer, ce qui souleva un tel tollé qu'il fallut y renoncer.

8. Voir F. Dumont et Y. Martin, *Situation de la Recherche sur le Canada français* et J.-C. Falardeau, *Roots and Values in Canadian Lives* (Ottawa, 1961).

9. *Louis XVI, la Révolution américaine et le Canada* (Québec, 1960).

10. *Cahiers de l'Institut d'Histoire*, N° 3 (Québec, 1960).

11. Voir Serge Gagnon, *Pour une conscience historique de la révolution québécoise, Cité Libre*, XVI, 83 (janvier 1966), pages 4 à 19.

12. Voir J.-C. Falardeau, *Roots and Values in Canadian Lives* (Ottawa, 1961).

13. Le Québec eut, pendant longtemps, un double Département de l'Education, catholique et protestant. La population juive de Montréal avait bien réclamé, en vain, le droit d'avoir sa propre organisation scolaire. Légalement, pour toutes fins d'éducation dans le Québec, elle était restée protestante. Or, depuis 1945, l'afflux d'immigrants a été tel qu'il y a aujourd'hui, dans la Province, un grand nombre de francophones non catholiques. Ils doivent choisir, pour leurs enfants, un enseignement français et catholique, ou anglais et protestant. Leur embarras a fait l'objet d'une grande attention et des dirigeants laïcs canadiens-français insistent pour que l'on y porte remède.

14. Publiés en anglais sous les titres *Brother Anonymous* (Montréal, 1962) et *For Pity's Sake* (Montréal, 1965).

15. *MacLean's.*

# INDEX

# LISTE DES ILLUSTRATIONS

# TABLE DES MATIÈRES

*I*mprimé *sur les
presses de l'Imprimerie
Saint-Joseph à Montréal.*

IMPRIMÉ AU CANADA